Le droit, la personne

et les affaires

2ᵉ édition mise à jour

Pierre Montreuil et Robert Bouchard

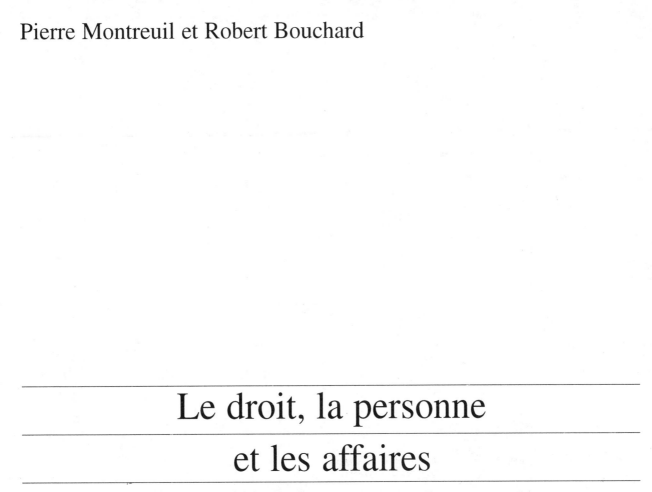

Le droit, la personne
et les affaires

2e édition mise à jour

gaëtan morin
éditeur

Données de catalogage avant publication (Canada)

Montreuil, Pierre, 1952-

  Le droit, la personne et les affaires

  2e éd. mise à jour.
  Comprend des réf. bibliogr. et des index.
  Pour les étudiants du niveau collégial

  ISBN 2-89105-724-4

  1. Droit civil – Québec (Province). 2. Droit commercial – Québec (Province). 3. Droit des affaires –
Québec (Province). 4. Droit – Québec (Province). I. Bouchard, Robert, 1953- . II. Titre.

KEQ202.M66 2001   346.714   C98-941643-7

Tableau de la couverture : *Improvisation chromatique n° 3*
                       Œuvre de **Marc Poissant**

Marc Poissant est né à Montréal en 1945. De 1965 à 1970, il étudie les sciences humaines à l'Université Concordia. Passionné par la peinture dès son jeune âge, il délaisse cette activité, puis renoue avec elle au cours de ses études universitaires.

Cet autodidacte a exposé à la Galerie France-Martin en 1984, 1986, 1988 et 1989 ainsi qu'au Salon des galeries d'art en 1984 et 1985. Bon nombre de ses œuvres ont été acquises par des entreprises prestigieuses et des collectionneurs privés du Canada, des États-Unis et d'Europe.

On trouve les œuvres de Marc Poissant notamment à la Galerie Michel-Ange de Montréal.

Consultez notre site
www.groupemorin.com
vous y trouverez du matériel
complémentaire pour plusieurs
de nos ouvrages.

Gaëtan Morin Éditeur ltée
171, boul. de Mortagne, Boucherville (Québec), Canada J4B 6G4
Tél. : (450) 449-2369

Nous reconnaissons l'aide financière du gouvernement du Canada par l'entremise du Programme d'aide au développement de l'industrie de l'édition (PADIÉ) pour nos activités d'édition.

Révision linguistique : Christian Bouchard
Caricatures : Richard Boudreault

Imprimé au Canada 3 4 5 6 7 8 9 0 1 2   10 09 08 07 06 05 04 03 02 01

Dépôt légal 1er trimestre 1999 – Bibliothèque nationale du Québec – Bibliothèque nationale du Canada

« Notre ignorance de l'histoire
nous a fait calomnier notre temps. »

Gustave Flaubert

AVANT-PROPOS

Lorsque nous nous sommes réunis pour décider du contenu de la première édition de ce nouveau livre de droit, nous avions une question importante à résoudre : devions-nous faire une comparaison avec l'ancien droit ?

Faire une comparaison avec l'ancien droit supposait un dédoublement d'informations pour dire deux choses similaires mais différentes, ce qui aurait pu entraîner de la confusion dans l'esprit du lecteur.

De plus, comme la majorité des lecteurs de ce livre n'ont jamais étudié le droit en vigueur au Québec avant le 1er janvier 1994, ces lecteurs auraient alors appris certains principes de droit pour les rejeter ensuite, car ceux-ci ne s'appliquent plus.

Devant l'incohérence d'une telle démarche, nous avons décidé de concentrer tous nos efforts sur la rédaction d'un livre orienté essentiellement sur le droit établi par le nouveau *Code civil du Québec*, entré en vigueur le 1er janvier 1994, en laissant de côté les anciens principes de droit. Cependant, il était parfois essentiel que nous fassions exceptionnellement allusion à un ancien principe de droit, afin de préciser un point important pour ceux qui connaissent déjà le droit.

Les étudiants et les gens d'affaires ont besoin d'un outil moderne qui sache leur expliquer les règles du droit applicables aujourd'hui et c'est ce que nous avons tenté de faire.

Cette deuxième édition, pour sa part, a bénéficié des commentaires, des questions, des réponses, des suggestions et des critiques de quelques milliers d'étudiants à travers tout le Québec, de nos collègues professeurs tant au niveau collégial qu'universitaire, des juges qui ont commencé à interpréter le nouveau *Code civil*, de nos clients respectifs et d'un certain nombre d'avocats, de notaires et autres professionnels du droit qui ont ainsi contribué à en améliorer substantiellement le contenu.

Nous avons donc ajouté des notions théoriques, des explications, des exemples, des questions, des cas pratiques et des documents. Nous avons également reformulé certaines explications pour préciser des points qui nous ont été soulevés.

Enfin, cette deuxième édition se caractérise par un nouveau mode de présentation des articles de loi et des exemples pour en faciliter le repérage, la lecture et la compréhension.

Finalement, ce livre présente le droit tel qu'il est en vigueur au Québec en date du 1er janvier 1999. À cet effet, nous tenons à rappeler au lecteur avisé la disparition du bref d'assignation à titre de procédure introductive d'instance. En effet, le législateur a remplacé le bref d'assignation par la déclaration à laquelle doit être joint un avis à la partie défenderesse.

Québec, le 1er janvier 1999
Pierre Montreuil
Robert Bouchard

REMERCIEMENTS

Cet ouvrage porte l'empreinte de nombreuses personnes. D'abord, quelques milliers d'étudiants à travers tout le Québec ont contribué par leurs réactions et leurs critiques à façonner le contenu de cette deuxième édition. Nous les remercions en souhaitant que leurs successeurs puissent tirer un profit maximal de nos démarches communes.

Nous devons aussi des remerciements aux collègues de nos établissements d'enseignement respectifs. Leurs conseils ont servi de fondements à la conception de cet ouvrage.

Un merci très spécial à Lucie Desrosiers, Sylvie Drolet, Jean Genest, Daniel Lantagne, André Lavoie, Jean Lupien, Danièle Sauvageau, Rachelle St-Gelais et Daniel Trudel (Collège de Limoilou) ainsi qu'à Jean Bouchard (Cégep Lévis-Lauzon), Louis Germain (Cégep de Shawinigan), Laurent Landry (Collège de la région de l'Amiante), Pierre-A. Pellerin (Cégep de Drummondville), Line Tremblay (Cégep de Chicoutimi) et Réal Vézina (Campus Notre-Dame-de-Foy). Toutes ces personnes ont participé à une journée de réflexion et nous ont fait part de leurs besoins et de leurs exigences.

Également, un merci particulier à nos clients respectifs de ces quinze années qui nous ont imposé rigueur et discipline dans la formulation des réponses à leurs nombreuses préoccupations.

Merci à Me Charles Denis de la compagnie Marque d'or qui a bien voulu commenter les chapitres portant sur l'entreprise et sur les effets de la nouvelle *Loi sur la publicité légale des entreprises individuelles, des sociétés et des personnes morales*. Merci également à Me Michel Guimond et Gabrielle Duhaime du bureau de l'inspecteur général des institutions financières qui nous ont fourni quantité de précisions sur l'interprétation et l'incidence de la nouvelle *Loi sur la publicité légale des entreprises*.

Nous tenons également à remercier les personnes, entreprises et organismes suivants qui ont bien voulu collaborer à la réalisation de ce volume en nous fournissant des documents pour mieux illustrer la réalité juridique : les Assurances générales des caisses Desjardins inc., la caisse populaire Laurier, la Régie du logement, la Société immobilière Marathon ltée (Place Laurier), Agnès Lajoie de l'Office de la propriété intellectuelle du Canada, Normand Prégent du Groupe St-Hubert, André Gauthier et Marie-France St-Pierre de la Banque Nationale du Canada, Micheline Morneau de Transport Morneau inc., Philippe Fortin, professeur à l'UQAM, Grégoire Bellavance, syndic, Susan Gonthier, syndic, Me Guy Lavigne, directeur de l'état civil, Me Robert Nadeau de l'Association de l'immeuble du Québec, Me Jean-Marie Bouchard, inspecteur général des institutions financières, Me Charles A. Veilleux et Me Hélène Morency du cabinet d'avocats Pothier Delisle, Me Philippe Jolicœur, notaire, Me Yvon Lafond, avocat, Nicole Dubé, greffière de la Cour supérieure à Québec, et Me Louis Philippe Delage, avocat au bureau du séquestre officiel à Québec.

Tout ouvrage comprend son lot d'écriture, de ratures et de relectures. La maison Gaëtan Morin Éditeur a réalisé un travail remarquable dont on appréciera ici le résultat. Nous tenons plus spécialement à remercier Lucie Robidas qui s'est, au départ de la première édition, intéressée au projet. Nous tenons aussi à souligner le travail avisé de Josée Charbonneau, Monic Delorme, Céline Laprise et Isabelle de la Barrière dans toutes les opérations qui ont permis la mise en forme de cette deuxième édition. Merci au réviseur linguistique Christian Bouchard, à la correctrice Caroline Langlois et au caricaturiste Richard Boudreault.

Il nous reste enfin à témoigner notre reconnaissance à nos proches qui nous ont encouragés à achever cet ouvrage. Vous avez donné un sens à notre démarche. Merci à vous qui, plus que tout autre, y avez cru.

Les auteurs

TABLE DES MATIÈRES

CHAPITRE 4 LA FAMILLE

CHAPITRE 5   LES SUCCESSIONS

CHAPITRE 6   LES BIENS

CHAPITRE 7   LES OBLIGATIONS ET LE CONTRAT

CHAPITRE 8   LA RESPONSABILITÉ CIVILE

CHAPITRE 9 LES RÈGLES EN MATIÈRE DE PREUVE

CHAPITRE 10 LA VENTE

CHAPITRE 11   LE LOUAGE

CHAPITRE 12 LES ASSURANCES

CHAPITRE 13   LA DONATION, L'AFFRÈTEMENT, LE TRANSPORT, LE MANDAT, LE DÉPÔT, LA RENTE, LE JEU ET LE PARI

CHAPITRE 14   LES CONTRATS SOUMIS À LA *LOI SUR LA PROTECTION DU CONSOMMATEUR*

CHAPITRE 15 LA FORME JURIDIQUE D'UNE ENTREPRISE NON CONSTITUÉE EN PERSONNE MORALE

CHAPITRE 17   LE FRANCHISAGE

CHAPITRE 18   LES RELATIONS DE TRAVAIL

CHAPITRE 19 LE PRÊT ET LE FINANCEMENT DES ENTREPRISES

CHAPITRE 20   LE CAUTIONNEMENT

CHAPITRE 21   LES PRIORITÉS ET L'HYPOTHÈQUE

CHAPITRE 22   LA CONVENTION D'ARBITRAGE, LA TRANSACTION, L'EXÉCUTION FORCÉE, LE DÉPÔT VOLONTAIRE ET LA FAILLITE

CHAPITRE 23 LES LETTRES DE CHANGE ET LA PROPRIÉTÉ INTELLECTUELLE

Chapitre 1

LA DÉFINITION DU DROIT ET LES SOURCES DU DROIT

| 1.0 | **PLAN DU CHAPITRE** |

| 1.0 | **PLAN DU CHAPITRE (suite)** |

| 1.1 | **OBJECTIFS** |

Après la lecture du chapitre, l'étudiant doit être en mesure :

- de comprendre l'origine historique du droit au Québec et au Canada ;
- de comprendre en quoi consiste le droit et qui fait le droit ;
- de comprendre quelles sont les sources du droit et leur place dans notre système.

| 1.2 | **LA DÉFINITION DU DROIT** |

Le cerveau humain met en jeu plusieurs champs de connaissance afin de traiter les informations et de les comprendre. *Par exemple, la lecture d'un livre suppose non seulement de connaître l'alphabet mais aussi le vocabulaire utilisé et la grammaire. Parfois, l'étymologie d'un mot permet même de parfaire un niveau de connaissance ou de saisir avec précision une signification.*

À cet égard, l'étude du droit exige donc que l'on utilise un langage approprié afin que ressortent les niveaux de connaissance permettant de répondre aux questions simples mais nécessaires que soulève cette discipline. De quel langage s'agit-il ? De notre langage de tous les jours ? De celui de nos préoccupations quotidiennes ? Ces langages ont parfois un lien direct avec le droit, mais il ne faut pas pour autant confondre notre langage, notre sens commun et notre bon jugement avec le droit. Il faut d'abord prendre conscience des effets du droit à travers nos préoccupations quotidiennes pour que se dégage ensuite le droit. Ainsi, s'établit le lien entre l'actualité et le droit et, par la suite, apparaît brusquement le rapport de dépendance qui existe entre l'histoire et le droit. *Par exemple, le titre suivant paraissait dans* La Presse *du 22 mai 1993 : « LES QUÉBÉCOIS DISENT OUI À L'AFFICHAGE BILINGUE ». À la suite de la parution de cet article, une discussion émotive et animée s'engage entre un groupe de personnes. Il y sera peut-être question d'institutions, de groupes de pression ou de plusieurs autres sujets, mais de droit, en sera-t-il question ? Discutera-t-on du projet de loi 86 ? De son contenu ? De ses sanctions ?*

En l'an 2030, lorsque vos propres enfants liront les premières pages de ce livre que vous aurez précieusement conservé, le titre dans *La Presse* ne sera pour eux que de l'histoire et non plus de l'actualité. Et c'est de l'actualité et de l'histoire que resurgissent les équations complexes du droit qui ne sont ni l'actualité ni l'histoire.

Par exemple, les modifications au régime d'enseignement collégial mettent aussi en relief cette réalité. C'est le législateur qui a modifié le régime d'enseignement collégial. Les journalistes, eux, ont traité la question, rapporté des propos, mais, fondamentalement, c'est **le législateur qui a modifié le cours de l'histoire** *des institutions collégiales au Québec.*

Tenter de démontrer les rouages du droit, c'est établir ces liens étroits entre le droit et le quotidien, c'est faire ressortir cette intimité entre le langage de tous les jours, l'actualité et l'histoire. Cet exercice est nécessaire.

Ainsi, de nombreuses lois régissent la vie quotidienne. Il y a les lois qui interdisent les crimes comme le vol et le meurtre, mais d'autres lois s'appliquent aux gestes les plus ordinaires : louer un appartement, trouver un emploi, payer des frais de scolarité, être admissible à un régime de prêts et bourses et en bénéficier, se marier. En fait, les lois et particulièrement le *Code civil* visent la plupart des activités de la vie quotidienne. **D'où nous viennent ces règles ?** D'abord de l'histoire, plus exactement, du passé.

1.2.1	## L'HISTORIQUE DU DROIT

La première codification de lois connue remonte au XVIIIe siècle avant Jésus-Christ : il s'agit du *Code d'Hammourabi*, roi de Babylone, dont les lois concernent principalement des matières commerciales et criminelles.

Pendant les trois premiers siècles de Rome, le droit privé a sa source dans les usages alors en vigueur chez les fondateurs de la cité et qui se sont transmis par tradition des peuplades primitives à la nation nouvelle.

En l'an 303, les magistrats patriciens, inspirés par les lois grecques, rédigent la *Loi des XII tables*. C'est la codification de toutes les coutumes anciennes auxquelles la loi a donné une nouvelle force.

En 527, Justinien monte sur le trône et réforme les lois romaines qui deviennent une œuvre fondamentale. Depuis dix siècles, les lois, les constitutions et les ouvrages des jurisconsultes remplissent des milliers de volumes où les règles de droit forment un désordre complet. Justinien, avec son code, y met de l'ordre en retranchant les contradictions, les répétitions et les règles de droit tombées en désuétude. Le code est publié en 529 sous le nom de *Codex Justinianeus*. Il a été suivi en 534 d'une deuxième édition, celle qui est l'ancêtre de tous les codes civils modernes, dont celui du Québec.

1.2.2	## L'HISTORIQUE DU DROIT AU QUÉBEC ET AU CANADA

1.2.2.1	### Avant 1760, la Nouvelle-France : le Régime français

En 1534, Jacques Cartier prend possession du Canada au nom du roi de France. Jusqu'à la moitié du XVIIe siècle, la nouvelle colonie française est sous la gouverne des compagnies de marchands. La direction du pays est alors assurée par un gouverneur à la solde de la compagnie marchande exploitante, qui cumule les fonctions exécutive, législative et judiciaire.

L'échec du gouvernement des compagnies entraîne la reprise de la colonie par le roi. L'administration civile et militaire du pays est partagée principalement entre le gouverneur et l'intendant. Une organisation judiciaire calquée sur le modèle français prend place en Nouvelle-France. Le pouvoir judiciaire est partagé entre le gouverneur et l'intendant d'une part, et les juges royaux et seigneuriaux d'autre part. Une grande diversité de tribunaux coexistent avec à leur sommet le Conseil souverain à partir de 1664.

Sur le plan du droit applicable, les premiers colons ont tout naturellement continué de vivre en Nouvelle-France le droit qui était le leur en France où plusieurs coutumes sont alors en vigueur. À partir de l'établissement de la compagnie de la Nouvelle-France, la *Coutume de Paris* reçoit une prédominance sur les autres coutumes. Ce n'est qu'au moment de la création du Conseil souverain en 1664 que la *Coutume de Paris* devient la *Coutume du Canada*, et le restera jusqu'à l'entrée en vigueur du *Code civil du Bas-Canada* en 1866.

Le droit romain, le droit canon et les ordonnances royales portant sur divers sujets comme la procédure civile, le commerce, la procédure criminelle, rivalisent avec la *Coutume de Paris* pour y suppléer ou la compléter.

1.2.2.2   Après 1760, la Conquête : le Régime anglais

De 1760 à 1763, immédiatement après la Conquête anglaise, un régime militaire est instauré en Nouvelle-France ; les anciennes lois et coutumes en usage dans la colonie française sont temporairement maintenues jusqu'à la *Proclamation royale de 1763*. Cette année-là, par le *Traité de Paris*, la France cède officiellement la Nouvelle-France à l'Angleterre. La Nouvelle-France prend alors le nom de **Province of Quebec**. La *Coutume de Paris* et les lois françaises cèdent leur place aux lois et aux tribunaux calqués sur le système anglais. Devant les cours de justice, on applique la **common law** britannique et la langue anglaise est proclamée langue officielle de justice.

1.2.2.3   En 1774, l'*Acte de Québec*

Jusqu'en 1774, le droit anglais est en vigueur en Nouvelle-France, mais, à la suite des pressions de la population, le parlement britannique adopte l'*Acte de Québec* qui abroge la *Proclamation royale de 1763*, rétablit le droit français dans tous les domaines concernant le droit civil et la propriété et permet le libre exercice de la religion catholique. Les lois criminelles et pénales ainsi que les lois commerciales anglaises demeurent en vigueur. L'anglais et le français deviennent les deux langues officielles au pays. L'*Acte de Québec* permet alors la participation des Canadiens d'origine française au gouvernement civil de la colonie.

1.2.2.4   En 1791, l'*Acte constitutionnel*

En 1791, le parlement britannique adopte l'*Acte constitutionnel* qui divise le Canada en deux provinces : le Haut-Canada et le Bas-Canada. Cette loi introduit au pays le parlementarisme, c'est-à-dire l'élection de députés. C'est peu de temps après, soit en 1793, qu'est adoptée une loi appelée **Loi de judicature** qui constitue encore aujourd'hui la base de notre organisation judiciaire.

1.2.2.5   En 1840, l'*Acte d'Union*

En réponse à l'insurrection des patriotes, le parlement britannique proclame en 1840 l'*Acte d'Union* qui crée un seul gouvernement pour le Haut et le Bas-Canada. On assiste alors à une période de grandes réformes. Des lois sont passées relativement aux registres de l'état civil, aux bureaux d'enregistrement, à l'érection des cours de justice, de palais de justice et de prisons, et à la décentralisation judiciaire par la création de dix-neuf districts judiciaires au lieu de cinq. C'est au cours de cette période que sont adoptées les lois pour créer le Barreau et la Chambre des notaires.

1.2.2.6   En 1867, l'*Acte de l'Amérique du Nord britannique* (AANB) et le partage des compétences

Le Canada représente une fédération composée de deux ordres de gouvernement : un gouvernement central et des gouvernements provinciaux, chacun exerçant le pouvoir de légiférer et de gouverner dans ses champs de juridiction partagés et exclusifs. Le fédéralisme canadien repose sur une **constitution** qui doit son origine à une loi adoptée en 1867 par le parlement britannique. Il faut noter qu'une constitution est une loi fondamentale, ou en quelque sorte une loi première, adoptée par un pays. Elle précise notamment les pouvoirs et les limites des pouvoirs qui peuvent être exercés par chaque ordre de gouvernement. Cette loi définit entre autres, la structure politique d'un pays, le mode d'élection de ses gouvernants, le rôle de ses tribunaux et les garanties dont disposent les citoyens face aux gouvernants. Au Canada, ce pacte confédératif, traditionnellement désigné sous le titre de l'*Acte de l'Amérique du Nord britannique* (AANB) et, depuis 1982, sous le nom de ***Loi constitutionnelle de 1867***, détermine les matières sur lesquelles les différents paliers de gouvernement peuvent légiférer. Ainsi, **il existe dans la constitution un partage des compétences en ce qui a trait au droit de légiférer**. C'est donc à partir de cette loi première que nous retrouvons les réponses aux questions juridiques fondamentales.

Cela signifie que le pouvoir ou la compétence de légiférer est réparti entre le parlement du Canada et les parlements provinciaux. Le parlement du Canada a compétence pour légiférer sur les matières intéressant l'ensemble du pays et qui lui sont attribuées par la constitution. Les parlements provinciaux ont le pouvoir de légiférer sur les matières qui leur ont été attribuées expressément.

Il faut noter que des ententes particulières ont été élaborées pour les peuples autochtones des différentes régions du Canada. *Par exemple, les bandes indiennes peuvent, aux termes de la* Loi sur les Indiens, *exercer sur les réserves toute une gamme de pouvoirs gouvernementaux. Il y a également plusieurs exemples de gouvernements autochtones qui exercent des pouvoirs gouvernementaux en vertu d'ententes particulières conclues avec les gouvernements fédéral et provinciaux.*

En ce qui a trait au gouvernement fédéral, c'est l'article 91 de la *Loi constitutionnelle de 1867* qui détermine les domaines de juridiction du parlement fédéral. Ce dernier possède les pouvoirs généraux de faire des lois pour la paix, l'ordre et le bon gouvernement du Canada, relativement à toutes les matières ne faisant pas partie des catégories de sujets exclusivement assignés aux parlements des provinces.

Les pouvoirs du gouvernement fédéral selon l'article 91 de la Loi constitutionnelle de 1867

Le parlement fédéral peut légiférer dans les domaines suivants :

1. Le prélèvement de deniers par tous modes ou systèmes de taxation.
2. L'emprunt de deniers sur le crédit public.
3. La milice, le service militaire, le service naval et la défense du pays.
4. La fixation des traitements et des allocations des fonctionnaires du gouvernement du Canada.
5. La réglementation du trafic et du commerce.
6. L'assurance-chômage.
7. L'administration des postes.
8. Les recensements et la statistique.
9. La navigation.
10. L'établissement et l'entretien d'hôpitaux de marine.
11. Les pêcheries côtières et intérieures.
12. Le transport par eau entre une province et un pays britannique ou étranger, ou entre deux provinces.
13. Les lignes de navires, les chemins de fer, les canaux, les lignes de télégraphe et autres travaux et ouvrages s'étendant au-delà des frontières d'une province.

14. Les travaux qui, bien qu'entièrement situés dans une province, sont déclarés par le parlement du Canada profiter au Canada en général ou à deux ou plusieurs provinces.

15. La banque et la constitution des banques.

16. Les caisses d'épargne.

17. Le numéraire, l'émission du papier-monnaie, la frappe de la monnaie et le cours légal de la monnaie.

18. L'intérêt de l'argent.

19. Les lettres de change et les billets à ordre.

20. La faillite.

21. Les poids et les mesures.

22. Les brevets d'invention.

23. Les droits d'auteur.

24. Les Indiens et les terres réservées aux Indiens.

25. La naturalisation.

26. Le mariage et le divorce.

27. Le droit criminel et la procédure en matière criminelle.

28. L'établissement, l'entretien et l'administration des pénitenciers.

29. L'agriculture et l'immigration dans toutes les provinces ou dans quelqu'une ou quelques-unes en particulier (article 95).

Les pouvoirs du gouvernement provincial selon l'article 92 de la Loi constitutionnelle de 1867

Le parlement provincial peut légiférer dans les domaines suivants :

1. Le prélèvement de deniers pour des fins provinciales.

2. L'emprunt de deniers sur le seul crédit de la province.

3. La nomination et le paiement des fonctionnaires provinciaux.

4. L'administration et la vente des terres publiques appartenant à la province, ainsi que du bois et des forêts qui y poussent.

5. L'établissement, l'entretien et l'administration des hôpitaux, des asiles, des hospices et des refuges.

6. Les municipalités.

7. Les licences de boutiques, de débits de boissons, de tavernes, d'encanteurs et autres.

8. Les travaux et les ouvrages d'une nature locale.

9. La constitution des compagnies pour des objets provinciaux.

10. La célébration des mariages dans la province.

11. La propriété et les droits civils.

12. L'administration de la justice dans la province.

13. La constitution des tribunaux de compétence civile.

14. La procédure en matière civile.

15. La constitution des tribunaux de compétence criminelle.

16. L'établissement, l'entretien et l'administration des prisons publiques et des maisons de correction.

17. L'infliction de punitions par voie d'amendes, de peines ou d'emprisonnement.

18. De façon générale, toutes les matières qui, dans la province, sont d'une nature purement locale ou privée.

19. L'enseignement (article 93).

20. L'agriculture et l'immigration dans cette province. Cependant, une loi provinciale concernant l'agriculture et l'immigration n'a d'effet qu'aussi longtemps qu'elle n'est pas incompatible avec une loi du parlement du Canada (article 95).

Le pouvoir résiduaire

Depuis 1867, de nouvelles sphères d'activité telles la câblodistribution et l'aéronautique se sont développées. Il faut donc se demander à quel palier de gouvernement appartient le droit de légiférer dans ces domaines. La Cour suprême du Canada a répondu à cette question en statuant que si les articles 91 et 92 n'attribuent pas spécifiquement une matière à un ordre de gouvernement, c'est le parlement fédéral qui possède la compétence de légiférer dans ce domaine. Il s'agit de pouvoir résiduaire ou de compétence résiduelle du parlement fédéral.

Les points de friction

Malgré un partage des compétences entre les gouvernements provinciaux et fédéral en ce qui a trait au droit de légiférer, il existe des points de friction ou de rencontre entre les deux paliers de gouvernement :

- un hôpital relève du provincial, sauf un hôpital de marine ;

- une prison relève du provincial, mais un pénitencier relève du fédéral ;

- la célébration du mariage relève du provincial, mais le mariage et le divorce relèvent du fédéral.

Le fédéral et le provincial peuvent tous deux légiférer en matière d'agriculture et d'immigration, mais la loi fédérale prime sur la loi provinciale.

Dans le domaine de la téléphonie, même si l'ensemble du réseau téléphonique de Québec-Téléphone est situé à l'intérieur du Québec, la Cour suprême du Canada a rendu un jugement le 26 avril 1994 qui stipule que la téléphonie relève du fédéral car les réseaux téléphoniques des différentes compagnies sont reliés.

Il y a parfois des curiosités intéressantes : en principe, le fédéral est responsable des caisses d'épargne, et pourtant les caisses populaires Desjardins relèvent du gouvernement provincial. Cette situation existe parce qu'une caisse populaire Desjardins est **d'une nature purement locale ou privée**, donc de compétence provinciale. Il y a plusieurs sources de conflits de cet ordre entre les gouvernements fédéral et provinciaux.

Dans un tel contexte, le ministère le la Justice du Québec s'est doté de la **Direction du droit constitutionnel** qui conseille les autorités des ministères et de la plupart des organismes publics dans les dossiers relatifs au partage constitutionnel des compétences et à la protection des droits de la personne. Elle veille à assurer la validité constitutionnelle des actions gouvernementales. Elle conduit également les causes importantes du ministère de la Justice et du gouvernement du Québec en ces matières devant les tribunaux. En outre, elle intervient fréquemment au nom du procureur général devant la Cour suprême du Canada dans les dossiers qui lui sont soumis par différentes juridictions canadiennes et qui soulèvent des questions

intéressant le gouvernement québécois sur le partage constitutionnel des compétences ou la protection des droits de la personne. *Par exemple, en 1992, le procureur général a fait des représentations devant la Cour supérieure dans la cause Nancy B. contre L'Hôtel-Dieu de Québec[1] relativement au droit d'une patiente d'interrompre un traitement qui la maintenait en vie. Les représentations du procureur général ont porté tant sur les dispositions du Code criminel que sur celles du Code civil qui reconnaissent le droit à l'intégrité d'une personne et établissent les règles du consentement à des soins. La Cour supérieure a accueilli l'action de Nancy B. visant à faire déclarer que l'hôpital doit respecter la volonté de la patiente et ne pas lui administrer de traitements sans son consentement même si cela peut entraîner son décès.* L'histoire de cette jeune femme qui réclamait le droit de décider de son sort a permis au législateur de concrétiser la tendance des tribunaux dans le *Code civil* en renforçant toute la notion de l'inviolabilité et de l'intégrité de la personne.

| 1.2.2.7 | **En 1931, le *Statut de Westminster*** |

En 1931, le parlement britannique adopte le *Statut de Westminster* qui confère au Canada sa pleine souveraineté politique. Les lois adoptées par le parlement fédéral n'ont plus depuis à recevoir la ratification du parlement de Londres.

| 1.2.2.8 | **En 1982, la *Loi sur le Canada*** |

Depuis 1931, le Canada constitue dans les faits un État pleinement indépendant, mais jusqu'à récemment il devait s'adresser au parlement britannique chaque fois qu'il désirait apporter des modifications à sa constitution. C'est en décembre 1981 que le parlement du Canada présente au parlement britannique une demande de

---

1. Nancy B. c. Hôtel-Dieu de Québec, [1992] R.J.Q. 361 (C.S.)

rapatriement de la Constitution canadienne. Le 17 avril 1982, le Parlement britannique adopte la ***Loi sur le Canada*** aussi connu sous le nom ***Canada Bill*** qui dote alors le Canada d'une nouvelle constitution.

La Constitution canadienne pose le principe selon lequel notre système démocratique repose sur la théorie de la séparation des pouvoirs. Ainsi, le pouvoir de l'État se divise en trois paliers distincts : le **législatif**, l'**exécutif** et le **judiciaire**. Chaque palier possède un champ d'activité spécifique lequel est indépendant des autres.

La *Loi constitutionnelle de 1982* qui figure à l'annexe B de la *Loi sur le Canada* définit ce qu'est la constitution et énonce à l'article 52 que la Constitution du Canada est la **loi suprême** du Canada. Tout en maintenant en vigueur la *Loi constitutionnelle de 1867*, la *Loi constitutionnelle de 1982* comporte cinq éléments nouveaux :

- la *Charte canadienne des droits et libertés* ;
- les droits des peuples autochtones du Canada ;
- la péréquation et les inégalités régionales ;
- la conférence constitutionnelle ;
- la procédure de modification de la Constitution du Canada.

Nous aborderons les deux premiers points seulement.

La Charte canadienne des droits et libertés

Lorsque la constitution a été rapatriée, la *Charte canadienne des droits et libertés* est devenue une partie intégrante de celle-ci. La charte s'applique au parlement fédéral ainsi qu'aux parlements provinciaux. Elle prime les autres lois, car elle est **inscrite** dans la constitution. **Elle est la loi suprême du Canada.** En conséquence, quand une personne croit que le parlement du Canada ou le parlement provincial porte atteinte aux droits garantis par la charte, elle peut s'adresser aux tribunaux pour faire déclarer invalides les dispositions législatives concernées dans la mesure où elles sont incompatibles avec la charte. En outre, les tribunaux peuvent accorder d'autres mesures de redressement appropriées aux personnes dont les droits ont été lésés.

La charte assure un certain nombre de droits aux citoyens tels :

- le droit de vote ;
- la liberté de conscience ;
- la liberté de religion ;
- la liberté de pensée ;
- la liberté d'opinion et d'expression ;
- la liberté de presse.

Elle assure aussi à chaque citoyen certaines garanties juridiques dans les domaines suivants :

- le droit à la vie ;
- le droit à la liberté ;
- le droit à la protection contre les fouilles et les saisies abusives ou contre la détention ou l'emprisonnement arbitraire ;
- le droit d'être informé sans délai anormal de l'infraction reprochée ;
- le droit à l'assistance d'un avocat ;
- le droit d'être jugé dans un délai raisonnable ;
- le droit d'être protégé contre toute peine ou tout traitement inusité ;

- le droit d'être présumé innocent ;
- le droit au cautionnement.

Elle protège également la liberté de circulation et d'établissement des Canadiens dans la province de leur choix de même que le droit d'utiliser l'une des deux langues officielles. Les hommes et les femmes bénéficient de l'égalité des libertés et des droits énumérés dans la charte.

La charte n'énonce pas tous les droits dont nous disposons comme citoyen. Elle ne garantit que certains **droits fondamentaux**. Les autres droits dont nous jouissons sont conférés par les lois fédérales et provinciales, par le droit international et la *common law*.

Finalement, la constitution confirme le **caractère multiculturel** de notre société. Elle reconnaît que les droits garantis par la charte doivent être interprétés conformément à cet idéal.

Les droits des peuples autochtones du Canada

Un certain nombre de dispositions de la charte protègent expressément les droits des peuples autochtones du Canada, qui, par définition, incluent les Indiens, les Inuit et les Métis. Ces dispositions visent, d'une part, à reconnaître et à protéger les libertés et droits ancestraux issus des traités avec les peuples autochtones et, d'autre part, à aider les peuples autochtones à préserver leur culture, leur identité, leurs coutumes, leurs traditions et leur langue. Aucune disposition de la charte ne saurait être interprétée de façon à restreindre les droits dont les autochtones jouissent à l'heure actuelle ou dont ils jouiront éventuellement aux termes du règlement de leurs revendications territoriales.

1.2.2.9   L'*Accord constitutionnel de 1987* (l'accord du lac Meech)

Le Québec n'ayant pas entériné la *Loi constitutionnelle de 1982*, le gouvernement fédéral propose aux provinces une nouvelle formule constitutionnelle reconnaissant au Québec le statut de société distincte. Le Québec avait alors formulé cinq conditions essentielles pour adhérer à l'accord constitutionnel :

- être reconnu comme société distincte ;
- détenir un droit de veto sur tout changement constitutionnel ;
- contrôler son immigration ;
- nommer trois des neuf juges de la Cour suprême ;
- avoir le droit de se retirer, avec pleine compensation, des programmes fédéraux institués dans les champs de compétence provinciale.

Le 30 avril 1987, tous les premiers ministres provinciaux et le premier ministre canadien signent l'accord du lac Meech. Cet accord devait être ratifié par les onze parlements. Les parlements du Manitoba et de Terre-Neuve refusèrent de le ratifier.

1.2.2.10   Le *Rapport du consensus sur la constitution* (l'Entente de Charlottetown de 1992)

L'accord du lac Meech ayant été rejeté, de nouvelles négociations entre les onze premiers ministres aboutissent à l'*Entente de Charlottetown* qui reconnaît le Québec comme société distincte. À la suite du référendum du 26 octobre 1992, le Québec et le Canada rejettent par un **non** majoritaire cette entente qui ne fera que passer à l'histoire.

1.2.2.11 Le référendum de 1995

Le 30 octobre 1995, par une très faible majorité de 52 500 votes sur un total de 4 668 980 votes, les électeurs québécois ont rejeté le projet du gouvernement du Québec d'enclencher le processus de séparation du Québec du Canada. Il y a donc un retour à la case départ, c'est-à-dire à 1982 (voir la section 1.2.2.8, En 1982, la *Loi sur le Canada*).

1.3 LE SYSTÈME JURIDIQUE

1.3.1 D'OÙ VIENT LE DROIT?

Notre droit est issu du passé et du présent. Il est dominé par deux grandes idées, soit celle de ne pas rompre avec le passé et donc d'assurer la continuité du droit actuel et celle de s'adapter à la société québécoise de la fin du XXe siècle et d'assurer une meilleure adéquation au présent.

1.3.2 POURQUOI Y A-T-IL DU DROIT?

Le droit existe parce qu'il est un principe d'organisation de vie en société. En conséquence, il est :

> *le reflet des réalités sociales, morales et économiques de la société québécoise d'aujourd'hui ; un corps de lois vivant, moderne, sensible aux préoccupations, attentif aux besoins, accordé aux exigences d'une société en pleine mutation, à la recherche d'un équilibre […].*
> *(Préface au Rapport sur le Code civil du Québec, vol. I, Projet de code civil (1977), p. XXVI).*

Depuis que nous vivons en société, les lois permettent un lien harmonieux entre nous. *Par exemple, c'est la loi qui oblige les automobilistes à circuler du côté droit sur la route. Si les individus étaient libres de choisir de quel côté conduire, il y aurait un grave problème. D'autre part, les lois qui réglementent le domaine des affaires permettent de tenir pour acquis que ceux avec qui nous transigeons respectent leurs engagements.*

Il existe quand même des mésententes et des conflits entre les citoyens. La loi prévoit un moyen pour résoudre ces conflits de façon pacifique. Notre système repose sur le principe fondamental selon lequel **nul ne peut se faire justice**. Ainsi, si deux personnes revendiquent la propriété d'un même bien, l'affaire se règle autrement que par un duel. C'est à la loi et aux institutions, notamment les tribunaux, qu'il appartient de décider qui est le véritable propriétaire de ce bien et de veiller à ce que ses droits soient respectés.

1.3.3 COMMENT SE PRÉSENTE LE DROIT?

Le droit se présente comme un ensemble de règles de conduite qui régissent les rapports entre les membres d'une société. Une personne seule sur une île déserte n'a pas besoin du droit. La nécessité du droit ne se manifeste que lorsqu'une personne vit en société.

1.3.4	**EN QUOI CONSISTE LE DROIT ?**

Plus que de simples règles de conduite en société, le droit c'est également la **sanction** qui l'accompagne. Une règle de droit doit être respectée. Pour assurer son respect, le législateur prévoit **impérativement** que si une personne la transgresse, elle doit encourir une sanction.

La sanction d'une règle civile peut être une indemnité à payer. Celle de la règle pénale est l'amende ou l'emprisonnement. D'autre part, le débiteur qui ne remplit pas ses obligations peut se voir condamner à payer au créancier des dommages-intérêts en guise de compensation. Il peut également voir ses biens saisis par le créancier et vendus aux enchères. Toutefois, toutes les règles de droit ne sont pas nécessairement impératives. Il existe également des règles dites **supplétives**.

Une règle de droit est dite **supplétive** lorsqu'elle supplée à l'absence d'une volonté exprimée. *Par exemple, dans le cas d'un mariage sans convention matrimoniale, les époux sont réputés avoir opté pour le régime légal de la société d'acquêts.* Les règles relatives au régime matrimonial légal sont donc supplétives et ne s'appliqueront qu'en l'absence d'un choix exprès par les époux.

1.3.5	**QUI FAIT LE DROIT ?**

L'autorité compétente édicte par voie législative ce qu'il y a lieu de nommer le droit objectif. Il s'agit de l'ensemble des règles de droit qui gouvernent les rapports des individus entre eux.

L'adoption d'une loi peut être complexe. *Par exemple, supposons que le gouvernement fédéral veuille adopter ou modifier une loi pour lutter contre la pollution. D'abord, les ministres ou les hauts fonctionnaires sont invités à examiner attentivement le problème afin de déterminer de quelle façon une loi fédérale pourrait s'attaquer à la pollution. Ensuite, un avant-projet de loi est rédigé et soumis à l'approbation du Cabinet, c'est-à-dire l'ensemble des ministres, qui est formé de députés choisis par le premier ministre. Cet avant-projet de loi est alors soumis à l'examen du parlement sous forme de « projet de loi ». Le projet de loi ne devient loi que s'il est approuvé par la majorité des députés et des sénateurs et sanctionné par le gouverneur général.* L'adoption des lois dans chaque province se fait selon un processus similaire.

L'ensemble des règles de notre droit n'est pas homogène et il se retrouve dans plusieurs sources. D'abord :

- le *Code civil du Québec* ;
- la loi ;
- les règlements.

Viennent ensuite :

- la jurisprudence ;
- la doctrine ;
- la coutume.

Nous reviendrons sur ces questions. Pour le moment, tâchons de savoir qui est l'autorité compétente ? Qui est le législateur ? Qui est l'État ?

Le pouvoir législatif édicte les lois. Les lois sont appliquées par le pouvoir exécutif dans les règlements, les décrets et les ordonnances. Le pouvoir judiciaire, par la voie des tribunaux, interprète le tout et rend des décisions qui forment la jurisprudence. Pour ce faire, le législateur s'est doté d'un système lui facilitant l'exercice de légiférer.

Quel est-il ? Le 4 juin 1965 entre en vigueur la *Loi sur le ministère de la Justice*. Le Québec devient ainsi la première province canadienne à se doter d'un **ministère de la Justice**.

Jusqu'alors, la justice était identifiée aux poursuites devant les tribunaux et à la sécurité publique. En créant un ministère de la Justice, il devient alors possible de songer à des réformes qui rendent la justice plus humaine et plus accessible.

À titre d'exemples, citons :

- l'entrée en vigueur, en 1970, d'un nouveau régime matrimonial, celui de la société d'acquêts ;
- l'entrée en vigueur, en 1972, de la *Loi favorisant l'accès à la justice*, loi communément appelée *Loi sur les petites créances* ;
- l'entrée en vigueur, en 1972, de la *Loi sur l'indemnisation des victimes d'actes criminels* ;
- la constitution, la même année, de la Commission des services juridiques ;
- la création, en 1975, de la Commission des droits de la personne par la *Charte des droits et libertés de la personne* ;
- l'instauration, en 1977, de la *Loi visant à favoriser le civisme* ;
- l'adoption, en 1980, de la *Loi pour favoriser la perception des pensions alimentaires* ;
- l'établissement d'un service de cour itinérante pour rapprocher l'appareil judiciaire des justiciables des communautés autochtones et de certaines municipalités ;
- l'institution, en 1988, de la Cour du Québec ;
- la mise sur pied, la même année, du Bureau d'aide aux victimes d'actes criminels et l'ouverture des premiers centres d'aide aux victimes d'actes criminels ;
- l'institution, en 1989, du Tribunal des droits de la personne ;
- la réforme, la même année, de la curatelle publique ;
- l'entrée en vigueur, en 1991, de la réforme des cours municipales ;
- l'adoption, en 1992, de la *Loi sur l'application de la réforme du Code civil* et celle du *Code civil du Québec*, permettant l'entrée en vigueur du nouveau *Code civil* en 1994.

La *Loi sur le ministère de la Justice* précise le cadre général de son organisation et définit les fonctions et les devoirs du ministre.

La mission du ministère de la Justice est de **favoriser la reconnaissance et le respect des droits des citoyens**. À cette fin, il veille à ce que les règles de droit soient respectueuses des droits et libertés et que ces règles permettent l'instauration de rapports harmonieux et équitables aussi bien entre les personnes qu'entre l'État et ses citoyens. De plus, le ministère conseille le gouvernement sur la légalité de ses actions.

1.3.5.1 La Direction générale des affaires législatives

La **Direction générale des affaires législatives** voit à améliorer et à promouvoir la qualité et l'accessibilité des lois et des règlements émanant du ministère de la Justice et de l'ensemble des ministères et organismes du gouvernement du Québec. *Par exemple, le ministère a participé aux divers travaux parlementaires qui ont entouré l'adoption du* Code civil du Québec *par l'Assemblée nationale, le 18 décembre 1991.* Enfin, la direction effectue la refonte, c'est-à-dire la modification aux fins d'amélioration, et la mise à jour, c'est-à-dire la publication des textes tenant compte des dernières modifications apportées, des lois et des règlements du Québec.

1.3.5.2   Le Bureau des lois

Le Bureau des lois conseille le ministère de la Justice et d'autres ministères et organismes du gouvernement dans l'élaboration des projets et avant-projets de loi. À ce titre, il collabore à la rédaction des projets de loi avant qu'ils ne soient soumis à l'Assemblée nationale. Le Bureau des lois assiste, de façon générale, les ministères et organismes lors de l'étude de leurs dossiers par le comité de législation et, occasionnellement, lors de l'étude en commission parlementaire. À l'égard des projets de loi et des règlements du ministère de la Justice, il participe encore plus étroitement aux diverses étapes du processus législatif et réglementaire puisqu'il est chargé de rédiger une partie importante de ces textes.

1.4   LES SOURCES DU DROIT

En droit, il existe un principe universel fondamental, celui de la **territorialité des lois**. Les lois en vigueur au Québec régissent non seulement les citoyens canadiens qui vivent au Québec mais aussi les étrangers résidant au Québec ainsi que les visiteurs au Québec. Cette même règle s'applique lorsque vous êtes à l'étranger. Ainsi, le droit qui s'applique à un individu est le droit en vigueur sur le territoire où il se trouve.

De plus, il est également essentiel de retenir que le système juridique de chaque État repose sur le principe selon lequel **nul n'est censé ignorer la loi**. Autrement dit, le fait de ne pas savoir qu'une loi existe ou que l'on contrevient à la loi ne constitue pas un moyen de défense. Il est donc important pour toute personne de s'informer du droit en vigueur sur un territoire qu'elle habite ou qu'elle visite afin d'éviter d'enfreindre une loi.

1.4.1   LE *CODE CIVIL DU QUÉBEC*, LES LOIS ET LES RÈGLEMENTS

1.4.1.1   Le *Code civil du Québec*

Le Québec est la seule province canadienne à jouir d'un système de droit, sous forme de code.

Le *Code civil du Québec* régit, en harmonie avec la *Charte des droits et libertés de la personne* et les principes généraux du droit, les personnes, les rapports entre les personnes, ainsi que les biens.

Le code est constitué d'un ensemble de règles qui, en toutes matières auxquelles se rapportent la lettre, l'esprit ou l'objet de ses dispositions, établit, en termes exprès ou de façon implicite, le droit commun. En ces matières, **il constitue le fondement des autres lois qui peuvent elles-mêmes ajouter au code ou y déroger.**

Le *Code civil* comprend 3 168 articles répartis en dix livres :

- le Livre premier : Des personnes ;
- le Livre deuxième : De la famille ;
- le Livre troisième : Des successions ;
- le Livre quatrième : Des biens ;
- le Livre cinquième : Des obligations ;
- le Livre sixième : Des priorités et des hypothèques ;
- le Livre septième : De la preuve ;

- le Livre huitième : De la prescription ;
- le Livre neuvième : De la publicité des droits ;
- le Livre dixième : Du droit international privé.

Le 18 décembre 1991 a marqué une étape décisive dans les annales judiciaires du Québec en raison de l'adoption, par l'Assemblée nationale, du **nouveau *Code civil du Québec***.

Entreprise en 1955, la réforme du *Code civil* constitue en soi une réforme en profondeur du droit au Québec. Le nouveau *Code civil du Québec* est venu remplacer le ***Code civil du Bas-Canada***.

Dans le nouveau code, le législateur consolide le droit en :

- harmonisant le texte avec la *Charte des droits et libertés de la personne* ;
- codifiant un certain nombre de principes généraux ;
- consacrant certaines solutions jurisprudentielles ;
- renouvelant certaines institutions, plus particulièrement dans les domaines de la propriété, de la prescription, des sûretés, de l'administration du bien d'autrui ;
- intégrant au code certaines lois particulières.

La réforme a également conduit à l'implantation de nouveaux systèmes d'information, notamment en matière de publicité des droits et du registre de l'état civil. Quant aux conséquences sociales inhérentes à l'entrée en vigueur du *Code civil du Québec*, elles sont importantes et touchent les différents aspects de la vie quotidienne de tout citoyen, que ce soit au chapitre de l'intégrité de la personne, de la famille, de la responsabilité civile, des conventions qu'il établit avec autrui, etc.

Le *Code civil* constitue le fondement des droits et obligations des citoyens dans leurs relations entre eux et dans leurs relations avec les biens, de leur naissance à leur décès.

1.4.1.2   Les lois

La Chambre des communes et le Sénat, qui constituent le parlement fédéral, de même que l'Assemblée nationale du Québec sont les corps législatifs habilités à voter des lois qui s'appliquent au Québec.

Plusieurs termes peuvent être utilisés pour désigner un texte voté par un parlement : loi, charte, code ou statut, mais il s'agit toujours de lois et il n'y a pas de règle qui régit l'usage de ces termes. On peut cependant retenir qu'une **charte** est une loi fondamentale qui a parfois une protection constitutionnelle comme la *Charte canadienne des droits et libertés*, ce qui signifie qu'elle ne peut être modifiée que suivant une entente constitutionnelle.

Ainsi, on retrouve :

- le *Code de la sécurité routière* ;
- le *Code du travail* ;
- la *Loi sur les normes du travail* ;
- la *Charte de la langue française* ;
- le *Statut de Westminster*.

Le terme **statut** utilisé au fédéral désigne le recueil de lois publié annuellement qui contient toutes les lois adoptées durant l'année. Cependant, ce terme n'est plus en usage au Québec ; ce recueil de lois publié annuellement s'appelle maintenant, à titre d'exemple, *Lois du Québec 1995*.

Par ailleurs, comme les gouvernements ont le pouvoir d'amender les lois en fonction des besoins, il est souvent difficile de trouver un texte de loi complet et à jour, à moins de consulter tous les recueils de lois publiés annuellement pour y découvrir d'éventuelles modifications. Pour faciliter ce travail, les gouvernements publient de temps à autre une refonte des lois, c'est-à-dire une mise à jour des lois, comme les *Lois révisées du Canada* de 1985 (l'ancienne refonte datait de 1970) et les *Lois refondues du Québec* de 1977 (l'ancienne refonte datait de 1964). Donc, pour obtenir un texte de loi à jour, il faut remonter jusqu'en 1985 au fédéral et jusqu'en 1977 au provincial. Notez cependant qu'au Québec il existe une mise à jour annuelle. On doit alors consulter les *Lois refondues du Québec*, distribuées en feuilles volantes. Actuellement, certains textes de lois sont disponibles sur disque compact ou CD-ROM. C'est le cas notamment du *Code civil du Québec* et du *Code de procédure civile*. La mise à jour est faite grâce à un nouveau CD-ROM que l'éditeur transmet à ses abonnés. Cette nouvelle méthode utilisant l'ordinateur facilite le travail de recherche.

1.4.1.3   Les règlements

Pour assurer la clarté d'une règle ou d'une norme législative, les gouvernements peuvent adopter des règlements. Alors que la loi doit être adoptée par le Parlement, c'est-à-dire par l'Assemblée nationale au Québec ou par la Chambre des communes et le Sénat au Canada, et qu'elle doit par conséquent être discutée par les députés ou, selon le cas, les sénateurs, le règlement est adopté par le Conseil des ministres au Québec et par le Cabinet au Canada, et n'est pas soumis à l'approbation du Parlement. Un contrôle parlementaire est toutefois possible au fédéral.

Par exemple, la Loi sur l'assurance-maladie *prévoit que la Régie de l'assurance-maladie du Québec peut rembourser le coût de certains médicaments. Par règlement, le ministre ou la régie établit la liste de ces médicaments, fixe le montant qui peut être remboursé et détermine les modalités de remboursement. Puisque ces éléments font partie d'un règlement, un ministre peut très facilement et très rapidement modifier la liste des médicaments et le montant remboursable sans consulter le Parlement.*

Il faut noter que certains organismes comme la Commission de la santé et de la sécurité du travail de même que la Commission des normes du travail ont également le pouvoir d'édicter des règlements.

Ainsi, le *Code civil*, les lois votées par les parlements canadiens et québécois et les règlements adoptés par le Conseil des ministres et le Cabinet constituent la première source du droit.

1.4.2   LA JURISPRUDENCE

La **jurisprudence** est l'ensemble des décisions rendues par les tribunaux ; elle constitue la deuxième source du droit. En droit civil, le rôle des juges est d'appliquer le droit et non pas de le créer. Toutefois, avec les chartes, les juges ont parfois un rôle créatif en matière criminelle et de droit public. De plus il faut noter qu'un tribunal inférieur ne peut jamais renverser une jurisprudence établie par un tribunal supérieur. Il s'agit d'une conséquence de l'application de la **règle du précédent** ou le *stare decisis*, expression latine qui signifie qu'il faut s'en tenir aux choses décidées.

Les juges ne font pas la loi : ils se contentent de l'interpréter et de l'appliquer. Il peut cependant arriver que la loi soit muette sur certains points, ce qui devrait avoir pour conséquence normale d'empêcher un juge de régler un litige. Cependant, le législateur a prévu cette situation en intégrant au *Code de procédure civile* des dispositions qui permettent au juge de rendre toute ordonnance ou de prendre toute décision nécessaire à la bonne marche de la justice ou d'un procès dans les cas où le législateur n'a pas prévu de remède spécifique.

1.4.3   LA DOCTRINE

La **doctrine**, troisième source du droit, est l'ensemble des textes écrits par des juristes. Ces textes sont des explications, des commentaires ou des points de vue qui concernent la législation, la réglementation et la jurisprudence. Ainsi, en matière civile, des auteurs comme Pothier, Mignault, Trudel et Nadeau sont fréquemment cités par les avocats devant les tribunaux. Ainsi, le fait que les ouvrages de Pothier, mort en 1772, sont encore très utiles pour l'étude du droit civil donne une idée de l'importance accordée à la doctrine.

1.4.4   LA COUTUME

La coutume est la quatrième source du droit mais, de nos jours, étant donné l'importance de la codification et des lois, on y a très peu recours. Si un cas n'a pas été prévu, ni dans la loi ni dans la jurisprudence, et que la doctrine n'en fait pas mention, il faut s'en remettre à la coutume, faite de règles issues des usages constants et généraux en vigueur dans une société donnée. La coutume se retrouvait surtout en matière commerciale. Elle a été remplacée par des contrats écrits.

RÉSUMÉ

Le plus vieux texte de droit connu remonte au XVIIIᵉ siècle avant Jésus-Christ ; il s'agit du *Code d'Hammourabi*, qui est un recueil de lois commerciales et criminelles.

Le *Codex Justinianeus* de Justinien publié en 529 est l'ancêtre de tous les codes civils modernes, dont celui du Québec.

La *Loi constitutionnelle de 1867* traite de la répartition des pouvoirs entre les gouvernements fédéral et provinciaux.

Le parlement du Canada a compétence pour légiférer sur les matières intéressant l'ensemble du pays et qui lui sont attribuées par la constitution. Les parlements provinciaux ont le pouvoir de légiférer sur les matières qui leur ont été attribuées expressément.

Le droit provient de quatre sources principales, soit les lois et les règlements, la jurisprudence, la doctrine et la coutume.

Le Québec est la seule province canadienne à jouir d'un système de droit, sous forme de code.

Le *Code civil du Québec*, en vigueur depuis le 1ᵉʳ janvier 1994, régit, en harmonie avec la *Charte des droits et libertés de la personne* et les principes généraux du droit, les personnes, les rapports entre les personnes, ainsi que les biens.

QUESTIONS

1.1   Historiquement, il existe des époques charnières relatives aux régimes qui nous régissaient et au droit applicable qui en résultait. Nommez-les et décrivez-les.

1.2   Expliquez en quoi consiste le droit.

1.3   Établissez les différences entre le pouvoir législatif, le pouvoir exécutif et le pouvoir judiciaire.

1.4   Énumérez les différentes sources du droit selon la place qu'elles occupent dans notre système juridique.

1.5   Quel est le palier de gouvernement responsable des pénitenciers ?

1.6   Quel est le palier de gouvernement responsable des caisses d'épargne ?

1.7   Pourquoi les caisses populaires Desjardins sont-elles sous la responsabilité du gouvernement provincial ?

1.8   Quel palier de gouvernement possède la compétence en matière d'éducation ?

1.9   Un règlement doit-il être respecté autant qu'une loi ? Pourquoi ? Illustrez votre réponse à l'aide d'un exemple.

1.10   Nuancez l'affirmation suivante : « Le rôle du juge est d'appliquer le droit et non pas de le créer ».

CAS PRATIQUES

1.11   Au Québec, une jeune musulmane se voit interdire l'accès à une école sous prétexte qu'elle porte le *hidjab* (voile). Cela porte atteinte à sa liberté de religion. À quelle loi aura-t-elle recours pour faire respecter son droit ?

1.12   Stéphane et Sophie viennent de Lyon en France. Ils visitent le Québec. En tant que touristes, ils doivent respecter notre *Code de sécurité routière*. En vertu de quel principe juridique doivent-ils le faire ?

1.13   Pierre est alpiniste. Il veut financer son projet pour gravir le Mont K-2. Pour ce faire, il crée une loterie sans les autorisations légales du gouvernement. Il est dénoncé. Devant le tribunal, Pierre déclare qu'il ignorait que le jeu (loterie) non autorisé était interdit selon les articles 2629 et 2630 du *Code civil*. Pierre peut-il invoquer cela pour se dégager de toute responsabilité ?

1.14   Louise et Richard désirent se marier. Ils seront régis par certaines règles pour la célébration du mariage et par d'autres règles en ce qui concerne le mariage. Quel palier de gouvernement est en cause ? Expliquez et justifiez votre réponse.

1.15   Jérôme vient d'embaucher Claude. Celui-ci est payé au salaire minimum. L'article 40 de la *Loi sur les normes du travail* permet au gouvernement de fixer le salaire minimum par règlement. L'article 3 du *Règlement sur les normes du travail* fixe aussi le salaire minimum. Jérôme, en tant qu'employeur, doit-il respecter le règlement sur les normes autant que la *Loi sur les normes du travail* ? Expliquez pourquoi.

Chapitre 2

L'ORGANISATION JUDICIAIRE

2.0

PLAN DU CHAPITRE

2.1

OBJECTIFS

Après la lecture du chapitre, l'étudiant doit être en mesure :

- de distinguer les différents tribunaux existant au Québec et au Canada ;
- de comprendre la compétence des différents tribunaux ;

- de classer les tribunaux en commençant par un tribunal de première instance pour terminer par le tribunal de dernière instance ;
- de comprendre le rôle de chacun des membres du processus judiciaire ;
- de différencier une action au civil d'une poursuite au criminel ;
- de différencier les honoraires et les frais judiciaires des honoraires et des frais extrajudiciaires ;
- de connaître le déroulement d'une cause civile de la mise en demeure à la saisie et à la vente en justice des biens saisis ;
- de connaître le déroulement d'une cause pénale ;
- de comprendre les conséquences en matière de temps et d'argent dans le cas d'une action dont la durée s'avère longue ;
- de comprendre en quoi consiste le recours collectif, dans quel cas il peut être entrepris et par qui.

2.2 L'ORGANISATION JUDICIAIRE – LES TRIBUNAUX

Au Canada, la constitution répartit les pouvoirs relatifs au système judiciaire entre les gouvernements fédéral et provinciaux.

Les provinces sont expressément responsables de l'administration de la justice sur l'ensemble de leur territoire. Elles ont donc compétence quant à la création, au maintien et à l'organisation des cours provinciales relativement aux matières civile et pénale.

Pour sa part, le gouvernement fédéral a la compétence exclusive de nommer les juges des cours supérieures dans chaque province. Le Parlement fédéral a également le pouvoir de créer une cour générale d'appel et d'établir des tribunaux additionnels pour la meilleure administration des lois du Canada. C'est en vertu de ce pouvoir que le Parlement fédéral a créé la Cour suprême du Canada et la Cour fédérale du Canada. De plus, le Parlement fédéral a, dans le cadre de sa compétence en matière criminelle, la compétence exclusive en matière de procédure criminelle. Notez que le nom des tribunaux diffère d'une province à l'autre bien que le système judiciaire soit semblable sur l'ensemble du territoire canadien.

La figure 2.1 présente les principaux tribunaux ayant juridiction au Québec selon leur importance.

Figure 2.1 La hiérarchie des tribunaux civils

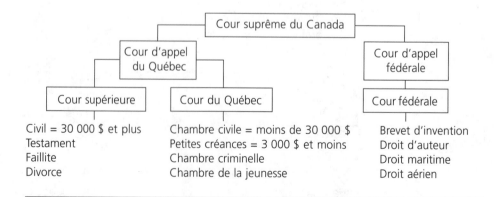

| 2.2.1 | **LES TRIBUNAUX DE PREMIÈRE INSTANCE** |

Toute cause est d'abord portée devant un tribunal de première instance, c'est-à-dire le premier degré dans la hiérarchie des juridictions. Un tribunal de première instance est formé d'un seul juge, alors qu'une cour d'appel est constituée d'un banc de plusieurs juges. **Les principaux tribunaux de première instance sont la Cour supérieure, la Cour du Québec, la Cour fédérale et les différentes cours municipales.**

| 2.2.1.1 | **La Cour supérieure** |

Au Québec, une action doit normalement commencer en Cour supérieure, mais sous réserve de nombreuses exceptions. La *Loi sur les tribunaux judiciaires* prévoit que la Cour supérieure est un tribunal composé de plus d'une centaine de juges, nommés par le gouvernement fédéral. Sa juridiction s'étend sur tout le Québec.

31 C.p.c.
> *La Cour supérieure est le tribunal de droit commun ; elle connaît en première instance de toute demande qu'une disposition formelle de la loi n'a pas attribuée exclusivement à un autre tribunal.*

Elle exerce un pouvoir de surveillance et de contrôle sur les tribunaux relevant de la compétence de la législature du Québec ainsi que sur les corps politiques et les personnes morales au Québec, sous réserve de certaines exceptions.

Elle entend toute demande où la valeur monétaire en litige est d'au moins 30 000 $. Elle a compétence exclusive, notamment en matière de faillite et de divorce ainsi que dans les affaires non contentieuses, comme pour l'homologation d'un mandat donné en cas d'inaptitude. En matière criminelle, elle décide, en première instance, de certaines poursuites engagées en vertu du *Code criminel*. En cas de crime grave, la personne accusée peut être jugée par un juge et douze jurés.

| 2.2.1.2 | **La Cour du Québec** |

La Cour du Québec a compétence en matières civile, criminelle et pénale. Elle traite des questions relatives à la jeunesse. Elle siège en matière administrative ou en appel dans les cas prévus par la loi, comme lorsqu'une personne s'est vu refuser un permis de vendeur itinérant par l'Office de la protection du consommateur.

Elle se compose de plus de deux cent cinquante juges et est dirigée par un juge en chef. La Cour du Québec est composée de trois chambres :

- la Chambre civile ;
- la Chambre criminelle et pénale ;
- la Chambre de la jeunesse.

La Chambre civile

L'article 34 du *Code de procédure civile* établit dans les termes suivants la compétence de la **Chambre civile** :

34 C.p.c.
> *Sauf lorsqu'un recours est exercé en vertu du Livre IX (recours collectif), la Cour du Québec connaît, à l'exclusion de la Cour supérieure, de toute demande :*
>
> *1. dans laquelle la somme demandée ou la valeur de la chose réclamée est inférieure à 30 000 $, sauf les demandes de pension alimentaire et celles qui sont réservées à la Cour fédérale du Canada ;*

> 2. en exécution, en annulation, en résolution ou en résiliation de contrat ou en réduction des obligations qui en résultent, lorsque l'intérêt du demandeur dans l'objet du litige est d'une valeur inférieure à 30 000 $;
>
> 3. en résiliation de bail lorsque le montant réclamé pour loyer et dommages n'atteint pas 30 000 $.
>
> Lorsque, à l'encontre d'une action portée devant la Cour du Québec, un défendeur forme une demande qui, prise isolément, serait de la compétence de la Cour supérieure, celle-ci devient seule compétente à connaître de tout le litige, et le dossier doit lui être transmis sur consentement écrit de toutes les parties ou, à défaut d'un tel consentement, sur demande présentée au juge ou au greffier. Il en est de même lorsqu'à la suite d'un amendement à une demande portée devant la Cour du Québec, cette demande devient de la compétence de la Cour supérieure. [...]
>
> Le présent article ne s'applique pas à une demande résultant d'un bail d'un logement [...]

Cette chambre entend donc les causes où la somme en litige est inférieure à 30 000 $, *par exemple la rupture d'un bail commercial d'une valeur de 7 200 $, la poursuite pour des dommages de 22 500 $ au véhicule d'une entreprise ou la poursuite pour le non-paiement d'une somme de 4 700 $ pour des marchandises vendues et livrées.* Cependant, la chambre civile n'entend pas les causes qui mettent en jeu un bail résidentiel puisque c'est la Régie du logement qui a la compétence pour entendre ces demandes. Deux exceptions importantes existent : les demandes de pension alimentaire et celles qui sont réservées à la Cour fédérale du Canada. La Chambre civile traite aussi les poursuites concernant les affaires municipales et scolaires prévues au *Code de procédure civile.*

Cette chambre possède également compétence exclusive pour entendre les appels de certaines décisions d'organismes tels que la Commission d'accès à l'information et la Régie du logement. Cette compétence d'appel s'applique aussi aux décisions du ministre du Revenu en matière fiscale provinciale. Elle applique également les dispositions du *Code de procédure civile* relatives aux dépôts volontaires.

La Chambre civile possède une division, la **Division des petites créances**, qui entend les causes relatives aux petites créances.

953 C.p.c.

> Une **petite créance** c'est-à-dire :
>
> a) une créance qui n'excède pas 3 000 $;
>
> b) qui a pour cause une obligation contractuelle ou extracontractuelle seule (voir la section 7.2, Les obligations) ;
>
> c) qui est exigible d'un débiteur résidant au Québec ou qui y a un bureau d'affaires ;
>
> d) qui est exigible par une personne physique ou morale en son nom et pour son compte personnels, ou par un tuteur ou un curateur en sa qualité officielle ou encore par un mandataire dans l'exécution du mandat donné en prévision de l'inaptitude du mandat (voir la section 13.5.3, Le mandat donné en prévision de l'inaptitude du mandat)
>
> ne peut être recouvrée en justice que (devant la division des petites créances) [...]
>
> Il en est de même de toute demande qui vise la résolution, la résiliation ou l'annulation d'un contrat lorsque la valeur du contrat, et le cas échéant, le montant réclamé n'excèdent pas chacun 3 000 $.
>
> Une personne morale ne peut, à titre de créancier, se prévaloir des dispositions du présent livre que si, en tout temps au cours de la période de 12 mois qui précède la demande, elle comptait sous sa direction ou sous son contrôle au plus cinq personnes liées par elle par contrat de travail.

Par exemple, si votre voisin a endommagé votre garage pour 2 500 $ ou si vous avez acheté des outils pour 950 $ et qu'ils sont défectueux, vous pouvez vous adresser à la Division des petites créances de la Cour du Québec. On peut y diriger toute demande qui vise la réduction, la résiliation ou l'annulation d'un contrat lorsque la valeur du contrat, et le cas échéant le montant réclamé, n'excède pas 3 000 $.

La Division des petites créances comporte quatre caractéristiques intéressantes.

Premièrement, une personne physique (voir la section 3.3, La personne physique) ainsi qu'une personne morale qui compte sous sa direction ou son contrôle au plus cinq personnes liées à elle par contrat de travail en tout temps au cours des 12 derniers mois (voir la section 3.4, La personne morale), peut déposer une demande devant la Division des petites créances ; si la personne morale compte plus de cinq employés, elle doit s'adresser à la Cour du Québec. Cependant, la personne physique poursuivie en Cour du Québec par une personne morale pour une somme qui n'excède pas 3 000 $, peut demander à la cour de transférer son dossier à la Division des petites créances en vertu de l'article 983 C.p.c. Il s'agit du **référé**. Une personne morale doit évidemment s'y défendre si elle y est poursuivie.

Deuxièmement, les frais de présentation d'une demande aux petites créances varient entre 32 $ et 100 $ selon le montant demandé et si le demandeur est une personne physique ou morale. En défense, le débiteur qui conteste la demande doit déposer une somme variant entre 19 $ et 50 $ selon le montant de la demande et si le défendeur est une personne physique ou morale. Ces tarifs sont indexés chaque année.

Troisièmement, un avocat n'est pas admis à plaider devant la Division des petites créances, à moins qu'il ne soit un employé à plein temps de la partie qu'il représente.

Quatrièmement, l'article 980 C.p.c. prévoit que le jugement est final et sans appel.

Pour le reste, le déroulement d'une action devant la Division des petites créances est similaire à une action devant la Cour du Québec. Une fois le jugement rendu, le demandeur doit retenir les services d'un huissier pour faire saisir et vendre les biens du défendeur.

De plus, les particuliers peuvent également interjeter, devant la Division des petites créances, un appel sommaire en matière fiscale. Le recours à cette division est possible notamment pour obtenir, dans le calcul du revenu ou du revenu imposable, une réduction ne dépassant pas 10 000 $. Ce recours peut aussi être utilisé dans les litiges relatifs aux taxes à la consommation, pourvu que la somme en cause ne dépasse pas 3 000 $, et dans ceux relatifs aux pénalités et intérêts prescrits en vertu d'une loi fiscale, si la somme en cause n'excède pas 1 000 $.

La Chambre criminelle et pénale

La **Chambre criminelle et pénale** a compétence quant aux actes criminels attribués à la juridiction d'un juge de la Cour du Québec, tels le vol d'un sac à main, un coup de poing à un voisin, un excès de vitesse, etc. Dans les autres cas d'actes criminels qui ne sont pas de la compétence exclusive de la Cour supérieure, elle a juridiction à la suite du choix qu'a fait la personne accusée d'être jugée par un juge sans jury en Cour Supérieure ou par un juge de la Cour du Québec. Elle décide enfin des poursuites pour infractions criminelles (partie XXVII du *Code criminel*).

En matière pénale, elle entend les poursuites engagées pour des infractions aux lois provinciales et fédérales.

La Chambre de la jeunesse

La **Chambre de la jeunesse** a juridiction sur tout le Québec en matière civile, criminelle et pénale. En matière civile, elle a compétence quant à l'adoption et à la protection de la jeunesse conformément à la *Loi sur la protection de la jeunesse*. En matière criminelle et pénale, elle entend, en première instance, les cas de personnes de moins de 18 ans ayant commis une infraction à une loi fédérale ou provinciale ou à un règlement municipal.

| 2.2.1.3 | ## La Cour fédérale |

La Cour fédérale a compétence, en première instance, pour juger certains domaines spécialisés qui relèvent de la juridiction exclusive du fédéral, notamment ceux des droits d'auteur, des marques de commerce, des brevets d'invention, du droit maritime, des révisions des décisions rendues en vertu de la *Loi fédérale de l'impôt sur le revenu* et celles rendues en vertu de la *Loi sur la citoyenneté canadienne*. Elle possède également un pouvoir de contrôle sur les décisions des tribunaux administratifs fédéraux. La Cour fédérale comporte également une section d'appel qui révise les décisions rendues par les juges de sa section de première instance. Il est possible d'interjeter appel d'un jugement de la Cour d'appel fédérale à la Cour suprême du Canada.

| 2.2.1.4 | ## Les cours municipales |

Une cour municipale entend principalement les causes relatives à la violation des règlements municipaux de construction, d'hygiène, de salubrité publique et autres, ainsi que de nombreuses infractions pénales légères comme outrepasser une interdiction de stationner, négliger un feu rouge, conduire dangereusement ou en état d'ébriété. La compétence d'une cour municipale est définie principalement dans la *Loi sur les cours municipales* ainsi que dans le *Code de procédure pénale* et le *Code criminel*.

28 L.C.M.

En matière civile, la cour a notamment compétence relativement à :

1. *tout recours intenté en vertu d'un règlement, d'une résolution ou d'une ordonnance de la municipalité pour le recouvrement d'une somme d'argent due à la municipalité à raison notamment de taxe, licence, tarif, taxe de l'eau, droit, compensation ou permis ;*

2. *tout recours intenté en recouvrement de taxe scolaire que la municipalité perçoit au nom d'une commission scolaire ;*

3. *tout recours de moins de 30 000 $ intenté par la municipalité à titre de locateur de biens meubles ou immeubles, autre qu'un immeuble destiné à l'habitation, situés sur son territoire, ou tout recours de même nature intenté contre la municipalité par le locataire de ces biens.*

3 C.p.p.

Les pouvoirs conférés et les devoirs imposés à un juge en vertu du présent code (de procédure pénale) sont exercés par la Cour du Québec ou une cour municipale, dans les limites de leur compétence respective prévues par la loi, ou par un juge de paix, dans les limites prévues par la loi et par son acte de nomination.

2 C. cr.

[...] « cour de juridiction criminelle » (en vertu du Code criminel) [...]

a.1) dans la province de Québec, la Cour du Québec, la Cour municipale de Montréal et la Cour municipale de Québec ; [...]

Le champ d'intervention d'une cour municipale peut sembler similaire à celui de la Chambre criminelle et pénale de la Cour du Québec en ce qui concerne les infractions au *Code de la sécurité routière*. La différence dépend davantage du policier qui vous donne la contravention. *Par exemple, si c'est un policier de la ville de Québec qui vous donne une contravention pour excès de vitesse, votre cause sera entendue devant la Cour municipale de Québec, tandis que si c'est un policier de la Sûreté du Québec qui vous donne cette contravention, votre cause sera généralement entendue devant la Chambre criminelle et pénale de la Cour du Québec.*

| 2.2.1.5 | ## Le Tribunal administratif du Québec |

La *Loi sur la justice administrative* est entrée en vigueur le 1er avril 1998. Cette loi crée le Tribunal administratif du Québec qui intègre les activités de cinq importants tribunaux administratifs :

- la Commission des affaires sociales ;
- le Bureau de révision de l'évaluation foncière ;
- le Tribunal d'appel en matière de protection du territoire agricole ;
- le Bureau de révision en immigration ;
- la Commission d'examen des troubles mentaux.

Le Tribunal administratif du Québec a compétence pour entendre les recours exercés à l'encontre des décisions prises par certains corps publics comme des ministères, des régies, des commissions, des municipalités et des établissements de santé. De plus, le Tribunal administratif du Québec assume la compétence de la Cour du Québec en matière d'expropriation et celle exercée par la Commission municipale en matière d'environnement.

Le Tribunal administratif du Québec est divisé en quatre secteurs :

- le secteur des affaires sociales ;
- le secteur des affaires immobilières ;
- le secteur du territoire et de l'environnement ;
- le secteur des affaires économiques.

Le secteur des affaires sociales couvre les recours ayant trait notamment à la sécurité du revenu, aux allocations sociales, à la protection des personnes atteintes de maladies mentales, aux services de santé, aux services sociaux, à l'immigration et aux régimes de rente. Le secteur des affaires immobilières couvre les recours ayant trait notamment aux contestations relatives aux rôles d'évaluation foncière et à la détermination de l'indemnité en cas d'expropriation. Le secteur du territoire et de l'environnement couvre les recours ayant trait à la protection du territoire agricole et à la protection de l'environnement. Enfin, le secteur des affaires économiques entend les contestations relatives à des permis ou à des autorisations relevant de diverses lois dans les domaines de l'économie, de l'industrie et du commerce.

| 2.2.1.6 | ## Les tribunaux administratifs |

Malgré la répartition des pouvoirs relatifs au système judiciaire entre les gouvernements fédéral et provincial, les parlements sont assistés dans leurs fonctions par une composante essentielle à leur fonctionnement : l'administration gouvernementale. L'appareil administratif et toutes ses ramifications que constitue la fonction publique sont le soutien des parlements fédéral et provincial. Il se compose de ministères et d'organismes qui portent des noms tels :

- la Régie du logement ;
- le Tribunal du travail ;
- le Comité de déontologie policière ;
- le Conseil des services essentiels ;
- la Régie des télécommunications ;
- la Commission d'accès à l'information ;
- la Commission des normes du travail ;
- la Commission des transports du Québec ;
- la Commission des droits de la personne ;
- la Commission de la santé et de la sécurité du travail ;
- la Commission de protection du territoire agricole du Québec ;
- la Commission d'appel en matière de lésions professionnelles ;

- le Conseil de la radiodiffusion et des télécommunications canadiennes;

- la Commission des relations de travail.

Certains de ces organismes ont des fonctions judiciaires ou quasi judiciaires et portent même le nom de tribunal. Ils ne constituent pas pour autant une hiérarchie comparable à celle des autres tribunaux, et ce, même s'il existe une procédure d'appel des décisions rendues par ces tribunaux administratifs. Leur compétence en est une dite **d'attribution**. Ainsi, chacun de ces organismes est responsable **d'un seul secteur** et peut rendre des décisions en faveur ou contre une partie. Il n'entre pas dans le cadre de ce volume de faire le tour de tous ces organismes.

La procédure applicable devant ces organismes administratifs est plus simple et moins formelle que celle des tribunaux ordinaires. Toutefois, pour s'assurer que ces organismes n'outrepassent pas les limites de la compétence que la loi leur confère, et que leurs procédures sont équitables, leurs décisions et leurs débats peuvent faire l'objet d'un contrôle judiciaire. En ce qui concerne les organismes provinciaux, ce contrôle judiciaire est exercé par la Cour supérieure qui a un pouvoir de surveillance et de contrôle sur les tribunaux relevant de la compétence du parlement du Québec. D'autre part, relativement aux organismes fédéraux, ce contrôle est exercé par la Cour fédérale du Canada, notamment en ce qui a trait aux décisions rendues par la Commission d'appel de l'immigration et par la Commission nationale des libérations conditionnelles.

| 2.2.2 | **LES TRIBUNAUX D'APPEL** |

Les principaux tribunaux d'appel au Québec sont la Cour d'appel du Québec et la Cour d'appel fédérale.

| 2.2.2.1 | **La Cour d'appel du Québec** |

Il s'agit du tribunal général d'appel pour le Québec. Elle est composée d'une vingtaine de juges nommés par le gouvernement fédéral. Elle siège à Québec et à Montréal avec un banc formé de trois ou cinq juges selon l'importance de la cause.

En matière civile, la Cour d'appel entend les appels de certains jugements finaux ou interlocutoires de la Cour supérieure et de la Cour du Québec.

En matière criminelle et pénale, ce tribunal entend, lorsque les lois fédérales ou provinciales le permettent, les appels des jugements prononcés par la Cour du Québec et ceux des jugements prononcés en première instance par la Cour supérieure.

La Cour d'appel, ou l'un de ses juges, possède également des compétences particulières en appel, attribuées par diverses lois telles que l'appel d'une décision du Tribunal des droits de la personne.

Ainsi, **l'article 26** du *Code de procédure civile* établit dans les termes suivants la compétence de la **Cour d'appel** :

26 C.p.c.

Peuvent faire l'objet d'un appel, à moins d'une disposition contraire :

1. les jugements finals de la Cour supérieure et de la Cour du Québec, sauf dans les causes où la valeur de l'objet du litige en appel est inférieure à 20 000 $;

2. les jugements finals de la Cour du Québec dans les causes où cette cour exerce une compétence qui lui est attribuée exclusivement par une autre loi que le présent code ;

3. les jugements finals rendus en matière d'outrage au tribunal pour lesquels il n'existe pas d'autres recours ;

4. les jugements ou ordonnances rendus en matière d'adoption ;

5. les jugements finals en matière de garde en établissement et d'examen psychiatrique ;

6. les jugements ou ordonnances rendus dans les matières suivantes :

 a) la modification du registre de l'état civil ;

 b) la tutelle au mineur ou à l'absent et le jugement déclaratif de décès ;

 c) le conseil de tutelle ;

 d) les régimes de protection du majeur et l'homologation du mandat donné par une personne en prévision de son inaptitude.

Peuvent aussi faire l'objet d'un appel, sur permission d'un juge de la Cour d'appel, lorsque la question en jeu en est une qui devrait être soumise à la Cour d'appel :

1. les autres jugements ou ordonnances rendus en vertu des dispositions du Livre VI du présent code (matières non contentieuses) ;

2. le jugement qui prononce sur la requête en annulation d'une saisie avant jugement ;

3. les jugements ou ordonnances rendus en matière d'exécution ;

4. les jugements rendus en vertu de l'article 75.2 ;

5. les autres jugements finals de la Cour supérieure et de la Cour du Québec.

2.2.2.2 La Cour d'appel fédérale

Lorsqu'une personne est insatisfaite d'un jugement rendu par la Cour fédérale, elle peut généralement porter sa cause en appel devant la Cour d'appel fédérale.

2.2.2.3 Le déroulement d'une cause en appel

Une personne peut porter sa cause en appel devant un tribunal d'appel si elle est insatisfaite du jugement rendu par un tribunal de première instance et qu'elle a des motifs à faire valoir. Un tribunal d'appel comporte un banc de trois ou de cinq juges. Il est important de noter qu'en appel il est impossible de faire entendre de nouveaux témoins ou de produire de nouveaux documents : l'avocat doit plaider sa cause en invoquant des faits, des témoignages ou des pièces qui ont déjà été déposés en preuve lors de l'audition en première instance. Il tente de démontrer aux juges d'appel que le juge de première instance a commis une erreur dans l'appréciation des faits ou dans l'interprétation des règles de droit applicables.

Lorsqu'une cause est entendue en appel, il n'y a qu'une seule décision bien que trois ou cinq juges entendent l'appel et rendent chacun leur jugement. Il est possible que les cinq juges soient du même avis, mais il se peut également que quatre juges disent oui et que le cinquième soit dissident, c'est-à-dire qu'il dise non.

Donc, pour connaître le jugement de la cour, il est important de lire la décision de chacun des juges et de ne pas confondre les jugements majoritaires et les jugements dissidents.

2.2.3 LE TRIBUNAL DE DERNIÈRE INSTANCE : LA COUR SUPRÊME DU CANADA

La Cour suprême du Canada constitue le plus haut tribunal, le tribunal de dernière instance ou de dernier ressort. Les neuf juges qui y sont nommés représentent les cinq principales régions du Canada ; trois juges sont issus du Québec.

La Cour suprême entend les appels des décisions rendues par les cours d'appel des provinces et des territoires et par la Cour fédérale du Canada. Ses décisions sont finales. Elle siège avec un banc de 5, 7 ou 9 juges selon l'importance de la cause.

La Cour suprême est appelée à trancher d'importantes questions d'interprétation concernant la Constitution du Canada ou des questions de droit complexes ou controversées. Le gouvernement peut également demander l'avis de la Cour suprême sur des questions juridiques importantes. Parfois, dans certaines affaires pénales, les parties peuvent, de plein droit, interjeter appel à la Cour suprême.

Règle générale, les parties doivent demander aux juges de la Cour suprême la permission d'en appeler.

2.3 LES PROFESSIONS RELIÉES AU DROIT

Le **juge** préside le procès et rend le jugement.

L'**avocat** conseille son client en matière juridique et le représente devant le tribunal. Il peut également être désigné sous le nom de **procureur**, puisqu'il détient une procuration de son client qui lui donne le pouvoir de le représenter. Il faut le distinguer du **procureur de la Couronne**, qui représente l'État dans les affaires criminelles et pénales.

Le **greffier** exerce sa fonction au palais de justice ; il est l'officier préposé à la garde d'un greffe, c'est-à-dire qu'il conserve des dossiers. Lorsqu'une personne désire consulter le dossier d'une action en Cour du Québec, elle s'adresse au greffier. De plus, le greffier est présent en cour pour assister le juge lors de l'audition d'un procès.

Le **greffier spécial**, anciennement le **protonotaire**, assiste le juge, le remplace dans certains cas et célèbre les mariages civils.

Le **registraire** est le greffier agissant en matière de faillite.

Le **maître des rôles** est un employé du palais de justice qui est responsable de dresser les rôles d'audition, c'est-à-dire d'établir l'ordre dans lequel les causes seront entendues devant la cour.

Le **shérif** est responsable des saisies immobilières et de la vente en justice qui en découle ; il travaille au palais de justice.

L'**huissier** est la personne qui signifie les procédures judiciaires aux différentes parties et qui exécute les saisies mobilières et immobilières.

Le **directeur de la publicité des droits**, anciennement le **registrateur**, est le directeur d'un **bureau de la publicité des droits**, anciennement le **bureau d'enregistrement**. C'est dans un tel bureau que sont conservés des sommaires, des extraits ou des copies de tous les actes de vente, d'hypothèque, des contrats de mariage et des autres documents soumis à la formalité de la publicité, tels que la déclaration de copropriété, les servitudes et les autres droits immobiliers. Si une personne désire connaître le véritable propriétaire d'un immeuble ou si elle veut savoir s'il y a des hypothèques ou des dettes sur cet immeuble, c'est au bureau de la publicité des droits qu'elle peut consulter le **registre foncier**, anciennement l'**index aux immeubles**. Et si elle veut savoir si une entreprise a, par exemple, donné ses camions en garantie, elle peut consulter le **registre des droits personnels et réels mobiliers**.

Le **notaire** est un professionnel qui reçoit et rédige des documents, tels les actes de vente, les actes d'hypothèque, les contrats de mariage, les testaments, etc. Certains de ces actes comme une hypothèque, un contrat de mariage ou la donation d'un immeuble doivent être faits devant notaire sous peine de nullité absolue. Le notaire exerce ses activités non pas dans un palais de justice, mais dans une étude de notaires ; il a très peu affaire au palais de justice puisqu'il voit principalement à la prévention des problèmes juridiques et à la rédaction des actes authentiques. Il n'est pas autorisé à représenter des personnes devant les tribunaux en matière contentieuse, ce rôle étant exclusivement réservé à l'avocat. Par contre, le notaire est également un conseiller juridique qui peut donner des consultations et des avis juridiques à ses clients mais en matière non contentieuse seulement.

Le **coroner** est la personne qui recherche, au moyen d'une investigation, l'identité d'une personne décédée, la date, le lieu, les causes probables et les circonstances du décès. Il ne participe pas au procès. Il ne fait qu'enquêter.

2.4 LES HONORAIRES ET LES FRAIS JUDICIAIRES

Une poursuite civile engendre des honoraires et des frais judiciaires, mais aussi des honoraires et des frais extrajudiciaires.

Les **honoraires** sont la rétribution de l'avocat. Ils sont dits judiciaires lorsqu'ils sont reliés directement à la procédure judiciaire, comme une plaidoirie d'une journée à la cour. Ils sont dits extrajudiciaires lorsqu'ils se rapportent à un acte extérieur à la procédure judiciaire, comme une consultation ou une recherche approfondie pour un client.

Les **frais** sont les dépenses engagées. Ils sont dits judiciaires lorsqu'ils découlent de la procédure judiciaire elle-même, tels les timbres judiciaires, la signification des procédures par huissier ou la transcription des bandes enregistrées du procès. Ils sont dits extrajudiciaires lorsqu'ils ne concernent pas directement la procédure judiciaire, tels le coût des timbres, des lettres, des photocopies, du stationnement et même celui du repas pris au restaurant avec le client.

Chaque partie paie les honoraires extrajudiciaires de son propre avocat. Ils sont fixés entre l'avocat et son client selon un tarif horaire ou un pourcentage prédéterminé entre les parties par convention. Ils comprennent les représentations à la cour, les avis, les consultations écrites et verbales, l'examen, la préparation, la rédaction, l'envoi, la remise de tout document et procédure au dossier ainsi que tout autre service requis d'un avocat. Chaque partie doit en outre payer les dépenses ou déboursés de son propre avocat, ses frais de voyage par exemple.

D'autre part, habituellement, la partie perdante à un procès doit payer à l'avocat de la partie gagnante les **dépens** : frais judiciaires et honoraires judiciaires. Le juge peut cependant en décider autrement : généralement, la cour condamne la partie qui perd un procès à payer les frais judiciaires de l'avocat de l'autre partie, en plus de ceux de son propre avocat. La partie qui gagne un procès doit quand même payer les honoraires et les frais extrajudiciaires de son avocat.

Les frais judiciaires comprennent notamment le montant du droit de greffe exigible lors du dépôt d'une procédure à la cour, les frais d'huissier, de sténographie, les frais afférents à la présence des témoins devant la cour, le coût des copies de plans, des actes ou des autres documents. Quant aux honoraires judiciaires, ils sont fixés selon la somme ou la valeur en litige suivant un tarif adopté par le gouvernement. Les dépens peuvent en outre inclure les frais d'experts.

2.5 L'ACTION AU CIVIL ET LA POURSUITE AU PÉNAL

Il est important de faire une distinction entre une action au civil et une poursuite au pénal.

Au **civil**, une personne, un demandeur, poursuit une autre personne, un défendeur, dans le but d'obtenir de l'argent ou encore que le défendeur fasse quelque chose ou s'abstienne de le faire.

Par exemple, Marc poursuit Sylvie pour la somme de 13 000 $ parce qu'elle a détruit son entrepôt. De même, Jeannine poursuit Raymond pour que celui-ci respecte le contrat passé, à savoir la livraison d'une piscine hors-terre. Enfin, Albert poursuit un de ses anciens employés, Bernard, afin que celui-ci n'aille pas travailler pour un concurrent.

Au **pénal**, les poursuites sont intentées par le procureur général du Québec, représenté par un procureur nommé **substitut du procureur général** ou **procureur de la Couronne**, qui cherche à faire condamner à une amende, à une peine de prison ou aux deux une personne qui a commis un délit, une infraction ou un crime.

Par exemple, le procureur général poursuit Maurice pour qu'il soit condamné à une amende de 50 $ pour avoir garé sa voiture dans un lieu interdit. De même, le procureur général poursuit Julie pour qu'elle soit condamnée à la prison à vie pour le meurtre d'un policier. Enfin, le procureur général poursuit Carole pour qu'elle soit condamnée à une amende de 500 $ ou dix jours de prison pour avoir volé des marchandises pour une valeur de 150 $ au dépanneur du coin.

Une action au civil diffère donc complètement d'une poursuite au pénal. Il peut cependant arriver qu'un même fait juridique donne lieu à la fois à une action au civil et à une poursuite au pénal.

Par exemple, Denise a frappé Nancy avec un bâton de base-ball et elle lui a fracturé la mâchoire. Dans ce cas, Nancy peut poursuivre Denise en dommages-intérêts pour la somme de 50 000 $, et le procureur général peut poursuivre Denise pour la faire condamner à une peine, puisque les voies de fait constituent une infraction au Code criminel.

Il faut noter que malgré la distinction traditionnelle entre la poursuite au criminel et la poursuite au pénal, le droit pénal les regroupe et vise l'ensemble des règles qui entraînent des peines (voir la section 2.7.2, La décision dans une affaire pénale). Il n'y a donc pas vraiment lieu de parler de droit criminel pour désigner les crimes prévus au *Code criminel* et réserver l'appellation de droit pénal aux seules infractions visées par les lois provinciales, fédérales et municipales telles que le *Code de sécurité routière*, le *Code canadien du travail* et les règlements municipaux.

2.6　LE DÉROULEMENT D'UNE AFFAIRE CIVILE

Par exemple, supposons que Nathalie Doucet a retenu les services de J. D. Villeneuve ltée, entrepreneur de plomberie, pour effectuer différents travaux dans un immeuble qu'elle possède au 1410, rue de Longueuil, à Québec. L'entrepreneur effectue les travaux et envoie une facture de 14 500 $ à Nathalie. Cette dernière effectue un paiement partiel de 3 500 $, mais néglige de payer le solde de 11 000 $. L'entrepreneur lui envoie un ou deux états de compte pour lui rappeler le solde dû, mais rien n'y fait, Nathalie ne paie pas. Il faut donc engager le processus judiciaire (voir le tableau 2.1). Avant de débuter les procédures judiciaires dans une cause civile, le demandeur ou son avocat envoie habituellement une mise en demeure au défendeur. Si ce dernier fait défaut d'y donner suite ou ne donne pas suite à la satisfaction du demandeur, ce sera alors le début des procédures judiciaires par le dépôt d'une déclaration au greffe de la cour.

Premièrement, J. D. Villeneuve ltée prend contact avec son avocat, Me Pierre Montreuil, pour lui soumettre l'affaire. Après avoir étudié le dossier, l'avocat envoie une **mise en demeure** (voir le document 2.1) à Nathalie pour lui demander de payer la somme de 11 000 $ dans les dix jours, à défaut de quoi il devra entamer les procédures judiciaires. Puisque Nathalie ne donne pas suite à la mise en demeure, Me Montreuil déposera une déclaration au greffe de la Cour du Québec. La mise en demeure précède les procédures judiciaires. Elle n'est pas toujours requise mais le demandeur qui omet d'en transmettre une au défendeur peut se voir refuser par le juge le paiement des honoraires et des frais judiciaires.

La **déclaration** (voir le document 2.2) est le document par lequel commence une action devant la cour. L'avocat y expose les raisons pour lesquelles Nathalie doit être condamnée à payer la somme de 11 000 $ à J.D. Villeneuve ltée. À cette déclaration, l'avocat joint un **avis à la partie défenderesse** qui est un document qui explique à Nathalie qu'elle doit comparaître à la cour dans un délai de dix jours, à défaut de quoi un jugement par défaut (en son absence) pourra être rendu contre elle. Un huissier signifie la déclaration et l'avis à Nathalie et rédige son **rapport de signification** (voir le document 2.3).

Tableau 2.1   Les étapes d'une action devant un tribunal

1. Mise en demeure
2. Déclaration du demandeur et avis à la partie défenderesse
3. Comparution du défendeur sinon jugement par défaut
4. Défense ou plaidoyer sinon jugement par défaut
5. Inscription pour enquête et audition
6. Appel du rôle
7. Émission des *subpœna*
8. Procès
9. Jugement
10. Taxation des mémoires de frais
11. Paiement sinon saisie
12. Paiement sinon vente en justice

Normalement, pour éviter d'être condamnée par défaut, Nathalie doit déposer à la cour une **comparution** (voir le document 2.4), qui est une déclaration écrite qui signifie qu'elle a bien pris connaissance de l'action dirigée contre elle. De plus, elle produira, dans un délai de dix jours, une **défense**, appuyée d'un affidavit dans le cas d'une action sur compte (voir le document 2.5), pour expliquer les raisons pour lesquelles elle ne doit pas être condamnée à payer cette somme de 11 000 $.

Devant la contestation de Nathalie, l'avocat du demandeur peut toujours déposer une réponse, mais il procède souvent à l'**inscription de la cause pour enquête et audition** (voir le document 2.6) ; cela signifie qu'il indique au maître des rôles qu'il est prêt à plaider à la date que le maître des rôles fixera.

À un moment donné, tous les avocats qui ont une cause inscrite pour enquête et audition reçoivent un avis de convocation pour l'appel du rôle. L'**appel du rôle** consiste à déterminer une date et une heure pour l'audition de la cause. Tous les avocats sont réunis dans une salle et un juge préside l'appel : il commence par appeler les causes prioritaires, s'il y en a, puis les causes par ordre d'ancienneté, en commençant par celles qui sont inscrites depuis le plus longtemps. Chaque fois que le juge appelle une cause, les avocats indiquent la date qui leur convient et le juge fixe ainsi la date de l'audition de cette cause. Le juge continue ainsi jusqu'à ce qu'il ait appelé toutes les causes ou qu'il ne reste plus de date ou de juge disponible. Comme l'appel du rôle se fait généralement pour les deux mois à venir, une cause qui n'a pas été fixée à cet appel le sera généralement au prochain appel du rôle.

À partir du moment où un avocat connaît la date du procès, il prépare son dossier, rencontre son client et les témoins éventuels, fait une recherche jurisprudentielle et doctrinale afin de trouver des jugements et des auteurs qui partagent son point de vue. Il procède à l'assignation des témoins nécessaires au moyen d'un **subpœna** (voir le document 2.7), qui est un ordre de la cour enjoignant une personne de comparaître comme témoin au jour et à l'heure indiqués pour la tenue du procès.

Lors du **procès**, l'avocat du demandeur commence par faire sa preuve en faisant témoigner le demandeur et les témoins en sa faveur et en déposant les pièces (contrats, documents, photographies, etc.) à l'appui de ses prétentions. Par la suite, l'avocat du défendeur procède à son tour à sa preuve en faisant entendre le défendeur et ses propres témoins pour démontrer à la cour les raisons pour lesquelles son client ne doit pas être tenu de payer.

Lorsque les avocats ont terminé leur preuve, ils font leur **plaidoirie**, c'est-à-dire qu'ils énoncent les arguments de droit, la jurisprudence et la doctrine à l'appui de leurs prétentions respectives.

Bien que le juge puisse rendre son jugement sur le banc, c'est-à-dire immédiatement, la pratique veut que le juge prenne la cause en **délibéré**, c'est-à-dire qu'il prenne un certain temps pour examiner toute la preuve qui a été faite devant lui ainsi que les arguments de chaque partie. Normalement, un juge peut prendre jusqu'à six mois pour délibérer.

Lorsque le délibéré prend fin, le juge rend son **jugement** (voir le document 2.8), et une copie de ce jugement est envoyée aux avocats des parties. Si une partie est insatisfaite du jugement rendu par la cour, elle dispose d'un délai de réflexion de 30 jours pour décider si elle porte le jugement en appel.

Si une partie porte le jugement en **appel**, il y aura audition devant la Cour d'appel qui entend la cause, avec un banc généralement composé de trois juges.

Si une partie est insatisfaite du jugement rendu par la Cour d'appel, elle peut encore une fois en appeler, mais ce deuxième appel sera entendu devant la Cour suprême du Canada, qui entend la cause avec un banc généralement composé de cinq juges.

Lorsque la Cour suprême du Canada rend son jugement, ce dernier est final et sans appel.

*Par exemple, si le juge a condamné Nathalie à payer la somme de 11 000 $ avec dépens à J. D. Villeneuve ltée et qu'elle n'a pas porté le jugement en appel, chaque avocat fait taxer son **mémoire de frais** (voir le document 2.9), qui comprend les honoraires et les frais judiciaires de chaque partie. « Avec dépens » signifie que Nathalie doit payer non seulement les honoraires et les frais judiciaires et extrajudiciaires de son avocat, mais également les honoraires et les frais judiciaires de l'avocat de J. D. Villeneuve ltée. C'est normalement la partie qui perd qui est condamnée à payer les dépens (voir la section 2.4, Les honoraires et les frais judiciaires).*

*Si Nathalie refuse ou néglige toujours de payer la somme qu'elle doit à J. D. Villeneuve ltée ainsi que le montant du mémoire de frais, l'avocat de J. D. Villeneuve ltée demande à la cour d'émettre un **bref de saisie** (voir le document 2.10) pour saisir les biens meubles, tels que l'automobile, la chaîne stéréophonique, etc., ou les biens immeubles, tels que la maison et le chalet. Il est également possible d'obtenir un bref de saisie pour saisir le salaire ou les comptes en banque de Nathalie. C'est l'huissier qui est chargé de procéder à la saisie des biens d'un débiteur (voir la section 22.3, La saisie).*

*Supposons que l'huissier ait saisi l'automobile, l'ordinateur et la chaîne stéréophonique de Nathalie et que, malgré cela, elle refuse toujours de payer, l'huissier procède à la **vente en justice** de l'automobile de Nathalie. Si la vente en justice rapporte une somme de 14 000 $ et que cette somme couvre à la fois le montant du jugement, du mémoire de frais, des frais de saisie et des intérêts, l'huissier arrête la vente en justice, prélève les frais de justice, paie ce qui est dû à J. D. Villeneuve ltée et remet l'excédent, s'il y a lieu, à Nathalie.*

Si la vente en justice de l'automobile ne rapporte pas une somme suffisante pour couvrir toutes les sommes dues, l'huissier continue la vente en justice en vendant l'ordinateur, puis la chaîne stéréophonique, si nécessaire. Si malgré tout la vente en justice n'a pas rapporté une somme suffisante et que Nathalie ne possède pas d'autres biens saisissables, J. D. Villeneuve ltée devra attendre que Nathalie ait de nouveaux biens qu'il pourra faire saisir. Comme un jugement est valide pour 10 ans, l'entrepreneur n'a qu'à être patient.

2.7 | LE DÉROULEMENT D'UNE AFFAIRE PÉNALE

À la différence d'une action civile, une affaire pénale n'est pas un conflit entre particuliers. C'est l'État, et non un particulier, qui engage la poursuite en matière pénale.

Les infractions pénales sont prévues au *Code criminel* et dans d'autres lois provinciales et fédérales. Elles se divisent en deux catégories : les **infractions punissables par procédure sommaire** et les **actes criminels**. Certaines infractions sont dites **mixtes**, car le poursuivant peut, à sa discrétion, recourir à la procédure sommaire ou procéder par voie de mise en accusation.

La personne accusée d'une infraction punissable par procédure sommaire comparaît devant un juge de la Cour du Québec et le procès se déroule habituellement **sommairement**, c'est-à-dire devant ce juge et sans qu'il y ait d'autres procédures. La peine maximale pour ce genre d'infraction est généralement une amende de 2 000 $ ou un emprisonnement de six mois ou les deux peines à la fois.

Les actes criminels sont des infractions plus graves. Dans la plupart des cas, l'accusé peut choisir d'être jugé par un juge de la Cour du Québec, par un juge de la Cour supérieure ou encore par un juge de la Cour supérieure et un jury. Dans le cas d'un acte criminel, il peut d'abord y avoir une **enquête préliminaire** dans le cadre duquel le juge examine les éléments de preuve afin de déterminer s'ils sont suffisants pour que l'accusé puisse subir son procès. Si le juge estime que la preuve est suffisante, la tenue d'un procès sera ordonnée. Sinon, la poursuite sera abandonnée.

La personne accusée d'une infraction n'est pas nécessairement arrêtée par les policiers ; une simple **sommation** peut être signifiée à l'accusé après le dépôt d'une dénonciation. Une sommation est un ordre de comparaître devant le tribunal à la date fixée pour répondre à l'accusation. Toutefois, si l'accusé est arrêté, certaines procédures visant à protéger les droits qui lui sont garantis par la *Charte canadienne des droits et libertés* doivent être suivies. Il ne faut pas oublier qu'au Canada **tout accusé est présumé innocent** tant qu'il n'est pas déclaré coupable.

Les policiers qui arrêtent ou détiennent une personne doivent l'informer sans délai de son droit à l'assistance d'un avocat. Cette personne doit également être informée des motifs de son arrestation ou de sa détention et de l'infraction précise qu'on lui reproche.

Toute personne, arrêtée ou détenue, a le droit de comparaître dans les plus brefs délais devant un juge, habituellement dans les 24 heures, à moins que les policiers ne la relâchent plus tôt afin d'obtenir une décision quant à sa **mise en liberté sous caution**. Dans une enquête sur le cautionnement, le procureur de la Couronne doit démontrer pourquoi l'accusé ne devrait pas être remis en liberté. La mise en liberté d'un accusé peut être assortie ou non de conditions. Un juge refusera la mise en liberté sous caution d'un accusé s'il a des raisons valables de le faire.

2.7.1 | LE PROCÈS DANS UNE AFFAIRE PÉNALE

Le procès en matière pénale implique la liberté de l'accusé. C'est pourquoi la *common law* et la *Charte canadienne des droits et libertés* lui garantissent des droits. Ainsi, le procureur de la Couronne doit prouver **hors de tout doute raisonnable** que l'accusé est coupable de l'infraction qui lui est reprochée. De plus, le juge qui conclut que des éléments de preuve ont été obtenus dans des conditions qui portent atteinte aux droits que la charte accorde peut déclarer ces éléments de preuve irrecevables.

En matière pénale, la poursuite ne peut pas obliger l'accusé à témoigner. Ce dernier peut toutefois se présenter à la barre des témoins s'il le désire.

2.7.2 LA DÉCISION DANS UNE AFFAIRE PÉNALE

Un accusé déclaré non coupable est acquitté de l'accusation et mis en liberté. Si par le **verdict** l'accusé est déclaré coupable, le juge doit rendre sa **sentence** et décider quelle peine doit lui être imposée. Pour prendre cette décision, le juge doit tenir compte de nombreux facteurs, notamment la gravité de l'infraction, les peines prévues par le *Code criminel* ou les autres lois, la nécessité d'empêcher ou de décourager le contrevenant ou toute autre personne de commettre des crimes semblables et les possibilités de réhabilitation du contrevenant.

Il existe plusieurs types de peines et le juge peut décider de recourir à une combinaison de celles-ci. Parmi les peines susceptibles d'être imposées, mentionnons les suivantes :

L'**amende** : Une somme d'argent pouvant atteindre jusqu'à plusieurs centaines de milliers de dollars.

Le **dédommagement** : Une ordonnance enjoignant le contrevenant d'indemniser la victime pour les blessures, les pertes ou le préjudice subis.

La **probation** : Une ordonnance de mise en liberté assortie de conditions.

Les **travaux communautaires** : Une ordonnance enjoignant le contrevenant d'exécuter un certain nombre d'heures de travail bénévole au profit de la collectivité.

L'**emprisonnement** : L'incarcération dans une prison ou dans un pénitencier. Le contrevenant qui est condamné à un emprisonnement de deux ans ou plus purgera sa peine dans un pénitencier fédéral ; celui qui est condamné à un emprisonnement de moins de deux ans purgera sa peine dans une prison provinciale.

2.8 LES COÛTS ET LA DURÉE D'UN PROCÈS

Avant d'entamer une poursuite en matière civile, il est essentiel de considérer l'importance des coûts et la durée d'un procès. Notez que dans une affaire pénale, comme il ne s'agit pas d'un conflit entre particuliers, c'est l'État qui assumera les frais engagés pour la poursuite ; l'accusé doit assumer les frais de sa défense.

2.8.1 LES COÛTS D'UN PROCÈS

Intenter une poursuite contre une personne entraîne inévitablement un certain nombre de frais. *Par exemple, l'action de J. D. Villeneuve ltée contre Nathalie occasionnera des frais minimums de 2 000 $ à 5 000 $ de part et d'autre. Si l'action avait été déposée en Cour supérieure, les coûts auraient été sensiblement les mêmes. Si Nathalie avait porté le jugement en appel, les frais auraient pu monter facilement à 12 000 $. Enfin, si une des parties était insatisfaite du jugement de la Cour d'appel et portait le jugement en appel devant la Cour suprême du Canada, le coût total du procès pourrait dépasser les 25 000 $ sans difficulté ; il ne faut pas oublier que les parties doivent se rendre à Ottawa pour plaider et qu'il y a forcément des frais de déplacement et de séjour en plus des honoraires et des frais habituels.*

L'affaire de Nathalie est un dossier simple ; lorsqu'il s'agit de dossiers plus complexes, il n'est pas rare que le coût d'un procès en Cour supérieure s'élève entre 10 000 $

et 25 000 $, puis entre 35 000 $ et 50 000 $ en Cour d'appel pour atteindre entre 60 000 $ et 100 000 $ en Cour suprême du Canada.

Aussi, toute personne qui désire intenter une action en justice contre une autre personne doit y penser plutôt deux fois qu'une en raison des frais qui peuvent être élevés. Comme dit le vieil adage, **le pire arrangement est préférable au meilleur jugement**, car lorsqu'elles signent un arrangement, les deux parties savent au moins à quoi elles s'engagent, tandis que si elles choisissent de s'en remettre aux tribunaux, le jugement qui sera prononcé peut leur être favorable, défavorable ou à mi-chemin entre les deux, et il peut coûter très cher à chaque partie.

2.8.2 LA DURÉE D'UN PROCÈS

Une action en Cour du Québec ou en Cour supérieure peut durer un minimum de trois mois si elle n'est pas contestée, jusqu'à une période de deux à cinq ans si l'action est contestée et que les parties utilisent toutes les ressources du *Code de procédure civile* pour faire valoir leurs droits ou pour soulever différents points de droit ou de procédure qui doivent être préalablement résolus avant que le juge puisse entendre la cause.

Si le jugement est porté en appel devant la Cour d'appel, un délai supplémentaire d'une ou de deux années peut s'ajouter. Enfin, si le jugement est porté en appel devant la Cour suprême du Canada, un délai additionnel d'une ou de deux années doit encore se rajouter.

Il y a bien sûr des cas extrêmes. *Par exemple, à la suite de l'incendie du Restaurant La Bastogne à Beauport, dans la région de Québec, survenu dans la nuit du 24 au 25 février 1972, les propriétaires du restaurant ont poursuivi la ville de Beauport. Cette action a été devant les tribunaux pendant 17 ans : le jugement de la Cour supérieure a été rendu en 1980, celui de la Cour d'appel en 1986 et celui de la Cour suprême du Canada en 1989. Le montant des honoraires et des frais dans cette cause dépasse facilement les centaines de milliers de dollars.*

Par exemple, examinons le procès relatif à la MIUF, la mousse isolante d'urée-formaldéhyde. L'audition de cinq causes types devant un juge de la Cour supérieure a duré plus de trois années, et les masses de documents qui y ont été déposées remplissent plusieurs pièces. Il s'agit d'un autre procès qui durera longtemps et qui coûtera des millions de dollars, et dont le jugement sera certainement porté en appel jusqu'en Cour suprême du Canada. Actuellement, le jugement rendu par la Cour supérieure a été porté en appel devant la Cour d'appel du Québec.

Il est donc important de savoir apprécier le coût et les délais d'une action devant les tribunaux.

2.9 LE RECOURS COLLECTIF

Au Québec, le recours collectif existe depuis quelques années. Il s'agit d'une procédure qui permet à un individu d'intenter une poursuite au nom de plusieurs personnes (10, 100, 1 000…) qui sont victimes de la même injustice ou du même dommage.

Par exemple, à la suite d'une grève illégale des chauffeurs d'autobus et des opérateurs de métro de la Société de transport de la communauté urbaine de Montréal, la STCUM, deux usagers ont poursuivi le syndicat en recours collectif pour obtenir le remboursement partiel du laissez-passer mensuel de tous les usagers. Pour éviter les frais d'un long procès, le syndicat a accordé un montant de 275 000 $ en paiement final et complet de toute réclamation découlant de cette grève. Comme il était difficile de répartir cette somme entre tous les usagers détenteurs d'un laissez-passer mensuel, il a été convenu d'utiliser cette somme de la manière suivante :

- rembourser le Fonds d'aide au recours collectif de toutes les sommes avancées aux parties demanderesses (les deux usagers) ;

- verser aux avocats des parties demanderesses la somme de 50 000 $ à titre d'honoraires et de frais judiciaires et extrajudiciaires ;

- payer tous les frais nécessaires pour entériner cette entente ;

- verser le solde à LEUCAN inc. (une association sans but lucratif de parents d'enfants atteints de LEUcémie et de CANcer).

De cet exemple, nous pouvons tirer plusieurs conclusions. Premièrement, une personne doit s'adresser à la Cour supérieure pour obtenir le droit d'intenter un recours collectif ; il peut s'agir d'une personne physique ou bien d'une association de consommateurs, d'une personne morale sans but lucratif ou autre.

L'article 1000 du *Code de procédure civile* édicte l'instance compétente en matière de recours collectif :

1000 C.p.c.

> *La Cour supérieure connaît exclusivement, en première instance, des demandes exercées en vertu du présent livre.*

Deuxièmement, si la partie demanderesse n'a pas les ressources matérielles pour intenter ce recours, elle peut demander l'appui du Fonds d'aide au recours collectif pour le paiement des frais de cour jusqu'au jugement final. Pour le reste, l'action se compare à une cause conventionnelle.

Par exemple, examinons plusieurs cas de recours collectif. Il suffit de mentionner le cas de propriétaires de voitures rouillées prématurément qui décident d'intenter un recours contre le manufacturier, ou celui des abonnés du téléphone ou du câble qui poursuivent l'entreprise concernée parce qu'ils ont été privés du service pendant deux ou trois semaines sans que l'entreprise leur accorde un crédit pour cette période. Pensez également au concert avorté présenté par les groupes Guns N' Roses et Metallica au Stade olympique de Montréal, le soir du 8 août 1992. La Cour supérieure a autorisé une action en recours collectif relativement à ce spectacle. Par une action en recours collectif, une spectatrice déçue demande le remboursement des deux tiers du coût des billets d'entrée du spectacle, au nom de toutes les personnes qui y ont assisté. Ainsi, le droit de chacun de réclamer un remboursement partiel sera conditionnel à la possession d'un billet et au fait d'avoir assisté au concert.

RÉSUMÉ

Les principaux tribunaux qui existent au Québec sont la Cour suprême du Canada, la Cour d'appel, la Cour supérieure, la Cour du Québec et les cours municipales. Si l'action relève du fédéral, les principaux tribunaux sont la Cour suprême du Canada, la Cour d'appel fédérale et la Cour fédérale.

Dans le cas d'une action au civil, c'est le demandeur qui poursuit l'auteur d'un bris de contrat ou d'un dommage, tandis que dans le cas d'une poursuite au criminel, c'est le procureur général du Québec, représenté par un substitut du procureur général, qui poursuit l'auteur du dommage pour le faire condamner à une amende, à une peine de prison ou aux deux.

Les personnes qui exercent une profession reliée au droit sont : le juge, l'avocat, le notaire, le shérif, le greffier, le registraire, le maître des rôles, l'huissier, le coroner et le directeur de la publicité des droits.

Les honoraires sont la rétribution de l'avocat, tandis que les frais sont les dépenses engagées par ce dernier. Les honoraires et les frais judiciaires sont ceux qui sont spécifiquement engagés dans le cadre de la procédure devant les tribunaux, tandis que les honoraires et les frais extrajudiciaires concernent tous les autres honoraires, frais de recherche et autres frais engagés par un avocat.

Avant de débuter les procédures judiciaires dans une cause civile, le demandeur ou son avocat envoie habituellement une mise en demeure au défendeur. Si ce dernier fait défaut d'y donner suite ou ne donne pas suite à la satisfaction du demandeur, ce sera alors le début des procédures judiciaires par le dépôt d'une déclaration au greffe de la cour. Une cause civile se termine par un jugement suivi d'une saisie si le perdant refuse de payer la somme à laquelle il a été condamné.

Il faut évaluer soigneusement les coûts et la durée d'un procès, car les frais peuvent s'élever rapidement et le procès peut être très long.

Le recours collectif permet à une seule personne d'intenter une action au nom de plusieurs autres qui sont toutes victimes d'un dommage similaire causé par la même personne.

QUESTIONS

2.1 Un demandeur peut-il déposer une demande en première instance devant la Cour suprême du Canada ? Pourquoi ?

2.2 Combien de juges composent, au minimum, un banc à la Cour suprême du Canada ?

2.3 Expliquez les différences entre :

- un avocat et un procureur ;

- un notaire et un avocat ;

- un shérif et un huissier.

2.4 Qui paie les honoraires et les frais judiciaires dans un procès ?

2.5 Pourquoi les coûts et les délais sont-ils des éléments importants à considérer avant de déposer une action devant les tribunaux ?

2.6 Qui peut entreprendre un recours collectif ?

2.7 Quel est le tribunal compétent en matière de recours collectifs ?

CAS PRATIQUES

2.8 Hélène a vendu, à un collègue de travail, son bateau de plaisance de 35 000 $. Yves prétend qu'il y a une erreur et que ce n'est pas ce bateau-là qu'il a visité. Il veut faire annuler cette vente. Devant quel tribunal Yves intentera-t-il une action contre Hélène et en vertu de quels articles ?

2.9 Ginette est peintre. Il y a deux mois, elle a vendu une toile à Clément pour la somme de 1 000 $. Son client lui paie 750 $ tout de suite et s'engage à payer la différence en un seul versement deux semaines plus tard. Après l'expiration du délai prévu, à quelques reprises, Ginette avise Clément de bien vouloir lui régler le montant dû. Enfin, il y a onze jours, elle lui envoie une mise en demeure à laquelle Clément ne répond pas. Aujourd'hui, devant quel tribunal Ginette peut-elle réclamer la somme due ? Précisez en vertu de quel article. Est-il possible d'en appeler de la décision de ce tribunal ? Justifiez votre réponse.

2.10 Nathalie, Julien et Christian sont tous propriétaires de cafetières électriques de même modèle et de même marque. Il y a trois semaines, Julien a été brûlé à la suite de l'explosion de sa cafetière. Nathalie et Christian ont également été brûlés récemment. Quinze autres personnes semblent être dans le même cas. Que peut faire Julien et devant quel tribunal intentera-t-il une poursuite ? Justifiez votre réponse.

2.11 Une collision est survenue à un passage à niveau à Ville Vanier, entre un train et le camion de Michel Lachance. Le CN, pour son train et ses installations, a subi 71 600 $ de dommages. La Cour supérieure attribue l'entière responsabilité de l'accident à Michel Lachance. Le procureur de ce dernier n'est pas d'accord avec cette décision et prétend que le CN n'a pas surveillé adéquatement l'utilisation du passage à niveau, ce que le juge de première instance a négligé de considérer. Michel Lachance dispose-t-il d'un recours ? Devant quel tribunal ? Justifiez votre réponse.

2.12 Sur les lieux de son travail, Philippe a remarqué qu'il y avait un escabeau et plusieurs restes de matériaux qui traînaient dans le corridor depuis quelque temps. Il a averti son employeur, à quelques reprises, de ce danger pour les travailleurs. L'employeur n'a encore rien fait. Devant quel tribunal Philippe doit-il aller pour forcer son patron à corriger cette situation dangereuse ?

2.13 Dernièrement, Marc a eu certains problèmes avec Revenu Canada. Il se sent lésé et veut contester l'interprétation d'un article de la *Loi fédérale de l'impôt sur le revenu*. Devant quel tribunal Marc peut-il exposer ses prétentions ? Nommez les tribunaux où il pourra éventuellement en appeler.

2.14 Il y a quatre jours, Jean a acheté une voiture neuve d'une valeur de 23 000 $. Yvan, jaloux et pas très équilibré, a volontairement endommagé le véhicule de Jean pour une somme de 9 000 $. Devant quels tribunaux Yvan peut-il être poursuivi ? Par qui ? Dans quels buts ? Justifiez votre réponse.

2.15 Marianne est propriétaire d'un édifice à bureaux sur le chemin Sainte-Foy à Québec. Son édifice a été endommagé pour une valeur de 38 000 $ à la suite d'une explosion qui a eu lieu dans la cour de son voisin Gérard, en raison d'une mauvaise utilisation d'un brûleur au gaz propane.

2.15.1 Devant quel tribunal Marianne intentera-t-elle son action ? En vertu de quel article ?

2.15.2 Si les dommages subis par l'édifice de Marianne n'avaient été que de 23 000 $, quelle aurait été votre réponse ? En vertu de quel article ?

2.15.3 Si les dommages subis par l'édifice de Marianne n'avaient été que de 2 300 $, quelle aurait été votre réponse ? En vertu de quel article ?

2.15.4   Dans les cas 2.15.1, 2.15.2 et 2.15.3, si l'édifice avait été au nom de « Gestion Marianne inc. », quelles auraient été vos réponses ? Pourquoi ? En vertu de quel article ?

2.16   Louis a volontairement détruit une bicyclette d'une valeur de 250 $ appartenant à sa voisine Gisèle. Devant quels tribunaux Louis sera-t-il poursuivi ? Par qui ? Dans quels buts ? Justifiez vos réponses.

2.17   Michel a signé un bail de trois ans pour la location d'un local commercial à Place Laurier, à Sainte-Foy, à raison de 300 $ par mois. Depuis trois mois, Michel refuse de payer le loyer. Devant quel tribunal la Société Immobilière Marathon ltée, propriétaire de Place Laurier, déposera-t-elle son action ? En vertu de quel article ?

DOCUMENTS

Document 2.1 :   Mise en demeure

Document 2.2 :   Déclaration et avis à la partie défenderesse

Document 2.3 :   Rapport de signification

Document 2.4 :   Comparution

Document 2.5 :   Défense et affidavit

Document 2.6 :   Inscription pour enquête et audition

Document 2.7 :   *Subpœna*

Document 2.8 :   Jugement

Document 2.9 :   Mémoire de frais

Document 2.10 :   Bref de saisie mobilière

Document 2.1	## MISE EN DEMEURE

Montreuil et Bouchard, S.E.N.C.

1050, rue Orléans	Téléphone : (418) 621-5032
Charlesbourg, Québec	Télécopieur : (418) 621-5092
G1H 2H2	Courriel : milady@cmq.qc.ca

Pierre Montreuil, D.E.S.S., M.B.A., LL.L.   Robert Bouchard, LL.B.

Charlesbourg, le 12 juin 1997   « Courrier recommandé »
                                                        « Sans préjudice »

Madame Nathalie Doucet
1410, rue de Longueuil
Québec, Québec
G1S 2G3

Objet :   Compte impayé de J.D. Villeneuve ltée

Madame Doucet,

Depuis quelques mois, vous avez refusé ou négligé de payer un compte de la plomberie J.D. Villeneuve ltée, bien que vous en ayez été requise à plusieurs reprises.

Aussi, par la présente, nous vous mettons en demeure de nous faire parvenir d'ici dix (10) jours un chèque à l'ordre de « Montreuil et Bouchard, S.E.N.C. en fiducie » pour un montant total de 11 520,00 $ comprenant un solde dû de 11 000 $, des intérêts de 500 $ et des frais de mise en demeure de 20 $, à défaut de quoi nous avons instruction de notre cliente de procéder immédiatement et sans autre avis par action en justice, ce qui aura pour effet d'augmenter notre réclamation de plusieurs centaines de dollars compte tenu des honoraires et des frais judiciaires.

Dans l'attente de vous lire, nous vous prions d'agréer, madame Doucet, l'expression de notre considération distinguée.

Montreuil et Bouchard, S.E.N.C.

Pierre Montreuil

p.j. : Copie de votre état de compte

Document 2.2 | DÉCLARATION ET AVIS À LA PARTIE DÉFENDERESSE

Canada

Province de Québec
District de Québec

No : 200-02-003579-977

Cour du Québec
(Chambre civile)

J. D. Villeneuve ltée, personne morale ayant son siège au 1640, boulevard René-Lévesque ouest à Québec (Québec), G1S 1X5

Demanderesse

c.

Nathalie Doucet, résidant au 1410, rue de Longueuil à Québec (Québec), G1S 2G3

Défenderesse

Déclaration

La demanderesse déclare :

1. La demanderesse est une entreprise spécialisée dans les travaux de plomberie et de chauffage.

2. À la demande de la défenderesse, la demanderesse a exécuté des travaux, à savoir changer le système de chauffage de la maison de la défenderesse sise au 1410, rue de Longueuil à Québec pour la somme de 14 500 $, tel qu'il appert du contrat signé par les parties le 8 octobre 1996 et produit sous la cote P-1.

3. Les travaux ont été exécutés du 21 au 25 octobre 1996 selon les règles de l'art et la demanderesse n'a reçu aucune plainte ou commentaire négatif de la part de la défenderesse.

4. Le 15 décembre 1996, la défenderesse a remis à la demanderesse un acompte de 3 500 $.

5. La défenderesse refuse ou néglige de payer ce solde de 11 000 $ bien que requise à plusieurs reprises par la demanderesse, tel qu'il appert d'une série de cinq états de compte produits en liasse sous la cote P-2.

6. La défenderesse refuse ou néglige de payer ce solde de 11 000 $ bien que mise en demeure par les procureurs de la demanderesse, tel qu'il appert d'une copie de la mise en demeure produite sous la cote P-3.

7. L'action de la demanderesse est bien fondée en fait et en droit.

Pour ces motifs, plaise au tribunal :

Accueillir cette action ;

Condamner la défenderesse à payer à la demanderesse la somme de 11 000 $ avec intérêts au taux légal plus l'indemnité additionnelle prévue à l'article 1619 du Code civil du Québec, à compter de la date d'assignation ;

Le tout avec dépens.

Québec, le 10 juillet, 1997

Montreuil et Bouchard, S.E.N.C.
Procureurs de la demanderesse

| Document 2.2 | DÉCLARATION ET AVIS À LA PARTIE DÉFENDERESSE (suite) |

Avis à la partie défenderesse
(articles 119 et 813 C.p.c.)

Prenez avis que la partie demanderesse a déposé au greffe de la Cour du Québec du district judiciaire de Québec la présente demande.

Pour contester cette demande, vous devez d'abord comparaître en vous rendant au greffe du Palais de Justice de Québec pour y remplir une formule de comparution. Vous pouvez également donner le mandat à un avocat qui peut vous représenter et agir en votre nom.

(Le demandeur ou son procureur coche la case qui s'applique.)

[ ]   En matière civile

Si vous désirez contester la demande, vous devez d'abord comparaître au greffe du tribunal dans le délai suivant : 10 jours

Par la suite, vous pourrez alors contester cette demande dans les délais légaux.

[ ]   En matière familiale

Si vous désirez contester la demande, vous devez le faire dans le même délai qui vous est donné pour comparaître, soit dans le délai suivant : _____

Aucun délai additionnel ne s'ajoute à celui qui vous est donné pour comparaître.

Prenez également avis qu'à défaut par vous de comparaître ou de contester dans (le ou les) délai(s), la partie demanderesse pourra obtenir un jugement par défaut contre vous. Et, si vous n'avez pas comparu, la partie demanderesse ne sera pas tenue de vous informer de ses démarches ultérieures.

Du référé de la cause à la Division des petites créances
(article 983 C.p.c.)

Un débiteur poursuivi suivant les autres livres du présent code pour une somme n'excédant pas 3 000 $ par un créancier qui n'est pas admis à se prévaloir du présent livre peut, s'il a l'intention de contester l'action, de se prévaloir du paragraphe e de l'article 962 ou, s'il ne s'est pas prévalu de l'article 652, de proposer des modalités de paiement, demander par écrit au greffier du tribunal d'où émane la déclaration que la cause soit continuée suivant les dispositions du présent livre.

Le présent article ne s'applique qu'à un débiteur qui, s'il était créancier, serait admis à se prévaloir du présent livre.

Note

Lors de votre demande de référé, vous devez verser les frais judiciaires de **contestation** prévus au tarif de la Cour du Québec, chambre civile, division des petites créances.

Document 2.3	# RAPPORT DE SIGNIFICATION

Canada

Province de Québec
District de Québec

No : 200-02-003579-977

Cour du Québec
(Chambre civile)

J. D. Villeneuve ltée

Demanderesse

c.

Nathalie Doucet

Défenderesse

Rapport de signification

Je soussignée, Marie-Michelle Bellerose, huissier de justice, faisant affaires au 639, 8e Avenue à Québec (Québec), G1K 7N8, certifie sous mon serment d'office que le 18 juillet 1997 à 14 h 30, j'ai signifié cette déclaration, un état détaillé et l'avis de l'article 119 C.p.c. à la défenderesse Nathalie Doucet, en laissant une copie certifiée conforme à la défenderesse personnellement au 1410, rue de Longueuil à Québec.

J'ai noté sous ma signature, au verso de la copie signifiée, la date et l'heure de la signification. La distance parcourue par moi pour effectuer la signification a été de 20 kilomètres.

Signification :	16,00 $
Transport :	9,80 $
T.P.S. :	1,81 $
T.V.Q. :	1,79 $
Total :	29,40 $

Québec, le 18 juillet 1997

Marie Michelle Bellerose #1313

Marie-Michelle Bellerose, huissier #1313

Document 2.4 COMPARUTION

Canada

Province de Québec
District de Québec

No : 200-02-003579-977

Cour du Québec
(Chambre civile)

J. D. Villeneuve ltée

        Demanderesse

c.

Nathalie Doucet

        Défenderesse

Comparution

La défenderesse comparaît par sa procureure soussignée dans cette cause, sous toute réserve que de droit.

Québec, le 25 juillet 1997

Me Isabelle Laferrière, avocate
Procureure de la défenderesse

Document 2.5	# DÉFENSE ET AFFIDAVIT

Canada

Province de Québec
District de Québec

No : 200-02-003579-977

Cour du Québec
(Chambre civile)

J. D. Villeneuve ltée

      Demanderesse

c.

Nathalie Doucet

      Défenderesse

Défense

La défenderesse déclare :

1.   Elle admet les paragraphes 1 et 2.

2.   Elle admet le paragraphe 3 en ce qui concerne la date de travaux, mais nie quant à la qualité d'exécution et l'absence de plainte.

3.   Elle admet les paragraphes 4, 5 et 6.

4.   Elle nie le paragraphe 7.

Et la défenderesse ajoute :

5.   Les travaux n'ont pas été exécutés selon les règles de l'art.

6.   Le système de chauffage fonctionne mal.

7.   Elle s'est plainte verbalement à la demanderesse au moins huit fois.

8.   La défenderesse a dû faire reprendre une partie des travaux par Flamidor inc. pour la somme de 8 600,00 $, tel qu'il appert de la facture produite sous la cote D-1.

9.   La présente défense est bien fondée en fait et en droit.

Pour ces motifs, plaise au tribunal :

Accueillir cette défense ;

Rejeter l'action de la demanderesse ;

Condamner la demanderesse à payer à la défenderesse la somme de 8 600 $ avec intérêts au taux légal plus l'indemnité additionnelle prévue à l'article 1619 du Code civil du Québec, à compter de la date d'assignation ;

Le tout avec dépens.

Québec, le 5 août 1997

Me Isabelle Laferrière, Avocat

Me Isabelle Laferrière, avocate
Procureure de la défenderesse

| Document 2.5 | **DÉFENSE ET AFFIDAVIT (suite)** |

Affidavit

Je soussignée, Nathalie Doucet, technicienne en informatique, domiciliée et résidant au 1410, rue de Longueuil à Québec (Québec), G1S 2G3, étant assermentée, déclare :

1.   Je suis la défenderesse en cette cause.

2.   Tous les faits allégués sont vrais.

3.   La défense est sincère.

Et j'ai signé

Nathalie Doucet

Nathalie Doucet

Assermentée devant moi à Québec
le 5 août 1997

Lucie St-Pierre

Commissaire à l'assermentation
pour tous les districts judiciaires du Québec

Document 2.6	# INSCRIPTION POUR ENQUÊTE ET AUDITION

Canada

Province de Québec
District de Québec

No : 200-02-003579-977

Cour du Québec
(Chambre civile)

J. D. Villeneuve ltée

        Demanderesse

c.

Nathalie Doucet

        Défenderesse

Inscription pour enquête et audition

La demanderesse par l'entremise de ses procureurs soussignés, inscrit cette cause pour enquête et audition devant la Cour du Québec, Chambre civile, du district de Québec pour tel jour et telle heure qu'il plaira à cette Cour de fixer et en avise Me Isabelle Laferrière, procureure de la défenderesse.

Nature de l'action :	Compte impayé
Montant de l'action :	11 000,00 $
Demande reconventionnelle :	8 600,00 $
Durée de l'audition :	4 heures

Québec, le 12 août 1997

Montreuil et Bouchard, S.E.N.C.
Procureurs de la demanderesse

Document 2.7	*SUBPŒNA*

CANADA
PROVINCE DE QUÉBEC
District de Québec
Nº   200-02-003579-977

COUR du Québec - Chambre civile

AU NOM DU SOUVERAIN

J. D. Villeneuve ltée

Partie demanderesse

c.

Nathalie Doucet

Partie défenderesse

Nous commandons à

1. Paul Tremblay, 361, rue Turcotte, Vanier, G1M 1R3

2. Charlotte Lesage, 70, avenue Marcoux, Beauport, G1E 3A9

3. Micheline Labelle, 1101, rue Bertin, Cap-Rouge, G1Y 2G5

4.

DE COMPARAÎTRE personnellement devant cette cour, sous les peines prévues par la loi,

au palais de justice de Québec

situé au 300, boulevard Jean-Lesage à Québec

le jeudi 12 février 1998   , salle 3.24   , à 9:30 heures,
pour témoigner de tout ce que vous savez dans la présente cause.

ET D'APPORTER:

Tous les bordereaux de travail, factures et autres
documents relatifs aux travaux effectués pour
Nathalie Doucet dans l'immeuble du 1410, rue de Longueuil

Nous avons signé

à Québec

le 15 janvier 1998

Richard Laberge G.A.C.Q.Q.
Officier autorisé

TOUTE PERSONNE QUI COMPARAÎT DEVANT LE TRIBUNAL DOIT ÊTRE CONVENABLEMENT VÊTUE.

| **Document 2.7** | *SUBPŒNA* (suite) |

AVIS AU TÉMOIN (art. 321 du Code de procédure civile)

Lors de votre comparution en justice, nous vous avisons qu'avant de quitter le palais de justice, vous pouvez vous rendre à la salle   1.24   , où nous déterminerons l'indemnité à laquelle vous avez droit, selon le tarif approuvé par le gouvernement. **Cette indemnité doit être versée par la partie qui vous a assigné(e) comme témoin.** Ordinairement l'avocat ou procureur de cette partie s'occupe du paiement de cette indemnité. En cas de non-paiement, vous pouvez en poursuivre l'exécution contre la partie qui vous a assigné(e).

**AVIS AU TÉMOIN ASSIGNÉ À LA COUR DU QUÉBEC, CHAMBRE CIVILE,
DIVISION DES PETITES CRÉANCES**

Si vous êtes assigné(e) comme témoin à la Cour du Québec, Chambre civile, Division des petites créances, vous n'aurez droit à une indemnité que si le juge l'a indiqué dans son jugement.

N° 200-02-003579-977

COUR du Québec - Chambre civile

DISTRICT de Québec

J. D. Villeneuve ltée

Partie demanderesse

c.

Nathalie Doucet

Partie défenderesse

SUBPOENA
(Citation à comparaître)

Pour obtenir plus de renseignements, le témoin peut s'adresser à Me Pierre Montreuil

Montreuil et Bouchard, s.e.n.c.
1050, rue Orléans
Charlesbourg (Québec)
G1H 2H2

Téléphone :   (418) 621-5032
Télécopieur : (418) 621-5092

BM4329

M-95-0313

MONTANT DE L'INDEMNITÉ PAYABLE AU TÉMOIN

1. L'indemnité payable à un témoin est fixée à 20,00 $ par journée d'absence nécessaire de son domicile. Celle-ci est toutefois réduite à 10,00 $ lorsque la durée de l'absence ne dépasse pas 5 heures.

2. Un témoin reconnu et déclaré expert par le tribunal a droit à une indemnité de 40,00 $ par journée d'absence nécessaire de son domicile. Celle-ci est toutefois réduite à 20,00 $ lorsque la durée de l'absence ne dépasse pas 5 heures.

3. Les frais de transport, de repas et de séjour (s'il y a lieu) prévus au tarif s'ajoutent.

4. Aucune indemnité ne sera versée au témoin qui, en vertu d'une convention collective, d'une entente, d'un contrat, d'un arrêté ministériel ou d'une loi, ne subira pas de perte de salaire ou de traitement.

5. Un témoin qui ne subit pas de perte de salaire ou de traitement sera remboursé uniquement pour ses frais de transport, de repas et de séjour, conformément à la réglementation.

Document 2.8	**JUGEMENT**

Canada

Province de Québec
District de Québec

No : 200-02-003579-977

Présente :

Devant la Cour du Québec
(Chambre civile)

Québec, ce 12e jour de mars
mil neuf cent quatre-vingt-dix-huit

L'Honorable Micheline Demers, j.c.q.

J. D. Villeneuve ltée

                    Demanderesse

c.

Nathalie Doucet

                    Défenderesse

Jugement

Il s'agit d'une action pour compte impayé de 11 000 $ à laquelle est jointe une demande reconventionnelle de 8 600 $ pour des travaux qui n'auraient pas été exécutés selon les règles de l'art.

La Cour, après avoir examiné les procédures et la preuve tant documentaire que testimoniale, en vient à la conclusion que la demanderesse a effectivement exécuté des travaux pour la défenderesse pour une somme totale de 14 500 $, qu'elle a reçu un acompte de 3 500 $ et qu'il reste un solde dû de 11 000 $.

De plus, la preuve révèle que les travaux ont été effectués conformément aux règles de l'art.

Enfin, il ressort de la preuve que les travaux exécutés par Flamidor inc. n'ont pas eu pour effet de corriger des travaux exécutés par la demanderesse, mais plutôt de changer les radiateurs de fonte par des plinthes d'acier, et par conséquent, ces travaux n'ont aucun rapport avec les travaux exécutés par la demanderesse.

Considérant que la demanderesse a prouvé les allégations essentielles de l'action pour une somme de 11 000 $ et que la défenderesse a failli à son obligation de prouver les dommages qu'elle alléguait ;

Pour ces motifs, la Cour :

Condamne la défenderesse, Nathalie Doucet, à payer à la demanderesse, J. D. Villeneuve ltée, la somme de 11 000 $ avec intérêts au taux de 5 % l'an et en plus l'indemnité additionnelle prévue à l'article 1619 du Code civil du Québec, à compter du 18 juillet 1997 ;

Rejette la demande reconventionnelle ;

Le tout avec dépens contre la défenderesse.

Micheline Demers, J.c.q.
Micheline Demers, j.c.q.

Me Pierre Montreuil
(Montreuil et Bouchard, S.E.N.C.)
Procureurs de la demanderesse

Me Isabelle Laferrière
Procureure de la défenderesse

Document 2.9	**MÉMOIRE DE FRAIS**

Canada

Cour du Québec
(Chambre civile)

Province de Québec
District de Québec

No : 200-02-003579-977

J. D. Villeneuve ltée

Demanderesse

c.

Nathalie Doucet

Défenderesse

Mémoire de frais

Mise en demeure (classe III-A)	20,00 $
Déclaration	166,00
Signification de la déclaration	25,80
Inscription au mérite	305,00
Signification de l'inscription	6,00
Subpœna à Paul Tremblay - signification	10,90
Subpœna à Charlotte Lesage - signification	13,84
Subpœna à Marie-France Bélanger - signification	8,94
Jugement au mérite - action contestée - article 25	700,00
Signification du mémoire de frais	6,00
Taxation du mémoire de frais	30,00
Total	1 292,48 $

*Certifié exact et correct
et taxé suivant dossier
et tarif à la somme
de $1 292,48
Québec le 22 avril 1998
Nicole Côté, G.A.C.Q.Q.*

Québec, le 10 avril 1998

Montreuil et Bouchard, S.E.N.C.
Procureurs de la demanderesse

Avis de présentation

À : Me Isabelle Laferrière
647, chemin Sainte-Foy
Québec (Québec)
G1S 2K2

Veuillez prendre note que la demanderesse produit ce mémoire de frais et donne avis que ce mémoire de frais sera présenté pour être taxé le mercredi 22 avril 1998 à 10 h 00 au palais de justice de Québec, situé au 300, boulevard Jean-Lesage, à Québec.

Veuillez vous gouverner en conséquence

Québec, le 10 avril 1998

Montreuil et Bouchard, S.E.N.C.
Procureurs de la demanderesse

Document 2.10

BREF DE SAISIE MOBILIÈRE

CANADA
PROVINCE DE QUÉBEC
District de Québec
N° 200-02-003579-977

COUR du Québec - Chambre civile

AU NOM DU SOUVERAIN

J. D. Villeneuve ltée

Partie demanderesse

c.

Nathalie Doucet

Partie défenderesse

À tout shérif ou huissier de la Province de Québec, nous vous enjoignons à la réquisition de la partie demanderesse de prélever sur:

* [X] les biens meubles de la partie défenderesse

[ ] les immeubles de la partie défenderesse indiqués par la partie demanderesse

[ ] les biens meubles de

, tiers(ce) saisi(e)
vu le jugement rendu le _____ par cette cour, le(la) condamnant comme débiteur(trice) personnel(le), au paiement de la créance de la partie demanderesse en capital, intérêts et frais, sur son défaut de faire sa déclaration dans la présente cause.

les sommes suivantes:

Jugement   11 000,00 $ montant du jugement rendu le _12 mars 1998_
en faveur de la partie demanderesse contre la partie défenderesse avec

Intérêts   906,67 $ intérêts au taux de _10_ % par an à compter du _18 juillet 1997_

Frais d'action   1 292,48 $ montant des frais d'action avec

Intérêts sur
frais d'action   11,71 $ intérêts au taux légal à compter du _12 mars 1998_

Frais
accessoires   30,00 $ montant des frais accessoires du jugement, incluant ceux de la saisie-arrêt pratiquée entre les mains du(de la) tiers(ce) saisi(e) défaillant(e), avec

Intérêts sur
frais accessoires   0,28 $ intérêts que de droit

Ce bref   126,00 $ coût du présent bref

et vos émoluments; à soustraire cependant le paiement partiel suivant: _nil_ $, la partie saisissante étant autorisée à exécuter pour les frais de son procureur en son nom [x]

Procureur

Après la vente, dans les délais prévus par la loi, vous devez nous faire rapport du présent bref et de toute procédure s'y rattachant.

Nous avons signé à Québec

le 18 mai 1998

* Voir avis au verso

Greffier

• SJ-277 (94-03)

Document 2.10

BREF DE SAISIE MOBILIÈRE (suite)

Nº 200-02-003579-977

COUR du Québec - Chambre civile

DISTRICT de Québec

J. D. Villeneuve ltée

Partie demanderesse

c.

Nathalie Doucet
1410, rue de Longueuil
Québec (Québec)
G1S 2G3

Partie défenderesse

BREF D'EXÉCUTION

Procureur(s) Me Pierre Montreuil

Montreuil et Bouchard, s.e.n.c.
1050, rue Orléans
Charlesbourg (Québec)
G1H 2H2

Téléphone :   (418) 621-5032
Télécopieur : (418) 621-5092

BM4329

M-95-0313

AVIS AU DÉBITEUR

1. Vous n'avez pas payé la dette que vous deviez à votre créancier. Les biens que vous possédez sont en conséquence saisis et vous en avez la garde jusqu'à la vente en justice, sauf si le tribunal confie cette garde à une autre personne.

2. Vous pouvez soustraire à la saisie jusqu'à concurrence d'une valeur marchande de 6000 $ fixée par l'officier saisissant, les meubles qui garnissent votre résidence principale, servent à l'usage du ménage et sont nécessaires à la vie de celui-ci, sauf si ces meubles sont saisis pour les sommes dues sur le prix.
   Vous pouvez également soustraire les instruments de travail nécessaires à l'exercice personnel d'une activité professionnelle, sauf si ces biens sont saisis par un créancier détenant une hypothèque sur ceux-ci.

3. Si vous avez quelque droit à faire valoir à l'encontre de la saisie, vous pourrez par la suite vous y opposer.

4. Comme gardien des biens saisis, vous avez, jusqu'à la vente, l'obligation de ne pas vous en départir et de ne pas les détériorer. Si vous ne vous conformez pas à cette obligation, vous pouvez être condamné pour outrage au tribunal, ce qui peut entraîner une amende et une peine d'emprisonnement; vous pouvez aussi être condamné à payer tous les dommages que subirait votre créancier.

5. Les biens saisis seront vendus publiquement aux enchères et la dette sera remboursée pour autant à votre créancier à même le prix provenant de cette vente.

6. Vous avez donc intérêts, pour éviter la vente de vos biens, à prendre les arrangements nécessaires avec qui de droit.

NOUS VOUS SUGGÉRONS DE CONSULTER UN AVOCAT POUR TOUS RENSEIGNEMENTS SUPPLÉMENTAIRES

• SJ-277 (94-03)

Chapitre 3

LES PERSONNES

3.0	**PLAN DU CHAPITRE**

3.1	**OBJECTIFS**

Après la lecture du chapitre, l'étudiant doit être en mesure :

- de différencier la personne physique de la personne morale ;
- de reconnaître et d'expliquer les éléments relatifs à l'état des personnes : nom, domicile et résidence ;
- d'expliquer les caractéristiques des actes de l'état civil et le registre ;
- de reconnaître et d'expliquer les caractéristiques de la capacité des personnes.

3.2	**LE *CODE CIVIL* ET LA PERSONNE**

Le *Code civil du Québec* est en quelque sorte cette « bible » dans laquelle sont consignées les règles de conduite que les citoyens québécois doivent observer afin de favoriser un climat d'entente et d'harmonie. Le code est divisé en dix livres. Les trois premiers, qui comprennent les articles 1 à 898, traitent des personnes, de la famille et des successions.

Au centre des préoccupations du *Code civil* se trouve donc la **personne**. Par la suite, le législateur valorise le rôle de la **famille** (voir le chapitre 4, La famille) par trois principes :

- l'égalité entre mari et femme sur le plan des rapports personnels et sur le plan des rapports économiques ;

- le respect des droits de l'enfant ;

- le principe d'égalité entre les enfants nés « dans » le mariage et « hors » du mariage.

Finalement, le législateur se préoccupe de l'exercice des droits de la personne après sa mort en abordant le domaine des **successions** (voir le chapitre 5, Les successions). Le principe de la liberté de léguer nos biens à ceux que nous voulons domine, mais ce principe est cependant atténué par la survie de l'obligation alimentaire (voir la section 4.6, L'obligation alimentaire) au cas où les déshérités seraient dans une situation de besoin.

3.3   LA PERSONNE PHYSIQUE

Une **personne physique** est un être humain qui a une existence corporelle et qui possède certains droits.

Le Livre premier du *Code civil* en harmonie avec la ***Charte des droits et libertés de la personne*** du Québec nous indique d'abord **quels sont les droits d'une personne**. On met ainsi en quelque sorte la personne en tête du Code.

Dans la *Charte des droits et libertés de la personne*, le législateur énonce un certain nombre de droits exclusifs et propres à une personne :

2 C.D.L.P.   *Tout être humain dont la vie est en péril a droit au secours. [...]*

4 C.D.L.P.   *Toute personne a droit à la sauvegarde de sa dignité, de son honneur et de sa réputation.*

5 C.D.L.P.   *Toute personne a droit au respect de sa vie privée.*

6 C.D.L.P.   *Toute personne a droit à la jouissance paisible et à la libre disposition de ses biens, sauf dans la mesure prévue par la loi.*

10 C.c.Q.   *Toute personne est inviolable et a droit à son intégrité.*

                    Sauf dans les cas prévus par la loi, nul ne peut lui porter atteinte sans son consentement libre et éclairé.

7 C.D.L.P.   *La demeure est inviolable.*

8 C.D.L.P.   *Nul ne peut pénétrer chez autrui ni y prendre quoi que ce soit sans son consentement exprès ou tacite.*

9 C.D.L.P   *Chacun a droit au respect du secret professionnel.*

                    Toute personne tenue par la loi au secret professionnel et tout prêtre ou autre ministre du culte ne peuvent, même en justice, divulguer les renseignements confidentiels qui leur ont été révélés en raison de leur état ou profession, à moins qu'ils n'y soient autorisés par celui qui leur a fait ces confidences ou par une disposition expresse de la loi.

                    Le tribunal doit d'office assurer le respect du secret professionnel.

Dans le *Code civil*, toutes les dispositions de la *Charte des droits et libertés de la personne* n'ont pas été répétées, même si certaines ont été reprises, comme celles qui reconnaissent les droits de la personnalité :

- le droit à la vie, à l'inviolabilité et à l'intégrité de la personne ;

- le droit au respect du nom, de la réputation, de la vie privée ;

ainsi que celle qui reconnaît à tout être humain la personnalité juridique :

3 C.c.Q.   *Toute personne est titulaire de droits de la personnalité, tels le droit à la vie, à l'inviolabilité et à l'intégrité de sa personne, au respect de son nom, de sa réputation et de sa vie privée.*

La **personnalité juridique** est un concept selon lequel chaque être humain constitue une personne distincte de son voisin : Paul n'est pas Louise et Louise n'est pas Marie qui elle-même n'est pas Gérard. Une personne se distingue d'une autre par son nom, son sexe, sa date de naissance, ses parents, son domicile, etc. Chaque personne est donc juridiquement autonome et distincte des autres personnes.

Par les articles 10 à 31 du *Code civil*, le législateur accorde une attention toute particulière à l'établissement des droits de la personnalité et de l'intégrité de la personne. Ces articles traitent des **soins** à être donnés à une personne mineure ou majeure qui fait ou non l'objet d'une mesure de protection particulière, des limites de l'expérimentation sur une personne humaine, des problèmes qui résultent de la garde d'une personne en établissement et des examens psychiatriques. Le législateur tente ainsi d'assurer juridiquement la prédominance de la personne, c'est-à-dire de mettre celle-ci à l'abri des atteintes qui proviennent des autres, mais aussi des atteintes pouvant provenir d'elle-même.

Ainsi, le législateur donne un sens générique au mot **soins** en y intégrant toutes espèces d'examens, de prélèvements, de traitements ou d'interventions de nature médicale, psychologique ou sociale, requis ou non par l'état de santé physique ou mentale de la personne. Est également couvert comme acte préalable l'hébergement en établissement de santé lorsque la situation l'exige. Afin que la personne reçoive des soins, le *Code civil* exige que le médecin ou l'établissement de santé qui les prodigue obtienne le consentement de la personne concernée. Sans ce consentement, on ne peut obliger la personne à recevoir des soins contre son gré. Si, par contre, la personne est inapte à accepter ou à refuser des soins, une personne autorisée par le code ou un mandataire pourra autoriser les soins. *Par exemple, Maurice est atteint d'un cancer en phase terminale et ne veut pas recevoir de traitements de radiothérapie ou de chimiothérapie. Le personnel médical et ses proches doivent respecter sa décision. Par contre, s'il vient de subir un accident grave et qu'il est dans un coma profond, il ne peut décider par lui-même de recevoir ou non des soins. Dans ce cas, il est possible qu'il ait déjà confié à l'un de ses proches le refus de recevoir des soins advenant cette éventualité. Cette personne, qui est son mandataire, pourra alors prendre la décision à la place de Maurice. Ou encore, une autre personne désignée par le code pourra être mandatée pour prendre toute décision à son endroit.*

Pour un mineur de moins de 14 ans, le consentement aux soins requis par l'état de santé doit être donné par l'un ou l'autre des parents ou par son tuteur. Quant à celui de 14 ans et plus, il peut donner seul son consentement à tous les types de soins qu'exige son état de santé.

En cas d'urgence, si le consentement aux soins médicaux ne peut être obtenu en temps utile et si la vie de la personne est en danger ou que son intégrité est menacée, le consentement aux soins n'est pas nécessaire.

Une question fondamentale se pose : **quand devient-on une personne**, c'est-à-dire titulaire de la personnalité juridique et des droits qu'elle suppose ? La naissance vivante et viable est le point de départ de l'aventure de la vie. L'enfant naît vivant si l'air a pénétré dans ses poumons ; il est non viable, selon la doctrine et la jurisprudence, lorsque sa constitution est tellement précaire qu'il est évident qu'il ne peut vivre que pendant quelques instants ou quelques jours. La loi ne tient aucun compte de cette courte existence.

Aucun article précis du *Code civil* ne protège le fœtus, ni ne lui accorde le droit à la vie, à la sécurité ou à la santé. Le présent ouvrage ne vise pas à résoudre les nombreux débats entre philosophes, juristes et théologiens sur cette question : quand commence la vie ? Dans les circonstances spéciales où le fœtus ou la mère est en danger, faut-il choisir le fœtus dont les « droits » s'opposent à ceux de la mère ? Ces questions sont sans réponse dans notre droit fondamental. En revanche, il existe une exception : l'enfant conçu mais pas encore né est considéré comme né chaque fois qu'il y va de son intérêt **patrimonial**, à la condition de naître vivant et viable.

192 C.c.Q.   *Outre les droits et devoirs liés à l'autorité parentale, les père et mère, s'ils sont majeurs ou émancipés, sont de plein droit tuteurs de leur enfant mineur, afin d'assurer sa représentation dans l'exercice de ses droits civils et d'administrer son patrimoine.*

     *Ils le sont également de leur **enfant conçu qui n'est pas encore né**, et ils sont chargés d'agir pour lui dans tous les cas où son intérêt patrimonial l'exige.*

Cette question sera développée à la section 3.3.2.3, La tutelle.

3.3.1   LES ÉLÉMENTS RELATIFS À L'ÉTAT DES PERSONNES

3.3.1.1   Le nom

Attribut de la personnalité, le nom identifie la personne et garantit la sûreté des transactions.

5 C.c.Q.   *Toute personne exerce ses droits civils sous le nom qui lui est attribué et qui est énoncé dans son acte de naissance.*

Qui peut attribuer le nom ? Pour répondre à cette question, il faut se référer aux notions d'autorité parentale et de lien de filiation, c'est-à-dire le lien de parenté, puisqu'elles confèrent aux parents le privilège et le devoir d'attribuer le nom.

51 C.c.Q.   *L'enfant reçoit, au choix de ses père et mère, un ou plusieurs prénoms, ainsi que le nom de famille de l'un d'eux ou un nom composé d'au plus deux parties provenant du nom de famille de ses père et mère.*

Le nom de famille se compose donc d'au plus deux parties provenant du nom de famille de ses père et mère.

La personne a l'obligation d'utiliser **son** nom. Elle a aussi le droit de le protéger.

56 C.c.Q.   *Celui qui utilise un autre nom que le sien est responsable de la confusion ou du préjudice qui peut en résulter.*

     Tant le titulaire du nom que son conjoint ou ses proches parents, peuvent s'opposer à cette utilisation et demander la réparation du préjudice causé.

Ainsi, le titulaire du nom, son conjoint ou ses proches parents peuvent s'opposer à une **utilisation illégale** et demander la réparation du préjudice causé.

3.3.1.2   Le domicile et la résidence

Il faut assortir à l'identification de la personne un lieu géographique qu'elle s'est fixé pour y habiter. Le *Code civil* nous permet ainsi de situer la personne dans l'espace. Les notions de **domicile** et de **résidence** jouent ce rôle.

Que ce soit en droit privé, pour l'exercice de ses droits politiques, comme voter, ou afin de fixer les informations essentielles relatives à l'**état**, soit la naissance, le mariage et le décès, et à la **capacité**, c'est-à-dire la minorité, l'émancipation et la majorité de la personne, **le domicile est la référence ultime**. *Par exemple,*

- le paiement d'une obligation se fait au lieu désigné expressément ou implicitement par les parties. Si le lieu n'est pas ainsi désigné, le paiement se fait au domicile du débiteur (1566 C.c.Q.);
- la séparation de corps est régie par la loi du domicile des époux (3090 C.c.Q.);
- la garde de l'enfant est régie par la loi de son domicile (3093 C.c.Q.);
- le régime matrimonial des époux qui se sont mariés sans passer de conventions matrimoniales est régi par la loi de leur domicile au moment du mariage (3123 C.c.Q.);
- le tribunal compétent en matière de petites créances est soit celui du domicile du débiteur ou, si ce dernier n'est pas domicilié au Québec, celui de sa résidence ou de son bureau d'affaires, soit celui où la cause d'action a pris naissance (957 C.p.c.).

On retrouve dans le code plusieurs termes ou expressions pour décrire le domicile :

- la demeure effective ;
- le dernier domicile connu ;
- la résidence habituelle ;
- la résidence familiale ;
- l'habitation ;
- le principal établissement ;
- l'endroit où les principales activités sont exercées ;
- l'endroit où la personne se trouve.

Malgré tout, **dans la majorité des cas, tous ces termes ou ces expressions nous font aboutir à un même lieu géographique : le domicile**.

75 C.c.Q.   *Le domicile d'une personne, quant à l'exercice de ses droits civils, est au lieu de son principal établissement.*

Le **principal établissement** peut donc dépendre de différents facteurs : les affaires, le commerce, le travail, les attaches affectives, etc., ce qui nous permet de faire ressortir son **caractère principal** et ainsi d'établir le domicile d'une personne.

Le domicile a trois caractéristiques :

- le domicile est **unique** : une personne ne peut avoir qu'un seul établissement principal ;
- le domicile est **fixe** : une personne peut changer de domicile à certaines conditions. Il faut cependant une preuve d'intention convaincante de ce changement ;
- le domicile est **nécessaire** : à la naissance, toute personne acquiert un domicile. En ce sens, le domicile est donc un élément essentiel de la personnalité juridique de toute personne humaine.

Il est parfois nécessaire de se référer à la notion de **résidence**, laquelle aide à déterminer le domicile d'une personne. De nos jours, les personnes se déplacent de plus en plus pour toutes sortes de raisons, ce qui cause quelques problèmes juridiques sur le plan du domicile, car l'intention, pour une personne, d'établir domicile dans un lieu n'est pas toujours évidente. C'est pourquoi le législateur a pris la peine de définir la résidence comme suit :

77 C.c.Q.

> *La **résidence** d'une personne est le lieu où elle demeure de façon habituelle; en cas de pluralité de résidences, on considère, pour l'établissement du domicile, celle qui a le caractère principal.*

De plus, toujours dans le but d'en arriver à établir le domicile d'un individu, le législateur précise que :

78 C.c.Q.

> *La personne dont on ne peut établir le domicile avec certitude est réputée domiciliée au lieu de sa résidence. [...]*

Finalement, il faut noter que dans tous les cas :

78 C.c.Q.

> *[...] À défaut de résidence, elle est réputée domiciliée au lieu où elle se trouve ou, s'il est inconnu, au lieu de son dernier domicile connu.*

Malgré les règles énoncées ci-dessus, les parties à un contrat peuvent exceptionnellement élire domicile dans cet acte juridique. Désigné pour l'exécution de cet acte particulier, ce domicile tout à fait fictif confère juridiction au tribunal en cas de litige. Ce domicile est exceptionnel. Il peut être changé si les parties y consentent.

83 C.c.Q.

> *Les parties à un acte juridique peuvent, par écrit, faire une élection de domicile en vue de l'exécution de cet acte ou de l'exercice des droits qui en découlent.*

Le législateur a cependant bien pris soin de protéger le consommateur dans certains cas. C'est ainsi que certaines dispositions de la *Loi sur la protection du consommateur* interdisent d'élire domicile à l'étranger et établissent la présomption que le contrat conclu à distance avec un commerçant ou conclu avec un vendeur itinérant est considéré conclu à l'adresse du consommateur (voir le chapitre 14, Les contrats soumis à la *Loi sur la protection du consommateur*). Le tribunal du district judiciaire du domicile du consommateur est donc compétent pour entendre les litiges qui résultent de tels contrats.

Une personne n'a donc qu'un seul domicile bien qu'elle puisse avoir une ou plusieurs résidences. Ainsi, un Québécois peut avoir une résidence en Floride, et pendant la période où il séjourne en Floride, il est exact de dire que sa résidence est en Floride; mais son domicile demeure au Québec, car le Québec est son lieu de résidence ou l'endroit où il vit le plus souvent. Il peut cependant décider de déménager son domicile du Québec à la Floride : il lui suffit d'avoir l'intention de demeurer en permanence en Floride, de le faire et de transformer le domicile du Québec en simple lieu de résidence.

Le domicile est important, car une personne de 19 ans peut être majeure au Québec mais mineure dans une autre province ou dans un autre pays. Ainsi, si l'âge de la majorité, en Floride, est fixé à 21 ans, un Floridien de 20 ans ne peut pas acheter un immeuble sans le consentement et la participation de son tuteur, mais le Québécois de 19 ans peut le faire, car sa capacité juridique dépend du lieu de son domicile et, au Québec, la majorité est fixée à 18 ans.

3083 C.c.Q.

> *L'état et la capacité d'une personne physique sont régis par la loi de son domicile. [...]*

Notez que la complexité des relations personnelles entre les gens de divers pays a amené le législateur québécois à édicter des règles précises d'exception au principe de la territorialité des lois vu au chapitre 1. Le présent ouvrage ne fait cependant pas l'étude de tels sujets.

3.3.1.3 Les actes de l'état civil et le registre de l'état civil

La singularisation de la personne s'opère par l'attribution du **nom** et du **domicile**.

Les informations essentielles relatives à l'**état**, soit la naissance, le mariage et le décès, et à la **capacité**, c'est-à-dire la minorité, l'émancipation et la majorité de la personne, sont consignées dans les **actes de l'état civil** qui composent le **registre**

de l'état civil. Les informations sur l'état de la personne, consignées dans les actes de l'état civil, fournissent les renseignements déterminants sur sa capacité.

Les actes de l'état civil sont des documents officiels qui marquent la vie d'une personne (voir le tableau 3.1).

107 C.c.Q.

Les seuls actes de l'état civil sont les actes de naissance, de mariage et de décès.

Ils ne contiennent que ce qui est exigé par la loi ; ils sont authentiques.

108 C.c.Q.

Les actes de l'état civil sont dressés, sans délai, à partir des constats, des déclarations et des actes juridiques reçus par le directeur de l'état civil, relatifs aux naissances, mariages et décès qui surviennent au Québec ou qui concernent une personne qui y est domiciliée.

L'**acte de naissance** est dressé par le directeur de l'état civil ; il rend possible le respect du nom de la personne (voir la section 3.3.1.1, Le nom). Toute personne exerce ses droits civils sous le nom qui lui est attribué et qui est inscrit sur son acte de naissance.

Le *Code civil* reconnaît donc à la personne le droit d'utiliser un ou plusieurs des prénoms inscrits sur son acte de naissance. Cet acte est dressé à partir des informations transmises par l'accoucheur. Ce dernier rédige le **constat de naissance** dans lequel il indique : le lieu, la date et l'heure de la naissance, le sexe de l'enfant et le nom de la mère. Le nom du père ne peut être livré par l'accoucheur. Le père doit se manifester en personne dans les trente jours de la naissance et, avec la mère, ils doivent faire la **déclaration de naissance** au directeur de l'état civil.

Tableau 3.1 Les actes de l'état civil

Les différents actes	Leur utilité
Acte de naissance	Preuve de l'existence Preuve du lieu de naissance • pour inscription à l'école • pour obtention d'un passeport
Acte de mariage	Preuve du mariage
Acte de décès	Preuve du décès • pour ouverture de la succession

L'acte de naissance est nécessaire pour s'inscrire à l'école, pour obtenir un passeport et, plus simplement, pour « exister » : sans ce document, une personne n'existe pas au point de vue juridique.

118 C.c.Q.

Celui qui célèbre un mariage le déclare au directeur de l'état civil dans les trente jours de la célébration.

119 C.c.Q.

*La **déclaration de mariage** énonce les nom et domicile des époux, le lieu et la date de leur naissance et de leur mariage, ainsi que le nom de leur père et mère et des témoins.*

Elle énonce aussi les nom, domicile et qualité du célébrant, et indique, s'il y a lieu, la société religieuse à laquelle il appartient.

L'**acte de mariage** est dressé par le directeur de l'état civil ; ce n'est pas un acte essentiel, puisqu'il est possible de faire vie commune sans se marier, ou tout simplement de vivre seul. Cependant, si deux personnes désirent se marier, elles sont tenues à de nombreuses obligations (voir les sections 4.3.1, Les effets du mariage et 4.3.2, Les régimes matrimoniaux).

Lorsqu'une personne décède, un médecin rédige le **constat de décès** dans un délai raisonnable.

124 C.c.Q.

*Le **constat** énonce le nom et le sexe du défunt, ainsi que les lieu, date et heure du décès.*

Il en remet une copie à celui qui est tenu de déclarer le décès et en transmet une autre, sans délai, au directeur de l'état civil, avec la **déclaration de décès**. Cette déclaration est remise, sans délai, au directeur de l'état civil, soit par le conjoint, un proche parent ou allié ou toute personne capable d'identifier le défunt. La déclaration est faite devant un témoin qui la signe.

126 C.c.Q.

> *La **déclaration de décès** énonce le nom et le sexe du défunt, le lieu et la date de sa naissance et de son mariage, le lieu de son dernier domicile, les lieu, date, heure du décès, le moment, le lieu et le mode de disposition du corps, ainsi que le nom de ses père et mère et, le cas échéant, de son conjoint.*
>
> *L'auteur de la déclaration joint à celle-ci un exemplaire du constat de décès.*

L'**acte de décès** est dressé par le directeur de l'état civil sur réception de la déclaration de décès accompagnée du constat de décès.

Si le constat de décès ne peut être rempli par un médecin, il peut l'être par deux agents de la paix, mais seulement dans le cas de mort évidente. Le *Code civil* prévoit aussi que :

128 C.c.Q.

> *Si l'identité du défunt est inconnue, le constat contient son signalement et décrit les circonstances de la découverte du corps.*

Le registre de l'état civil est constitué exclusivement des actes de naissance, de mariage et de décès. Il est unique, tenu en double exemplaire, l'un écrit et l'autre sur support informatique, et centralisé sous l'autorité d'un seul officier de l'état civil, le **directeur de l'état civil**. Seuls les documents attestés par le directeur de l'état civil sont reconnus sur le plan légal au Québec. La responsabilité de l'ensemble du système de l'état civil est sous son autorité unique. Certains droits et privilèges lui sont également conférés. Ainsi, le directeur de l'état civil :

- attribue le nom de famille de l'enfant, en cas de désaccord des parents (52 C.c.Q.) ;
- attribue le nom de l'enfant sans filiation (53 C.c.Q.) ;
- essaie de convaincre les parents de modifier leur choix d'un nom de famille composé ou de prénoms **qui prêtent au ridicule ou sont susceptibles de déconsidérer l'enfant**. Si les parents refusent de se laisser convaincre, le directeur saisit le tribunal qui tranche en choisissant le nom de famille d'un des parents et un ou des prénoms usuels (54 C.c.Q.) ;
- autorise le changement de nom (57 C.c.Q.).

3.3.2   LA CAPACITÉ DES PERSONNES

La capacité est l'aptitude d'une personne à jouir de ses droits et à les exercer. Elle présente donc deux facettes : la capacité de jouissance et la capacité d'exercice.

La **capacité de jouissance** est l'aptitude à acquérir un droit ou à être titulaire d'un droit, comme hériter d'un parent ou d'un ami. D'autre part, la **capacité d'exercice** est l'aptitude à exercer soi-même ou seul les droits dont on est titulaire. S'engager dans un contrat et poursuivre quelqu'un en justice illustrent bien cette capacité d'exercice. La règle est simple : toute personne a la pleine capacité et jouit en tout temps de l'exercice de ses droits.

1 C.c.Q.

> *Tout être humain possède la personnalité juridique; il a la pleine jouissance des droits civils.*

4 C.c.Q.

> *Toute personne est apte à exercer pleinement ses droits civils.*
>
> *Dans certains cas, la loi prévoit un régime de représentation ou d'assistance.*

Ainsi, sans parler d'incapacité, le *Code civil* nous indique que la capacité est la règle mais que dans certains cas, une personne doit recourir à l'assistance d'un tiers pour exercer ses droits, soit parce qu'elle est mineure ou qu'elle n'a pas les facultés nécessaires pour exercer ses droits. Ce tiers peut être un tuteur, un curateur ou un conseiller au majeur.

| 3.3.2.1 | **L'acquisition graduelle de la capacité chez le mineur** |

153 C.c.Q. *L'âge de la **majorité** est fixé à dix-huit ans.*

Cependant, le *Code civil* fait ressortir l'acquisition graduelle de la capacité chez le mineur.

Si le majeur a la pleine capacité, le mineur n'exerce ses droits civils que dans la seule mesure prévue par la loi. Le mineur n'a pas la pleine capacité. Son degré de capacité varie selon son âge, son discernement et selon la nature de ses actes.

156 C.c.Q. *Le mineur de quatorze ans et plus est réputé majeur pour tous les actes relatifs à son emploi, ou à l'exercice de son art ou de sa profession.*

Bien que le mineur âgé entre 14 et 18 ans ne soit pas un majeur au sens de la loi, il est cependant capable d'assumer seul certaines décisions. En effet, les jeunes possèdent des qualités leur permettant, dans une certaine mesure, de décider et de poser certains gestes et d'agir comme un majeur dans certaines situations.

Par exemple, prenons le cas de Philippe, adolescent de 15 ans, qui s'engage, par contrat, à entretenir contre rémunération la pelouse et les arbustes d'un voisin. En élaguant la haie, il effectue par inadvertance une tonte trop courte qui endommage quelques plants. Le voisin, mécontent, demande réparation aux parents. Le statut de parent, ou de tuteur, n'engage nullement à assumer la responsabilité d'une faute commise par son fils dans l'exercice de son art. Seul Philippe est responsable des erreurs commises dans son travail et doit en assumer les conséquences. Car, à partir de 14 ans, le mineur est réputé majeur pour les faits relatifs à son emploi ou à l'exercice de son art ou de sa profession.

157 C.c.Q. *Le mineur peut, compte tenu de son âge et de son discernement, contracter seul pour satisfaire ses besoins ordinaires et usuels.*

Quels sont donc les besoins usuels et ordinaires d'un mineur auxquels le *Code civil* fait référence? Il s'agit de la nourriture, du logement et des vêtements. D'autres besoins n'entrent pas toujours dans cette catégorie, par exemple une voiture, une motocyclette, un magnétophone, une télévision, une guitare ou de l'équipement sportif; il faut, dans chaque cas, s'interroger quant au discernement du mineur. Ce principe n'empêche cependant pas un mineur d'invoquer éventuellement la lésion.

163 C.c.Q. *L'acte fait seul par le mineur [...] ne peut être annulé ou les obligations qui en découlent réduites, à la demande du mineur, que s'il en subit un préjudice.*

1405 C.c.Q. *Outre les cas expressément prévus par la loi, la lésion ne vicie le consentement qu'à l'égard des mineurs et des majeurs protégés.*

Nous reviendrons sur la lésion (voir la section 7.3.2.1, Le consentement).

Sauf pour les actes que l'on vient d'énumérer, le mineur ne peut agir seul; il doit être représenté par son **tuteur** dans l'exercice de ses droits. Ainsi, le mineur ne peut intenter seul une poursuite en justice. C'est son tuteur qui le représente (voir la section 3.3.2.3, La tutelle).

Le mineur doit également assumer toutes ses responsabilités. Donc, il faut retenir que le mineur ne peut être exonéré de payer les dommages qu'il cause à autrui parce qu'il est mineur (voir la section 8.2, La responsabilité civile).

| 3.3.2.2 | **L'émancipation** |

L'**émancipation** confère à un mineur certains droits résultant de la majorité. Il existe deux types d'émancipation chez le mineur: la simple émancipation et la pleine émancipation.

Le *Code civil* décrit ainsi la **simple émancipation** :

170 C.c.Q.
> *L'émancipation ne met pas fin à la minorité et ne confère pas tous les droits résultant de la majorité, mais elle libère le mineur de l'obligation d'être représenté pour l'exercice de ses droits civils.*

Pour que l'émancipation se réalise,

167 C.c.Q.
> *Le tuteur peut, avec l'accord du conseil de tutelle, émanciper le mineur de seize ans et plus qui le lui demande, par le dépôt d'une déclaration en ce sens auprès du curateur public.*
>
> *L'émancipation prend effet au moment du dépôt de cette déclaration.*

168 C.c.Q.
> *Le tribunal peut aussi, après avoir pris l'avis du tuteur et, le cas échéant, du conseil de tutelle, émanciper le mineur.*
>
> *Le mineur peut demander seul son émancipation.*

Notez que l'émancipation ne met pas fin à la minorité et ne confère pas tous les droits résultant de la majorité. Elle libère simplement le mineur de l'obligation d'être représenté pour l'exercice de ses droits civils. *Par exemple, Véronique, âgée de 16 ans, peut s'affranchir de l'autorité de ses parents afin d'assumer seule certains droits civils tels qu'avoir son propre domicile et signer un bail pour une période qui n'excède toutefois pas trois ans. Cependant, le tuteur gardera la responsabilité de conserver et de faire fructifier les biens du mineur.*

La **pleine émancipation** y est également décrite en ces termes :

176 C.c.Q.
> *La **pleine émancipation** rend le mineur capable, comme s'il était majeur, d'exercer ses droits civils.*

Un mineur devenu autonome par l'émancipation verrait donc sa vie juridique quotidienne considérablement simplifiée car maintenant, il dispose des mêmes droits qu'un majeur et peut signer tout genre de contrat. Cependant, cela ne lui donne pas dix-huit ans. *Par exemple, si la loi électorale prévoit que pour avoir le droit de vote, il faut avoir dix-huit ans, notre mineur émancipé ne peut pas voter car il n'a pas le dix-huit ans requis par la loi.* De quelle manière le mineur peut-il obtenir son émancipation ?

175 C.c.Q.
> *La pleine émancipation a lieu par le mariage.*
>
> *Elle peut aussi, à la demande du mineur, être déclarée par le tribunal pour un motif sérieux [...].*

3.3.2.3   La tutelle

Le statut de parent entraîne des droits et des devoirs que nous appelons les attributs de l'autorité parentale. Ces droits et ces devoirs obligent un parent à garder, surveiller, éduquer, nourrir et entretenir son enfant. Si ce parent n'assume pas l'ensemble de ses responsabilités envers son enfant, le tribunal peut alors prononcer la déchéance de son autorité parentale ce qui lui enlève tout droit ou devoir envers l'enfant. Il faut savoir que les droits qu'un parent a sur son enfant ne sont pas permanents et qu'ils peuvent être retirés par le tribunal, si certaines circonstances le justifient. Une décision qui concerne le bien-être d'un enfant peut être prise à tout moment par le tribunal, et ce dans l'intérêt de l'enfant. *Par exemple, si Robert abandonne sa fille Marie-Michelle ou refuse de contribuer de quelque façon que ce soit à son entretien, le tribunal peut déchoir Robert de son autorité parentale. Il en va de même si Robert, adepte d'une secte religieuse intransigeante, laisse inculquer à sa fille des principes pouvant nuire à son équilibre mental. Dans ce dernier cas, le tribunal peut lui retirer l'un des attributs de l'autorité parentale, soit le droit d'éduquer son enfant.* Lorsqu'il est impossible aux titulaires de l'autorité parentale d'exercer leurs droits et devoirs auprès de leur enfant mineur, la **tutelle** peut alors assurer la protection de la personne du mineur. Notez cependant que lorsque les circonstances changent, le parent qui s'est vu retirer un des attributs parentaux peut demander au tribunal que cet attribut ou ce droit lui soit restitué, en justifiant des circonstances nouvelles.

186 C.c.Q.   *Lorsque la tutelle s'étend à la personne du mineur et qu'elle est exercée par une personne autre que les père et mère, le tuteur **agit comme titulaire de l'autorité parentale**, à moins que le tribunal n'en décide autrement.*

La tutelle est donc une institution conférant à un tuteur le pouvoir de prendre soin, entre autres, d'un mineur et de ses biens. Il existe deux types de tutelle au mineur : la **tutelle légale** et la **tutelle dative**.

178 C.c.Q.   *La tutelle légale résulte de la loi; la tutelle dative est celle qui est déférée par les père et mère ou par le tribunal.*

Ainsi, la tutelle légale constitue le principe et les tutelles datives conférées par le tribunal sont l'exception.

192 C.c.Q.   *Outre les droits et devoirs liés à l'autorité parentale, les père et mère, s'ils sont majeurs ou émancipés, sont de plein droit tuteurs de leur enfant mineur, afin d'assurer sa représentation dans l'exercice de ses droits civils et d'administrer son patrimoine. [...]*

Ainsi, le législateur reconnaît de plein droit aux père et mère la tutelle légale de leur enfant mineur. Prenons l'exemple suivant afin d'illustrer le principe de la tutelle légale. *Par exemple, supposons qu'un enfant de 15 ans revient à la maison après avoir subi une raclée par de jeunes voyous. Il est couvert d'ecchymoses et de coupures au visage qui risquent de laisser des séquelles. En tant que tuteurs légaux de leur enfant mineur, le père et la mère peuvent, pour le bénéfice de leur enfant mineur, poursuivre en justice les responsables de cette agression.*

193 C.c.Q.   *Les père et mère exercent ensemble la tutelle, à moins que l'un d'eux ne soit décédé ou ne se trouve empêché de manifester sa volonté ou de le faire en temps utile.*

196 C.c.Q.   *En cas de désaccord relativement à l'exercice de la tutelle entre les père et mère, l'un ou l'autre peut saisir le tribunal du différend.*

*Le **tribunal statue dans l'intérêt du mineur**, après avoir favorisé la conciliation des parties et avoir obtenu, au besoin, l'avis du conseil de tutelle.*

Notez de plus que :

197 C.c.Q.   *La déchéance de l'autorité parentale entraîne la perte de la tutelle; le retrait de certains attributs de l'autorité ou de leur exercice n'entraîne la perte de la tutelle que si le tribunal en décide ainsi.*

Finalement, le *Code civil* reconnaît aux parents la possibilité de désigner un tuteur de leur choix, afin d'assurer la protection de leur enfant advenant leur décès. Cette désignation peut se faire soit par testament, soit par déclaration transmise au curateur public. Dans le cas où les deux parents décèdent, le tuteur sera la personne qui aura été désignée par celui des parents qui sera mort le dernier.

La tutelle n'est pas obligatoire et la personne désignée peut accepter ou refuser la charge. Si personne n'accepte la charge de tuteur, alors :

205 C.c.Q.   *La tutelle est déférée par le tribunal lorsqu'il y a lieu de nommer un tuteur ou de le remplacer [...].*

Le tuteur a la simple administration des biens du mineur car :

220 C.c.Q.   *Le mineur gère le produit de son travail et les allocations qui lui sont versées pour combler ses besoins ordinaires et usuels.*

Lorsque les revenus du mineur sont considérables ou que les circonstances le justifient, le tribunal peut, après avoir obtenu l'avis du tuteur et, le cas échéant, du conseil de tutelle, fixer les sommes dont le mineur conserve la gestion. Il tient compte de l'âge et du discernement du mineur, des conditions générales de son entretien et de son éducation, ainsi que de ses obligations alimentaires et de celles de ses parents.

186 C.c.Q.   *Lorsque la tutelle s'étend à la personne du mineur et qu'elle est exercée par une personne autre que les père et mère, le tuteur agit comme titulaire de l'autorité parentale, à moins que le tribunal n'en décide autrement.*

222 C.c.Q.   *Le **conseil de tutelle** a pour rôle de surveiller la tutelle. Il est formé de trois personnes désignées par une assemblée de parents, d'alliés ou d'amis ou, si le tribunal le décide, d'une seule personne.*

Un peu comme s'il s'agissait d'un conseil d'administration, le conseil de tutelle se réunit au moins une fois l'an. Le système fonctionne sur la base suivante : le tuteur est surveillé par le conseil de tutelle, lui-même surveillé par le tuteur ainsi que par toute personne intéressée et le tribunal.

Il existe trois moyens qui rendent possible la surveillance de la tutelle. Ce sont l'inventaire, la sûreté et la reddition de compte.

L'**inventaire** : Le tuteur procède à l'inventaire des biens du mineur dans les soixante jours suivant l'ouverture de la tutelle.

La **sûreté** : Elle prend la forme d'une assurance ou toute autre forme. Elle est exigée lorsque la valeur des biens excède 25 000 $.

La **reddition de compte** : Tous les ans, le tuteur transmet au curateur public, au conseil de tutelle et au mineur de quatorze ans et plus le compte de sa gestion. Lorsque le tuteur à la personne et le tuteur aux biens sont différents, le dernier fait rapport au premier. À la fin de la tutelle, le tuteur procède à une reddition de compte définitive dont il transmet copie au conseil de tutelle et au curateur public.

248 C.c.Q.   *Tout accord entre le tuteur et le mineur devenu majeur portant sur l'administration ou sur le compte est nul, s'il n'est précédé de la reddition d'un compte détaillé et de la remise des pièces justificatives.*

Ainsi, avant d'être libéré de la charge de la tutelle, le tuteur doit remettre au mineur devenu majeur tous les documents relatifs à la tutelle et lui expliquer ce qu'il a fait de l'argent et des biens qu'il a gérés.

3.3.2.4   Les régimes de protection du majeur

Une personne majeure peut être inapte à exercer ses droits c'est-à-dire incapable ou le devenir. La personne inapte est protégée de deux façons. D'abord, l'État y pourvoit en permettant l'ouverture de l'un des trois régimes de protection suivants :

- la curatelle ;
- la tutelle ;
- le conseiller au majeur.

Ensuite, le législateur permet à la personne encore apte de prévoir la mise sur pied de son régime de protection. Il s'agit du mandat en prévision de l'inaptitude :

2166 C.c.Q.   *Le mandat donné par une personne majeure en prévision de son inaptitude à prendre soin d'elle-même ou à administrer ses biens est fait par acte notarié en minute ou devant témoins.*

Son exécution est subordonnée à la survenance de l'inaptitude et à l'homologation par le tribunal, sur demande du mandataire désigné dans l'acte.

La nécessité de veiller à l'intégrité physique de la personne, à sa sécurité économique, de même que de respecter la présomption de capacité établie au *Code civil* permet, en tout temps, de réviser le régime appliqué, soit que la cause ait cessé, soit que la condition physique ou mentale de la personne se soit modifiée.

256 C.c.Q.   *Les régimes de protection du majeur sont établis dans son intérêt; ils sont destinés à assurer la protection de sa personne, l'administration de son patrimoine et, en général, l'exercice de ses droits civils.*

L'incapacité qui en résulte est établie en sa faveur seulement.

258 C.c.Q.   *Il est nommé au majeur un curateur ou un tuteur pour le représenter, ou un conseiller pour l'assister, dans la mesure où il est inapte à prendre soin de lui-même ou à administrer ses biens, par suite, notamment, d'une maladie, d'une déficience ou d'un affaiblissement dû à l'âge qui altère ses facultés mentales ou son aptitude physique à exprimer sa volonté.*

Il peut aussi être nommé un tuteur ou un conseiller au prodigue qui met en danger le bien-être de son conjoint ou de ses enfants mineurs.

Seul le tribunal est compétent pour prononcer l'ouverture d'un régime de protection. Il n'est pas lié par la demande quant au type de régime, soit la curatelle, la tutelle ou le conseiller au majeur. Selon la preuve présentée, le tribunal choisit le régime qui assure la meilleure protection. Voyons maintenant en quoi consistent ces régimes et dans quels cas ils sont ouverts.

La **curatelle** est un régime extrême ; elle nécessite une représentation par le curateur dans tous les actes de la vie juridique du majeur. Elle est ouverte dans le cas d'une personne atteinte d'une déficience mentale profonde ou dont les facultés sont extrêmement altérées par une maladie ou un accident.

281 C.c.Q.   *Le tribunal ouvre une curatelle s'il est établi que l'inaptitude du majeur à prendre soin de lui-même et à administrer ses biens est totale et permanente, et qu'il a besoin d'être représenté dans l'exercice de ses droits civils. [...]*

282 C.c.Q.   *Le curateur a la **pleine administration** des biens du majeur protégé [...].*

La **tutelle** au majeur permet au tuteur de représenter le majeur dans l'exercice de ses droits civils. Il s'agit du cas où l'inaptitude du majeur à prendre soin de lui-même ou à administrer ses biens est partielle ou temporaire.

285 C.c.Q.   *Le tribunal ouvre une tutelle s'il est établi que l'inaptitude du majeur à prendre soin de lui-même ou à administrer ses biens est partielle ou temporaire, et qu'il a besoin d'être représenté dans l'exercice de ses droits civils.*

Il nomme alors un tuteur à la personne et aux biens ou un tuteur soit à la personne, soit aux biens.

286 C.c.Q.   *Le tuteur a la **simple administration** des biens du majeur incapable d'administrer ses biens.[...]*

Sous ce régime, le majeur en tutelle bénéficie d'une plus grande autonomie.

289 C.c.Q.   *Le majeur en tutelle conserve la gestion du produit de son travail, à moins que le tribunal n'en décide autrement.*

Il peut advenir qu'un majeur ne soit plus pourvu d'un curateur à la suite du décès ou de la démission de l'un ou l'autre de ces représentants. Dans ce cas, le tribunal peut nommer un **curateur public** qui remplit la fonction de tuteur ou de curateur. Ainsi, une personne sous curatelle ou tutelle continue d'être représentée, mais par le curateur public.

Le **conseiller au majeur** ne représente pas le majeur, il l'assiste.

291 C.c.Q.   *Le tribunal nomme un conseiller au majeur si celui-ci, bien que généralement ou habituellement apte à prendre soin de lui-même et à administrer ses biens, a besoin, pour certains actes ou temporairement, d'être assisté ou conseillé dans l'administration de ses biens.*

292 C.c.Q.   *Le conseiller **n'a pas l'administration** des biens du majeur protégé. Il doit, cependant, intervenir aux actes pour lesquels il est tenu de lui prêter assistance.*

Le conseiller au majeur est utile à la personne atteinte d'une légère débilité, d'un léger affaiblissement de ses aptitudes ou d'une maladie temporaire ; il permet au majeur de conserver des biens. Le conseiller doit cependant intervenir dans tous les actes pour lesquels il est tenu de prêter assistance.

295 C.c.Q.   *Le régime de protection cesse par l'effet d'un jugement de mainlevée ou par le décès du majeur protégé.*

Il cesse aussi à l'expiration du délai prévu pour contester le rapport qui atteste la cessation de l'inaptitude.

3.4 LA PERSONNE MORALE

Comme nous l'avons vu précédemment, la **personnalité juridique** est un concept qui fait en sorte que chaque être humain constitue une personne distincte de son voisin. Le législateur a édicté au *Code civil* que certains groupements, tels que :

- les compagnies ;

- les syndicats de copropriétaires d'immeubles ;

- les syndicats ;
- les coopératives ;
- les caisses populaires ;
- les sociétés d'État ;
- les municipalités ;
- les commissions scolaires ;
- les universités ;
- les hôpitaux ;

sont également des personnes. Il les a qualifiés de **personnes morales**.

Bien qu'immatérielle et fictive, la personne morale, comme la personne physique, est juridiquement autonome et a sa personnalité juridique propre. Le législateur la qualifie de sujet de droit apte à jouir de droits civils et à les exercer comme toute autre personne.

298 C.c.Q. *Les personnes morales ont la personnalité juridique.*

Elles sont de droit public ou de droit privé.

Les **personnes morales de droit public**, qu'il faut distinguer de l'État et de ses organismes, incluent les municipalités, les commissions scolaires et les sociétés d'État.

Quant aux **personnes morales de droit privé**, il s'agit de l'ensemble des personnes morales qui ne sont pas de droit public, étant plutôt constituées pour un intérêt privé, comme les compagnies, les personnes morales sans but lucratif, les coopératives, etc.

Une question fondamentale se pose : **à partir de quel moment une personne morale existe-t-elle** et sont donc titulaires de la personnalité juridique et des droits qu'elle suppose ?

299 C.c.Q. *Les personnes morales sont constituées suivant les formes juridiques prévues par la loi, et parfois directement par la loi.*

Elles existent à compter de l'entrée en vigueur de la loi ou au temps que celle-ci prévoit, si elles sont de droit public, ou si elles sont constituées directement par la loi ou par l'effet de celle-ci ; autrement, elles existent au temps prévu par les lois qui leur sont applicables.

Notez cependant que le *Code civil* permet au tribunal de conférer, de façon rétroactive, la personnalité juridique à une personne ou à un groupement qui a toujours agi comme une personne morale, mais qui, à l'origine, a omis de remplir les formalités nécessaires auprès des autorités compétentes, par exemple, les formalités d'incorporation (voir la section 16.2.3, La constitution d'une compagnie) énoncées dans la *Loi sur les compagnies du Québec*.

331 C.c.Q. *La personnalité juridique peut, rétroactivement, être conférée par le tribunal à une personne morale qui, avant qu'elle ne soit constituée, a présenté de façon publique, continue et non équivoque, toutes les apparences d'une personne morale et a agi comme telle tant à l'égard de ses membres que des tiers.*

3.4.1 LES EFFETS DE LA PERSONNALITÉ JURIDIQUE

3.4.1.1 Les droits, capacité et attributs

301 C.c.Q. *Les personnes morales ont la pleine jouissance des droits civils.*

et pour les différencier :

305 C.c.Q. *Les personnes morales ont un **nom** qui leur est donné au moment de leur constitution ; elles exercent leurs droits et exécutent leurs obligations sous ce nom.*

Ce nom doit être conforme à la loi et inclure, lorsque la loi le requiert, une mention indiquant clairement la forme juridique qu'elles empruntent.

De plus,

306 C.c.Q.

La personne morale peut exercer une activité ou s'identifier sous un nom autre que le sien. Elle doit déposer un avis en ce sens auprès de l'inspecteur général des institutions financières ou, si elle est un syndicat de copropriétaires, au bureau de la publicité des droits dans le ressort duquel est situé l'immeuble qui fait l'objet de la copropriété.

D'autre part,

307 C.c.Q.

*La personne morale a son **domicile** aux lieu et adresse de son **siège**.*

Enfin,

308 C.c.Q.

La personne morale peut changer son nom ou son domicile en suivant la procédure établie par la loi.

Comme toute personne physique majeure ou émancipée, la personne morale jouit de la pleine capacité juridique et elle peut signer des contrats. Elle a un nom et un domicile. Certaines dispositions du *Code civil* relatives au consentement, aux soins et au respect du corps après le décès ne s'appliquent pas à elle puisqu'il faut faire les adaptations nécessaires étant donné la nature immatérielle de la personne morale.

3.4.1.2   La caractéristique fondamentale de la personne morale

La personne morale possède un patrimoine qui lui est propre et qui est distinct de celui du ou des membres qui la composent. Sa caractéristique fondamentale est de limiter la responsabilité personnelle de ses membres ; c'est ce qu'on appelle la **responsabilité limitée**.

309 C.c.Q.

Les personnes morales sont distinctes de leurs membres. Leurs actes n'engagent qu'elles-mêmes, sauf les exceptions prévues par la loi.

315 C.c.Q.

Les membres d'une personne morale sont tenus envers elle de ce qu'ils promettent d'y apporter, à moins que la loi n'en dispose autrement.

Il y a cependant une **exception importante** :

317 C.c.Q.

*La personnalité juridique d'une personne morale ne peut être invoquée à l'encontre d'une personne de bonne foi, dès lors qu'on invoque cette personnalité **pour masquer la fraude, l'abus de droit ou une contravention à une règle intéressant l'ordre public.***

*Par exemple, l'exception de l'article 317 donne ouverture à un recours en dommages personnels d'un employé congédié contre le dirigeant de la personne morale qui a recommandé ou signé ce congédiement, à partir du moment où ce congédiement peut être qualifié d'**abusif**.* De même, la responsabilité personnelle des administrateurs et des personnes morales liées pourrait être recherchée dans le cas de contraventions par la personne morale à des lois ou à des règlements intéressant l'ordre public, en matière notamment d'environnement, de santé, de sécurité, etc., et ce indépendamment de toutes dispositions pénales visant par ailleurs ces administrateurs.

D'autre part :

316 C.c.Q.

En cas de fraude à l'égard de la personne morale, le tribunal peut, à la demande de tout intéressé, tenir les fondateurs, les administrateurs, les autres dirigeants ou les membres de la personne morale qui ont participé à l'acte reproché ou en ont tiré un profit personnel responsables, dans la mesure qu'il indique, du préjudice subi par la personne morale.

Le *Code civil* permet ainsi à **tout intéressé** de demander au tribunal de tenir les fondateurs, administrateurs, dirigeants ou membres de la personne morale qui ont participé à une fraude contre elle ou en ont profité, responsables du préjudice subi par la personne morale.

3.4.1.3   Le fonctionnement et la représentation

310 C.c.Q.

Le fonctionnement, l'administration du patrimoine et l'activité des personnes morales sont réglés par la loi, l'acte constitutif et les règlements ; dans la mesure où la loi le permet, ils peuvent aussi être réglés par une convention unanime des membres. (Voir la section 16.2.4, L'organisation de la compagnie)

Le *Code civil* nous indique que le conseil d'administration est l'**instance décisionnelle** de la personne morale :

311 C.c.Q.   *Les personnes morales agissent par leurs organes, tels le conseil d'administration et l'assemblée des membres.*

312 C.c.Q.   *La personne morale est représentée par ses dirigeants, qui l'obligent dans la mesure des pouvoirs que la loi, l'acte constitutif ou les règlements leur confèrent.*

Par conséquent, le dirigeant est la personne physique qui a le pouvoir de lier la personne morale (voir la section 16.2.8, Les administrateurs).

3.4.2	**LES DEVOIRS ET OBLIGATIONS DES ADMINISTRATEURS**

321 C.c.Q.   *L'administrateur est considéré comme mandataire de la personne morale. Il doit, dans l'exercice de ses fonctions, respecter les obligations que la loi, l'acte constitutif et les règlements lui imposent et agir dans les limites des pouvoirs qui lui sont conférés.*

Ainsi, le rôle de l'administrateur s'assimile à celui d'un mandataire de la personne morale. L'administrateur est donc soumis aux devoirs et aux obligations imposés par le *Code civil* aux mandataires (voir la section 13.5.2.1, Les obligations du mandataire envers le mandant).

Notez cependant à titre d'exemple que :

2147 C.c.Q.   *Le mandataire ne peut se porter partie, même par personne interposée, à un acte qu'il a accepté de conclure pour son mandant, à moins que celui-ci ne l'autorise, ou ne connaisse sa qualité de cocontractant.*

322 C.c.Q.   *L'administrateur doit agir avec prudence et diligence.*

Il doit aussi agir avec honnêteté et loyauté dans l'intérêt de la personne morale.

Il est essentiel de souligner que le titre cinquième du Livre premier du *Code civil* traitant des personnes morales énonce les règles essentielles à l'acquisition de la personnalité juridique et à son exercice. Bien que ces règles soient fondamentales, elles sont complétées par de nombreuses lois. C'est le cas notamment de la *Loi sur les compagnies du Québec* qui fait l'objet d'une étude plus détaillée au chapitre 16 du présent ouvrage.

RÉSUMÉ

Toute personne est titulaire de droits de la personnalité, tels que le droit à la vie, à l'inviolabilité et à l'intégrité de sa personne, au respect de son nom, de sa réputation et de sa vie privée.

Toute personne exerce ses droits civils sous le nom qui lui est attribué et qui est inscrit sur son acte de naissance.

Le domicile d'une personne, quant à l'exercice de ses droits civils, est au lieu de son principal établissement.

Le tribunal nomme un conseiller au majeur si celui-ci, bien que généralement ou habituellement apte à prendre soin de lui-même et à administrer ses biens, a besoin, pour certains actes ou temporairement, d'être assisté ou conseillé dans l'administration de ses biens.

Les personnes morales ont la personnalité juridique. Elles sont de droit public ou de droit privé.

QUESTIONS

3.1   Qu'est-ce qu'une personne ?

3.2   Différenciez une personne physique d'une personne morale et illustrez votre réponse avec deux exemples pour chaque cas.

3.3 Nommez les trois caractéristiques du domicile et expliquez-les brièvement ?

3.4 Qu'est-ce que la résidence d'une personne ?

3.5 Qu'est-ce qui compose le registre de l'état civil ? Mentionnez l'utilité de chacun.

3.6 Nommez les deux sortes de capacité des personnes et expliquez-les brièvement.

3.7 Quels sont les principaux avantages dont jouit une personne morale ?

CAS PRATIQUES

3.8 Henri Proulx est marié à Alice Dumais. Récemment, Alice a donné naissance à un petit garçon. Ils veulent l'appeler Éric. Énumérez toutes les possibilités de nom parmi lesquels les parents devront choisir pour leur enfant et dites pourquoi.

3.9 Andrée a une résidence à Venise, un appartement en Floride et une maison à Québec. Sa famille demeure à Québec. Elle travaille à Québec, chez Hydro-Québec et ses comptes de banque sont à Québec. Parmi toutes ces résidences, laquelle est le domicile d'Andrée. Justifiez votre réponse.

3.10 Catherine a 17 ans et possède des talents en menuiserie. Elle veut partir, seule, un petit commerce et vendre les pièces qu'elle a créées. Peut-elle le faire ? Qui sera responsable des défauts de fabrication ? Justifiez votre réponse.

3.11 Serge, âgé de 26 ans, a eu un grave accident de la route. Depuis, il est paralysé (quadraplégique) et ses facultés mentales sont atteintes. Les médecins ont très peu d'espoir que son état s'améliore. D'après vous, quel régime de protection le tribunal va-t-il choisir pour Serge et en vertu de quel article ?

3.12 La compagnie à numéro 1278-9983 Québec inc. a fait affaires avec la Banque de Montréal. Cette compagnie a fraudé la banque pour un million de dollars. Les dirigeants de cette entreprise peuvent-ils invoquer « que les personnes morales sont distinctes de leurs membres et que leurs actes n'engagent qu'elles-mêmes » pour être disculpés de toute responsabilité personnelle à l'égard des sommes dues à la Banque de Montréal ? Justifiez votre réponse.

DOCUMENTS

Grâce à la bienveillante collaboration du directeur de l'état civil, Me Guy Lavigne, nous pouvons vous présenter les quatre documents officiels qui encadrent la vie des citoyens du Québec.

Le document 3.1 est le certificat de mariage qui confirme que Robert Bouchard et Micheline Montreuil se sont épousés le 13 janvier 1994 à Québec.

Le document 3.2 est la déclaration de naissance qui confirme que Robert Bouchard et Micheline Montreuil ont eu une fille, Marie-Michelle Hélène Montreuil, née le 7 juin 1994 à 13 h 13 à l'hôpital du Saint-Sacrement à Québec. Ce document est nécessaire pour obtenir un certificat de naissance. La feuille d'instruction de ce document est très détaillée et elle permet de remplir ce dernier sans erreur. On y rappelle que les parents peuvent donner à leur enfant un nom de famille composé et que le premier prénom mentionné est considéré comme le prénom usuel, Marie-Michelle dans le présent cas. Il est à noter que, dans ce cas, les parents ont décidé que leur fille portera le nom de famille de sa mère.

Le document 3.3 est le certificat de naissance qui confirme qu'il existe une personne de sexe féminin du nom de Marie-Michelle Hélène Montreuil née à Québec le 7 juin 1994 de Robert Bouchard et de Micheline Montreuil.

Le document 3.4 est le certificat de décès qui atteste que Marie-Michelle Hélène Montreuil est décédée à Québec le 14 février 1996.

Document 3.1   CERTIFICAT DE MARIAGE

Certificat de mariage

Nom de l'époux	**Prénom(s) de l'époux**
Bouchard	Robert
Nom de l'épouse	**Prénom(s) de l'épouse**
Montreuil	Micheline

SPÉCIMEN

	A M J	**Lieu du mariage**
Date du mariage	1994-01-13	Québec, Québec

No d'inscription
1994000047

A   M   J
Date de délivrance   1994-01-27

Certifié conforme

Le directeur de l'état civil

Guy Lavigne
Guy Lavigne

Ce certificat n'est pas valide s'il est modifié ou plastifié.

Document 3.2   DÉCLARATION DE NAISSANCE

Gouvernement du Québec
Ministère de la Justice
Direction de l'état civil

À ÊTRE REMPLIE PAR LES PARENTS POUR
L'INSCRIPTION CIVILE D'UNE NAISSANCE

DEC-1
*Déclaration
de naissance*

Bien vouloir remplir la déclaration en lettres moulées avec
un stylo ou à la machine à écrire. Appuyer fortement.
Consulter attentivement les instructions au verso avant
de remplir le formulaire.

IDENTIFICATION DE L'ENFANT *(Pour le nom de famille et le ou les prénom(s) de l'enfant, consulter les instructions au verso)*

1. Nom de famille	3. Date et heure de naissance	Année	Mois	Jour	Heure(s)	Minute(s)
Montreuil		9 4	0 6	0 7	1 3	1 3

2. Prénom(s)	4. Sexe
Marie-Michelle Hélène	Masculin X Féminin

IDENTIFICATION DU LIEU DE NAISSANCE

5. Nom de l'établissement où a eu lieu la naissance (si l'enfant n'est pas né à l'hôpital, préciser l'endroit de la naissance)	6. Code d'établissement
Hôpital du Saint-Sacrement	1 2 2 4 3 6 5 2

7. Adresse de l'endroit où a eu lieu la naissance (n°, rue, municipalité, province ou pays)	Code postal
1050 chemin Sainte-Foy, Québec, Québec	G 1 S 4 L 8

IDENTIFICATION DES DÉCLARANTS *(Inscrire le nom de famille et tous les prénoms selon l'acte de naissance en plaçant le prénom usuel au début)*

MÈRE

8. Nom de famille	10. Adresse du domicile (n°, rue, municipalité, province ou pays)	18. La mère et le père sont-ils mariés l'un à l'autre?
Montreuil	860 Marguerite Bourgeois #13	
9. Prénoms	Québec, Québec	X Oui Non
Micheline		

11. Date de naissance	Année	Mois	Jour	12. N° de téléphone où la mère peut être rejointe	Indicatif régional	Code postal
	7 2	0 6	1 3		4 1 8 6 8 3 9 9 6 6	G 1 S 3 W 9

15. Adresse du domicile (si différente de celle de la mère)

Si oui, indiquer la date du mariage

PÈRE

13. Nom de famille
Bouchard
14. Prénoms
Robert

16. Date de naissance	Année	Mois	Jour	17. N° de téléphone où le père peut être rejoint	Indicatif régional	Code postal	Année	Mois	Jour
	7 3	1 2	1 7		4 1 8 6 8 3 9 9 6 6		9 4	0 1	1 3

REMPLIR CETTE SECTION UNIQUEMENT SI LE DÉCLARANT EST AUTRE QUE LA MÈRE OU LE PÈRE	19. Nom de famille	22. Adresse du domicile (n°, rue, municipalité, province ou pays)
	20. Prénom usuel	
	21. N° de téléphone où le déclarant peut être rejoint	Indicatif régional Code postal

QUALITÉ ET SIGNATURE DES DÉCLARANTS

23. Qualité des déclarants	24. Signature de la mère	*Micheline Montreuil*	25. Date de la signature	Année	Mois	Jour
X Mère				9 4	0 6	1 5
X Père	26. Signature du père	*Robert Bouchard*	27. Date de la signature	9 4	0 6	1 5
Préciser ◄ Autre	28. Signature du déclarant (si autre que la mère ou le père de l'enfant)		29. Date de la signature Année Mois Jour			

IDENTIFICATION ET ATTESTATION DU TÉMOIN *(Inscrire le nom de famille et le(s) prénom(s) selon l'acte de naissance)*

J'atteste que la déclaration a été faite et signée devant moi et, qu'à ma connaissance les renseignements donnés ci-dessus sont exacts.	30. Nom de famille	St-Pierre	31. Prénom usuel	Lucie
	32. Adresse du domicile (n°, rue, municipalité, province ou pays)	1430 Maréchal-Foch Québec, Québec	Code postal	G 1 S 2 C 6
	33. Signature du témoin	*Lucie St-Pierre*	34. Date de la signature Année Mois Jour	9 4 0 6 1 5

SECTION RÉSERVÉE À L'USAGE EXCLUSIF DE LA DIRECTION DE L'ÉTAT CIVIL *(Ne pas écrire dans cette section)*

35. Signature du directeur de l'état civil	*Guy Lavigne*	36. Date de la signature	Année	Mois	Jour	37. N° d'inscription
			9 4	0 6	1 6	1994060700047

38. Mentions

• DEC-1 (93-11)

1- 4000013   **1 - DIRECTEUR DE L'ÉTAT CIVIL**

Document 3.3   CERTIFICAT DE NAISSANCE

Certificat de naissance

Nom

Montreuil

Sexe

Féminin

Lieu de naissance

Québec, Québec

Père

Bouchard, Robert

No d'inscription

1994060700047

Certifié conforme

Prénom(s)

Marie-Michelle Hélène

           A   M   J   H   M

Date de naissance   1994-06-07   13-13

Mère

Montreuil, Micheline

           A   M   J

Date de délivrance   1994-06-21

Le directeur de l'état civil

Guy Lavigne

Ce certificat n'est pas valide s'il est modifié ou plastifié.

Document 3.4   CERTIFICAT DE DÉCÈS

Certificat de décès

Nom

Montreuil

Prénom(s)

Marie-Michelle Hélène

Sexe
Féminin

Date du décès   A   M   J   H   M
1996 02-14   23-15

Lieu du décès

Québec, Québec

No d'inscription
1995021400035

Date de délivrance   A   M   J
1996-02-21

Certifié conforme

Le directeur de l'état civil

Guy Lavigne

Guy Lavigne

Ce certificat n'est pas valide s'il est modifié ou plastifié.

Chapitre **4**

LA FAMILLE

4.0 PLAN DU CHAPITRE

4.1 OBJECTIFS

Après la lecture du chapitre, l'étudiant doit être en mesure :

- d'expliquer les différences et d'analyser les conséquences juridiques du mariage et de l'union de fait ;

- d'énoncer les effets du mariage : les droits et devoirs des époux, la résidence familiale, le patrimoine familial et la prestation compensatoire et de les distinguer des régimes matrimoniaux ;

- d'expliquer les différences entre la séparation de corps, le divorce et l'annulation de mariage ;

- de reconnaître et d'expliquer les éléments relatifs à la garde légale des enfants de la famille, à l'obligation alimentaire et à l'autorité parentale.

4.2 LA FAMILLE

Le législateur valorise le rôle de la **famille**. Il ne confond toutefois pas **conjoints légaux** et **concubins**. Les premiers sont légalement mariés et détiennent un **acte de mariage** ; les seconds ne font que vivre ensemble et ils ne détiennent aucun **acte légal** reconnaissant leur statut. Ce statut n'est d'aucune façon reconnu dans le *Code civil*, bien que l'on reconnaisse aux **conjoints de fait** ou **concubins** le droit de constituer une famille. Ainsi, contrairement au droit en vigueur dans d'autres provinces ou dans d'autres pays et contrairement à la croyance populaire, le fait de vivre maritalement avec une autre personne depuis une courte durée ou une très longue période ne permet à aucun moment de prétendre être légalement marié et ne confère pas les droits et obligations des personnes mariées.

Aucune obligation résultant du mariage n'est applicable au concubin même si certaines dispositions légales reconnaissent l'existence du concubinage. Examinons les trois exemples suivants :

555 C.c.Q.   *Le consentement à l'adoption [...] peut être donné en faveur du conjoint ou du **concubin** du père ou de la mère, si, étant **concubins**, ces derniers cohabitent depuis au moins trois ans.*

1938 C.c.Q.   *Le conjoint d'un locataire ou, s'il habite avec ce dernier depuis au moins six mois, son **concubin**, [...] a droit au maintien dans les lieux et devient locataire si, lorsque cesse la cohabitation, il continue d'occuper le logement et avise le locateur de ce fait dans les deux mois de la cessation de la cohabitation. [...]*

1958 C.c.Q.   *Le propriétaire d'une part indivise d'un immeuble ne peut reprendre aucun logement s'y trouvant, à moins qu'il n'y ait qu'un seul autre propriétaire et que ce dernier soit son conjoint ou son **concubin**.*

Toutes les règles qui suivent ne concernent que les gens légalement mariés ; pour bénéficier de leur avantage, il suffit de se marier. Sans le mariage, ces règles sont inopérantes.

4.3 LE MARIAGE

Le mariage ne peut légalement exister que s'il a été célébré conformément aux dispositions du *Code civil* :

365 C.c.Q.   *Le mariage doit être contracté publiquement devant un célébrant compétent et en présence de deux témoins.*

Il ne peut l'être qu'entre un homme et une femme qui expriment publiquement leur consentement libre et éclairé à cet égard.

Que les époux se marient à l'église ou au palais de justice, et qu'ils soient croyants ou athées, le mariage demeure une institution encadrée par le législateur. Les devoirs et les obligations qui découlent du mariage sont d'ordre public de sorte qu'aucun arrangement privé qui irait à leur encontre n'a de valeur légale.

392 C.c.Q.   *Les époux ont, en mariage, les mêmes droits et les mêmes obligations.*

Ils se doivent mutuellement respect, fidélité, secours et assistance.

Ils sont tenus de faire vie commune.

Au regard de cet article du *Code civil*, même si un époux tolère les aventures extra-conjugales de son conjoint, il peut quand même invoquer l'adultère pour se séparer ou divorcer. Ces aventures sont un manquement au devoir de fidélité, qui a préséance sur les accords du couple.

| **4.3.1** | **LES EFFETS DU MARIAGE** |

Les obligations du mariage ont parfois des conséquences ignorées. Par exemple, lorsque l'un des conjoints est frappé d'incapacité à la suite d'un accident ou d'une maladie mentale, l'autre doit, dans la mesure de ses capacités, administrer les biens du couple en tenant compte du régime matrimonial (voir la section 4.3.2, Les régimes matrimoniaux). De plus, le devoir d'assistance lui commande de préserver l'intégrité psychique et physique du conjoint frappé d'incapacité.

La vie du **couple marié** au Québec est encadrée par cinq ensembles de règles coexistants :

- les droits et devoirs des époux ;
- la résidence familiale ;
- le patrimoine familial ;
- la prestation compensatoire ;
- les régimes matrimoniaux.

À cela, il faut ajouter les règles issues du contrat de mariage des époux et les conséquences des conventions intervenues entre eux relativement à la copropriété indivise des biens acquis.

| **4.3.1.1** | **Les droits et devoirs des époux** |

Dans le mariage, les époux ont des obligations l'un envers l'autre. Il s'agit de dispositions applicables à tous les époux sans exception :

392 C.c.Q.
: *Les époux ont, en mariage, les mêmes droits et les mêmes obligations.*

  Ils se doivent mutuellement respect, fidélité, secours et assistance.

  Ils sont tenus de faire vie commune.

393 C.c.Q.
: *Chacun des époux conserve, en mariage, son nom ; il exerce ses droits civils sous ce nom.*

394 C.c.Q.
: *Ensemble, les époux assurent la direction morale et matérielle de la famille, exercent l'autorité parentale et assument les tâches qui en découlent.*

395 C.c.Q.
: *Les époux choisissent de concert la résidence familiale.*

  En l'absence de choix exprès, la résidence familiale est présumée être celle où les membres de la famille habitent lorsqu'ils exercent leurs principales activités.

396 C.c.Q.
: *Les époux contribuent aux charges du mariage à proportion de leurs facultés respectives.*

  Chaque époux peut s'acquitter de sa contribution par son activité au foyer.

397 C.c.Q.
: *L'époux qui contracte pour les besoins courants de la famille engage aussi pour le tout son conjoint non séparé de corps.*

  Toutefois, le conjoint n'est pas obligé à la dette s'il avait préalablement porté à la connaissance du cocontractant sa volonté de n'être pas engagé.

398 C.c.Q.
: *Chacun des époux peut donner à l'autre mandat de le représenter dans des actes relatifs à la direction morale et matérielle de la famille.*

  Ce mandat est présumé lorsque l'un des époux est dans l'impossibilité de manifester sa volonté pour quelque cause que ce soit ou ne peut le faire en temps utile.

399 C.c.Q.
: *Un époux peut être autorisé par le tribunal à passer seul un acte pour lequel le consentement de son conjoint serait nécessaire, s'il ne peut l'obtenir pour quelque cause que ce soit ou si le refus n'est pas justifié par l'intérêt de la famille.*

  L'autorisation est spéciale et pour un temps déterminé ; elle peut être modifiée ou révoquée.

400 C.c.Q.
: *Si les époux ne parviennent pas à s'accorder sur l'exercice de leurs droits et l'accomplissement de leurs devoirs, les époux ou l'un d'eux peuvent saisir le tribunal qui statuera dans l'intérêt de la famille, après avoir favorisé la conciliation des parties.*

Il résulte de ces dispositions une égalité évidente entre mari et femme sur le plan des rapports personnels. De surcroît, le législateur québécois a opté pour une égalité économique non seulement pendant le mariage mais aussi à sa dissolution.

4.3.1.2 La résidence familiale

Le *Code civil* assure une protection de la résidence familiale et des meubles. Par exemple, l'époux propriétaire de l'immeuble qui sert de résidence familiale ne peut, sans le consentement de son conjoint, le vendre ou l'hypothéquer. De plus :

401 C.c.Q.

> *Un époux ne peut, sans le consentement de son conjoint, aliéner, hypothéquer ni transporter hors de la résidence familiale les meubles qui servent à l'usage du ménage.*
>
> *Les meubles qui servent à l'usage du ménage ne comprennent que les meubles destinés à garnir la résidence familiale, ou encore à l'orner ; sont compris dans les ornements, les tableaux et œuvres d'art, mais non les collections.*

Donc, il ne peut non plus vendre ou transporter hors du domicile commun les meubles destinés à garnir ou à orner la résidence principale de la famille. Les époux sont ainsi contraints à gérer ensemble le bien qui sert au couple et à la famille, même si ce bien est la propriété exclusive de l'un d'eux.

4.3.1.3 Le patrimoine familial

Tous les couples mariés depuis le 1er juillet 1989 sont soumis aux règles établissant un patrimoine familial, sans aucune possibilité d'exclusion. Les personnes mariées avant l'entrée en vigueur de la loi modifiant le *Code civil* et instituant le patrimoine familial y sont également assujetties. Elles pouvaient cependant s'y soustraire, par acte notarié ou par déclaration judiciaire, avant le 1er janvier 1991. Si elles ne l'ont pas fait, il est trop tard.

Lorsque le patrimoine familial est constitué, la valeur des biens qu'il comprend doit être partagée entre les époux à la dissolution de leur union. Selon le *Code civil*, les époux doivent, s'ils mettent fin à leur mariage, calculer la valeur de leur patrimoine familial afin de déterminer lequel d'entre eux sera le créancier de l'autre. Pour faire ce calcul, ils doivent établir la liste des biens clairement désignés dans l'article 415 du *Code civil* comme faisant partie du patrimoine familial.

Le patrimoine familial est composé des biens suivants :

- les résidences de la famille ;
- les meubles qui les garnissent ou les ornent et qui servent à l'usage du ménage ;
- les automobiles utilisées pour les déplacements de la famille ;
- les gains inscrits durant le mariage, au nom de chaque époux, en application de la *Loi sur le régime de rentes du Québec* ou de programmes équivalents, comme le Régime de pensions du Canada ; ils sont cependant exclus si la dissolution du mariage résulte du décès d'un des conjoints ;
- les droits accumulés durant le mariage au titre de certains régimes privés de retraite.

Ces biens, qu'ils soient la propriété de l'un ou l'autre des conjoints, constituent le patrimoine familial **sans égard au régime matrimonial**. Cependant, sont exclus du patrimoine familial les biens qui ont été reçus avant ou après le mariage en exécution d'une succession ou d'une donation.

Une famille peut posséder plus d'une résidence principale et plus d'une résidence secondaire. Peu importe l'endroit où vit la famille, toutes les résidences qu'elle possède font partie du patrimoine familial et doivent toutes être partagées entre les époux.

Les régimes de retraite forment une part importante du patrimoine et ont été clairement définis par le *Code civil*. Ils comprennent :

- les régimes complémentaires de retraite, pour lesquels les employeurs cotisent et qui sont communément appelés fonds de pension ;

- les régimes de retraite établis par une loi (les régimes des fonctionnaires, des enseignants, des députés et des juges font partie de cette catégorie) ;

- les régimes enregistrés d'épargne-retraite (REÉR) ;

- tout autre instrument d'épargne-retraite, dont un contrat constitutif de rente, dans lequel ont été transférées des sommes provenant de l'un ou l'autre de ces régimes ; un tel instrument peut être, par exemple, un fonds enregistré de revenu de retraite (FERR) ou un contrat de rente viagère conclu avec un assureur, constitué avec l'argent accumulé dans un régime complémentaire de retraite ou un REÉR.

L'inclusion d'un bien dans le patrimoine familial ne prive pas l'époux propriétaire de ses droits sur ce bien. Il peut en disposer ou l'hypothéquer sans le consentement de son conjoint (sous réserve des règles particulières prévues pour la résidence familiale et les meubles qui la garnissent). **C'est au jour du partage résultant d'une séparation de corps, d'une annulation du mariage, d'un divorce ou du décès de l'un des époux que le patrimoine familial prend toute son importance.** Tant que dure la vie de couple, la notion de patrimoine familial est sans effet apparent.

Par exemple, analysons le cas du couple formé de Francine et Philippe. Depuis qu'elle est mariée, Francine conserve soigneusement ses factures en se disant que cela peut toujours servir. Puis elle se pose la question suivante : en utilisant l'argent dont elle venait d'hériter pour payer l'hypothèque de la maison, ne serait-elle pas perdante si jamais elle et Philippe divorçaient ? La réponse : Non, puisque les sommes investies dans les biens formant le patrimoine et qui proviennent d'une succession ou d'une donation sont déduites de la valeur marchande du bien à être partagé, compte tenu du fait que la résidence fait partie du patrimoine familial alors que l'argent reçu en héritage en est exclu. Mais cette réponse ne serait pas la même si l'argent de Francine provenait d'épargnes réalisées au cours des ans.

Pour Philippe, qui suit le soir des cours de perfectionnement en administration, l'héritage de Francine arrive à point. Il pourra désormais poursuivre ses études le jour et travailler à temps partiel. Pour Philippe, cette situation semble logique, mais Francine continue de calculer. Elle pense à tous les placements qu'elle ne pourra pas faire et qui lui auraient rapporté, à la plus-value de son bien, aux revenus d'intérêts. Doit-elle troquer ses intérêts contre le bien-être de Philippe ? Même si ce n'est pas le Code civil qui commande toutes les actions quotidiennes du couple, Francine n'a-t-elle pas raison de penser aux lois qui régissent les biens des époux ?

De toute évidence, les couples qui choisissent de se marier doivent évaluer les conséquences économiques du mariage.

4.3.1.4	**La prestation compensatoire**

Une personne qui a contribué à l'enrichissement du patrimoine de son conjoint peut, à l'occasion de la rupture, obtenir compensation pour son apport. Il s'agit de la prestation compensatoire, qui corrige l'injustice résultant du fait qu'une personne peut avoir largement contribué à l'entreprise de son conjoint et n'en rien retirer à la rupture. Cette mesure ne vise qu'à prévenir ou à corriger des situations exceptionnelles. *Par exemple, une épouse qui aurait, en plus des charges du ménage, tenu la comptabilité et contribué à l'expansion de l'entreprise de son mari, sans compter ses heures et sans ménager son énergie, pourrait se voir attribuer une prestation compensatoire.*

427 C.c.Q.

Au moment où il prononce la séparation de corps, le divorce ou la nullité du mariage, le tribunal peut ordonner à l'un des époux de verser à l'autre, en compensation de l'apport de ce dernier, en biens ou en services, à l'enrichissement du patrimoine de son conjoint, une prestation payable au comptant ou par versements, en tenant compte, notamment, des avantages que procurent le régime matrimonial et le contrat de mariage. Il en est de même en cas de décès; il est alors, en outre, tenu compte des avantages que procure au conjoint survivant la succession.

Lorsque le droit à la prestation compensatoire est fondé sur la collaboration régulière de l'époux à une entreprise, que cette entreprise ait trait à un bien ou à un service et qu'elle soit ou non à caractère commercial, la demande peut en être faite dès la fin de la collaboration si celle-ci est causée par l'aliénation, la dissolution ou la liquidation volontaire ou forcée de l'entreprise.

Mesure d'équité, la prestation compensatoire ne doit pas être confondue avec les autres mesures gouvernant la vie matrimoniale puisque le juge qui l'octroie doit tenir compte, notamment, des avantages que procurent le régime matrimonial et le contrat de mariage. En d'autres termes, le tribunal doit veiller à ce que l'époux collaborateur n'obtienne pas plusieurs fois compensation pour une même contribution. La prestation compensatoire impose donc un partage de biens, mais elle n'est pas automatique. La personne qui la réclame doit convaincre le tribunal qu'il y a droit. Elle a pour but de corriger une situation inéquitable qui peut très bien survenir malgré l'existence d'un patrimoine familial.

4.3.2 LES RÉGIMES MATRIMONIAUX

Certains croient que, étant donné les dispositions du *Code civil* sur le patrimoine familial, les règles relatives aux régimes matrimoniaux ne servent plus à rien. Qu'en est-il exactement ?

Les normes concernant la résidence familiale et le patrimoine familial régissent les biens les plus importants et les plus fréquemment possédés par la famille. À ces normes de base s'ajoutent les régimes matrimoniaux par lesquels les époux peuvent exprimer leurs volontés au sujet des autres biens (voir le tableau 4.1). Épris d'indépendance, ils opteront pour la **séparation de biens**, qu'ils adopteront par acte notarié avant ou pendant le mariage. Plus soucieux de constituer une communauté, ils choisiront le régime légal de la **société d'acquêts**. C'est ce régime qui s'applique automatiquement si le couple n'a pas, avant le mariage, exprimé son choix pour un régime particulier.

Le législateur permet aux époux de changer de régime matrimonial pendant le mariage. Le consentement des deux époux est alors exigé.

Tableau 4.1 Les différents régimes matrimoniaux

Nom du régime	Caractéristiques
Société d'acquêts	Chaque époux possède des biens propres mais la majorité des biens tendent à devenir acquêts ou communs après plusieurs années
Séparation de biens	Chaque époux est propriétaire de ses biens : ce sont des biens propres ; ils peuvent cependant acquérir des biens communs s'ils les achètent ensemble
Communauté de biens	Les biens appartiennent aux deux époux à parts égales : ce sont des biens communs

Les régimes matrimoniaux traditionnels viennent donc compléter les règles impératives du patrimoine familial et de la prestation compensatoire. Ils déterminent de manière très détaillée les droits ou obligations des époux relativement à l'administration et au partage de la richesse de chacun.

Le but réel d'un régime matrimonial comporte trois éléments :

- la propriété des biens acquis par les époux durant le mariage ;
- la gestion des biens ;
- le partage des biens au moment du divorce ou de la dissolution du mariage.

Les dispositions du *Code civil* concernant le patrimoine familial et la prestation compensatoire n'interviennent qu'au moment du partage, ce qui n'est pas le cas d'un régime matrimonial.

4.3.2.1	## La société d'acquêts

La société d'acquêts est le régime matrimonial légal en vigueur au Québec depuis le 1er juillet 1970. Tous les couples sans contrat de mariage – ils représentent plus de 60 % – sont donc mariés sous ce régime.

La société d'acquêts divise les biens des conjoints en cinq catégories :

- les biens propres de l'époux ;
- les acquêts de l'époux ;
- les biens propres de l'épouse ;
- les acquêts de l'épouse ;
- les acquêts communs.

Les biens propres sont ceux déjà possédés au moment du mariage et ceux achetés pour les remplacer. Les legs et les biens achetés avec l'argent provenant d'un héritage font aussi partie de cette catégorie. Quant aux acquêts, ils sont constitués des biens acquis durant le mariage à même les revenus des conjoints.

Dans la vie courante, les conjoints administrent leurs biens sans vraiment tenir compte de ces distinctions. C'est au moment d'une rupture que les implications de ce régime deviennent évidentes. Chacun part alors avec ses biens propres et peut exiger de partager les acquêts de l'autre. Le partage des acquêts, ce n'est pas seulement le partage de la valeur des biens communs, c'est le partage de tous les actifs accumulés pendant le mariage moins toutes les dettes. C'est ce qui explique que les conjoints, ou l'un des deux, peuvent renoncer au partage des acquêts de l'autre. Il est à noter que la faillite d'un époux entraîne la dissolution de la société d'acquêts.

449 C.c.Q.   *Les **acquêts** de chaque époux comprennent tous les biens non déclarés propres par la loi et notamment :*

1° Le produit de son travail au cours du régime ;

2° Les fruits et revenus échus ou perçus au cours du régime, provenant de tous ses biens, propres ou acquêts.

450 C.c.Q.   *Sont **propres** à chacun des époux :*

1° Les biens dont il a la propriété ou la possession au début du régime ;

2° Les biens qui lui échoient au cours du régime, par succession ou donation et, si le testateur ou le donateur l'a stipulé, les fruits et revenus qui en proviennent ;

3° Les biens qu'il acquiert en remplacement d'un propre de même que les indemnités d'assurance qui s'y rattachent ;

4° Les droits ou avantages qui lui échoient à titre de titulaire subrogé ou à titre de bénéficiaire déterminé d'un contrat ou d'un régime de retraite, d'une autre rente ou d'une assurance de personnes ;

5° Ses vêtements et ses papiers personnels, ses alliances, ses décorations et ses diplômes ;

6° Les instruments de travail nécessaires à sa profession, sauf récompense s'il y a lieu.

Donc, les biens acquis avant le mariage sont des biens propres et les biens acquis pendant le mariage sont des acquêts. Au moment du mariage, il n'y a pas d'acquêts, tandis que, les années passant, il y a de plus en plus d'acquêts.

En effet, le salaire de chaque époux ainsi que les revenus d'intérêt, de dividende, de placement, de loyer et autres sont des acquêts, et comme la majorité des biens du couple sont acquis au fil des ans avec les revenus du couple, la majorité de ces biens, pour ne pas dire la totalité, sont des acquêts. Évidemment, il y a toujours les vêtements personnels et les instruments de travail qui demeurent des biens propres, mais parmi tous les biens acquis par un couple, ils n'en représentent qu'une faible partie.

Il existe une règle importante à respecter, celle de la récompense.

451 C.c.Q.

> *Est également propre, à charge de récompense, le bien acquis avec des propres et des acquêts, si la valeur des propres employés est supérieure à la moitié du coût total d'acquisition de ce bien. Autrement, il est acquêt à charge de récompense.*
>
> *La même règle s'applique à l'assurance sur la vie, de même qu'aux pensions de retraite et autres rentes. Le coût total est déterminé par l'ensemble des primes ou sommes versées, sauf dans le cas de l'assurance temporaire où il est déterminé par la dernière prime.*

Par exemple, au moment de son mariage, Jean est propriétaire d'une automobile d'une valeur de 20 000 $. Cinq ans plus tard, il en achète une nouvelle au prix de 25 000 $ et donne en échange sa vieille voiture évaluée à 5 000 $ par le vendeur d'automobiles ; théoriquement, cette nouvelle voiture est un bien propre car elle remplace un bien propre. Mais comme Jean a dû payer une somme supplémentaire de 20 000 $ qui provient de ses revenus de salaire et autres, ce bien est un acquêt, car il y a une plus grande part d'acquêts que de biens propres dans ce bien.

Plusieurs articles mentionnent que tel bien est **à charge de récompense**. *Ainsi, dans le cas de Jean, cela signifie que les acquêts devront rembourser aux biens propres de Jean la somme de 5 000 $ qui constitue sa part de biens propres dans la nouvelle automobile. Mais, à la longue, tous les biens ont tendance à devenir ainsi acquêts.*

Si les époux le désirent, ils peuvent également faire un **contrat de mariage en société d'acquêts** afin de prévoir un certain nombre de dispositions qui ne sont pas prévues par le *Code civil*, telles que des donations entre époux, une clause testamentaire prévoyant la disposition des biens en cas de décès de l'un des époux ainsi que des clauses en cas de séparation ou de divorce du couple. Ce contrat de mariage en société d'acquêts est donc rédigé selon le même principe qu'un contrat de mariage en séparation de biens, sauf que les époux ont opté pour le régime de la société d'acquêts plutôt que pour celui de la séparation de biens.

4.3.2.2 La séparation de biens

La **séparation de biens** est un **régime conventionnel**, c'est-à-dire que les époux qui désirent être régis par un tel régime doivent obligatoirement signer devant notaire un contrat de mariage dans lequel ils déclarent opter pour la séparation de biens. C'est le régime traditionnel que choisissent les gens en affaires. Ainsi, chaque partie peut se lancer en affaires indépendamment de l'autre, et si un des époux fait faillite, les biens de l'autre ne sont pas saisis. De plus, lors de l'achat d'une maison, la signature du conjoint peut être obligatoire sous un régime de société d'acquêts ou de communauté de biens tandis qu'elle n'est généralement pas nécessaire pour les personnes mariées sous un régime de séparation de biens.

Ce régime n'est régi que par trois articles du *Code civil du Québec* :

485 C.c.Q.

> *Le régime de séparation conventionnelle de biens s'établit par la simple déclaration faite à cet effet dans le contrat de mariage.*

486 C.c.Q.

> *En régime de séparation de biens, chaque époux a l'administration, la jouissance et la libre disposition de tous ses biens.*

487 C.c.Q.   *Le bien sur lequel aucun des époux ne peut justifier de son droit exclusif de propriété est présumé appartenir aux deux indivisément, à chacun pour moitié.*

Ce régime peut être résumé par la phrase suivante :

Mes biens sont à moi et tes biens sont à toi, et mes dettes sont mes dettes et tes dettes sont tes dettes.

Auparavant, par contrat de mariage, il était d'usage pour l'époux le plus fortuné de faire des donations à son conjoint. Bien que cela ne soit pas essentiel, il peut cependant exister une raison très pratique pour faire des donations de biens présents ou même de biens futurs à son conjoint, de prévoir des clauses en cas de décès de l'un des époux et même des clauses en cas de séparation ou de divorce des époux (voir le document 4.1).

Par exemple, voici le cas de Micheline et de Robert. Micheline a accumulé une fortune de quelque 250 000 $ tant par son travail que par un héritage, alors que Robert a au plus 20 000 $ en biens. Micheline, qui est ingénieure, désire créer une petite entreprise d'usinage mécanique, ce qui demande un investissement d'au moins 500 000 $. Elle compte y investir personnellement 100 000 $ et emprunter le reste à ses fournisseurs et à sa banque.

Micheline constitue son entreprise en compagnie mais après quelques mois cette dernière fait faillite. Théoriquement, l'entreprise et Micheline sont deux personnes distinctes ; l'entreprise perd tous ses biens, alors que Micheline préserve tous les siens. En pratique, pour s'assurer de ne pas perdre d'argent, le banquier de Micheline lui aura fait cautionner ou endosser tous les prêts accordés à l'entreprise de sorte que si l'entreprise fait faillite et qu'il n'y a pas assez d'argent dans les biens de l'entreprise pour rembourser les prêts consentis par la banque, Micheline devra les rembourser à même ses biens personnels. Dans un tel cas, si Micheline refuse, la banque obtiendra un jugement contre elle et fera saisir et vendre en justice les biens de Micheline pour assurer le remboursement des prêts.

Si, par son contrat de mariage, Micheline a donné tous ses biens à son époux Robert, la banque ne peut pas saisir les biens personnels de Micheline puisque cette dernière n'a plus de biens : tous ses biens appartiennent maintenant à Robert.

Par contre, rien n'interdit à Robert de quitter Micheline et de garder pour lui tous les biens puisque, officiellement, tous les biens du couple lui appartiennent en vertu du contrat de mariage.

Il est possible de se protéger contre ses créanciers tout comme il est possible de se protéger contre son conjoint, mais il est impossible de se protéger simultanément contre ses créanciers et son conjoint.

4.3.2.3   La communauté de biens

Avant 1970, le régime matrimonial légal en vigueur au Québec était la communauté de biens ou communauté de meubles et acquêts. Bien que le *Code civil* ne parle plus du régime de la communauté de biens, étant donné qu'il s'appliquait automatiquement aux couples qui n'avaient pas exprimé leur choix pour un régime spécifique, plusieurs couples mariés sans contrat de mariage avant 1970 sont encore régis par ce dernier. Dans ce régime, la quasi-totalité des biens des époux sont des biens communs puisque la communauté comprend tous les biens meubles acquis avant et pendant le mariage, les immeubles acquis pendant le mariage, le produit du travail des époux et les revenus provenant de tous les biens des époux. S'ils divorcent, les époux partagent ces biens communs.

À l'époque, dans la communauté de biens, le mari était l'administrateur des biens communs, mais la femme avait certains biens réservés à son administration.

De nos jours, si les deux époux le désirent, ils peuvent se retrouver dans la situation juridique de cet ancien régime conventionnel; il suffit de stipuler dans leur contrat de mariage que tous les biens sont communs et qu'ils sont soumis à l'administration des deux époux. Ce régime n'est pas très répandu, mais si deux époux veulent mettre tous leurs biens en commun, que ces derniers aient été acquis avant ou après le mariage, ce régime matrimonial peut être la solution à leur désir. Ce régime est prévu à l'article 492 du *Code civil*.

Il faut cependant comprendre que les deux époux doivent être d'accord pour acquérir ou pour aliéner des biens, particulièrement en ce qui concerne les biens importants telles la maison et l'automobile, et que, de plus, puisque tous les biens sont communs, toutes les dettes sont également communes. Il faut beaucoup de confiance en son conjoint ainsi qu'un bon sens des responsabilités pour choisir un tel régime.

Ce régime matrimonial prévoit donc le partage d'une plus grande quantité de biens que le régime de la société d'acquêts.

4.3.2.4   Les autres contrats

Aux trois régimes matrimoniaux que nous venons d'examiner peuvent s'ajouter de nombreux autres contrats : donations par contrat de mariage, contrats de vente ou prêts entre époux, conventions de copropriété, testaments, etc. Cela amène à poser une question d'intérêt où interviennent les notions de **régime matrimonial** et de **patrimoine familial** : un bien reçu par succession, legs ou donation, avant ou pendant le mariage, est exclu du patrimoine familial même s'il s'agit d'un bien décrit dans la loi ; mais qu'en est-il des biens meubles reçus par donation de son conjoint en vertu du contrat de mariage ? Font-ils partie du patrimoine familial ? Que dit le *Code civil* ?

431 C.c.Q.   *Il est permis de faire, par contrat de mariage, toutes sortes de stipulations, sous réserve des dispositions impératives de la loi et de l'ordre public.*

La Cour d'appel du Québec a considéré que la donation de meubles affectés à l'usage du ménage, consentie par l'un des époux à son conjoint dans leur contrat de mariage, faisait partie du patrimoine familial. Même si la cour considère que la valeur de ces biens doit être incluse dans le calcul de la valeur partageable du patrimoine familial, elle est d'avis que la donation demeure valide, **puisque les dispositions sur le patrimoine familial n'affectent ni le droit de propriété du bien donné ni la validité du titre de propriété**. De l'avis des juges de la Cour d'appel, les dispositions du *Code civil* qui prévoient l'exclusion du patrimoine familial des biens dévolus par donation ne peuvent s'étendre aux donations faites entre conjoints. Par conséquent, les biens qu'une personne donne à son conjoint par contrat de mariage, font partie du patrimoine familial et seront partagés lors de la dissolution du régime matrimonial.

À la lumière de ce que nous venons de voir au sujet des différents régimes matrimoniaux, il vaut mieux se marier pour longtemps. La consécration du principe d'égalité entre mari et femme sur le plan des rapports personnels de même que sur le plan des rapports économiques nous le confirme. D'autre part, les articles 433, 438 et 440 du *Code civil* permettent aux époux de modifier leur régime matrimonial durant le mariage en signant un nouveau contrat de mariage devant un notaire.

4.4   LA SÉPARATION DE CORPS ET LA DISSOLUTION DU MARIAGE

La personne mariée qui envisage de se séparer de son conjoint dispose de plusieurs moyens. Décider de le quitter sans entamer aucune procédure est une simple séparation de fait. Opter pour une telle solution n'est pas toujours sage puisque les droits et obligations découlant du mariage sont toujours présents et, en cas de mésentente, il n'existe aucun recours légal pour forcer l'exécution de ce qui aurait pu faire l'objet d'une entente. Lorsque les parties ne s'entendent plus, il est préférable de légaliser la rupture, soit par la séparation de corps, le divorce ou l'annulation de mariage.

4.4.1 LA SÉPARATION DE CORPS

La séparation de corps délie les époux de l'obligation de faire vie commune ; elle ne rompt cependant pas le lien du mariage. Ce sont généralement les croyances religieuses d'une personne qui vont l'amener à choisir la séparation de corps plutôt que le divorce. Après jugement, le mariage persiste, et les époux continuent donc de se devoir mutuellement fidélité, secours et assistance.

La séparation de corps dissout cependant le régime matrimonial et entraîne la séparation de biens.

Le tribunal qui prononce la séparation de corps doit donc statuer sur toutes les questions relatives au partage des biens et, selon le cas, à la pension alimentaire. De plus, le jugement doit contenir toutes les ordonnances nécessaires à la garde des enfants.

La séparation de corps doit obligatoirement être prononcée par le tribunal. Les époux ne peuvent donc pas se contenter de se séparer d'eux-mêmes et de rédiger un simple écrit à cet effet. Cette séparation de fait n'aurait aucun effet juridique.

Les époux qui se réconcilient et reprennent volontairement la vie commune mettent fin à la séparation de corps sans autres formalités. Ce qui signifie que les époux ne sont pas obligés de signer un contrat, de se marier de nouveau, ni même d'obtenir un nouveau jugement. Dans ce cas, cependant, le régime de séparation de biens subsiste jusqu'à ce qu'il soit modifié.

4.4.2 LE DIVORCE

Le divorce met un terme au mariage en rompant de façon définitive le lien conjugal. C'est donc dire que cessent, pour l'avenir, les obligations résultant du mariage, soit la fidélité, le secours et l'assistance. Les époux, bien sûr, ne sont plus tenus de faire vie commune.

Comme le divorce met également fin au régime matrimonial des époux, le tribunal devra statuer sur toutes les questions relatives au partage des biens, comme en matière de séparation de corps. Le jugement devra également inclure toutes les dispositions concernant la pension alimentaire qu'est en droit de demander un des époux, ainsi que celles concernant la garde des enfants.

La *Loi sur le divorce*, de juridiction fédérale, ne reconnaît qu'un seul motif de divorce : **l'échec du mariage.** Cet échec peut avoir différentes causes.

8 L.D.

> (1) *Le tribunal compétent peut, sur demande de l'un des époux ou des deux, lui ou leur accorder le divorce pour cause d'échec du mariage.*
>
> (2) *L'échec du mariage n'est établi que dans les cas suivants :*
>
> > a) *les époux ont vécu séparément pendant au moins un an avant le prononcé de la décision sur l'action en divorce et vivaient séparément à la date d'introduction de l'instance ;*
> >
> > b) *depuis la célébration du mariage, l'époux contre qui le divorce est demandé a :*
> >
> > > (i) *soit commis l'adultère,*
> > >
> > > (ii) *soit traité l'autre époux avec une cruauté physique ou mentale qui rend intolérable le maintien de la cohabitation.*

Le divorce consacre tout simplement l'échec du mariage et permet donc à deux personnes qui se sont trompées de recommencer leur vie à neuf. On voit maintenant de plus en plus de divorces reposant sur la simple cause de séparation ; pour obtenir un divorce, il n'est plus nécessaire que l'une des parties ait commis l'adultère ou se soit montrée cruelle envers l'autre.

La conséquence du divorce est la liberté et le droit pour chacun de refaire sa vie avec une autre personne et même de se remarier.

4.4.3 L'ANNULATION DU MARIAGE

L'annulation du mariage est la sanction qu'impose la loi à tout mariage entaché de vices de fond ou de forme. Malgré cette nullité, le mariage a néanmoins des effets civils pour les époux qui étaient de bonne foi. Le tribunal statuera donc sur toutes les questions concernant la liquidation du régime matrimonial de même que sur celles relatives à la pension alimentaire. Le jugement qui prononce la nullité du mariage permet également à chacun des époux de se remarier.

380 C.c.Q.   *Le mariage qui n'est pas célébré suivant les prescriptions du présent titre et suivant les conditions nécessaires à sa fonction peut être frappé de nullité à la demande de toute personne intéressée, sauf au tribunal à juger suivant les circonstances.*

L'action est irrecevable s'il s'est écoulé trois ans depuis la célébration, sauf si l'ordre public est en cause.

Cette dernière situation est extrêmement rare. Notez cependant que :

381 C.c.Q.   *La nullité du mariage, pour quelque cause que ce soit, ne prive pas les enfants des avantages qui leur sont assurés par la loi ou par le contrat de mariage.*

Elle laisse subsister les droits et les devoirs des pères et mères à l'égard de leurs enfants.

4.5 LA GARDE LÉGALE DES ENFANTS DE LA FAMILLE

Le père et la mère ont une responsabilité commune à l'égard des enfants. Ils ont le droit et le devoir d'assurer leur éducation, leur surveillance et leur entretien et ils détiennent l'autorité parentale, peu importe qu'ils soient mariés ou non mariés, séparés, divorcés ou en instance de l'être. Avant de prononcer un jugement de séparation de corps ou de divorce, le juge doit donc décider qui aura la garde légale des enfants. Notez que cette décision n'est jamais finale. Elle peut, selon les circonstances, faire l'objet d'une réévaluation. Dans tous les cas, le juge retient un seul critère : **l'intérêt de l'enfant**.

Que ce soit en vertu de la *Loi sur le divorce* ou du *Code civil*, le tribunal peut confier la garde de l'enfant au père, à la mère, aux deux ou même à une tierce personne. Pour ce faire :

16 L.D.
> (8) [...] le tribunal ne tient compte que de l'intérêt de l'enfant à charge, défini en fonction de ses ressources, de ses besoins et, d'une façon générale, de sa situation.

ou

514 C.c.Q.
> Au moment où il prononce la séparation de corps ou postérieurement, le tribunal statue sur la garde, l'entretien et l'éducation des enfants, dans l'intérêt de ceux-ci et le respect de leurs droits, en tenant compte, s'il y a lieu, des accords conclus entre les époux.

4.6 L'OBLIGATION ALIMENTAIRE

L'obligation alimentaire s'étend au-delà des problèmes de rupture matrimoniale. Elle résulte bien sûr du mariage mais découle également de la filiation, ce lien de parenté unissant l'enfant à son père (filiation paternelle) ou à sa mère (filiation maternelle). Cela implique qu'un parent peut poursuivre sa progéniture en pension alimentaire. Bien que peu exercé, ce recours existe potentiellement.

4.6.1 L'OBLIGATION ALIMENTAIRE ENVERS LES ENFANTS

Même s'ils n'ont pas la garde des enfants, le père et la mère sont tenus de subvenir aux besoins de ceux-ci, en fonction de leurs capacités. Ainsi, selon les besoins et les moyens de chacun des parents, le juge pourra déterminer la somme qu'ils devront verser.

522 C.c.Q.
> Tous les enfants dont la filiation est établie ont les mêmes droits et les mêmes obligations, quelles que soient les circonstances de leur naissance.

Qu'ils soient issus de couples mariés ou non mariés, les enfants ont les mêmes droits.

La pension alimentaire en faveur de l'enfant est établie conformément au *Règlement sur la fixation des pensions alimentaires pour enfants* en fonction du revenu disponible des parents, du temps de garde de chaque parent et des besoins de l'enfant.

Le *Code civil* est également explicite à ce sujet :

586 C.c.Q.
> Le recours alimentaire de l'enfant mineur peut être exercé par le titulaire de l'autorité parentale, par son tuteur ou par toute autre personne qui en a la garde, selon les circonstances.
>
> Le tribunal peut déclarer les aliments payables à la personne qui a la garde de l'enfant.

587 C.c.Q.
> Les aliments sont accordés en tenant compte des besoins et des facultés des parties, des circonstances dans lesquelles elles se trouvent et, s'il y a lieu, du temps nécessaire au créancier pour acquérir une autonomie suffisante.

Qu'en est-il des droits de l'enfant majeur ?

Une pension alimentaire en faveur d'un enfant peut non seulement durer jusqu'à l'âge de 18 ans, mais même au-delà si les circonstances le justifient.

Il faut noter que l'obligation de verser une pension alimentaire à un enfant majeur n'est pas absolue. L'enfant majeur doit démontrer son incapacité de subvenir à ses besoins et l'impossibilité de cohabiter avec ses parents. De plus, s'il cohabite, sa conduite ne doit pas être la source d'un climat intolérable.

L'obligation des parents de nourrir et entretenir leur enfant cesse avec la majorité et est remplacée par l'obligation alimentaire réciproque entre parents et enfant.

585 C.c.Q.   *Les époux de même que les parents en ligne directe au premier degré se doivent des aliments.*

Également, le *Code civil* accorde aux parents un droit d'imposer leurs vues en matière d'éducation, jusqu'à la majorité de leur enfant.

598 C.c.Q.   *L'enfant reste sous l'autorité de ses père et mère jusqu'à sa majorité ou son émancipation.*

599 C.c.Q.   *Les pères et mères ont, à l'égard de leur enfant, le droit et le devoir de garde, de surveillance et d'éducation.*

Ils doivent nourrir et entretenir leur enfant.

Ainsi, l'enfant majeur qui désire obtenir une pension alimentaire parce qu'il est toujours aux études doit démontrer son incapacité à subvenir seul à ses besoins. Or prenons le cas d'un enfant qui poursuit des études à plein temps et travaille à temps partiel. La jurisprudence nous précise que des études collégiales ou universitaires ne sont pas essentielles. Aussi, il est impossible de fixer des règles absolues relativement au devoir des parents d'en acquitter le coût. Mais si un enfant désire poursuivre des études collégiales ou universitaires et qu'il a le talent nécessaire, il est du devoir de ses parents, s'ils en ont les moyens financiers, de contribuer à l'épanouissement de leur enfant, par des études supérieures, en lui fournissant au moins le gîte et la nourriture. Nos tribunaux ont cependant tendance à conclure que la contribution des parents doit décroître avec les années.

Par exemple, prenons le cas de Karine qui est âgée de 18 ans. Elle réclame de son père une pension pour continuer ses études au Collège de Limoilou. Elle a quitté le domicile de son père il y a huit mois et manifeste envers ce dernier une totale ingratitude, voire de l'impolitesse. Elle a abandonné ses études collégiales au début de la deuxième session alors que ses résultats pour la première session étaient insuffisants. Elle projette d'y retourner. Elle n'a pas demandé de prêt ou de bourse comme elle l'avait fait l'année précédente. Comme nous l'avons vu, l'obligation alimentaire imposée par le Code civil n'oblige pas les parents à payer des études à un enfant majeur. Ici, par son départ du domicile familial, Karine a exprimé clairement son intention de mener sa propre vie indépendamment de son père. De plus Karine a même renoncé à considérer son père comme tel, lui ayant dit l'avoir facilement remplacé par sa mère et le concubin de sa mère. Elle a contrevenu à l'article 597 C.c.Q. qui impose à l'enfant le respect de ses père et mère.

597 C.c.Q.   *L'enfant, à tout âge, doit respect à ses père et mère.*

Par ailleurs, Karine a démontré peu de sérieux dans ses études et a perdu par sa faute la chance d'obtenir un prêt et une bourse. Or, l'obligation alimentaire ne peut être un prétexte à l'irresponsabilité. Karine n'obtiendrait rien d'un tribunal si elle en faisait la demande. Le cas de Karine doit être étudié compte tenu des moyens financiers de son père ainsi que du sérieux de Karine, de ses aptitudes et des efforts mis pour continuer et réussir ses études. L'insuccès obtenu par Karine ainsi que le peu d'efforts qu'elle a consacrés à ses études convaincraient un tribunal de ne pas lui permettre de bénéficier de l'aide financière que son père pourrait être en mesure de lui offrir.

4.6.2   L'OBLIGATION ALIMENTAIRE ENVERS LE CONJOINT

La pension alimentaire est maintenant considérée par le tribunal comme une mesure généralement transitoire à l'égard du conjoint. Pour déterminer le montant de la pension alimentaire,

15.2 L.D.   *(4) [...] le tribunal tient compte des ressources, des besoins et, d'une façon générale, de la situation de chacun des époux, y compris :*

a) la durée de la cohabitation des époux ;

b) les fonctions qu'ils ont remplies au cours de celle-ci ;

c) toute ordonnance, toute entente ou tout arrangement alimentaire au profit de l'un ou l'autre des époux.

Il n'existe pas de règle absolue, le tribunal tranche cas par cas et

15.2 L.D.

(6) L'ordonnance [...] rendue pour les aliments d'un époux au titre du présent article vise :

a) à prendre en compte les avantages ou les inconvénients économiques qui découlent, pour les époux, du mariage ou de son échec ;

b) à répartir entre eux les conséquences économiques qui découlent du soin de tout enfant à charge, en sus de toute obligation alimentaire relative à tout enfant à charge ;

c) à remédier à toute difficulté économique que l'échec du mariage leur cause ;

d) à favoriser, dans la mesure du possible, l'indépendance économique de chacun d'eux dans un délai raisonnable.

Théoriquement, une pension alimentaire en faveur d'un époux peut être d'assez courte durée, soit un an ou deux, le temps de permettre à cet époux de retrouver un emploi et de surmonter les difficultés financières qui résultent du divorce. Si un des époux est avancé en âge, c'est-à-dire qu'il a plus de 50 ans, et qu'il lui est difficile, sinon impossible, de trouver un emploi, il est fort probable que la pension alimentaire soit presque permanente. Dans tous les cas, la période et la somme peuvent être révisées au besoin.

Enfin, si la personne qui paie une pension alimentaire décède, la personne à qui il est dû de l'argent (le créancier) peut obtenir une contribution financière de la succession pour répondre à ses besoins.

684 C.c.Q.

Tout créancier d'aliments peut, dans les six mois qui suivent le décès, réclamer de la succession une contribution financière à titre d'aliments [...]

4.7 L'AUTORITÉ PARENTALE

600 C.c.Q.

Les père et mère exercent ensemble l'autorité parentale.

Si l'un d'eux décède, est déchu de l'autorité parentale ou n'est pas en mesure de manifester sa volonté, l'autorité est exercée par l'autre.

Les droits et obligations des parents vis-à-vis des enfants dépassent l'obligation alimentaire. Les parents doivent donner à leurs enfants une éducation. Ces droits et obligations s'appliquent de la même façon, que les parents soient mariés ou non. Il en est de même s'il y a séparation de corps ou divorce.

394 C.c.Q.

Ensemble, les époux assurent la direction morale et matérielle de la famille, exercent l'autorité parentale et assument les tâches qui en découlent.

601 C.c.Q.

Le titulaire de l'autorité parentale peut déléguer la garde, la surveillance ou l'éducation de l'enfant.

RÉSUMÉ

Le mariage ne peut légalement exister que s'il a été célébré conformément aux dispositions du *Code civil*.

Tous les couples mariés depuis le 1er juillet 1989 sont soumis aux règles établissant un patrimoine familial.

Un conjoint qui a contribué à l'enrichissement de son partenaire peut, à l'occasion de la rupture, obtenir compensation pour son apport.

Les régimes matrimoniaux permettent aux époux d'exprimer leurs volontés au sujet des biens autres que ceux qui forment le patrimoine familial. Un régime matrimonial peut être conventionnel si les futurs époux choisissent de signer un contrat de mariage, ou il peut être légal, c'est-à-dire imposé par la loi, si les futurs époux ne signent pas un contrat de mariage. Les trois principaux régimes matrimoniaux sont la séparation de biens, la société d'acquêts et la communauté de biens.

La séparation de corps délie les époux de l'obligation de faire vie commune; elle ne rompt cependant pas le lien du mariage.

Le divorce met un terme au mariage en rompant de façon définitive le lien conjugal.

L'annulation du mariage est la sanction qu'impose la loi à tout mariage entaché de vices de fond ou de forme.

Un divorce peut avoir des conséquences financières importantes pour chaque époux : un des époux peut obtenir la garde des enfants, il peut recevoir une pension alimentaire ainsi qu'une prestation compensatoire, et les époux doivent se partager le patrimoine familial.

L'union de fait n'oblige pas les conjoints à vivre dans le cadre imposé par l'État aux personnes mariées. La seule contrainte est celle relative aux enfants, puisque les parents sont toujours responsables de l'entretien et de l'éducation de leurs enfants.

Pour déterminer le montant d'une pension alimentaire, le tribunal tient compte des ressources, des besoins et, d'une façon générale, de la situation de chacune des parties, que la demande soit requise par une personne à l'égard de son autre conjoint, par un enfant à l'égard de son père ou de sa mère ou par un parent à l'égard de son enfant.

L'enfant majeur qui désire obtenir une pension alimentaire, parce qu'il est toujours aux études, doit démontrer son incapacité à subvenir seul à ses besoins.

QUESTIONS

4.1   Qu'est-ce que le patrimoine familial ?

4.2   Qu'est-ce qu'une prestation compensatoire ?

4.3   Qu'est-ce qu'un régime matrimonial ?

4.4   Quel est le régime matrimonial légal en vigueur au Québec ?

4.5   Définissez le régime matrimonial de la séparation de biens.

4.6   L'union de fait entraîne-t-elle des conséquences financières pour chacun des deux partenaires s'ils n'ont pas eu d'enfant ?

4.7   L'union de fait entraîne-t-elle des conséquences financières pour chacun des deux partenaires si un enfant est né de cette union ?

4.8   La notion de patrimoine familial existe-t-elle dans le cas d'une union de fait ?

CAS PRATIQUES

4.9   Louise et Gérard se sont mariés le 5 juin 1988 sans contrat de mariage. Le 10 mai 1991, ils décident d'opter pour un régime matrimonial conventionnel en séparation de biens, car Louise désire se lancer en affaires.

Peuvent-ils le faire ? Comment ? Justifiez votre réponse.

4.10   Normand et Céline sont mariés en société d'acquêts depuis le 9 août 1993. Céline est enseignante au Collège des Ursulines et Normand désire créer une entreprise spécialisée dans l'achat et la location d'immeubles à bureaux. La création de cette entreprise pourrait éventuellement mettre en péril leurs biens personnels. Suggérez-lui une façon simple de mettre à l'abri certains biens au cas où il y aurait faillite.

Comment ? Justifiez votre réponse.

4.11 Renée et Conrad vivent en union de fait. Durant les dix années de leur vie commune, Conrad a travaillé sans salaire dans le commerce de Renée à titre de vendeur. Aujourd'hui, les relations entre Renée et Conrad se sont détériorées à un tel point qu'ils se sont séparés. Conrad réclame à Renée sa part du commerce et cette dernière refuse en lui disant que, légalement, elle ne lui doit rien. Furieux, Conrad décide de poursuivre Renée en Cour supérieure pour obtenir une pension alimentaire, une prestation compensatoire pour les dix années de travail et le partage du patrimoine familial, en l'occurrence le commerce de Renée. Renée et Conrad n'ont pas d'autres biens.

Conrad aura-t-il gain de cause dans son action ? Pourquoi ?

4.12 Quelle aurait été votre réponse au cas 4.11 si Renée et Conrad avaient été mariés en séparation de biens, si Renée avait possédé une maison acquise pendant le mariage d'une valeur de 150 000 $ et entièrement payée, une automobile de 20 000 $, un camion de livraison pour le commerce d'une valeur de 30 000 $ et des meubles d'une valeur de 10 000 $ dans la maison ? Il faut préciser de plus que la valeur du commerce est estimée à 500 000 $ et le salaire qui aurait dû être payé à Conrad durant cette période est estimé à 150 000 $.

4.13 Serge et Constance sont mariés depuis huit ans sous le régime de la société d'acquêts. Serge est un homme d'affaires prospère alors que Constance exerce la profession d'avocate. Ils ont deux enfants : Micheline et Jean-François, âgés respectivement de 7 et 3 ans. Les époux sont propriétaires des biens suivants :

- une maison enregistrée au nom de Serge d'une valeur de 249 000 $ et grevée d'une hypothèque de 48 000 $;

- un immeuble à revenu enregistré au nom de Constance, d'une valeur de 495 000 $ et grevé d'une hypothèque de 225 000 $;

- les meubles garnissant la maison de Serge d'une valeur de 115 000 $ et entièrement payés. Notez que dans leur contrat de mariage, Serge a fait don à Constance des meubles qui garnissent la résidence familiale pour une valeur de 75 000 $;

- la Jeep de Constance d'une valeur de 27 000 $;

- la BMW de Serge reçue en cadeau de son père, d'une valeur de 85 000 $;

- le REÉR de Serge d'une valeur de 95 000 $;

- le REÉR de Constance d'une valeur de 90 000 $;

- les comptes en banque de Serge totalisant 47 000 $;

- les comptes en banque de Constance totalisant 82 000 $;

- les actions de Serge dans son commerce Les Entreprises du Cap inc. évaluées à 500 000 $.

4.13.1 Après plusieurs mois de discussion, Constance et Serge décident de divorcer. Serge demande la garde des enfants. Peut-il l'obtenir et pourquoi ?

4.13.2 Serge ou Constance pourrait-il avoir à payer une pension alimentaire ?

4.13.3 Calculez la valeur du patrimoine familial ainsi que le partage qui prendra place entre Serge et Constance s'ils divorcent. Supposez que tous les biens énumérés précédemment ont été acquis après le mariage. Illustrez votre réponse avec le détail de vos calculs.

4.13.4   Serge ou Constance pourrait-il avoir à verser une prestation compensatoire ? Justifiez votre réponse.

4.13.5   Si les époux avaient été mariés sous le régime de la séparation de biens, décrivez le partage qui serait intervenu entre eux et les incidences du patrimoine familial. Illustrez votre réponse avec le détail de vos calculs.

4.14   Michel et Claudine sont mariés depuis 5 ans sous le régime matrimonial de la séparation de biens. Avant de se marier, Michel possédait une magnifique horloge ancienne d'une valeur de 3 000 $. Quant à Claudine, elle avait gagné 8 000 $ à la loterie et avait déposé le tout, à son nom, dans un compte en banque. Depuis, elle n'a jamais touché au capital. Pendant leur mariage, Michel a acheté une maison d'une valeur de 120 000 $. Le couple y habite. Il a aussi fait l'acquisition d'une automobile de 18 000 $ et de meubles pour la maison pour 20 000 $. Il y a une semaine, ils ont décidé de procéder à une séparation de corps. Calculez la valeur du patrimoine familial qui revient à chacun et effectuez le partage. Justifiez votre réponse par les articles pertinents du *Code civil*.

4.15   Il y a neuf mois, Roméo et Juliette se sont mariés sous le régime matrimonial de la société d'acquêts. Avant leur mariage, Juliette possédait un piano d'une valeur de 7 000 $. Durant leur mariage, elle a reçu, en donation, un terrain d'une valeur de 35 000 $. Juliette est infirmière et ses revenus, pour les neuf mois de leur union, sont de 28 000 $. Elle possède un REÉR au montant de 29 000 $. Elle a acheté des meubles pour 27 000 $ afin de garnir la maison. De son côté, Roméo est dentiste. Sa clinique contient des instruments pour une valeur de 175 000 $ et ses revenus, pour les neuf mois, totalisent 90 000 $. De plus, Roméo a acheté des actions pour 15 000 $ avec l'argent qu'il avait en banque. Depuis la célébration du mariage, Roméo a acheté une maison de 200 000 $ et a contracté une hypothèque de 120 000 $. Il a aussi acquis une automobile pour la somme de 32 000 $. Puisque le mariage n'a pas été contracté devant un célébrant compétent, le père de Roméo a demandé l'annulation du mariage. Roméo et Juliette étaient de bonne foi. Calculez la valeur du patrimoine familial ainsi que le partage qui se fera entre Roméo et Juliette. Justifiez votre réponse.

4.16   François et Martine se sont mariés sans contrat de mariage le 1er janvier 1990. François a un commerce de vêtements de sports alors que Martine est médecin. Ils ont deux enfants, Gilles 4 ans et Guylaine 2 ans. Pendant leur mariage, François est devenu propriétaire d'une maison ayant une valeur de 325 000 $ et grevée d'une hypothèque de 100 000 $. De plus, il a payé comptant les meubles garnissant la résidence familiale pour un montant de 100 000 $. De plus, François possède une Jaguar d'une valeur de 75 000 $ entièrement payée. Il a un REÉR au montant de 45 000 $. Enfin François a des comptes à la caisse populaire du Vieux-Québec pour la somme totale de 59 000 $. Pendant leur mariage, Martine est devenue propriétaire d'un chalet ayant une valeur de 150 000 $ et grevée d'une hypothèque de 75 000 $. Elle a payé entièrement les meubles du chalet pour 30 000 $. Martine a hérité de la voiture de son père ayant une valeur de 25 000 $. De plus, elle a aussi un REÉR pour un montant de 42 000 $. Martine a des instruments de travail nécessaire à sa profession d'une valeur de 9 000 $. Enfin, elle a des comptes à la Banque Royale pour une somme totale de 50 000 $. Après plusieurs mois de tension, François et Martine décident de divorcer.

4.16.1   François demande la garde des enfants, Gilles et Guylaine. Peut-il l'obtenir et pourquoi ? Justifiez votre réponse.

4.16.2   François ou Martine pourrait-il avoir à verser à l'autre conjoint une pension alimentaire ? Justifiez votre réponse.

4.16.3   François ou Martine pourrait-il avoir à verser une prestation compensatoire ? Justifiez votre réponse.

4.16.4 Calculez la valeur du patrimoine familial ainsi que le partage qui se fera entre François et Martine. Illustrez et justifiez votre réponse avec le détail de vos calculs.

4.16.5 Si les époux avaient été mariés sous le régime de la séparation de biens, décrivez le partage qui serait intervenu entre François et Martine ainsi que les incidences du patrimoine familial. Illustrez et justifiez votre réponse.

DOCUMENTS

Le document 4.1 est un contrat de mariage en séparation de biens avec des clauses de donation et des clauses testamentaires. L'article 1 est le seul article nécessaire pour créer un contrat de mariage en séparation de biens. L'article 2 ne fait que confirmer une disposition du *Code civil* à savoir que les époux doivent contribuer aux charges du mariage en proportion de leurs facultés respectives et que l'un d'entre eux pourra s'acquitter de sa contribution par son activité au foyer.

Les articles 3, 4, 5 et 6 sont des donations que les époux se font entre eux. Dans le présent cas, les donations sont faites par Robert Bouchard à Micheline Montreuil. Rien n'empêche que ce soit l'épouse qui fasse des donations à son époux. La logique et la tradition veulent que la personne qui a ou qui aura les plus gros revenus, fasse des donations au conjoint qui a le revenu le plus bas et qui éventuellement demeurera à la maison pour s'occuper des enfants. La création du patrimoine familial et de la prestation compensatoire ainsi que la jurisprudence développée par la Cour d'appel, rendent moins utiles les clauses de donation puisque la majorité des biens d'un couple se trouvent maintenant à faire partie du patrimoine familial et seront partagés en deux parts égales lors de la dissolution du régime matrimonial.

L'article 7 est une clause testamentaire qui prévoit que tous les biens de la première personne qui décède passeront automatiquement entre les mains du conjoint survivant. Cependant, les époux se sont quand même réservés le droit de faire des donations à d'autres personnes de leur vivant ainsi que le droit de faire d'autres donations par testament afin de se garder le droit d'avantager d'autres personnes comme leurs enfants, leurs parents, leurs frères et sœurs, des amis, etc.

Le document 4.2 est une déclaration conjointe de divorce avec les affidavits et un projet d'accord. Il détaille la manière dont les époux ont choisi de se séparer et de répartir les biens entre eux.

La déclaration conjointe de divorce identifie les parties et les enfants et énonce le motif de divorce, la séparation depuis un an dans le présent cas. Comme il s'agit d'une déclaration conjointe de divorce et que Micheline Montreuil et Robert Bouchard en sont venus à une entente sur le règlement complet des conséquences du divorce, les parties demandent à la cour de prononcer un jugement de divorce et d'entériner l'accord intervenu entre elles.

Un affidavit de Micheline Montreuil, un affidavit de Robert Bouchard, la déclaration de leur avocate Christiane Rioux et le certificat du greffier complètent la déclaration conjointe de divorce.

Deux affidavits détaillés signés par Micheline Montreuil et Robert Bouchard sont joints à la déclaration conjointe de divorce pour compléter la preuve.

Enfin, le projet d'accord expose les ententes intervenues entre Micheline Montreuil et Robert Bouchard concernant l'autorité parentale et la garde des enfants, la résidence des enfants, les droits de sortie, la pension alimentaire, les assurances et le partage des biens.

Dans le présent cas, Micheline Montreuil et Robert Bouchard exercent conjointement l'autorité parentale mais Micheline Montreuil assume la garde de leur enfant. Robert Bouchard peut sortir sa fille une fin de semaine sur deux et il n'est pas prévu de sortie sur semaine. Par contre, Robert Bouchard peut amener son enfant en vacance pendant quatre semaines.

Comme Micheline Montreuil gagne un salaire supérieur à Robert Bouchard, aucune pension ne lui sera payable pour elle-même. Cependant, comme les coûts pour l'entretien et l'éducation de leur enfant ont été évalués à 700 $ par mois, que les revenus de Micheline Montreuil et de Robert Bouchard sont respectivement de 40 000 $ et de 30 000 $, chacun contribuera en proportion de ses revenus à savoir 400 $ par Micheline Montreuil et 300 $ par Robert Bouchard. Comme c'est Micheline Montreuil qui a la garde de l'enfant, Robert Bouchard paiera donc une pension alimentaire de 300 $ par mois à Micheline mais pour le bénéfice de leur enfant.

Robert Bouchard maintiendra en vigueur certaines assurances qu'il détient en l'occurrence une assurance médicaments, une assurance pour soin dentaire et une assurance-vie d'une valeur de 100 000 $.

Enfin, Micheline Montreuil et Robert Bouchard conviennent de partager entre eux les biens meubles, les automobiles, la résidence familiale et les gains dans les régimes de retraite. Vous noterez, dans le présent cas, que Robert Bouchard offre à Micheline Montreuil d'acheter la résidence familiale à un prix préférentiel de 120 000 $. Nous pouvons supposer que cette résidence à une valeur supérieure et que Robert Bouchard désire avantager Micheline Montreuil probablement dans le but d'assurer un bon environnement à leur fille. De plus, Robert Bouchard renonce au partage des gains accumulés par Micheline Montreuil dans son régime de retraite. Par contre, les parties se partageront les gains accumulés dans le régime géré par la Régie des rentes du Québec.

Document 4.1	# CONTRAT DE MARIAGE EN SÉPARATION DE BIENS AVEC DONATIONS MULTIPLES ET CLAUSE TESTAMENTAIRE

L'AN MIL NEUF CENT QUATRE-VINGT-QUATORZE,
Le cinq janvier.

Devant M⁰ LOUISE GRENIER, notaire à Québec, province de Québec

COMPARAISSENT :

MICHELINE MONTREUIL, Ingénieure, résidant actuellement au 1050, rue Orléans à Charlesbourg (Québec), G1H 2H2, majeure, née le 13 juin 1972, fille de PIERRE MONTREUIL et de LUCIE SAINT-PIERRE, demeurant à Québec

ET

ROBERT BOUCHARD, avocat, résidant actuellement au 208, Chemin le Tour du Lac à Lac Beauport (Québec), G0A 2C0, majeur, né le 17 décembre 1973, fils de NOËL BOUCHARD et de ALICE PLOURDE, demeurant à l'Ancienne-Lorette

LESQUELS, en vue de leur mariage qui doit être célébré le 13 janvier 1994, au Palais de justice de Québec, font les conventions matrimoniales suivantes, à savoir :

ARTICLE 1

Les futurs époux adoptent le régime de la séparation de biens suivant les dispositions du Code civil du Québec.

Les futurs époux déclarent que les biens faisant partie du patrimoine familial qu'ils possèdent à titre de propriétaires au moment du mariage sont énumérés à un état annexé aux présentes après avoir été reconnu véritable et signé par les futurs époux en présence du notaire soussigné.

ARTICLE 2

Conformément à la loi, les futurs époux contribueront aux charges du mariage en proportion de leurs facultés respectives, chacun pourra s'acquitter de sa contribution par son activité au foyer.

ARTICLE 3

En considération du mariage, Robert Bouchard fait donation entre vifs, en pleine propriété et à titre insaisissable, à compter de la célébration du mariage, à Micheline Montreuil qui accepte :

1. Des meubles affectés à l'usage du ménage qu'il possède au jour de la célébration du mariage et qui sont énumérés sur un document annexé aux présentes après avoir été reconnu véritable et signé pour l'identification par les comparants ;

2. De meubles destinés à l'usage du ménage d'une valeur de trente mille (30 000) dollars, que Robert Bouchard s'engage à acquérir dans un délai de cinq (5) années à compter de la célébration du mariage.

Le donateur s'engage de plus à entretenir et à renouveler au besoin, durant le mariage, jusqu'à concurrence de la valeur susmentionnée, les meubles destinés à l'usage du ménage et qui font l'objet de la présente donation, lesquels devront garnir ou orner la résidence familiale.

Quant aux autres meubles affectés à l'usage du ménage et qui ne seront pas la propriété du donataire par autres titres, ils seront présumés lui appartenir en vertu de la présente donation.

Si un jugement de séparation de corps ou de divorce était prononcé entre les époux par un tribunal compétent ou si leur mariage était annulé, la donation prévue au présent article sera révoquée pour tout ce qui n'en aura pas été exécuté.

ARTICLE 4

La donataire fait donation à cause de mort au donateur à titre irrévocable de tous les meubles affectés à l'usage du ménage qui font l'objet de la donation ci-dessus et qu'elle possédera encore à son décès, même de ceux acquis par elle-même ou en remploi de ses propres deniers.

Cette donation à cause de mort sera toutefois révoquée si les époux sont séparés de corps, divorcés ou si leur mariage est annulé au décès de la donataire.

| Document 4.1 | CONTRAT DE MARIAGE EN SÉPARATION DE BIENS AVEC DONATIONS MULTIPLES ET CLAUSE TESTAMENTAIRE (suite) |

ARTICLE 5

En considération du mariage, Robert Bouchard fait donation entre vifs et en pleine propriété, à compter de la célébration du mariage, à Micheline Montreuil qui accepte d'une somme de cent mille (100 000) dollars qui deviendra exigible au décès du donateur. Celui-ci se réserve cependant le droit de payer ladite somme, en tout ou en partie, en tout temps durant le mariage, soit en deniers, soit par le transport à la future épouse de biens meubles ou immeubles.

Micheline Montreuil prélèvera à même les biens les plus clairs et liquides de la succession du donateur toute somme impayée au décès de ce dernier, avec l'entente que le produit des polices d'assurance prises par le donateur sur sa vie et dont la donataire est la bénéficiaire désignée, devra être appliqué en paiement et déduction de la présente donation.

Si un jugement de séparation de corps ou de divorce était prononcé entre les époux par un tribunal compétent ou si leur mariage était annulé, la donation prévue au présent article sera révoquée pour tout ce qui n'en aura pas été exécuté.

ARTICLE 6

Advenant le prédécès de Micheline Montreuil, toute donation présentement faite par Robert Bouchard à la donataire sera révoquée pour ce qui n'en a pas été exécuté.

ARTICLE 7

Les futurs époux se font présentement donation mutuelle, au survivant d'eux, de l'universalité des biens meubles et immeubles qui composeront la succession du premier décédé. Toutefois, chacun des époux se réserve le droit, pour l'avenir, de disposer desdits biens par donation entre vifs, testament ou autre mode de disposition ou d'attribution.

Cette donation mutuelle à cause de mort ne vaudra que si l'un des époux ne survit à l'autre pour une période d'au moins trente (30) jours. Elle sera par ailleurs révoquée si, en vertu d'un jugement rendu par un tribunal compétent, les époux sont séparés de corps, divorcés ou si leur mariage est annulé au décès du premier d'entre eux.

DONT ACTE en la ville de Québec, sous le numéro 2717 des minutes du notaire soussigné.

LECTURE FAITE, les comparants signent avec et en présence du notaire soussigné.

Micheline Montreuil

Robert Bouchard

Me Louise Grenier, Notaire

Document 4.2	DÉCLARATION CONJOINTE DE DIVORCE

Canada
Province de Québec
District de Québec
No :

Cour supérieure
(Chambre de la famille)

Micheline Montreuil, domiciliée et résidant au 1050, rue Orléans à Charlesbourg (Québec), G1H 2H2

et

Robert Bouchard, domicilié et résidant au 208, Chemin le Tour du Lac à Lac Beauport (Québec), G0A 2C0

Demandeurs conjoints

Déclaration conjointe de divorce

Il est déclaré que :

État matrimonial et familial

1. Les époux demandent ensemble un jugement de divorce.

2. L'épouse est née le 13 juin 1972 dans la paroisse de Saint-Sacrement à Québec et elle est présentement âgée de 23 ans. Elle est la fille de Pierre Montreuil et de Lucie St-Pierre, le tout tel qu'il appert du certificat de naissance produit sous la cote P-1.

3. L'époux est né le 17 décembre 1973 dans la paroisse de l'Ancienne-Lorette dans la municipalité d'Ancienne-Lorette et il est présentement âgé de 21 ans. Il est le fils de Noël Bouchard et de Alice Plourde, le tout tel qu'il appert du certificat de naissance produit sous la cote P-2.

4. Le mariage des époux a été célébré le 13 janvier 1994, dans la paroisse de Saint-Sacrement à Québec, le tout tel qu'il appert du certificat de mariage produit sous la cote P-3.

5. Au moment du mariage, l'épouse était célibataire et l'époux était célibataire.

6. Les époux se sont mariés sous le régime de la séparation de biens aux termes d'un contrat de mariage passé devant Mᵉ Louise Grenier, notaire, le tout tel qu'il appert de la copie du contrat produite sous la cote P-4.

    Ce régime matrimonial n'a pas été modifié.

7. Les noms, prénom, sexe, date de naissance et âge de l'enfant du mariage sont les suivants :

    Montreuil, Marie-Michelle Hélène, de sexe féminin, née le 7 juin 1994 à Québec et présentement âgée de 14 mois,

    le tout tel qu'il appert du certificat de naissance produit sous la cote P-5.

    Cet enfant n'est l'objet d'une décision de la Cour du Québec (Chambre de la Jeunesse), ni d'une entente avec un directeur de la Protection de la jeunesse.

Résidence

8. L'épouse réside habituellement au Québec depuis au moins un an et le mari réside habituellement au Québec depuis au moins un an.

Motif

9. Il y a échec du mariage pour le motif suivant :

    Les époux vivent séparément depuis plus d'un (1) an et ils invoquent l'article 8(2)(a) de la *Loi de 1985 sur le divorce*.

| Document 4.2 | DÉCLARATION CONJOINTE DE DIVORCE (suite) |

Réconciliation et médiation

10. Avant la signature de la présente déclaration :

a) L'avocate des demandeurs a discuté des possibilités de réconciliation et leur a fourni des renseignements sur les services de consultation ou d'orientation;

b) Les époux ont décidé d'utiliser les services de médiation afin de les aider à la négociation des mesures accessoires à leur divorce et ils sont parvenus à un projet d'accord portant règlement complet des conséquences de leur divorce.

Mesures accessoires et autres réclamations

11. Les époux demandent au Tribunal d'entériner l'accord intervenu entre eux sur les mesures accessoires, dont un exemplaire est produit sous la cote P-6.

Autres procédures

12. Il n'y a pas eu d'autres procédures intentées à l'égard du mariage des époux.

13. Il n'y a aucune collusion entre les époux.

Pour ces motifs, plaise au tribunal :

Prononcer un jugement de divorce ;

Entériner l'accord intervenu entre les parties et portant règlement complet sur les conséquences du divorce, le rendre exécutoire et ordonner aux parties de s'y conformer ;

Le tout sans frais.

Québec, le 28 août 1995

Micheline Montreuil
Micheline Montreuil, demanderesse

Robert Bouchard
Robert Bouchard, demandeur

Christiane Rioux
Procureure des demandeurs

Document 4.2 **DÉCLARATION CONJOINTE DE DIVORCE (suite)**

Affidavit

Je soussignée, Micheline Montreuil, ingénieure, domiciliée et résidant au 1050, rue Orléans à Charlesbourg (Québec), G1H 2H2, étant dûment assermentée, déclare :

1. Je suis l'un des demandeurs.

2. Tous les faits allégués dans cette déclaration de divorce sont vrais.

Et j'ai signé

Micheline Montreuil

Micheline Montreuil, Demanderesse

Assermentée devant moi à Québec
le 28 août 1995

Claudine Boulianne #93878

Commissaire à l'assermentation
pour le district de Québec

Affidavit

Je soussigné, Robert Bouchard, domicilié et résidant au 208, Chemin le Tour du Lac à Lac Beauport (Québec), G0A 2C0, étant dûment assermenté, déclare :

1. Je suis l'un des demandeurs.

2. Tous les faits allégués dans cette déclaration de divorce sont vrais.

Et j'ai signé

Robert Bouchard

Robert Bouchard, Demandeur

Assermenté devant moi à Québec
le 28 août 1995

Claudine Boulianne #93878

Commissaire à l'assermentation
pour le district de Québec

Déclaration de l'avocate

Je soussignée, Christiane Rioux, procureure des demandeurs, atteste que je me suis conformée aux exigences de l'article 9 de la Loi de 1985 sur le divorce.

Québec, ce 28 août 1995

Christiane Rioux

Procureure des demandeurs

Je soussigné, greffier pour le district de Québec, atteste qu'il y a eu réception et inscription au greffe de la déclaration en divorce, des affidavits des demandeurs et de la déclaration de l'avocate.

Québec, le 30 août 1995

Marie Belzile

Greffier

Document 4.2 | DÉCLARATION CONJOINTE DE DIVORCE (suite)

Canada
Province de Québec
District de Québec
No :

Cour supérieure
(Chambre de la famille)

Micheline   Montreuil

e t

Robert Bouchard,

Demandeurs

Affidavit

Je soussignée, Micheline Montreuil, ingénieure, domiciliée et résidant au 1050, rue Orléans à Charlesbourg (Québec), G1H 2H2, étant dûment assermentée, déclare :

1.   J'ai déposé une demande conjointe en divorce.

2.   J'ai demandé le divorce en invoquant le paragraphe 2(a) de l'article 8 de la Loi de 1985 sur le divorce et plus particulièrement :

J'ai vécu séparée de mon époux, Robert Bouchard, depuis le 15 juillet 1994 et je vivais séparément à la date d'introduction de l'instance.

3.   Depuis le 15 juillet 1994, je n'ai pas repris la vie commune avec mon époux, Robert Bouchard.

4.   J'ai décidé d'utiliser les services de médiation afin d'aider à la négociation des mesures accessoires à notre divorce et nous en sommes venus à un projet d'accord portant règlement complet des conséquences de notre divorce.

5.   J'ai été informée par mon avocate des possibilités de consultation ou d'orientation, mais je n'ai aucunement l'intention de reprendre la vie commune avec mon époux.

6.   Il n'y a aucune collusion entre moi et mon époux pour obtenir un jugement de divorce.

7.   Je demande qu'un jugement de divorce soit prononcé.

8.   Tous les faits allégués dans cet affidavit sont vrais.

Et j'ai signé

Micheline Montreuil
Micheline Montreuil

Assermentée devant moi à Québec
le 28 août 1995

Claudine Bouliane # 93870
Commissaire à l'assermentation
pour le district de Québec

Document 4.2	**DÉCLARATION CONJOINTE DE DIVORCE (suite)**

Canada
Province de Québec
District de Québec
No :

Cour supérieure
(Chambre de la famille)

Micheline Montreuil

e t

Robert Bouchard,

Demandeurs

Affidavit

Je soussigné, Robert Bouchard, domicilié et résidant au 208, Chemin le Tour du Lac à Lac Beauport (Québec), G0A 2C0, étant dûment assermenté, déclare :

1. J'ai déposé une demande conjointe en divorce.

2. J'ai demandé le divorce en invoquant le paragraphe 2(a) de l'article 8 de la Loi de 1985 sur le divorce et plus particulièrement :

   J'ai vécu séparé de mon épouse, Micheline Montreuil, depuis le 15 juillet 1994 et je vivais séparément à la date d'introduction de l'instance.

3. Depuis le 15 juillet 1994, je n'ai pas repris la vie commune avec mon épouse, Micheline Montreuil.

4. J'ai décidé d'utiliser les services de médiation afin d'aider à la négociation des mesures accessoires à notre divorce et nous en sommes venus à un projet d'accord portant règlement complet des conséquences de notre divorce.

5. J'ai été informé par mon avocate des possibilités de consultation ou d'orientation, mais je n'ai aucunement l'intention de reprendre la vie commune avec mon épouse.

6. Il n'y a aucune collusion entre moi et mon épouse pour obtenir un jugement de divorce.

7. Je demande qu'un jugement de divorce soit prononcé.

8. Tous les faits allégués dans cet affidavit sont vrais.

Et j'ai signé

Robert Bouchard
Robert Bouchard

Assermenté devant moi à Québec
le 28 août 1995

Claudine Bouchonne # 93878
Commissaire à l'assermentation
pour le district de Québec

Document 4.2   DÉCLARATION CONJOINTE DE DIVORCE (suite)

Canada
Province de Québec
District de Québec
No :

Cour supérieure
(Chambre de la famille)

Micheline Montreuil

et

Robert Bouchard,

Demandeurs

Projet d'accord

Préambule

1.   Micheline Montreuil (assurance sociale : 263 362 436) et Robert Bouchard (assurance sociale: 265 382 834) se sont mariés le 13 janvier 1994, dans la paroisse de Saint-Sacrement à Québec.

2.   Les parties ont fait précéder leur union d'un contrat de mariage adoptant le régime de la séparation de biens.

3.   Les parties ont eu de leur union un enfant :

Montreuil, Marie-Michelle Hélène, née le 7 juin 1994.

4.   Les parties vivent séparément depuis le 15 juillet 1994, pour cause d'échec du mariage, et entendent continuer à vivre ainsi.

5.   Ils désirent régler à l'amiable et de façon équitable les questions relatives à leur séparation, notamment la garde de leur enfant, la pension alimentaire ainsi que le partage de leurs biens.

6.   Suite à une médiation, ils sont parvenus à la présente entente.

En conséquence, les parties demandent au tribunal d'entériner et de déclarer exécutoire le projet d'accord intervenu entre elles :

Autorité parentale et garde des enfants

7.   Micheline Montreuil et Robert Bouchard se reconnaissent mutuellement bons parents et veulent exercer conjointement leur autorité parentale. Pour toutes décisions importantes concernant leur enfant, ils s'engagent à se consulter et à prendre des décisions mutuellement acceptables pour assurer le bien être de leur enfant.

8.   De façon plus spécifique, la mère agira comme interlocutrice principale au niveau de la santé et de l'éducation des enfants et verra à informer le père régulièrement.

Résidence

9.   La garde de l'enfant est confiée à la mère. Le père exercera des droits de sortie, une fin de semaine sur deux, du vendredi 18 h 30 au dimanche 16 h 30.

10.   Les vacances, congés ou événements spéciaux feront l'objet d'une entente entre les parents. À défaut d'entente, les parents conviennent de respecter ce qui suit :

a) Noël ou le jour de l'An : le premier choix revient à la mère pour les années paires et au père, pour les années impaires ;

b) Vacances d'été : le père se réserve quatre semaines consécutives ou séparées avec son enfant durant les mois de juillet et août. Les dates seront déterminées selon entente entre les parents.

Pension alimentaire

11.   Micheline Montreuil et Robert Bouchard ont tenu compte de ce qui suit dans la détermination du montant de la pension alimentaire :

a) Robert Bouchard travaille comme avocat en pratique privée et il a gagné en 1994 un revenu brut de 30 000 $;

De son côté, Micheline Montreuil travaille à temps plein dans un bureau d'ingénieurs et elle a reçu en 1994 un revenu brut de 40 000 $;

b) Les besoins de l'enfant s'élèvent à 700 $ par mois.

Document 4.2	DÉCLARATION CONJOINTE DE DIVORCE (suite)

12. En conséquence, Robert Bouchard versera à Micheline Montreuil, pour l'enfant, une pension alimentaire de 300 $ par mois, payable le premier jour de chaque mois par versement direct dans le compte de Micheline Montreuil, numéro 43597 de la Caisse populaire Laurier. Le premier versement aura lieu le 1er septembre 1995.

13. La pension alimentaire sera indexée le premier janvier de chaque année conformément à l'article 590 C.c.Q., à compter du 1er janvier 1996.

Assurances

14. Robert Bouchard avait souscrit une assurance médicaments et une assurance pour soin dentaire et il s'engage à maintenir ces assurances en vigueur et à ses frais au bénéfice de son enfant. Sur production des pièces justificatives, Robert Bouchard remboursera à Micheline Montreuil, dans les 30 jours, la partie des frais qui lui sera remboursée par l'assurance.

15. Robert Bouchard possède actuellement une assurance-vie d'une valeur de 100 000 $, auprès de L'Industrielle-Alliance (IA-MM-940607) et dont Micheline Montreuil est la bénéficiaire. Robert Bouchard s'engage à maintenir en vigueur cette police assurance-vie et à ne pas en changer la bénéficiaire. Cette désignation sera maintenue malgré le jugement de divorce.

Partage des biens

16. Les parties conviennent de partager le patrimoine familial de la manière suivante :

   a) Micheline Montreuil sera seule et unique propriétaire de tous les meubles qui garnissent actuellement la résidence familiale ainsi que de l'automobile Oldsmobile Delta 88 1993. Robert Bouchard sera seul et unique propriétaire de tous les meubles qu'il a actuellement en sa possession et de l'automobile Chevrolet Beretta 1992 ;

   b) La résidence familiale située au 1050, rue Orléans à Charlesbourg dont Robert Bouchard est le propriétaire enregistré, est actuellement en vente et le produit net de la vente sera partagé à parts égales entre les époux après la vente; d'ici là, elle continuera d'être habitée par Micheline Montreuil et son enfant. Lorsque l'immeuble aura été vendu, le solde de l'hypothèque et les frais de vente seront payés à même le produit brut de la vente pour en établir le produit net. Micheline Montreuil a jusqu'au le 1er décembre 1995 pour racheter ladite maison au prix préférentiel de 120 000 $;

   c) Micheline Montreuil et Robert Bouchard conviennent de renoncer au partage du régime de retraite accumulé par Micheline Montreuil entre le 13 janvier 1994, date du mariage, et la date d'introduction de l'instance en divorce ;

   d) Les gains inscrits au nom de chacun des conjoints dans les registres de la Régie des rentes du Québec seront partagés entre les époux après le jugement de divorce suivant les prescriptions de la loi.

17. En considération de ce qui précède, Micheline Montreuil et Robert Bouchard se déclarent satisfaits du partage de leurs biens et dettes et se donnent mutuellement quittance complète et finale du présent partage et renoncent à toute réclamation qui pourrait être soulevée en vertu de leur contrat de mariage, de leur mariage ou du partage du patrimoine familial.

Disposition finale

18. Les époux reconnaissent avoir lu cette convention, en avoir compris la portée et avoir pu bénéficier des avis et conseils d'un procureur indépendant avant sa conclusion. Chacun reconnaît que cette convention lui a été expliquée et représente fidèlement l'expression de sa volonté et de ses choix librement exprimés, sans contrainte ni pressions de part et d'autre.

Québec, le 28 août 1995

Micheline Montreuil

Micheline Montreuil, Demanderesse

Robert Bouchard

Robert Bouchard, Demandeur

Chapitre 5

LES SUCCESSIONS

| 5.0 | **PLAN DU CHAPITRE** |

| 5.1 | **OBJECTIFS** |

Après la lecture du chapitre, l'étudiant doit être en mesure :

- d'expliquer les avantages de faire ou de ne pas faire de testament ;

- d'énoncer les principales formes de testament et d'analyser leurs différences tant en ce qui concerne la forme et la conservation que leur authenticité.

| 5.2 | **LES SUCCESSIONS** |

La succession est la manière dont se fait la transmission des biens, droits et obligations d'une personne décédée à une ou plusieurs autres personnes vivantes.

Une personne peut décéder sans avoir fait de testament. La succession est alors **légale** en ce qu'elle découle de la loi. Elle est également nommée ***ab intestat***. Par contre, une personne peut choisir d'exprimer clairement ses dernières volontés en faisant un testament. La succession est alors dite **testamentaire** en ce qu'elle résulte de la volonté du **testateur**, c'est-à-dire de celui qui a fait son testament.

L'HÉRITIER DÉSHÉRITÉ

| 5.2.1 | **L'OUVERTURE DES SUCCESSIONS ET LES QUALITÉS REQUISES POUR SUCCÉDER** |

613 C.c.Q.

La succession d'une personne s'ouvre par son décès, au lieu de son dernier domicile.

Elle est dévolue suivant les prescriptions de la loi, à moins que le défunt n'ait, par des dispositions testamentaires, réglé autrement la dévolution de ses biens. La donation à cause de mort est, à cet égard, une disposition testamentaire.

Il n'existe aucune différence entre l'**héritier** d'une **succession légale** ou celui d'une **succession testamentaire**. Dans les deux cas, cette personne reçoit des biens en héritage.

619 C.c.Q.

Est héritier depuis l'ouverture de la succession, pour autant qu'il l'accepte, le successible à qui est dévolue la succession ab intestat et celui qui reçoit, par testament, un legs universel ou à titre universel.

Il existe deux qualités nécessaires pour être appelé à une succession. La première de ces qualités consiste en ce que l'héritier **existe « juridiquement »**. La personne déjà morte au moment de l'ouverture de la succession est incapable de succéder. Par contre, l'enfant conçu mais pas encore né existe juridiquement et peut succéder (voir la section 3.3, La personne physique). Notez que :

616 C.c.Q.

Les personnes qui décèdent sans qu'il soit possible d'établir laquelle a survécu à l'autre sont réputées décédées au même instant, si au moins l'une d'entre elles est appelée à la succession de l'autre.

La succession de chacune d'elles est alors dévolue aux personnes qui auraient été appelées à la recueillir à leur défaut.

Ce mécanisme ne détermine pas un ordre de décès, il fait en sorte que toutes les personnes sont présumées avoir prédécédé les autres. En conséquence, aucune d'elles n'hérite de l'autre, puisque la règle établit une présomption du prédécès de chacun à l'égard des autres. Cette présomption s'applique à toute succession, légale ou testamentaire. Pour qu'elle joue, il suffit de satisfaire à trois conditions :

- que soient en cause plusieurs personnes, dont au moins une est appelée à la succession de l'autre ;

- qu'elles décèdent ;

- qu'il soit impossible, d'après les faits et les circonstances, de déterminer l'ordre des décès.

L'État ainsi que toute personne morale peuvent également être héritier :

618 C.c.Q.   *L'État peut recevoir par testament; les personnes morales le peuvent aussi, dans la limite des biens qu'elles peuvent posséder. [...]*

La deuxième des qualités nécessaires pour être appelé à une succession est de **ne pas être indigne**. Succéder, à quelque titre que ce soit, exige d'être digne de le faire à l'égard du défunt, c'est-à-dire de remplir certaines conditions de valeur humaine. Le successible indigne écarté de la succession est :

- celui qui est déclaré coupable d'avoir attenté à la vie du défunt ;

- celui qui est déchu de l'autorité parentale sur son enfant ;

- celui qui a exercé des sévices sur le défunt ou a eu envers lui un comportement hautement répréhensible ;

- celui qui a recelé, altéré ou détruit de mauvaise foi le testament du défunt ;

- celui qui a gêné le testateur dans la rédaction, la modification ou la révocation de son testament.

Il est toutefois possible d'écarter les sanctions de l'indignité :

622 C.c.Q.   *L'héritier n'est pas indigne de succéder et ne peut être déclaré tel si le défunt, connaissant la cause d'indignité, l'a néanmoins avantagé ou n'a pas modifié la libéralité, alors qu'il aurait pu le faire.*

Ce pardon de la victime s'exprime de deux façons :

- la victime peut, après l'accomplissement de l'acte justifiant l'indignité, avantager à cause de mort l'auteur de celui-ci. C'est le cas, par exemple, de celui qui, après l'attentat dont il a été victime, fait un testament en faveur de son agresseur ;

- le pardon résulte de la décision du défunt de ne pas modifier, même après l'acte perpétré contre lui, la disposition qui avantageait déjà l'auteur.

5.2.2   LA TRANSMISSION

Après son décès, le défunt laisse un patrimoine formé de l'ensemble de ses biens ; il s'agit de l'actif. Ce patrimoine comprend également ses dettes ; il s'agit du passif.

Les créanciers d'une personne ont pour gage ses biens présents et ses biens futurs, c'est-à-dire le produit de ses activités futures. Si cet individu meurt, le législateur confie à celui qui le continue après sa mort le rôle de nouveau débiteur. Il prend en quelque sorte la relève du défunt, mais jusqu'à concurrence du patrimoine dont il hérite.

Le *Code civil* nomme « **héritier** » celui qui continue le défunt.

625 C.c.Q.   *Les héritiers sont, par le décès du défunt [...], saisis du patrimoine du défunt, [...]*

    Ils ne sont pas [...] tenus des obligations du défunt au-delà de la valeur des biens qu'ils recueillent et ils conservent le droit de réclamer de la succession le paiement de leurs créances.

    Ils sont saisis des droits d'action du défunt contre l'auteur de toute violation d'un droit de la personnalité ou contre ses représentants.

Il existe donc un automatisme de la transmission du patrimoine successoral, laquelle s'effectue par le biais de la **saisine**, c'est-à-dire le droit à la possession immédiate de l'héritage, sans formalités et sans contrôles préalables. La saisine existe dès l'ouverture de la succession et elle a lieu sans que l'héritier n'ait à la requérir.

Au moment de l'ouverture d'une succession, l'héritier a deux choix : il l'accepte ou il la refuse.

630 C.c.Q.   *Tout successible a le droit d'accepter la succession ou d'y renoncer.*

                L'option est indivisible. [...]

S'il accepte, l'héritier devient détenteur des droits et obligations du défunt lui-même, jusqu'à concurrence du contenu de la succession. Par contre, la renonciation fait rétroactivement perdre au successible sa qualité d'héritier.

Le droit d'opter ne s'applique qu'au moment de l'ouverture d'une succession.

631 C.c.Q.   *Nul ne peut exercer d'option sur une succession non ouverte ni faire aucune stipulation sur une pareille succession, même avec le consentement de celui dont la succession est en cause.*

632 C.c.Q.   *Le successible a six mois, à compter du jour où son droit s'est ouvert, pour délibérer et exercer son option. [...]*

L'option que choisit l'héritier est indivisible. Un successible ne peut accepter une partie de la succession et renoncer à une autre, encore moins accepter l'actif et renoncer au passif. L'acceptation d'une succession est donc irrévocable, inconditionnelle et indivisible.

L'acceptation d'une succession peut être de trois types : **expresse**, **tacite**, ou encore elle peut **résulter de la loi**.

637 C.c.Q.   *L'acceptation est expresse quand le successible prend formellement le titre ou la qualité d'héritier ; elle est tacite quand le successible fait un acte qui suppose nécessairement son intention d'accepter.*

L'acceptation est **expresse** si elle se fait verbalement ou dans un écrit quelconque émanant de l'héritier ou signé par lui. Elle est **tacite** si le successible pose des actes par lesquels il s'approprie un bien de la succession ou en dispose. De ce fait, il laisse présumer l'intention d'accepter son titre d'héritier. Cependant :

644 C.c.Q.   *S'il existe dans la succession des biens susceptibles de dépérissement, le successible peut, avant la désignation du liquidateur, les vendre de gré à gré ou, s'il ne peut trouver preneur en temps utile, les donner à des organismes de bienfaisance ou encore les distribuer entre les successibles, sans qu'on puisse en inférer une acceptation de sa part.*

                Il peut aussi aliéner les biens qui, sans être susceptibles de dépérissement, sont dispendieux à conserver ou susceptibles de se déprécier rapidement. Il agit alors comme administrateur du bien d'autrui.

Notez que l'héritier qui touche le produit d'une police d'assurance n'est pas présumé accepter la succession.

L'acceptation peut également **résulter de la loi**. Elle peut résulter de l'inaction du successible :

633 C.c.Q.   *Le successible qui connaît sa qualité et ne renonce pas dans le délai de délibération est présumé avoir accepté [...]*

Elle peut résulter également de tout geste du successible tendant à empêcher ou à gêner la séparation des patrimoines. Ce geste est interprété par la loi comme un geste d'acceptation de la succession.

639 C.c.Q.   *Le fait pour le successible de dispenser le liquidateur de faire inventaire ou celui de confondre, après le décès, les biens de la succession avec ses biens personnels emporte acceptation de la succession.*

640 C.c.Q.   *La succession est présumée acceptée lorsque le successible, sachant que le liquidateur refuse ou néglige de faire inventaire, néglige lui-même de procéder à l'inventaire ou de demander au tribunal soit de remplacer le liquidateur, soit de lui enjoindre de le faire dans les soixante jours qui suivent l'expiration du délai de délibération de six mois.*

5.2.3   LA DÉVOLUTION LÉGALE

Lorsqu'une personne décède sans testament ni clause testamentaire dans son contrat de mariage, les biens sont répartis entre le conjoint survivant et les parents selon un ordre et des proportions déterminés par le législateur. La succession est ainsi attribuée aux **héritiers**. Voilà ce qu'on appelle la dévolution légale des biens (voir la section 5.2.1, L'ouverture des successions et les qualités requises pour succéder).

Le conjoint survivant est la personne avec qui le défunt était légalement marié ou de qui il était séparé, mais pas divorcé. Un conjoint de fait ne pourra jamais hériter de son partenaire, à moins que ce dernier l'ait désigné dans son testament. Quant à la parenté, elle est fondée sur les liens du sang ou de l'adoption (la filiation). Comme il existe des degrés dans la parenté, il y a donc des ordres dans la succession, de sorte que le parent le plus proche exclut le plus éloigné.

653 C.c.Q.   *À moins de dispositions testamentaires autres, la succession est dévolue au conjoint survivant et aux parents du défunt, dans l'ordre et suivant les règles du présent titre. À défaut d'héritier, elle échoit à l'État.*

Pour comprendre les termes utilisés en matière de succession, il faut savoir que les **descendants** sont les enfants, les petits-enfants, les arrière-petits-enfants, etc., et que les **ascendants** sont les parents, les grands-parents, les arrière-grands-parents, etc. D'autre part, les **collatéraux** sont les frères, les sœurs, les oncles, les tantes, les neveux, les nièces, les cousins, les cousines, bref, tous ceux qui sont parents avec le défunt mais qui ne sont pas des ascendants ou des descendants. Voyons maintenant comment le législateur a rendu possible la dévolution légale. Il distingue trois ordres de successibles, ce qui permet d'établir avec exactitude les proportions dévolues à chacun :

- Le **premier ordre** comprend le conjoint survivant et les descendants :

666 C.c.Q.   *Si le défunt laisse un conjoint et des descendants, la succession leur est dévolue.*

Le conjoint recueille un tiers de la succession et les descendants les deux autres tiers.

667 C.c.Q.   *À défaut de conjoint, la succession est dévolue pour le tout aux descendants.*

668 C.c.Q.   *Si les descendants qui succèdent sont tous au même degré et appelés de leur chef, ils partagent par égales portions et par tête. [...]*

- Le **deuxième ordre** inclut le conjoint survivant, les ascendants privilégiés et les collatéraux privilégiés :

670 C.c.Q.   *Sont des ascendants privilégiés, les père et mère du défunt.*

Sont des collatéraux privilégiés, les frères et sœurs du défunt, ainsi que leurs descendants au premier degré.

671 C.c.Q.   *À défaut de descendants, d'ascendants et de collatéraux privilégiés, la succession est dévolue pour le tout au conjoint survivant.*

672 C.c.Q.   *À défaut de descendants, la succession est dévolue au conjoint survivant pour deux tiers et aux ascendants privilégiés pour l'autre tiers.*

673 C.c.Q.   *À défaut de descendants et d'ascendants privilégiés, la succession est dévolue au conjoint survivant pour deux tiers et aux collatéraux privilégiés pour l'autre tiers.*

674 C.c.Q.   *À défaut de descendants et de conjoint survivant, la succession est partagée également entre les ascendants privilégiés et les collatéraux privilégiés.*

À défaut d'ascendants privilégiés, les collatéraux privilégiés succèdent pour la totalité, et inversement.

- Le **troisième ordre** comprend les ascendants ordinaires et les collatéraux ordinaires :

677 C.c.Q.   *Les ascendants et collatéraux ordinaires ne sont appelés à la succession qu'à défaut de conjoint, de descendants et d'ascendants ou collatéraux privilégiés du défunt.*

Par exemple, si le défunt a un conjoint et des enfants, la part légale du conjoint survivant est de un tiers et celle des enfants, des deux autres tiers. Si le défunt ne laisse pas d'enfants mais qu'il laisse des ascendants (père et mère) ou des collatéraux privilégiés (frères et sœurs), la part du conjoint survivant sera de deux tiers.

Si le défunt ne laisse pas de conjoint, sa succession tout entière revient à ses descendants. S'il ne laisse ni conjoint ni descendants, ses biens, selon le cas, sont dévolus à ses père et mère, frères et sœurs et autres parents.

5.2.4 LA REPRÉSENTATION

Le *Code civil* permet à une personne de toucher la part d'héritage qu'aurait reçue normalement, par exemple, son père si celui-ci avait été vivant. C'est la représentation qui accorde un tel avantage.

660 C.c.Q.

*La **représentation** est une faveur accordée par la loi, en vertu de laquelle un parent est appelé à recueillir une succession qu'aurait recueillie son ascendant, parent moins éloigné du défunt, qui, étant indigne, prédécédé ou décédé au même instant que lui, ne peut la recueillir lui-même.*

Par exemple, Francine écrit dans son testament : « Je lègue tous mes biens à parts égales à mes frères Pierre, Paul et Jacques. » Si Jacques meurt avant Francine, Pierre et Paul de même que les enfants de Jacques pourront hériter de Francine. Les enfants de Jacques héritent de Francine la part dévolue à leur père. Le fait de prendre ainsi le rang et la place d'un héritier en ligne directe décédé avant celui qui a fait son testament (le testateur) s'appelle la **représentation**. Le législateur reconnaît la représentation tant dans la succession légale que dans la succession testamentaire.

5.3 LES TESTAMENTS

Le testament, c'est l'expression écrite des dernières volontés d'une personne. Aussi, une personne peut choisir de faire un testament plutôt que de s'en remettre à ce que le législateur attribue aux héritiers par dévolution légale. Une personne qui fait son testament peut donc disposer comme bon lui semble de ses biens après sa mort. Elle peut, quand elle le veut, changer son testament ou en écrire un autre, à son gré et autant de fois qu'elle le désire. À noter que toute clause par laquelle le testateur prétendrait renoncer à son droit de révoquer son testament est nulle.

Une personne peut ainsi déshériter totalement son conjoint ou ses enfants et donner tous ses biens à son concubin, à un ami ou à une quelconque fondation sans que les membres de sa parenté ne puissent l'en empêcher. Au Québec, il existe une **liberté totale de tester** sous réserve des dispositions du *Code civil* relatives au patrimoine familial qui accordent au conjoint une certaine protection (voir la section 4.3.1.3, Le patrimoine familial).

703 C.c.Q.

***Toute personne ayant la capacité requise** peut, par testament, régler autrement que ne le fait la loi la dévolution, à sa mort, de tout ou partie de ses biens.*

704 C.c.Q.

*Le **testament** est un acte juridique unilatéral, révocable, établi dans l'une des formes prévues par la loi, par lequel le testateur dispose, par libéralité, de tout ou partie de ses biens, pour n'avoir effet qu'à son décès.*

Il ne peut être fait conjointement par deux ou plusieurs personnes.

705 C.c.Q.

Le testament peut ne contenir que des dispositions relatives à la liquidation successorale, à la révocation de dispositions testamentaires antérieures ou à l'exclusion d'un héritier.

Un mineur ne peut pas faire un testament, car il n'a pas la capacité requise. Cependant, le législateur permet au mineur certains actes de dernières volontés. Soulignons à ce titre : le mode de disposition de son corps. En effet,

42 C.c.Q.

*Le majeur peut régler ses funérailles et le mode de disposition de son corps; le **mineur** le peut également avec le consentement écrit du titulaire de l'autorité parentale ou de son tuteur. À défaut de volontés exprimées par le défunt, on s'en remet à la volonté des*

héritiers ou des successibles. Dans l'un et l'autre cas, les héritiers ou les successibles sont tenus d'agir ; les frais sont à la charge de la succession.

De plus, le mineur a la faculté de tester de ses biens de peu de valeur.

708 C.c.Q.

*Le **mineur** ne peut tester d'aucune partie de ses biens si ce n'est de biens de peu de valeur.*

5.3.1 LES FORMES DE TESTAMENT

En matière de testament, il existe une règle importante à observer : le testament doit absolument être fait selon l'une des trois formes permises par la loi, soit notarié, olographe ou devant témoins. Par ailleurs, certains contrats de mariage comportent une clause testamentaire ; par exemple, il y est mentionné : « Au dernier vivant les biens », ce qui signifie que l'époux survivant hérite de tous les biens (voir l'article 7 du document 4.1). Cette clause tient lieu de testament aussi longtemps qu'elle n'est pas révoquée et les proches sont tenus de la respecter.

Chaque type de testament a des règles qu'il faut respecter (voir le tableau 5.1). L'acte de dernières volontés d'une personne constaté sous une autre forme que celles admises au *Code civil* ne peut pas constituer un testament valide. On doit donc écarter le testament électronique, c'est-à-dire celui fait sur support vidéo ou informatique. Le non-respect de ces formes rend le testament inexistant et il y a alors une dévolution légale sans testament (voir les sections 5.2.3, La dévolution légale, et 5.4, Les legs).

Tableau 5.1 Les différentes formes de testament

Forme	Caractéristiques
Notarié	Devant un notaire et un témoin
Olographe	Entièrement rédigé et signé par le testateur
Devant témoins	Écrit par toute personne mais signé par le testateur et deux témoins

5.3.1.1 Le testament notarié

Le **testament notarié** doit être reçu par un notaire, assisté d'un témoin dont l'original est conservé au greffe du notaire. Il doit porter la mention de la date et du lieu où il est reçu. Le testateur peut demander que la lecture du testament soit faite en l'absence de tout témoin. Le notaire ne peut être un :

723 C.c.Q.

[...] conjoint, parent ou allié du testateur, ni en ligne directe, ni en ligne collatérale jusqu'au troisième degré inclusivement.

Le testament désigne les héritiers des biens du défunt et leur part respective. Plusieurs autres clauses sont possibles. *Par exemple, il est possible de nommer un **liquidateur** qui est la personne qui procède à l'exécution des dispositions du testament. D'autre part, les parents peuvent désigner un tuteur au cas où ils mourraient tous les deux avant que leur enfant n'atteigne la majorité.*

5.3.1.2 Le testament olographe

Le **testament olographe** doit être entièrement rédigé et signé par le testateur. On ne peut utiliser ni formulaire ni machine à écrire. Aucun témoin n'est requis. On peut ou non le dater. Mais si un deuxième testament est fait, il serait d'intérêt de mentionner qu'il annule le premier. Autrement, les héritiers pourraient être dans la confusion.

726 C.c.Q. *Le testament olographe doit être entièrement écrit par le testateur et signé par lui, autrement que par un moyen technique.*

Il n'est assujetti à aucune autre forme.

La signature du testateur doit être conforme à ses habitudes. Aussi, même si la signature est illisible ou même si elle ne comporte que les initiales du prénom du testateur accompagnées de la signature complète de son nom de famille ou d'une autre marque distinctive, elle est valide. Par contre, « maman » ou les seules initiales du testateur ne suffisent pas.

Que se passe-t-il lorsque le testament olographe contient une écriture étrangère ?

Si l'écriture a été faite par une autre personne sur l'ordre ou avec le consentement du testateur ou à sa connaissance, et si cette écriture fait partie du testament, le testament sera nul. Par contre, si les écritures étrangères ne concernent nullement la disposition à cause de mort, le testament demeure valide.

5.3.1.3 Le testament devant témoins

Le **testament devant témoins** peut être écrit par le testateur, par un tiers ou à l'aide d'un moyen technique, comme une machine à écrire ou un ordinateur. Il est toujours signé par le testateur lui-même ou par quelqu'un d'autre qui signe en son nom et en sa présence. Cette tierce personne pourra signer à la place du testateur si, par exemple, ce dernier a le bras dans le plâtre. Ce type de testament nécessite la présence de deux témoins majeurs qui signent en présence du testateur. Ces témoins ne peuvent pas hériter du testateur et ce dernier n'est pas obligé de leur divulguer le contenu de son testament ; ce qui importe, c'est qu'ils sachent qu'il s'agit d'un testament.

727 C.c.Q. *Le testament devant témoins est écrit par le testateur ou par un tiers.*

En présence de deux témoins majeurs, le testateur déclare ensuite que l'écrit qu'il présente, et dont il n'a pas à divulguer le contenu, est son testament ; il le signe à la fin ou, s'il l'a signé précédemment, reconnaît sa signature ; il peut aussi le faire signer par un tiers pour lui, en sa présence et suivant ses instructions.

Les témoins signent aussitôt le testament en présence du testateur.

Il faut noter que :

728 C.c.Q. *Lorsque le testament est écrit par un tiers ou par un moyen technique, le testateur et les témoins doivent parapher ou signer chaque page de l'acte qui ne porte pas leur signature […]*

Pourquoi en est-il ainsi ? La raison est évidente : on veut empêcher la substitution, la suppression ou l'ajout de pages au testament. Le non-respect de cette formalité donne ouverture à un procès en nullité de testament pour défaut de forme. À moins que ce testament ne soit reconnu valide sous une autre forme :

713 C.c.Q. *Les formalités auxquelles les divers testaments sont assujettis doivent être observées, à peine de nullité.*

Néanmoins, le testament fait sous une forme donnée et qui ne satisfait pas aux exigences de cette forme vaut comme testament fait sous une autre forme, s'il en respecte les conditions de validité.

Notez que l'omission d'une simple formalité n'empêche pas de respecter les volontés du testateur :

714 C.c.Q. *Le testament olographe ou devant témoins qui ne satisfait pas pleinement aux conditions requises par sa forme vaut néanmoins s'il y satisfait pour l'essentiel et s'il contient de façon certaine et non équivoque les dernières volontés du défunt.*

Cet article attribue une discrétion au tribunal convaincu de la conformité de l'écrit à la volonté du testateur. Cette exception au formalisme strict des testaments se justifie par le désir du législateur de respecter les volontés du testateur.

Notez que contrairement au testament olographe et devant témoins, le testament notarié est authentique. En conséquence, son authenticité n'a pas à être vérifiée par la Cour supérieure.

772 C.c.Q.

Le testament olographe ou devant témoins est vérifié, à la demande de tout intéressé, en la manière prescrite au Code de procédure civile.

5.4	LES LEGS

Le **legs** est une disposition testamentaire par laquelle le testateur laisse à quelqu'un l'ensemble ou une part de ses biens ou même une chose particulière. Le principal effet des legs est d'écarter la dévolution légale (voir la section 5.2.3, La dévolution légale). Dans notre droit, la succession testamentaire est la règle et la succession légale est l'exception. Par contre :

736 C.c.Q.

Les biens que le testateur laisse sans en avoir disposé, ou à l'égard desquels les dispositions sont privées d'effet, demeurent dans sa succession ab intestat et sont dévolus suivant les règles relatives à la dévolution légale des successions.

Ainsi, lorsque certaines dispositions testamentaires ne peuvent prendre effet, notamment à cause de la nullité ou parce que le testateur n'a pas disposé de tous ses biens dans son testament, il y aura quand même un héritier.

On peut inclure plusieurs clauses dans un testament, mais il ne faut toutefois pas exagérer. Le *Code civil* précise les dispositions qui sont réputées nulles et sans effet. Ainsi, est réputé nul un legs fait à un ex-conjoint dont on a divorcé, à moins d'exprimer sa volonté que cet avantage soit maintenu. Sont réputées nulles les dispositions limitant les droits du veuf ou de la veuve en cas de remariage. Sont nulles aussi les clauses menaçant de pénaliser les héritiers qui contesteraient un testament. Sont nuls enfin les legs faits au propriétaire, à l'administrateur ou au salarié d'un hôpital ou d'un centre d'accueil où était hébergé le testateur à moins, bien sûr, que l'individu soit un proche parent du défunt.

Il existe trois types de legs :

- le legs universel ;
- le legs à titre universel ;
- le legs à titre particulier.

732 C.c.Q.

*Le **legs universel** est celui qui donne à une ou plusieurs personnes vocation à recueillir la totalité de la succession.*

733 C.c.Q.

*Le **legs à titre universel** est celui qui donne à une ou plusieurs personnes vocation à recueillir :*

1° La propriété d'une quote-part de la succession ;

2° Un démembrement du droit de propriété sur la totalité ou sur une quote-part de la succession ;

3° La propriété ou un démembrement de ce droit sur la totalité ou sur une quote-part de l'universalité des immeubles ou des meubles, des biens propres, communs ou acquêts, ou des biens corporels ou incorporels.

734 C.c.Q.

*Tout **legs** qui n'est ni universel ni à titre universel est à **titre particulier.***

La variété du legs à titre particulier est très large. En effet, le legs à titre particulier peut porter sur un bien déterminé ou sur un ensemble de biens. *Par exemple, une personne peut léguer son automobile à son fils et ses bijoux à sa sœur.*

5.5   LA LIQUIDATION DE LA SUCCESSION

L'ouverture d'une succession *ab intestat* ou testamentaire confère des droits aux successibles à qui les biens sont transmis. Ainsi, que le défunt ait fait ou non un testament, il faudra procéder à la liquidation de la succession.

776 C.c.Q.

> La **liquidation** de la succession ab intestat ou testamentaire consiste à identifier et à appeler les successibles, à déterminer le contenu de la succession, à recouvrer les créances, à payer les dettes de la succession, qu'il s'agisse des dettes du défunt, des charges de la succession ou des dettes alimentaires, à payer les legs particuliers, à rendre compte et à faire la délivrance des biens.

Cela présuppose tout un processus destiné à rendre effective la transmission de la succession aux héritiers par la délivrance et le partage des biens. Cette tâche incombe à la ou aux personnes que le testament nomme comme **liquidateur**. Cependant, si une personne meurt sans avoir fait de testament ou sans avoir désigné de liquidateur, tous les héritiers joueront ce rôle ; ils pourront s'attribuer entre eux des fonctions particulières ou encore s'entendre pour désigner un liquidateur. En cas de mésentente, l'un d'eux pourra s'adresser au tribunal qui nommera un liquidateur.

784 C.c.Q.

> [...] Nul n'est tenu d'accepter la charge de liquidateur d'une succession, à moins qu'il ne soit le seul héritier.

Le liquidateur devra dresser un inventaire des biens du défunt, payer ses dettes, recouvrer ce qu'on lui devait, remettre les biens aux héritiers et publier un avis de clôture ou de fin d'inventaire dans un journal paraissant dans la localité de la dernière adresse connue du défunt.

RÉSUMÉ

En matière de succession, une personne peut choisir ou non de faire un testament. Si elle ne fait pas de testament, sa succession sera dite *ab intestat*, et si elle fait un testament, sa succession sera dite testamentaire.

Une personne qui choisit de faire un testament plutôt que de s'en remettre à ce que le législateur attribue aux héritiers par dévolution légale a le choix entre un testament notarié, un testament olographe ou un testament devant témoins.

Dans le cas d'une succession *ab intestat*, le *Code civil* prévoit la répartition des biens du défunt, tandis que dans le cas d'une succession testamentaire, il faut respecter les volontés exprimées par le défunt dans son testament.

QUESTIONS

5.1   Quelle est la différence entre une succession *ab intestat* et une succession testamentaire ?

5.2   À quel moment et à quel endroit s'ouvre une succession ?

5.3   Nommez les deux qualités requises pour succéder.

5.4   L'héritier est celui qui continue le défunt. Précisez sa responsabilité à l'égard des dettes de la personne décédée.

5.5   Énoncez les principales formes de testament et définissez chacune brièvement.

5.6   Nommez deux avantages de faire un testament.

5.7   Peut-on retrouver un legs dans une dévolution légale ?

5.8   Mentionnez deux tâches d'un liquidateur.

CAS PRATIQUES

5.9 Brigitte a fait son testament. On y retrouve la phrase suivante : « Je lègue tous mes biens meubles à Gilbert et tous mes immeubles à Manon ». Identifiez ce type de legs et justifiez votre réponse.

5.10 Le peintre Michel Guillemette a fait son testament sous forme olographe. Comme il est handicapé, Michel a écrit ses dernières volontés avec sa bouche. Dites si ce testament est valide et référez-vous à l'article pertinent.

5.11 Georges est décédé hier et il a nommé, dans son testament notarié, Harold comme liquidateur. Harold a entendu dire que certains testaments doivent être vérifiés en Cour supérieure. Il se demande s'il doit faire vérifier le testament de Georges. Qu'en pensez-vous ? Justifiez votre réponse.

5.12 Gabrielle Lévesque a fait son testament devant témoins dont Maryse Tremblay qui a 16 ans. Il y a trois erreurs dans ce testament. Dites lesquelles et justifiez votre réponse.

> Ceci est mon testament. Par la présente, je révoque tout testament ou codicille antérieur. Lors de mon décès, je veux être exposée au Salon funéraire Bouchard et fils, sur la 1ère avenue à Limoilou. De plus, je désire un service religieux à l'église Saint-Fidèle du même endroit. Ensuite, je veux être incinérée, puis enterrée au cimetière Saint-Charles à Québec.
>
> Je lègue tous mes biens immeubles à mon époux, Louis Lavigne. De plus, je lègue ma voiture à mon beau-frère Oscar Pouliot et le résidu de mes biens meubles à ma nièce Karine Lévesque. Finalement, je nomme mon conjoint Louis à titre de liquidateur.
>
> Et j'ai signé à Limoilou ce 1er septembre 1995
>
> *Gabrielle Lévesque*
>
> GABRIELLE LÉVESQUE
>
> *Maryse Tremblay*
>
> MARYSE TREMBLAY, témoin
>
> (signé ce 3 septembre 1995)
>
> *Oscar Pouliot*
>
> OSCAR POULIOT, témoin

5.13 Il y a deux jours, Carl est décédé sans avoir fait de testament. Il laisse son épouse Nicole, son frère Charles, son neveu Pascal et ses nièces Gertrude et Yvette, enfants de Bernard, un autre frère prédécédé. Comment se partagera la succession de Carl ? Référez-vous aux articles pertinents du *Code civil*.

DOCUMENTS

Le document 5.1 est un testament notarié. C'est le testament le plus complet et il contient des dispositions particulières concernant la nomination et les pouvoirs du liquidateur de la succession.

Le document 5.2 est un testament olographe. C'est le testament le plus simple. Dans cet exemple, le testateur a pris soin de préciser les dispositions concernant ses funérailles et il lègue tous ses biens à une seule personne. Notons également la présence d'une disposition révoquant tout testament antérieur, au cas où il y en aurait un, afin d'en annuler les dispositions.

Le document 5.3 est un testament devant témoins. Dans cet exemple, nous retrouvons des clauses instituant un légataire universel pour les meubles, des légataires particuliers pour certaines sommes d'argent et un usufruit viager (voir la section 6.4.3.2 Le démembrement) concernant la maison familiale en faveur de l'épouse survivante.

Document 5.1   TESTAMENT NOTARIÉ

L'AN MIL NEUF CENT QUATRE-VINGT-SEIZE,
Le huit mars.

Devant Me LOUISE GRENIER, notaire à Québec, province de Québec,
Canada

Assistée de Caroline Poulin, directrice financière, résidant
actuellement au 629, rue des Violettes, à Lévis, G6V 6S9

COMPARAÎT :

ROBERT BOUCHARD, avocat, résidant actuellement au 208, Chemin le
Tour du Lac, Lac Beauport (Québec), G0A 2C0, majeur, né le 17
décembre 1973, (NAS : 265 382 834)

LEQUEL fait son testament comme suit :

ARTICLE 1

Je déclare être domicilié dans la province de Québec.

Je déclare également que je suis marié en premières noces sous le régime
conventionnel de la séparation de biens selon les lois du Québec, à Micheline Montreuil,
en vertu d'un contrat de mariage signé devant Me Louise Grenier, notaire à Québec, le 5
janvier 1994 sous le numéro 2717 de ses minutes. Le mariage a été célébré le 13
janvier 1994.

Je déclare également que mon état matrimonial n'a pas varié depuis cette date.

ARTICLE 2

Je laisse à la discrétion de mon liquidateur le soin de mes funérailles. Cependant, je
veux qu'une somme de cinq mille (5 000 $) dollars soit consacrée à l'achat d'un
monument commémoratif sur ma tombe. Je me réserve le droit de préciser
ultérieurement mes volontés relativement à mes obsèques et à l'usage qui devra être
fait de mon corps à mon décès, par tout écrit, revêtu de la forme testamentaire ou non.

ARTICLE 3

Je lègue tous mes biens meubles et immeubles, y compris les polices d'assurance sur
ma vie sans bénéficiaire désigné, à mon épouse Micheline Montreuil, que j'institue ma
seule légataire universelle et que je désigne comme mon liquidateur.

ARTICLE 4

Si mon épouse me prédécède, je lègue tous mes biens meubles et immeubles à mes
enfants que j'institue mes légataires universels.

En cas de prédécès de l'un d'eux, sa part appartiendra à ses enfants par
représentation ; à défaut d'enfants, elle appartiendra à ses colégataires.

ARTICLE 5

Si mon épouse et tous mes descendants me prédécèdent, ou si aucun d'eux ne me survit
pour une période de plus de sept jours, dans ce cas, je lègue la moitié de l'universalité
de mes biens à ceux qui seraient mes héritiers légaux si j'étais décédé sans testament,
dans les proportions prévues par le Code civil du Québec, et l'autre moitié à ceux qui
seraient les héritiers légaux de mon épouse, si elle était décédée sans testament, dans
les proportions prévues par le Code civil du Québec.

ARTICLE 6

Dans le cas des articles 4 et 5, ci-dessus, je désigne comme liquidateur de ma
succession ma sœur Sylvie Bouchard.

En cas de décès, de refus, de démission ou d'incapacité légale d'agir de mon
liquidateur, je lui substitue mon frère, Charles Bouchard.

S'il est impossible de pourvoir au remplacement de mon liquidateur de la façon ci-
dessus prévue, mes héritiers le feront à la majorité par acte notarié en minute.

ARTICLE 7

Mon liquidateur devra produire l'inventaire prescrit par la loi par acte notarié en
minute.

ARTICLE 8

Même après avoir commencé la liquidation, mon liquidateur pourra en tout temps
démissionner de sa charge pourvu que cette démission soit faite en forme notariée et
soit accompagnée d'une reddition de compte. Les frais de la reddition de compte sont à
la charge de la succession.

| Document 5.1 | **TESTAMENT NOTARIÉ (suite)** |

ARTICLE 9

Pour les services que mon liquidateur sera appelé à rendre à ma succession, soit pour procéder à la liquidation de ma succession proprement dite, soit pour administrer les biens de ma succession ou partie de ceux-ci, mon liquidateur aura droit, en plus du remboursement de ses dépenses, frais de déplacement et pertes de salaire, à une rémunération équivalente à trente (30) dollars l'heure, cette somme, ou taux horaire, étant indexée en se basant sur le taux d'inflation tel qu'établi par Statistique Canada, en prenant comme année de base l'année 1995.

ARTICLE 10

Mon liquidateur pourra, seul, aliéner tous mes biens meubles et immeubles à titre onéreux, les grever de droits réels ou en changer la destination et faire tout acte nécessaire ou utile, y compris toutes espèces de placements.

Il ne pourra cependant aliéner un bien légué à titre de legs particulier à un légataire majeur et pleinement capable, auquel cas il devra effectuer la délivrance du legs dès qu'il lui sera commodément possible de le faire, sous réserve des dispositions relatives à la réduction des legs à titre particulier.

ARTICLE 11

Mon liquidateur sera chargé de la pleine administration des biens de ma succession.

ARTICLE 12

Mon liquidateur pourra donner mainlevée avec ou sans considération.

ARTICLE 13

Mon liquidateur aura l'administration de tous les biens légués, par les présentes à des légataires mineurs. La part de chaque légataire devra être employée comme suit :

1. jusqu'à ce qu'il atteigne l'âge de vingt (20) ans accomplis, mon liquidateur devra en capitaliser le revenu net ; cependant, il pourra se servir du revenu et même du capital si nécessaire pour leur entretien, éducation, instruction et autres besoins. À cette fin, mon liquidateur agira à titre d'administrateur chargé de la pleine administration du bien d'autrui.

2. lorsqu'il atteindra l'âge de vingt (20) ans accomplis, mon liquidateur devra lui remettre directement les revenus de sa part dont le capital lui sera remis dès qu'il atteindra l'âge de vingt-cinq (25) ans accomplis ; cependant, il pourra se servir du revenu et même du capital si nécessaire pour leur entretien, éducation, instruction et autres besoins. À cette fin, mon liquidateur agira à titre d'administrateur chargé de la simple administration du bien d'autrui.

ARTICLE 14

Tous les biens présentement légués ainsi que les fruits et revenus en provenant seront propres à mes légataires.

ARTICLE 15

Tous les biens présentement légués ainsi que ceux acquis en remploi et les fruits et revenus en provenant sont légués à titre d'aliments et seront insaisissables pour quelques dettes que ce soit de mes légataires à moins qu'ils ne consentent à les rendre saisissables en tout ou en partie.

ARTICLE 16

Je révoque et annule toutes autres dispositions testamentaires antérieures à mon présent testament ainsi que la donation universelle à cause de mort prévue à mon contrat de mariage.

DONT ACTE en la ville de Québec, sous le numéro 2923 des minutes du notaire soussigné,

LECTURE FAITE au testateur par le notaire, le testateur, le témoin et le notaire signent en présence les uns des autres.

Robert Bouchard

Caroline Poulin

Me Louise Grenier, Notaire

| Document 5.2 | **TESTAMENT OLOGRAPHE** |

Ceci est mon testament

Je ne veux pas être exposée.

Je demande l'incinération après le service à l'église et je veux que mes cendres soient déposées au cimetière Belmont à Sainte-Foy dans le lot où reposent mes parents.

Je lègue à mon frère Louis Demers qui demeure au 1425 de Montmorency, à Québec tous mes biens meubles et immeubles et je l'institue mon seul et unique légataire universel.

Je révoque tout testament ou codicille antérieur.

Le 15 mai 1995
Caroline Demers
615, Grande Allée
Québec

| **Document 5.3** | **TESTAMENT DEVANT TÉMOINS** |

Ceci est mon testament. Par la présente, je révoque tout testament ou codicille antérieur. Lors de mon décès, je désire être exposé au salon funéraire de Lépine-Cloutier sur l'avenue Marguerite-Bourgeois à Québec durant deux jours. Ensuite, je désire un service religieux à l'église Saint-Sacrement à Québec suivi de mon inhumation au cimetière Saint-Charles à Québec. Je désire également que mes héritiers paient aux Pères du Saint-Sacrement les coûts pour une messe perpétuelle pour le repos de mon âme à même les biens de ma succession.

Je lègue un usufruit viager sur ma maison du 1430 rue Maréchal-Foch à Québec à mon épouse Brigitte Lemay et la nue propriété de ma maison à mes enfants Gérard, Jeanne et Élaine. Je lègue tous mes autres biens meubles en pleine propriété à mon épouse Brigitte à l'exception des donations suivantes :

Je veux que chacun de mes enfants reçoive immédiatement une somme de cinq mille (5 000) dollars.

Je veux également donner la somme de dix mille (10 000) dollars à ma sœur Sylvie.

Je nomme mon épouse Brigitte Lemay à titre de liquidateur.

Et j'ai signé à Québec, ce 17 juin 1995

Michel Levasseur
1430 Maréchal-Foch
Québec

Louis Duclos, témoin

Alice Tremblay, témoin

LES BIENS

6.0 **PLAN DU CHAPITRE**

→

| 6.0 | **PLAN DU CHAPITRE (suite)** |

Résumé
Questions
Cas pratiques

| 6.1 | **OBJECTIFS** |

Après la lecture du chapitre, l'étudiant doit être en mesure :

- de distinguer et d'expliquer les différences entre un immeuble et un meuble ;
- d'expliquer les conséquences juridiques découlant de la différence entre un immeuble et un meuble ;
- de reconnaître et d'expliquer la nature et les limites du droit de propriété ;
- d'expliquer les modalités et les démembrements du droit de propriété.

| 6.2 | **LA DISTINCTION ENTRE LES BIENS IMMEUBLES ET LES BIENS MEUBLES** |

Les articles 899 à 1370 du *Code civil* traitent des biens et de la propriété (voir le tableau 6.1). Tous les objets qui peuvent nous appartenir sont régis par cette section du code. On y distingue deux types de biens : les biens immeubles et les biens meubles. Nous allons les distinguer.

Tableau 6.1 Les deux types de biens

Type de biens	Exemples
Immeubles	Fonds de terre
	Végétaux
	Minéraux
	Constructions
	Ponts
	Réseaux d'aqueduc
Meubles	Objets
	Animaux
	Électricité
	Gaz
	Chaleur
	Ondes
	Créances

Il est important de bien les distinguer, car ils sont soumis à des règles différentes en ce qui concerne leur propriété, leur jouissance ou leur utilisation, leur vente, leur disposition et leur financement. De plus, leur distinction revêt beaucoup d'importance en matière de procédure, de saisies, de prescription et de sûreté (voir la section 6.3, Les conséquences juridiques de la distinction entre immeuble et meuble).

6.2.1 LES IMMEUBLES

Généralement, un immeuble est un terrain, un édifice, une maison, un arbre planté sur un terrain, une récolte sur pied, une piscine creusée ou des bureaux encastrés dans les murs, de même que des droits incorporels tels que l'usufruit, l'usage, la servitude et l'emphytéose.

Pour qualifier un bien immeuble, le législateur n'utilise aucune dénomination particulière mais, dans les faits, nous entendons souvent parler de trois catégories de biens immeubles. Il s'agit de l'**immeuble par nature**, de l'**immeuble par intégration** et de l'**immeuble par attache ou réunion**.

6.2.1.1 L'immeuble par nature

Le *Code civil* définit ainsi un **immeuble** dit **par nature** :

900 C.c.Q.

> *Sont immeubles les fonds de terre, les constructions et ouvrages à caractère permanent qui s'y trouvent et tout ce qui en fait partie intégrante.*
>
> *Le sont aussi les végétaux et les minéraux, tant qu'ils ne sont pas séparés ou extraits du fonds. [...]*

L'immeuble par nature est donc un bien immobile à l'état normal, soit un terrain, les végétaux qui font corps avec le sol, une construction ou un ouvrage **à caractère permanent** intégré à un fonds de terre. D'autre part, le législateur a également qualifié d'immeuble un certain nombre de droits rattachés à un immeuble.

904 C.c.Q.

> *Les droits réels qui portent sur des immeubles, les actions qui tendent à les faire valoir et celles qui visent à obtenir la possession d'un immeuble sont immeubles.*

6.2.1.2 L'immeuble par intégration

Le *Code civil* crée, sans toutefois la préciser, une seconde catégorie d'immeuble : l'**immeuble par intégration**.

901 C.c.Q.

> *Font partie intégrante d'un immeuble les meubles qui sont incorporés à l'immeuble, perdent leur individualité et assurent l'utilité de l'immeuble.*

Selon cet article, trois conditions sont essentielles pour qu'un meuble devienne immeuble par intégration :

- celui-ci doit être « incorporé à l'immeuble » par nature, autrement dit, faire corps avec lui comme le filage électrique à l'intérieur des murs ;
- le meuble doit avoir perdu son « individualité » : la séparation du meuble de l'immeuble lui enlèverait sa raison d'être : le filage électrique est inutile s'il n'est qu'un amas de fils ;
- le bien meuble doit assurer l'« utilité de l'immeuble » de sorte que l'immeuble soit fonctionnel : une bâtisse moderne sans filage électrique est inconcevable.

En d'autres termes, il faut que ce meuble complète l'immeuble et qu'il lui soit indispensable, comme le filage électrique, la tuyauterie d'aqueduc et de drainage, les conduits de climatisation, les lumières encastrées, les conduits pour un aspirateur central et les tuyaux d'un système central de chauffage à eau chaude.

6.2.1.3 L'immeuble par attache ou réunion

Toujours sans lui donner une appellation propre, le législateur présente une troisième catégorie d'immeuble que nous nommons l'**immeuble par attache ou réunion**.

903 C.c.Q.

> *Les meubles qui sont, à demeure, matériellement attachés ou réunis à l'immeuble, sans perdre leur individualité et sans y être incorporés, sont immeubles tant qu'ils y restent.*

48 L.A.R.C.C.   *L'article 903 du nouveau Code civil est censé ne permettre de considérer immeubles que les meubles visés qui **assurent l'utilité de l'immeuble**, les meubles qui, dans l'immeuble, servent à l'exploitation d'une entreprise ou à la poursuite d'activités étant censées demeurer meubles.*

Cette catégorie d'immeuble regroupe les biens meubles désormais immobilisés selon cinq conditions :

- il faut d'abord l'existence d'un immeuble comme une maison et d'un meuble par nature, comme une plinthe électrique ; il n'est pas nécessaire que l'immeuble et le meuble appartiennent à la même personne. *Par exemple, si un locataire ajoute une nouvelle serrure à une porte, cette serrure devient un immeuble ;*

- le bien meuble doit être lié physiquement à l'immeuble ; une attache matérielle est donc nécessaire comme des clous, des vis, du ciment, de la soudure, etc. ;

- cette attache doit être « à demeure » et non pas « temporaire ». Cela signifie que le meuble peut être installé pour un temps indéterminé et non pas de façon perpétuelle. Ainsi, s'il devient défectueux, il peut être remplacé sans perdre pour autant sa nature immobilière. *Par exemple, il est possible de remplacer une plaque de cuisson ou un chauffe-eau défectueux ;*

- le bien meuble doit assurer l'utilité de l'immeuble. *Par exemple, une affiche que vous venez de clouer au mur ne peut être considérée comme un immeuble par attache, puisqu'elle n'assure pas l'utilité de l'immeuble. Également, un miroir ou un tableau accroché sur un mur au moyen d'un crochet reste un meuble pour les mêmes raisons. Par contre, un radiateur est considéré comme un immeuble par attache ou réunion car bien qu'il ne perde pas son individualité et qu'il ne soit pas incorporé à l'immeuble, il y est quand même attaché à demeure et il assure une certaine utilité par le chauffage qu'il fournit à l'immeuble ;*

- le bien mobilier ne doit pas être intégré à l'immeuble. Il ne doit pas y être incorporé au point de perdre son individualité. *Par exemple, si nous prenons des carreaux de miroirs de 30 cm de côté dont la face arrière est enduite de colle et que nous les installons sur un mur, nous sommes alors en présence d'un immeuble par intégration puisque ces carreaux de miroir sont désormais intégrés à l'immeuble.*

Le bien meuble devenu immeuble par attache ou réunion conserve sa nature immobilière tant qu'il reste immobilisé. S'il est détaché physiquement et de façon permanente de l'immeuble par décision du propriétaire du bien, il redevient meuble.

Essayons de mieux comprendre la différence entre un immeuble par attache ou réunion et un immeuble par intégration : *par exemple, lorsque le propriétaire d'une maison achète une piscine hors-terre, il achète un meuble. Lorsqu'il installe cette piscine dans sa cour, elle devient un immeuble par attache ou réunion en vertu de l'article 903 du Code civil. S'il choisit de retirer cette piscine de sa cour, elle redevient meuble. S'il avait acheté et fait installer une piscine creusée, nous serions toujours en présence d'un immeuble, mais, cette fois, il s'agirait d'un immeuble par intégration en vertu de l'article 901 du Code civil. Si le propriétaire vend la maison, dans les deux cas, il vend automatiquement la piscine puisque celle-ci est un immeuble, à moins que, dans le cas de la piscine hors-terre, il mentionne dans le contrat de vente de la maison qu'il conserve la piscine, qu'il va la démonter et l'enlever.*

6.2.1.4   Les exceptions

Le cas du meuble qui sert à l'exploitation d'une entreprise

48 L.A.R.C.C.   *[...] les meubles qui, dans l'immeuble, servent à l'**exploitation d'une entreprise** ou à la poursuite d'activités étant censées demeurer meubles.*

1525 C.c.Q. *[...] **Constitue l'exploitation d'une entreprise** l'exercice, par une ou plusieurs person-nes, d'une activité économique organisée, qu'elle soit ou non à caractère commercial, consistant dans la production ou la réalisation de biens, leur administration ou leur alié-nation, ou dans la prestation de services.*

Le bien meuble comme la machinerie qui, dans l'immeuble, sert à l'exploitation d'une entreprise ou à la poursuite d'activités économiques, professionnelles ou sociales, demeure « meuble ». Il est donc sans importance que ce type de meuble soit ou non physiquement lié à l'immeuble car **il reste meuble dans tous les cas**.

Le cas de l'hypothèque mobilière grevant un bien meuble immobilisé par attache ou réunion

Malgré qu'il soit immobilisé par attache ou réunion, un meuble reste un meuble tant que subsiste l'hypothèque qui le grève.

2672 C.c.Q. *Les meubles grevés d'hypothèque qui sont, à demeure, matériellement attachés ou réunis à l'immeuble, sans perdre leur individualité et sans y être incorporés, sont considérés, pour l'exécution de l'hypothèque, conserver leur nature mobilière tant que subsiste l'hypothèque.*

Par conséquent, s'il devait y avoir une saisie mobilière ou l'exécution d'une hypothè-que mobilière sur un tel bien meuble immobilisé mais hypothéqué, elle serait léga-lement possible, ce qui n'est pas le cas du meuble qui perd son individualité.

Le cas du meuble qui fait l'objet d'un crédit-bail

Comme le stipule le *Code civil* :

1843 C.c.Q. *Le bien qui fait l'objet du crédit-bail conserve sa nature mobilière tant que dure le contrat, même s'il est rattaché ou réuni à un immeuble, **pourvu qu'il ne perde pas son individualité**.*

6.2.2   LES MEUBLES

Comme dans le cas des immeubles, le législateur n'utilise aucune dénomination particulière pour désigner les catégories de meubles. Nous utiliserons donc la termi-nologie qui suit dans le but de qualifier correctement un bien concerné.

6.2.2.1   Les meubles par nature

En règle générale, **un meuble est un objet mobile**, comme le sont une table, une automobile, un bateau, des billets de banque, des bijoux **et même un animal**, par exemple, un chien.

905 C.c.Q. *Sont meubles les choses qui peuvent se transporter, soit qu'elles se meuvent elles-mêmes, soit qu'il faille une force étrangère pour les déplacer.*

En plus de ces objets, le législateur définit quelques autres meubles supplémentaires moins tangibles ou palpables :

906 C.c.Q. *Sont réputées meubles corporels les ondes ou l'énergie maîtrisées par l'être humain et mises à son service, quel que soit le caractère mobilier ou immobilier de leur source.*

Sont ainsi englobés le gaz, l'électricité et les ondes radiophoniques qui, dans un immeuble, servent à l'exploitation d'une entreprise ou à la poursuite d'activités économiques, professionnelles et sociales.

6.2.2.2   Les meubles par anticipation

Sont désignés meubles par anticipation les meubles qui, au départ, sont des immeubles mais que les parties traitent en meubles. Par exemple, les fruits et les produits du sol peuvent être considérés comme meubles.

Au même titre, les immeubles par attache ou réunion peuvent faire l'objet d'une mobilisation par anticipation, comme dans le cas de la piscine hors-terre que nous avons déjà présentée (voir la section 6.2.1.3, L'immeuble par attache ou réunion). S'il avait voulu, le propriétaire aurait pu vendre la piscine par anticipation alors qu'elle était toujours en place.

900 C.c.Q.   *[...] Toutefois, les fruits et les autres produits du sol peuvent être considérés comme des meubles dans les actes de disposition dont ils sont l'objet.*

6.2.2.3   Tous les autres biens

Le *Code civil* permet d'éviter tout doute quant à la classification des biens :

907 C.c.Q.   *Tous les autres biens que la loi ne qualifie pas sont meubles.*

Pensons aux créances et autres droits incorporels qui sont constatés par un titre au porteur. Le droit de créance et le document qui en fait foi sont des biens mobiliers.

Nous avons vu que, en principe, lorsque des biens meubles sont assemblés et incorporés au sol, ils deviennent immeubles ; si l'incorporation cesse, ils reprennent leur caractère mobilier. Toutefois, le *Code civil* permet d'éviter que ces biens soient ameublis et fait en sorte qu'ils conservent leur caractère immobilier s'ils sont destinés à être incorporés de nouveau à un immeuble.

902 C.c.Q.   *Les parties intégrantes d'un immeuble qui sont temporairement détachées de l'immeuble, conservent leur caractère immobilier, si ces parties sont destinées à y être replacées.*

Par exemple, une plinthe électrique ou un radiateur sont, par nature, des meubles, mais ils deviennent des immeubles lorsqu'ils sont incorporés, intégrés ou utilisés pour la construction d'un édifice.

Si une plinthe électrique murale est enlevée pour permettre de réparer un mur, cette plinthe est toujours immeuble, car elle est destinée à être replacée sur le mur dès que les travaux de réparation seront terminés : la plinthe ne perd pas son caractère d'immeuble, même si elle est devenue temporairement mobile. Elle reste un **immeuble.**

Il est courant ou habituel de retrouver dans un contrat préliminaire d'achat d'une maison une clause relative aux biens compris dans la vente. Une telle clause peut prendre la forme suivante :

SONT AUSSI VENDUS ET COMPRIS DANS LES PRIX DE VENTE TOUS LES APPAREILS D'ÉCLAIRAGE ET DE CONTRÔLE ÉLECTRIQUE FIXÉS DE FAÇON PERMANENTE, TOUTES LES INSTALLATIONS PERMANENTES DE CHAUFFAGE, LES CLIMATISEURS ENCASTRÉS DANS LES MURS ET LES FENÊTRES, LE LAVE-VAISSELLE, LE BROYEUR À DÉCHETS, LE SYSTÈME CENTRAL D'ASPIRATEUR, LES RIDEAUX, TENTURES ET STORES DE TOUTES LES FENÊTRES ET PORTES DE LA MAISON, À L'EXCEPTION DU CLIMATISEUR DE LA CHAMBRE, DU PLAFONNIER DU SALON ET DES RIDEAUX DE LA SALLE DE SÉJOUR.

Avec cette clause au contrat, le propriétaire a vendu la majorité des immeubles qui avaient ou non perdu leur individualité, sauf trois articles qu'il désire conserver. Il n'aurait cependant pas eu besoin de préciser les éléments suivants : appareils d'éclairage et de contrôle électrique fixés de façon permanente, toutes les installations permanentes de chauffage, les climatiseurs encastrés dans les murs et les fenêtres, le lave-vaisselle, le broyeur à déchets et le système central d'aspirateur.

En plus, il a vendu les biens qui font partie de la décoration de la maison, lesquels sont demeurés des biens mobiliers, tels les rideaux, tentures et stores de toutes les fenêtres et portes de la maison ; il n'a cependant pas vendu les meubles réguliers que sont les appareils électroménagers, les lits, les bureaux et autres meubles de même nature. Si le vendeur avait voulu vendre une partie des meubles qui garnissent la maison, il aurait spécifié, dans la clause relative aux biens meubles, ceux qu'il désirait vendre et qui étaient compris dans la promesse de vente.

6.3   LES CONSÉQUENCES JURIDIQUES DE LA DISTINCTION ENTRE IMMEUBLE ET MEUBLE

Il existe neuf situations juridiques qui justifient l'importance de la différence établie par le *Code civil* entre un immeuble et un meuble. Elles sont :

- la poursuite devant les tribunaux ;
- la donation ;
- la saisie ;
- la prescription acquisitive ;
- la garantie ;
- la vente ;
- l'héritage ;
- les impôts fonciers ;
- le droit de priorité du vendeur impayé.

6.3.1   LA POURSUITE DEVANT LES TRIBUNAUX

Dans le cas d'une poursuite devant les tribunaux, le lieu d'introduction de l'action, soit le district judiciaire, peut être différent selon que soit en cause un meuble ou un immeuble. S'il s'agit d'un meuble, l'action est généralement déposée dans le district judiciaire du domicile du défendeur. Par ailleurs, si la poursuite concerne un immeuble, l'action est déposée dans le district judiciaire où il est situé.

Par exemple, si Pierre, qui réside à Chicoutimi, désire intenter une poursuite contre Brigitte, qui demeure à Montréal, relativement à l'automobile qu'elle lui a vendue, il doit déposer son action dans le district judiciaire de Montréal. Par ailleurs, si Pierre désire poursuivre Brigitte relativement à un édifice situé à Québec, l'action devra être déposée dans le district judiciaire de Québec.

6.3.2   LA DONATION

La **donation** est le contrat par lequel une personne transfère la propriété d'un bien à titre gratuit à une autre personne (voir le chapitre 13, La donation, l'affrètement, le transport, le mandat, le dépôt, la rente, le jeu et le pari). Puisqu'elle est un contrat, la donation doit respecter une **forme** et est soumise à la **publicité** selon qu'il s'agisse d'un bien immeuble ou d'un bien meuble (voir la section 13.2.2, Certaines conditions relatives à la donation).

*Par exemple, si Julie veut donner son **immeuble** à Raymond, cette donation doit être constatée par un acte notarié puisqu'elle est soumise à la publicité. Une exception à cette règle vise les biens **meubles**. Si Julie désire donner des outils à Raymond, elle n'a qu'à les lui remettre. Le consentement et la possession immédiate du bien meuble par Raymond et la délivrance par Julie suffisent, sans autre formalité et publicité.*

LA DONATION D'UN MEUBLE

6.3.3 LA SAISIE

Lorsqu'un individu refuse de payer la somme à laquelle il a été condamné en vertu du jugement rendu contre lui, celui qui a obtenu jugement en sa faveur forcera l'exécution du jugement en faisant saisir et vendre en justice tous les biens meubles et immeubles jusqu'à concurrence du montant du jugement (voir la section 22.3, La saisie). Le *Code de procédure civile* prévoit cependant que les biens meubles doivent être vendus en premier et si le montant provenant de la vente n'est pas suffisant pour payer la somme due, on peut alors procéder à la vente des biens immeubles.

6.3.4 LA PRESCRIPTION ACQUISITIVE

La **prescription acquisitive** permet d'acquérir la propriété d'un bien par le simple écoulement du temps ; elle est de dix ans pour un immeuble et de trois ans pour un meuble. *Par exemple, Johanne a trouvé dans la rue une bague dont elle ne connaît pas le propriétaire. Comme elle la trouve belle, elle décide de la porter à son doigt. Si le véritable propriétaire de cette bague ne la réclame pas d'ici trois ans, Johanne deviendra alors le propriétaire légitime de cette bague par le simple écoulement du temps au moyen de la prescription acquisitive mobilière de trois ans* (voir la section 8.8.1, La prescription acquisitive).

6.3.5 LA GARANTIE

Lorsqu'une personne désire emprunter une somme d'argent et que le prêteur exige en garantie la maison de l'emprunteur, cette garantie prend la forme d'une hypothèque. Les meubles peuvent également faire l'objet d'une hypothèque, mais ils ne sont pas soumis aux mêmes formalités (voir la section 21.4, L'hypothèque).

2693 C.c.Q. *L'**hypothèque immobilière** doit, à peine de nullité absolue, être constituée par acte notarié en minute.*

2697 C.c.Q. *L'acte constitutif d'une **hypothèque mobilière** doit contenir une description suffisante du bien qui en est l'objet ou, s'il s'agit d'une universalité de meubles, l'indication de la nature de cette universalité.*

Par exemple, si la compagnie Décomeuble inc. désire emprunter une somme de 300 000 $, le prêteur peut demander une hypothèque sur l'immeuble qui abrite le commerce. Il faudra alors donner mandat à un notaire de préparer l'acte hypothécaire. D'autre part, si Décomeuble inc. offre de donner en garantie son parc de camions de livraison, le prêteur peut demander à Décomeuble inc. de lui consentir une hypothèque mobilière. Pour constituer une hypothèque mobilière, il n'est pas nécessaire de donner mandat à un notaire ; il suffit d'un document entre les parties sur lequel on trouvera une description suffisante des camions.

6.3.6   LA VENTE OU L'ALIÉNATION

Les formalités reliées à la vente ou à l'aliénation d'un meuble sont plus simples que celles reliées à la vente d'un immeuble. La seule remise du meuble à l'acheteur suffit pour clore la vente, tandis que la vente d'un immeuble doit généralement être sanctionnée par un acte de vente notarié.

Par exemple, lorsque Marie achète une scie circulaire chez Castor Bricoleur et qu'elle la paie à la caisse, la transaction de vente est automatiquement conclue sans qu'il ne soit nécessaire qu'un tiers, tel le notaire, intervienne. Par contre, si Marie avait voulu acheter le centre commercial Place Lebourgneuf, qui abrite le magasin Castor Bricoleur, elle aurait retenu les services d'un notaire afin que ce dernier vérifie les titres de propriété du vendeur, l'existence ou non de priorités, de droits, de servitudes ou d'hypothèques pouvant grever le titre de propriété du centre commercial ainsi que tout autre droit ou restriction pouvant affecter cet immeuble. Ce n'est qu'une fois ces vérifications faites et après que le notaire eut fait son rapport à la satisfaction de Marie que celle-ci aurait pu acheter le centre commercial en toute sécurité.

6.3.7   L'HÉRITAGE

Lorsqu'une personne décède, il peut arriver qu'il y ait deux héritiers, l'un qui reçoit tous les biens meubles tandis que l'autre reçoit tous les biens immeubles. Il est donc important de distinguer adéquatement les meubles des immeubles afin de savoir ce que chaque héritier recevra.

Par exemple, Lucie est propriétaire d'une quincaillerie située dans un immeuble qui lui appartient. Elle lègue par testament tous ses biens meubles à Jérôme et tous ses biens immeubles à Geneviève. Au décès de Lucie, Jérôme sera le nouveau propriétaire de la quincaillerie, car le commerce de quincaillerie est un bien mobilier, mais Geneviève sera la propriétaire de l'immeuble qui abrite la quincaillerie.

6.3.8   LES IMPÔTS FONCIERS

Une municipalité ne peut imposer une taxe que sur les biens immobiliers. Ainsi, lorsqu'un propriétaire incorpore un bien meuble à son immeuble, la valeur de l'immeuble peut augmenter. Pour que cela donne lieu à une hausse de taxes, le bien incorporé doit devenir immobilier (voir les sections 6.2.1.2, L'immeuble par intégration, et 6.2.1.3, L'immeuble par attache ou réunion).

6.3.9   LE DROIT DE PRIORITÉ DU VENDEUR IMPAYÉ

Le législateur québécois édicte que certains créanciers ont sur certains biens un **droit de priorité**, c'est-à-dire le droit d'être remboursé selon leur rang avant un autre créancier (voir la section 21.3, Les priorités).

2651 C.c.Q.   *Les créances prioritaires sont les suivantes [...]:*

        2° La créance du vendeur impayé pour le prix du meuble vendu à une personne physique qui n'exploite pas une entreprise; [...].

Dans un souci de justice et afin de traiter équitablement le vendeur impayé, le législateur privilégie au deuxième rang le vendeur d'un meuble impayé, soit immédiatement après les frais de justice et toutes les dépenses faites dans l'intérêt commun. Ainsi devient-il essentiel de déterminer si le bien concerné est mobilier ou immobilier. Si ce bien est qualifié d'immobilier, le vendeur impayé ne bénéficie pas de cette priorité.

6.4   LA PROPRIÉTÉ

Nous avons précédemment distingué la nature des objets qui nous entourent. La question fondamentale que nous devons maintenant nous poser est la suivante : **comment ces objets peuvent-ils devenir notre propriété ?**

6.4.1   DÉFINITION

916 C.c.Q.   *Les biens s'acquièrent par contrat, par succession, par occupation, par prescription, par accession ou par tout autre mode prévu par la loi. [...]*

Il existe six manières de devenir propriétaire d'un bien :

- par l'achat ; *par exemple, Jacques achète une automobile ;*

- par la donation entre vifs ou à cause de mort, c'est-à-dire par succession ou par testament ; *par exemple, Louise reçoit aujourd'hui 10 000 $ par testament de son oncle Charles décédé il y a deux semaines ;*

- par l'occupation, en ce que les meubles sans maître appartiennent à la personne qui se les approprie ; *par exemple, Marc ramasse des coquillages sur la plage ;*

- par la prescription, c'est-à-dire la possession d'un bien pendant une certaine période de temps, soit trois ans pour les meubles et dix ans pour les immeubles ; *par exemple, il y a un peu plus de trois ans, Michelle a trouvé une montre dont elle ne connaît pas le propriétaire et elle la porte à son bras depuis ce temps ;*

- par l'accession, puisque les fruits et revenus du bien appartiennent inconditionnellement au propriétaire ; *par exemple, Benoît cueille les pommes de son verger ;*

- par l'effet de la loi, comme la concession d'une terre par le gouvernement ; *par exemple, Brigitte a découvert un gisement de cuivre et le gouvernement du Québec lui a concédé des terres pour y creuser la mine, y construire les installations nécessaires pour le bon fonctionnement de la mine et pour y construire des habitations et peut-être même une ville pour les travailleurs.*

947 C.c.Q.   *La **propriété** est le droit d'user, de jouir et de disposer librement et complètement d'un bien, sous réserve des limites et des conditions d'exercice fixées par la loi. [...]*

Le droit de propriété est donc un droit réel sur un bien. Ces biens pouvant être corporels ou incorporels, le droit de propriété porte indifféremment sur les uns ou les autres.

899 C.c.Q.   *Les biens, tant corporels qu'incorporels, se divisent en immeubles et en meubles.*

911 C.c.Q.   *On peut, à l'égard d'un bien, être titulaire, seul ou avec d'autres, d'un droit de propriété ou d'un autre droit réel, ou encore être possesseur du bien.*

Le droit de propriété est composé de trois éléments : la nue-propriété ou **abusus**, l'usage ou **usus** et le droit d'en recueillir les fruits ou **fructus** (voir le tableau 6.2).

Tableau 6.2 Les composantes du droit de propriété

Nom du droit	Exemple avec un immeuble de dix logements
Nue-propriété ou Abusus	Vendre l'immeuble
Usage ou Usus	Habiter dans un des dix logements
Recueillir les fruits ou Fructus	Recueillir les revenus provenant des neuf autres logements

Ces trois éléments forment le droit de propriété. Lorsqu'ils sont séparés, le droit de propriété est dit divisé en deux ou trois droits, selon que deux ou trois personnes les possèdent.

*Par exemple, dans le cas de l'immeuble de dix logements du tableau 6.2, si Sylvie possède le droit d'**abusus**, Louis possède le droit d'**usus** et Marie possède le droit de **fructus**. Sylvie a le droit de vendre l'immeuble à Alice, car elle possède le droit d'**abusus**, mais Alice n'a pas le droit d'utiliser un logement pour l'habiter sans frais ni de recueillir les revenus provenant des neuf autres logements, parce qu'elle n'a pas obtenu un droit d'usage, et que le droit de recueillir les fruits appartient à Marie.*

En droit, il est important de se souvenir de la règle suivante : **le vendeur d'un bien ne peut pas céder plus de droits que lui-même en possède.**

Finalement, comme nous l'avons précédemment souligné au chapitre 2, le notaire reçoit et rédige les actes de vente immobilière et les actes d'hypothèque qui peuvent leur être reliés. À ce rôle de rédaction qui lui est réservé, s'ajoute l'obligation d'inscrire au **bureau de la publicité des droits** tous les actes de vente immobilière, d'hypothèque, et des autres documents soumis à la formalité de la publicité, tels que la déclaration de copropriété, les servitudes et les autres droits immobiliers. Ainsi, pour devenir propriétaire d'un immeuble, il faut que ces formalités soient respectées.

2938 C.c.Q.

Sont soumises à la publicité, l'acquisition, la constitution, la reconnaissance, la modification, la transmission et l'extinction d'un droit réel immobilier. [...]

6.4.2 LES LIMITES DU DROIT DE PROPRIÉTÉ

S'il s'agit d'un immeuble, ce droit de propriété comprend le sol et ce qui est au-dessus du sol, tels les bâtiments ; le sous-sol est la propriété de l'État, sauf en ce qui regarde les droits miniers non révoqués par la *Loi sur la révocation des droits de mine et modifiant la Loi sur les mines*, et sauf en ce qui concerne les substances minérales inférieures (sable, gravier, etc.).

Certaines autres lois et règlements limitent également la jouissance du droit de propriété :

- la *Loi sur l'aéronautique* qui vient limiter en hauteur la propriété immobilière. Cette loi d'intérêt public régit l'espace aérien. Elle permet au ministre responsable d'édicter des règlements fixant les routes aériennes, la hauteur et l'emplacement des constructions situées à proximité des aéroports ;
- la *Loi sur l'aménagement et l'urbanisme* qui autorise les municipalités à réglementer la hauteur des constructions pour l'urbanisme ;
- la *Loi sur la protection du territoire agricole* qui empêche le morcellement de certains terrains et le changement d'utilisation ;
- la *Loi sur les biens culturels* qui vise à conserver certains immeubles, à empêcher certaines formes de travaux telle la démolition, et à imposer certaines contraintes ou normes en cas de réparation ou de rénovation ;

- la *Loi constituant la Régie du logement* ainsi que le *Code civil* qui imposent des règles particulières concernant les droits et les obligations du propriétaire ou du locateur vis-à-vis du locataire d'un logement résidentiel ;

- les règlements concernant le bruit, l'hygiène, la salubrité, les mauvaises herbes, etc.

Pour cause d'intérêt public et moyennant une juste indemnité, les gouvernements fédéral, provinciaux et municipaux de même que certaines personnes morales comme les commissions scolaires, Hydro-Québec et d'autres organismes de même nature peuvent faire de l'**expropriation**, c'est-à-dire acheter de force un terrain, même si le propriétaire refuse de le vendre. Dans ce cas, le seul droit du propriétaire n'est pas de contester le droit à l'expropriation mais de contester, en Cour du Québec, le montant de l'indemnité s'il ne le croit pas assez élevé et c'est le tribunal qui en fixe le montant.

La propriété est donc une valeur protégée, ce que confirme le législateur dans l'article 947 du *Code civil*. Cependant, il émet des réserves. Comme nous l'avons vu, certaines de ces réserves sont reliées à l'environnement de la propriété en référence, entre autres, à l'aéronautique et à l'urbanisme. Il en existe d'autres reliées à l'entourage plus immédiat de la propriété immobilière. Lorsqu'une personne est propriétaire d'un immeuble, elle est entourée d'un voisinage. Chaque propriétaire a les droits les plus complets sur son espace et chaque voisin a les mêmes droits. De la même manière que la liberté d'une personne est limitée par celle des autres, l'exercice du droit de propriété est limité par celui des autres.

976 C.c.Q.
> *Les voisins doivent accepter les inconvénients normaux du voisinage qui n'excèdent pas les limites de la tolérance qu'ils se doivent, suivant la nature ou la situation de leurs fonds, ou suivant les usages locaux.*

Le code impose donc d'autres réserves en édictant des limites au droit de propriété. Elles concernent les vues, le droit de passage et les clôtures.

6.4.2.1   Les vues

Chaque propriétaire a un droit de vue, droite ou oblique, mais ce droit de vue ne doit pas s'étendre chez le voisin au-delà d'une distance maximale. C'est pourquoi le *Code civil* prescrit certaines distances à observer et réglemente ainsi ce qu'on appelle les **vues** :

993 C.c.Q.
> *On ne peut avoir sur le fonds voisin de vues droites à moins d'un mètre cinquante de la ligne séparative.*
>
> *Cette règle ne s'applique pas lorsqu'il s'agit de vues sur la voie publique ou sur un parc public, ou lorsqu'il s'agit de portes pleines ou à verre translucide.*

Il existe donc une obligation de respecter une certaine distance pour percer des vues directes afin de préserver l'intimité des personnes. Le code n'impose cependant pas cette obligation aux balcons ou galeries. Les règlements municipaux de construction obligatoires dans toutes les municipalités du Québec, avec l'application de la *Loi sur l'aménagement et l'urbanisme*, prévoient des marges de front, de côté et arrière ainsi que la nature des constructions acceptables dans ces marges ou près des limites. Les balcons, galeries, escaliers et perrons y sont aussi réglementés.

6.4.2.2   Le droit de passage

Tout terrain enclavé de même que tout terrain ayant une issue difficile, impraticable ou insuffisante peut avoir une issue sur la voie publique. *Par exemple, un terrain de 300 mètres de longueur sur 300 mètres de largeur, dont les quatre côtés touchent à un chemin public, est divisé en neuf terrains égaux de 100 mètres sur 100 mètres, comme dans un jeu de tic-tac-toe. Huit des neuf terrains ont donc accès à un chemin public, mais le neuvième est enclavé et n'a pas accès à un chemin public.*

Tant et aussi longtemps qu'il n'y a qu'un seul propriétaire pour les neuf terrains, il n'est pas question de droit de passage sur le terrain d'autrui. Si le propriétaire vend sept des huit terrains qui ont accès à un chemin public, dont les quatre qui forment les quatre coins des neuf terrains, il n'y a toujours pas de problème, car il demeure propriétaire de deux terrains qui sont bout à bout. Mais s'il vend le terrain du centre, l'acheteur se retrouve avec un terrain automatiquement enclavé. Dans ce cas, le vendeur devra obligatoirement lui offrir un droit de passage à travers le dernier terrain qu'il possède afin de permettre à l'acheteur d'avoir accès à un chemin public. Évidemment, le vendeur offrira à l'acheteur un droit de passage à l'endroit où cela causera le moins de dommage, habituellement le long de la ligne de lot.

997 C.c.Q.   *Le propriétaire dont le fonds est enclavé soit qu'il n'ait aucune issue sur la voie publique, soit que l'issue soit insuffisante, difficile ou impraticable, peut, si on refuse de lui accorder une servitude ou un autre mode d'accès, exiger de l'un de ses voisins qu'il lui fournisse le passage nécessaire à l'utilisation et à l'exploitation de son fonds.*

     Il paie alors une indemnité proportionnelle au préjudice qu'il peut causer.

De plus,

1000 C.c.Q.   *Le bénéficiaire du droit de passage doit faire et entretenir tous les ouvrages nécessaires pour que son droit s'exerce dans les conditions les moins dommageables pour le fonds qui le subit.*

Quand prendra fin ce droit de passage ?

1001 C.c.Q.   *Le droit de passage prend fin lorsqu'il cesse d'être nécessaire à l'utilisation et à l'exploitation du fonds. Il n'y a pas lieu à remboursement de l'indemnité; si elle était payable par annuités ou par versements, ceux-ci cessent d'être dus pour l'avenir.*

Un droit de passage sur un terrain peut être créé en faveur d'un autre terrain ou en faveur d'une personne. Dans le premier cas, il s'agit d'une servitude réelle et tout propriétaire du deuxième terrain peut utiliser ce droit de passage. Dans le deuxième cas, il s'agit d'une servitude personnelle et seule la personne à qui est consentie cette servitude peut utiliser ce droit de passage.

6.4.2.3   Les clôtures

Les résidences et les terrains se touchent. Pour cette raison, le *Code civil* édicte des règles qui font en sorte que, malgré les inconvénients auxquels on doit s'attendre normalement du fait du voisinage, le respect de l'intimité et de la propriété soit assuré. Dans cette perspective, un propriétaire a non seulement le droit d'ériger une clôture qui séparera son terrain de celui du voisin, mais il peut exiger de ce dernier qu'il partage les frais d'érection de la clôture.

1002 C.c.Q.   *Tout propriétaire peut clore son terrain à ses frais, l'entourer de murs, de fossés, de haies ou de toute autre clôture.*

     Il peut également obliger son voisin à faire sur la ligne séparative, pour moitié ou à frais communs, un ouvrage de clôture servant à séparer leurs fonds et qui tienne compte de la situation et de l'usage des lieux.

6.4.3   LES MODALITÉS ET LE DÉMEMBREMENT

947 C.c.Q.   *La propriété [...] est susceptible de modalités et de démembrements.*

Le législateur a édicté un ensemble de règles qui régissent les rapports de plusieurs personnes lorsqu'elles sont propriétaires d'un même bien. Il s'agit de la copropriété et du droit de superficie, lesquels sont regroupés au *Code civil* sous l'appellation des **modalités** de la propriété.

Il s'agit cependant d'un **démembrement** lorsque deux ou plusieurs personnes possèdent chacune un ou plusieurs attributs du droit de propriété : l'usage, la jouissance et la libre disposition, mais non tous.

1119 C.c.Q.   *L'usufruit, l'usage, la servitude et l'emphytéose sont des démembrements du droit de propriété [...].*

| 6.4.3.1 | ## Les modalités |

Lorsque plusieurs personnes achètent ensemble un même bien, il s'agit d'une copropriété, puisqu'il y a plusieurs propriétaires pour un même bien. Le cas classique de la copropriété est celui d'un couple marié ou non qui achète sa première maison.

Bien qu'il existe des cas de copropriété pour des biens meubles, par exemple trois personnes qui achètent un canot automobile, un yacht ou même une automobile, les cas qui font l'objet d'une étude dans ce livre sont ceux de copropriété immobilière, c'est-à-dire la propriété d'un même immeuble par plusieurs personnes.

Il existe deux types de copropriété : la **copropriété en indivision** ou multiple et la **copropriété divise** ou condominium (voir le tableau 6.3).

Tableau 6.3   Les différents types de copropriété

Type de copropriété	Définition
En indivision	Plusieurs personnes sont propriétaires de la totalité du bien
Divise	Plusieurs personnes sont propriétaires exclusifs d'une partie du bien

La copropriété en indivision

La copropriété en indivision est celle d'un immeuble qui appartient à plusieurs personnes qui en sont pleinement propriétaires.

Par exemple, André, Benoît, Carole et Danielle achètent en copropriété indivise un immeuble de quatre étages qui comprend quatre logements ; André habite l'appartement n° 1, Benoît le n° 2, Carole le n° 3 et Danielle le n° 4. Il n'est pas possible de dire que chacun est propriétaire de l'appartement qu'il habite, car lorsque quatre personnes sont propriétaires indivis, cela signifie que chacune d'elle est propriétaire d'un quart, ou de 25 %, de l'immeuble dans sa totalité, et non pas d'un étage ou d'un appartement en particulier. S'il y avait eu trois, cinq ou dix propriétaires, chacun d'eux aurait possédé une part égale de l'immeuble, soit 33 1/3 %, 20 % ou 10 %.

Dans le cas de la copropriété indivise, tous les propriétaires doivent signer ensemble les actes d'achat et de vente ainsi que les actes d'hypothèque : ils sont tous responsables du paiement des taxes foncières, des assurances et de l'entretien de l'immeuble.

1010 C.c.Q.   *La copropriété est la propriété que plusieurs personnes ont ensemble et concurremment sur un même bien, chacune d'elles étant investie, privativement, d'une quote-part du droit.*

*Elle est dite **par indivision** lorsque le droit de propriété ne s'accompagne pas d'une division matérielle du bien [...].*

Le *Code civil* permet à un copropriétaire d'hypothéquer individuellement la part dont il est le propriétaire exclusif en prescrivant que les propriétaires de l'immeuble indivisé, les indivisaires, peuvent reporter le moment du partage pour la durée qu'ils prévoient. Dès lors, l'hypothèque contractée ne s'annulera pas, en principe, en cas de vente de l'immeuble. On établira une distinction formelle entre les droits des créanciers personnels des copropriétaires et les droits des créanciers de l'indivision.

La copropriété divise

Par opposition, en copropriété divise d'un immeuble ou condominium, chaque personne est le propriétaire exclusif d'une partie de l'immeuble.

1010 C.c.Q.   *La copropriété [...] est dite **divise** lorsque le droit de propriété se répartit entre les copropriétaires par fractions comprenant chacune une partie privative, matériellement divisée, et une quote-part des parties communes.*

Par exemple, si nous reprenons le cas présenté à la section précédente et que nous supposons qu'il s'agit cette fois de copropriété divise, il est maintenant juste de dire qu'André est propriétaire de l'appartement n° 1, Benoît du n° 2, Carole du n° 3 et Danielle du n° 4. Chaque propriétaire est responsable de l'achat et de la vente de sa partie propre, de son hypothèque, de ses taxes foncières, de ses assurances et de son entretien.

Ces quatre personnes sont en plus des propriétaires communs ou indivis des parties communes de l'immeuble, c'est-à-dire des parties qui ne sont pas à l'usage exclusif d'un des copropriétaires, telles que la toiture, les murs extérieurs, le terrain, les ascenseurs, etc.

Le propriétaire d'un condominium est donc à la fois propriétaire unique et exclusif de sa partie et copropriétaire indivis des espaces communs.

Puisque les copropriétaires sont responsables des parties communes de l'immeuble, ils doivent effectuer périodiquement des réparations majeures telles que la réfection de la toiture, de la fenestration et du pavage. Ces réparations sont à leurs frais. Il peut donc se produire des cas où, malheureusement, faute d'avoir prévu de telles dépenses, certains propriétaires soient pris au dépourvu. Afin d'éviter cette situation, le *Code civil* oblige l'association des copropriétaires à constituer un fonds de prévoyance auquel doit contribuer chaque copropriétaire. Ce fonds ne sert qu'à défrayer les coûts de réparations majeures et de remplacement des parties communes. Il est la propriété de l'association et non celle des propriétaires.

Un promoteur immobilier est souvent l'instigateur d'un projet de copropriété. Aussi, le *Code civil* impose une limite aux pouvoirs du promoteur immobilier afin d'éviter qu'il contrôle les décisions de l'association des copropriétaires et qu'il se réserve un nombre suffisamment élevé de logements qu'il pourrait louer au lieu de vendre. De cette façon, le promoteur ne peut pas prolonger longtemps sa mainmise sur l'association des copropriétaires. Ainsi, dans le cas des copropriétés de cinq logements ou plus, le nombre de voix dont dispose le promoteur à l'assemblée des copropriétaires diminuera progressivement d'année en année de sorte que, après trois ans, il n'aura plus que 25 % de l'ensemble des voix, quelle que soit sa quote-part.

L'établissement de la copropriété s'établit par l'inscription d'une déclaration de copropriété au bureau de la publicité des droits. D'autre part, la collectivité des copropriétaires ou l'association des copropriétaires constitue une personne morale nommée **syndicat** (voir la section 3.4, La personne morale).

1039 C.c.Q.   *La collectivité des copropriétaires constitue [...] une personne morale qui [...] prend le nom de syndicat.*

La déclaration de copropriété

Pour régir les relations entre les différents copropriétaires exclusifs en ce qui concerne les parties communes et les parties propres, les copropriétaires signent

une déclaration de copropriété à laquelle doit souscrire tout nouveau copropriétaire d'une partie exclusive. Cette déclaration, qui définit les droits et les obligations de chaque copropriétaire et de l'ensemble des copropriétaires, est divisée en
trois parties distinctes :

- l'acte de copropriété qui définit la destination de l'immeuble, des parties
  communes et des parties privatives ;
- le règlement de l'immeuble qui contient les règles relatives à l'entretien et à la
  jouissance de l'immeuble ainsi que celles relatives au fonctionnement et à l'administration de la copropriété ;
- l'état descriptif des fractions qui constitue la partie technique de la déclaration en
  ce qu'il contient la désignation cadastrale des parties privatives et des parties
  communes.

Les copropriétaires se réunissent obligatoirement au moins une fois par année pour
élire un conseil d'administration qui voit au bon fonctionnement de la copropriété
et gère les dépenses communes.

Chaque copropriétaire doit verser mensuellement une certaine redevance, ou frais
communs, afin de payer sa quote-part des dépenses communes et courantes de
l'immeuble. Le montant de cette redevance mensuelle est établi par l'ensemble des
copropriétaires lors d'une assemblée générale. C'est le conseil d'administration qui
s'occupe de percevoir la redevance mensuelle et qui voit à la gestion courante de
l'immeuble.

La propriété superficiaire ou le droit de superficie

La propriété superficiaire constitue un cas très particulier. C'est en quelque sorte une
situation de droits de propriété superposés, c'est-à-dire une répartition des droits
qu'ont sur un même bien différentes catégories de titulaires de droit réel. *Par exemple, le propriétaire d'un terrain peut diviser sa propriété et vendre un volume donné
dans son sous-sol. L'objet de la propriété est divisé de manière permanente et les
droits des deux propriétaires s'exercent ensemble dans un même espace. Il s'agit
également du cas où un propriétaire vend la propriété des choses qui s'adjoignent
à son sol ou à son sous-sol.*

Ce droit est utilisé pour l'acquisition de galeries souterraines qui peuvent servir à la
construction d'un métro, à l'installation d'un service d'aqueduc ou à toute autre
installation permanente dans le tréfonds, cette couche de l'écorce terrestre qui se
trouve au-dessous du sol et alors possédée comme s'il s'agissait du sol.

6.4.3.2	## Le démembrement

Il y a démembrement lorsque deux ou plusieurs personnes possèdent chacune un ou
plusieurs attributs du droit de propriété. L'**usufruit**, l'**usage**, la **servitude** et
l'**emphytéose** sont des démembrements du droit de propriété et constituent ce que
l'on appelle des droits réels.

L'usufruit

1120 C.c.Q.

*L'**usufruit** est le droit d'user et de jouir, pendant un certain temps, d'un bien dont un
autre a la propriété, comme le propriétaire lui-même, mais à charge d'en conserver la
substance.*

Le propriétaire d'un bien peut céder à une tierce personne le droit d'user et de jouir
de ce bien pendant un certain temps, comme si elle en était elle-même propriétaire,

avec également l'obligation d'en conserver la substance. Cette personne jouit alors de l'usufruit du bien sans avoir le droit d'en disposer, alors que son propriétaire devient un nu-propriétaire qui peut malgré tout disposer de son bien. L'usufruit s'établit par contrat, par testament ou par la loi.

Par exemple, il arrivait fréquemment autrefois qu'un fermier prévoyait dans son testament un usufruit viager, c'est-à-dire dont on a la jouissance durant toute sa vie, de sa ferme en faveur de son épouse, et la nue-propriété de cette ferme en faveur de son fils. De cette façon, son épouse survivante était assurée de pouvoir continuer à vivre dans la maison familiale et d'avoir des revenus suffisants jusqu'à sa mort, tandis que le fils aîné savait qu'au décès de sa mère, il aurait la pleine et entière propriété de la ferme familiale.

L'usufruit peut également s'appliquer en contexte urbain. *Par exemple, Caroline est propriétaire d'une quincaillerie située dans un immeuble entièrement payé dont elle est également propriétaire. La quincaillerie occupe le rez-de-chaussée de l'immeuble et il y a quatre logements aux étages supérieurs, dont un qui est habité par Caroline, son mari Paul et sa fille Jeanne.*

Caroline peut prévoir dans son testament qu'elle lègue la pleine propriété du commerce à sa fille Jeanne, la nue-propriété de l'immeuble également à Jeanne et un usufruit viager à son mari Paul pour le logement qu'il habite et les revenus des trois autres logements. De la sorte, Paul est assuré tant qu'il vivra d'un logement et d'un revenu, Jeanne sera assurée d'un revenu et sait qu'au décès de son père elle pourra récupérer le logement qu'il habitait ainsi que les revenus des trois autres logements.

1162 C.c.Q.

L'usufruit s'éteint :

1° Par l'arrivée du terme ;

2° Par le décès de l'usufruitier ou par la dissolution de la personne morale ;

3° Par la réunion des qualités d'usufruitier et de nu-propriétaire dans la même personne, sous réserve des droits des tiers ;

4° Par la déchéance du droit, son abandon ou sa conversion en rente ;

5° Par le non-usage pendant dix ans.

L'usage

1172 C.c.Q.

L'usage est le droit de se servir temporairement du bien d'autrui et d'en percevoir les fruits et revenus, jusqu'à concurrence des besoins de l'usager et des personnes qui habitent avec lui ou sont à sa charge.

Ainsi, vous avez donc le droit d'utiliser un bien comme une chaloupe ou même une résidence, mais vous n'avez pas le droit d'en disposer. L'usage est un droit plus limité que l'usufruit.

Les servitudes

1177 C.c.Q.

La servitude est une charge imposée sur un immeuble, le fonds servant, en faveur d'un autre immeuble, le fonds dominant, et qui appartient à un propriétaire différent.

Cette charge oblige le propriétaire du fonds servant à supporter, de la part du propriétaire du fonds dominant, certains actes d'usage ou à s'abstenir lui-même d'exercer certains droits inhérents à la propriété. [...]

Ainsi, un terrain situé en contrebas d'un autre terrain doit obligatoirement recevoir l'eau qui s'écoule du terrain situé plus haut, puisque cette servitude découle de la nature même des lieux. Le *Code civil* qualifie cette servitude de **continue**. Le propriétaire du terrain situé en contrebas n'a pas le droit d'ériger un mur le long de la ligne de lot qui le sépare du terrain situé plus haut afin d'empêcher l'eau de ruisseler sur son terrain. Une telle construction créerait une inondation, ce qui causerait des dommages au terrain d'en haut. De même, le propriétaire du terrain situé plus haut ne peut pas canaliser l'eau au moyen d'un fossé sur son propre terrain si cela a pour conséquence de créer une sorte de ruisseau qui s'engouffrerait à un seul endroit sur le terrain situé en contrebas car, dans ce cas, il causerait un dommage à ce terrain.

1179 C.c.Q.   *Les servitudes sont* **continues** *ou* **discontinues**.

La servitude continue est celle dont l'exercice ne requiert pas le fait actuel de son titulaire, comme la **servitude de vue ou de non-construction**.

La servitude discontinue est celle dont l'exercice requiert le fait actuel de son titulaire, comme la **servitude de passage à pied ou en voiture**.

1181 C.c.Q.   *La servitude s'établit par contrat, par testament, par destination du propriétaire ou par l'effet de la loi. [...]*

1184 C.c.Q.   *Le propriétaire du fonds dominant peut, à ses frais, prendre les mesures ou faire tous les ouvrages nécessaires pour user de la servitude et pour la conserver. [...]*

Le *Code civil* ajoute que :

1187 C.c.Q.   *[...] dans le cas d'un droit de passage, tous les propriétaires des lots provenant de la division du fonds dominant doivent l'exercer par le même endroit.*

Enfin,

1191 C.c.Q.   *La servitude s'éteint :*

1° Par la réunion dans une même personne de la qualité de propriétaire des fonds servant et dominant ;

2° Par la renonciation expresse du propriétaire du fonds dominant ;

3° Par l'arrivée du terme pour lequel elle a été constituée ;

4° Par le rachat ;

5° Par le non-usage pendant dix ans.

L'emphytéose

1195 C.c.Q.   *L'***emphytéose*** est le droit qui permet à une personne, pendant un certain temps, d'utiliser pleinement un immeuble appartenant à autrui et d'en tirer tous ses avantages, à la condition de ne pas en compromettre l'existence et à charge d'y faire des constructions, ouvrages ou plantations qui augmentent sa valeur d'une façon durable.*

L'emphytéose s'établit par contrat ou par testament.

L'emphytéose confère à celui qui la détient toute l'utilité d'un immeuble appartenant à autrui ; le détenteur a la pleine responsabilité de l'entretien de l'immeuble et l'obligation d'y apporter certaines améliorations. Cela ne signifie pas nécessairement une obligation de construire des bâtiments. Il peut s'agir d'ouvrages ou de plantations qui augmentent la valeur du bien ou le mettent en valeur.

La durée de l'emphytéose est toujours limitée et l'emphytéote ne peut jouir de l'un des éléments essentiels du droit de propriété, soit celui de disposer du bien de façon absolue.

1197 C.c.Q.   *L'emphytéose doit avoir une durée, stipulée dans l'acte constitutif, d'au moins dix ans et d'au plus cent ans. [...]*

1200 C.c.Q.   *[...] L'acte constitutif peut limiter l'exercice des droits des parties, notamment pour accorder au propriétaire des droits ou des garanties qui protègent la valeur de l'immeuble, assurent sa conservation, son rendement ou son utilité [...].*

1204 C.c.Q.   *Si l'emphytéote commet des dégradations sur l'immeuble ou le laisse dépérir ou, de toute autre façon, met en danger les droits du propriétaire, il peut être déchu de son droit. [...]*

1205 C.c.Q.   *L'emphytéote acquitte les charges foncières dont l'immeuble est grevé.*

Enfin,

1208 C.c.Q.

L'emphytéose prend fin :

1° Par l'arrivée du terme fixé dans l'acte constitutif ;

2° Par la perte ou l'expropriation totales de l'immeuble ;

3° Par la résiliation de l'acte constitutif ;

4° Par la réunion des qualités de propriétaire et d'emphytéote dans une même personne ;

5° Par le non-usage pendant dix ans ;

6° Par l'abandon.

À la fin de l'emphytéose, le propriétaire reprend l'immeuble libre de tous droits et charges consentis par l'emphytéote. De plus, ce dernier doit remettre l'immeuble en bon état avec les constructions, ouvrages ou plantations prévus à l'acte constitutif, à moins qu'ils n'aient péri par force majeure, par exemple un incendie provoqué par la foudre (voir la section 8.6.1, La force majeure).

RÉSUMÉ

L'ensemble des biens qui peuvent nous appartenir se divise en deux catégories de biens : les immeubles et les meubles.

Les immeubles sont les fonds de terre, les constructions et ouvrages à caractère permanent qui s'y trouvent et tout ce qui en fait partie intégrante.

Un meuble ne peut être immobilisé par attache ou réunion que de façon physique, et ce, même si le meuble n'appartient pas au propriétaire de l'immeuble.

Les meubles sont des biens mobiles en soi. Tous les biens que la loi ne qualifie pas sont également des meubles.

Il existe neuf situations juridiques pour illustrer l'importance de la différence entre un immeuble et un meuble : la poursuite devant les tribunaux, la donation, la saisie, la prescription acquisitive, la garantie, la vente, l'héritage, les impôts fonciers et le droit de priorité du vendeur impayé.

Il est possible de devenir propriétaire d'un bien de différentes façons. On peut de plus être titulaire, seul ou avec d'autres, d'un droit de propriété ou d'un autre droit réel, ou encore être possesseur du bien.

Lorsqu'une personne est propriétaire d'un immeuble, elle a un voisinage. De ce fait, le législateur a imposé des limites au droit de propriété. Il s'agit, entre autres, des vues, du droit de passage et des clôtures.

La propriété est susceptible de modalités : il s'agit de la copropriété et du droit de superficie.

La propriété est également susceptible de démembrements : il s'agit de l'usufruit, du droit d'usage, de la servitude et de l'emphytéose.

QUESTIONS

6.1 Nommez les deux types de biens et donnez deux exemples pour chacun.

6.2 Combien y a-t-il de types de biens meubles ? Nommez-les et donnez deux exemples pour chacun.

6.3 Qu'est-ce qu'un immeuble par nature ? Donnez deux exemples.

6.4 Qu'est-ce qu'un immeuble par intégration ? Donnez deux exemples.

6.5 Une plinthe électrique fixée à un mur d'un édifice à bureaux est-elle un meuble ou un immeuble ? Pourquoi ?

6.6 Une plinthe électrique mobile ou portative dans une maison est-elle un meuble ou un immeuble ? Pourquoi ?

6.7 Un arbre est-il un meuble ou un immeuble ? Pourquoi ?

6.8 Quelle différence y a-t-il entre la donation d'un meuble et la donation d'un immeuble en ce qui concerne les formalités ?

6.9 Quelle différence existe-t-il quant au lieu d'introduction d'une action en cour lorsque la cause de l'action découle d'un litige relatif à un meuble ou à un immeuble ?

6.10 Est-il possible d'hypothéquer un meuble ?

6.11 Est-il possible d'immobiliser un meuble qui sert à l'exploitation d'une entreprise ? Pourquoi ?

6.12 Quelles sont les modalités du droit de propriété ?

6.13 Quels sont les démembrements du droit de propriété ?

6.14 Qu'est-ce que l'usufruit ? Illustrez votre réponse par un exemple.

6.15 Qu'est-ce que l'usage ? Illustrez votre réponse par un exemple.

6.16 Qu'est-ce qu'une servitude ? Illustrez votre réponse par un exemple.

6.17 Quels sont les principaux droits réels accessoires immobiliers ?

6.18 Quelle différence y a-t-il entre l'emphytéose et l'usage ?

6.19 Qui peut limiter l'exercice de vos droits de propriété ? Comment ?

6.20 Quelle est la différence entre la propriété simple et la copropriété ?

6.21 Quelle est la différence fondamentale entre la copropriété indivise et la copropriété divise ? Illustrez votre réponse par un exemple.

6.22 Quelles sont les limites aux pouvoirs d'un promoteur immobilier qui serait l'instigateur d'un projet de copropriété ? Pourquoi ?

6.23 Comment nomme-t-on l'association des copropriétaires dans un condominium et quel est son rôle ?

CAS PRATIQUES

6.24 Timothée veut donner certains de ses biens. Les biens meubles iront à Janie et les biens immeubles à Claudia. Voici la liste des biens qu'il veut donner :

1- un terrain situé à Chicoutimi valant 15 000 $;

2- une piscine hors-terre de 1 200 $ sur ce même terrain ;

3- un montant de 3 500 $ à la caisse populaire de Jonquière ;

4- un vélo de montagne d'une valeur de 275 $.

Attribuez ces biens aux bonnes personnes et motivez votre réponse.

6.25 Dans son testament, Pierrette laisse tous ses biens meubles à Donald et tous ses biens immeubles à Judith. L'inventaire des biens révèle les biens suivants :

1- l'auberge à Gaspé valant 530 000 $;

2- les meubles meublant cette auberge évalués à 100 000 $;

3- la piscine creusée (dans le terrain de l'auberge) d'une valeur de 22 000 $;

4- le petit pont dans la cour arrière estimé à 10 000 $;

5- une créance (droit personnel) contre son jardinier. Ce dernier a été payé d'avance mais n'a absolument pas effectué les travaux désirés qui sont estimés à 8 000 $;

6- Fidèle, son chien de race exceptionnel, valant 500 $.

Qui héritera de quels biens ? Justifiez votre réponse en qualifiant les biens et en vous référant aux articles pertinents du *Code civil*.

6.26   Dans son testament, Jeanne laisse tous ses biens meubles à Jérôme et tous ses biens immeubles à Suzanne. L'inventaire de ses biens révèle les biens suivants :

1- un tableau de Jean-Paul Lemieux valant 25 000 $;

2- un chalet à Saint-Joseph-de-la-Rive valant 30 000 $;

3- une Cadillac valant 15 000 $;

4- un chien de race saint-bernard valant 5 000 $;

5- un terrain vacant à Baie-Saint-Paul valant 20 000 $;

6- un yacht valant 15 000 $;

7- une maison à Baie-Saint-Paul valant 45 000 $;

8- les meubles de la maison de Baie-Saint-Paul pour une valeur de 15 000 $;

9- un montant de 5 000 $ à la succursale de la Banque de Montréal à Baie-Saint-Paul ;

10- 10 000 $ de bijoux cachés dans le matelas du lit de la chambre à coucher de la maison de Baie-Saint-Paul.

Qui héritera de quels biens ? Qui aura la plus grosse part ? Justifiez votre réponse.

6.27   Étienne désire donner tous ses biens à ses enfants, France, Georges et Hélène, avant de se retirer dans un monastère. Il désire donner tous ses biens meubles à France, à l'exception de la motocyclette et de l'argent liquide qu'il donne à Hélène, et d'une somme de 13 000 $ qu'il donne à Georges. De plus, il donne tous ses biens immeubles à Georges. L'inventaire de ses biens nous donne la liste suivante :

1- une souffleuse à neige de marque Toro valant 1 000 $;

2- une motocyclette de marque Yamaha valant 12 000 $;

3- un terrain vague à Beauport valant 5 000 $;

4- des obligations d'épargne du Canada s'élevant à 15 000 $;

5- une tente roulotte de 10 000 $ stationnée pour l'hiver à l'Ange-Gardien sur un terrain que lui a prêté son ami Jules ;

6- une Corvette rouge valant 20 000 $;

7- des meubles qui garnissent la maison mobile d'une valeur de 5 000 $;

8- un chalet au Lac Sergent valant 15 000 $;

9- un montant de 30 000 $ dans un compte d'épargne véritable à la caisse populaire Laurier à Sainte-Foy.

Qui recevra quels biens ? Qui aura la plus grosse part ?

6.28   Gérard est propriétaire du lot 45-157 à Charlesbourg. Sa voisine Micheline, propriétaire du lot 45-156, désire obtenir un droit de passage sur le terrain de Gérard pour se rendre plus rapidement au chemin principal. Gérard accepte d'accorder ce droit de passage à Micheline.

Comment procéderont-ils pour s'assurer que Micheline obtienne un bon et valable droit de passage sur le terrain de Gérard ?

Faites la distinction entre un droit de passage personnel et un droit de passage réel, en indiquant la façon dont devrait être rédigé un tel droit de passage.

6.29   Amélie a dix-neuf ans. Elle veut vendre son système de son à Patrick et le chalet qu'elle a reçu en héritage à Dominique. Amélie a un problème. Elle ignore comment procéder. Dites-lui ce qu'il faut faire pour que ces deux ventes soient valides. Justifiez votre réponse.

6.30   William vient vous consulter. Il est propriétaire d'une maison. Il veut augmenter sa salle de séjour et aimerait installer une porte-patio. Cette porte serait sur le mur qui est situé à un mètre de distance de la ligne de division entre lui et son voisin. D'après vous, William peut-il mettre son projet à exécution ? Justifiez votre réponse.

6.31   Selon l'article 947 C.c.Q.: « La propriété est le droit d'user, de jouir et de disposer librement et complètement d'un bien [...]. » À quel attribut du droit de propriété rattachez-vous la situation suivante : « Pour obtenir un emprunt de la caisse populaire de son quartier, Jacqueline a dû hypothéquer son terrain » ? Justifiez votre réponse.

6.32   Par contrat, Marcelle accorde à Valérie le droit d'utiliser pleinement son casse-croûte pendant douze ans. Elle pourra le faire fonctionner et en retirera tous les profits. Toutefois, Marcelle l'oblige à construire une petite terrasse et à faire un peu d'aménagement paysager. À la fin, Marcelle reprendra le tout.

6.32.1   De quel type de droit s'agit-il ? Expliquez.

6.32.2   S'agit-il d'une modalité ou d'un démembrement de la propriété ? Justifiez votre réponse.

Chapitre 7

LES OBLIGATIONS ET LE CONTRAT

7.0 PLAN DU CHAPITRE

| **7.1** | **OBJECTIFS** |

Après la lecture du chapitre, l'étudiant doit être en mesure :

- de définir les différentes sources des obligations ;
- de distinguer les différentes catégories d'obligation ;
- d'expliquer les différents modes d'extinction des obligations ;
- d'énumérer les cinq conditions de formation d'un contrat ;
- d'identifier les personnes capables de contracter ;
- de relever les causes de vice de consentement ;
- de déceler ce qui peut faire l'objet d'un contrat ;
- d'expliquer ce qu'est la cause ou la considération d'un contrat ;
- d'expliquer les principales règles en matière d'interprétation des contrats ;
- de nommer les différents effets d'un contrat.

| **7.2** | **LES OBLIGATIONS** |

Les articles 1371 à 2643, soit le Livre cinquième du *Code civil*, traitent des **obligations**. Il s'agit de dispositions qui tendent à établir un juste équilibre dans les rapports individuels, tant sur le plan contractuel qu'en matière de responsabilité civile. Elles constituent en quelque sorte ce qu'il ne faut pas hésiter à qualifier de **centre du droit**. En effet, un certain nombre de principes généraux que l'on retrouve dans ces dispositions commandent d'autres domaines, d'autres disciplines du droit. Pensons au droit des personnes et de la famille, aux biens ou au droit de la consommation et au droit du travail, pour ne citer que ceux-là.

Dès que nous entrons en relation avec d'autres personnes, il arrive que nous soyons contraints à certaines obligations, soit volontairement ou involontairement (voir le tableau 7.1). Une obligation, c'est le fait de devoir quelque chose à quelqu'un ; ce peut être de l'argent, un bien à remettre, une chose à faire ou une chose à ne pas faire.

L'obligation naît du fait que des personnes, en l'occurrence un **créancier** et un **débiteur**, vivent un rapport.

1371 C.c.Q.

*Il est de l'essence de l'**obligation** qu'il y ait des **personnes** entre qui elle existe, une prestation qui en soit l'**objet** et, s'agissant d'une obligation découlant d'un acte juridique, une **cause** qui en justifie l'existence.*

Tableau 7.1 Les éléments constitutifs de toute obligation

Les personnes	Un créancier et un débiteur
Un objet	La prestation due, c'est-à-dire ce qui doit être accompli ou non par le débiteur
Une cause	La raison objective

L'obligation peut naître du contrat mais aussi de tout acte ou fait auquel la loi attache une importance fondamentale, comme la responsabilité civile, la gestion d'affaires, etc. sur lesquelles nous reviendrons plus loin.

1373 C.c.Q.

> *L'objet de l'obligation est la prestation à laquelle le débiteur est tenu envers le créancier et qui consiste à **faire** ou à **ne pas faire** quelque chose.*
>
> *La prestation doit être possible et déterminée ou déterminable; elle ne doit être ni prohibée par la loi ni contraire à l'ordre public.*

Voyons quelques exemples de ce qui est énoncé dans ce dernier article.

*Par exemple, Décomeuble ltée a acheté dix camions chez Suzanne Roy Mercury pour faire la livraison de meubles. Dans ce cas, il s'agit d'une part d'une **obligation contractuelle** pour Suzanne Roy Mercury dont l'**objet** est de faire la livraison des camions et, d'autre part, d'une obligation pour Décomeuble ltée dont l'**objet** est de faire le paiement.*

*L'entreprise Rocois construction inc. s'est engagée par contrat envers la Société immobilière Marathon ltée à effectuer un agrandissement au centre commercial Place Laurier à Sainte-Foy. Dans ce cas, l'obligation naît encore une fois d'un contrat : il y a deux parties, Rocois et Marathon, et cette obligation a un objet, l'**obligation de faire** ou d'effectuer un agrandissement au centre commercial.*

*Par ailleurs, Louis est un vendeur itinérant à commission qui travaille pour les Industries Tanguay inc., un constructeur de débusqueuses et d'autres appareils forestiers. En vertu de son contrat avec Tanguay, il détient l'exclusivité pour tout le territoire du Québec. Cependant, son contrat précise que s'il désire quitter Tanguay pour aller travailler chez un concurrent, il peut le faire, mais à condition de ne pas vendre au Québec, car Tanguay ne veut pas être victime de concurrence déloyale de la part d'un de ses anciens vendeurs. Dans ce cas, il s'agit d'une **obligation de ne pas faire**.*

Le législateur ajoute une précision importante au sujet de la prestation :

1374 C.c.Q.

> *La prestation peut porter sur tout bien, même à venir, pourvu que le bien soit déterminé quant à son espèce et déterminable quant à sa quotité.*

En effet, il est possible de vendre des biens futurs si nous pouvons en déterminer le type et la quantité, ou quotité selon l'expression utilisée par le législateur. *Par exemple, prenons l'achat de mazout pour la saison hivernale. L'acheteur sait qu'il a besoin de mazout pour alimenter sa chaudière, mais la quantité n'est déterminable qu'après que le vendeur ait livré le mazout.*

Un principe est à la base de tout notre droit des obligations :

1375 C.c.Q.

> *La **bonne foi** doit gouverner la conduite des parties, tant au moment de la naissance de l'obligation qu'à celui de son exécution ou de son extinction.*

La bonne foi est une notion qui sert à relier les principes juridiques aux notions fondamentales de justice. L'article 1375 du *Code civil* doit inspirer tous les actes juridiques, ce qui laisse entendre qu'on ne peut exercer ses droits civils de façon abusive.

Toute obligation découle d'un acte juridique ou d'un fait juridique (voir le tableau 7.2). **Un acte juridique** est généralement un contrat, tandis qu'un **fait juridique** est généralement une situation ou un événement qui entraîne des dommages et qui donne lieu à une poursuite en dommages.

Tableau 7.2 Les sources des obligations

Source	Exemple
Acte juridique	Caroline signe un contrat pour l'achat d'un centre commercial
Fait juridique	En l'absence de Claire, Michel accepte un colis livré par le facteur ou éteint l'incendie de la maison de Claire
	Paul agit volontairement en vue de causer un dommage, comme incendier un camion
	Un geste involontaire de Jeanne cause un dommage, comme casser une vitrine en la lavant
	Dolbec transport inc. fait charger un camion au-delà du poids permis par la loi

7.3 LE CONTRAT

Le **contrat** est une entente entre deux ou plusieurs personnes ; il constitue la source primordiale des obligations. La plupart des transactions de la vie courante impliquent son existence. Il est l'expression de la rencontre d'au moins deux volontés :

1378 C.c.Q.

> Le **contrat** est un accord de volonté, par lequel une ou plusieurs personnes s'obligent envers une ou plusieurs autres à exécuter une prestation. [...]

Ainsi, dans tous les faits ou actes juridiques générateurs d'obligations, c'est la volonté de la personne qui crée les obligations. Les parties au contrat ont la liberté de conclure la convention qu'elles désirent. Elles devront cependant respecter leur parole.

Le *Code civil* contient des règles de droit qui sont obligatoires et des règles de droit qui sont supplétives (voir la section 1.3.4, En quoi consiste le droit ?). En pratique, les parties à un contrat peuvent déroger aux règles du *Code civil* qui sont supplétives, c'est-à-dire aux règles qui ne sont pas obligatoires. Cependant, l'article 9 du *Code civil* prévoit que les parties ne peuvent déroger aux règles qui intéressent l'ordre public.

9 C.c.Q.

> Dans l'exercice des droits civils, il peut être dérogé aux règles du présent code qui sont supplétives de volonté ; il ne peut, cependant, être dérogé à celles qui intéressent l'ordre public.

En rédigeant les articles 3 et 10 du *Code Civil* (voir la section 3.3, La personne physique), le législateur supprime la possibilité de déroger par contrat au principe de l'inviolabilité de la personne humaine. Il s'agit de dispositions d'ordre public qu'il consacre, entre autres, à l'article 1474 C.c.Q. (voir la section 8.6.5, L'avis d'exonération ou de limitation de responsabilité contractuelle). *Par exemple, dans un contrat, si deux contractants conviennent d'une clause d'exclusion ou même de limitation de responsabilité en matière de dommages corporels, et bien que ce contrat soit dûment signé, il est légalement impossible de donner effet à une telle clause puisqu'elle va à l'encontre de l'ordre public. Il faut noter que les autres clauses de l'entente demeurent valides si elles ne dérogent pas à l'ordre public.*

7.3.1 CERTAINES ESPÈCES DE CONTRAT

L'article 1378 du *Code civil* énumère les différents types de contrat (voir le tableau 7.3). Un contrat :

1378 C.c.Q.

> [...] peut être d'adhésion ou de gré à gré, synallagmatique ou unilatéral, à titre onéreux ou gratuit, commutatif ou aléatoire et à exécution instantanée ou successive ; il peut aussi être de consommation.

Tableau 7.3 Les espèces de contrat

Le contrat	Est opposé au contrat
D'adhésion	De gré à gré
Synallagmatique ou bilatéral	Unilatéral
À titre onéreux	À titre gratuit
Commutatif	Aléatoire
À exécution instantanée	À exécution successive
De consommation	

1379 C.c.Q.

*Le **contrat** est **d'adhésion** lorsque les stipulations essentielles qu'il comporte ont été imposées par l'une des parties ou rédigées par elle, pour son compte ou suivant ses instructions, et qu'elles ne pouvaient être librement discutées.*

*Tout contrat qui n'est pas d'adhésion est **de gré à gré**.*

Un contrat d'assurance est un contrat d'adhésion, car l'assuré ne peut pas réellement négocier les conditions du contrat. Par opposition, un contrat d'achat d'une automobile d'occasion vendue par un particulier est un contrat de gré à gré, car les parties peuvent en négocier beaucoup plus librement l'ensemble des clauses puisqu'elles n'ont pas un contrat modèle en main.

1380 C.c.Q.

*Le **contrat** est **synallagmatique** ou bilatéral lorsque les parties s'obligent réciproquement, de manière que l'obligation de chacune d'elles soit corrélative à l'obligation de l'autre.*

*Il est **unilatéral** lorsque l'une des parties s'oblige envers l'autre sans que, de la part de cette dernière, il y ait d'obligation.*

Presque tous les contrats sont synallagmatiques, car chaque partie s'engage à faire quelque chose. *Par exemple, dans une vente, Maisonneuve automobile inc. doit remettre à Lucie l'automobile que cette dernière a achetée et Lucie doit en payer le prix. Dans une location, Tilden loue une automobile à Gérald qui, lui, doit payer le prix de location. Il n'y a que la donation qui constitue un contrat unilatéral, car si Pauline donne une bague à Jocelyn, ce dernier n'a aucune obligation envers Pauline.*

1381 C.c.Q.

*Le **contrat à titre onéreux** est celui par lequel chaque partie retire un avantage en échange de son obligation.*

*Le **contrat à titre gratuit** est celui par lequel l'une des parties s'oblige envers l'autre pour le bénéfice de celle-ci, sans retirer d'avantage en retour.*

Les contrats sont généralement à titre onéreux. *Par exemple, dans un contrat de vente, Lucie doit payer le prix de l'automobile qu'elle vient d'acheter chez Maisonneuve automobile inc. Par contre, si Jérôme donne à Geneviève le mandat d'aller chercher un colis au comptoir postal le plus proche, il s'agit d'un contrat à titre gratuit puisque Geneviève ne reçoit aucune somme d'argent de Jérôme; elle lui a tout simplement rendu service.*

1382 C.c.Q.

*Le **contrat** est **commutatif** lorsque, au moment où il est conclu, l'étendue des obligations des parties et des avantages qu'elles retirent en échange est certaine et déterminée.*

*Il est **aléatoire** lorsque l'étendue de l'obligation ou des avantages est incertaine.*

Par exemple, lorsque Lucie achète son véhicule chez Maisonneuve automobile inc., il s'agit d'un contrat commutatif, car le vendeur sait quelle voiture il doit livrer et Lucie sait quel prix elle doit payer. Par contre, si Richard achète au mois de mai toute la récolte de pommes du Verger Rougemont inc. pour la somme de 10 000 $, il sait quel prix il paie, mais il ne sait pas quelle quantité de pommes il recevra en échange, car la récolte n'est pas encore faite et les conditions climatiques vont influencer la quantité et la qualité de la récolte. Dans ce cas, il s'agit d'un contrat aléatoire.

1383 C.c.Q.
> *Le **contrat à exécution instantanée** est celui où la nature des choses ne s'oppose pas à ce que les obligations des parties s'exécutent en une seule et même fois.*
>
> *Le **contrat à exécution successive** est celui où la nature des choses exige que les obligations s'exécutent en plusieurs fois ou d'une façon continue.*

Par exemple, lorsque Denise achète un marteau chez Canadian Tire, il s'agit d'un contrat à exécution instantanée, car le vendeur livre le marteau au moment où Denise le paie à la caisse. Cependant, lorsque Carol s'inscrit à un cours de danse d'une durée de trente semaines chez Rolland Hallé, il s'agit d'un contrat à exécution successive, car le cours de danse ne se donne pas en une seule fois mais s'étale sur trente semaines.

1384 C.c.Q.
> *Le **contrat de consommation** est le contrat dont le champ d'application est délimité par les lois relatives à la protection du consommateur, par lequel l'une des parties, étant une personne physique, le consommateur, acquiert, loue, emprunte ou se procure de toute autre manière, à des fins personnelles, familiales ou domestiques, des biens ou des services auprès de l'autre partie, laquelle offre de tels biens ou services dans le cadre d'une entreprise qu'elle exploite.*

Par exemple, lorsque Sylvie achète un téléviseur RCA chez Ameublement Tanguay ltée pour la somme de 800 $, il s'agit d'un contrat de consommation car le vendeur est un commerçant et Sylvie est une consommatrice et un tel contrat est soumis à la Loi sur la protection du consommateur (voir chapitre 14, Les contrats soumis à la *Loi sur la protection du consommateur*).

7.3.2   LA FORMATION DU CONTRAT

Le *Code civil* énonce les conditions nécessaires à la formation d'un contrat (voir le tableau 7.4):

1385 C.c.Q.
> *Le contrat se forme par le seul échange de **consentement** entre des **personnes capables** de contracter, à moins que la loi n'exige, en outre, le respect d'une **forme** particulière comme condition nécessaire à sa formation, ou que les parties n'assujettissent la formation du contrat à une forme solennelle.*
>
> *Il est aussi de son essence qu'il ait une **cause** et un **objet**.*

LES RÈGLES DE FORMATION D'UN CONTRAT

Tableau 7.4 Les cinq conditions de formation d'un contrat

Condition	Description	Exemple
Capacité de contracter	Le majeur non en tutelle ou en curatelle	Jean a 22 ans et n'est pas sous un régime de protection
	Le mineur de 14 ans et plus réputé majeur pour tous les actes relatifs à son emploi ou à l'exercice de son art ou de sa profession	Brigitte, âgée de 16 ans, est propriétaire d'un dépanneur
	Le mineur émancipé par le mariage ou par décision du tribunal	Caroline, âgée de 17 ans, étudie en Europe pour quatre ans et son tuteur a demandé au tribunal de l'émanciper
Consentement	Exprès	Jean dit « oui » pour acheter une voiture
	Implicite	Hélène dépose 300 $ sur la table quand un artiste lui dit que le tableau qu'elle regarde coûte 300 $
Objet	Faire	C'est bien cette Camaro rouge avec un moteur V8, une transmission automatique et un toit ouvrant que Louise a achetée et que le vendeur a vendue
	Ne pas faire	Charlotte ne doit pas travailler pour un autre salon d'esthétique dans un rayon de 25 kilomètres pendant une période de deux ans
Cause	Motif non contraire à la loi	Chantal a acheté une voiture pour aller travailler
Forme	Verbal	Guy accepte verbalement de travailler comme technicien en administration à raison de 12 $/heure
	Écrit – notarié	Gilles et Marie ont signé un contrat de mariage devant Me Louise Grenier, notaire
	– sous seing privé	Julie a signé un bail de location d'un logement avec le propriétaire de Luc
		Monique signe un contrat d'achat d'une automobile chez Giguère automobile inc. pour 22 600 $

7.3.2.1	## Le consentement

Le consentement constitue le premier élément qui assure la validité d'un contrat. Il doit exister, être intègre et être donné par une personne capable de contracter (voir la section 7.3.2.2, La capacité).

1386 C.c.Q.

> *L'échange de **consentement** se réalise par la manifestation, expresse ou tacite, de la volonté d'une personne d'accepter l'offre de contracter que lui fait une autre personne.*

Le **consentement exprès** est une réponse claire et précise de l'acheteur à une question claire et précise du vendeur : « Voulez-vous acheter ma maison pour 100 000 $? » « Oui. »

Le **consentement tacite**, quant à lui, est non exprimé clairement. Il est implicite, sous-tend et suppose que l'acheteur est d'accord pour acheter ; cela découle de l'interprétation qu'il est possible de faire d'une réponse obscure mais qui semble vouloir aller dans le sens de l'offre du vendeur.

Les deux exemples suivants illustrent bien le consentement tacite :

Par exemple :

Question du vendeur : « Voulez-vous acheter ma maison pour 100 000 $? »

Réponse de l'acheteur : « Envoie tous les documents à Me Philippe Jolicœur, mon notaire. »

Question du vendeur : « Voulez-vous acheter ce téléviseur pour 950 $? »

Réponse de l'acheteur : « Livrez-le moi samedi. »

L'offre et son acceptation

L'échange de consentement comporte trois étapes :

- l'offre ;
- l'acceptation ;
- la réception de l'acceptation par l'offrant.

1387 C.c.Q.

> *Le contrat est formé au moment où l'offrant reçoit l'acceptation et au lieu où cette acceptation est reçue, quel qu'ait été le moyen utilisé pour la communiquer et lors même que les parties ont convenu de réserver leur accord sur certains éléments secondaires.*

1388 C.c.Q.

> *Est une offre de contracter, la proposition qui comporte tous les éléments essentiels du contrat envisagé et qui indique la volonté de son auteur d'être lié en cas d'acceptation.*

1389 C.c.Q.

> *L'offre de contracter émane de la personne qui prend l'initiative du contrat ou qui en détermine le contenu, ou même, en certains cas, qui présente le dernier élément essentiel du contrat projeté.*

Pour qu'un contrat se forme, une partie doit en prendre l'initiative. *Par exemple, dans un contrat de vente, Brigitte, l'acheteuse, peut prendre l'initiative de demander à Ernest, le vendeur, s'il est disposé à vendre sa maison pour 80 000 $, de même qu'Ernest peut prendre l'initiative de demander à Brigitte si elle est prête à lui offrir la somme de 90 000 $ pour sa maison.*

Il est toujours possible pour Brigitte ou pour Ernest de retirer son offre d'achat ou de vente si l'autre partie n'y a pas donné suite dans un délai raisonnable, si aucun délai précis n'a été déterminé dans l'offre originale. Toutefois, dans le but de parvenir à une entente, Brigitte ou Ernest pourrait faire une nouvelle offre différente de la première. Dans ce cas, on parle généralement de contre-offre. Cela se voit couramment dans le domaine de l'achat et de la vente de maison. Dans notre exemple, Brigitte peut faire une contre-offre de 82 000 $ suivie d'une nouvelle contre-offre d'Ernest à 87 000 $, suivie à nouveau d'une nouvelle contre-offre de Brigitte à 83 500 $, et ainsi de suite jusqu'au moment où les prix offerts par les deux parties *seront identiques ou jusqu'au moment ou une partie annonce qu'elle retire son offre ou qu'elle ne donne pas suite à la dernière contre-offre.*

C'est l'acceptation ou la manifestation de volonté qui fait que le contrat se forme. Cependant, pour que l'acceptation permette la formation du contrat, il faut qu'il y ait concordance de l'offre et de l'acceptation. Cette concordance est possible même si les parties ont convenu de réserver leur accord sur certains éléments secondaires.

Les vices du consentement

1399 C.c.Q.   *Le consentement doit être libre et éclairé. [...]*

Le consentement doit être intègre et avoir été donné librement, c'est-à-dire sans crainte et en toute connaissance de cause. De plus,

1398 C.c.Q.   *Le consentement doit être donné par une personne qui, au temps où elle le manifeste, de façon expresse ou tacite, est apte à s'obliger.*

Donc, pour que le consentement soit valable, il faut non seulement qu'il soit libre et éclairé, mais de plus, il faut que la personne qui contracte soit capable de donner un consentement valable (voir la section 7.3.2.2, La capacité).

1399 C.c.Q.   *Le consentement [...] peut être vicié par l'**erreur**, la **crainte** ou la **lésion**.*

Cependant, même en présence d'un vice de consentement selon un de ces trois motifs (voir le tableau 7.5), le contrat n'est pas de ce fait nul ; il est seulement **annulable**. Il faut poursuivre l'autre partie devant le tribunal et faire la preuve de ce vice.

L'ERREUR – Commettre une erreur, c'est se tromper, c'est se faire une fausse idée de la réalité.

1400 C.c.Q.   *L'erreur vicie le consentement des parties ou de l'une d'elles lorsqu'elle porte sur la **nature** du contrat, sur l'**objet** de la prestation ou, encore, sur tout **élément essentiel** qui a déterminé le consentement.*

L'erreur inexcusable ne constitue pas un vice de consentement.

Il existe quatre types d'erreur.

Le premier type d'erreur est l'**erreur sur la nature du contrat** qui équivaut à l'absence de consentement. *Par exemple, Marie désire louer une maison, mais on lui fait signer un contrat d'achat de cette maison.*

Le deuxième type d'erreur est l'**erreur sur l'objet de la prestation**. *Par exemple, Marie signe un contrat d'achat d'une Chevrolet alors qu'elle voulait acheter une Oldsmobile.*

Le troisième type d'erreur est l'**erreur sur un élément essentiel**. Ce type d'erreur inclut l'erreur sur les **qualités substantielles** de la chose et l'erreur sur la considération principale. *Par exemple, Lucien désire une Chevrolet bleu royal neuve équipée d'une transmission automatique, de servofreins, d'une servodirection et d'un climatiseur, et le vendeur lui livre une Chevrolet bleu océan neuve équipée d'une transmission automatique, mais, à l'insu de Lucien, sans servofreins ni climatiseur. Comme Lucien ne déteste pas le bleu océan, il accepte de prendre cette Chevrolet. Cinq jours plus tard, il constate qu'il est difficile de freiner et que le climatiseur ne rafraîchit pas plus qu'il ne faut. Il fait vérifier la voiture par un mécanicien qui lui dit que sa Chevrolet est dépourvue de servofreins et de climatiseur.*

Caroline est propriétaire d'une entreprise de déménagement interurbain et elle désire acheter un camion pouvant transporter des charges de 25 000 kg sur des routes abruptes. Un concessionnaire lui vend un camion en prétendant qu'il est en mesure de répondre à ses exigences. Trois mois plus tard, le moteur saute et la suspension écrase dans les côtes de Charlevoix, bien que la charge ne soit que de 22 000 kg. Caroline n'aurait pas acheté ce camion si elle avait su qu'il ne répondait pas à ses critères.

Le quatrième type d'erreur est l'**erreur provoquée**. Il s'agit du cas de la **fraude**, que le législateur appelle le **dol**. *Par exemple, le vendeur d'un camion qui sait très bien que la transmission a été sommairement réparée et qui ne le dit pas à l'acheteur en espérant que ce dernier ne découvre pas cette manœuvre frauduleuse.*

1401 C.c.Q.   *L'erreur d'une partie, provoquée par le dol de l'autre partie ou à la connaissance de celle-ci, vicie le consentement dans tous les cas où, sans cela, la partie n'aurait pas contracté ou aurait contracté à des conditions différentes.*

Le dol peut résulter du silence ou d'une réticence.

LA CRAINTE – Il est évident qu'un consentement obtenu par la violence ou les menaces est un consentement vicié. La **violence** ou les **menaces** en soi ne sont pas un vice de consentement ; mais elles provoquent un consentement qui n'a pas été donné librement, puisqu'il a été donné sous l'emprise de la **crainte**. De plus, la crainte doit être connue du cocontractant pour qu'elle puisse être invoquée par la personne qui la subit. *Par exemple, la crainte peut être une menace : « Si tu ne signes pas ce document, je vais te casser les deux jambes » ou « Je vais enlever tes enfants. »*

1402 C.c.Q.   *La crainte d'un préjudice sérieux pouvant porter atteinte à la personne ou aux biens de l'une des parties vicie le consentement donné par elle, lorsque cette crainte est provoquée par la violence ou la menace de l'autre partie ou à sa connaissance.*

Le préjudice appréhendé peut aussi se rapporter à une autre personne ou à ses biens et il s'apprécie suivant les circonstances.

1403 C.c.Q.   *La crainte inspirée par l'exercice abusif d'un droit ou d'une autorité ou par la menace d'un tel exercice vicie le consentement.*

LA LÉSION – La lésion est un préjudice qui consiste « à se faire rouler ». *Par exemple, c'est le fait de payer 30 000 $ pour un camion qui ne vaut que 14 000 $.*

1406 C.c.Q.   *La lésion résulte de l'exploitation de l'une des parties par l'autre, qui entraîne une disproportion importante entre les prestations des parties ; le fait même qu'il y ait disproportion importante fait présumer l'exploitation.*

Elle peut aussi résulter, lorsqu'un mineur ou un majeur protégé est en cause, d'une obligation estimée excessive eu égard à la situation patrimoniale de la personne, aux avantages qu'elle retire du contrat et à l'ensemble des circonstances.

Seul le mineur et le majeur protégé, c'est-à-dire le majeur sous un régime de protection de tutelle ou de curatelle, peuvent invoquer la simple lésion comme cause de nullité d'un contrat.

1405 C.c.Q.   *Outre les cas expressément prévus par la loi, la lésion ne vicie le consentement qu'à l'égard des mineurs et des majeurs protégés.*

En droit, une personne majeure et saine d'esprit est réputée intelligente, expérimentée, etc. *Par exemple, si Caroline signe un contrat d'achat d'un camion au prix de 30 000 $, alors que le camion vaut en réalité 14 000 $, elle ne peut faire annuler son contrat en invoquant seulement la lésion ; elle n'avait qu'à le faire examiner par un expert qui lui aurait donné sa vraie valeur.* Par conséquent, il ne faut jamais signer un contrat sans être sûr de ce à quoi il engage, car, à partir du moment où le contrat est signé, il faut le respecter et assumer toutes les obligations qui en découlent.

Il existe cependant une exception en faveur du majeur depuis l'introduction de la *Loi sur la protection du consommateur*.

8 L.P.C.   *Le consommateur peut demander la nullité du contrat ou la réduction des obligations qui en découlent lorsque la disproportion entre les prestations respectives des parties est tellement considérable qu'elle équivaut à de l'exploitation du consommateur, ou que l'obligation du consommateur est excessive, abusive ou exorbitante.*

La *Loi sur la protection du consommateur* a donc créé le cas de lésion pour le majeur, mais l'article 8 de cette loi ne concerne que les contrats conclus entre un commerçant et un consommateur.

Tableau 7.5 Les causes de vice de consentement

Cause	Nature	Exemple
Erreur	Sur la nature du contrat	On me fait signer un contrat de location alors que je voulais acheter la voiture
	Sur l'objet de la prestation	On me livre une Chevrolet sans servodirection alors que j'avais commandé une voiture avec servodirection
	Sur un élément essentiel	J'ai commandé cette Chevrolet parce que le vendeur m'a dit qu'elle pouvait remorquer ma roulotte de 5 000 kg alors que la voiture ne peut remorquer que 2 000 kg
	Provoquée	Vol, fraude ou mauvaise foi d'un vendeur qui dit que cette automobile est capable de remorquer une roulotte de 5 000 kg, alors qu'il sait qu'elle n'est pas capable de le faire
Crainte	Violence Menaces	Si tu ne veux pas recevoir un coup de couteau, signe ce contrat et achète cette Chevrolet
Lésion	Être roulé	Payer 30 000 $ pour une Chevrolet qui vaut 20 000 $

7.3.2.2

La capacité

Que signifie **avoir la capacité légale de contracter** ? Cela signifie que vous êtes soit une personne majeure non soumise à un régime de protection, un mineur de 14 ans et plus réputé majeur pour certains actes, ou un mineur émancipé (voir le tableau 7.6 et la section 3.3.2, La capacité des personnes).

L'aptitude à contracter relève donc de cette conscience de ce que la personne fait.

Tableau 7.6 Les personnes inaptes à contracter au sens juridique du terme

Le mineur	Non émancipé
	Partiellement capable
Le majeur protégé	En curatelle
	En tutelle
	Qui a fait l'objet d'un jugement

En pratique, il est courant de dire que toute personne majeure et saine d'esprit peut contracter.

Il existe cependant des cas spéciaux d'inaptitude qui constituent des prohibitions d'acquisition ou d'aliénation. Ainsi :

1783 C.c.Q.

> *Les juges, avocats, notaires et officiers de justice ne peuvent se porter acquéreurs de droits litigieux, sous peine de nullité absolue de la vente.*

7.3.2.3

La cause

La **cause** est en quelque sorte le motif pour lequel une personne signe un contrat. Le *Code civil* exige que la cause soit légale, c'est-à-dire qu'elle ne soit pas contraire à la loi ou à l'ordre public.

1410 C.c.Q. *La cause du contrat est la raison qui détermine chacune des parties à le conclure.*

Il n'est pas nécessaire qu'elle soit exprimée.

1411 C.c.Q. *Est nul le contrat dont la cause est prohibée par la loi ou contraire à l'ordre public.*

Par exemple, Charlotte désire faire imprimer de la fausse monnaie et elle signe donc un contrat avec un imprimeur. Ce contrat n'a pas de valeur légale et l'imprimeur n'est pas tenu de le respecter, car la considération est illégale. En effet, le Code criminel interdit l'impression de fausse monnaie. Il s'agit d'une **violation de la loi et de l'ordre public**.

La **notion d'ordre public** interdit donc qu'un contrat porte atteinte à l'ordre social que le législateur a édicté. De plus, il arrive que le législateur qualifie une loi entière d'ordre public. C'est le cas notamment de la *Loi sur les normes du travail. Par exemple, s'il arrive qu'un contrat de travail prévoit le paiement d'un salaire horaire inférieur au salaire minimum, sa cause va à l'encontre de l'ordre public et cette entente qui y contrevient est nulle.* Il en est ainsi de toutes les conditions de travail qui ne respectent pas les normes minimales de travail fixées par cette loi, qu'il s'agisse de vacances, de jours fériés, de calcul des heures supplémentaires, etc.

7.3.2.4 L'objet

L'objet d'une obligation concerne à peu près n'importe quoi : l'achat d'un livre, d'une maison, d'un bateau, d'un commerce, la location d'une automobile, d'une perceuse, d'une tondeuse, l'emprunt d'argent, d'une souffleuse, d'une pelle, l'engagement d'un employé, d'un entrepreneur, d'un avocat, etc.

1412 C.c.Q. *L'objet du contrat est l'opération juridique envisagée par les parties au moment de sa conclusion, telle qu'elle ressort de l'ensemble des droits et obligations que le contrat fait naître.*

1413 C.c.Q. *Est nul le contrat dont l'objet est prohibé par la loi ou contraire à l'ordre public.*

Comme un contrat d'engagement d'un tueur à gages, un contrat de prostitution, un contrat d'impression de faux billets de banque, etc., ont un objet prohibé par la loi, ces contrats sont nuls de plein droit.

7.3.2.5 La forme

En règle générale, aucune forme particulière n'est exigée pour qu'un contrat soit valide. Cependant, le législateur a prévu quelques exceptions précises. *Par exemple, un contrat de mariage ainsi qu'un acte d'hypothèque doivent être constatés dans un acte notarié. Examinons un deuxième exemple ; la* Loi sur la protection du consommateur *prévoit que tout contrat soumis à cette loi doit être constaté par un écrit en double exemplaire.*

1414 C.c.Q. *Lorsqu'une forme particulière ou solennelle est exigée comme condition nécessaire à la formation du contrat, elle doit être observée ; cette forme doit aussi être observée pour toute modification apportée à un tel contrat, à moins que la modification ne consiste qu'en stipulations accessoires.*

7.3.3 L'INTERPRÉTATION DU CONTRAT

Bien qu'un contrat soit normalement facile à comprendre, il arrive parfois que le libellé de certaines dispositions ne soit pas interprété de la même manière par les deux parties. Dans ce cas, il est nécessaire de s'adresser au tribunal pour obtenir une interprétation.

1425 C.c.Q. *Dans l'interprétation du contrat, on doit rechercher quelle a été la commune intention des parties plutôt que de s'arrêter au sens littéral des termes utilisés.*

1426 C.c.Q.   *On tient compte, dans l'interprétation du contrat, de sa nature, des circonstances dans lesquelles il a été conclu, de l'interprétation que les parties lui ont déjà donnée ou qu'il peut avoir reçue, ainsi que des usages.*

1427 C.c.Q.   *Les clauses s'interprètent les unes par les autres, en donnant à chacune le sens qui résulte de l'ensemble du contrat.*

La logique et le « gros bon sens » sont des règles fondamentales d'interprétation d'un contrat; il s'agit de rechercher l'intention véritable des parties à la signature du contrat. La conduite des parties dans l'exécution du contrat est prise en considération, de même que le fait que le contrat doit toujours être vu comme un **tout**, ce qui implique que l'on ne doit pas interpréter séparément chacune des clauses qui le composent sans faire référence aux autres clauses.

7.3.4 LES EFFETS DU CONTRAT

Un contrat peut créer des obligations, les modifier, les annuler ou transférer le droit de propriété (voir le tableau 7.7).

Tableau 7.7   Les quatre effets d'un contrat

Effet	Exemple
Création d'obligations	Un bail de logement par lequel le locateur fournit un logement au locataire qui s'engage à payer le loyer
Modification d'obligations	Le renouvellement du bail dans lequel le locateur augmente ou diminue le prix du loyer
Annulation d'obligations	Une entente durant le bail par laquelle le locateur et le locataire s'entendent pour résilier le bail
Transfert du droit de propriété	Un contrat de vente par lequel l'acheteur devient propriétaire d'un bien qui appartenait au vendeur

De plus, un contrat ne peut être résolu qu'avec le consentement des parties ou pour les causes que la loi reconnaît. Un contrat n'a d'effet qu'entre les parties contractantes.

Tant qu'une personne ne donne pas son consentement à un contrat, elle n'est pas engagée; mais si elle donne son accord, elle s'engage et elle doit respecter les dispositions de son contrat.

Un tribunal pourrait annuler une clause abusive. Cela constituerait en quelque sorte une modification du contrat. Hormis cette exception, un tribunal ne peut modifier un contrat; seul un autre contrat peut annuler ou modifier un contrat.

Même un tribunal ne peut modifier un contrat; seul un autre contrat peut l'annuler ou le modifier. Donc, le consentement des parties est nécessaire pour modifier un contrat.

Cependant, il est possible qu'un tribunal annule un contrat si ce contrat est entaché de quelque cause de nullité comme un vice de consentement. Dans un tel cas, le contrat peut être annulable, mais tant qu'il n'est pas annulé par jugement, il existe toujours.

Généralement, il est permis d'écrire dans un contrat toutes les dispositions souhaitées par les parties, sous réserve de la loi et de l'ordre public.

Par ailleurs, si un contrat est incomplet mais que la loi a prévu des dispositions obligatoires, ces dispositions s'y ajoutent automatiquement.

Voici un bail de logements :

JULIETTE VIGNAULT, LOCATEUR, LOUE À BRIGITTE AUDY, LOCATAIRE, L'APPARTEMENT Nº 7 AU MONTANT DE 450 $ PAR MOIS.

Même s'ils n'y sont pas écrits, les articles 1892 à 2000 du *Code civil* font partie intégrante de tout bail de logement résidentiel, car ces articles sont des dispositions d'ordre public (voir le document 11.1, Bail type de la Régie du logement).

Il faut se méfier des ententes et documents hors contrat qui s'appliquent au contrat et que nous appelons une « clause externe ». *Par exemple, un dépliant publicitaire qui énonce les conditions d'un voyage en Floride et qui mentionne des frais supplémentaires.*

1435 C.c.Q.   *La **clause externe** à laquelle renvoie le contrat lie les parties.*

Toutefois, dans un contrat de consommation ou d'adhésion, cette clause est nulle si, au moment de la formation du contrat, elle n'a pas été expressément portée à la connaissance du consommateur ou de la partie qui y adhère, à moins que l'autre partie ne prouve que le consommateur ou l'adhérent en avait par ailleurs connaissance.

C'est la raison pour laquelle le législateur déclare cette clause nulle si elle n'a pas été expressément portée à la connaissance du consommateur, car autrement le commerçant peut facilement berner un consommateur.

1436 C.c.Q.   *Dans un contrat de consommation ou d'adhésion, la clause illisible ou incompréhensible pour une personne raisonnable est nulle si le consommateur ou la partie qui y adhère en souffre préjudice, à moins que l'autre partie ne prouve que des explications adéquates sur la nature et l'étendue de la clause ont été données au consommateur ou à l'adhérent.*

De plus, si le commerçant a écrit de belles clauses en langage juridique au point que le consommateur n'y comprend rien, le législateur a encore prévu la nullité de ce type de clause.

Enfin, le législateur a cru bon d'intervenir pour créer une forme de lésion en faveur du majeur en ajoutant l'article 1437 du *Code civil* qui permet de faire déclarer nulle une clause déraisonnable ou abusive.

1437 C.c.Q.   *La **clause abusive** d'un contrat de consommation ou d'adhésion est nulle ou l'obligation qui en découle, réductible.*

***Est abusive** toute clause qui désavantage le consommateur ou l'adhérent d'une manière excessive et déraisonnable, allant ainsi à l'encontre de ce qu'exige la bonne foi ; **est abusive**, notamment, la clause si éloignée des obligations essentielles qui découlent des règles gouvernant habituellement le contrat qu'elle dénature celui-ci.*

7.3.5   LA CONTRE-LETTRE

La **contre-lettre** est une simulation, un contrat secret par lequel les parties conviennent d'aller à l'encontre d'un autre contrat, généralement public. *Par exemple, Mario donne sa voiture à sa sœur Caroline, mais il lui fait signer une contre-lettre par laquelle cette dernière s'engage à lui donner la somme de 200 $ par mois pendant 24 mois.*

1451 C.c.Q.   *Il y a simulation lorsque les parties conviennent d'exprimer leur volonté réelle non point dans un contrat apparent, mais dans un contrat secret, aussi appelé contre-lettre.*

Entre les parties, la contre-lettre l'emporte sur le contrat apparent.

7.4   LES CONTRATS NOMMÉS

Dans le *Code civil*, dix-huit contrats ont une dénomination propre et ont des dispositions propres qui leur sont applicables. Ils sont vus en profondeur dans les chapitres suivants :

Les dix-huits contrats nommés encadrés spécifiquement par le *Code civil*

Nom du contrat	Chapitre
la vente	10
la donation	13
le crédit-bail	19
le louage	11
l'affrètement	13
le transport	13
le contrat de travail	18
le contrat d'entreprise ou de service	18
le mandat	13
le contrat de société et d'association	15
le dépôt	13
le prêt	19
le cautionnement	20
la rente	13
les assurances	12
le jeu et le pari	13
la transaction	22
la convention d'arbitrage	22

7.5 CERTAINES AUTRES SOURCES DE L'OBLIGATION

En plus du contrat et de la responsabilité civile, il existe trois autres sources de l'obligation :

- la gestion d'affaires ;
- la réception de l'indu ;
- l'enrichissement injustifié.

Elles sont moins fréquentes, mais leur existence mérite quand même d'être soulignée.

7.5.1 LA GESTION D'AFFAIRES

La **gestion d'affaires** consiste à s'occuper des affaires d'autrui dans l'intérêt de cette personne sans qu'elle en soit informée. *Par exemple, Michel est en train d'arroser son jardin lorsqu'il constate qu'un incendie s'est déclaré dans la maison de sa voisine Claire. Michel crie à son épouse d'appeler les pompiers et, n'écoutant que son courage, il se précipite par-dessus la clôture pour aller combattre les flammes. En sautant la clôture, Michel déchire son pantalon et s'inflige une profonde entaille à la jambe, mais il continue à combattre l'incendie jusqu'à l'arrivée des pompiers qui prennent la relève et qui s'occupent de soigner la blessure de Michel. En droit, nous disons que Michel a assumé une **gestion des affaires** de Claire en intervenant pour protéger les biens de Claire en son absence. Évidemment, Claire doit indemniser Michel pour les dommages à son pantalon et pour sa blessure à la jambe.*

1482 C.c.Q. *Il y a **gestion d'affaires** lorsqu'une personne, le gérant, de façon spontanée et sans y être obligée, entreprend volontairement et opportunément de gérer l'affaire d'une autre personne, le géré, hors la connaissance de celle-ci ou à sa connaissance si elle n'était pas elle-même en mesure de désigner un mandataire ou d'y pourvoir de toute autre manière.*

| 7.5.2 | **LA RÉCEPTION DE L'INDU** |

La **réception de l'indu** consiste pour une personne à recevoir une somme d'argent qui ne lui est pas due. *Par exemple, Sylvie a acheté une Pontiac neuve chez Giguère automobile ltée au moyen d'un contrat de vente à tempérament par lequel elle doit payer au concessionnaire une somme de 500 $ par mois pendant 36 mois. Après quinze mois, Giguère automobile ltée cède le contrat de financement de l'automobile à GMAC, la compagnie de crédit de General Motors, mais continue d'encaisser les chèques postdatés que Sylvie lui avait remis. Comme les chèques ne sont pas encaissés par GMAC, la compagnie de crédit menace Sylvie de saisir la voiture si elle n'effectue pas immédiatement les seizième, dix-septième et dix-huitième versements. Pour éviter de perdre sa voiture, Sylvie remet la somme de 1 500 $ à GMAC. Elle peut donc maintenant se retourner contre Giguère automobile ltée et lui demander de lui rembourser la somme de 1 500 $, car Giguère automobile ltée a reçu cette somme indûment ou sans droit.*

1491 C.c.Q.

> *Le paiement fait par erreur, ou simplement pour éviter un préjudice à celui qui le fait en protestant qu'il ne doit rien, oblige celui qui l'a reçu à le restituer. [...]*

| 7.5.3 | **L'ENRICHISSEMENT INJUSTIFIÉ** |

L'**enrichissement injustifié** est la situation par laquelle une personne s'enrichit sans droit au détriment d'une autre personne qui s'appauvrit en conséquence. *Par exemple, Maryse, une généalogiste, apprend qu'une personne riche est décédée sans héritier. Elle entreprend de longues démarches en vue de découvrir un héritier. Elle y parvient après un mois de recherche à plein temps et cet héritier, Thérèse, reçoit un héritage de 800 000 $. Thérèse refuse de donner la moindre somme à Maryse qui est pourtant la personne à l'origine de son enrichissement. Dans ce cas, le tribunal peut condamner Thérèse à payer une certaine somme à Maryse compte tenu du mois de travail qu'elle a mis pour trouver un héritier.*

1493 C.c.Q.

> *Celui qui s'enrichit aux dépens d'autrui doit, jusqu'à concurrence de son enrichissement, indemniser ce dernier de son appauvrissement corrélatif s'il n'existe aucune justification à l'enrichissement ou à l'appauvrissement.*

| 7.6 | **LES MODALITÉS DE L'OBLIGATION** |

Comme l'indique le tableau 7.8, une obligation peut être assortie de modalités diverses.

| 7.6.1 | **L'OBLIGATION CONDITIONNELLE** |

1497 C.c.Q.

> *L'obligation est **conditionnelle** lorsqu'on la fait dépendre d'un événement futur et incertain, soit en suspendant sa naissance jusqu'à ce que l'événement arrive ou qu'il devienne certain qu'il n'arrivera pas, soit en subordonnant son extinction au fait que l'événement arrive ou n'arrive pas.*

Le contrat d'assurance contre l'incendie est un exemple classique d'obligation conditionnelle. *Par exemple, si Marie a souscrit auprès de L'Union canadienne, compagnie d'assurances générales, un contrat d'assurance de 200 000 $ contre l'incendie pour sa quincaillerie et que cette dernière est entièrement détruite par un incendie, Marie recevra l'indemnité prévue de 200 000 $.*

L'obligation de verser l'indemnité de la part de l'assureur est conditionnelle à la réalisation du risque, à savoir la destruction de la quincaillerie de Marie par un incendie. S'il n'y a pas d'incendie, l'assureur n'est pas tenu de verser la moindre indemnité à Marie, puisque la condition, c'est-à-dire la destruction de sa quincaillerie par le feu, ne s'est pas réalisée.

Tableau 7.8 Les différentes modalités de l'obligation

Modalités de l'obligation	Exemple
Conditionnelle	L'assureur ne paie qu'à la condition qu'il y ait un feu
À terme	L'emprunteur n'effectue les versements prévus au contrat d'emprunt que lorsque le terme est arrivé, par exemple le premier jour de chaque mois
Divisible	Paul doit la somme de 20 000 $ et il peut la remettre en plusieurs versements
Indivisible	Paul doit donner un tableau de 20 000 $ et il doit le remettre en un seul morceau
Conjointe	Louis, Marc et Sylvie ont signé un bail pour un logement au prix de 600 $ par mois par lequel chacun n'est responsable que du tiers du coût, soit la somme de 200 $
Solidaire	Jeanne, Ginette et Robert ont signé un bail pour un logement au prix de 600 $ par mois par lequel chacun est responsable du plein montant de 600 $

7.6.2   L'OBLIGATION À TERME

1508 C.c.Q.

> *L'obligation est à **terme suspensif** lorsque son exigibilité seule est suspendue jusqu'à l'arrivée d'un événement futur et certain.*

Contrairement à l'obligation conditionnelle, l'**obligation à terme** ne suspend que l'**exigibilité** de l'obligation, c'est-à-dire le moment où le créancier pourra en exiger l'exécution, et non sa naissance même.

1511 C.c.Q.

> *Le terme profite au débiteur, sauf s'il résulte de la loi, de la volonté des parties ou des circonstances qu'il a été stipulé en faveur du créancier ou des deux parties.*
>
> *La partie au bénéfice exclusif de qui le terme est stipulé peut y renoncer, sans le consentement de l'autre partie.*

Le prêt est l'exemple classique d'une obligation à terme. Généralement, un emprunteur ne rembourse pas un emprunt en un seul versement ; il effectue des versements périodiques, habituellement à un jour fixe de chaque mois, et chaque versement comprend une partie du capital ou de la somme empruntée et une partie d'intérêts. Ce versement à période régulière constitue une obligation à terme.

Les articles 1508 et 1511 du *Code civil* interdisent donc au prêteur, aussi appelé créancier, d'exiger le remboursement immédiat du solde dû par l'emprunteur, car si le prêteur accorde un terme au débiteur, à savoir l'emprunteur, ce dernier a le droit d'en profiter, c'est-à-dire de payer par versement régulier tant et aussi longtemps qu'il n'est pas en défaut. Dans ce cas, l'emprunteur jouit du **bénéfice du terme**.

Cependant, l'article 1511 du *Code civil* n'interdit pas au prêteur de stipuler que l'emprunteur peut perdre le bénéfice du terme si le prêteur lui fait parvenir un avis à cet effet, même sans motif particulier, en autant que l'avis soit d'une durée raisonnable, c'est-à-dire suffisante pour permettre à l'emprunteur de se trouver un nouveau prêteur, sauf s'il est déjà dans un état d'insolvabilité. Cela est vrai particulièrement dans les contrats de prêts commerciaux dans lesquels le prêteur insère souvent une clause qui se lit ainsi :

> MALGRÉ LE MODE DE REMBOURSEMENT CI-DESSUS STIPULÉ, LE PRÊTEUR SE RÉSERVE LE DROIT D'EXIGER EN TOUT TEMPS, SUR AVIS À CET EFFET, LE REMBOURSEMENT IMMÉDIAT DE TOUT SOLDE DÛ EN CAPITAL, INTÉRÊTS, FRAIS ET ACCESSOIRES.

1514 C.c.Q.

Le débiteur perd le bénéfice du terme s'il devient insolvable, est déclaré failli, ou diminue, par son fait et sans le consentement du créancier, les sûretés qu'il a consenties à ce dernier.

Il perd aussi le bénéfice du terme s'il fait défaut de respecter les conditions en considération desquelles ce bénéfice lui avait été accordé.

Donc, si un emprunteur est **en défaut**, c'est-à-dire qu'il cesse de faire ses versements périodiques, le prêteur peut demander le remboursement immédiat du solde : c'est la **déchéance du bénéfice du terme**. En général, tous les contrats de prêt ou qui contiennent des modalités de crédit, tels les contrats de vente à terme ou à tempérament, contiennent **une clause de déchéance du bénéfice du terme selon laquelle, si le débiteur est en défaut, il perd le bénéfice du terme et le prêteur peut réclamer non seulement le remboursement des versements échus mais également le remboursement immédiat de tout le solde**. Dans un contrat de prêt, une telle clause est rédigée de la manière suivante :

L'EMPRUNTEUR RECONNAÎT QUE LE DÉFAUT DE RESPECTER L'UNE OU L'AUTRE DE SES OBLIGATIONS EN VERTU DES PRÉSENTES ENTRAÎNERA L'EXIGIBILITÉ DE TOUT SOLDE ALORS DÛ EN CAPITAL NET ET EN FRAIS DE CRÉDIT ET DÉGAGERA LE PRÊTEUR DE L'OBLIGATION DE LUI VERSER TOUTE NOUVELLE AVANCE POUR L'AVENIR.

De plus, le deuxième alinéa de l'article 1514 du *Code civil* permet au créancier de stipuler que le débiteur peut perdre le bénéfice du terme s'il fait défaut de respecter les autres conditions du prêt comme maintenir en tout temps une assurance sur le bien servant de garantie au prêt. Dans la majorité des contrats de prêts commerciaux, le prêteur insère généralement une clause qui se lit ainsi :

MALGRÉ LE MODE DE REMBOURSEMENT CI-DESSUS STIPULÉ, LE PRÊTEUR SE RÉSERVE LE DROIT D'EXIGER EN TOUT TEMPS, SUR AVIS À CET EFFET, LE REMBOURSEMENT IMMÉDIAT DE TOUT SOLDE DÛ EN CAPITAL, INTÉRÊTS, FRAIS ET ACCESSOIRES SI LE DÉBITEUR NE RESPECTE PAS TOUTES LES OBLIGATIONS STIPULÉES DANS LE PRÉSENT CONTRAT.

En pratique, dans les contrats de prêt commercial, le prêteur fait toujours signer à l'emprunteur une clause stipulant que ce dernier renonce au bénéfice du terme, ce qui a pour conséquence de rendre l'obligation exigible à la seule demande du prêteur.

1515 C.c.Q.

La renonciation au bénéfice du terme ou la déchéance du terme rend l'obligation immédiatement exigible.

7.6.3 L'OBLIGATION DIVISIBLE

Une obligation est **divisible** lorsqu'il est possible que sa complète exécution soit effectuée partiellement par une ou plusieurs personnes.

1519 C.c.Q.

L'obligation est divisible de plein droit, à moins que l'indivisibilité n'ait été expressément stipulée ou que l'objet de l'obligation ne soit pas, de par sa nature, susceptible de division matérielle ou intellectuelle.

Par exemple, si Geneviève, propriétaire d'un immeuble, loue un logement à quatre personnes, Marcelle, Nathalie, Odette et Pauline, au prix de 1 600 $ par mois, l'obligation est divisible entre tous les colocataires à raison de 400 $ par locataire ; il y a donc quatre exécutions partielles de 400 $ qui donnent une exécution complète de 1 600 $.

Par ailleurs, si Paul s'est engagé à rendre une somme de 20 000 $, il s'agit d'une **obligation divisible***, car cette somme de 20 000 $ peut être divisée en plusieurs petites sommes.*

De même, plusieurs assureurs peuvent s'entendre pour coassurer un même bien. Par exemple, la police d'assurance de Place Laurier est émise conjointement par L'Union canadienne pour 40 %, par L'Industrielle-Alliance pour 30 %, par La Laurentienne générale pour 20 % et par La Sauvegarde pour 10 %. Si le centre commercial de Place Laurier subit des dommages de 10 000 000 $ à la suite d'un incendie, les assureurs paieront respectivement 4 000 000 $, 3 000 000 $, 2 000 000 $ et 1 000 000 $, car c'est dans cette proportion qu'ils ont réparti le risque entre eux. Ainsi, l'obligation est divisible.

7.6.4 L'OBLIGATION INDIVISIBLE

Une obligation est indivisible s'il est impossible de la diviser pour l'exécuter. *Par exemple, si Paul s'est engagé à donner un tableau de Jean-Paul Lemieux, qui vaut 20 000 $, il s'agit d'une* **obligation indivisible**, *car le tableau ne peut pas être divisé en plusieurs morceaux.*

1520 C.c.Q.

L'obligation qui est indivisible ne se divise ni entre les débiteurs ou les créanciers, ni entre leurs héritiers.

Chacun des débiteurs ou de ses héritiers peut être séparément contraint à l'exécution de l'obligation entière et chacun des créanciers ou de ses héritiers peut, inversement, exiger son exécution intégrale, encore que l'obligation ne soit pas solidaire.

7.6.5 L'OBLIGATION CONJOINTE

Une **obligation conjointe** est une situation où plusieurs personnes sont tenues chacune à l'exécution d'une partie de l'obligation. *Par exemple, si Marie-France, qui est propriétaire d'un immeuble, loue un logement à quatre personnes, André, Benoît, Charles et Denis, au prix de 1 200 $ par mois, chaque locataire n'a d'obligation que conjointement envers Marie-France, c'est-à-dire que chaque locataire ne lui doit que sa part, soit 300 $ par mois, et non pas la totalité du loyer.*

1518 C.c.Q.

L'obligation est conjointe entre plusieurs débiteurs lorsqu'ils sont obligés à une même chose envers le créancier, mais de manière que chacun d'eux ne puisse être contraint à l'exécution de l'obligation que séparément et jusqu'à concurrence de sa part dans la dette.

Elle est conjointe entre plusieurs créanciers lorsque chacun d'eux ne peut exiger, du débiteur commun, que l'exécution de sa part dans la créance.

7.6.6 L'OBLIGATION SOLIDAIRE

L'obligation solidaire est certainement une des obligations les plus importantes. Elle se retrouve dans presque tous les contrats commerciaux et dans un très grand nombre de contrats civils.

1523 C.c.Q.

L'obligation est solidaire entre les débiteurs lorsqu'ils sont obligés à une même chose envers le créancier, de manière que chacun puisse être séparément contraint pour la totalité de l'obligation, et que l'exécution par un seul libère les autres envers le créancier.

Le principe de la solidarité est facile à comprendre. *Par exemple, si Marie-France loue à André, Benoît, Charles et Denis un appartement pour 1 200 $ par mois et qu'elle insère la clause suivante dans son bail : « Les locataires sont tenus conjointement et solidairement responsables du paiement du loyer », cela signifie non seulement que chaque locataire doit sa part de 300 $ par mois, ce qui est une* **obligation conjointe,** *mais qu'en plus, chaque locataire doit 1 200 $ par mois à Marie-France, ce qui constitue une* **obligation solidaire**.

Évidemment, chaque locataire n'a pas à donner 1 200 $ à Marie-France, mais Marie-France peut exiger de l'un ou l'autre d'entre eux la somme totale de 1 200 $. Par conséquent, le premier qui paie cette somme libère automatiquement les trois autres de leur obligation de payer le 1 200 $ de ce mois. Le mois suivant, un autre locataire peut payer ce montant de 1 200 $.

Si André a payé le plein montant de 1 200 $, il peut demander aux trois autres de lui rembourser chacun la somme de 300 $, puisque le montant de 1 200 $ réparti entre les quatre colocataires donne une somme de 300 $.

1536 C.c.Q.

Le débiteur solidaire qui a exécuté l'obligation ne peut répéter de ses codébiteurs que leur part respective dans celle-ci, encore qu'il soit subrogé aux droits du créancier.

1538 C.c.Q.   *La perte occasionnée par l'insolvabilité de l'un des débiteurs solidaires se répartit en parts égales entre les autres codébiteurs [...].*

Par exemple, si Benoît fait faillite, André peut exiger 400 $ de Charles et de Denis, car le montant de 1 200 $ doit se répartir à parts égales entre les trois locataires solvables que sont André, Charles et Denis.

1524 C.c.Q.   *L'obligation peut être solidaire quoique l'un des codébiteurs soit obligé différemment des autres à l'accomplissement de la même chose, par exemple si l'un est obligé condition-nellement tandis que l'engagement de l'autre n'est pas conditionnel, ou s'il est donné à l'un un terme qui n'est pas accordé à l'autre.*

Un bail de logement n'est pas régi de la même façon qu'un bail commercial. En effet, dans un bail de logement, qui est de matière civile, la solidarité ne se présume pas, mais dans un bail commercial, qui est de matière commerciale, la règle est différente ; la solidarité se présume. *Par exemple, dans le cas du bail consenti par Marie-France, cette dernière doit stipuler une clause de solidarité si elle désire que la règle de la solidarité s'applique au bail signé entre elle et ses quatre locataires.* Par ailleurs, si la Société immobilière Marathon ltée, propriétaire de Place Laurier à Sainte-Foy, loue un espace commercial au prix de 1 500 $ par mois à Juliette, Fran-çoise et Nicole, qui désirent y exploiter une bijouterie, même si le bail ne contient pas une clause de solidarité, Juliette, Françoise et Nicole sont chacune personnelle-ment responsable du paiement du loyer de 1 500 $ par mois, car, en matière commerciale, la solidarité se présume.

1525 C.c.Q.   *La solidarité entre les débiteurs ne se présume pas ; elle n'existe que lorsqu'elle est expres-sément stipulée par les parties ou prévue par la loi.*

Elle est, au contraire, présumée entre les débiteurs d'une obligation contractée pour le service ou l'exploitation d'une entreprise.

Constitue l'exploitation d'une entreprise *l'exercice, par une ou plusieurs personnes, d'une activité économique organisée, qu'elle soit ou non à caractère commercial, consis-tant dans la production ou la réalisation de biens, leur administration ou leur aliénation, ou dans la prestation de services.*

La solidarité existe également en matière de responsabilité extracontractuelle, tel le cas de deux personnes qui causent ensemble une blessure à une troisième. *Par exem-ple, si Paul retient Richard pendant que Monique le frappe à coup de bâton, Paul et Monique sont solidairement responsables des dommages causés à Richard. Si les dommages subis par Richard sont évalués à 50 000 $, le tribunal condamnera Paul et Monique à payer solidairement la somme de 50 000 $ à Richard.*

1526 C.c.Q.   *L'obligation de réparer le préjudice causé à autrui par la faute de deux personnes ou plus est solidaire, lorsque cette obligation est extracontractuelle.*

7.7   L'EXÉCUTION DE L'OBLIGATION

L'**exécution** d'une obligation peut être **volontaire** ou **forcée**. Si elle est volontaire, le débiteur en **exécute le paiement**. Si elle est forcée, le créancier est alors obligé de **mettre en œuvre son droit à l'exécution de l'obligation**.

7.7.1   LE PAIEMENT

Payer sa dette signifie exécuter son obligation.

1553 C.c.Q.   *Par paiement on entend non seulement le versement d'une somme d'argent pour acquit-ter une obligation, mais aussi l'exécution même de ce qui est l'objet de l'obligation.*

Par exemple, si Décomeuble ltée vend un téléviseur à Jacques, le paiement consiste, pour le vendeur, à remettre ce téléviseur à Jacques et, pour ce dernier, à payer le prix de vente. Si la Banque de Montréal prête la somme de 10 000 $ à Claire, le paiement consiste, pour le prêteur, à prêter cette somme de 10 000 $ à Claire et, pour cette dernière, à rembourser le prêt selon les modalités du contrat.

1565 C.c.Q.   *Les intérêts se paient au taux convenu ou, à défaut, au taux légal.*

Lorsque l'emprunteur a achevé de rembourser le prêt, il peut demander au prêteur de lui remettre une quittance qui lui confirme que le prêt est entièrement remboursé.

1568 C.c.Q.   *Le débiteur qui paie a droit à une quittance [...]*

7.7.2 LA MISE EN ŒUVRE DU DROIT À L'EXÉCUTION

Toute obligation qui n'est pas exécutée volontairement est susceptible d'**exécution forcée**. Le créancier insatisfait peut se prévaloir de ce droit de même que celui d'exercer un certain contrôle sur le patrimoine du débiteur afin de se protéger. Il ne faut pas oublier que le patrimoine du débiteur est le gage commun de ses créanciers.

1590 C.c.Q.   *L'obligation confère au créancier le droit d'exiger qu'elle soit exécutée entièrement, correctement et sans retard.*

Lorsque le débiteur, sans justification, n'exécute pas son obligation et qu'il est en demeure, le créancier peut, sans préjudice de son droit à l'exécution par équivalent de tout ou partie de l'obligation :

1° Forcer l'exécution en nature de l'obligation ;

2° Obtenir, si l'obligation est contractuelle, la résolution ou la résiliation du contrat ou la réduction de sa propre obligation corrélative ;

3° Prendre tout autre moyen que la loi prévoit pour la mise en œuvre de son droit à l'exécution de l'obligation.

L'exécution forcée consiste à obtenir l'exécution en nature, si elle est possible, telle la saisie d'une somme d'argent dans un compte en banque, ou l'exécution par équivalent, tel le fait de faire compléter la construction d'une maison par un autre entrepreneur. Au préalable, non seulement il doit y avoir eu inexécution de l'obligation mais, en plus, le créancier doit avoir mis le débiteur en demeure (voir le document 2.1, Mise en demeure).

Cette **mise en demeure** ou **demande extrajudiciaire** est un simple avis par lequel le créancier donne un certain délai à son débiteur pour exécuter ses obligations, à défaut de quoi le créancier informe le débiteur qu'il prendra les moyens juridiques appropriés, généralement une action devant le tribunal, pour en obtenir l'exécution.

1595 C.c.Q.   *La demande extrajudiciaire par laquelle le créancier met son débiteur en demeure doit être faite par écrit.*

Elle doit accorder au débiteur un délai d'exécution suffisant, eu égard à la nature de l'obligation et aux circonstances ; autrement, le débiteur peut toujours l'exécuter dans un délai raisonnable à compter de la demande.

Bien que certains contrats contiennent des dispositions stipulant que le débiteur est en demeure par son seul défaut d'exécuter ses obligations, la pratique courante est de toujours faire parvenir une mise en demeure au débiteur pour lui rappeler son défaut. De plus, le créancier en profite pour informer son débiteur des modalités qu'il peut prendre pour remédier à son défaut et du délai dont il dispose pour ce faire.

7.7.2.1 L'exécution en nature

Un créancier s'attend normalement à ce que son débiteur exécute ce à quoi il s'est engagé, c'est-à-dire l'exécution en nature.

1601 C.c.Q.   *Le créancier, **dans les cas qui le permettent**, peut demander que le débiteur soit forcé d'exécuter en nature l'obligation.*

1602 C.c.Q.   *Le créancier peut, en cas de défaut, exécuter ou faire exécuter l'obligation aux frais du débiteur. [...]*

À condition que l'exécution forcée ne nécessite pas l'intervention personnelle du débiteur, **puisqu'on ne peut forcer la volonté d'une personne**, le créancier peut obtenir, s'il le souhaite, l'exécution en nature. C'est le cas notamment :

- de l'obligation de livrer, c'est-à-dire transférer un droit réel tel un droit de propriété ;
- de l'obligation portant sur une somme d'argent ;
- de l'obligation qui peut être exécutée par quelqu'un d'autre que le débiteur, aux frais de celui-ci.

Prenons l'exemple de l'**exécution d'une obligation** qui concerne la récupération d'une somme d'argent. *Par exemple, Décomeuble ltée a vendu pour 3 500 $ de meubles à André mais ce dernier refuse de payer le solde de 2 400 $. Décomeuble ltée peut obtenir un jugement contre André dans lequel ce dernier est condamné à payer la somme de 2 400 $.*

L'**exécution d'une obligation par quelqu'un d'autre** est fréquente dans le domaine de la construction. *Par exemple, Kéops construction ltée a interrompu la construction d'un nouvel entrepôt pour Ameublements Tanguay ltée et refuse de reprendre les travaux. Ameublements Tanguay ltée peut s'adresser à la cour pour obtenir la permission de faire exécuter les travaux par un tiers, Rocois construction inc. par exemple, et si le coût d'achèvement des travaux est plus élevé que le montant prévu dans le contrat original entre Ameublements Tanguay ltée et Kéops construction ltée, Kéops devra rembourser l'excédent à Ameublements Tanguay ltée.*

7.7.2.2   La résolution ou la résiliation du contrat

1604 C.c.Q.

Le créancier, s'il ne se prévaut pas du droit de forcer, dans les cas qui le permettent, l'exécution en nature de l'obligation contractuelle de son débiteur, a droit à la résolution du contrat, ou à sa résiliation s'il s'agit d'un contrat à exécution successive.

Cependant, il n'y a pas droit, malgré toute stipulation contraire, lorsque le défaut du débiteur est de peu d'importance [...].

La résolution et la résiliation du contrat sont deux termes que nous trouvons régulièrement et leur distinction est très importante. Lorsque le tribunal ordonne la **résolution d'un contrat**, cela signifie que le contrat est annulé à la date même de sa signature et que chaque partie doit remettre à l'autre ce qu'elle a reçu. *Par exemple, si le tribunal prononce la résolution du contrat par lequel Josyane avait acheté chez Atlantique électronique ltée une chaîne stéréo au prix de 2 400 $, Josyane doit remettre la chaîne stéréo au vendeur et ce dernier doit lui rembourser la somme de 2 400 $.* La résolution d'un contrat a lieu lorsqu'il est possible de remettre les parties dans l'état où elles étaient avant la signature du contrat. Dans cet exemple, il est évident que l'usage pendant un mois ou deux de la chaîne stéréo ne lui a certainement pas causé de dommages internes, du moins en général.

Par contre, lorsque le tribunal prononce la **résiliation d'un contrat**, cela signifie que le contrat est annulé à la date du jugement et que le jugement ne produit pas d'effet rétroactif. *Par exemple, si Alice avait acheté une voiture neuve et qu'elle l'a utilisée pendant deux ou trois mois, il est évident que le vendeur ne pourra pas la revendre au prix d'une voiture neuve. Dans un tel cas, le tribunal prononcera plutôt la résiliation du contrat. Alice remet l'automobile au vendeur, mais ce dernier conserve les versements qu'il a reçus.* La même logique s'applique dans le cas où le tribunal prononce la résiliation d'un bail de logement ; ce jugement vaut pour le futur seulement. *Par exemple, le locataire peut quitter le logement, mais le locateur conserve les loyers perçus.*

1606 C.c.Q.

Le contrat résolu est réputé n'avoir jamais existé ; chacune des parties est, dans ce cas, tenue de restituer à l'autre les prestations qu'elle a reçues.

Le contrat résilié cesse d'exister pour l'avenir seulement.

7.7.2.3 L'exécution par équivalent

L'exécution **par équivalent**, c'est-à-dire des **dommages-intérêts**, est utilisée lorsque :

- l'exécution en nature est impossible, ou que
- le créancier la préfère à tout autre mode d'exécution forcée.

Il faut alors envisager l'application des règles propres à la responsabilité contractuelle.

1607 C.c.Q.

> *Le créancier a droit à des **dommages-intérêts** en réparation du **préjudice**, qu'il soit corporel, moral ou matériel, que lui cause le défaut du débiteur et qui en **est une suite immédiate et directe**.*

La somme d'argent que reçoit le créancier est destinée à compenser la perte qu'il subit et le gain dont il est privé à la suite du défaut d'exécution par le débiteur. L'inexécution peut consister :

- en un défaut total ou partiel ;
- en une exécution défectueuse ;
- en un retard dans l'exécution.

Le tribunal aura à évaluer les dommages-intérêts qui sont destinés à remplacer la prestation qui n'a pas été exécutée, qui a été mal exécutée ou dont l'exécution comporte un retard.

Par exemple, Éric Lapointe est engagé pour donner un récital durant trois soirs. Dix jours avant la date du spectacle, il se décommande. Personne ne peut le forcer à chanter et les spectateurs ne veulent pas entendre un autre chanteur. Dans ce cas, le seul recours est de demander des dommages pour la perte éprouvée, soit les frais engagés, c'est-à-dire le coût de location de la salle, de la publicité, de l'impression des billets, etc. et le gain manqué. Dans ce cas, il s'agit d'un défaut total.

Cependant, si Éric Lapointe chante durant deux soirs mais annule le troisième récital, il s'agit, dans ce cas, d'un défaut partiel.

Dans le cas d'un contrat de construction d'une maison, il peut y avoir une exécution défectueuse si l'entrepreneur ne respecte pas les plans. De même, il peut y avoir un retard dans l'exécution si l'entrepreneur livre la maison le 10 juillet alors qu'il devait la livrer au plus tard le 20 juin. Dans les deux cas, les défauts de l'entrepreneur donnent ouverture à un recours en dommages-intérêts.

Les parties peuvent cependant évaluer conventionnellement les dommages-intérêts. Il s'agit de la **clause pénale** qu'ils insèrent à leur contrat.

1622 C.c.Q.

> *La **clause pénale** est celle par laquelle les parties évaluent par anticipation les dommages-intérêts en stipulant que le débiteur se soumettra à une peine au cas où il n'exécuterait pas son obligation.*
>
> *Elle donne au créancier le droit de se prévaloir de cette clause au lieu de poursuivre, dans les cas qui le permettent, l'exécution en nature de l'obligation ; mais il ne peut en aucun cas demander en même temps l'exécution et la peine, à moins que celle-ci n'ait été stipulée que pour le seul retard dans l'exécution de l'obligation.*

Par exemple, Denise, chef cuisinier, a un contrat de travail avec le restaurant italien « Le Portofino » situé dans le Vieux-Québec, par lequel elle s'engage, si elle quitte ce restaurant, à ne pas travailler pour un concurrent dans un rayon de dix kilomètres, et ce, durant les deux prochaines années, à défaut de quoi elle doit payer une somme de 25 000 $. Cela signifie que si Denise quitte le restaurant « Le Portofino » pour aller travailler à « La Crémaillère » qui est un autre restaurant situé dans le Vieux-Québec et à moins de dix kilomètres du Portofino, elle doit payer une somme de 25 000 $.

1623 C.c.Q.

> *Le créancier qui se prévaut de la clause pénale a droit au montant de la peine stipulée sans avoir à prouver le préjudice qu'il a subi.*
>
> *Cependant, le montant de la peine stipulée peut être réduit si l'exécution partielle de l'obligation a profité au créancier ou si la clause est abusive.*

Ainsi, dans un contrat de construction, la clause pénale prend souvent la forme d'une pénalité d'une certaine somme par jour de retard dans la livraison d'un édifice. Elle peut s'énoncer de la façon suivante :

> LE CONSTRUCTEUR DEVRA PAYER AU CLIENT UNE INDEMNITÉ DE 500 $ POUR CHAQUE JOUR DE RETARD DANS LA LIVRAISON DE L'ÉDIFICE.

Dans un contrat de service entre un employeur et son employé, il s'agit généralement d'une interdiction de travailler pour un concurrent durant une certaine période et sur un certain territoire, à défaut de quoi une certaine somme d'argent devra être payée à l'employeur. Voici un exemple d'une telle clause pénale :

> L'EMPLOYÉ S'ENGAGE À NE PAS TRAVAILLER, DIRECTEMENT OU INDIRECTEMENT, POUR UN CONCURRENT DURANT UNE PÉRIODE DE DEUX ANS ET DANS UN RAYON DE CINQUANTE KILOMÈTRES DE LA VILLE DE QUÉBEC, À DÉFAUT DE QUOI UNE INDEMNITÉ DE 50 000 $ DEVRA ÊTRE REMISE À L'EMPLOYEUR À TITRE DE DOMMAGES-INTÉRÊTS LIQUIDÉS.

Dans un contrat de fourniture de marchandises, il s'agit généralement d'une amende en raison d'un retard dans la livraison de la marchandise.

> LE FOURNISSEUR PAIERA AU CLIENT UN MONTANT ÉGAL À CINQ POUR CENT DU COÛT DES ACHATS POUR CHAQUE JOUR DE RETARD DANS LA LIVRAISON DE LA MARCHANDISE.

7.7.3   LA PROTECTION DU DROIT À L'EXÉCUTION

1626 C.c.Q.
> *Le créancier peut prendre toutes les mesures nécessaires ou utiles à la conservation de ses droits.*

Il est normal que le créancier puisse se protéger en attendant d'utiliser les mesures d'exécution que lui permet le *Code civil*. Si le débiteur agit de manière à diminuer sa garantie ou n'exerce pas les recours qui lui appartiennent afin d'augmenter son patrimoine, le créancier peut agir à sa place.

Par exemple, Michel doit 50 000 $ à Élaine en vertu d'une reconnaissance de dette qui n'est pas contestée. D'autre part, Gabriel doit 15 000 $ à Michel. Or, Michel, qui n'a plus d'argent, refuse ou néglige de poursuivre Gabriel malgré des demandes répétées d'Élaine. Cette dernière peut donc se prévaloir des dispositions de l'article 1627 du Code civil et poursuivre Gabriel au nom de Michel pour récupérer les 15 000 $ qui constitueront ainsi un paiement partiel de sa créance de 50 000 $.

1627 C.c.Q.
> *Le créancier dont la créance est certaine, liquide et exigible peut, au nom de son débiteur, exercer les droits et actions de celui-ci, lorsque le débiteur, au préjudice du créancier, refuse ou néglige de les exercer. [...]*

Par exemple, si Michel est propriétaire d'une Buick entièrement payée qui vaut 20 000 $ et qu'il la cède à un autre créancier pour éteindre une dette d'une valeur de 1 000 $, il est évident que ceci constitue une transaction frauduleuse qui vise à priver Élaine d'une partie des sommes à laquelle elle a droit. Elle est donc en droit de s'adresser au tribunal pour faire déclarer nulle cette cession par rapport à elle, afin de lui permettre de faire saisir et vendre en justice cette Buick.

1631 C.c.Q.
> *Le créancier, s'il en subit un préjudice, peut faire déclarer inopposable à son égard l'acte juridique que fait son débiteur en fraude de ses droits, notamment l'acte par lequel il se rend ou cherche à se rendre insolvable ou accorde, alors qu'il est insolvable, une préférence à un autre créancier.*

7.8   LA TRANSMISSION ET LES MUTATIONS DE L'OBLIGATION

En cours d'exécution, l'obligation peut faire place soit à un **nouveau créancier**, à un **nouveau débiteur**, à une **nouvelle obligation** entre les parties, ce qui implique l'application de règles particulières destinées à prévoir cette transmission et cette mutation des obligations tant à l'égard des parties, anciennes et nouvelles, qu'à l'égard des tiers. Les principaux moyens de transmission d'une obligation sont :

- la cession de créance ;
- la subrogation ;
- la novation ;
- la délégation.

| 7.8.1 | ## LA CESSION DE CRÉANCE |

La **cession de créance** est un mode de transmission d'obligation par lequel un créancier, le **cédant**, transmet à un tiers, le **cessionnaire**, tout ou partie d'une créance ou d'un droit d'action qu'il a contre son débiteur, le **cédé**.

1641 C.c.Q.

> *La cession est opposable au débiteur et aux tiers, dès que le débiteur y a acquiescé ou qu'il a reçu une copie ou un extrait pertinent de l'acte de cession ou, encore, une autre preuve de la cession qui soit opposable au cédant. [...]*

Par exemple, Jean, propriétaire d'un immeuble à logements, a signé un acte d'hypothèque en faveur de la Banque de Montréal. À l'intérieur de cet acte, il existe une clause par laquelle Jean cède à la Banque de Montréal tous les droits qu'il peut avoir dans les loyers qui lui sont dus par les locataires s'il fait défaut de rembourser le prêt. Or, il advient que Jean cesse de faire les versements dus. La Banque de Montréal signifiera la cession de créance aux locataires de l'immeuble et leur demandera de payer dorénavant leur loyer à la Banque de Montréal.

| 7.8.2 | ## LA SUBROGATION |

La **subrogation personnelle** est la substitution d'une personne à une autre ; elle permet à une personne de prendre le titre et les droits d'un créancier qu'elle paie. Notez que le subrogé n'acquiert pas plus de droits à l'égard du débiteur que n'en avait lui-même le créancier.

1651 C.c.Q.

> *La personne qui paie à la place du débiteur peut être subrogée dans les droits du créancier.*
>
> *Elle n'a pas plus de droits que le subrogeant.*

Par exemple, supposons que Marie a emprunté 15 000 $ à la Banque Scotia et qu'elle a donné sa voiture, une Thunderbird, en garantie. Supposons également que Marie n'a plus d'argent pour rembourser la banque mais qu'un ami, Roger, est disposé à rembourser la somme de 15 000 $ à la banque, à condition que cette dernière lui consente une subrogation conventionnelle. Si la banque accepte le paiement effectué par Roger et qu'elle lui signe une subrogation, cela signifie que Roger est désormais le créancier de Marie et qu'il détient une garantie sur la Thunderbird. Roger est donc le subrogé et la Banque Scotia est le subrogeant. Roger n'a ni plus ni moins de droits que la banque en avait vis-à-vis de Marie.

| 7.8.3 | ## LA NOVATION |

Il y a **novation** lorsqu'une obligation nouvelle éteint une obligation originaire et lui est substituée. S'il n'y a pas disparition de l'obligation ancienne, il ne peut y avoir novation. Il est donc essentiel que l'obligation nouvelle comporte un élément nouveau. Il peut être :

- un changement d'objet ;
- un changement de cause ;

- un changement de créancier ;

- un changement de débiteur.

Par exemple, il y a novation si André qui a contracté trois emprunts de 1 000 $, 3 000 $ et 6 000 $ avec la caisse populaire Laurier, signe un nouveau contrat de prêt de 10 000 $ par lequel il emprunte cette somme de 10 000 $ spécialement pour rembourser les trois prêts antérieurs.

1660 C.c.Q.   *La novation s'opère lorsque le débiteur contracte envers son créancier une nouvelle dette qui est substituée à l'ancienne, laquelle est éteinte, ou lorsqu'un nouveau débiteur est substitué à l'ancien, lequel est déchargé par le créancier ; la novation peut alors s'opérer sans le consentement de l'ancien débiteur. [...]*

La novation se produit également si la Banque Nationale prête 10 000 $ à André pour rembourser précisément le prêt de 10 000 $ qu'André a contracté à la caisse populaire Laurier.

1660 C.c.Q.   *[...] Elle s'opère aussi lorsque, par l'effet d'un nouveau contrat, un nouveau créancier est substitué à l'ancien envers lequel le débiteur est déchargé.*

7.8.4   LA DÉLÉGATION

La délégation a pour effet d'accorder un débiteur supplémentaire au créancier. *Par exemple, Louise a emprunté la somme de 20 000 $ à la Banque Royale du Canada et elle n'est plus capable d'effectuer les versements mensuels de 400 $. Louise désigne sa sœur Caroline pour effectuer les versements à sa place et Caroline se présente à la Banque Royale pour signer des documents par lesquels elle s'engage à rembourser la dette en lieu et place de sa sœur Louise. Dans ce cas, il s'agit d'une délégation.*

1667 C.c.Q.   *La désignation par le débiteur d'une personne qui paiera à sa place ne constitue une délégation de paiement que si le délégué s'oblige personnellement au paiement envers le créancier délégataire ; autrement, elle ne constitue qu'une simple indication de paiement.*

7.9   L'EXTINCTION DES OBLIGATIONS

Une obligation peut s'éteindre de plusieurs façons.

1671 C.c.Q.   *Outre les autres causes d'extinction prévues ailleurs dans ce code, tels le **paiement**, l'**arrivée d'un terme extinctif**, la **novation** ou la **prescription**, l'obligation est éteinte par la **compensation**, par la **confusion**, par la **remise**, par l'**impossibilité de l'exécuter** ou, encore, par la **libération du débiteur**.*

Le tableau 7.9 présente les principaux modes d'extinction des obligations.

7.9.1   LA COMPENSATION

1672 C.c.Q.   *Lorsque deux personnes se trouvent réciproquement débitrices et créancières l'une de l'autre, les dettes auxquelles elles sont tenues s'éteignent par compensation jusqu'à concurrence de la moindre.*

La compensation ne peut être invoquée contre l'État, mais celui-ci peut s'en prévaloir.

Par exemple, Décomeuble ltée doit 4 500 $ à Esso pour la fourniture de mazout, mais cette dernière doit 6 000 $ à Décomeuble ltée pour l'achat de meubles. Comme il s'agit de sommes d'argent et que ces deux dettes sont payables immédiatement, Décomeuble ltée ne doit plus rien à Esso et cette dernière ne doit plus que 1 500 $ à Décomeuble ltée.

1673 C.c.Q.   *La compensation s'opère de plein droit dès que coexistent des dettes qui sont l'une et l'autre certaines, liquides et exigibles et qui ont pour objet une somme d'argent ou une certaine quantité de biens fongibles de même espèce. [...]*

Tableau 7.9 Les modes d'extinction des obligations

Mode	Exemple
Paiement ou exécution	Paul vend un camion à Gérard ; Paul exécute son obligation en livrant le camion et Gérard exécute son obligation en payant le prix d'achat à Paul
Terme extinctif	Alice a signé un bail qui se termine le 30 juin. Or, le 30 juin est arrivé, donc le bail est terminé
Novation	François avait contracté trois emprunts à la caisse populaire du Vieux-Québec. Il contracte un quatrième emprunt pour rembourser les trois premiers. Donc, l'obligation découlant des trois premiers prêts est éteinte
Prescription	Lucie vient de retrouver au cou de Mélanie le collier qu'elle avait perdu il y a quatre ans. Elle ne peut plus le réclamer, car Mélanie en est devenue propriétaire par prescription acquisive de trois ans
Compensation	Jean doit 2 500 $ à Jérôme mais Jérôme doit 3 800 $ à Jean ; donc Jean ne doit plus rien à Jérôme et Jérôme doit 1 300 $ à Jean
Confusion	Micheline doit 5 000 $ à sa mère ; cette dernière meurt et Micheline est sa seule héritière
Remise	Louise dit à Jérôme qu'il n'a plus besoin de lui remettre les 3 000 $ qu'elle lui avait prêtés
Impossibilité d'exécuter	Brigitte a acheté une Camaro 1995, mais le vendeur est dans l'impossibilité de la lui livrer car General Motors a cessé la fabrication des modèles 1995
Libération du débiteur	La caisse populaire du Vieux-Québec reprend l'immeuble de Claude sur lequel elle détient une garantie hypothécaire

7.9.2   LA CONFUSION

1683 C.c.Q.

La réunion des qualités de créancier et de débiteur dans la même personne opère une confusion qui éteint l'obligation. [...]

Une seule et même personne pourrait difficilement s'exiger l'exécution d'une obligation. *Par exemple, si Micheline devait 5 000 $ à sa mère et que cette dernière mourait en lui léguant tous ses biens, il y aurait confusion.*

7.9.3   LA REMISE

1687 C.c.Q.

Il y a remise lorsque le créancier libère son débiteur de son obligation.
La remise est totale, à moins qu'elle ne soit stipulée partielle.

La **remise** est l'acte par lequel le créancier renonce à recevoir le remboursement d'une partie ou de la totalité d'une dette qui lui est due. *Par exemple, Pierre doit 5 000 $ à Jacqueline qui lui dit : « Je te remets ta dette. » Alors, cette dette de 5 000 $ n'existe plus.*

7.9.4   L'IMPOSSIBILITÉ D'EXÉCUTER

Lorsqu'un objet qui devait être livré est détruit, ou que la livraison en devient impossible, sans le fait ou la faute du débiteur, l'obligation est éteinte.

Par exemple, le concessionnaire Fournier Automobile s'est engagé par contrat à vendre une Camaro rouge 1995 neuve à Brigitte. Un mois plus tard, Fournier Automobile apprend d'un représentant du fabricant que General Motors a cessé la fabrication des modèles 1995. Fournier Automobile est donc dans l'impossibilité d'exécuter son obligation. Comme il s'agit d'un cas fortuit, l'obligation de Fournier Automobile est éteinte et, par le fait même, celle de Brigitte.

Par ailleurs, si Brigitte achète chez Sainte-Foy Toyota, une Toyota d'occasion et que cette voiture est détruite dans l'incendie du garage, il va de soi que Sainte-Foy Toyota n'est plus tenu de livrer cette voiture, puisqu'elle a été détruite.

1693 C.c.Q.   *Lorsqu'une obligation ne peut plus être exécutée par le débiteur, en raison d'une force majeure et avant qu'il soit en demeure, il est libéré de cette obligation ; il en est également libéré, lors même qu'il était en demeure, lorsque le créancier n'aurait pu, de toute façon, bénéficier de l'exécution de l'obligation en raison de cette force majeure ; à moins que, dans l'un et l'autre cas, le débiteur ne se soit expressément chargé des cas de force majeure.*

La preuve d'une force majeure incombe au débiteur.

7.9.5   LA LIBÉRATION DU DÉBITEUR

1695 C.c.Q.   *Lorsqu'un créancier prioritaire ou hypothécaire acquiert le bien sur lequel porte sa créance, à la suite d'une vente en justice, d'une vente faite par le créancier ou d'une vente sous contrôle de justice, le débiteur est libéré de sa dette envers ce créancier, jusqu'à concurrence de la valeur marchande du bien au moment de l'acquisition, déduction faite de toute autre créance ayant priorité de rang sur celle de l'acquéreur.*

Le débiteur est également libéré lorsque, dans les trois années qui suivent la vente, ce créancier reçoit, en revendant le bien ou une partie de celui-ci, ou en faisant sur le bien d'autres opérations, une valeur au moins égale au montant de sa créance, en capital, intérêts et frais, au montant des impenses qu'il a faites sur le bien, portant intérêt, et au montant des autres créances prioritaires ou hypothécaires qui prennent rang avant la sienne.

Par exemple, Claude Gauvin est propriétaire d'un immeuble ayant une valeur marchande de 60 000 $ situé au 1192, rue Saint-Jean, à Québec. Lorsque la caisse populaire du Vieux-Québec reprend cet immeuble sur lequel elle détient une garantie hypothécaire, Claude Gauvin, qui était débiteur de la caisse pour y avoir emprunté une somme de 50 000 $, est libéré de sa dette envers son créancier hypothécaire, la caisse populaire du Vieux-Québec, lorsque celle-ci acquiert le bien sur lequel porte sa créance, à la suite d'une vente en justice, d'une vente faite par le créancier ou d'une vente faite sous contrôle de justice.

Claude Gauvin est libéré jusqu'à concurrence de la valeur marchande du bien au moment de l'acquisition par le créancier. Comme la valeur marchande de l'immeuble est de 60 000 $ et que la dette n'est que de 50 000 $, Claude Gauvin est libéré même si la vente en justice n'a rapporté que 30 000 $, car la valeur marchande de l'immeuble était supérieure au montant de la créance.

7.10   LA RESTITUTION DES PRESTATIONS

Les dispositions sur la restitution des prestations s'appliquent chaque fois qu'une personne doit rendre un bien qu'elle a reçu par erreur ou à la suite d'un jugement annulant un contrat.

Par exemple, si le tribunal prononce la résolution du contrat par lequel Josyane avait acheté chez Aventure électronique ltée une chaîne stéréo au prix de 2 400 $, il ordonnera du même coup la restitution des prestations. Cela signifie que Josyane doit remettre la chaîne stéréo au vendeur et que ce dernier doit lui rembourser la somme de 2 400 $.

1699 C.c.Q.   *La restitution des prestations a lieu chaque fois qu'une personne est, en vertu de la loi, tenue de rendre à une autre des biens qu'elle a reçus sans droit ou par erreur, ou encore en vertu d'un acte juridique qui est subséquemment anéanti de façon rétroactive ou dont les obligations deviennent impossibles à exécuter en raison d'une force majeure.*

Le tribunal peut, exceptionnellement, refuser la restitution lorsqu'elle aurait pour effet d'accorder à l'une des parties, débiteur ou créancier, un avantage indu, à moins qu'il ne juge suffisant, dans ce cas, de modifier plutôt l'étendue ou les modalités de la restitution.

Par exemple, si Alice a acheté une voiture neuve et qu'elle l'a utilisée pendant deux ou trois mois, il est évident que le vendeur ne pourra pas la revendre au prix d'une voiture neuve. Dans un tel cas, le tribunal ordonnera à Alice de procéder à la restitution de l'automobile au vendeur mais à ce dernier de conserver à titre d'indemnisation les versements qu'il a reçus.

Par exemple, lorsque Francine achète un meuble et qu'elle fait un dépôt sur cet achat, si, subséquemment, ce contrat est résilié et qu'il y a remboursement de l'acompte, il s'agit d'une restitution des prestations.

1702 C.c.Q.   *Lorsque le bien qu'il rend a subi une perte partielle, telle une détérioration ou une autre dépréciation de valeur, celui qui a l'obligation de restituer est tenu d'indemniser le créancier pour cette perte, à moins que celle-ci ne résulte de l'usage normal du bien.*

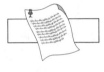

RÉSUMÉ

L'obligation naît du fait que des personnes, en l'occurrence un créancier et un débiteur, vivent un rapport. Une obligation consiste à faire ou à ne pas faire quelque chose.

Un contrat peut être d'adhésion ou de gré à gré, synallagmatique ou unilatéral, à titre onéreux ou gratuit, commutatif ou aléatoire et à exécution instantanée ou successive; il peut aussi être de consommation.

Le contrat se forme par le seul échange de consentement entre des personnes capables de contracter, à moins que la loi n'exige, en outre, le respect d'une forme particulière comme condition nécessaire à sa formation, ou que les parties n'assujettissent la formation du contrat à une forme solennelle.

Pour que le consentement soit valable, il faut non seulement qu'il soit libre et éclairé, mais de plus, il faut que la personne qui contracte soit capable de donner un consentement valable.

Il existe six principales modalités d'obligation: l'obligation conditionnelle, à terme, divisible, indivisible, conjointe et solidaire.

Si un débiteur est en défaut d'exécuter une obligation, le créancier peut lui envoyer une mise en demeure pour lui demander d'exécuter son obligation, à défaut de quoi il prendra généralement des procédures judiciaires pour forcer l'exécution de l'obligation ou pour obtenir des dommages-intérêts.

Lorsqu'un débiteur est en défaut d'exécuter une obligation, le créancier peut demander de forcer l'exécution en nature de l'obligation, obtenir, si l'obligation est contractuelle, la résolution ou la résiliation du contrat ou la réduction de sa propre obligation, ou prendre tout autre moyen que la loi prévoit pour la mise en œuvre de son droit à l'exécution de l'obligation y compris l'exécution d'une clause pénale apparaissant dans un contrat.

Les principaux moyens d'extinction d'une obligation sont le paiement, l'arrivée du terme, la novation, la prescription, la compensation, la confusion, la remise, l'impossibilité d'exécuter et la libération du débiteur.

QUESTIONS

7.1   Qu'est-ce qu'une obligation?

7.2   Qu'est-ce qu'une mise en demeure?

7.3   Qu'est-ce qu'une obligation solidaire entre les débiteurs?

7.4 En quoi les obligations solidaires sont-elles importantes en droit commercial ?

7.5 Quel est le mode d'extinction d'une obligation le plus utilisé ? Pourquoi ?

7.6 Quels sont les trois recours d'un créancier en cas d'inexécution de l'obligation d'un débiteur ? Dans quel cas chacun de ces trois recours doit-il être exercé de préférence aux deux autres ?

7.7 Quelles sont les conditions de validité d'un contrat ?

7.8 Quelles sont les principales règles en matière d'interprétation des contrats ?

CAS PRATIQUES

7.9 Patrick, Madeleine, Irène et Louis se sont associés pour ouvrir un commerce de quincaillerie. Ils ont signé un bail avec Les Galeries de la Capitale pour y installer leur commerce dont le loyer mensuel est de 4 500 $. Huit mois plus tard, l'entreprise fait faillite en laissant un loyer impayé de 27 000 $. Patrick a une valeur nette de 20 000 $, Madeleine de 45 000 $, Irène de 3 000 $ et Louis vient de faire faillite.

Qui doit payer quelle somme aux Galeries de la Capitale ? En vertu de quel principe et de quels articles ? Justifiez votre réponse.

7.10 En se promenant dans les rues de Baie-Saint-Paul, Claire remarque une annonce « À vendre » sur un terrain vacant. Elle téléphone au vendeur, Louis, et lui dit qu'elle désire acheter ce terrain s'il est possible de s'y faire construire une maison. Louis lui répond qu'il s'agit d'un terrain de 775 mètres carrés conforme aux règlements de zonage et de construction de la municipalité de Baie-Saint-Paul et que le prix de vente est de 22 000 $. Claire achète ce terrain et sur le contrat, il est stipulé que ces dimensions sont suffisantes pour permettre l'érection d'une maison conformément aux règlements de zonage et de construction qui existent à Baie-Saint-Paul. Quelques jours plus tard, lorsque Claire se présente au service d'urbanisme de la municipalité de Baie-Saint-Paul pour obtenir son permis de construction, l'inspecteur l'informe qu'il ne peut pas lui accorder le permis de construction demandé, car les normes de superficie applicables à ce secteur sont de 900 mètres carrés. Que peut faire Claire ? Justifiez votre réponse.

7.11 Il y a quinze jours, Juliette a acheté chez Laurier Pontiac Buick une voiture neuve pour la somme de 19 000 $, parce que son père lui a dit qu'il ne lui parlerait plus jamais et qu'il ne l'aimerait plus si elle n'achetait pas cette automobile. Aujourd'hui, Juliette dépose une action en Cour du Québec pour faire annuler ce contrat en invoquant les menaces exercées sur elle par son père. La cour lui donnera-t-elle raison ? Justifiez votre réponse.

7.12 Raymond, âgé de 17 ans et 6 mois, achète la Lada 1992 de sa voisine Chantal pour la somme de 4 500 $ comptant. Quatre mois plus tard, Raymond fait inspecter la voiture pour en connaître l'état. Après l'inspection, le mécanicien l'informe que cette voiture ne vaut pas plus que 500 $. Lorsque Raymond lui dit qu'il l'a payée 4 500 $, le mécanicien lui répond qu'il s'est fait royalement rouler. Quels sont les recours de Raymond ? Justifiez votre réponse.

7.13 Hier, Jacques a signé un contrat de cautionnement pour un inconnu qui le pointait d'une arme à feu. Il menaçait de tuer Jacques si ce dernier ne le cautionnait pas. Jacques, sous l'effet du choc, n'a pas hésité et s'est empressé de signer afin d'avoir la vie sauve. Identifiez la cause du vice de consentement et justifiez votre réponse.

7.14 Sébastien et Diane veulent se marier dans deux mois. Le mois dernier, ils ont fait un contrat de mariage devant leur notaire, Me Louise Grenier. Ils ont choisi le régime matrimonial de la séparation de biens. Même si la célébration n'a pas encore eu lieu, hier, ils sont retournés chez Me Grenier pour un nouveau contrat. Sébastien a fait augmenter le montant des meubles destinés à l'usage du ménage qu'il veut donner à Diane. De plus, les futurs époux ont fait ajouter une clause de donation de 500 $ en argent en faveur de chaque enfant à naître. Quel est l'effet du dernier contrat à l'égard des obligations de Sébastien et Diane. Expliquez pourquoi. Justifiez votre réponse.

7.15 Il y a trois jours, Denise a engagé Rock pour qu'il vole des œuvres d'art du peintre impressionniste Claude Monet. Elles sont exposées au Musée Marmottan à Paris. Rock sera rémunéré sur réception des tableaux. Le contrat intervenu entre Denise et Rock est-il valablement formé. Justifiez votre réponse.

7.16 Récemment, Maurice, Isabelle et Céline ont formé une entreprise pour exploiter un commerce de bande dessinée. Ils ont acheté à crédit une presse pour imprimer les images couleurs. La presse vaut 21 000 $.

7.16.1 Envers leur créancier, s'agit-il d'une obligation conjointe et solidaire ? Justifiez votre réponse.

7.16.2 À quelle personne le vendeur peut-il s'adresser pour le paiement et combien peut-il réclamer de chacun ? Justifiez votre réponse.

7.17 Johanne est partie en vacances. Réal, un voisin aperçoit un voyou en train de commettre un acte de vandalisme. Il fait des graffitis affreux avec des inscriptions obscènes en utilisant un jet de peinture sur les murs de la maison de Johanne. De sa propre initiative, Réal appelle la police et va à la rencontre du voyou pour l'empêcher de fuir et faire davantage de dégâts. Surpris, le malfaiteur se bat avec Réal et lui casse quelques côtes.

7.17.1 Le geste posé par Réal est-il un acte juridique ou un fait juridique ? Justifiez votre réponse.

7.17.2 Identifiez spécifiquement la source de l'obligation de Réal et précisez à l'aide d'un article du *Code civil*.

Chapitre 8

LA RESPONSABILITÉ CIVILE

| **8.0** | **PLAN DU CHAPITRE** |

8.1 Objectifs
8.2 La responsabilité civile
    8.2.1 La responsabilité extracontractuelle
    8.2.2 La responsabilité contractuelle
8.3 Les éléments constitutifs de la responsabilité civile
    8.3.1 Le préjudice causé à autrui
        8.3.1.1 Le préjudice corporel
        8.3.1.2 Le préjudice moral
        8.3.1.3 Le préjudice matériel
    8.3.2 La faute
        8.3.2.1 La faute extracontractuelle
        8.3.2.2 La faute contractuelle
    8.3.3 Le lien de causalité
8.4 La présomption de faute en responsabilité extracontractuelle
    8.4.1 La présomption de faute renversable
        8.4.1.1 La responsabilité du titulaire de l'autorité parentale
        8.4.1.2 La responsabilité du gardien d'un mineur
        8.4.1.3 La responsabilité du gardien d'un bien
        8.4.1.4 La responsabilité du fabricant
    8.4.2 La responsabilité de l'employeur, une présomption de faute non renversable
    8.4.3 La responsabilité sans faute du propriétaire d'un animal
8.5 La compensation d'un préjudice sans égard à la faute
    8.5.1 L'indemnisation des victimes d'accident d'automobile
    8.5.2 L'indemnisation des victimes d'accident de travail
    8.5.3 L'indemnisation des victimes d'actes criminels
    8.5.4 L'indemnisation des victimes de la faillite d'une institution financière
8.6 Certains cas d'exonération de responsabilité
    8.6.1 La force majeure
    8.6.2 La défense dite du bon samaritain
    8.6.3 La divulgation du secret commercial
    8.6.4 La connaissance du risque par la victime
    8.6.5 L'avis d'exonération ou de limitation de responsabilité contractuelle
        8.6.5.1 L'avis en matière de responsabilité contractuelle
        8.6.5.2 L'avis en matière de responsabilité extracontractuelle
    8.6.6 L'acceptation du risque
8.7 Le partage de responsabilité
    8.7.1 La faute contributive de la victime
    8.7.2 La faute collective   →

8.0   PLAN DU CHAPITRE (suite)

8.1   OBJECTIFS

Après la lecture du chapitre, l'étudiant doit être en mesure :

- d'identifier les différents éléments constitutifs de la responsabilité civile ;
- d'identifier les principales présomptions en matière de responsabilité extracontractuelle ;
- d'expliquer les cas dans lesquels la responsabilité d'un employeur est engagée ;
- d'expliquer les moyens d'exonération de responsabilité ;
- d'expliquer les différents cas de partage de responsabilité ;
- d'expliquer les différences entre la prescription extinctive et la prescription acquisitive.

8.2   LA RESPONSABILITÉ CIVILE

Au Québec, il n'y a qu'une seule notion de responsabilité civile ; celle-ci découle de l'inexécution de l'obligation légale de respecter les règles de conduite ou d'une obligation contractuelle. Ainsi, certains comportements ou certaines situations peuvent donner naissance à un préjudice. L'auteur de ce préjudice a l'**obligation** de le réparer et assume ainsi sa **responsabilité civile. Avec le contrat, la responsabilité civile constitue l'une des sources principales d'obligations.**

Notre *Code civil* reconnaît l'existence de deux régimes de responsabilité civile (voir le tableau 8.1). Mais l'existence de ces régimes distincts de responsabilité extracontractuelle et contractuelle ne permet à aucun moment de les confondre. Ainsi, le créancier d'une obligation contractuelle doit poursuivre son débiteur sur la base de la responsabilité contractuelle ; il ne peut opter pour le régime de responsabilité extracontractuelle afin d'obtenir réparation d'un préjudice résultant de l'inexécution d'une obligation. Il n'est pas non plus permis de cumuler les règles des deux régimes de responsabilité dans un même recours. Il est donc essentiel de connaître leur différence et les raisons qui justifient le choix du bon régime devant les tribunaux.

Tableau 8.1 Les régimes de responsabilité civile

Régime	Définition	Exemple
La responsabilité contractuelle	Résulte de l'inexécution d'une obligation contractuelle	Ne pas payer le prix prévu dans un contrat de vente
		Ne pas rendre un objet emprunté en vertu d'un contrat de prêt
		Ne pas payer le prix de location prévu dans un contrat de location
La responsabilité extracontractuelle	Résulte de l'existence d'un préjudice, d'une faute et d'un lien de causalité entre ce préjudice et cette faute	Notre faute – J'échappe un marteau qui blesse un passant
		Nos biens – Une perceuse s'emballe et blesse un ami à qui je l'avais prêtée
		Des personnes sous notre garde – Mon fils casse une vitre chez le voisin
		Notre employé – Un employé met le feu chez un client
		La ruine de notre immeuble – Un visiteur se blesse en passant à travers une marche dans un escalier pourri
		Notre animal – Mon chien mord la voisine

8.2.1 LA RESPONSABILITÉ EXTRACONTRACTUELLE

L'article 1457 du *Code civil* est la clef de voûte de tout le système de la **responsabilité extracontractuelle**, c'est-à-dire de la responsabilité découlant de tout fait ou situation juridique et excluant toute exécution fautive des obligations découlant d'un contrat.

1457 C.c.Q.

*Toute personne a le devoir de **respecter les règles de conduite** qui, suivant les circonstances, les usages ou la loi, s'imposent à elle, **de manière à ne pas causer de préjudice à autrui**. […]*

Le premier alinéa de l'article 1457 impose l'obligation à toute personne de se conduire de manière à ne pas nuire aux autres personnes, tel le fait, entre autres, de ne pas laisser traîner une bicyclette dans l'allée piétonnière qui mène à la maison, de ne pas manipuler négligemment un outil au point de blesser quelqu'un ou de ne pas calomnier une autre personne.

1457 C.c.Q.

*[...] Elle est, lorsqu'elle est **douée de raison** et qu'elle **manque à ce devoir, responsable du préjudice qu'elle cause** par cette **faute à autrui** et **tenue de réparer ce préjudice**, qu'il soit corporel, moral ou matériel. [...]*

Le deuxième alinéa pose le principe selon lequel si votre conduite cause un préjudice à une personne, vous allez devoir réparer ce préjudice. *Par exemple, Jean abat un arbre sur sa propriété, mais il calcule mal le point de chute de l'arbre qui tombe sur la maison de sa voisine Julie et y cause des dommages évalués à 12 000 $. Jean doit réparer ce préjudice et payer la somme de 12 000 $ à Julie.*

Pour qu'il y ait matière à responsabilité, trois éléments sont essentiels. Premièrement, il faut qu'il y ait un **préjudice** ou un **dommage**. *Dans le présent cas, les dommages à la maison sont évalués à 12 000 $.* Deuxièmement, il faut qu'il y ait une **faute**. *Dans ce cas, Jean a sûrement été négligent dans sa manière d'abattre l'arbre.* Troisièmement, il doit exister un **lien de causalité** entre la faute et le préjudice. *Dans le présent cas, c'est parce que Jean a été négligent que l'arbre est tombé sur la maison de Julie y causant pour 12 000 $ de dommages.* Le lien de cause à effet entre le préjudice et la faute est direct.

Donc, les trois éléments que sont le préjudice, la faute et le lien de causalité doivent être présents pour engager la responsabilité extracontractuelle de l'auteur du préjudice et c'est ce qui s'est produit dans le cas de Jean et Julie.

1457 C.c.Q.

[...] Elle est aussi tenue, en certains cas, de réparer le préjudice causé à autrui par le fait ou la faute d'une autre personne ou par le fait des biens qu'elle a sous sa garde.

Le troisième alinéa de ce même article vous impose une responsabilité pour une faute commise par une autre personne sous votre garde, tel un enfant, ou par le fait d'un bien sous votre garde, comme un plateau de sciage dont la lame tourne et qui cause une blessure à Mario, l'enfant du voisin que vous n'avez pas empêché d'approcher du plateau.

8.2.2 LA RESPONSABILITÉ CONTRACTUELLE

1458 C.c.Q.

*Toute personne a le **devoir d'honorer** les **engagements qu'elle a contractés**.*

*Elle est, **lorsqu'elle manque à ce devoir, responsable du préjudice**, corporel, moral ou matériel, qu'elle **cause à son cocontractant** et **tenue de réparer ce préjudice**; ni elle ni le cocontractant ne peuvent alors se soustraire à l'application des règles du régime contractuel de responsabilité pour opter en faveur de règles qui leur seraient plus profitables.*

L'article 1458 du *Code civil* est la clef de voûte de tout le système de la **responsabilité contractuelle**, c'est-à-dire de la responsabilité découlant de l'inexécution d'un contrat ou de l'exécution fautive des obligations d'un contrat.

Par exemple, l'entreprise Constructel inc. avec laquelle vous faites affaire s'est engagée par contrat à vous livrer une maison pour le 20 juin et vous avez annulé votre bail pour le 30 juin et réservé les services d'une compagnie de déménagement en vue d'emménager dans votre nouvelle maison. Imaginons que la construction de la maison n'est pas terminée le 20 juin et qu'il n'est pas possible d'habiter la maison avant le 1er août. Il va de soi que vous devrez vous loger ailleurs en attendant que la maison soit prête et entreposer vos meubles. Cela suppose des coûts supplémentaires. Ces coûts supplémentaires découlent alors du non-respect des obligations contractuelles par Constructel, c'est-à-dire de livrer la maison pour le 20 juin. Constructel devra vous indemniser pour vos dépenses, ce qui signifie vous indemniser pour le préjudice que vous subissez.

Dans le deuxième alinéa, le législateur exige que le cocontractant qui subit un préjudice découlant de l'inexécution des obligations contractuelles poursuive le cocontractant fautif en vertu des dispositions du contrat et de l'article 1458 du *Code civil*. Il ne peut pas poursuivre en vertu des dispositions de l'article 1457 lorsqu'il s'agit d'une violation d'une obligation contractuelle (voir la section 8.2.1, La responsabilité extracontractuelle).

8.3 | LES ÉLÉMENTS CONSTITUTIFS DE LA RESPONSABILITÉ CIVILE

Pour qu'il y ait engagement de la responsabilité civile d'une personne, trois éléments doivent être présents :

- le préjudice causé à autrui ;
- la faute ;
- le lien de causalité.

8.3.1 | LE PRÉJUDICE CAUSÉ À AUTRUI

1607 C.c.Q.

Le créancier a droit à des dommages-intérêts en réparation du préjudice, qu'il soit corporel, moral ou matériel, que lui cause le défaut du débiteur et qui en est une suite immédiate et directe.

Les deux régimes de responsabilité, extracontractuelle et contractuelle, peuvent donner lieu à une compensation du **préjudice subi, qu'il soit corporel, moral ou matériel**. Toute obligation, quelle qu'en soit la source, confère au créancier le droit à des dommages-intérêts. Ces dommages-intérêts sont destinés à compenser le préjudice subi.

De façon générale, le demandeur doit démontrer que le préjudice subi est une suite **directe** et **immédiate** du défaut du débiteur de respecter son obligation ou d'honorer ses engagements, et de se comporter comme l'aurait fait une personne raisonnable et de bonne foi. Le tribunal aura à évaluer les **dommages-intérêts** dus au demandeur.

8.3.1.1 | Le préjudice corporel

Il existe quatre catégories de préjudice corporel ; elles se traduisent en types d'incapacités (voir le tableau 8.2).

Tableau 8.2   Les catégories de préjudice corporel

Type d'incapacité	Exemple
Totale permanente	Paralysie complète des membres
Totale temporaire	Corps plâtré jusqu'au cou
Partielle permanente	Bras coupé
Partielle temporaire	Jambe plâtrée

Dans le tableau 8.2, les types d'incapacités vont de la plus grave à la plus légère. La paralysie totale est certainement un état plus grave que le fait d'avoir une jambe dans le plâtre. La somme d'argent attribuée par le tribunal pour chaque cas est évaluée en fonction de la situation personnelle de chacun. Une grande cicatrice sur la jambe d'un ouvrier de la construction a une valeur monétaire beaucoup plus faible qu'une cicatrice similaire sur la jambe d'un mannequin étoile, puisque cette cicatrice n'empêche pas le premier de gagner sa vie alors que la carrière du mannequin peut être sérieusement compromise.

Notre *Code civil* comprend de nombreux cas où la responsabilité contractuelle peut s'étendre à la sécurité des cocontractants et, dans certains cas, à la compensation du préjudice corporel.

1728 C.c.Q.   *Si le vendeur connaissait le vice caché ou ne pouvait l'ignorer, il est tenu, outre la restitution du prix, de tous les dommages-intérêts soufferts par l'acheteur.*

Le vendeur, qui est le débiteur de l'obligation de garantir la qualité du bien vendu à l'égard des vices cachés, peut être tenu de tous les dommages-intérêts, même du préjudice corporel subi par l'acheteur. *Par exemple, un vendeur de piscine est présumé connaître les vices de la chose vendue, et si le système électrique d'une piscine qu'il a installé n'a pas de disjoncteur avec mise à la terre qui coupe le courant en cas de court-circuit et qu'un acheteur est électrocuté, il doit l'indemniser.*

1828 C.c.Q.   *Le donateur [...] est tenu de réparer le préjudice causé au donataire en raison d'un vice qui porte atteinte à son intégrité physique, s'il connaissait ce vice et ne l'a pas révélé lors de la donation.*

Par exemple, le donateur qui sait qu'une perceuse électrique est défectueuse et qui donne cette perceuse à une personne est également responsable du préjudice subi par cette personne si cette dernière est blessée à la suite d'un choc électrique causé par la défectuosité de la perceuse électrique.

1913 C.c.Q.   *[...] Est impropre à l'habitation le logement dont l'état constitue une menace sérieuse pour la santé ou la sécurité des occupants ou du public, ou celui qui a été déclaré tel par le tribunal ou par l'autorité compétente.*

Par exemple, le locateur qui offre en location un logement impropre à l'habitation dans lequel la vermine court allègrement et où les courants d'air assurent un gel permanent risque fort de se voir poursuivre en dommages-intérêts.

2037 C.c.Q.   *Le transporteur est tenu de mener le passager, sain et sauf, à destination. [...]*

Par exemple, le transporteur qui possède des autobus mal entretenus et dont certaines pièces intérieures tombent sur les passagers est responsable du préjudice causé à ces derniers.

2087 C.c.Q.   *L'employeur doit prendre les mesures appropriées à la nature du travail, en vue de protéger la santé, la sécurité et la dignité du salarié.*

En règle générale, l'employé blessé dans l'exécution de son travail a seulement droit à l'indemnité prévue en vertu de la *Loi sur les accidents du travail et les maladies professionnelles.* Cependant, cette situation peut donner lieu à de graves recours au civil et au pénal si l'employeur n'a pris aucune disposition pour assurer la santé et la sécurité de son employé.

2100 C.c.Q.   *L'entrepreneur et le prestataire de services sont tenus d'agir au mieux des intérêts de leur client, avec prudence et diligence. [...]*

Par exemple, l'entrepreneur en construction doit s'assurer que la maison qu'il construit sera exempte de vices et qu'elle est conforme aux exigences de son client, le tout tel que spécifié dans le contrat.

L'obligation contractuelle s'étend donc à la compensation du préjudice corporel.

8.3.1.2	**Le préjudice moral**

Quelle est la valeur monétaire de la souffrance d'une personne victime d'un accident, de la douleur qui résulte des traitements et des soins médicaux, des problèmes causés par la réadaptation, comme celui de s'habituer à se déplacer en chaise roulante ? Combien valent la perte de jouissance de la vie et l'atteinte à la réputation ? Il s'agit de choses difficiles à évaluer et le tribunal essaie, cas par cas, de déterminer la valeur de ces préjudices. La plupart du temps, à la demande d'une partie, un expert comme un médecin, un psychologue, un ingénieur, un architecte, un entrepreneur, etc. selon la nature du préjudice, procédera à une expertise et son rapport sera transmis au tribunal. La somme peut varier de un dollar à plusieurs millions de dollars, selon l'importance du préjudice.

Par exemple, un avocat réputé est accusé en ondes par un animateur de radio d'être un voleur et un escroc de la pire espèce. Cet avocat, qui avait des revenus qui s'élevaient à plusieurs centaines de milliers de dollars par année, perd par la suite des dizaines de clients, de sorte que son revenu chute à près de 20 000 $. Le préjudice causé par cette diffamation est assez facile à évaluer.

Par ailleurs, une personne qui ne travaille pas et qui demeure à la maison reçoit sur la tête un arbre qui provient du terrain voisin. Le voisin a coupé cet arbre sans prendre les précautions nécessaires pour éviter cet accident. Certes, les soins médicaux sont couverts par la Régie de l'assurance-maladie du Québec, mais qu'en est-il de la douleur, de la souffrance et de la perte de jouissance de la vie que subit cette personne ? Dans ce cas, il est beaucoup plus difficile pour le tribunal d'évaluer ce préjudice, car il n'est pas facilement quantifiable.

8.3.1.3 Le préjudice matériel

Le préjudice matériel est celui qui est le plus facile à **évaluer**, car il suffit d'estimer le coût de réparation d'un bien ou son coût de remplacement, selon le cas. Ainsi, il est facile d'évaluer le coût de la réparation de l'aile d'un camion, le coût de remplacement d'un immeuble détruit par un incendie, le coût de remplacement d'un ordinateur abîmé durant le transport, etc.

8.3.2 LA FAUTE

Les articles 1457 et 1458 du *Code civil* sont le cœur du régime de responsabilité civile québécois. Ils fondent la **responsabilité extracontractuelle** sur la notion de **faute** et la **responsabilité contractuelle** sur le devoir d'honorer les engagements contractés, c'est-à-dire sur la notion de **faute contractuelle**.

La faute repose sur l'application de la notion de **bonne foi**. Ainsi, pour qu'il y ait faute, il est utile de se poser la question suivante : l'auteur du préjudice, ou le contractant, s'est-il comporté d'une manière raisonnable ou a-t-il agi comme le ferait une personne de **bonne foi** ? Lorsque vous vous demandez si votre comportement peut occasionner un préjudice, interrogez-vous sur le comportement qu'adopterait objectivement une autre **personne raisonnable et de bonne foi** dans les mêmes circonstances.

6 C.c.Q.   *Toute personne est tenue d'exercer ses droits civils selon les exigences de la bonne foi.*

7 C.c.Q.   *Aucun droit ne peut être exercé en vue de nuire à autrui ou d'une manière excessive et déraisonnable, allant ainsi à l'encontre des exigences de la bonne foi.*

1457 C.c.Q.   *Toute personne a le devoir de respecter les règles de conduite qui, suivant les circonstances, les usages ou la loi, s'imposent à elle, de manière à ne pas causer de préjudice à autrui. [...]*

Pour être tenue responsable, la personne doit être **douée de raison**. Elle doit être capable de penser, de bien juger et d'appliquer ce jugement à l'action ; elle doit faire preuve de discernement. Les **aliénés mentaux** n'ont pas cette capacité de discernement ou la raison au sens du *Code civil*. Les **enfants âgés de moins de sept ans** n'ont généralement pas cette capacité de discernement ; c'est le juge qui va en décider lors de l'audition de la cause.

Pour ces personnes qui ne peuvent être responsables, ce sont donc d'autres personnes qui devront assumer cette responsabilité. Dans le cas, notamment, du majeur non doué de raison, c'est le tuteur ou le curateur qui devra répondre des actes de ce dernier (voir la section 3.3.2.4, Les régimes de protection du majeur). Toutefois, le tuteur ou le curateur ne peut être tenu responsable du préjudice causé que si la victime établit la preuve d'une faute lourde ou intentionnelle de la part de celle-ci dans l'exercice de la garde.

1461 C.c.Q.   *La personne qui, agissant comme tuteur, curateur ou autrement, assume la garde d'un **majeur non doué de raison** n'est pas tenue de réparer le préjudice causé par le fait de ce majeur, à moins qu'elle n'ait elle-même commis une faute intentionnelle ou lourde dans l'exercice de la garde.*

1462 C.c.Q.   *On ne peut être responsable du préjudice causé à autrui par le fait d'une **personne non douée de raison** que dans le cas où le comportement de celle-ci aurait été autrement considéré comme fautif.*

8.3.2.1 La faute extracontractuelle

Le régime de responsabilité extracontractuelle est fondé tout entier sur le concept de faute, sauf en ce qui concerne la responsabilité du propriétaire ou de l'utilisateur d'un animal, laquelle est basée uniquement sur le fait d'être propriétaire ou utilisateur d'un animal (voir la section 8.4.3, La responsabilité sans faute du propriétaire d'un animal). La faute provient du non-respect des **règles de conduite** selon les circonstances, les usages et la loi qu'une **personne raisonnable** ne peut ignorer. **La faute peut être la conséquence du fait de la personne, de son imprudence, de sa négligence ou de son inhabileté.**

*Par exemple, Gérard, qui répare le balcon de sa maison, échappe un madrier qui blesse Julie, une passante. Gérard a violé son obligation de se conduire en **personne raisonnable** en ne prenant pas les moyens nécessaires pour éviter d'échapper un madrier et de blesser quelqu'un; il a commis une **faute** et il est donc responsable du **préjudice** subi par Julie. C'est un cas de responsabilité extracontractuelle.*

8.3.2.2 La faute contractuelle

L'article 1458 du *Code civil* tient toute personne responsable du préjudice qu'elle cause à son cocontractant **lorsqu'elle manque à son devoir d'honorer les engagements qu'elle a contractés**. Il n'est pas question ici d'une faute au sens de l'article 1457 mais plutôt du non-respect des obligations édictées au contrat (voir la section 8.2.1, La responsabilité extracontractuelle). **Le régime de la responsabilité contractuelle aborde la question de l'obligation contractuelle sous le seul angle du résultat recherché.** Le contractant est tenu d'honorer ses engagements, c'est-à-dire de les remplir entièrement, et s'il ne le fait pas, l'article 1458 nous indique qu'il est, par le fait même, responsable.

Par exemple, si Roch Voisine annule un spectacle qu'il doit donner, il est responsable du préjudice subi par le producteur du spectacle, soit, entre autres, les dépenses engagées pour la publicité, la location de la salle, l'impression, la vente et le remboursement des billets. Ce préjudice découle de la violation, par Roch Voisine, d'une obligation contractuelle: ce dernier devait chanter, mais il a annulé son spectacle.

8.3.3 LE LIEN DE CAUSALITÉ

La notion de lien de causalité exige un lien direct de cause à effet entre le préjudice et la faute. Autrement, il ne pourrait y avoir de responsabilité. *Par exemple, lorsque Élaine coupe un arbre et que ce dernier tombe sur la piscine hors-terre de Jérôme, son voisin, et que la piscine éclate sous la pression de l'arbre, il est évident qu'il existe un lien de causalité clair entre la faute d'Élaine qui a été imprudente dans la coupe de l'arbre et le préjudice causé à Jérôme par la destruction de sa piscine.*

Par exemple, supposons qu'un accident de la route impliquant deux voitures, celles de Johanne et de Denis, se produit sous les yeux de Raymond. Curieux, ce dernier part en courant pour voir les dommages de plus près, mais il ne fait pas attention, traverse la rue, heurte la chaîne de trottoir, tombe par terre et se casse une jambe. Raymond décide de poursuivre Johanne et Denis en alléguant que ses blessures sont le résultat de leur accident, car s'il n'y avait pas eu d'accident, il n'aurait pas traversé la rue ni heurté la chaîne de trottoir et par conséquent, il n'aurait pas été blessé.

Il est évident qu'il n'y a pas de lien de causalité entre le préjudice subi par Raymond et la situation juridique que constitue l'accident provoqué par les voitures de Johanne et de Denis. Raymond n'avait qu'à agir comme une personne prudente et à regarder où il met les pieds ; il est l'artisan de son propre dommage par sa propre négligence.

8.4 LA PRÉSOMPTION DE FAUTE EN RESPONSABILITÉ EXTRACONTRACTUELLE

Il y a cinq régimes de **responsabilité extracontractuelle** qui se distinguent entre eux selon le niveau de **preuve imposée** à celui qui intente une poursuite, c'est-à-dire ce que le poursuivant devra démontrer au tribunal, et selon les **possibilités d'exonération** de celui qui est poursuivi. Ils s'appuient sur la notion de **faute simple** et de **faute lourde ou intentionnelle** (voir le tableau 8.3).

Ainsi, dans certains cas, la victime doit simplement prouver que le défendeur a commis une **faute** que nous allons appeler **faute simple** (voir la section 9.2.3, La preuve par présomption). Le tribunal doit apprécier cette faute selon les règles de conduite qui s'imposent suivant **les circonstances, les usages et la loi**.

Dans certains cas, la victime a un fardeau de preuve plus lourd que celui de démontrer l'existence d'une faute simple ; elle doit faire la preuve que le défendeur a commis une **faute lourde ou intentionnelle**.

1474 C.c.Q.   *[...] la **faute lourde** est celle qui dénote une insouciance, une imprudence ou une négligence grossières. [...]*

Tableau 8.3   La faute simple et la faute lourde ou intentionnelle

La faute simple	Les cas d'application du régime général de responsabilité extracontractuelle (1457 C.c.Q.) Le cas de la responsabilité du propriétaire d'un immeuble qui cause un dommage par sa ruine (1467 C.c.Q.) Le cas de la responsabilité du gardien d'un mineur qui agit gratuitement ou moyennant une récompense (1460 C.c.Q.)
La faute lourde ou intentionnelle	Le cas des tuteurs, curateurs ou gardiens d'un majeur non doué de raison pour le préjudice causé par le fait de ce majeur (1461 C.c.Q.) Le cas des personnes qui portent secours à autrui ou qui disposent gratuitement de biens au profit d'autrui (1471 C.c.Q.)

| 8.4.1 | ## LA PRÉSOMPTION DE FAUTE RENVERSABLE |

Le défendeur peut faire la preuve de son absence de faute ou de la connaissance du danger par la victime. Il s'agit alors d'une présomption renversable. Cette présomption est applicable aux quatre personnes suivantes :

- au titulaire de l'autorité parentale ;
- au gardien d'un mineur ;
- au gardien d'un bien qui cause un préjudice par son fait autonome ;
- au fabricant, distributeur et fournisseur d'un bien à l'égard des dommages extracontractuels.

| 8.4.1.1 | ## La responsabilité du titulaire de l'autorité parentale |

1459 C.c.Q.

> *Le titulaire de l'autorité parentale est tenu de réparer le préjudice causé à autrui par le fait ou la faute du mineur à l'égard de qui il exerce cette autorité, à **moins de prouver qu'il n'a lui-même commis aucune faute dans la garde, la surveillance ou l'éducation du mineur.***
>
> *Celui qui a été déchu de l'autorité parentale est tenu de la même façon, si le fait ou la faute du mineur est lié à l'éducation qu'il lui a donnée.*

Il s'agit ici de la responsabilité des père et mère d'un enfant mineur. Trois conditions doivent être réunies pour que soit mise en œuvre cette présomption :

- la preuve de la faute ou du fait de l'enfant ;
- la preuve de sa minorité au moment du préjudice ;
- la preuve de sa filiation.

À partir de la preuve de ces trois éléments, la faute de surveillance et d'éducation des parents est présumée. Mais ces derniers pourront renverser cette présomption et obtenir leur exonération au moyen d'une preuve d'absence de faute de leur part dans la surveillance et l'éducation de leur enfant.

Ainsi, il est possible de poursuivre et d'obtenir jugement contre un enfant mineur doué de raison si ses parents ont fait la preuve d'absence de faute dans sa surveillance et son éducation (voir la section 8.3.2, La faute).

Notez que le *Code civil* n'exige pas que le demandeur fasse la preuve d'une **faute** de la part de l'enfant mineur non doué de raison, âgé de moins de sept ans ou aliéné mental ; il suffit d'établir qu'un **fait préjudiciable** lui est imputable.

Par exemple, un enfant met le feu à la maison voisine en jouant avec des allumettes. Si ses parents établissent le fait qu'ils ont donné une bonne éducation à leur enfant, qu'ils le surveillent adéquatement et qu'ils lui ont enseigné à ne pas jouer avec des allumettes car cela est dangereux, ils peuvent être exonérés de toute responsabilité puisqu'ils renversent, de cette façon, la présomption de responsabilité qui pèse sur eux.

| 8.4.1.2 | ## La responsabilité du gardien d'un mineur |

1460 C.c.Q.

> *La personne qui, sans être titulaire de l'autorité parentale, se voit confier, par délégation ou autrement, la garde, la surveillance ou l'éducation d'un mineur est tenue, de la même manière que le titulaire de l'autorité parentale, de réparer le préjudice causé par le fait ou la faute du mineur.*

Les règles du *Code civil*, en matière de responsabilité permettent ainsi à tous ceux à qui les parents confient la garde, la surveillance ou l'éducation de leur enfant mineur, c'est-à-dire un **enseignant**, un **éducateur de la garderie**, un **moniteur de terrain**

de jeux, un **administrateur de camps de vacances**, un **entraîneur sportif**, etc., **d'être exonérés de toute responsabilité s'ils prouvent qu'ils n'ont pas commis une faute dans la garde, la surveillance ou l'éducation du mineur.**

Trois conditions doivent être réunies pour que soit mise en œuvre cette présomption :

- la preuve de la faute ou du fait de l'enfant ;

- la preuve de sa minorité au moment du préjudice ;

- la preuve de sa garde.

À partir de la preuve de ces trois éléments, la faute de surveillance et d'éducation du gardien est présumée. Mais ce dernier pourra renverser cette présomption et obtenir son exonération au moyen d'une preuve d'absence de faute de sa part dans la surveillance et les instructions qu'il transmettait à l'enfant dont il avait la garde.

Par exemple, Charles est instituteur dans une école primaire. Il organise une visite au Musée du Québec pour ses 35 élèves. Il est le seul employé de la commission scolaire présent lors de la visite du musée. Plusieurs enfants se sauvent un peu partout dans le musée et certains cassent des objets exposés. Charles est responsable des dommages causés par ses élèves. Il a lui-même commis une faute, car il aurait dû les surveiller plus étroitement et ne pas faire cette visite sans être accompagné d'au moins trois ou quatre autres personnes pour l'aider à s'occuper de ses élèves.

Si effectivement, il y avait eu cinq personnes pour surveiller ces 35 élèves, si des consignes très strictes leur avaient été données et si les cinq personnes avaient encadré le groupe pour éviter que certains élèves puissent échapper à toute surveillance, alors il n'y aurait pas eu de faute de commise de la part du gardien du mineur. Si, malgré tout, un élève avait échappé à leur surveillance et brisé un objet, ces cinq personnes auraient pu prouver qu'elles avaient pris toutes les mesures nécessaires, qu'elles avaient agi en personnes raisonnables, qu'elles avaient exercé une surveillance étroite et qu'il leur eût été absolument impossible d'empêcher le fait préjudiciable. Par conséquent, elles n'auraient pas été tenues responsables.

Cette présomption cesse dans le cas où l'enfant placé sous la surveillance d'un gardien atteint la majorité. D'autre part, ceux qui gardent des enfants à la maison de façon occasionnelle et moyennant une faible rémunération échappent à cette présomption :

1460 C.c.Q.

> *[…] Toutefois, elle [la personne qui garde] n'y est tenue, lorsqu'elle agit gratuitement ou moyennant une récompense, que s'il est prouvé qu'elle a commis une faute.*

Dans ce cas, il faudra prouver une faute de la part du gardien dans l'exercice de la garde de l'enfant. *Par exemple, Raymond, père d'un garçon de 9 ans, Stéphane, demande à Julie, âgée de 19 ans, pour garder Stéphane à la maison samedi soir pendant qu'il assistera à une partie de base-ball avec son épouse Geneviève. Durant la soirée, Julie invite son petit ami Bernard et ils passent la soirée ensemble en amoureux à regarder la télévision, à manger des chips et autres choses de même nature. Julie prend pour acquis que Stéphane restera dans sa chambre et elle ne s'occupe pas de lui. Stéphane en profite pour sortir de la maison et aller casser quelques vitres chez les voisins. Louis, un voisin réussit à attraper Stéphane et se rend à la maison de Raymond pour lui ramener son fils. En constatant l'absence de Raymond, il décide de l'attendre. Au retour de Raymond, Louis lui explique que son fils Stéphane a cassé des vitres chez les voisins mais Raymond lui répond qu'il avait confié la garde de Stéphane à Julie. Dans ce cas, il est évident que Julie est responsable car elle a commis une faute en ne se conduisant pas en gardienne responsable car elle n'a pas surveillé Stéphane comme elle le devait. Julie devra donc réparer le préjudice causé par Stéphane à ses voisins en payant le coût de la réparation des vitres.*

8.4.1.3 La responsabilité du gardien d'un bien

1465 C.c.Q.
> *Le gardien d'un **bien** est tenu de réparer le préjudice causé par le fait autonome de celui-ci, à moins qu'il prouve n'avoir commis aucune faute.*

Par exemple, Philippe prête une perceuse électrique défectueuse à Francine et cette dernière se blesse en l'utilisant; Philippe est responsable du préjudice subi par Francine.

Un objet inanimé, tel un marteau, un tournevis ou une scie, ne peut généralement pas causer un quelconque préjudice, car l'objet est inanimé, à moins que l'objet ait un vice et que l'emprunteur se blesse en l'utilisant.

Une scie circulaire est un objet animé, mais si elle est en bon état et que l'emprunteur se blesse en raison de son inexpérience ou de son inhabileté, le prêteur n'est pas responsable, car il n'a pas commis de faute.

1467 C.c.Q.
> *Le propriétaire, sans préjudice de sa responsabilité à titre de gardien, est tenu de réparer le préjudice causé par la ruine, même partielle, de son immeuble, qu'elle résulte d'un défaut d'entretien ou d'un vice de construction.*

Comme nous l'avons vu précédemment (voir le chapitre 6, Les biens), un **bien** peut être un **immeuble** ou un **meuble**. Aussi, la victime d'un préjudice causé par la ruine d'un immeuble peut non seulement bénéficier du régime de responsabilité établi à l'article 1467 du *Code civil*, mais elle peut également bénéficier de la présomption de l'article 1465.

Par exemple, les gouttières d'un bâtiment qui appartient à Juliette ballottent au vent. Si les gouttières tombent sur un passant, Juliette est responsable du préjudice subi par le passant, car elle est propriétaire de l'immeuble et elle doit voir à son bon entretien. Il appartient cependant à la victime de prouver que la ruine de l'immeuble est la cause de ce préjudice. Si Juliette est gardien du bâtiment, il sera plus simple de la poursuivre en vertu de l'article 1465 du Code civil. La victime bénéficie alors de la présomption de faute qui pèse sur le gardien.

Dans un deuxième exemple, Laurent est propriétaire d'une maison. En lui rendant visite, Marcelle passe à travers le balcon. Après examen des lieux, il appert que l'entrepreneur a oublié d'installer des croix de Saint-André entre les solives. Même si la faute est théoriquement celle de l'entrepreneur, Marcelle doit poursuivre Laurent, car l'article 1467 du Code civil dit que c'est le propriétaire d'un édifice qui est responsable du préjudice causé par un vice de construction. Évidemment, Laurent peut, par la suite, poursuivre l'entrepreneur en construction pour vice de construction et lui réclamer, en plus du coût de la réparation, le montant de l'indemnité payée à Marcelle.

8.4.1.4 La responsabilité du fabricant

Les fabricants ainsi que les vendeurs professionnels, les détaillants, les grossistes et les autres distributeurs sont visés par la responsabilité établie par les articles 1468, 1469 et 1473 du *Code civil*. Il ne faut pas oublier que la responsabilité du fabricant peut découler du régime contractuel comme du régime extracontractuel.

En matière de **responsabilité contractuelle** du fabricant et du vendeur professionnel, leur responsabilité est engagée, **même sans faute de leur part**, car ils sont présumés connaître le vice caché d'un bien qu'ils ont vendu (voir la section 10.2.4.2, L'obligation de garantie); il s'agit tout simplement de la garantie légale, attachée à tout contrat de vente ainsi que de la garantie conventionnelle que les parties ont pu négocier.

En matière de **responsabilité extracontractuelle** du fabricant et du vendeur professionnel, leur responsabilité est engagée lorsqu'il y a **défaut de sécurité** du bien. *Par exemple, un moteur mal conçu dont l'une des nombreuses courroies se désengage régulièrement de sa poulie et risque de blesser l'opérateur ou toute personne se trouvant à proximité du moteur est affecté d'un défaut de sécurité.*

1468 C.c.Q.   *Le fabricant d'un bien meuble, même si ce bien est incorporé à un immeuble ou y est placé pour le service ou l'exploitation de celui-ci, est tenu de réparer le préjudice causé à un tiers par le défaut de sécurité du bien.*

Il en est de même pour la personne qui fait la distribution du bien sous son nom ou comme étant son bien et pour tout fournisseur du bien, qu'il soit grossiste ou détaillant, ou qu'il soit ou non l'importateur du bien.

1469 C.c.Q.   *Il y a **défaut de sécurité** du bien lorsque, compte tenu de toutes les circonstances, le bien n'offre pas la sécurité à laquelle on est normalement en droit de s'attendre, notamment en raison d'un vice de conception ou de fabrication du bien, d'une mauvaise conservation ou présentation du bien ou, encore, de l'absence d'indications suffisantes quant aux risques et dangers qu'il comporte ou quant aux moyens de s'en prémunir.*

Le législateur a cependant prévu un cas d'exonération très important et qui permet ainsi de vendre des biens qui ne sont peut-être pas parfaitement sécuritaires. *Par exemple, un commerçant peut vendre un camion défectueux à une autre entreprise en lui signalant les défauts ; l'acheteur est ainsi au courant des vices qui affectent ce bien et paie sûrement un prix beaucoup plus bas compte tenu de l'état du bien.*

1473 C.c.Q.   *Le fabricant, distributeur ou fournisseur d'un bien meuble n'est pas tenu de réparer le préjudice causé par le défaut de sécurité de ce bien s'il prouve que la victime connaissait ou était en mesure de connaître le défaut du bien, ou qu'elle pouvait prévoir le préjudice. [...]*

Par contre, le législateur a cru bon de préciser ce qui arrive lorsque l'état des connaissances techniques, à la date de fabrication du bien, ne permet pas de déterminer que ce bien peut être dangereux ? Le fabricant est exonéré, mais il doit rapidement divulguer l'information dès qu'il connaît les dangers que représente le bien. Sans cela, il peut être poursuivi et accusé d'avoir négligé de renseigner sa clientèle sur les dangers potentiels du bien.

1473 C.c.Q.   *[...] Il n'est pas tenu, non plus, de réparer le préjudice s'il prouve que le défaut ne pouvait être connu, compte tenu de l'état des connaissances, au moment où il a fabriqué, distribué ou fourni le bien et qu'il n'a pas été négligent dans son **devoir d'information** lorsqu'il a eu connaissance de l'existence de ce défaut.*

Trois conditions doivent être réunies pour que soit mise en œuvre la présomption en faveur de la victime :

- la preuve d'un préjudice causé à la victime ;

- la preuve de l'existence d'un défaut de sécurité ;

- la preuve d'un lien de causalité entre le défaut de sécurité et le préjudice subi.

Cette présomption peut être renversée s'il est démontré que la victime connaissait ou pouvait connaître le défaut de sécurité du bien. Ainsi, il sera établi qu'elle a commis une faute en utilisant ou en manipulant le bien. Elle est en quelque sorte l'auteur de son propre malheur.

8.4.2 LA RESPONSABILITÉ DE L'EMPLOYEUR, UNE PRÉSOMPTION DE FAUTE NON RENVERSABLE

1463 C.c.Q.   *Le commettant est tenu de réparer le préjudice causé par la faute de ses préposés dans l'exécution de leurs fonctions ; il conserve, néanmoins, ses recours contre eux.*

L'employeur est responsable du préjudice causé par son employé dans l'exécution de ses fonctions.

Il faut se souvenir d'un point très important en ce qui concerne le préjudice extracontractuel : l'employeur ou commettant ne peut se dégager de sa responsabilité, contrairement au titulaire de l'autorité parentale, au gardien d'un mineur, au gardien d'un bien qui cause un préjudice par son fait autonome et au fabricant, au distributeur et au fournisseur d'un bien.

Évidemment, si l'employé n'est pas dans l'exécution de ses fonctions, l'employeur ne peut pas être tenu responsable. *Par exemple, si Daniel, un employé de Renée Jobin, entrepreneur électricien inc., effectue du travail au noir, le soir, et qu'il cause un préjudice à Fernand, ce dernier ne peut pas poursuivre Renée Jobin, entrepreneur électricien inc., puisque Daniel n'était pas dans l'exécution de ses fonctions au moment de l'accident. Fernand doit poursuivre personnellement Daniel en vertu des articles 1457 ou 1458 du* Code civil.

Par contre, imaginons Daniel toujours au service de Renée Jobin, entrepreneur électricien inc. À la suite d'un appel téléphonique, Renée envoie Daniel chez Maurice pour effectuer une réparation. En réparant le système électrique, Daniel provoque un court-circuit et la maison de Maurice est entièrement détruite par un incendie. L'entreprise Renée Jobin, entrepreneur électricien inc. est responsable du préjudice causé par Daniel.

Cinq conditions doivent être réunies pour que soit mise en œuvre la présomption en faveur de la victime. Il faut :

- un préjudice causé à autrui ;
- une faute personnelle de l'employé ;
- un lien de causalité entre la faute et le préjudice ;
- un lien d'emploi entre l'employeur et l'employé ;
- un employé dans l'exécution de ses fonctions.

Cette présomption ne peut être renversée. Ainsi, l'employeur est tenu de réparer le préjudice et il ne peut échapper à sa responsabilité en démontrant son absence de faute personnelle. Il peut toutefois se retourner contre son employé pour se faire rembourser entièrement des sommes payées à la victime.

| 8.4.3 | ### LA RESPONSABILITÉ SANS FAUTE DU PROPRIÉTAIRE D'UN ANIMAL |

Il existe un cas où le demandeur n'a pas à démontrer l'existence d'une faute ; il s'agit du cas de la **responsabilité du propriétaire ou de l'utilisateur d'un animal**.

1466 C.c.Q.

> *Le propriétaire d'un animal est tenu de réparer le préjudice que l'animal a causé, soit qu'il fût sous sa garde ou sous celle d'un tiers, soit qu'il fût égaré ou échappé.*
>
> *La personne qui se sert de l'animal en est aussi, pendant ce temps, responsable avec le propriétaire.*

Le propriétaire et l'utilisateur d'un animal sont dans une situation très particulière ; il leur est impossible d'échapper à leur responsabilité en démontrant leur absence de faute. Seule la preuve d'une force majeure, d'une faute de la victime ou d'un tiers peut permettre au défendeur d'échapper à sa responsabilité. Même si l'animal s'est égaré ou échappé, la responsabilité de son gardien sera retenue.

Le principe est simple : **en tout temps, le propriétaire d'un animal est responsable du dommage causé par celui-ci.**

Par exemple, Nicole se rend chez son ami Charles avec son chat et ce dernier griffe gravement Antoine, le fils de Charles. Nicole est responsable du préjudice causé par son chat, car elle en est la propriétaire.

Par exemple, Conrad prête son chien de chasse à Oscar, et pendant la chasse, le chien pénètre dans un poulailler appartenant à Paule et tue une dizaine de poules. Paule peut poursuivre Oscar, car ce dernier, en tant qu'utilisateur du chien, est responsable du préjudice causé par celui-ci.

Par exemple, Francine possède une maison et un chien. Ce dernier est attaché et la clôture qui entoure son terrain n'a que 30 centimètres de hauteur. De plus, il y a une affiche devant la maison où il est inscrit: « CHIEN MÉCHANT ». Un enfant pénètre dans la cour et il est mordu par le chien. Francine est responsable du préjudice causé à l'enfant. Pour se protéger, Francine aurait dû installer une clôture d'au moins 1,50 mètre avec une porte fermée à clef pour empêcher une personne raisonnable d'avoir facilement accès à la cour.

Si la clôture est pleine, il n'est peut-être pas nécessaire d'attacher le chien, mais si la clôture est ajourée, il faut attacher le chien de manière à ce qu'il ne puisse mordre les doigts d'un enfant à travers les fentes de la clôture.

8.5 LA COMPENSATION D'UN PRÉJUDICE SANS ÉGARD À LA FAUTE

Il existe un certain nombre de cas où l'État intervient pour enlever toute notion de faute et de responsabilité et confier l'indemnisation des victimes à un organisme créé par l'État. Il s'agit de régimes similaires à celui de l'assurance. La compensation est assurée sans égard à la faute de quiconque.

8.5.1 L'INDEMNISATION DES VICTIMES D'ACCIDENT D'AUTOMOBILE

Un automobiliste qui subit des blessures corporelles dans un accident de la route est indemnisé par la Société de l'assurance automobile du Québec.

8.5.2 L'INDEMNISATION DES VICTIMES D'ACCIDENT DE TRAVAIL

Un travailleur victime d'un accident de travail est indemnisé par la Commission de la santé et de la sécurité du travail en vertu des dispositions de la *Loi sur les accidents du travail et les maladies professionnelles*.

8.5.3 L'INDEMNISATION DES VICTIMES D'ACTES CRIMINELS

La victime d'un acte criminel est également indemnisée par la Commission de la santé et de la sécurité du travail pour le préjudice subi. Notez que le dépôt par la victime d'une demande en vertu de cette loi ne lui fait pas perdre le droit d'intenter un recours pour le surplus contre le responsable de l'acte criminel, en vertu des règles du droit commun pour la différence entre le montant reçu de la commission et le montant du préjudice que la victime évalue.

8.5.4 L'INDEMNISATION DES VICTIMES DE LA FAILLITE D'UNE INSTITUTION FINANCIÈRE

Une personne qui perd ses économies à la suite de la faillite d'une institution financière est indemnisée par la Régie de l'assurance-dépôts du Québec ou par la Société d'assurance-dépôts du Canada, jusqu'à concurrence de 60 000 $, selon que l'institution qui a fait faillite était assurée auprès de la régie québécoise ou de la société canadienne.

8.6 CERTAINS CAS D'EXONÉRATION DE RESPONSABILITÉ

Une personne poursuivie en dommages-intérêts peut invoquer un certain nombre de moyens pour tenter de diminuer sa responsabilité ou de s'en décharger totalement (voir le tableau 8.4).

Tableau 8.4   Les moyens d'exonération de la responsabilité civile

Moyen	Exemple
La force majeure	Un arbre situé sur le terrain de Paul a été déraciné par un ouragan et a brisé la piscine de Marie-France
La défense du bon samaritain	À la suite d'une panne d'électricité, Provigo fait cadeau à la Maison de l'Auberivière, un organisme de charité, de tous les aliments décongelés. Malheureusement, il en résulte une intoxication alimentaire
La divulgation du secret commercial	Un employé d'une compagnie fabriquant des contenants en plastique révèle qu'un nouveau contenant est très toxique pour l'environnement
L'avis d'exclusion ou de limitation de responsabilité	Il est écrit sur une affiche dans un restaurant : « Le restaurant n'est pas responsable des manteaux laissés au vestiaire »
L'acceptation du risque	Un spectateur à une partie de hockey reçoit une rondelle au visage

8.6.1 LA FORCE MAJEURE

1470 C.c.Q.

Toute personne peut se dégager de sa responsabilité pour le préjudice causé à autrui si elle prouve que le préjudice résulte d'une force majeure, à moins qu'elle ne se soit engagée à le réparer.

La force majeure est un événement imprévisible et irrésistible*; y est assimilée la cause étrangère qui présente ces mêmes caractères.*

La force majeure est un moyen d'exonération qui est applicable tant en matière extracontractuelle que contractuelle.

Par exemple, une inondation énorme et soudaine, un violent tremblement de terre ou un autre cataclysme naturel de même nature et de même importance peut expliquer la chute de l'arbre situé sur le terrain de Claudia sur la piscine de Micheline. Cependant, si l'arbre est pourri et que Claudia a négligé de le couper, elle peut être tenue responsable du préjudice causé à Micheline par la destruction de sa piscine.

La jurisprudence nous permet de déterminer qu'une défense de force majeure doit respecter certaines conditions, à savoir qu'il s'agit d'**une cause extérieure, imprévisible, irrésistible et qui met l'autre partie dans l'impossibilité absolue d'exécuter l'obligation**.

8.6.2 LA DÉFENSE DITE DU BON SAMARITAIN

1471 C.c.Q.

La personne qui porte secours à autrui ou qui, dans un but désintéressé, dispose gratuitement de biens au profit d'autrui est exonérée de toute responsabilité pour le préjudice

qui peut en résulter, à moins que ce préjudice ne soit dû à sa faute intentionnelle ou à sa faute lourde.

Toute personne qui le peut doit venir en aide à celui dont la vie est en péril. La personne qui porte secours à autrui ou qui donne des biens dans un but désintéressé est exonérée de toute responsabilité à moins d'une preuve de faute lourde ou intentionnelle de sa part.

Par exemple, Louis est victime d'un accident d'automobile au cours duquel il est gravement blessé et sa voiture est la proie des flammes. Johanne, une passante, lui porte secours et le sort de la voiture pour éviter qu'il périsse dans l'incendie. Malheureusement, en le sortant du véhicule, Johanne fracture le bras de Louis. Dans ce cas, Johanne est protégée, car le législateur a voulu encourager l'entraide et la solidarité humaine avec les personnes les plus démunies ou celles qui sont placées momentanément dans une situation de détresse.

De plus, l'article 1471 du *Code civil* encourage, *par exemple, les entreprises de production ou de distribution alimentaire comme Provigo à faire don de leurs aliments défraîchis mais encore comestibles de manière à venir en aide aux démunis. En exonérant les entreprises, comme Provigo, de toute poursuite pouvant découler d'une intoxication alimentaire, le législateur les encourage à faire preuve d'altruisme.*

8.6.3 — LA DIVULGATION DU SECRET COMMERCIAL

1472 C.c.Q.

Toute personne peut se dégager de sa responsabilité pour le préjudice causé à autrui par suite de la divulgation d'un secret commercial si elle prouve que l'intérêt général l'emportait sur le maintien du secret et, notamment, que la divulgation de celui-ci était justifiée par des motifs liés à la santé ou à la sécurité du public.

Il est ici question de brevets ou de procédés secrets de fabrication. Il peut également s'agir non seulement du fait de porter à l'attention du public ou des autorités la présence d'un danger caché ou latent, mais également de la divulgation de l'existence d'une solution à un problème qui affecte, par exemple, la santé ou la sécurité du public, si cette solution a été jusque-là gardée secrète pour des motifs commerciaux.

Par exemple, si un biochimiste à l'emploi de Dow Corning avait décidé de publier les études démontrant que la prothèse «Meme» servant à augmenter le volume des seins constituait un danger pour la santé des femmes, il va de soi que l'article 1472 du Code civil *aurait protégé ce biochimiste, car l'information qu'il aurait divulguée est une information liée à la santé ou à la sécurité du public.* On peut donc constater que l'État prend les dispositions nécessaires afin d'assurer une plus grande sécurité au public.

8.6.4 — LA CONNAISSANCE DU RISQUE PAR LA VICTIME

1473 C.c.Q.

Le fabricant, distributeur ou fournisseur d'un bien meuble n'est pas tenu de réparer le préjudice causé par le défaut de sécurité de ce bien s'il prouve que la victime connaissait ou était en mesure de connaître le défaut du bien, ou qu'elle pouvait prévoir le préjudice. [...]

Le législateur a également prévu un cas d'exonération très important qui permet à un fabricant, à un distributeur ou à un fournisseur de vendre des biens qui ne sont peut-être pas parfaitement sécuritaires. Ainsi, un commerçant peut vendre un camion défectueux à une autre entreprise en lui signalant les défauts et l'acheteur connaît ainsi les vices qui affectent ce bien.

Trois conditions doivent être réunies pour qu'existe la présomption en faveur de la victime :

- la preuve d'un préjudice subi par la victime ;
- la preuve de l'existence d'un défaut de sécurité ;
- la preuve d'un lien de causalité entre le défaut de sécurité et le préjudice.

Cette présomption pourra être renversée s'il est démontré que la victime connaissait ou pouvait connaître le défaut de sécurité du bien. Ainsi, il sera établi qu'elle a été fautive dans l'utilisation ou la manipulation du bien.

| 8.6.5 | L'AVIS D'EXONÉRATION OU DE LIMITATION DE RESPONSABILITÉ CONTRACTUELLE |

1474 C.c.Q.

> *Une personne ne peut exclure ou limiter sa responsabilité pour le préjudice matériel causé à autrui par une faute intentionnelle ou une faute lourde ;* **la faute lourde est celle qui dénote une insouciance, une imprudence ou une négligence grossières.**
>
> *Elle ne peut aucunement exclure ou limiter sa responsabilité pour le préjudice corporel ou moral causé à autrui.*

Nul ne peut exclure sa responsabilité lorsqu'il commet une faute lourde ou intentionnelle.

Par exemple, Germain exploite un stationnement pour automobiles. Lucie, une cliente, laisse sa Cavalier au stationnement de Germain pour la soirée. Germain remet à Lucie un billet de stationnement sur lequel il est clairement indiqué qu'il n'est pas responsable des dommages causés aux véhicules qui sont sous sa garde. Cependant, si son employé s'amuse à faire des courses de « stock-car » parmi les voitures et qu'il endommage la Cavalier de Lucie, Germain est responsable, car il s'agit d'une faute lourde.

De même, si Germain s'amuse à crever les pneus de la Cavalier de Lucie pour calculer le temps que prend un pneu à se dégonfler, il s'agit d'une faute intentionnelle.

Il est facile de comprendre pourquoi, dans ces deux cas, le législateur ne permet pas à l'auteur du préjudice d'exclure ou de limiter sa responsabilité ; c'est une question de gros bon sens. Il serait contraire à l'ordre public qu'une personne puisse impunément nuire volontairement ou par grave négligence à autrui.

| 8.6.5.1 | **L'avis en matière de responsabilité contractuelle** |

1475 C.c.Q.

> *Un avis, qu'il soit ou non affiché, stipulant l'exclusion ou la limitation de l'obligation de réparer le préjudice résultant de l'inexécution d'une obligation contractuelle n'a d'effet, à l'égard du créancier, que si la partie qui invoque l'avis prouve que l'autre partie en avait connaissance au moment de la formation du contrat.*

Cet article du *Code civil* est celui qui prévaut en ce qui a trait aux avis d'exclusion ou de limitation de responsabilité.

Il est courant de voir à l'entrée d'un vestiaire public la mise en garde suivante : « La direction n'est pas responsable du vol ou de la perte des vêtements laissés au vestiaire » ou « L'utilisation du vestiaire est au risque du client et la direction se dégage de toute responsabilité en cas de vol ou de perte. »

En plus d'afficher cet avis très visiblement, le commerçant doit prouver que le client en a réellement eu connaissance au moment d'y laisser ses affaires, ce qui n'est pas toujours évident, car le préposé au vestiaire ne mentionne généralement pas l'existence de cet avis au client.

De plus, même avec la présence d'un avis, si le client doit payer pour utiliser le vestiaire, le commerçant peut être tenu responsable s'il n'a pas informé le client de cet avis et s'il a commis une faute lourde ou intentionnelle.

Un avis ou une mise en garde du même genre se retrouve sur les billets des stationnements publics ; l'exploitant se dégage généralement de toute responsabilité en ce qui concerne les dommages causés aux véhicules. Évidemment, s'il est possible de prouver la négligence grossière ou la faute de l'exploitant du stationnement ou encore de son employé, une poursuite peut être gagnée, mais la preuve n'est pas toujours facile.

Les tribunaux québécois appliquent certaines restrictions ou conditions aux clauses d'exonération ou de limitation de la responsabilité contractuelle. Ces conditions sont au nombre de cinq :

- la preuve de la connaissance et de l'acceptation de la clause d'exonération ou de limitation de responsabilité ;
- l'interprétation restrictive des clauses d'exonération ou de limitation de responsabilité ;
- l'exclusion de la clause dans les cas où le dommage a été causé par une faute intentionnelle ou lourde ;
- la violation de l'obligation principale du contrat ;
- l'interdiction de la possibilité d'exclure ou de limiter sa responsabilité à raison du préjudice corporel ou moral.

8.6.5.2   L'avis en matière de responsabilité extracontractuelle

1476 C.c.Q.

> *On ne peut, par un avis, exclure ou limiter, à l'égard des tiers, son obligation de réparer ; mais, pareil avis peut valoir dénonciation d'un danger.*

Il s'agit ici de la deuxième disposition du *Code civil* qui prévaut en ce qui a trait aux avis d'exclusion ou de limitation de responsabilité, mais cette fois en matière extracontractuelle.

L'article 1476 du *Code civil* fait référence à une pratique courante en matière de responsabilité extracontractuelle, soit celle d'afficher très visiblement un avis ou une mise en garde indiquant la possibilité d'un accident, dans le but de limiter sa responsabilité. *Par exemple, un avis sur un mur qui indique aux passants de faire attention à la glace qui peut tomber du toit. Un tel avis ne peut modifier la responsabilité de celui qui le donne, mais peut constituer un avertissement aux tiers les prévenant de l'existence d'un danger et qui oblige ceux qui en prennent connaissance à être prudents.*

Une personne ne peut donc prétendre se soustraire à sa responsabilité extracontractuelle au moyen d'affiches ou d'avis publics, puisque de tels moyens n'engagent personne et ne peuvent avoir les effets d'un contrat. Le tribunal décidera si le fait d'avoir prévenu la victime du danger potentiel dégage le défendeur de toute responsabilité, entraîne un partage de la responsabilité ou encore déclare que le défendeur est responsable parce que l'avis était insuffisant dans les circonstances.

Il s'agit donc d'une question d'appréciation laissée à la discrétion du tribunal qui tiendra compte dans son jugement des circonstances particulières à l'affaire, de la visibilité de l'avis et du contenu de cet avis.

8.6.6   L'ACCEPTATION DU RISQUE

1477 C.c.Q.

> *L'acceptation de risques par la victime, même si elle peut, eu égard aux circonstances, être considérée comme une imprudence, n'emporte pas renonciation à son recours contre l'auteur du préjudice.*

Il existe trois conditions principales pour que soit mise en œuvre la notion d'acceptation du risque :

- l'existence d'un risque clair ;
- la preuve de la connaissance du risque par la victime ;
- une acceptation formelle ou tacite de sa part.

Il s'agit d'une situation fréquente dans les activités sportives. *Par exemple, lors d'une partie de hockey, il arrive souvent qu'une rondelle soit projetée accidentellement dans la foule par un joueur et blesse un spectateur. Même si la victime conserve son recours contre l'auteur du préjudice, elle a l'obligation de prouver la faute lourde ou intentionnelle de l'auteur du préjudice, ce qui n'est pas toujours facile. En pratique, il y a de fortes chances que son action soit rejetée par le tribunal.*

8.7   LE PARTAGE DE RESPONSABILITÉ

1478 C.c.Q.   *Lorsque le préjudice est causé par plusieurs personnes, la responsabilité se partage entre elles en proportion de la gravité de leur faute respective. [...]*

Par exemple, Jean et Sylvie décident de couper un arbre. À deux et à la hache, ils s'attaquent résolument à l'arbre. Ce dernier est rapidement abattu mais, dans leur hâte, ils ont mal évalué la trajectoire de la chute de l'arbre qui s'abat sur la voiture de leur voisine Clémence, y causant pour 3 000 $ de dommages. Comme il n'est pas possible de séparer la part de responsabilité de Jean et de Sylvie dans un tel cas, chacun doit assumer 50 % des dommages, soit une somme de 1 500 $ (voir la section 8.7.2, La faute collective).

Dans le cas présent, il est évident que Sylvie et Jean partagent également le préjudice subi par Clémence, et le tribunal se doit de prononcer un jugement dans lequel il partage la responsabilité en deux parts égales. Cependant, si Sylvie s'était contentée de donner des conseils à Jean sur l'orientation des coups de hache à donner, le tribunal aurait pu évaluer à 25 % la responsabilité de Sylvie et à 75 % celle de Jean.

Lorsque le préjudice est causé par plusieurs personnes, le tribunal doit apprécier à sa juste valeur le rôle de chaque personne dans la faute qui a causé le préjudice. Chaque cas est un cas d'espèce et le jugement du tribunal varie en conséquence.

1479 C.c.Q.   *La personne qui est tenue de réparer un préjudice ne répond pas de l'aggravation de ce préjudice que la victime pouvait éviter.*

La victime a toujours l'obligation de minimiser les dommages résultant du préjudice qu'elle a subi.

Par exemple, Construifor n'a pas terminé la construction de la maison d'Albert et ce dernier a dû s'installer à l'hôtel pour quelques jours. Plutôt que d'opter pour un hôtel à 50 $ par nuit, Albert décide de louer une chambre à 250 $ par nuit au Château Frontenac. Vingt jours plus tard, la maison est prête et Albert y emménage. Il poursuit maintenant Construifor pour la somme de 5 000 $, soit le coût total de son hébergement au Château Frontenac. Construifor peut certainement baser sa défense sur le fait qu'Albert n'a pas essayé de minimiser son préjudice, mais qu'il a plutôt tenté de se payer trois semaines de grand luxe à l'hôtel. Le tribunal réduira certainement la demande d'Albert à une somme de près de 1 000 $, soit l'équivalent d'une facture de 20 nuits à l'hôtel à 50 $ la nuit.

8.7.1   LA FAUTE CONTRIBUTIVE DE LA VICTIME

1478 C.c.Q.   *[...] La faute de la victime, commune dans ses effets avec celle de l'auteur, entraîne également un tel partage.*

Par exemple, Albert a subi une fracture du crâne en heurtant le fond de la piscine de Denise. Cette dernière l'avait averti à plusieurs reprises de ne pas plonger tête première dans la piscine, la profondeur n'étant que de 1,2 mètre, mais Albert ne l'a pas écoutée. Il poursuit Denise sous prétexte qu'elle aurait dû surveiller davantage les baigneurs. Denise se défend en invoquant le fait qu'Albert a contribué à son propre préjudice en faisant une manœuvre dangereuse, alors qu'il avait été avisé à plusieurs reprises de ne pas plonger tête première dans cette piscine compte tenu de la faible profondeur de l'eau.

Un seul avertissement n'est pas toujours suffisant: il aurait fallu que Denise insiste davantage auprès d'Albert pour qu'il cesse de plonger, sinon la cour peut lui reprocher de ne pas avoir assez insisté pour faire respecter les règles de sécurité. Dès lors, le tribunal peut imputer une certaine part de responsabilité à Denise si elle a laissé Albert faire ce qu'il voulait. Si Denise avait expulsé Albert, qu'il était revenu se baigner en cachette et qu'il s'était blessé à ce moment-là, Denise aurait de meilleurs arguments à sa défense. Encore une fois, l'appréciation des faits et des circonstances est laissée à la discrétion du tribunal en fonction de la preuve qui sera faite.

8.7.2 LA FAUTE COLLECTIVE

1480 C.c.Q.

Lorsque plusieurs personnes ont participé à un fait collectif fautif qui entraîne un préjudice ou qu'elles ont commis des fautes distinctes dont chacune est susceptible d'avoir causé le préjudice, sans qu'il soit possible, dans l'un ou l'autre cas, de déterminer laquelle l'a effectivement causé, elles sont tenues solidairement à la réparation du préjudice.

Par exemple, une bataille éclate dans un bar entre les partisans des Canadiens et des Maple Leaf. Geneviève, qui porte ce soir-là un chandail bleu, se fait tabasser par une demi-douzaine de partisans des Canadiens. Heureusement pour elle, la police intervient rapidement et les six partisans des Canadiens sont arrêtés.

Qui lui a fait un œil au beurre noir? Qui lui a cassé un bras? Qui lui a mordu la jambe? Qui lui a donné un coup de poing dans les côtes? Ce sont toutes des questions sans réponse. Dans un tel cas, les six agresseurs sont solidairement tenus responsables du préjudice subi par Geneviève (voir la section 7.6.6, L'obligation solidaire).

1481 C.c.Q.

Lorsque le préjudice est causé par plusieurs personnes et qu'une disposition expresse d'une loi particulière exonère l'une d'elles de toute responsabilité, la part de responsabilité qui lui aurait été attribuée est assumée de façon égale par les autres responsables du préjudice.

Durant l'intervention policière, si un policier assène un coup de matraque à Geneviève parce qu'elle est en train de le bousculer sans s'en rendre compte, il est évident qu'il ne peut être tenu responsable du préjudice subi par Geneviève par ce coup de matraque, car son devoir était de ramener l'ordre en usant d'une force raisonnable. Il s'agit toujours d'une question d'appréciation laissée à la discrétion du tribunal.

8.8 LA PRESCRIPTION

2875 C.c.Q.

*La prescription est un moyen d'**acquérir** ou de **se libérer** par l'écoulement du temps et aux conditions déterminées par la loi: la prescription est dite **acquisitive** dans le premier cas et, dans le second, **extinctive**.*

Donc, la **prescription acquisitive** permet d'acquérir la propriété d'un bien par le simple écoulement du temps, tandis que la **prescription extinctive** est un moyen d'éteindre des droits ou des obligations par le simple écoulement du temps.

8.8.1 LA PRESCRIPTION ACQUISITIVE

2917 C.c.Q.

Le délai de prescription acquisitive est de dix ans, s'il n'est autrement fixé par la loi.

2918 C.c.Q.

Celui qui, pendant dix ans, a possédé, à titre de propriétaire, un immeuble qui n'est pas immatriculé au registre foncier, ne peut en acquérir la propriété qu'à la suite d'une demande en justice. [...]

Il est possible d'acquérir certains biens au moyen de la prescription acquisitive. Dans le cas d'un immeuble, la prescription exige une possession non interrompue durant dix ans.

Par exemple, si Marie s'installe sur un terrain « abandonné », y construit une maison, répare les clôtures, paie les taxes, entretient le terrain durant une période de dix ans, elle peut s'adresser à la Cour supérieure pour demander d'être déclarée propriétaire de ce terrain, car il a été en sa possession durant dix ans et cette possession a été publique, paisible et non interrompue conformément aux exigences du Code civil.

922 C.c.Q.   *Pour produire des effets, la possession doit être paisible, continue, publique et non équivoque.*

En matière immobilière, il est facile de savoir qui est le véritable propriétaire : il suffit de se rendre au bureau de la publicité des droits et de consulter le registre foncier pour connaître le dernier propriétaire enregistré.

En matière mobilière, la règle est très différente, car les meubles ne sont pas soumis à la formalité de la publicité, sauf les véhicules et les bateaux qui doivent être immatriculés auprès des autorités compétentes. L'article 2919 édicte une prescription acquisitive de trois ans et il est donc possible d'acquérir la propriété d'un meuble en l'ayant en sa possession durant trois ans.

2919 C.c.Q.   *Le possesseur de bonne foi d'un meuble en acquiert la propriété par trois ans à compter de la dépossession du propriétaire.*

Tant que ce délai n'est pas expiré, le propriétaire peut revendiquer le meuble, à moins qu'il n'ait été acquis sous l'autorité de la justice.

Le possesseur d'un meuble en est présumé le propriétaire. *Par exemple, si Henri trouve une montre et la met à son poignet, toute personne peut présumer qu'il est propriétaire de la montre, car une montre est un meuble, et c'est Henri qui l'a en sa possession.* Il est important de se rappeler la règle suivante :

2920 C.c.Q.   *Pour prescrire, il suffit que la bonne foi des tiers acquéreurs ait existé lors de l'acquisition, quand même leur possession utile n'aurait commencé que depuis cette date. [...]*

8.8.2 | LA PRESCRIPTION EXTINCTIVE

En droit, la loi fixe une limite de temps au créancier pour réclamer l'exécution d'une obligation. Si le créancier ne réclame pas l'exécution de l'obligation dans cette limite, il ne peut plus en réclamer l'exécution ; dans ce cas, il y a prescription de l'obligation.

Ainsi, la **prescription extinctive** permet l'extinction des droits ou des obligations par le simple écoulement du temps. Qu'il s'agisse de responsabilité contractuelle ou extracontractuelle, le législateur établit le délai de la prescription extinctive à **dix ans** dans le cas des immeubles et à **trois ans** dans le cas des meubles.

2922 C.c.Q.   *Le délai de la prescription extinctive est de dix ans, s'il n'est autrement fixé par la loi.*

2923 C.c.Q.   *Les actions qui visent à faire valoir un droit réel immobilier se prescrivent par dix ans. [...]*

2924 C.c.Q.   *Le droit qui résulte d'un jugement se prescrit par dix ans s'il n'est pas exercé.*

2925 C.c.Q.   *L'action qui tend à faire valoir un **droit personnel** ou un droit réel mobilier et dont le délai de prescription n'est pas autrement fixé se prescrit par trois ans.*

Il existe aussi une prescription d'un an pour certains cas spécifiques énumérés dans le tableau 8.5.

Tous ceux qui ont un droit à faire valoir ont donc une période déterminée pour le faire valoir à défaut de quoi leur droit s'éteint.

Par exemple, la piscine de Micheline est brisée par la chute d'un arbre situé sur le terrain de Claudia. Micheline a trois ans pour poursuivre Claudia ; au-delà de cette période elle n'aura plus de droit puisque, dans un tel cas, le délai de prescription extinctive est de trois ans.

Si Micheline avait été blessée par l'arbre, son délai pour déposer une action contre Claudia aurait également été de trois ans.

Par ailleurs, si Claudia fait un chèque sans provision de 5 000 $ à Micheline pour payer les réparations de la piscine, Micheline bénéficie encore une fois d'un délai de trois ans pour poursuivre Claudia. De plus, si Micheline obtient un jugement de 5 000 $ contre Claudia, elle bénéficie d'un délai de dix ans pour faire saisir et vendre en justice les biens de Claudia.

Tableau 8.5 Les délais de prescription extinctive

Délai	Article	S'applique à...
10 ans	2922	L'extinction de tout droit dont le délai n'est pas autrement fixé
10 ans	2923	Une action qui vise à faire valoir un droit réel immobilier
10 ans	2924	L'exécution d'un jugement
3 ans	2925	Une action qui tend à faire valoir un droit personnel ou un droit réel mobilier et dont le délai de prescription n'est pas autrement fixé incluant les blessures corporelles, le préjudice matériel et les fautes commises par un professionnel, un médecin par exemple
1 an	2923	Une action qui vise à conserver ou obtenir la possession d'un immeuble
1 an	2928	Une action du conjoint survivant qui vise à faire établir sa prestation compensatoire
1 an	2929	Une action fondée sur une atteinte à la réputation

RÉSUMÉ

La responsabilité civile est contractuelle ou extracontractuelle.

Les éléments constitutifs de la responsabilité sont le préjudice causé à autrui, la faute et le lien de causalité.

Le préjudice peut être corporel, moral ou matériel.

La faute en matière de responsabilité extracontractuelle est la conséquence du fait de la personne, de son imprudence, de sa négligence ou de son inhabileté tandis que la faute en matière de responsabilité contractuelle résulte du fait qu'une personne manque à son devoir d'honorer les engagements qu'elle a contractés.

Le lien de causalité exige la présence d'un lien direct entre le préjudice et la faute.

Une personne peut être poursuivie en dommages-intérêts si elle a engagé sa responsabilité civile extracontractuelle en commettant personnellement une faute qui a causé un préjudice à un tiers, ou si un objet sous sa garde, une personne dont elle est responsable ou un immeuble ou un animal lui appartenant cause un préjudice à un tiers.

En matière de responsabilité contractuelle du fabricant et du vendeur professionnel, leur responsabilité est engagée, même sans faute de leur part, car ils sont présumés connaître le vice caché d'un bien qu'ils ont vendu.

En matière de responsabilité extracontractuelle du fabricant et du vendeur professionnel, leur responsabilité est engagée lorsqu'il y a défaut de sécurité du bien.

L'employeur est responsable du préjudice causé par son employé dans l'exécution de ses fonctions.

Le propriétaire d'un animal est tenu de réparer le préjudice que l'animal a causé, soit qu'il fût sous sa garde ou sous celle d'un tiers, soit qu'il fût égaré ou échappé.

La personne poursuivie en dommages-intérêts pour une faute qu'on lui reproche peut en être exonérée en prouvant la faute d'un tiers, l'existence d'un régime de responsabilité sans égard à la faute, la force majeure, la défense dite du bon samaritain, la divulgation d'un secret commercial, la connaissance du risque par la victime, l'existence d'un avis d'exonération de responsabilité, la faute contributive de la victime et la faute collective.

La prescription éteint certains droits ou permet d'acquérir un droit de propriété sur un bien par le simple écoulement du temps. Elle est dite extinctive lorsqu'elle éteint les droits d'une personne, et acquisitive lorsqu'elle permet à une personne de devenir propriétaire d'un meuble ou d'un immeuble.

QUESTIONS

8.1 Quels sont les deux régimes de responsabilité reconnus par le *Code civil* ?

8.2 Comment doit se comporter une personne pour ne pas engager sa responsabilité extracontractuelle ?

8.3 Quels sont les trois éléments essentiels à la responsabilité d'une personne en vertu de l'article 1457 du *Code civil* ?

8.4 À quel moment une personne engage-t-elle sa responsabilité contractuelle ?

8.5 Quelles sont les trois catégories de préjudice ?

8.6 Quelles sont les quatre catégories de préjudice corporel ?

8.7 Qu'est-ce qu'une faute lourde ?

8.8 Le titulaire de l'autorité parentale est-il toujours responsable du préjudice causé par son enfant ? Justifiez votre réponse.

8.9 Le vendeur professionnel qui vend un bien qui s'avère défectueux engage-t-il sa responsabilité contractuelle même s'il ignorait l'existence du vice ?

8.10 Un employeur est-il toujours responsable du préjudice causé par un de ses employés ?

8.11 Le propriétaire d'un animal est-il toujours responsable du préjudice causé par son animal ?

8.12 Une personne qui invoque la défense dite du bon samaritain sera-t-elle exonérée même si elle a commis une faute lourde ?

8.13 Une entreprise peut-elle toujours poursuivre avec succès un employé qui a dévoilé un secret commercial ?

8.14 Qu'est-ce que la faute contributive de la victime ?

8.15 L'avis d'exonération de responsabilité placé sur un mur est-il suffisant pour permettre à une personne de s'exonérer de toute responsabilité ?

8.16 Un joueur amateur de base-ball blessé accidentellement par une balle lancée par un lanceur peut-il gagner sa cause s'il décide de poursuivre le lanceur ?

8.17 À quoi sert la prescription ?

8.18 Quel est le délai de prescription en matière de droits personnels ?

CAS PRATIQUES

8.19   Louise est en train d'installer une toile autour de son balcon situé au troisième étage d'un immeuble lorsqu'elle échappe son marteau, qui fracasse la vitre de la voiture de Gérard, garée devant l'immeuble, y causant des dommages pour une valeur de 350 $.

Louise est-elle responsable de ce préjudice ? En vertu de quel article ? Devant quel tribunal et en vertu de quels articles Gérard peut-il déposer son action ?

8.20   Le 15 août dernier, Réjeanne et Raymond invitent des amis, Claire et Hector, à venir déguster une fondue. Au cours de la soirée, Gilles, le fils majeur et sain d'esprit de Réjeanne et Raymond, verse de l'alcool dans les brûleurs afin de les remplir à nouveau. Malheureusement, pendant l'opération de remplissage, Gilles renverse de l'alcool, lequel prend feu, causant alors à Claire de graves blessures évaluées à 75 000 $; Gilles prétend avoir pris toutes les précautions normales. Claire poursuit Gilles, Raymond et Réjeanne conjointement et solidairement en dommages-intérêts pour les blessures subies.

Devant quel tribunal Claire a-t-elle déposé son action et en vertu de quels articles ?

Quel moyens de défense Gilles, Raymond et Réjeanne peuvent-ils faire valoir à l'encontre de l'action de Claire ? Justifiez votre réponse.

8.21   Raymond, qui étudie en mécanique automobile, a été gravement blessé durant un de ses cours lorsque la suspension d'une automobile lui est tombée sur la poitrine. Il poursuit conjointement et solidairement l'École des métiers de l'automobile de Québec inc. et son professeur Ginette pour la somme de 25 000 $, en alléguant les motifs suivants : un enseignement inadéquat de la part de l'école et une surveillance insuffisante du professeur.

Tout l'équipement de l'école est en bon état et les règles de sécurité sont rappelées chaque semaine, en particulier les règles relatives à l'interdiction de s'installer sous les pièces à démonter ou à enlever. L'atelier où se donne le cours compte six baies de service ; au moment de l'accident, Raymond travaillait à la deuxième pendant que Ginette expliquait une technique à l'étudiant qui était à la sixième.

Quels moyens de défense l'école et Ginette peuvent-elles faire valoir à l'encontre de l'action de Raymond ? Justifiez votre réponse.

8.22   Lors d'une visite chez Décomeuble ltée, Yvon, âgé de neuf ans, est blessé par un téléviseur qui était placé sur un meuble et qu'il a fait tomber. Yvon est un enfant dissipé, mais il est capable de différencier le bien du mal. Un vendeur de chez Décomeuble ltée ainsi que les parents d'Yvon l'ont averti à plusieurs reprises de ne pas jouer avec les meubles pour éviter qu'un appareil tombe. Au nom de leur fils, Michel et Francine poursuivent Décomeuble ltée en dommages-intérêts pour une somme de 55 000 $, en alléguant que Décomeuble ltée et ses préposés ont fait preuve de négligence en ne prenant pas les moyens nécessaires pour surveiller Yvon et en n'ayant pas fait fixer le téléviseur de façon sécuritaire.

Michel et Francine gagneront-ils cette cause ? Pourquoi ?

8.23   L'Union Canadienne, compagnie d'assurances, considère que Guy est responsable de l'incendie qui a été allumée par Julie, sa fille de 2 ans. Guy avait laissé un récipient plein d'huile à friture sur la cuisinière électrique pour la nuit ; il prévoyait le ranger le lendemain lorsque l'huile serait froide. Mais, au petit matin, Guy quitte la maison pour le travail en oubliant de mettre le récipient d'huile au réfrigérateur. Julie approche une chaise de la cuisinière et réussit à tourner le bouton allumant l'élément de surface sur lequel se trouve le récipient d'huile. L'Union Canadienne soutient que Guy a fait preuve de négligence et d'imprudence en laissant ce récipient sans surveillance sur la cuisinière électrique. En vertu des exclusions prévues au contrat d'assurance, l'Union Canadienne refuse donc de payer.

Guy est-il responsable de cet incendie ? Justifiez votre réponse.

8.24   Le 2 septembre dernier, Marie, âgée de 4 ans, s'est blessée en tombant d'une fenêtre du Château Bonne Entente. Elle aurait réussi à se hisser sur un calorifère situé juste sous la fenêtre puis elle aurait grimpé sur le rebord de la fenêtre pour finalement s'appuyer sur la moustiquaire qui aurait alors cédé sous son poids.

Le Château Bonne Entente est-il responsable des blessures subies par Marie ? Justifiez votre réponse.

8.25   Une action en dommages-intérêts est intentée à la suite d'un accident survenu au cours d'une partie de hockey intérieur dans un gymnase de la Commission des écoles catholiques de Québec. Sylvie, 16 ans, aurait reçu un coup de bâton sur la bouche endommageant ainsi sa dentition. Paul, à titre de tuteur de Sylvie, réclame la somme de 7 150 $ à la C.É.C.Q. Cette dernière comparait et produit une défense dans laquelle elle nie sa responsabilité et plaide que toutes les règles de sécurité et tous les règlements avaient été expliqués aux élèves avant le début de la partie. En outre, elle ajoute qu'il s'agit d'un jeu inoffensif qui comporte néanmoins des risques inhérents acceptés par ceux qui y participent.

Compte tenu du fait que la partie était surveillée par un moniteur compétent, peut-on retenir la responsabilité de la C.É.C.Q. ? Justifiez votre réponse.

8.26   Sylvain, un bon voisin de Martine, se rend chez cette dernière pour la saluer. Il est mordu par le chien de garde de Martine alors qu'il se trouvait sur le terrain de cette dernière. Comme Martine savait que son chien était méchant, elle l'avait attaché avec une corde assez courte pour qu'il demeure sur son terrain et avait, en plus, placé une pancarte signalant la présence d'un chien méchant. Cependant, le terrain de Martine n'est pas clôturé.

Sylvain peut-il avoir gain de cause devant un tribunal ? Justifiez votre réponse.

8.27   Marc est propriétaire d'une maison sur la rue Maréchal-Foch à Québec, et il est la malheureuse victime d'une série d'accidents. Julie, sa voisine de gauche, coupe un arbre qui s'abat sur la maison de Marc causant pour 12 500 $ de dommages. Sa voisine de droite, Micheline signe un contrat avec un entrepreneur, Belpiscin inc., pour l'installation d'une piscine. Les travaux engendrent beaucoup de poussière et de bruit. Céline, dynamiteur pour son employeur Belpiscin inc., a placé une charge un peu trop forte pour creuser le trou de la piscine. L'explosion cause deux larges fissures dans le solage de la maison de Marc et l'effondrement du mur droit de sa maison, des dommages évalués à 32 800 $. Enfin, Belarb inc., un petit entrepreneur paysagiste de trois employés engagé par la Ville de Québec pour réparer les terrains privés de Marc et de ses voisins, endommagés par les employés municipaux lors des travaux de réfection des trottoirs de la rue Maréchal-Foch. Belarb inc. brise accidentellement une haie de cèdres appartenant à Marc. Les dommages sont évalués à 1 640 $. Furieux, Marc saisit une paire de pinces et sectionne les boyaux du système hydraulique de la nacelle aérienne de Belarb inc. y causant des dommages évalués à 2 400 $. Ajoutons qu'aucune personne, physique ou morale, n'a d'assurance de responsabilité et que personne ne reconnaît sa responsabilité.

Quels sont tous les recours civils qui peuvent être exercés ? Par qui ? Contre qui ? Devant quel tribunal ? Pour quel motif et en vertu de quels articles du *Code civil* ?

Chapitre 9

LES RÈGLES EN MATIÈRE DE PREUVE

9.0 PLAN DU CHAPITRE

9.1 OBJECTIFS

Après la lecture du chapitre, l'étudiant doit être en mesure :

- de définir les cinq moyens de preuve ;
- de différencier l'acte authentique de l'acte semi-authentique, de l'acte sous seing privé et des autres écrits ;
- d'expliquer la valeur d'un relevé informatique, d'une copie d'un registre informatisé et d'un document microfilmé comme moyen de preuve ;
- d'expliquer les cas où la preuve par témoin n'est pas admissible ;
- d'expliquer le rôle et l'utilité de la présomption comme moyen de preuve ;
- de différencier des faits présumés des faits réputés ;
- d'expliquer la force probante de l'aveu comme moyen de preuve ;
- d'expliquer ce qu'est la présentation d'un fait matériel comme moyen de preuve ;
- d'indiquer les cas où les éléments de preuve sont suffisants et conformes à la loi pour convaincre un juge.

<table>
<tr><td>**9.2**</td><td></td></tr>
</table>

9.2   LA PREUVE

Avant de penser à s'entendre avec l'autre partie relativement à ses obligations réciproques et à leur violation, il est important de bien reconnaître les moyens de preuve dont nous disposons, car bien que nous puissions avoir certains droits, nous ne réussirons peut-être pas à les faire valoir en l'absence de preuve. Aussi, pour faciliter la tâche, le *Code civil* prévoit un certain nombre de règles en matière de preuve. **Pour obtenir gain de cause devant un tribunal, le demandeur doit prouver son bon droit.**

2803 C.c.Q.   *Celui qui veut faire valoir un droit doit prouver les faits qui soutiennent sa prétention.*

Celui qui prétend qu'un droit est nul, a été modifié ou est éteint doit prouver les faits sur lesquels sa prétention est fondée.

Cependant, le législateur admet le principe qu'il faut se servir de son gros bon sens et qu'il faut présumer que les parties sont de bonne foi lorsqu'elles rendent un témoignage.

2804 C.c.Q.   *La preuve qui rend l'existence d'un fait plus probable que son inexistence est suffisante, à moins que la loi n'exige une preuve plus convaincante.*

2805 C.c.Q.   *La bonne foi se présume toujours, à moins que la loi n'exige expressément de la prouver.*

De plus, le *Code civil* précise les règles en matière de preuve. Ainsi :

2806 C.c.Q.   *Nul n'est tenu de prouver ce dont le tribunal est tenu de prendre connaissance d'office.*

2807 C.c.Q.   *Le tribunal doit prendre connaissance d'office du droit en vigueur au Québec. [...]*

Enfin, le *Code civil* ajoute un élément qui nous semble évident, à savoir que le tribunal doit se tenir au courant de l'actualité.

2808 C.c.Q.   *Le tribunal doit prendre connaissance d'office de tout fait dont la notoriété rend l'existence raisonnablement incontestable.*

Par exemple, l'explosion du Boeing 747 d'Air India au-dessus de la mer d'Irlande à 10 000 mètres d'altitude qui a entraîné la mort de tous les passagers et membres d'équipage a été tellement médiatisée que la cour se doit de savoir qu'il n'y a eu aucun survivant et que, si une personne avait un parent à bord pour qui elle réclame l'émission d'un jugement déclaratif de décès, la Cour ne devrait avoir aucune réticence ni aucun besoin de preuve supplémentaire que sa connaissance d'office pour rendre ce jugement déclaratif de décès.

2811 C.c.Q.   *La preuve d'un acte juridique ou d'un fait peut être établie par écrit, par témoignage, par présomption, par aveu ou par la présentation d'un élément matériel, conformément aux règles énoncées dans le présent livre et de la manière indiquée par le Code de procédure civile ou par quelque autre loi.*

Il y a donc cinq moyens de prouver une obligation (voir le tableau 9.1).

Tableau 9.1   Les cinq moyens de preuve

Moyen	Exemple
Par écrit	Un contrat, un chèque, un bail
Par témoignage	Celui qui a vu l'accident ou qui a vu les parties s'entendre
Par présomption	Un héritier, qui n'a pas encore accepté une succession, mais qui dispose des biens reçus, est présumé avoir accepté la succession
Par aveu	Le défendeur reconnaît sa signature ou les faits qui lui sont reprochés
Par la présentation d'un élément matériel	La maquette d'un édifice ou l'enregistrement du bruit du moteur de la tondeuse du voisin

| 9.2.1 | ## LA PREUVE PAR ÉCRIT |

C'est le moyen de preuve le plus utilisé en droit, car il s'applique principalement en matière de contrat et que les contrats représentent la principale source d'obligation.

| 9.2.1.1 | ### Les copies de lois |

2812 C.c.Q.
> *Les copies de lois qui ont été ou sont en vigueur au Canada, et qui sont attestées par un officier public compétent ou publiées par un éditeur autorisé, font preuve de l'existence et de la teneur de ces lois, sans qu'il soit nécessaire de prouver la signature ni le sceau y apposés, non plus que la qualité de l'officier ou de l'éditeur.*

Cela peut sembler évident, mais il était parfois nécessaire qu'un avocat fasse la preuve de l'existence d'une loi devant le tribunal. Maintenant, l'avocat peut se contenter de déposer un recueil de lois publié par Les publications du Québec ou par l'Imprimeur de la Reine à Ottawa et c'est suffisant comme preuve de l'existence de la loi ; cela confirme une pratique qui s'était établie devant le tribunal.

| 9.2.1.2 | ### Les actes authentiques |

L'**acte authentique** est certainement le meilleur moyen de preuve, car le législateur accorde à ce type d'écrit une valeur quasi miraculeuse ; ce sont des actes dont le législateur qualifie de prime abord le contenu de véridique. Il n'y en a pas beaucoup, mais ils sont très importants.

2813 C.c.Q.
> *L'acte authentique est celui qui a été reçu ou attesté par un officier public compétent selon les lois du Québec ou du Canada, avec les formalités requises par la loi.*
>
> *L'acte dont l'apparence matérielle respecte ces exigences est présumé authentique.*

2814 C.c.Q.
> *Sont authentiques, notamment les documents suivants, s'ils respectent les exigences de la loi :*
>
> *1° Les documents officiels du Parlement du Canada et du Parlement du Québec ;*
>
> *2° Les documents officiels émanant du gouvernement du Canada ou du Québec, tels les lettres patentes, les décrets et les proclamations ;*
>
> *3° Les registres des tribunaux judiciaires ayant juridiction au Québec ;*
>
> *4° Les registres et les documents officiels émanant des municipalités et des autres personnes morales de droit public constituées par une loi du Québec ;*
>
> *5° Les registres à caractère public dont la loi requiert la tenue par des officiers publics ;*
>
> *6° L'**acte notarié** ;*
>
> *7° Le procès-verbal de bornage.*

L'acte notarié se voit consacré un statut spécial dans le *Code civil* :

2819 C.c.Q.
> *L'acte notarié, pour être authentique, doit être signé par toutes les parties ; il fait alors preuve, à l'égard de tous, de l'acte juridique qu'il renferme et des déclarations des parties qui s'y rapportent directement. [...]*

C'est la raison principale pour laquelle les gens d'affaires font souvent rédiger leurs contrats importants devant un notaire. De plus, un acte authentique possède un grand avantage, à savoir que toute copie authentique de l'original fait également preuve. Que peut-on alors demander de mieux ?

2815 C.c.Q.
> *La copie de l'original d'un acte authentique ou, en cas de perte de l'original, la copie d'une copie authentique de tel acte est authentique lorsqu'elle est attestée par l'officier public qui en est le dépositaire.*

2820 C.c.Q.
> *La copie authentique d'un document fait preuve, à l'égard de tous, de sa conformité à l'original et supplée à ce dernier.*
>
> *L'extrait authentique fait preuve de sa conformité avec la partie du document qu'il reproduit.*

9.2.1.3   Les actes semi-authentiques

Un **acte semi-authentique** est un acte qui émane apparemment d'un officier public étranger compétent ou une procuration sous seing privé faite hors du Québec lorsqu'elle est certifiée par un officier public compétent qui a vérifié l'identité et la signature du mandant.

Le tribunal peut admettre en preuve un acte semi-authentique, mais si ce dernier est contesté, il incombe à celui qui l'invoque de faire la preuve de son authenticité.

9.2.1.4   Les actes sous seing privé

2826 C.c.Q.   *L'**acte sous seing privé** est celui **qui constate un acte juridique** et **qui porte la signature des parties**; il n'est soumis à aucune autre formalité.*

Dans la vie de tous les jours, lorsque deux personnes signent un contrat, ce dernier n'est généralement pas fait devant un notaire. Le plus souvent, il s'agit d'un contrat simplement signé par les deux parties, et parfois en présence d'un témoin. Un **écrit sous seing privé** peut être, entre autres :

- un contrat d'achat de meuble ;
- un bail de location de logement ;
- un contrat de location de voiture ;
- un abonnement à un journal ;
- un contrat de prêt à la banque ;
- un contrat avec un studio de santé ;
- un contrat pour la location d'un costume d'Halloween.

Évidemment, le défendeur peut contester l'écrit sous seing privé ou sa signature, et le demandeur doit faire la preuve que cet écrit concerne le défendeur ou qu'il a été signé par ce dernier. L'acte notarié est donc un meilleur moyen de preuve (voir la section 2.6, Le déroulement d'une affaire civile).

2827 C.c.Q.   *La **signature** consiste dans l'apposition qu'une personne fait sur un acte de son nom ou d'une marque qui lui est personnelle et qu'elle utilise de façon courante, pour manifester son consentement.*

2828 C.c.Q.   *Celui qui invoque un acte sous seing privé doit en faire la preuve. [...]*

9.2.1.5   Les autres écrits

2831 C.c.Q.   *L'**écrit non signé,** habituellement utilisé dans le cours des activités d'une entreprise pour constater un acte juridique, fait preuve de son contenu.*

Un **autre écrit** peut être, entre autres :

- une facture de magasin ou de garage ;
- l'avis de réception d'une lettre recommandée ;
- un bon de livraison ;
- un chèque ;
- une lettre.

Tous les écrits de la vie courante qui ne sont pas signés, mais qui constatent une transaction quelconque, sont donc considérés comme un autre écrit.

2832 C.c.Q.   *L'écrit ni authentique ni semi-authentique qui rapporte un fait peut, sous réserve des règles contenues dans ce livre, être admis en preuve à titre de témoignage ou à titre d'aveu contre son auteur.*

L'article 2832 du *Code civil* vise principalement deux catégories de documents qui ne sont pas couvertes par l'article 2831 du *Code civil* :

- les procès-verbaux des réunions ;

- les articles de journaux.

Cet article permet ainsi de considérer ces écrits comme des témoignages sur l'existence ou non d'un fait, mais non pas sur la véracité de ce fait.

Évidemment, compte tenu de la forme de ce type d'écrit,

2836 C.c.Q.   *Les écrits visés par la présente section peuvent être contredits par tous moyens.*

9.2.1.6   Les inscriptions informatisées

Avec le développement de l'informatique, particulièrement en matières commerciale et bancaire ainsi que dans le domaine de la consommation, les données d'un grand nombre d'actes juridiques sont directement inscrites sur support informatique, en l'absence des parties et sans aucune signature de leur part. Donc, pour profiter des avantages de l'informatique, le législateur encadre la preuve de documents conservés sur support informatique afin de pouvoir utiliser ce moyen de preuve tout en s'assurant qu'il est fidèle.

2837 C.c.Q.   *Lorsque les données d'un acte juridique sont inscrites sur support informatique, le document reproduisant ces données fait preuve du contenu de l'acte, s'il est intelligible et s'il présente des garanties suffisamment sérieuses pour qu'on puisse s'y fier.*

     Pour apprécier la qualité du document, le tribunal doit tenir compte des circonstances dans lesquelles les données ont été inscrites et le document reproduit.

Ainsi, le relevé d'une transaction effectuée à un guichet automatique ainsi que celui d'un paiement direct par carte constituent des inscriptions informatisées qu'il est possible de présenter comme preuves devant un tribunal, en vertu des articles 2837 et 2838 du *Code civil*.

2838 C.c.Q.   *L'inscription des données d'un acte juridique sur support informatique est présumée présenter des garanties suffisamment sérieuses pour qu'on puisse s'y fier lorsqu'elle est effectuée de façon systématique et sans lacunes, et que les données inscrites sont protégées contre les altérations. Une telle présomption existe en faveur des tiers du seul fait que l'inscription a été effectuée par une entreprise.*

Cependant, comme il est toujours possible de manipuler des données informatiques, le législateur a prévu que :

2839 C.c.Q.   *Le document reproduisant les données d'un acte juridique inscrites sur support informatique peut être contredit par tous moyens.*

9.2.1.7   La reproduction de certains documents

Dans le but d'éviter les problèmes découlant de la conservation de masses considérables de documents, le législateur a adopté une règle en matière de reproduction de documents conservés sur microfilm par certaines personnes morales ou organismes.

2840 C.c.Q.   *La preuve d'un document, dont la reproduction est en la possession de l'État ou d'une personne morale de droit public ou de droit privé et qui a été reproduit afin d'en garder une preuve permanente, peut se faire par le dépôt d'une copie de la reproduction ou d'un extrait suffisant pour en permettre l'identification et le dépôt d'une déclaration attestant que la reproduction respecte les règles prévues par la présente section.*

     Une copie ou un extrait certifié conforme de la déclaration peut être admis en preuve, au même titre que l'original.

Si nous pensons à tous les documents microfilmés dans le but de réduire l'espace de rangement, nous pouvons imaginer l'importance de cette règle de preuve.

9.2.2 LA PREUVE PAR TÉMOIN

2843 C.c.Q.

> *Le **témoignage** est la déclaration par laquelle une personne relate les faits dont elle a eu personnellement connaissance ou par laquelle un expert donne son avis.*
>
> *Il doit, pour faire preuve, être contenu dans une déposition faite à l'instance, sauf du consentement des parties ou dans les cas prévus par la loi.*

En matière de responsabilité extracontractuelle comme un cas de blessures résultant d'un accident ou de voies de fait, il va de soi que le témoignage est le seul moyen de preuve, puisque aucun écrit ne peut raconter ce qui s'est passé ; seul un témoin peut raconter les événements et dire ce qu'il a vu et entendu.

2844 C.c.Q.

> *La preuve par témoignage peut être apportée par un seul témoin.*
>
> *L'enfant qui, de l'avis du juge, ne comprend pas la nature du serment, peut être admis à rendre témoignage sans cette formalité, si le juge estime qu'il est assez développé pour pouvoir rapporter des faits dont il a eu connaissance, et qu'il comprend le devoir de dire la vérité ; toutefois, un jugement ne peut être fondé sur la foi de ce seul témoignage.*

Le législateur reconnaît ainsi qu'un seul témoin est suffisant pour témoigner d'un fait et qu'un enfant peut rendre un témoignage. Cependant, dans ce dernier cas, le législateur en laisse l'appréciation au juge chargé du procès.

2845 C.c.Q.

> *La force probante du témoignage est laissée à l'appréciation du tribunal.*

9.2.3 LA PREUVE PAR PRÉSOMPTION

2846 C.c.Q.

> *La **présomption** est une conséquence que la loi ou le tribunal tire d'un fait connu à un fait inconnu.*

La meilleure manière d'illustrer un cas de présomption est encore d'examiner une situation où la preuve par présomption est créée par la loi.

2847 C.c.Q.

> *La **présomption légale** est celle qui est spécialement attachée par la loi à certains faits ; elle dispense de toute autre preuve celui en faveur de qui elle existe. [...]*

Par exemple, si un travailleur commet une infraction à la Loi sur la santé et la sécurité du travail, *c'est l'employeur qui est présumé responsable de cette infraction. La présomption établie à l'article précédent peut être renversée si l'employeur fait la preuve que cette infraction a été commise à son insu, sans son consentement et malgré les dispositions prises pour l'empêcher ; mais, ce n'est pas une preuve facile à faire.* Dans ce cas, il s'agit d'une **présomption légale, car c'est un texte de loi qui la crée**.

Par exemple, si deux automobiles sont entrées en collision et que la première a le devant enfoncé dans l'arrière de la deuxième, il est possible de présumer que c'est la première qui est venue heurter la deuxième. Dans ce cas, il s'agit d'une **présomption de fait**.

Une **présomption *juris tantum*** est une présomption qui peut être renversée, tandis qu'une **présomption irréfragable**, ou ***juris et de jure*** est une présomption qui ne peut pas être renversée.

2847 C.c.Q.

> *[...] Celle qui concerne des **faits présumés** est simple et peut être repoussée par une preuve contraire ; celle qui concerne des **faits réputés** est absolue et aucune preuve ne peut lui être opposée.*

Dans le *Code civil*, l'expression « **faits présumés** » indique qu'il s'agit d'une présomption simple qui peut être repoussée par une preuve contraire ; l'expression « **faits réputés** », quant à elle, signifie qu'il s'agit d'une présomption absolue et qu'aucune preuve ne peut lui être opposée.

2848 C.c.Q. *L'**autorité de la chose jugée** est une présomption absolue ; elle n'a lieu qu'à l'égard de ce qui a fait l'objet du jugement, lorsque la demande est fondée sur la même cause et mue entre les mêmes parties, agissant dans les mêmes qualités, et que la chose demandée est la même.*

La principale présomption ***juris et de jure*** est celle de la chose jugée, ou ***res judicata***. Lorsqu'un jugement a été rendu par un tribunal et que ce jugement est devenu final parce qu'il n'y a pas eu appel de ce jugement ou que l'appel a été rejeté, les parties sont définitivement liées, du moins en ce qui concerne ce qui a fait l'objet du jugement. *Par exemple, Louise ne peut plus poursuivre Benoît pour un prêt de 5 000 $ si le tribunal a rejeté son action, faute de preuve. Cependant, si Louise a prêté à Benoît une autre somme de 3 500 $, elle peut à nouveau le poursuivre, car il s'agit d'un autre contrat.*

2849 C.c.Q. *Les présomptions qui ne sont pas établies par la loi sont laissées à l'appréciation du tribunal qui ne doit prendre en considération que celles qui sont graves, précises et concordantes.*

Le tribunal peut ainsi décider qu'il y a une présomption si les faits reprochés à l'autre partie sont si graves, précis et concordants qu'aucune autre conclusion logique ne peut être envisagée.

9.2.4 LA PREUVE PAR L'AVEU

2850 C.c.Q. *L'**aveu** est la reconnaissance d'un fait de nature à produire des conséquences juridiques contre son auteur.*

L'aveu constitue certainement le moyen de preuve le plus simple. Si le défendeur avoue tout ce que le demandeur lui demande, le procès est terminé. Cependant, généralement, le défendeur n'avoue pas, et il faut utiliser les autres moyens de preuve.

Il faut donc recourir à un écrit, notarié plutôt que sous seing privé, ou, à défaut, à la preuve par témoin. Enfin, si aucun autre moyen de preuve n'est disponible, il reste toujours la preuve par présomption, si elle est possible.

2851 C.c.Q. *L'aveu [...] ne peut toutefois résulter du seul silence que dans les cas prévus par la loi.*

Le silence d'une partie n'équivaut pas à son aveu.

9.2.5 LA PRÉSENTATION D'UN ÉLÉMENT MATÉRIEL

2854 C.c.Q. *La **présentation d'un élément matériel** constitue un moyen de preuve qui permet au juge de faire directement ses propres constatations. Cet élément matériel peut consister en un objet, de même qu'en la représentation sensorielle de cet objet, d'un fait ou d'un lieu.*

Cet article permet expressément à un juge de se faire une opinion en ayant une connaissance personnelle et directe d'un objet, d'un fait ou d'un lieu, de sa représentation sensorielle au moyen de photographies, de maquettes, de films, d'animation, de bandes sonores ou magnétoscopiques, d'odeurs, etc., comme un film montrant la circulation et le bruit provenant d'une autoroute pour illustrer les éléments qui perturbent le sommeil.

2856 C.c.Q. *Le tribunal peut tirer de la présentation d'un élément matériel toute conclusion qu'il estime raisonnable*

9.3 LA RECEVABILITÉ ET LES MOYENS DE PREUVE

Un régime de preuve vise à assurer l'équilibre entre deux objectifs fondamentaux :

- la recherche de la vérité ;
- la stabilité des relations juridiques entre les parties.

Il faudra porter une attention particulière :

- aux éléments de preuve ;
- aux moyens de preuve ;
- à certaines déclarations.

9.3.1   LES ÉLÉMENTS DE PREUVE

Théoriquement,

2857 C.c.Q.   *La preuve de tout fait pertinent au litige est recevable et peut être faite par tous moyens.*

Cependant,

2858 C.c.Q.   *Le tribunal doit, même d'office, rejeter tout élément de preuve obtenu dans des conditions qui portent atteinte aux droits et libertés fondamentaux et dont l'utilisation est susceptible de déconsidérer l'administration de la justice.*

En donnant le pouvoir au juge de recevoir toute preuve, il fallait en même temps lui donner le pouvoir d'écarter toute preuve susceptible de déconsidérer l'administration de la justice, sinon une grave anarchie pourrait s'installer devant le tribunal.

9.3.2   LES MOYENS DE PREUVE

2860 C.c.Q.   *L'acte juridique constaté dans un écrit ou le contenu d'un écrit doit être prouvé par la production de l'original ou d'une copie qui légalement en tient lieu. [...]*

Donc, en général, quand il existe un contrat ou un document valablement signé entre les parties, il faut produire cet écrit, et non pas une simple photocopie, devant le tribunal.

2860 C.c.Q.   *[...] Toutefois, lorsqu'une partie ne peut, malgré sa bonne foi et sa diligence, produire l'original de l'écrit ou la copie qui légalement en tient lieu, la preuve peut être faite par tous moyens.*

Évidemment, si l'écrit a disparu, nous pouvons tenter d'en faire la preuve par témoin, mais gare à nous si l'autre partie a en main un écrit qui contredit notre témoignage ; le tribunal n'apprécie pas les faux témoignages.

De plus, il existe une restriction importante : si un contrat s'applique à une somme supérieure à 1 500 $, il faut un écrit.

2862 C.c.Q.
La preuve d'un acte juridique ne peut, entre les parties, se faire par témoignage lorsque la valeur du litige excède 1 500 $.

Néanmoins, en l'absence d'une preuve écrite et quelle que soit la valeur du litige, on peut prouver par témoignage tout acte juridique dès lors qu'il y a commencement de preuve ; on peut aussi prouver par témoignage, contre une personne, tout acte juridique passé par elle dans le cours des activités d'une entreprise.

En pratique, un chèque qui a des annotations constitue un début de preuve par écrit pour prouver l'existence d'un contrat ou d'un paiement. De plus, cet article permet maintenant d'utiliser la preuve par témoin pour prouver l'existence d'un contrat avec une personne en affaires sans aucune restriction en ce qui concerne le montant du contrat. Cela facilite la preuve de l'existence d'un contrat avec un commerçant.

2863 C.c.Q.
Les parties à un acte juridique constaté par un écrit ne peuvent, par témoignage, le contredire ou en changer les termes, à moins qu'il n'y ait un commencement de preuve.

Cela confirme la règle selon laquelle on ne peut pas utiliser la preuve par témoin pour changer les termes d'un contrat ou d'un document ou pour leur faire dire autre chose que ce qui est écrit. Néanmoins,

2864 C.c.Q.
La preuve par témoignage est admise lorsqu'il s'agit d'interpréter un écrit, de compléter un écrit manifestement incomplet ou d'attaquer la validité de l'acte juridique qu'il constate.

Quoi qu'il en soit, il faut se rappeler le bon vieux proverbe : **Les paroles s'envolent mais les écrits restent.**

Enfin, il ne faut pas oublier que si un **acte juridique** est généralement constaté par un contrat, tel un contrat de vente, un **fait juridique**, comme le fait pour votre voisin de lancer une brique dans la fenêtre de votre maison, ne peut être prouvé que par des témoins.

9.3.3 CERTAINES DÉCLARATIONS

Les articles 2869 à 2874 du *Code civil* couvrent le cas de la déclaration hors-cour. Ainsi,

2869 C.c.Q.
La déclaration d'une personne qui ne témoigne pas à l'instance ou celle d'un témoin faite antérieurement à l'instance est admise à titre de témoignage si les parties y consentent [...]

De plus,

2874 C.c.Q.
La déclaration qui a été enregistrée sur ruban magnétique ou par une autre technique d'enregistrement à laquelle on peut se fier, peut être prouvée par ce moyen, à la condition qu'une preuve distincte en établisse l'authenticité.

Les règles de preuve du *Code civil* donnent au juge toute la latitude pour entendre toute la preuve et pour décider si certaines preuves doivent être écartées.

RÉSUMÉ

Pour obtenir gain de cause devant un tribunal, le demandeur doit prouver son bon droit.

Il existe cinq moyens de prouver une obligation : par écrit, par témoignage, par présomption, par aveu et par la présentation d'un élément matériel.

L'acte notarié constitue le meilleur moyen de preuve par écrit.

L'acte sous seing privé, les autres écrits et les transactions informatisées sont également des moyens courants de preuve par écrit.

La preuve par témoin est le principal moyen de preuve en matière de responsabilité extracontractuelle.

La preuve par présomption simplifie la preuve du demandeur en permettant au tribunal de présumer de certains faits.

L'aveu est le meilleur moyen de preuve car l'autre partie reconnaît votre bon droit mais il est rare qu'une partie avoue une faute devant le tribunal.

La présentation d'un élément matériel constitue un moyen de preuve qui permet au juge de faire directement ses propres constatations.

Pour gagner un procès, il faut non seulement disposer d'éléments de preuve, mais, en plus, il faut que ces éléments de preuve soient admissibles devant un tribunal afin de convaincre le juge de la justesse de nos prétentions.

QUESTIONS

9.1   Que doit prouver le demandeur qui réclame un droit devant un tribunal ?

9.2   Est-il facile de prouver la mauvaise foi d'une partie devant le tribunal ?

9.3   Qu'est-ce que le tribunal doit connaître d'office ?

9.4   Quelle est la valeur de l'acte notarié comme moyen de preuve ?

9.5   Une partie peut-elle contester la validité d'un contrat de location d'une tondeuse en alléguant que ce n'est pas sa signature qui est apposée sur ce contrat ?

9.6   Quelle est la valeur d'un reçu de caisse de Canadian Tire comme moyen pour prouver l'achat d'une scie circulaire ?

9.7   Le reçu de guichet automatique est-il une preuve de paiement d'un compte d'Hydro-Québec ?

9.8   La copie d'un document microfilmé peut-elle servir comme moyen de preuve ?

9.9   La preuve par écrit est-elle toujours le meilleur moyen de preuve ?

9.10   La preuve par témoin est-elle un meilleur moyen de preuve que la preuve par écrit ?

9.11   Quel est l'avantage de recourir à la preuve par présomption lorsqu'elle est permise ?

9.12   Si une partie refuse de répondre devant le tribunal, son silence constitue-t-il un aveu ?

9.13   Quel est l'avantage de recourir à la preuve par la présentation d'un élément matériel ?

9.14   Le tribunal peut-il admettre ou refuser toute preuve qui lui est soumise ?

9.15   Quels sont les cas pour lesquels la preuve par témoin n'est pas admissible ?

CAS PRATIQUES

9.16   L'administrateur du centre commercial Les Galeries de la Capitale s'est entendu verbalement avec un représentant de l'entreprise Déneigement rapide inc. sur un contrat au montant de 30 000 $ pour le déneigement du stationnement du centre commercial au cours du prochain hiver. À cette occasion, l'administrateur du centre commercial a remis un chèque de 10 000 $ à titre d'acompte, et le représentant de Déneigement rapide inc. s'est engagé à lui faire parvenir un contrat écrit dans un délai de quinze jours. Dix jours plus tard, l'administrateur du centre commercial reçoit le contrat sur lequel le montant indiqué est de 40 000 $. L'administrateur du centre commercial est furieux, mais le représentant de l'entreprise de déneigement lui dit que « c'est à prendre ou à laisser ». Le chèque a été encaissé et aucune annotation particulière n'a été faite sur le chèque lors de sa remise. Le centre commercial désire poursuivre l'entreprise de déneigement pour la forcer à respecter le prix convenu de 30 000 $.

Peut-il gagner sa poursuite ? Justifiez votre réponse.

9.17 André, Julie et leurs amis, Gérard et Brigitte, se promènent dans la rue. Ils voient une maison à leur goût. Ils frappent à la porte et rencontrent la propriétaire, Johanne. André et Julie lui offrent 95 000 $ pour sa maison et Johanne accepte. Pour prouver le sérieux de leur offre, ils remettent à Johanne un chèque de 10 000 $ daté du mois suivant. Au recto du chèque, ils ont inscrit la mention suivante : « Acompte de 10 000 $ pour l'achat de la maison de Johanne au prix de 95 000 $ ». Deux jours plus tard, André et Julie se rendent chez leur notaire pour faire préparer l'acte de vente. Lorsque le notaire communique avec Johanne pour obtenir les titres de propriété et autres documents, cette dernière répond que sa maison n'est pas à vendre, qu'elle n'a jamais signé de contrat de vente et qu'elle n'a même pas reçu d'acompte de Julie et André. Ces derniers décident de poursuivre Johanne en Cour supérieure au moyen d'une action en passation de titre.

Qui aura raison et pourquoi ? Justifiez votre réponse.

9.18 Brigitte est propriétaire d'une maison sur la rue Orléans à Charlesbourg et elle est la voisine de Micheline. Pendant la nuit, un arbre situé sur le terrain de Micheline s'abat sur la maison de Brigitte causant pour 18 000 $ de dommages. L'inspection des lieux confirme que l'arbre a été abattu à coups de hache. Curieusement, Micheline est en vacances depuis deux jours et ne revient que la semaine prochaine. Présentement, il n'y a personne dans la maison de Micheline.

Brigitte peut-elle faire la preuve de la responsabilité de Micheline ? Justifiez votre réponse.

9.19 Quelle aurait été votre réponse au cas 9.18 si l'arbre s'était abattu à cause de la pourriture de son tronc ? Justifiez votre réponse.

9.20 Caroline, la directrice générale de Boutique Enjolie inc. contacte un entrepreneur en peinture, Bopeintre inc. pour obtenir une évaluation du coût pour repeindre entièrement l'intérieur et l'extérieur de l'immeuble qui abrite le commerce. Raymond, un employé de Bopeintre inc., informe verbalement Caroline qu'il en coûterait environ 2 500 $ pour repeindre au complet la bâtisse. Caroline décide de retenir les services de Bopeintre inc. Les travaux sont effectués dans les jours suivants conformément aux règles de l'art. Quinze jours plus tard, Caroline reçoit de Bopeintre inc. une facture de 7 300 $. Caroline refuse de payer. Bopeintre inc. poursuit Boutique Enjolie inc. devant la Cour du Québec pour la somme de 7 300 $. Raymond, en tant que principal témoin de la demanderesse, affirme sous serment qu'il a dit à Caroline que cela coûterait environ 7 500 $ pour repeindre au complet l'intérieur et l'extérieur de l'immeuble qui abrite le commerce. Il ajoute que Bopeintre inc. a respecté ses engagements puisque la facture finale n'est que de 7 300 $. Caroline conteste le témoignage de Raymond.

Qui aura raison et pourquoi ? Justifiez votre réponse.

Chapitre **10**

LA VENTE

| **10.0** | **PLAN DU CHAPITRE** |

10.1 OBJECTIFS

Après la lecture du chapitre, l'étudiant doit être en mesure :

- de définir la vente ;
- d'expliquer ce qu'est une promesse de vente ;
- de distinguer une promesse de vente unilatérale d'une promesse bilatérale ;
- d'expliquer ce qu'est la vente d'un bien d'autrui ;
- d'énoncer les obligations du vendeur ;
- de définir la garantie du droit de propriété ;
- de définir la garantie de qualité ;
- de définir la garantie conventionnelle ;
- de déterminer les obligations de l'acheteur ;
- de différencier les différentes modalités de la vente ;
- de faire la différence entre l'échange, la dation en paiement et le bail à rente.

10.2 LA VENTE

1708 C.c.Q.

*La **vente** est le contrat par lequel une personne, le vendeur, transfère la propriété d'un bien à une autre personne, l'acheteur, moyennant un prix en argent que cette dernière s'oblige à payer. [...]*

Comme la vente est un contrat, les règles générales du droit des obligations relatives au contrat s'appliquent à la vente. Les règles de formation du contrat de vente sont celles du contrat (voir la section 7.3.2, La formation du contrat). Elles concernent :

- l'existence du consentement ;
- la capacité de contracter ;
- l'objet ;
- la cause ;
- la forme.

En plus des cinq règles relatives à la formation de tout contrat, le contrat de vente fait l'objet d'une réglementation bien définie qui ajoute deux éléments essentiels pour qu'il y ait vente. Il s'agit :

- du transfert de propriété d'un bien ;
- du paiement d'un prix en argent.

Notez que **si le prix versé n'est pas de l'argent, il ne s'agit pas d'une vente mais d'un échange.**

CONTRAT DE VENTE

Par la présente, moi, Lucie Patenaude, je vends à Raymond Brisebois une chaîne stéréophonique d'occasion de marque Sanyo pour la somme de 450 $.

Lucie Patenaude   *Raymond Brisebois*

Le contrat de vente intervenu entre Lucie Patenaude et Raymond Brisebois aurait pu être plus détaillé : les parties auraient pu, par exemple, le dater et y ajouter leur adresse ainsi que le numéro de série de la chaîne stéréophonique, mais l'absence de ces informations ne l'invalide pas. D'ailleurs, ce contrat aurait pu être verbal et il aurait été parfaitement valide.

10.2.1 LES RESTRICTIONS À LA VENTE

Un certain nombre de règles restreignent la capacité de vendre. Notamment, dans le cas :

- du propriétaire d'un logement situé dans un immeuble qui a été converti en copropriété. Ce propriétaire ne peut pas vendre ce logement sans avoir d'abord donné au locataire qui l'occupe la possibilité de l'acheter (*Loi sur la Régie du logement*, L.R.Q. chap. R-8.1, art. 54.7 et s.) ;
- du propriétaire de deux ou plusieurs lots contigus dans une région désignée agricole par la Commission de protection du territoire agricole. Ce propriétaire ne peut pas, sans l'autorisation de la Commission, aliéner une partie seulement de ces lots à la fois (*Loi sur la protection du territoire agricole*, L.R.Q. chap. P-41.1, art. 29) ;
- des biens des époux.

401 C.c.Q.   *Un époux ne peut, sans le consentement de son conjoint, aliéner, hypothéquer ni transporter hors de la résidence familiale les* **meubles** *qui servent à l'usage du ménage. [...]*

404 C.c.Q.   *L'époux propriétaire d'un* **immeuble de moins de cinq logements** *qui sert, en tout ou en partie, de résidence familiale ne peut, sans le consentement écrit de son conjoint, l'aliéner, le grever d'un droit réel ni en louer la partie réservée à l'usage de la famille. [...]*

405 C.c.Q.   *L'époux propriétaire d'un* **immeuble de cinq logements ou plus** *qui sert, en tout ou en partie, de résidence familiale ne peut, sans le consentement écrit de son conjoint, l'aliéner ni en louer la partie réservée à l'usage de la famille. [...]*

10.2.2 LA PROMESSE DE VENTE OU D'ACHAT

La **promesse** est la preuve d'un engagement à vendre ou à acheter un bien. Mais elle n'engendre aucun des effets de la vente. Ainsi, elle ne transfère pas la propriété d'un bien.

Il existe deux types de promesse de vente ou d'achat, que l'on nomme parfois **avant-contrat** :

- la **promesse unilatérale** ou l'**option** par laquelle seule une des parties s'engage soit à vendre soit à acheter un bien ;

1396 C.c.Q.   *L'**offre de contracter**, faite à une personne déterminée, constitue une promesse de conclure le contrat envisagé, dès lors que le destinataire manifeste clairement à l'offrant son intention de prendre l'offre en considération et d'y répondre dans un délai raisonnable ou dans celui dont elle est assortie. [...]*

- la **promesse bilatérale** par laquelle une partie s'engage à vendre un bien et l'autre partie s'engage à l'acheter.

1396 C.c.Q.   *[...] La **promesse**, à elle seule, n'équivaut pas au contrat envisagé ; cependant, lorsque le bénéficiaire de la promesse l'accepte ou lève l'option à lui consentie, il s'oblige alors, de même que le promettant, à conclure le contrat, à moins qu'il ne décide de le conclure immédiatement.*

La promesse bilatérale n'est pas une vente. Il s'agit d'un avant-contrat par lequel les parties s'obligent à passer ultérieurement la vente. S'il arrivait que le promettant vendeur vende à un tiers de bonne foi, le recours du promettant acheteur serait contractuel en dommages-intérêts. Par contre, si le bien n'est pas vendu et qu'il y a défaut de donner suite à la promesse de vente, l'effet de la promesse est de permettre au bénéficiaire d'exercer une **action en passation de titre**.

1712 C.c.Q.   *Le défaut par le promettant vendeur ou le promettant acheteur de passer titre confère au bénéficiaire de la promesse le droit d'obtenir un jugement qui en tienne lieu.*

Par exemple, Lucien a signé une promesse de vente par laquelle il accepte de vendre sa maison à Alice pour la somme de 80 000 $. Quelques jours avant la signature des actes notariés, Lucien change d'idée et annonce à Alice qu'il ne désire plus vendre sa maison. Alice peut déposer une action en passation de titre devant la Cour supérieure par laquelle elle demande à la cour de rendre jugement la déclarant propriétaire de la maison de Lucien en échange de la somme de 80 000 $ qu'elle peut déposer à la cour. Alice deviendra ainsi propriétaire de la maison de Lucien pour la somme de 80 000 $, conformément à la promesse de vente.

Les parties peuvent consentir à ce que la promesse de vente produise immédiatement ses effets :

1710 C.c.Q.   *La promesse de vente accompagnée de délivrance et possession actuelle équivaut à vente.*

En règle générale, la majorité des promesses de vente concernant des meubles produisent immédiatement leurs effets, puisque l'acheteur paie le prix et le vendeur lui remet tout de suite l'objet de la vente. Par contre, la promesse de vente d'un immeuble ne produit généralement pas ses effets immédiatement, puisqu'un certain délai est nécessaire pour permettre au notaire de préparer tous les documents appropriés.

1711 C.c.Q.   *Toute somme versée à l'occasion d'une promesse de vente est présumée être un* ***acompte*** *sur le prix, à moins que le contrat n'en dispose autrement.*

Par exemple, Charles désire acheter un camion de livraison pour son commerce. Il croit avoir trouvé ce qui lui convient en consultant les annonces classées du journal Le Soleil. *Il prend contact avec le vendeur, Gisèle, et ils s'entendent sur un prix de vente de 25 000 $. Charles remet un acompte de 1 000 $ à Gisèle et lui dit qu'il réglera le solde à la fin de la semaine. Deux jours plus tard, Charles change d'idée et ne veut plus acheter le camion. Dans ce cas, Gisèle peut forcer Charles à acheter le camion puisqu'il y a un contrat entre les parties. En pratique, le vendeur se contente généralement de garder l'acompte, ce qui signifie que Charles perd alors son acompte de 1 000 $.*

Charles dispose d'une autre option qui n'est pas spécifiquement prévue dans le Code civil *; il a l'option d'offrir des arrhes de 1 000 $ à Gisèle plutôt que d'offrir un acompte. Que sont les arrhes ? Nous pouvons définir les* **arrhes** *comme étant une somme d'argent qui permet à l'acheteur éventuel de manifester son intérêt pour l'achat d'un bien sans pour autant s'engager formellement à l'acheter. Si l'acheteur abandonne les arrhes, il n'est pas tenu d'acheter le bien et le vendeur ne peut pas le poursuivre pour le forcer à acheter le bien. De même, pour le vendeur, les arrhes constituent une somme d'argent qu'il prend pour signifier son intention d'accepter éventuellement l'offre de l'acheteur, tout en gardant la possibilité de se dédire, c'est-à-dire de refuser de donner suite à l'offre de vente. Si le vendeur se dédit, il doit non seulement remettre les arrhes qu'il a reçues, mais, en plus, il doit remettre une somme égale au montant des arrhes reçues. En pratique, il se trouve donc à remettre à l'acheteur éventuel un montant égal au double des arrhes reçues.*

Par exemple, si Charles a remis une somme de 1 000 $ à Gisèle en lui disant qu'il s'agit d'arrhes, Charles peut changer d'idée et ne pas acheter le camion ; il perd alors les arrhes de 1 000 $. Par ailleurs, si Gisèle refuse de vendre le camion à Charles, elle doit, quant à elle, lui remettre une somme de 2 000 $. Cette situation peut parfois se produire si Gisèle reçoit une somme supérieure pour acheter le camion. Par exemple, si Caroline offre 30 000 $ comptant pour le camion, Gisèle peut le vendre à Caroline ; dans ce cas, elle doit remettre à Charles les arrhes de 1 000 $, plus une pénalité de 1 000 $.

Les arrhes, tout comme l'acompte, se versent lors de la conclusion de la vente, mais le fait de remettre des arrhes, permet tant à l'acheteur qu'au vendeur de se dédire de ce contrat, pour le premier, en abandonnant les arrhes sans risque de poursuite, pour le second, en remboursant le double du montant des arrhes. Il y a donc une différence entre le terme **arrhes** et le terme **acompte**. La possibilité de se dédire existe notamment dans le cas d'un contrat de vente d'un immeuble (voir la section 10.6, La vente d'immeubles à usage d'habitation).

10.2.3   LA VENTE DU BIEN D'AUTRUI

Lorsqu'il y a vente, commerciale ou non commerciale, d'un bien qui n'appartient pas au vendeur, notre droit protège le propriétaire qui désire revendiquer ce bien et obtenir la **nullité de la vente**. Ainsi, le tribunal peut ordonner à l'acheteur de restituer le bien à son **propriétaire** et condamner le **vendeur** à rembourser à l'**acheteur de bonne foi** le prix de vente. Cependant, celui qui achète un bien, en sachant que le vendeur n'en est pas propriétaire, n'a pas droit au remboursement si le véritable propriétaire revendique le bien.

Dans le cas d'un bien acquis au moyen d'un contrat de vente à tempérament, le vendeur demeure propriétaire du bien vendu jusqu'au paiement final. Une personne qui désire vendre un bien acheté avec un tel contrat ne peut pas le faire car il ne lui appartient pas. Une personne ne peut transférer plus de droits qu'elle en détient elle-même.

Par exemple, Louis achète chez Barré Automobile, par contrat de vente à tempérament, une Chevrolet Caprice de 25 000 $. Il verse 5 000 $ comptant et s'engage à payer le solde de 20 000 $ en 60 versements mensuels égaux et consécutifs de 405,52 $, le premier jour de chaque mois. Dans ce cas, le vendeur, Barré Automobile, demeure propriétaire de la Chevrolet Caprice tant et aussi longtemps que Louis n'a pas effectué ses 60 versements. Si, après 24 mois, Louis désire vendre sa Chevrolet Caprice à Sylvie pour la somme de 18 000 $, il ne peut théoriquement pas le faire puisque l'automobile ne lui appartient pas.

1713 C.c.Q.   *La vente d'un bien par une personne qui n'en est pas propriétaire ou qui n'est pas chargée ni autorisée à le vendre, peut être frappée de nullité.*

Elle ne peut plus l'être si le vendeur devient propriétaire du bien.

*Par exemple, si Louis se sert du 18 000 $ qu'il reçoit de Sylvie pour payer le solde dû
à Barré Automobile, il devient légalement propriétaire de l'automobile et, par conséquent, la vente ne peut plus être annulée.*

D'autres situations peuvent illustrer l'article qui précède :

- la vente d'un bien par le locataire de ce bien ;

- la vente d'un immeuble sur lequel le vendeur n'a qu'un droit d'usage ;

- la vente d'un bien quand une personne n'en est propriétaire que pour une part
indivise ;

- la vente d'un bien sur lequel une banque détient une sûreté spéciale en vertu de
la *Loi sur les banques* et que le prêteur se réserve un droit de propriété afin de
garantir le prêt consenti au commerçant.

La nullité de la vente ne peut être obtenue dans les deux cas suivants :

- la vente sous l'autorité de justice ;

- la prescription acquisitive.

1714 C.c.Q.   *Le véritable propriétaire peut demander la nullité de la vente et revendiquer contre l'acheteur le bien vendu, à moins que la vente n'ait eu lieu sous l'autorité de la justice ou que
l'acheteur ne puisse opposer une prescription acquisitive.*

*Il est tenu, si le bien est un meuble qui a été vendu dans le cours des activités d'une entre-
prise, de rembourser à l'acheteur de bonne foi le prix qu'il a payé.*

Si quelqu'un achète un bien lors d'une **vente en justice** découlant d'un bref de
saisie émis par un tribunal, ou lors d'un encan organisé par les autorités fédérales,
provinciales ou municipales, personne ne peut revendiquer le bien qu'il a acheté.

*Par exemple, lors de l'encan annuel de la ville de Sherbrooke, Martine a acheté une
bicyclette. La vente en justice a* **lavé** *ou* **purgé** *le titre de propriété de la bicyclette,
c'est-à-dire qu'elle a rayé tous les anciens propriétaires et tous les anciens créanciers.
Martine est donc la seule et unique propriétaire de cette bicyclette, et personne ne
peut la lui revendiquer.*

*Par exemple, si Arthur achète chez un commerçant un objet qui a été trouvé ou volé,
et que le véritable propriétaire de l'objet reconnaît son bien et le lui réclame, Arthur
doit lui remettre le bien, mais le véritable propriétaire, pour récupérer son bien, doit
rembourser à Arthur le prix que ce dernier a payé. Le véritable propriétaire peut alors
poursuivre le commerçant dans le but de récupérer le montant qu'il a dû rembourser
à Arthur. Quant au commerçant, il devra expliquer devant le tribunal l'origine de ce
bien, s'il refuse de rembourser le véritable propriétaire. Évidemment, cela suppose
qu'Arthur soit de bonne foi et qu'il possède une facture ou une preuve d'achat de
ce bien.*

*De plus, en matière mobilière, le véritable propriétaire ne dispose que d'un délai de
trois ans depuis la date de la perte ou du vol pour réclamer son bien, car il y a une
prescription acquisitive de trois ans en vertu de l'article 2919 du Code civil (voir la
section 8.8.1, La prescription acquisitive). En matière immobilière, cette prescription
est de dix ans.*

L'acheteur, le vendeur et le propriétaire du bien peuvent obtenir la nullité de la vente
du bien. Cependant, dès que le délai de prescription est expiré, personne ne peut
plus obtenir la nullité de la vente. Le législateur a voulu ainsi garantir la sécurité des
rapports entre propriétaire, vendeur et acheteur.

10.2.4 LES OBLIGATIONS DU VENDEUR

Comme l'indique le tableau 10.1, le législateur a imposé au vendeur une série d'obligations qui font en sorte que:

1716 C.c.Q.

Le vendeur est tenu de délivrer le bien, et d'en garantir le droit de propriété et la qualité.

Ces garanties existent de plein droit, sans qu'il soit nécessaire de les stipuler dans le contrat de vente.

Tableau 10.1 Les obligations du vendeur

Obligation	Exemple
Délivrance	Le vendeur doit remettre à l'acheteur l'automobile qu'il a achetée
Garantie du droit de propriété	Le vendeur est réellement propriétaire de l'automobile qu'il a vendue
Garantie de qualité	Le vendeur ne vend pas une automobile affligée d'un vice caché, comme un moteur avec un cylindre perforé

10.2.4.1 L'obligation de délivrance

1717 C.c.Q.

L'obligation de délivrer le bien est remplie lorsque le vendeur met l'acheteur en possession du bien ou consent à ce qu'il en prenne possession, tous obstacles étant écartés.

1718 C.c.Q.

Le vendeur est tenu de délivrer le bien dans l'état où il se trouve lors de la vente, avec tous ses accessoires.

La **délivrance** consiste pour le vendeur à mettre le bien à la **disposition** de l'acheteur. Il s'agit du **transfert de la détention** du bien. Aussi faut-il éviter de confondre **délivrance** et **livraison**.

1722 C.c.Q.

Les frais de délivrance sont à la charge du vendeur; ceux d'enlèvement sont à la charge de l'acheteur.

Il faut faire une distinction entre les frais de délivrance et les frais d'enlèvement ou de livraison. Les **frais de délivrance** sont ceux que le vendeur doit payer pour mettre le bien à la disposition de l'acheteur. Dans un magasin de détail, il n'y a généralement pas de frais de délivrance, puisque le produit est disponible sur place: l'acheteur n'a qu'à le prendre. Par contre, si l'acheteur achète un produit que le commerçant n'a pas en stock, ce dernier doit payer les frais de délivrance, c'est-à-dire ceux qui sont nécessaires pour que ce bien soit disponible, soit le coût de transport entre le fournisseur et le magasin.

Par ailleurs, les **frais d'enlèvement ou de livraison** sont à la charge de l'acheteur, à moins de stipulation contraire. En pratique il existe deux situations différentes.

En ce qui concerne la **vente au détail**, c'est généralement le commerçant qui assume les frais de livraison.

Par contre, pour ce qui est de la **vente en gros**, c'est-à-dire entre deux commerçants, les frais de livraison sont généralement à la charge de l'acheteur, puisque la plupart des commerçants possèdent leurs propres camions et préfèrent assumer eux-mêmes le transport afin de réduire le coût d'achat. Cependant, si l'acheteur ne possède pas ses propres camions, le vendeur peut lui fournir un service de livraison, moyennant des frais supplémentaires.

Par exemple, lorsqu'un camion semi-remorque de Canadian Tire se rend à Saint-Georges pour approvisionner le magasin local, il peut prendre au passage, chez

Procycle, les bicyclettes qui y sont fabriquées et que la chaîne vend dans ses magasins. En repassant par Québec, le camion peut livrer des bicyclettes aux différents magasins Canadian Tire.

Les expressions **FAB** ou **FOB** sont souvent utilisées pour définir les conditions de vente. Elles signifient **franco à bord (FAB)**, ou en anglais *free on board* **(FOB)**. C'est le point où cesse l'obligation de délivrance du vendeur et où commence l'obligation d'enlèvement de l'acheteur. *Par exemple, si Procycle de Saint-Georges s'engage à livrer des bicyclettes à Canadian Tire FAB au terminus de Dolbec Transport inc. à Québec, cela signifie que Procycle assume tous les frais de transport à partir de son usine jusqu'au terminus de Dolbec Transport inc. à Québec, et qu'à partir de ce point, Canadian Tire assume les frais de transport jusqu'à ses propres magasins et entrepôts.*

Il existe une exception à l'obligation de délivrance :

1721 C.c.Q.

> *Le vendeur qui a accordé un délai pour le paiement n'est pas tenu de délivrer le bien si, depuis la vente, l'acheteur est devenu insolvable.*

Par exemple, si Morin GMC inc. vend à Dolbec Transport inc. trois camions livrables dans quinze jours et que le vendeur apprend, dix jours plus tard, que Dolbec Transport inc. est en faillite, il est évident que Morin GMC inc. ne fera pas la livraison des camions à un acheteur qu'il sait ne pas être en mesure de les payer.

Lorsque les parties ont fixé **un délai de délivrance**, le vendeur doit le respecter, sinon il est en faute. Si les parties n'ont pas fixé de délai de délivrance, elle doit avoir lieu immédiatement sinon l'acheteur d'un bien meuble bénéficie de la résolution de la vente de plein droit, c'est-à-dire sans qu'il soit nécessaire de s'adresser aux tribunaux.

1736 C.c.Q.

> *L'acheteur d'un bien meuble peut, lorsque le vendeur ne délivre pas le bien, considérer la vente comme résolue si le vendeur est en demeure de plein droit d'exécuter son obligation ou s'il ne l'exécute pas dans le délai fixé par la mise en demeure.*

Ainsi, l'acheteur n'aura qu'à mettre en demeure le vendeur de considérer la vente comme résolue, à moins qu'il ne lui fixe un délai pour l'exécuter dans la mise en demeure.

10.2.4.2   L'obligation de garantie

L'obligation de garantie imposée au vendeur recouvre deux aspects : la garantie du droit de propriété et la garantie de la qualité.

La garantie du droit de propriété

1723 C.c.Q.

> *Le vendeur est tenu de garantir à l'acheteur que le bien est libre de tous droits, à l'exception de ceux qu'il a déclarés lors de la vente.*
>
> *Il est tenu de purger le bien des hypothèques qui le grèvent, même déclarées ou inscrites, à moins que l'acheteur n'ait assumé la dette ainsi garantie.*

La **garantie du droit de propriété** signifie que le vendeur garantit à l'acheteur qu'il est bien le propriétaire du bien vendu et qu'il n'y aura pas **éviction**, c'est-à-dire que personne d'autre n'a de droit sur ce bien ou ne viendra le réclamer à l'acheteur. De plus, il doit fournir à l'acheteur un **titre clair**, c'est-à-dire un titre de propriété sur lequel il n'y a aucune charge, que ce soit sous forme d'hypothèque ou de priorité, afin que personne ne puisse faire la moindre revendication sur ce bien ou en déposséder l'acheteur. Ainsi, le vendeur peut être tenu de compenser les conséquences d'une éviction partielle ou totale, mais il doit aussi prendre les mesures nécessaires pour éviter cette éviction, afin que l'acheteur ait la pleine jouissance du bien.

La garantie de qualité

La **garantie de qualité** vise à assurer l'utilité du bien vendu ; elle est légale ou conventionnelle selon que cette garantie est imposée par la loi, tel le *Code civil* ou la *Loi sur la protection du consommateur*, ou conventionnelle si elle découle d'un contrat intervenu entre le vendeur et l'acheteur.

Ainsi, le contrat d'achat d'une automobile neuve comprend toujours une garantie légale minimale mais non précisée pour sa couverture et sa durée, si ce n'est en vertu d'un principe général selon lequel le bien qui fait l'objet du contrat doit être tel qu'il puisse servir à l'usage auquel il est normalement destiné pendant une durée raisonnable, eu égard à son prix, aux dispositions du contrat et aux conditions d'utilisation du bien.

Quant à la garantie conventionnelle, elle est détaillée dans le contrat et précise, par exemple, que cette automobile peut être couverte par plusieurs garanties qui s'ajoutent les unes aux autres. *Par exemple, une première garantie totale d'un pare-chocs à l'autre pendant la première année, une deuxième garantie sur le moteur et les rouages d'entraînement pendant cinq ans ou 80 000 kilomètres selon la première éventualité, et, enfin, une garantie contre la perforation causée par la rouille durant sept ans sans aucune limite de kilométrage. Cette garantie peut également prévoir qu'elle ne s'applique pas aux véhicules servant comme véhicule de police ou taxi.*

• La garantie légale

La garantie légale contre les vices cachés est l'élément le plus important de cette garantie de qualité et permet à l'acheteur d'obtenir la résolution de la vente ou la réduction du prix.

1726 C.c.Q.
> *Le vendeur est tenu de garantir à l'acheteur que le bien et ses accessoires sont, lors de la vente, exempts de vices cachés qui le rendent impropre à l'usage auquel on le destine ou qui diminuent tellement son utilité que l'acheteur ne l'aurait pas acheté, ou n'aurait pas donné si haut prix, s'il les avait connus.*
>
> *Il n'est, cependant, pas tenu de garantir le vice caché connu de l'acheteur ni le **vice apparent** ; est apparent le vice qui peut être constaté par un acheteur prudent et diligent sans avoir besoin de recourir à un expert.*

Il existe trois formes de vices :

- la **défectuosité matérielle**, *par exemple une bicyclette de course égratignée ;*
- la **défectuosité fonctionnelle**, *par exemple les freins avant de la bicyclette de fonctionnent pas ;*
- la **défectuosité conventionnelle**, *par exemple au moment des négociations, le vendeur certifie à l'acheteur qu'il n'aura qu'à changer les freins pour que le véhicule vendu soit fonctionnel. Si cette déclaration est fausse, il y a ouverture à la garantie contre les vices.*

Il existe également une différence entre un vice apparent et un vice caché.

Un **vice apparent** est un défaut qui peut être vu plus ou moins facilement, comme un toit d'immeuble qui coule, des fenêtres pourries, de la peinture écaillée, des égratignures, des vitres cassées, un moteur qui fait du bruit et qui émet un nuage de fumée bleue ou noire, de la rouille, etc. Le vice apparent est souvent visible à l'œil nu, mais il faut parfois un examen plus approfondi ou l'œil d'un expert pour le déceler.

Un **vice caché** est un vice qui rend le bien impropre à l'usage auquel il est destiné ou qui diminue l'utilité de ce bien. *Ainsi, un tracteur dont le moteur n'est pas assez puissant pour tirer une remorque à pleine charge ou un stylo qui ne dure que cinq jours sont des exemples de vices cachés.*

De plus, un vice caché doit avoir pour conséquence le fait que l'acheteur n'aurait pas acheté ce bien ou aurait refusé d'en payer un prix aussi élevé. *Par exemple, Robert n'aurait pas acheté le tracteur s'il avait su que le moteur n'était pas assez puissant et Jacqueline aurait refusé de donner deux dollars pour un stylo qui n'écrit que pendant cinq jours.*

En outre, si Geneviève achète l'automobile de Raymond et que cette automobile tombe mystérieusement en panne trois ou quatre jours après la date d'achat, il est facile de présumer qu'il existait un vice caché au moment de la vente.

Il peut cependant y avoir des vices cachés qui échappent à un examen ordinaire d'un expert. *Par exemple, avant d'acheter un immeuble, bien que l'acheteur n'ait pas l'obligation de recourir à un expert, il est plus prudent pour l'acheteur de faire examiner l'immeuble par un entrepreneur en construction, un ingénieur, un menuisier, un plombier ou un électricien, selon le cas, afin d'obtenir l'opinion d'un expert sur l'état réel de l'immeuble.* Il ne s'agit pas de démonter un bien pièce par pièce, mais de procéder à un examen assez approfondi du bien pour en avoir une bonne idée générale.

1727 C.c.Q.   *Lorsque le bien périt en raison d'un vice caché qui existait lors de la vente, la perte échoit au vendeur, lequel est tenu à la restitution du prix ; si la perte résulte d'une force majeure ou est due à la faute de l'acheteur, ce dernier doit déduire, du montant de sa réclamation, la valeur du bien, dans l'état où il se trouvait lors de la perte.*

L'article 1727 du *Code civil* oblige donc le vendeur à assumer le risque de la perte lorsque le bien est affecté d'un vice caché au moment de la vente. *Par exemple, si Josyane achète de Paul une automobile dont la transmission se brise après avoir parcouru seulement dix kilomètres, il est raisonnable de penser que le vice existait au moment où l'automobile a été vendue. Par contre, si la transmission se brise douze mois plus tard, après que l'automobile ait parcouru dix mille kilomètres, il est raisonnable de penser que le vice n'existait pas au moment où l'automobile a été vendue ; c'est une question de gros bon sens.* Évidemment, l'acheteur peut toujours tenter de prouver l'existence du vice caché au moment de l'achat, mais il devra disposer d'une preuve technique solide.

1728 C.c.Q.   *Si le vendeur connaissait le vice caché ou ne pouvait l'ignorer, il est tenu, outre la restitution du prix, de tous les dommages-intérêts soufferts par l'acheteur.*

L'acheteur doit cependant aviser le vendeur de l'existence de ce vice.

1739 C.c.Q.   *L'acheteur qui constate que le bien est atteint d'un vice doit, par écrit, le dénoncer au vendeur dans un délai raisonnable depuis sa découverte. Ce délai commence à courir, lorsque le vice apparaît graduellement, du jour où l'acheteur a pu en soupçonner la gravité et l'étendue.*

Le vendeur ne peut se prévaloir d'une dénonciation tardive de l'acheteur s'il connaissait ou ne pouvait ignorer le vice.

Lorsque le vendeur est un professionnel ou un commerçant, le législateur a prévu des dispositions particulières.

1729 C.c.Q.   *En cas de vente par un vendeur professionnel, l'existence d'un vice au moment de la vente* **est présumée***, lorsque le mauvais fonctionnement du bien ou sa détérioration survient prématurément par rapport à des biens identiques ou de même espèce ; cette présomption est repoussée si le défaut est dû à une mauvaise utilisation du bien par l'acheteur.*

1730 C.c.Q.   *Sont également tenus à la garantie du vendeur, le fabricant, toute personne qui fait la distribution du bien sous son nom ou comme étant son bien et tout fournisseur du bien, notamment le grossiste et l'importateur.*

Comme le vendeur professionnel est supposé connaître les biens qu'il vend, il est normal que le législateur lui impose une forme d'obligation de connaissance afin de protéger l'acheteur inexpérimenté ou qui n'a pas un niveau de connaissance suffisant contre les déclarations incomplètes, les omissions et les manœuvres du vendeur.

Cependant,

1731 C.c.Q.   *La vente faite sous l'autorité de la justice ne donne lieu à aucune obligation de garantie de qualité du bien vendu.*

Il est évident que l'huissier qui procède à une vente en justice n'a pas à connaître les vices cachés des objets qu'il doit vendre ; il les vend tel quel et c'est à l'acheteur de les examiner avant de faire une offre et de les acheter.

En droit, la maxime latine ***caveat emptor*** signifie : **Que l'acheteur prenne garde.** En effet, l'acheteur doit se méfier du vendeur et il appartient à l'acheteur de bien examiner le bien, ou encore de le faire examiner par un expert avant de l'acheter pour connaître l'existence des vices apparents. En général, un vendeur ne ment pas, mais il peut exagérer un peu et « oublier » certains détails.

1733 C.c.Q.   *Le vendeur ne peut exclure ni limiter sa responsabilité s'il n'a pas révélé les vices qu'il connaissait ou ne pouvait ignorer et qui affectent le droit de propriété ou la qualité du bien.*

*Cette règle reçoit exception lorsque l'acheteur achète à ses risques et périls d'un **vendeur non professionnel**.*

La validité de la clause selon laquelle l'acheteur achète le bien à ses risques et périls est parfaitement légale en matière de vice caché ; elle libère le vendeur de toute garantie de qualité. Il faut cependant être en présence d'un vendeur non professionnel. Il serait impossible pour un détaillant d'échapper à la garantie de qualité en se servant d'une telle clause.

Il ne faut pas oublier que la *Loi sur la protection du consommateur* impose une garantie légale pour tous les biens vendus par un commerçant à un consommateur ; cette loi est d'ordre public et le commerçant, dans ce cas, ne peut la supprimer (voir la section 14.3.2, Les garanties).

Ainsi, le vendeur est responsable des vices cachés même s'il ne les connaît pas, à moins que le contrat ne comporte une clause qui spécifie la non-responsabilité du vendeur, comme :

LE VENDEUR VEND LE PRÉSENT VÉHICULE SANS AUCUNE GARANTIE EXPRESSE OU IMPLICITE ; L'ACHETEUR A EXAMINÉ ET ESSAYÉ LE VÉHICULE ET S'EN DÉCLARE SATISFAIT.

Dans le but d'éviter certains litiges, le contrat de vente d'une automobile est assez détaillé, compte tenu de la valeur du bien. Par conséquent, le contrat doit comporter des dispositions qui précisent :

- le nom et l'adresse des parties ;
- la description du véhicule avec son kilométrage et son numéro de série ;
- le type de garanties ou son absence ;
- l'acceptation du véhicule par l'acheteur ;
- la description des défauts actuels du véhicule ;
- le prix de vente ;
- la date du paiement ;
- les modalités de transfert ;
- la signature des parties ainsi que celle de deux témoins, un pour chaque partie, afin de faciliter la preuve du contrat en cas de contestation future.

• *La garantie conventionnelle*

La **garantie conventionnelle** est un arrangement entre le vendeur et l'acheteur. Par conséquent, la loi ne précise pas son contenu ; il revient au vendeur et à l'acheteur d'en déterminer les modalités.

1732 C.c.Q.

> *Les parties peuvent, dans leur contrat, ajouter aux obligations de la garantie légale, en diminuer les effets, ou l'exclure entièrement, mais le vendeur ne peut, en aucun cas, se dégager de ses faits personnels.*

Les parties peuvent donc l'augmenter, la diminuer ou même l'annuler si elles le désirent. *L'acheteur d'une Chevrolet Caprice chez Barré Automobile ne peut pas tellement négocier la garantie avec General Motors ; il doit accepter la garantie que lui offre General Motors, car il n'a pas une force économique suffisante pour négocier sur un pied d'égalité avec General Motors.*

Par contre, lorsqu'une entreprise comme Air Canada achète 20 Boeing 767, il est certain que la taille de cette entreprise et l'importance de la commande lui permettent de négocier avec son fournisseur sur un certain pied d'égalité et d'obtenir une garantie qui lui convienne.

La garantie conventionnelle est celle qui a cours pour une majorité de biens achetés, c'est-à-dire :

- des véhicules tels qu'un camion, une automobile, une motocyclette, etc. ;
- des appareils électroménagers tels qu'une cuisinière, un réfrigérateur, une laveuse, une sécheuse, un lave-vaisselle, un four à micro-ondes, etc. ;
- des appareils électriques tels qu'un aspirateur, un malaxeur, un ouvre-boîtes, un couteau électrique, une pompe de piscine, etc. ;
- des appareils motorisés tels qu'une tondeuse, une souffleuse, etc. ;
- des appareils audio-vidéo tels qu'un téléviseur, un magnétoscope, un récepteur, un tourne-disque, un lecteur de disque laser, etc. ;
- des meubles tels qu'une piscine hors-terre, un lit, un sofa, etc.

Si le prix d'un objet est élevé ou si le fabricant désire augmenter son chiffre d'affaires, le manufacturier ou le vendeur offre une garantie longue et universelle pour accroître l'intérêt du consommateur. Il n'est plus rare de voir des automobiles vendues avec des garanties de cinq ou même de sept ans. Hyundai offre même une garantie complète de trois ans qui inclut les mises au point.

10.2.5 LES OBLIGATIONS DE L'ACHETEUR

Si le vendeur a des obligations, l'acheteur en a également. En effet :

1734 C.c.Q.

> *L'acheteur est tenu de prendre livraison du bien vendu et d'en payer le prix au moment et au lieu de la délivrance. Il est aussi tenu, le cas échéant, de payer les frais de l'acte de vente.*

1735 C.c.Q.

> *L'acheteur doit l'intérêt du prix de la vente, à compter de la délivrance du bien ou de l'expiration du délai convenu entre les parties.*

10.2.6 LES RECOURS DE L'ACHETEUR CONTRE LE VENDEUR

1736 C.c.Q.

> *L'acheteur d'un bien meuble peut, lorsque le vendeur ne délivre pas le bien, considérer la vente comme résolue si le vendeur est en demeure de plein droit d'exécuter son obligation ou s'il ne l'exécute pas dans le délai fixé par la mise en demeure.*

Cet article rend possible la résolution de plein droit de la vente mobilière pour l'acheteur. Tout comme l'article 1740 du *Code civil*, il prévoit que la résolution de la vente ne peut avoir lieu que s'il y a demeure de plein droit ou s'il y a eu mise en demeure.

Ainsi, il est possible pour l'acheteur d'un bien meuble, lorsque le vendeur ne délivre pas le bien, de considérer la vente comme résolue si le vendeur est en demeure de plein droit d'exécuter son obligation ou s'il ne l'exécute pas dans le délai fixé par la mise en demeure.

À quel moment le vendeur est-il en demeure de plein droit ?

1597 C.c.Q. *Le débiteur est en demeure de plein droit, par le seul effet de la loi, lorsque l'obligation ne pouvait être exécutée utilement que dans un certain temps qu'il a laissé s'écouler ou qu'il ne l'a pas exécutée immédiatement alors qu'il y avait urgence.*

Il est également en demeure de plein droit lorsqu'il a manqué à une obligation de ne pas faire, ou qu' il a, par sa faute, rendu impossible l'exécution en nature de l'obligation ; il l'est encore lorsqu'il a clairement manifesté au créancier son intention de ne pas exécuter l'obligation ou, s'il s'agit d'une obligation à exécution successive, qu'il refuse ou néglige de l'exécuter de manière répétée.

1605 C.c.Q. *La résolution ou la résiliation du contrat peut avoir lieu sans poursuite judiciaire lorsque le débiteur est en demeure de plein droit d' exécuter son obligation ou qu'il ne l'a pas exécutée dans le délai fixé par la mise en demeure.*

Il serait quand même prudent pour l'acheteur de toujours envoyer une mise en demeure au vendeur ne serait-ce que pour lui rappeler qu'il est actuellement en défaut d'exécuter son obligation et que s'il ne l'exécute pas dans le délai indiqué dans la mise en demeure, il peut s'attendre soit à une résolution du contrat, soit à des procédures judiciaires pour l'exécution de cette obligation.

Par ailleurs :

1737 C.c.Q. *Lorsque le vendeur est tenu de délivrer la contenance ou la quantité indiquée au contrat et qu'il est dans l'impossibilité de le faire, l'acheteur peut obtenir une diminution du prix ou, si la différence lui cause un préjudice sérieux, la résolution de la vente.*

Toutefois, l'acheteur est tenu, lorsque la contenance ou la quantité excède celle qui est indiquée au contrat, de payer l'excédent ou de remettre celui-ci au vendeur.

Ainsi, le législateur mentionne un critère subjectif pour le droit à la résolution, soit le critère du « préjudice sérieux ». L'inexécution de peu d'importance ne donnant droit qu'à la diminution de prix.

L'acheteur peut donc obtenir une diminution du prix ou, si la différence lui cause un préjudice sérieux, la résolution de la vente, lorsque le vendeur est tenu de délivrer la contenance et la quantité indiquée au contrat et qu'il est dans l'impossibilité de le faire.

D'autre part, l'acheteur doit, lorsqu'il reçoit une contenance ou une quantité qui excède celle indiquée au contrat payer l'excédent ou de remettre celui-ci au vendeur.

10.2.7   LES RECOURS DU VENDEUR CONTRE L'ACHETEUR

1740 C.c.Q. *Le vendeur d'un bien meuble peut, lorsque l'acheteur n'en paie pas le prix et n'en prend pas délivrance, considérer la vente comme résolue si l'acheteur est en demeure de plein droit d'exécuter ses obligations ou s'il ne les a pas exécutées dans le délai fixé par la mise en demeure.*

Il peut aussi, lorsqu'il apparaît que l'acheteur n'exécutera pas une partie substantielle de ses obligations, arrêter la livraison du bien en cours de transport.

Notre droit permet donc au vendeur de considérer la vente d'un meuble résolue de plein droit, lorsque l'acheteur n'en paie pas le prix et n'en prend pas livraison.

Ainsi, le vendeur pourra, dans ce cas, considérer la vente comme résolue si l'acheteur est en demeure de plein droit d'exécuter ses obligations ou s'il ne les a pas exécutées dans le délai fixé par la mise en demeure.

De plus, le vendeur peut également arrêter la livraison du bien en cours de transport, lorsqu'il apparaît que l'acheteur n'exécutera pas une partie substantielle de ses obligations. Ce principe protège les droits du vendeur impayé qui a remis le bien vendu à un transporteur.

Dans le cas de la vente d'un bien immeuble :

1742 C.c.Q.

> *Le vendeur d'un bien immeuble ne peut demander la résolution de la vente, faute par l'acheteur d'exécuter l'une de ses obligations, que si le contrat contient une stipulation particulière à cet effet.*
>
> *S'il est dans les conditions pour demander la résolution, il est tenu d'exercer son droit dans un délai de cinq ans à compter de la vente.*

Notre *Code civil* exige que l'on retrouve au contrat de vente ce que l'on appelle couramment une clause résolutoire afin de permettre au vendeur d'en demander la résolution. Ce droit s'étend à tout défaut de l'acheteur d'exécuter l'une de ses obligations et ne se limite pas au seul défaut de payer le prix de la vente.

10.3 LES MODALITÉS DE PAIEMENT D'UNE VENTE

Il existe quatre modalités de paiement d'une vente. Il s'agit de :

- la vente au comptant ;
- la vente avec carte de débit ;
- la vente avec carte de crédit ;
- la vente avec contrat de crédit.

10.3.1 LA VENTE AU COMPTANT

La **vente au comptant** suppose que l'acheteur paie le prix de vente en entier lors de la conclusion de la vente. *Par exemple, Marie achète une robe de 160 $ chez Eaton et elle paie intégralement le coût de son achat au moment où elle passe à la caisse avec de l'argent liquide ; le magasin Eaton est donc immédiatement et totalement payé par l'acheteur.* C'est la forme de paiement la plus utilisée pour l'achat d'un grand nombre de produits de consommation courants ou de faible valeur.

10.3.2 LA VENTE AVEC CARTE DE DÉBIT

La **vente avec carte de débit** équivaut à une vente au comptant puisque l'acheteur paie le prix de vente en entier lors de la conclusion de la vente en transférant électroniquement une somme d'argent de son compte en banque au compte en banque du vendeur. *Par exemple, Paul achète de la nourriture pour 100 $ chez Provigo et il paie intégralement le coût de ses achats avec une carte de débit au moment où il passe à la caisse ; le magasin Provigo est donc immédiatement et totalement payé par l'acheteur.* C'est une forme de paiement qui gagne de plus en plus d'acheteurs et qui s'est répandue particulièrement dans le domaine de l'alimentation.

10.3.3 LA VENTE AVEC CARTE DE CRÉDIT

La **vente avec carte de crédit** suppose que l'acheteur conclut un achat sans versement immédiat, mais qu'il remboursera ultérieurement l'établissement financier émetteur de la carte en un ou plusieurs versements.

Par exemple, Marie achète un téléviseur de 500 $ chez Décomeuble ltée et elle paie avec sa carte de crédit MasterCard. Au moment de la conclusion du contrat, elle ne verse pas d'argent, mais, dans environ 30 jours, elle recevra son état de compte de MasterCard par lequel la banque exigera, au choix de Marie, soit le paiement total du solde, soit le paiement sur plusieurs mois, c'est-à-dire le versement mensuel minimum exigé.

Une foule de dépenses courantes relatives aux voyages et aux loisirs sont réglées par carte de crédit. De plus, les statistiques révèlent que la moitié des consommateurs paient en entier le solde de leur état de compte à la réception, tandis que l'autre moitié étalent leurs paiements sur plusieurs mois.

Pour le vendeur, une vente réglée avec une carte de crédit équivaut à une vente au comptant, puisqu'il est payé immédiatement par l'institution financière qui a émis la carte de crédit. En général, pour une vente de 100 $, le vendeur reçoit immédiatement 97 $ et l'institution financière conserve 3 $ pour couvrir les frais d'administration du système.

| 10.3.4 | **LA VENTE AVEC CONTRAT DE CRÉDIT** |

En règle générale, la **vente avec contrat de crédit** suppose que l'acheteur paie une partie du prix d'achat, l'acompte, au moment de la conclusion du contrat, et paiera le solde ultérieurement en un ou plusieurs versements.

La vente avec un contrat de crédit revêt deux formes : la vente à terme et la vente à tempérament.

| 10.3.4.1 | **La vente à terme** |

La **vente à terme** est une vente à crédit par laquelle l'acheteur devient propriétaire du bien au moment de la vente, même si le paiement ne se fait qu'à une date ultérieure. Dans ce cas, le crédit est consenti par le vendeur ou par une institution financière.

| 10.3.4.2 | **La vente à tempérament** |

La **vente à tempérament** est une vente à crédit par laquelle l'acheteur ne devient propriétaire du bien qu'au moment où il effectue le dernier versement prévu au contrat. Lors d'une telle vente, le crédit est consenti par le vendeur ou par une institution financière.

1745 C.c.Q. *La **vente à tempérament** est une vente à terme par laquelle le vendeur se réserve la propriété du bien jusqu'au paiement total du prix de vente.*

La réserve de propriété d'un bien acquis pour le service ou l'exploitation d'une entreprise n'est opposable aux tiers que si elle est publiée.

1746 C.c.Q. *La vente à tempérament transfère à l'acheteur les risques de perte du bien à moins qu'il ne s'agisse d'un contrat de consommation ou que les parties n'aient stipulé autrement.*

| 10.3.4.3 | **La comparaison entre une vente à terme et une vente à tempérament** |

Par exemple, Julie se rend chez Décomeuble ltée et achète pour 800 $ de meubles. Au lieu de payer comptant ou d'utiliser sa carte de crédit, Julie décide de se prévaloir des conditions de vente offertes par le magasin. Elle remet donc un acompte de 100 $ et paiera le solde de 700 $ en sept versements égaux et consécutifs *de 105,07 $, payables le premier jour de chaque mois à compter du prochain mois, pour un total de 735,49 $, dont 700 $ de solde du prix de vente et 35,49 $ d'intérêt.*

Le contrat entre Julie et Décomeuble ltée est un contrat de vente avec contrat de crédit, mais cette vente peut être à terme ou à tempérament ; cela dépend du type de contrat signé par Julie et Décomeuble ltée. En général, les vendeurs de meubles et de véhicules utilisent le contrat de vente à tempérament, car ils peuvent ainsi conserver la propriété du bien jusqu'à parfait paiement. Si l'acheteur fait défaut de payer, le vendeur peut reprendre le bien parce que ce bien lui appartient toujours. Cependant, la *Loi sur la protection du consommateur* protège le consommateur contre les commerçants qui abusent du droit de reprise de possession en imposant un avis, un délai de trente jours et des modalités pour finir de payer le solde dû (voir le document 14.2, Contrat de vente à tempérament).

La vente avec un contrat de crédit est une méthode de financement courante pour les achats importants qui ne sont pas payés au moyen de la carte de crédit, tels les achats de meubles, d'automobile, de piscine, de maison, de bateau, etc. Pour s'assurer du sérieux du client, le vendeur effectue une vérification de la solvabilité de celui-ci en s'informant auprès d'un agent d'information. L'**agent de renseignements personnels**, appelé aussi **bureau de crédit**, est une entreprise spécialisée dans la cueillette d'informations sur le crédit des consommateurs (voir la section 14.5.2, Les agents de renseignements personnels).

Si un acheteur est très solvable, il lui est même possible d'acheter des meubles à crédit sans avoir à débourser un acompte. Plusieurs magasins de meubles ont une publicité qui ressemble à celle-ci :

ACHETEZ MAINTENANT ET PAYEZ DANS SIX MOIS SANS INTÉRÊT ET SANS ACOMPTE.

10.4 LES DIVERSES MODALITÉS DE LA VENTE

Il existe quatre modalités de la vente. Il s'agit de :

- la vente à l'essai ;
- la vente à tempérament ;
- la vente avec faculté de rachat ;
- la vente aux enchères.

10.4.1 LA VENTE À L'ESSAI

La **vente à l'essai** est une modalité du contrat de vente par laquelle l'acheteur peut essayer un bien pendant un certain temps avant de décider s'il finalise ou non cet achat.

1744 C.c.Q.   *La vente à l'essai d'un bien est présumée faite sous condition suspensive.*

Lorsque la durée de l'essai n'est pas stipulée, la condition est réalisée par le défaut de l'acheteur de faire connaître son refus au vendeur dans les trente jours de la délivrance du bien.

10.4.2 LA VENTE À TEMPÉRAMENT

La vente à tempérament a été traitée précédemment dans les sections 10.3.4.2 et 10.3.4.3.

10.4.3 LA VENTE AVEC FACULTÉ DE RACHAT

Lors d'une vente, les parties peuvent prévoir une clause de rachat en faveur du vendeur :

1750 C.c.Q.

> La **vente faite avec faculté de rachat**, aussi appelée **vente à réméré**, est une vente sous condition résolutoire par laquelle le vendeur transfère la propriété d'un bien à l'acheteur en se réservant la faculté de le racheter. [...]

Par exemple, Micheline est propriétaire d'un immeuble de 30 logements. Elle désire se présenter comme candidate à une élection provinciale et elle ne veut pas être accusée d'usage indu de son poste lors du renouvellement des baux avec ses locataires. Micheline peut alors décider de vendre son immeuble à son frère Pierre au moyen d'un contrat de vente avec faculté de rachat. Lorsqu'elle quittera la politique, Micheline exercera sa faculté de rachat pour être de nouveau propriétaire de cet immeuble. Entre-temps, c'est-à-dire pendant la durée du mandat de Micheline, Pierre est le vrai propriétaire de l'immeuble et c'est lui qui renouvelle les baux, encaisse les revenus de loyer et assume les dépenses.

10.4.4 LA VENTE AUX ENCHÈRES

1757 C.c.Q.

> La **vente aux enchères** est celle par laquelle un bien est offert en vente à plusieurs personnes par l'entremise d'un tiers, l'encanteur, et est déclaré adjugé au plus offrant et dernier enchérisseur.

1758 C.c.Q.

> La vente aux enchères est volontaire ou forcée ; en ce dernier cas, la vente est alors soumise aux règles prévues au Code de procédure civile, ainsi qu'aux règles du présent sous-paragraphe, s'il n'y a pas incompatibilité.

La vente aux enchères a lieu principalement dans les cas de faillite et de saisie. Le syndic ou l'huissier responsable de la vente fait publier un avis dans les journaux indiquant que tel jour, à telle heure et à tel endroit, il vendra tels et tels articles au plus offrant. Au moment de la vente, le syndic ou l'huissier présente un article au public, fixe une mise à prix, ou prix de départ, et demande à la foule d'enchérir, c'est-à-dire d'offrir un prix plus élevé. Le syndic ou l'huissier adjuge ou vend cet article à l'enchérisseur qui offre la somme la plus élevée. Le syndic ou l'huissier continue avec l'article suivant jusqu'à ce qu'ils soient tous vendus.

La vente de la chose sous l'autorité de la justice est une forme de vente aux enchères.

10.5 LA VENTE D'ENTREPRISE

1767 C.c.Q.

> La **vente d'entreprise** est celle qui porte sur l'ensemble ou sur une partie substantielle d'une entreprise et qui a lieu en dehors du cours des activités du vendeur.

Comme la finalité des règles de la vente d'entreprise est de **protéger les créanciers du vendeur**, le *Code civil* dit que :

1768 C.c.Q.

> L'acheteur est tenu, avant de se départir du prix, d'obtenir du vendeur une déclaration sous serment qui énonce le nom et l'adresse de tous les créanciers du vendeur, et indique le montant et la nature de chacune de leurs créances en précisant ce qui reste à échoir, ainsi que les sûretés qui s'y attachent.

Le vendeur doit obligatoirement joindre à un contrat de vente d'entreprise une **déclaration sous serment** ou *affidavit* dans lequel il identifie tous ses créanciers. Ainsi, l'acheteur est protégé, car il connaît les créanciers, et les créanciers sont protégés, car ils savent que l'acheteur doit les payer avant de payer le vendeur.

1775 C.c.Q.

> Lorsque l'acheteur a suivi les formalités prescrites, les créanciers du vendeur ne peuvent exercer leurs droits et recours contre lui ou contre les biens qui ont été vendus, mais ils conservent leurs recours contre le vendeur.
>
> S'ils ont qualité de créanciers prioritaires ou hypothécaires et n'ont pas participé à la distribution ou n'y ont participé que partiellement, ils conservent, néanmoins, le droit d'exercer les droits et recours que la loi leur accorde.

De plus, si l'acheteur a acheté sans la déclaration sous serment et refuse de payer les créanciers, la vente est réputée nulle, car le législateur désire protéger les créanciers contre d'éventuelles manœuvres frauduleuses. Dans ce cas, comme le fonds de commerce est toujours réputé appartenir au vendeur, les créanciers peuvent obtenir un jugement et faire saisir le fonds de commerce sans se préoccuper des droits de l'acheteur, ce dernier n'ayant pas respecté les dispositions de la loi.

1776 C.c.Q.

Lorsque les formalités prescrites n'ont pas été suivies, la vente d'entreprise est inopposable aux créanciers du vendeur dont la créance est antérieure à la date de la conclusion de la vente, *à moins que l'acheteur ne paie ces créanciers à concurrence de la valeur des biens qu'il a achetés. […]*

Par exemple, si Lucie vend son commerce à Marie-Louise pour la somme de 350 000 $ et qu'elle signe une déclaration sous serment dans laquelle elle mentionne qu'elle doit 150 000 $ à ses créanciers, Marie-Louise paiera d'abord les sommes dues aux différents créanciers, puis elle versera le solde, soit 200 000 $, à Lucie. Si Lucie a oublié des créanciers dans sa déclaration sous serment, elle demeure toujours leur débitrice et les créanciers ne sont pas liés par le contrat de vente d'entreprise intervenu entre Lucie et Marie-Louise.

DÉCLARATION SOUS SERMENT DU VENDEUR

Je, Lucie Desjardins, du 201, rue Racine, à Chicoutimi, G7H 1S2, vendeuse étant dûment assermentée, dépose et dis :

Que j'ai vendu mon commerce connu sous le nom de Restaurant bon gourmet et situé au 699, rue Saint-Jean, à Québec, pour la somme de 350 000 $.

Que les adresses et les noms suivants sont bien, au meilleur de mes connaissance et croyance, les noms et adresses de tous mes créanciers, et que les montants vis-à-vis de leurs noms sont les montants qui leur sont dus ou qui doivent leur échoir de la manière et pour les raisons mentionnées dans la colonne intitulée « Nature des créances ».

Nom	Adresse	Dû	À échoir	Nature
MÉTRO	1200, rue Bleury, Montréal	40 000 $	20 000 $	Marchandise
IGA	1740, boulevard Hamel, Québec	30 000 $	10 000 $	Marchandise
KÉOPS	2750, boulevard Laurier, Sainte-Foy	50 000 $	0 $	Construction

Que je n'ai à ma connaissance d'autres créanciers que ceux ci-dessus mentionnés.

En foi de quoi, j'ai signé
À Québec, ce 15e jour de février 1996.

Lucie Desjardins

Signature du vendeur

Assermentée devant moi
À Québec, ce 15e jour de février 1996.

Me Robert Bouchard, Avocat

10.6 LA VENTE D'IMMEUBLES À USAGE D'HABITATION

Les présentes dispositions visent à protéger l'acheteur d'un immeuble à usage d'habitation des agissements d'un vendeur professionnel, d'un constructeur ou d'un promoteur. Ces règles ne s'appliquent pas à une vente conclue entre deux **non-commerçants**, c'est-à-dire entre deux particuliers qui ne font pas le commerce d'immeuble. Ainsi, une personne qui achète un immeuble à usage d'habitation sans y avoir parfaitement réfléchi et qui a subi la pression du vendeur a **dix jours** pour réviser sa décision et analyser les conséquences de son geste, puisque la vente qui interviendra doit obligatoirement être précédée d'un **contrat préliminaire** qui donne ce délai de réflexion à l'acheteur.

1785 C.c.Q.
*Dès lors que la vente d'un immeuble à usage d'habitation, bâti ou à bâtir, est faite par le constructeur de l'immeuble ou par un promoteur à une **personne physique** qui l'acquiert **pour l'occuper elle-même**, elle doit, que cette vente comporte ou non le transfert à l'acquéreur des droits du vendeur sur le sol, **être précédée d'un contrat préliminaire** par lequel une personne promet d'acheter l'immeuble.*

Le contrat préliminaire doit contenir une stipulation par laquelle le promettant acheteur peut, dans les dix jours de l'acte, se dédire de la promesse.

Le contrat préliminaire doit contenir un certain nombre d'informations obligatoires :

1786 C.c.Q.
Outre qu'il doit indiquer les nom et adresse du vendeur et du promettant acheteur, les ouvrages à réaliser, le prix de vente, la date de délivrance et les droits réels qui grèvent l'immeuble, le contrat préliminaire doit contenir les informations utiles relatives aux caractéristiques de l'immeuble et mentionner, si le prix est révisable, les modalités de la révision.

*Lorsque le contrat préliminaire prescrit une indemnité en cas d'exercice de la **faculté de dédit**, celle-ci ne peut excéder 0,5 p. 100 du prix de vente convenu.*

La faculté de dédit permet à l'acheteur de se désister du contrat d'achat de la maison moyennant une indemnité qui ne peut pas excéder 0,5 % du prix de vente. *Par exemple, Sylvie a signé un contrat d'achat d'une maison à Laval pour la somme de 150 000 $, comprenant une clause de dédit. Si Sylvie décide de se prévaloir de son droit d'annuler son contrat d'achat, elle le peut, mais elle doit remettre au vendeur une somme de 750 $, soit 0,5 % du prix convenu de 150 000 $.*

Il existe également des mesures de protection de l'acheteur d'un immeuble en **copropriété** divise, indivise ou à temps partagé :

1787 C.c.Q.
*Lorsque la vente porte sur une fraction de copropriété divise ou sur une part indivise d'un immeuble à usage d'habitation et que cet immeuble comporte ou fait partie d'un ensemble qui comporte au moins dix unités de logement, le vendeur doit remettre au promettant acheteur, lors de la signature du contrat préliminaire, une **note d'information** ; il doit également remettre cette note lorsque la vente porte sur une résidence faisant partie d'un ensemble comportant dix résidences ou plus et ayant des installations communes. [...]*

La note d'information fait donc partie du contrat et constitue une source d'informations supplémentaires pour l'acheteur, afin de lui permettre d'avoir une plus grande connaissance de toutes les personnes impliquées dans la construction de son immeuble ainsi que des coûts futurs d'exploitation.

1788 C.c.Q.
La note d'information complète le contrat préliminaire. *Elle énonce les noms des architectes, ingénieurs, constructeurs et promoteurs et contient un plan de l'ensemble du projet immobilier et, s'il y a lieu, le plan général de développement du projet, ainsi que le sommaire d'un devis descriptif ; **elle fait état du budget prévisionnel**, indique les installations communes et fournit les renseignements sur la gérance de l'immeuble, ainsi que, s'il y a lieu, sur les droits d'emphytéose et les droits de propriété superficiaire dont l'immeuble fait l'objet.*

Une copie ou un résumé de la déclaration de copropriété ou de la convention d'indivision et du règlement de l'immeuble, même si ces documents sont à l'état d'ébauche, doit être annexé à la note d'information.

De cette manière, l'acheteur peut obtenir les renseignements essentiels sur l'immeuble en copropriété qu'il entend acquérir.

Notez que toute vente d'un immeuble à usage d'habitation qui n'est pas précédée du contrat préliminaire, lequel doit comprendre dans certains cas la note d'information, permet à l'acheteur d'en demander la nullité. **L'acheteur devra cependant prouver qu'il subit un préjudice sérieux.**

10.7   LES CONTRATS APPARENTÉS À LA VENTE

Il existe trois contrats particuliers apparentés à la vente :

- l'échange ;
- la dation en paiement ;
- le bail à rente.

10.7.1   L'ÉCHANGE

1795 C.c.Q.   *L'**échange** est le contrat par lequel les parties se transfèrent respectivement la propriété d'un bien, autre qu'une somme d'argent.*

L'**échange**, connu également sous l'appellation de **troc,** est une opération qui consiste à échanger un bien ou un service sans contrepartie d'argent.

Bien que l'échange ou le troc soit beaucoup moins pratiqué depuis l'invention de la monnaie, il est parfois utilisé dans des cas bien particuliers. Par exemple, comme les monnaies de plusieurs pays, notamment celles des pays de l'Europe de l'Est et d'Afrique, ne sont pas des monnaies convertibles, c'est-à-dire des monnaies que l'on peut facilement échanger contre d'autres monnaies, il arrive souvent que ces pays font de l'échange, tel que du pétrole soviétique contre du blé américain, ou des automobiles tchèques contre des machines-outils canadiennes.

Par ailleurs, l'échange est de plus en plus populaire dans le domaine commercial, car il permet aux entreprises de conserver leurs liquidités.

Au Canada, il existe plusieurs entreprises spécialisées dans l'échange ; ces entreprises regroupent celles qui demandent des biens et services et celles qui offrent des biens et services. *Par exemple, une entreprise de plomberie n'a peut-être pas 8 000 $ pour acheter un ordinateur, mais peut offrir une nouvelle chaudière au vendeur d'ordinateur.*

1798 C.c.Q.   *Les règles du contrat de vente sont, pour le reste, applicables au contrat d'échange.*

10.7.2   LA DATION EN PAIEMENT

1799 C.c.Q.   *La **dation en paiement** est le contrat par lequel un débiteur transfère la propriété d'un bien à son créancier qui accepte de la recevoir, à la place et en paiement d'une somme d'argent ou de quelque autre bien qui lui est dû.*

Par exemple, si Jacques doit 5 000 $ à Micheline et qu'il ne les possède pas, il peut offrir à Micheline son automobile à titre de paiement. Si Micheline accepte de recevoir l'automobile à titre de paiement, la dette est éteinte.

1800 C.c.Q.   *La dation en paiement est assujettie aux règles du contrat de vente et celui qui transfère ainsi un bien est tenu aux mêmes garanties que le vendeur.*

Toutefois, la dation en paiement n'est parfaite que par la délivrance du bien.

10.7.3   LE BAIL À RENTE

1802 C.c.Q.   *Le **bail à rente** est le contrat par lequel le bailleur transfère la propriété d'un immeuble moyennant une **rente foncière** que le preneur s'oblige à payer.*

La rente est payable en numéraire ou en nature ; les redevances sont dues à la fin de chaque année et elles sont comptées à partir de la constitution de la rente.

Le bail à rente est très peu répandu dans la pratique, mais il est possible de le concevoir dans le cas d'une personne âgée qui est propriétaire d'un immeuble et qui désire s'assurer de recevoir un revenu régulier jusqu'à sa mort. *Par exemple, Micheline vend à Raymond sa maison de 200 000 $ située à Hull en échange d'une rente annuelle viagère de 30 000 $. Si Micheline décède après deux ans, la maison n'aura coûté que 60 000 $ à Raymond. Par contre, si Micheline vit encore quinze ans, la maison aura coûté 450 000 $ à Raymond.*

1803 C.c.Q. *Le preneur peut toujours se libérer du service de la rente en offrant de rembourser la valeur de la rente en capital et en renonçant à la répétition des redevances payées […].*

Dans le contrat de bail à rente, Micheline peut prévoir que le montant du capital est fixé à 400 000 $, même si la maison ne vaut que 200 000 $. De cette manière, si Raymond décide de cesser de verser la rente, il doit payer à Micheline une somme de 400 000 $, sans tenir compte des versements annuels déjà payés pour éteindre la rente.

Une rente foncière est un droit personnel et mobilier.

RÉSUMÉ

La vente est le contrat par lequel une personne, le vendeur, transfère la propriété d'un bien à une autre personne, l'acheteur, moyennant un prix en argent que cette dernière s'oblige à payer.

La promesse de vente est la preuve d'un engagement à vendre un bien.

Lorsqu'il y a vente, commerciale ou non commerciale, d'un bien qui n'appartient pas au vendeur, le tribunal peut ordonner à l'acheteur de restituer le bien à son propriétaire et condamner le vendeur à rembourser à l'acheteur de bonne foi le prix de vente.

Le vendeur est tenu de délivrer le bien et d'en garantir le droit de propriété et la qualité.

La vente au comptant suppose que l'acheteur paie le prix de vente en entier lors de la conclusion de la vente.

La vente avec carte de débit équivaut à une vente au comptant, puisque l'acheteur paie le prix de vente en entier lors de la conclusion de la vente en transférant électroniquement une somme d'argent de son compte de banque au compte de banque du vendeur.

La vente avec contrat de crédit suppose que l'acheteur paie une partie du prix d'achat, l'acompte, au moment de la conclusion du contrat, et paiera le solde ultérieurement en un ou plusieurs versements.

La vente à terme est une vente à crédit par laquelle l'acheteur devient propriétaire du bien au moment de la vente, même si le paiement ne se fait qu'à une date ultérieure.

La vente à tempérament est une vente à crédit par laquelle l'acheteur ne devient propriétaire du bien qu'au moment où il effectue le dernier versement prévu au contrat.

La vente à l'essai est une modalité du contrat de vente par laquelle l'acheteur peut essayer un bien pendant un certain temps avant de décider s'il finalise ou non cet achat.

La vente faite avec faculté de rachat, aussi appelée vente à réméré, est une vente sous condition résolutoire par laquelle le vendeur transfère la propriété d'un bien à l'acheteur en se réservant la faculté de le racheter.

La vente aux enchères est celle par laquelle un bien est offert en vente à plusieurs personnes par l'entremise d'un tiers, l'encanteur, et est déclaré adjugé au plus offrant et dernier enchérisseur.

La vente d'entreprise est celle qui porte sur l'ensemble ou sur une partie substantielle d'une entreprise et qui a lieu en dehors du cours des activités du vendeur.

Une personne qui achète un immeuble sans y avoir parfaitement réfléchi et qui a subi la pression du vendeur a dix jours pour réviser sa décision et analyser les conséquences de son geste, puisque la vente qui interviendra doit obligatoirement être précédée d'un contrat préliminaire donnant ce délai de réflexion à l'acheteur.

L'échange est le contrat par lequel les parties se transfèrent respectivement la propriété d'un bien, autre qu'une somme d'argent.

La dation en paiement est le contrat par lequel un débiteur transfère la propriété d'un bien à son créancier qui accepte de la recevoir, à la place et en paiement d'une somme d'argent ou de quelque autre bien qui lui est dû.

Le bail à rente est le contrat par lequel le bailleur transfère la propriété d'un immeuble moyennant une rente foncière que le preneur s'oblige à payer.

QUESTIONS

10.1 Qu'est-ce que la vente ?

10.2 Qu'est-ce qu'une promesse de vente ?

10.3 Nommez deux cas où il est possible de vendre un bien qui ne vous appartient pas. Justifiez votre réponse.

10.4 Quelles sont les obligations du vendeur ?

10.5 Qu'est-ce que la garantie du droit de propriété ?

10.6 Qu'est-ce qu'un vice caché ?

10.7 Qu'est-ce qu'un vice apparent ?

10.8 Le vendeur est-il obligé d'accorder une garantie légale à l'acheteur ? Comment ?

10.9 Le vendeur est-il obligé d'accorder une garantie conventionnelle à l'acheteur ? Pourquoi ?

10.10 Pour le vendeur, existe-t-il une différence entre une vente au comptant et une vente avec carte de crédit ?

10.11 Expliquez la différence entre la vente à terme et la vente à tempérament.

CAS PRATIQUES

10.12 Le 27 janvier 1996, Arthur Tremblay vend son automobile à Élaine Demers en vertu du contrat suivant :

Contrat de vente

Par la présente, je soussigné, Arthur Tremblay, vend à Élaine Demers une Corvette 1992 noire, numéro 87HG56G8766, ayant 62 000 kilomètres au compteur, pour la somme de 13 000 $ comptant.

Montréal, ce 27 janvier 1996.

Arthur Tremblay   *Élaine Demers*

Le 13 février 1996, le moteur fend en deux et Élaine désire poursuivre Arthur pour vice caché. Ce dernier lui répond que cette vente a été faite sans aucune garantie. Qui a raison ? Justifiez votre réponse.

10.13 Albert possède un divan évalué à 550 $. Sa copine Claire a une télévision valant approximativement le même prix. Pour la première fois, ils viennent d'emménager chacun dans leur appartement. Compte tenu de l'espace et des meubles fournis dans les appartements, Albert aurait plutôt besoin d'une télévision et Claire d'un divan. Les deux amis s'entendent. Albert transfère à Claire la propriété de son divan et Claire transfert à Albert la propriété de sa télévision. Quel contrat est intervenu entre eux ? Justifiez votre réponse par l'article pertinent du *Code civil*.

10.14 Il y a 35 jours, Daniel est allé au magasin de disques Musique d'Auteuil sur la rue Saint-Jean. Un vendeur lui a remis un disque compact du groupe Pink Floyd afin qu'il l'écoute. Quelle est la modalité de la vente faite à Daniel ? Justifiez votre réponse.

10.15 Je dis à Mireille : « Je vais te vendre mon ordinateur de marque Macintosh pour 2 500 $ comptant. »

10.15.1 Si Mireille me répond : « J'accepte de considérer ton offre et je te donne ma réponse dans quelques jours », de quel genre de promesse s'agit-il ? Justifiez votre réponse.

10.15.2 Si Mireille me répond : « J'accepte ton offre et je promets d'acheter ton ordinateur. Je suis prête à prendre livraison et à signer le contrat dans deux jours ». Je lui réplique : « C'est d'accord, on passe le contrat chez moi, à 10 heures dans deux jours ». De quel genre de promesse s'agit-il ? Justifiez votre réponse.

10.16 Cet hiver, Marthe a vendu son chalet à Denis. Elle a cependant omis de lui dire qu'à chaque printemps, il y a avait de légères infiltrations d'eau au sous-sol. Ils se sont rendus chez le notaire pour conclure et signer l'acte de vente. Au printemps, Denis a eu un problème d'infiltration d'eau. Il a dû procéder à la démolition du solage et refaire la fondation. Denis a rapidement averti le vendeur.

10.16.1 Qui a payé les frais de l'acte notarié ? Mentionnez l'article spécifique du *Code civil*.

10.16.2 En vertu de l'article 1716 C.c.Q., tout vendeur est tenu à la garantie de qualité. Identifiez celle qui est visée par la situation actuelle. Justifiez votre réponse.

10.17 Le 21 mars 1996, Hubert a loué un magnétoscope du Club vidéo Éclair près de chez lui. Comme il avait un besoin urgent d'argent, il a vendu l'appareil à Chantale le 1er avril 1996.

10.17.1 Identifiez le genre de vente intervenue entre Hubert et Chantale et justifiez votre réponse.

10.17.2 Qu'adviendra-t-il de cette vente ? Justifiez votre réponse.

DOCUMENTS

Le document 10.1 est un contrat de vente à sa plus simple expression. Les parties auraient pu le dater et y ajouter leur adresse ainsi que le numéro de série du système de son mais l'absence de ces informations n'invalide pas ce contrat. D'ailleurs ce contrat aurait pu être verbal et il aurait été parfaitement valide.

Le document 10.2 est un contrat de vente d'automobile dans lequel les parties ont convenu de détailler davantage l'objet du contrat et les conditions particulières de cette vente. En conséquence, les parties ont indiqué leur adresse, détaillé le véhicule en précisant son kilométrage et son numéro de série, l'absence de garantie de quelque nature que ce soit, l'acceptation du véhicule par l'acheteur, la description des défauts affectant présentement le véhicule, le prix de vente, la date du paiement, les modalités de transfert et la signature des parties accompagnée par la signature de deux témoins, un pour chaque partie, afin de faciliter la preuve du contrat en cas de contestation future entre les parties. En détaillant davantage les conditions d'un contrat, il est possible d'éviter certains litiges.

Le document 10.3 est un contrat de vente d'immeuble fait devant un notaire. Ce contrat est très simple puisque l'immeuble a été payé comptant et que, par conséquent, il n'y a pas de balance de prix de vente, d'assumation d'hypothèque ou autres clauses particulières. Comme le vendeur est une personne morale, la compagnie Sogili inc., l'acte de vente contient en annexe une copie du Règlement N° 13 de la compagnie Sogili inc. qui autorise un administrateur de la compagnie, Lucie St-Pierre, à signer l'acte de vente de cet immeuble pour et au nom de la compagnie. Vous remarquerez que ce Règlement N° 13 est un règlement général qui permet à Lucie St-Pierre d'acheter, de vendre et d'hypothéquer tout immeuble de la compagnie; une rédaction aussi générale permet à Lucie St-Pierre d'agir sans être dans l'obligation de faire adopter un règlement à chaque fois qu'elle transige au nom de la compagnie.

| Document 10.1 | **CONTRAT DE VENTE SIMPLE** |

Contrat de vente

Par la présente, moi, Marie Bonenfant, vends à Jacques Létourneau un système de son usagé de marque Yamaha pour la somme de 700 $.

Marie Bonenfant   *Jacques Létourneau*

| Document 10.2 | **CONTRAT DE VENTE D'UNE AUTOMOBILE** |

Contrat de vente

Louise Gosselin, résidant à 975, rue Raymond-Casgrain à Québec vend à Ginette Lalonde résidante au 2847, chemin Sainte-Foy à Sainte-Foy une automobile de marque CHEVROLET, modèle CAMARO RS 1992 avec un moteur de 8 cylindres, portant le numéro de série 875GK86L3462 et indiquant 85 000 kilomètres à l'odomètre.

La garantie du concessionnaire et celle du manufacturier sont expirées. Le vendeur garantit que la distance réelle parcourue par le véhicule jusqu'à ce jour est celle indiquée à l'odomètre. L'acheteur a examiné et essayé le véhicule et s'en déclare satisfait. De plus, l'acheteur a fait vérifier le véhicule par le Garage Lafrance du 1285, chemin Saint-Louis à Sillery et s'est déclaré satisfait du rapport d'évaluation.

Le vendeur garantit que le véhicule est sa propriété absolue et est libre de tous privilèges ou charges quelconques. Le vendeur vend le présent véhicule sans aucune garantie expresse ou implicite. Le vendeur signale à l'acheteur que les freins sont à changer et que le moteur consomme un peu d'huile.

L'acheteur prendra possession du véhicule lors du transfert de l'immatriculation à la Régie d'assurance-automobile du Québec. À ce moment, l'acheteur remettra au vendeur un chèque certifié de cinq mille (5 000) dollars. La taxe de vente et les frais de transfert et d'assurance ne sont pas inclus dans le prix de vente et le transfert de propriété devra se faire dans les deux jours de la signature des présentes.

Signé en duplicata à Québec, le 18 février 1996

Louise Gosselin   *Ginette Lalonde*

Alice Bois   *Luc Demers*

témoin   témoin

Document 10.3	CONTRAT DE VENTE D'UN IMMEUBLE

L'AN MIL NEUF CENT QUATRE-VINGT-QUATORZE,
Le dix-sept (17) octobre.

Devant Me **Louise Grenier**, notaire à Sainte-Foy, district de Québec, Province de Québec ;

Comparaissent :

Sogili inc., compagnie ayant son siège social au 1430 rue Maréchal-Foch à Québec (Québec), G1S 2C6, ici représentée par Lucie St-Pierre, dûment autorisée aux présentes en vertu du règlement numéro 13 de ladite compagnie en date du 29 septembre 1994, dont copie certifiée demeure annexée à la minute des présentes après avoir été reconnue véritable et signée pour identification par ladite mandataire en présence du notaire soussigné ;

Ci-après appelée «le vendeur»

et

Montreuil, Pierre, avocat, domicilié au 860 avenue Marguerite Bourgeois #13 à Québec (Québec), G1S 3W9, né le 7 juin 1952 à Québec ;

Ci-après appelé «l'acquéreur»

Lesquels conviennent :

1. Objet du contrat

Le vendeur vend à l'acquéreur, ici présent et acceptant, l'immeuble dont la désignation suit :

Désignation

Un immeuble connu et désigné comme étant la subdivision **CENT TRENTE-DEUX** du lot originaire numéro **SEPT CENT TRENTE-SEPT (737-132)** du cadastre officiel de la paroisse de Charlesbourg, circonscription foncière de Québec.

Avec maison dessus construite et portant le numéro civique **1050 Orléans à Charlesbourg (Québec) G1H 2H2**, circonstances et dépendances.

Servitude

Le vendeur déclare que l'immeuble n'est l'objet d'aucune servitude.

2. Titre

Le vendeur est propriétaire de l'immeuble pour l'avoir acquis de Lucien Verreault, aux termes d'un acte de vente reçu par Me Paul Pouliot, notaire, le 30 mai 1994 et publié au bureau de la publicité des droits de la circonscription foncière de Québec le 31 mai 1994 sous le numéro 1,551,153.

3. Garantie

Cette vente est faite avec la garantie légale.

4. Dossier de titres

Le vendeur s'engage à remettre à l'acquéreur tous les titres en sa possession ainsi qu'un certificat de localisation de date récente démontrant la situation actuelle des lieux.

5. Possession et transfert des risques

L'acquéreur sera propriétaire de l'immeuble à compter des présentes, avec possession et occupation à compter des présentes.

De plus, les parties conviennent que nonobstant la date de délivrance de l'immeuble, l'acquéreur en assume les risques de perte à compter des présentes.

6. Déclarations du vendeur

Le vendeur fait les déclaration suivantes et s'en porte garant :

6.1 L'immeuble est libre de toute hypothèque, redevance, priorité ou charge quelconque, compte tenu du fait qu'à même le prix de vente sont acquittées aux frais du vendeur les seules dettes hypothécaires grevant l'immeuble présentement vendu, à savoir :

hypothèque en faveur de la Société Hypothécaire BNE, aux termes d'un acte reçu devant Me Diane Bernier, notaire, le 26 juin 1991 et publié au bureau de la publicité des droits de la circonscription foncière de Québec le 27 juin 1991 sous le numéro 1,422,732 et assumée aux termes des actes publiés sous les numéros 1,460,532 et 1,551,153.

Document 10.3 # CONTRAT DE VENTE D'UN IMMEUBLE (suite)

6.2   Il n'y a aucune autre servitude que celles déjà mentionnées aux présentes.

6.3   Toutes les taxes, cotisations et répartitions foncières, générales et spéciales, échues ont été payées sans subrogation.

6.4   Tous les droits de mutation ont été acquittés.

6.5   Les appareils de chauffage, d'éclairage, de climatisation, le chauffe-eau et autres accessoires du même genre se trouvant dans l'immeuble lui appartiennent en toute propriété et font partie de la présente vente sauf et excepté les deux (2) réservoirs de gaz propane. Ces appareils sont libres de tout droit.

6.6   Tous les comptes d'électricité et de gaz qui sont échus et qui affectent l'immeuble vendu aux présentes ont été entièrement payés sans subrogation.

6.7   Le certificat de localisation préparé par Robert Giroux, arpenteur géomètre, en date du 12 octobre 1994 et portant le numéro 1685 de ses minutes, décrit l'état actuel de l'immeuble et aucune modification n'a été apportée à l'immeuble depuis cette date.

6.8   Aucun avis d'une autorité compétente n'a été reçu à l'effet que l'immeuble n'est pas conforme aux règlements et lois en vigueur.

6.9   L'immeuble n'est pas isolé au moyen de la mousse d'urée formol.

6.10 L'Immeuble n'a pas été l'objet, dans les six (6) mois précédant la date du présent contrat, d'aucune réparation, rénovation, amélioration, modification ou construction quelconques dont le coût n'ait été entièrement payé.

6.11 L'immeuble n'est pas situé dans une zone agricole.

6.12 L'immeuble ne fait pas partie d'un ensemble immobilier.

6.13 L'immeuble n'a pas fait partie d'un ensemble immobilier dont il se trouverait détaché par suite d'une aliénation depuis la mise en vigueur des dispositions de la Loi prohibant telle aliénation.

6.14 L'immeuble n'est pas un bien culturel classé ou reconnu et n'est pas situé dans un arrondissement historique ou naturel, dans un site historique classé, ni dans une aire de protection selon la *Loi sur les biens culturels*.

6.15 L'immeuble ne déroge pas aux lois et règlements relatifs à la protection de l'environnement.

6.16 Aucune déclaration de résidence familiale n'affecte l'immeuble.

6.17 Il est un résident canadien au sens de la *Loi de l'impôt sur le revenu* et au sens de la *Loi sur les impôts* et il n'a pas l'intention de modifier telle résidence. Le vendeur fait cette déclaration solennelle, la croyant consciencieusement vraie et sachant qu'elle a la même force et le même effet que si elle était faite sous serment en vertu de la *Loi sur la preuve au Canada*.

7. Obligations

D'autre part l'acquéreur s'oblige à ce qui suit :

7.1   Prendre l'immeuble dans l'état où il se trouve, déclarant l'avoir vu et examiné à sa satisfaction et avoir vérifié lui-même auprès des autorités compétentes que la destination qu'il entend donner à l'immeuble est conforme aux lois et règlements en vigueur.

7.2   Payer tous les impôts fonciers échus et a échoir y compris la proportion de ceux-ci pour l'année courante à compter des présentes et aussi payer à compter de la même date tous les versements en capital et intérêts à échoir sur toutes les taxes spéciales imposées avant ce jour dont le paiement est réparti sur plusieurs années.

7.3   N'exiger du vendeur aucune autre copie de ses titres que celles présentement remises, dont quittance.

7.4   Prendre connaissance dudit certificat de localisation et l'accepter tel quel pour l'avoir vu et examiné.

7.5   Payer les frais et honoraires des présentes, de leur publicité et des copies pour toutes les parties.

8. Répartitions

8.1   Les parties déclarent que toutes les répartitions relatives à la présente entente ont été faites entre elles à leur entière satisfaction mutuelle et réciproque.

8.2   Il est entendu toutefois que ces répartitions ne sont pas définitives et qu'elles peuvent être révisées à demande d'une partie dans le cas où les données sur la base desquelles elles ont été effectuées s'avéreraient incomplètes ou inexactes.

Document 10.3	**CONTRAT DE VENTE D'UN IMMEUBLE (suite)**

9. Déclarations relatives à l'avant-contrat

9.1 Cette vente est faite en exécution d'une offre d'achat signée entre les parties les 4, 5 et 6 octobre l994.

9.2 Sauf incompatibilité les parties confirment la survie des ententes de l'avant-contrat non reproduites aux présentes.

10. Prix

Cette vente est faite pour le prix de **DEUX CENT MILLE DOLLARS (200 000,00 $)** que le vendeur reconnaît avoir reçu de l'acquéreur, **DONT QUITTANCE GÉNÉRALE ET FINALE.**

11. Résidence de l'acquéreur

L'acquéreur déclare ne pas être un cessionnaire au sens de la *Loi concernant les droits sur les transferts de terrains.*

12. État civil et régime matrimonial

L'acquéreur déclaré être célibataire.

13. Interprétation

13.1 Pour les fins des présentes, le singulier comprend le pluriel et le masculin comprend le féminin, le cas échéant, de même que le terme « acquéreur » comprend un représentent, ayants cause et successeurs.

13.2 Si le terme « acquéreur » tel qu'employé aux présentes désigne plus d'une personne, chacune d'elles sera solidairement responsable de l'exécution des obligations de l'acquéreur stipulées aux présentes.

13.3 Sans aucunement limiter la généralité de ce qui précède ou en restreindre la portée mais spécialement : le mot « immeuble » employé sans autre indication dans le présent acte, signifie tous et chacun des immeubles (s'il en est plusieurs) mentionnés à la clause désignation figurant à l'article premier des présentes.

14. Déclaration des parties relativement à la taxe sur les produits et services (T.P.S.) et la taxe de vente du Québec (T.V.Q.)

Le vendeur déclare que l'immeuble faisant l'objet de la présente vente est un immeuble occupé principalement à titre résidentiel, qu'il n'a effectué aucune rénovation majeure et n'a pas réclamé et ne réclamera pas de crédit de taxe sur les intrants relativement à l'acquisition ou à des améliorations apportées a l'immeuble, le vendeur faisant cette déclaration solennelle sachant qu'elle a la même force et effet que si elle était faite sous serment en vertu de la *Loi sur la preuve au Canada.*

La présente vente est donc exonérée de toute taxe

15. Mentions exigées en vertu de l'article 9 de la Loi concernant les droits sur les mutations immobilières

Le vendeur et l'acquéreur déclarent ce qui suit, savoir :

15.1 Leurs nom, prénom et adresse sont ceux mentionnés dans le présent contrat.

15.2 Le bien est situé sur le territoire de la municipalité de Charlesbourg.

15.3 Le montant de la contrepartie établi par le cédant et le cessionnaire est de DEUX CENT MILLE DOLLARS (200 000,00 $).

15.4 Le montant de la base d'imposition du droit de mutation établi par le cédant et le cessionnaire est de DEUX CENT MILLE DOLLARS (200 000,00 $).

15.5 Le montant du droit de mutation est de MILLE SEPT CENT CINQUANTE DOLLARS (1 750,00 $)

DONT ACTE FAIT ET SIGNÉ à Sainte-Foy, sous le numéro DEUX MILLE SEPT CENT DOUZE (2712) des minutes du notaire soussigné.

LECTURE FAITE, les parties signent en présence de la notaire soussignée.

Document 10.3   CONTRAT DE VENTE D'UN IMMEUBLE (suite)

Extrait du procès-verbal d'une réunion du conseil d'administration de Sogili inc., tenue au siège social de la compagnie, le 29 septembre 1994.

Règlement N° 13

Règlement concernant les achats et ventes des propriétés immobilières et la négociation et la signature de contrats relatifs à telles propriétés immobilières.

Nonobstant toute disposition contraire ou inconciliable de tout autre règlement général ou spécial de la compagnie, Lucie St-Pierre est par la présente, autorisée à signer pour et au nom de la compagnie :

tout marché, promesse d'achat, promesse de vente, contrat d'achat, contrat de vente, bail ou convention pour l'acquisition, l'achat, l'exploitation, la vente et la disposition de toute propriété immobilière ou de toute partie d'icelle, pour le prix et aux termes et conditions que Lucie St-Pierre, dans son opinion et à sa discrétion, pourra juger appropriés ;

tout acte d'obligation hypothécaire, contrat de prêt avec ou sans garantie, contrat d'emprunt avec ou sans garantie, transport de créances, reconnaissance de dettes et tout autre contrat, document ou écrit quelconque, qui, dans l'opinion et à la discrétion de Lucie St-Pierre, peuvent être nécessaires ou utiles à la compagnie dans le but d'accomplir ces objets et d'effectuer toutes les transactions immobilières quelconques ou autrement ,

Lucie St-Pierre est par les présentes autorisée pour et au nom de la compagnie à recevoir le paiement de toute somme due à la compagnie ou à en donner quittance.

Tout contrat, document ou écrit, signé sous l'autorité du présent règlement lie la compagnie, sans qu'il ne soit nécessaire pour la compagnie, ses administrateurs ou ses actionnaires de confirmer ou ratifier ce contrat, document ou écrit.

Certificat

Je, soussigné, Lucie St-Pierre, secrétaire de Sogili inc., certifie que le document ci-dessus est une copie conforme du règlement n° 13 de ladite compagnie, que ce règlement fut régulièrement adopté par les administrateurs de la compagnie lors d'une assemblée tenue le 29 septembre 1994, à laquelle les administrateurs étaient présents et votèrent en faveur dudit règlement, qui fut subséquemment confirmé et ratifié par les actionnaires de la compagnie lors d'une assemblée générale spéciale des actionnaires tenue le même jour, à laquelle la totalité des actionnaires de la compagnie étaient présents et votèrent en faveur de telle confirmation.

Québec, le 29 septembre 1994.

Document annexé à la minute numéro 2712 du répertoire du notaire soussigné, reconnu véritable et signé pour identification par le mandataire audit acte et la notaire soussignée, ce 17 octobre 1994.

Chapitre 11

LE LOUAGE

11.0 **PLAN DU CHAPITRE**

11.1 Objectifs
11.2 Le louage
    11.2.1 Les différentes catégories de louage
        11.2.1.1 La location de meuble
        11.2.1.2 La location d'immeuble
            – Le bail résidentiel
            – Le bail commercial
    11.2.2 La nature du louage
    11.2.3 Les droits et les obligations qui résultent du bail
        11.2.3.1 Généralités
        11.2.3.2 Les réparations
        11.2.3.3 La sous-location et la cession de bail
    11.2.4 La fin du bail
11.3 Le bail de logement
    11.3.1 Les formalités du bail
    11.3.2 Le loyer
    11.3.3 L'état du logement
    11.3.4 Les modifications au logement
    11.3.5 L'accès au logement et sa visite
    11.3.6 Le droit au maintien dans les lieux
    11.3.7 La reconduction et la modification du bail
    11.3.8 La fixation des conditions du bail
    11.3.9 La reprise du logement et l'éviction du locataire
    11.3.10 La résiliation du bail
11.4 La comparaison entre un contrat de location de meuble, un bail résidentiel et un bail commercial
    11.4.1 Le loyer
    11.4.2 La durée du bail
    11.4.3 L'expiration et le renouvellement du bail

Résumé
Questions
Cas pratiques
Documents

11.1 **OBJECTIFS**

Après la lecture du chapitre, l'étudiant doit être en mesure :

- de définir les règles qui régissent le louage de biens mobiliers et immobiliers ;
- de connaître les principales obligations du locateur et du locataire ;

- de distinguer les principales caractéristiques d'un bail de location de meuble de celles d'un bail de location d'immeuble ;

- de distinguer les caractéristiques propres au bail résidentiel et au bail commercial ;

- de calculer le loyer d'un espace commercial ;

- d'énumérer les principales durées des différents baux ;

- de connaître la date d'expiration d'un bail ainsi que sa période de renouvellement.

11.2 | LE LOUAGE

1851 C.c.Q.

*Le **louage**, aussi appelé **bail**, est le contrat par lequel une personne, le locateur, s'engage envers une autre personne, le locataire, à lui procurer, moyennant un loyer, la jouissance d'un bien, meuble ou immeuble, pendant un certain temps. [...]*

11.2.1 | LES DIFFÉRENTES CATÉGORIES DE LOUAGE

Il existe deux grandes catégories de baux : ceux qui concernent les meubles et ceux qui concernent les immeubles (voir la figure 11.1). La location d'immeuble revêt à son tour deux formes : le bail résidentiel et le bail commercial.

11.2.1.1 | La location de meuble

La location de meuble est surtout le fait d'entreprises spécialisées dans la location, comme, entre autres :

- Ryder, pour les camions ;

- U-Haul, pour les remorques ;

- Tilden, pour les automobiles ;

- Joe Loue Tout, pour les outils ;

- Perco, pour de gros équipements et des outils.

Figure 11.1 Les différentes catégories de louage

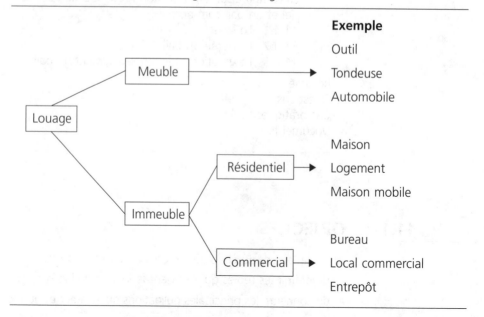

Évidemment, rien n'empêche un particulier de louer un meuble à une autre personne, mais il s'agit avant tout d'une activité exercée par des entreprises commerciales.

Sous réserve des droits et des obligations du locateur et du locataire décrits dans les sections suivantes, les parties peuvent insérer dans un tel contrat de location toutes les clauses qu'elles jugent pertinentes concernant la durée du contrat, le prix, les conditions d'utilisation et d'entretien, les lieux de récupération et de remise de l'objet loué, la compétence de l'utilisateur, etc.

11.2.1.2 La location d'immeuble

La location d'immeuble prend deux formes : le bail résidentiel et le bail commercial.

Le bail résidentiel

En matière de bail résidentiel, la liberté de contracter du locateur et du locataire est fortement limitée, car le législateur a encadré de règles très strictes les conditions, les dispositions ou les clauses d'un bail. En effet, l'article 1893 du *Code civil* précise que les articles 1892 à 2000 sont d'ordre public. Par conséquent, il est interdit d'y déroger ou de tenter de les contourner de quelque manière que ce soit.

La Régie du logement a même créé un bail type qui contient 62 clauses qui sont la reproduction d'une partie des articles obligatoires du *Code civil* (voir le document 11.1, Bail type de la Régie du logement).

En pratique, le bail type de la Régie du logement est utilisé par la majorité des locateurs, car il contient toutes les dispositions requises par la loi.

Cependant, il est possible de rédiger un bail résidentiel simplifié comme celui-ci :

Je soussigné, Pierre Montreuil, locateur, demeurant au 1050 rue Orléans, à Charlesbourg, loue par la présente à Lynda Higgins, locataire, demeurant actuellement au 375, rue des Lilas Est, à Québec, un logement de cinq pièces et demie situé au 860, avenue Marguerite-Bourgeois, appartement 7 à Québec, pour la somme de six cents (600) dollars par mois payable le premier jour de chaque mois, pour une période de dix-sept (17) mois, débutant le 1er février 1996 et se terminant le 30 juin 1997. Le locateur fournit le chauffage et l'eau chaude, mais le locataire doit assumer le coût de l'éclairage. Le locateur fournit une place de stationnement au locataire.

Québec, le 13 janvier 1996

Lynda Higgins

_____
Lynda Higgins

_____
Pierre Montreuil

Un tel bail est valide, même s'il ne contient pas toutes les dispositions requises par la loi et même si le locateur n'a pas respecté l'article 1895 du *Code civil* qui l'oblige à remettre au locataire une copie du bail type de la Régie du logement dans les dix jours qui suivent la conclusion du bail.

En matière de bail résidentiel, sortir des cadres du bail type est donc exceptionnel. Néanmoins, il est permis d'ajouter des clauses qui ne font pas l'objet de dispositions obligatoires (voir le document 11.2, Annexe au bail type).

Le bail commercial

Le bail commercial englobe trois types de baux :

- le bail pour la location d'un espace à bureau ;

- le bail pour la location d'un local dans un centre commercial pour y exploiter un commerce ;

- le bail pour la location d'un entrepôt ou de toute autre bâtisse pouvant servir à des fins industrielles ou d'entreposage.

Contrairement au bail résidentiel, il est permis d'insérer à peu près toutes les clauses imaginables dans un bail commercial. En effet, le législateur suppose que le locateur et le locataire sont tous deux des gens d'affaires expérimentés et que le rapport de force permet d'arriver à une entente qui soit convenable pour les deux parties. De plus, le législateur suppose également que chaque partie a bien lu et compris toutes les clauses du bail avant d'y apposer sa signature.

En réalité, ce n'est pas toujours tout à fait exact. *Par exemple, le bail d'un centre commercial comme Place Laurier, à Québec, est un bail préimprimé en petits caractères de plus de 30 pages de format légal ; le locataire n'a pas tellement de marge de manœuvre : ou il accepte le bail proposé par Place Laurier, ou il emménage son commerce ailleurs* (voir le document 11.3, Extraits du bail de Place Laurier).

En pratique, tous les baux de centres commerciaux sont similaires. Si le commerçant ne veut pas signer un tel bail, il n'a pas d'autre choix que de louer un local ailleurs que dans un centre commercial, c'est-à-dire dans un établissement où le bail n'est pas aussi détaillé, ou encore, il peut acheter un immeuble et y installer son commerce.

| 11.2.2 | ## LA NATURE DU LOUAGE |

1851 C.c.Q.

> *Le **louage**, aussi appelé **bail**, est le contrat par lequel une personne, le locateur, s'engage envers une autre personne, le locataire, à lui procurer, moyennant un loyer, la jouissance d'un bien, meuble ou immeuble, pendant un certain temps.*
>
> *Le bail est à durée fixe ou indéterminée.*

Un contrat de **louage** met en présence deux parties, le **locateur** et le **locataire**, qui s'entendent sur la location d'un bien pendant un certain temps et pour un certain prix. La durée du bail peut être déterminée, par exemple pour une période de cinq ans, ou indéterminée, comme un bail mensuel qui se renouvelle automatiquement de mois en mois sans préavis. Quant au prix, il peut être fixe ou fluctuant s'il est basé sur le chiffre d'affaires du locataire, par exemple 400 $ par mois plus 2 % des revenus bruts du locataire.

Voici quelques exemples de louage :

Perco inc. loue une scie à chaîne pour une période de deux jours au prix de 9,50 $ par jour.

Tilden ltée loue un camion à Paul pour une période de cinq jours au prix de 43,95 $ par jour plus 0,10 $ du kilomètre parcouru.

Gesco inc. loue un bureau à Infologik inc. au prix de 800 $ par mois sans que la durée du bail ne soit précisée, ce qui signifie que le bail se renouvelle de mois en mois, tant et aussi longtemps qu'une des parties n'avise pas un mois à l'avance l'autre partie de son intention de ne pas renouveler le bail.

Camdev inc., propriétaire d'un immeuble commercial de 1 000 mètres carrés, loue un bureau de 100 mètres carrés à la société d'avocats Montreuil & Bouchard,

S.E.N.C. par un bail de dix ans au coût mensuel de 120 $ le mètre carré, plus 10 % des dépenses d'exploitation et des frais d'entretien de l'immeuble.

La Société immobilière Marathon ltée, propriétaire de Place Laurier, un centre commercial de 10 000 mètres carrés, loue un local commercial de 200 mètres carrés à la boutique Enjolie par un bail de cinq ans au coût mensuel de 150 $ le mètre carré, plus 2 % des dépenses d'exploitation et des frais d'entretien du centre commercial, plus 1 % des revenus bruts mensuels de la boutique; Enjolie désire y installer une lingerie.

En matière immobilière, le terme **bail** est beaucoup plus utilisé que le terme louage, tandis qu'en matière de location de meuble, l'expression **contrat de location** est beaucoup plus utilisée que le terme bail. On parle, par exemple, d'un contrat de location d'une automobile.

1853 C.c.Q.   *Le **bail portant sur un bien meuble** ne se présume pas; la personne qui utilise le bien, avec la tolérance du propriétaire, est présumée l'avoir emprunté en vertu d'un prêt à usage. [...]*

Si Geneviève désire réclamer de Paul une indemnité de 25 $ à titre de loyer pour la location de sa tondeuse, elle doit prouver l'existence d'un contrat de location, sinon, en l'absence de preuve de l'existence de ce contrat, le tribunal doit déclarer qu'il ne s'agit que d'un contrat de prêt.

1853 C.c.Q.   *[...] Le **bail portant sur un bien immeuble** est, pour sa part, présumé lorsqu'une personne occupe les lieux avec la tolérance du propriétaire. Ce bail est à durée indéterminée; il prend effet dès l'occupation et comporte un loyer correspondant à la valeur locative.*

En matière immobilière, donc, la règle est inversée; si une personne occupe un immeuble avec le consentement ou la tolérance du propriétaire, le *Code civil* présume qu'il existe d'office un bail entre le locateur et le locataire, même s'il n'en existe pas de preuve écrite; il n'est certainement pas normal pour un propriétaire de « prêter » un immeuble à une tierce personne sans aucune compensation.

11.2.3   LES DROITS ET LES OBLIGATIONS QUI RÉSULTENT DU BAIL

11.2.3.1   Généralités

Le *Code civil* accorde des droits mais impose aussi des obligations tant au locateur qu'au locataire (voir le tableau 11.1).

1854 C.c.Q.   *Le locateur est tenu de délivrer au locataire le bien loué en bon état de réparation de toute espèce et de lui en procurer la jouissance paisible pendant toute la durée du bail.*

Il est aussi tenu de garantir au locataire que le bien peut servir à l'usage pour lequel il est loué, et de l'entretenir à cette fin pendant toute la durée du bail.

Le code prévoit aussi un **recours** en cas de **manquement à une obligation** :

1863 C.c.Q.   *L'inexécution d'une obligation par l'une des parties confère à l'autre le droit de demander, **outre des dommages-intérêts**, l'**exécution en nature**, dans les cas qui le permettent. Si l'inexécution lui cause à elle-même [...] un préjudice sérieux, elle peut demander la **résiliation du bail**.*

*L'inexécution confère, en outre, au locataire le droit de demander une **diminution de loyer** [...].*

En pratique, si le locataire est seulement insatisfait de la manière dont le locateur s'acquitte de ses obligations, il demande généralement une diminution du loyer. Par contre, si le locataire est insatisfait des lieux loués ou de l'achalandage dans le cas d'un centre commercial, il en profite généralement pour demander la résiliation du bail.

Tableau 11.1 Les obligations des parties

Obligations du locateur	Obligations du locataire
Délivrer le bien loué en état de réparation de toute espèce	Payer le loyer convenu
Procurer la jouissance paisible du bien loué pendant toute la durée du bail	Se conduire de manière à ne pas troubler la jouissance normale des autres locataires
Ne changer au cours du bail ni la forme ni la destination du bien loué	Ne changer au cours du bail ni la forme ni la destination du bien loué
Entretenir le bien pour qu'il serve à l'usage pour lequel il est loué	Conserver le bien à l'abri des pertes
User du droit d'accès au logement de façon raisonnable	Permettre au locateur de vérifier l'état du bien loué, d'y effectuer des travaux et, en matière de bail immobilier, de le faire visiter à un locateur ou à un acquéreur éventuel
Garantir que le bien peut servir à l'usage pour lequel il est loué pendant toute la durée du bail	User du bien avec prudence et diligence
Garantir le locataire des troubles de droit apportés à la jouissance du bien loué	
Garantir, à certaines conditions, le locataire des troubles de faits	

11.2.3.2 Les réparations

S'il se produit des bris majeurs qui nécessitent une réparation immédiate,

1864 C.c.Q.

> *Le locateur est tenu, au cours du bail, de faire toutes les réparations nécessaires au bien loué, à l'exception des menues réparations d'entretien; celles-ci sont à la charge du locataire, à moins qu'elles ne résultent de la vétusté du bien ou d'une force majeure.*

Les réparations nécessaires comprennent les réparations majeures à la toiture, aux fondations, à la structure, au système de chauffage, au système électrique et au système d'alimentation en eau potable et d'évacuation des eaux usées. Évidemment,

1865 C.c.Q.
Le locataire doit subir les réparations urgentes et nécessaires pour assurer la conservation ou la jouissance du bien loué. [...]

Cependant, si ces réparations sont d'une importance telle que le logement ne peut être habité de manière convenable,

1865 C.c.Q.
[...] Le locateur qui procède à ces réparations peut exiger l'évacuation ou la dépossession temporaire du locataire, mais il doit, s'il ne s'agit pas de réparations urgentes, obtenir l'autorisation préalable du tribunal, lequel fixe alors les conditions requises pour la protection des droits du locataire.

Le locataire conserve néanmoins, suivant les circonstances, le droit d'obtenir une diminution de loyer, celui de demander la résiliation du bail ou, en cas d'évacuation ou de dépossession temporaire, celui d'exiger une indemnité.

Certains locataires profitent des circonstances pour déménager au frais du locateur tandis que certains locataires préfèrent demeurer à l'hôtel en attendant d'entrer dans un logement réparé ou rénové. Le choix est entre les mains du locataire. Par ailleurs, et cela se comprend,

1866 C.c.Q.
Le locataire qui a connaissance d'une défectuosité ou d'une détérioration substantielles du bien loué, est tenu d'en aviser le locateur dans un délai raisonnable.

En effet, il est difficile de reprocher à un locateur de ne pas faire les réparations ou l'entretien nécessaires s'il n'a pas été préalablement avisé. Cependant,

1867 C.c.Q.
Lorsque le locateur n'effectue pas les réparations ou améliorations auxquelles il est tenu, en vertu du bail ou de la loi, le locataire peut s'adresser au tribunal afin d'être autorisé à les exécuter.

Le tribunal, s'il autorise les travaux, en détermine le montant et fixe les conditions pour les effectuer. Le locataire peut alors retenir sur son loyer les dépenses faites pour l'exécution des travaux autorisés, jusqu'à concurrence du montant ainsi fixé.

Il peut arriver parfois des circonstances qui font en sorte que le locateur ne peut pas ou ne veut pas effectuer les travaux, soit parce qu'il manque de fonds ou tout simplement parce qu'il ne désire pas améliorer ou entretenir convenablement son immeuble. Dans un tel cas,

1868 C.c.Q.
Le locataire peut, après avoir tenté d'informer le locateur ou après l'avoir informé si celui-ci n'agit pas en temps utile, entreprendre une réparation ou engager une dépense, même sans autorisation du tribunal, pourvu que cette réparation ou cette dépense soit urgente et nécessaire pour assurer la conservation ou la jouissance du bien loué. Le locateur peut toutefois intervenir à tout moment pour poursuivre les travaux.

Le locataire a le droit d'être remboursé des dépenses raisonnables qu'il a faites dans ce but ; il peut, si nécessaire, retenir sur son loyer le montant de ces dépenses.

Dans le cas d'une réparation urgente, il est évident que le locataire doit agir avec diligence pour éviter l'aggravation d'une situation. Ainsi, le bris d'un tuyau de chauffage va non seulement occasionner de graves dégâts à cause de la présence de l'eau, mais, de plus, si ce bris a lieu en hiver, l'absence de chauffage peut amener l'eau à geler dans les différentes canalisations, ce qui peut occasionner l'éclatement d'un certain nombre de tuyaux, sans compter l'impossibilité d'habiter un logement sans chauffage en hiver.

1869 C.c.Q.
Le locataire est tenu de rendre compte au locateur des réparations ou améliorations effectuées au bien et des dépenses engagées, de lui remettre les pièces justificatives de ces dépenses et, s'il s'agit d'un meuble, de lui remettre les pièces remplacées.

Le locateur, pour sa part, est tenu de rembourser la somme qui excède le loyer retenu, mais il n'est tenu, le cas échéant, qu'à concurrence de la somme que le locataire a été autorisé à débourser.

Idéalement, le locataire se doit d'informer le locateur de tout bris qu'il constate, et le locateur se doit d'effectuer la réparation des bris dont il a été avisé. De plus, si c'est le locataire qui effectue la réparation, il n'est que normal que le locataire en rende compte au locateur afin que ce dernier sache quels sont les travaux qui ont été effectués, à quel coût, par qui et pour remédier à quel problème.

11.2.3.3 La sous-location et la cession de bail

La **sous-location** est un bail qui intervient entre une personne qui est déjà locataire et un tiers, relativement à un bien qui fait déjà l'objet d'un bail. Le locataire devient alors locateur, tandis que le tiers devient son locataire. *Par exemple, Micheline est propriétaire d'un immeuble de dix appartements. Elle loue un appartement à Sylvie qui devient ainsi sa locataire en vertu d'un bail d'une durée de 12 mois. En cours de bail, Sylvie doit déménager et elle annonce son logement à louer. Raymond est disposé à louer cet appartement pour les cinq mois qui restent à courir sur le bail. Dans un tel cas, Sylvie devient locateur et Raymond devient locataire. Par rapport à Micheline, Raymond est un sous-locataire.*

Il se peut que Micheline préfère procéder par **cession de bail**. *Dans ce cas, il y aura résiliation du bail entre Micheline et Sylvie et création d'un nouveau bail entre Micheline et Raymond.*

Le locateur peut-il s'opposer à la sous-location ?

1871 C.c.Q.   *Le locateur ne peut refuser de consentir à la sous-location du bien ou à la cession du bail sans un motif sérieux.*

Lorsqu'il refuse, le locateur est tenu d'indiquer au locataire, dans les quinze jours de la réception de l'avis, les motifs de son refus ; s'il omet de le faire, il est réputé avoir consenti.

Si le locateur refuse la sous-location et préfère procéder par cession de bail, alors,

1873 C.c.Q.   *La* **cession de bail décharge l'ancien locataire de ses obligations**, *à moins que, s'agissant d'un bail autre que le bail d'un logement, les parties n'aient convenu autrement.*

11.2.4 LA FIN DU BAIL

À quel moment un bail se termine-t-il ?

1877 C.c.Q.   *Le bail à durée fixe cesse de plein droit à l'arrivée du terme. Le bail à durée indéterminée cesse lorsqu'il est résilié par l'une ou l'autre des parties.*

Peut-on prolonger un bail ? Oui.

1878 C.c.Q.   *Le bail [...] peut être reconduit. [...]*

1879 C.c.Q.   *Le bail est reconduit tacitement lorsque le locataire continue, sans opposition de la part du locateur, d'occuper les lieux plus de dix jours après l'expiration du bail.*

Dans ce cas, le bail est reconduit pour un an ou pour la durée du bail initial, si celle-ci était inférieure à un an, aux mêmes conditions. [...]

Il existe cependant des causes qui ne mettent pas fin au bail. Le **décès** de l'une des parties et la **vente volontaire ou forcée** de l'immeuble ne mettent pas fin de plein droit au bail ; le nouveau propriétaire demeure lié par le bail existant.

11.3 LE BAIL DE LOGEMENT

Les règles particulières d'un bail de logement ont un caractère impératif. Ainsi, toute entente ou partie d'entente qui en constituerait une modification est nulle et sans effet entre les parties. À cet égard, le code stipule :

1893 C.c.Q.   *Est sans effet la clause d'un bail portant sur un logement, qui déroge aux dispositions de la présente section (1892 à 2000), à celles du deuxième alinéa de l'article 1854 ou à celles des articles 1856 à 1858, 1860 à 1863, 1865, 1866, 1868 à 1872, 1875, 1876 et 1883.*

La majorité de ces articles constituent les clauses impératives que nous trouvons dans le bail type distribué par la Régie du logement. L'article 1893 nous permet donc de constater que si le *Code civil* contient souvent des dispositions facultatives, en matière de bail de logement, la majorité des articles du *Code civil* sont des dispositions impératives.

<table>
<tr><td>**11.3.1**</td><td>**LES FORMALITÉS DU BAIL**</td></tr>
</table>

Quelles sont les formalités qui entourent la conclusion d'un bail de logement?

1894 C.c.Q.

> *Le locateur est tenu, avant la conclusion du bail, de **remettre** au locataire, le cas échéant, un **exemplaire du règlement de l'immeuble** portant sur les règles relatives à la jouissance, à l'usage et à l'entretien des logements et des lieux d'usage commun.*
>
> *Ce règlement fait partie du bail.*

Cela peut sembler anodin, mais le règlement de l'immeuble contient souvent plusieurs restrictions au droit de jouissance d'un locataire. Aussi est-il normal pour le locataire de savoir, avant de signer un bail, quelles sont toutes les conditions à respecter dans l'immeuble.

Le locateur doit-il remettre un quelconque écrit au locataire qui fait foi de l'existence du bail? Oui.

1895 C.c.Q.

> *Le locateur est tenu, dans les dix jours de la conclusion du bail, de **remettre un exemplaire du bail** au locataire ou, dans le cas d'un bail verbal, de lui remettre un écrit indiquant le nom et l'adresse du locateur, le nom du locataire, le loyer et l'adresse du logement loué et reproduisant les mentions prescrites par les règlements pris par le gouvernement. Cet écrit fait partie du bail. Le bail ou l'écrit doit être fait sur le formulaire dont l'utilisation est rendue obligatoire par les rxèglements pris par le gouvernement.*
>
> *Il est aussi tenu, lorsque le bail est reconduit et que les parties conviennent de le modifier, de remettre au locataire, avant le début de la reconduction, un écrit qui constate les modifications au bail initial.*
>
> *Le locataire ne peut, toutefois, demander la résiliation du bail si le locateur fait défaut de se conformer à ces prescriptions.*

Ainsi, en cas de problème ou de trouble de jouissance affectant son appartement, le locataire dispose de toutes les informations nécessaires pour rejoindre le locateur et lui demander d'apporter les correctifs appropriés.

Le locateur peut-il insérer dans le bail toutes les clauses qu'il désire? Non.

1900 C.c.Q.

> *Est sans effet la clause qui limite la responsabilité du locateur, l'en exonère ou rend le locataire responsable d'un préjudice causé sans sa faute.*
>
> *Est aussi sans effet la clause visant à modifier les droits du locataire en raison de l'augmentation du nombre d'occupants, à moins que les dimensions du logement n'en justifient l'application, ou la clause limitant le droit du locataire d'acheter des biens ou d'obtenir des services de personnes de son choix, suivant les modalités dont lui-même convient.*

Par exemple, le locateur ne peut pas insérer dans un bail de logement une clause de résiliation automatique du bail au cas où la famille du locataire augmenterait.

Dans le but de **décourager le locateur** ou son représentant **de faire indûment pression sur le locataire** pour que celui-ci quitte son logement:

1902 C.c.Q.

> *Le locateur ou toute autre personne ne peut user de harcèlement envers un locataire de manière à restreindre son droit à la jouissance paisible des lieux ou à obtenir qu'il quitte le logement.*
>
> *Le locataire, s'il est harcelé, peut demander que le locateur ou toute autre personne qui a usé de harcèlement soit condamné à des dommages-intérêts punitifs.*

<table>
<tr><td>**11.3.2**</td><td>**LE LOYER**</td></tr>
</table>

Le paiement du loyer est une obligation essentielle du contrat de louage.

1903 C.c.Q.

> *Le loyer convenu doit être indiqué dans le bail.*
>
> *Il est payable par versements égaux, sauf le dernier qui peut être moindre; il est aussi payable le premier jour de chaque terme, à moins qu'il n'en soit convenu autrement.*

Son prix ne peut être changé en cours de bail si la **durée du bail est de 12 mois ou moins**. Par contre, si cette **durée est de plus de 12 mois**, le loyer ne peut varier au cours des 12 premiers mois; par la suite, le loyer peut varier une fois par période de 12 mois. Toutefois, si les parties ne parviennent pas à s'entendre sur la hausse du loyer, le locateur ou le locataire peut déposer devant la Régie du logement une demande de modification de loyer.

Sans être limitatifs, les critères suivants peuvent justifier un nouveau coût du loyer :

- la variation de l'impôt foncier municipal ou scolaire ;

- les primes d'assurance contre l'incendie ou de responsabilité ;

- le coût unitaire du combustible ou de l'électricité ;

- le coût des réparations majeures.

De plus,

1907 C.c.Q.   *Lorsque le locateur n'exécute pas les obligations auxquelles il est tenu, le locataire peut [...] déposer son loyer au greffe du tribunal, s'il donne au locateur un **préavis de dix jours** indiquant le motif du dépôt et si le tribunal, considérant que le motif est sérieux, autorise le dépôt et en fixe le montant et les conditions.*

11.3.3   L'ÉTAT DU LOGEMENT

En général, un logement offert en location est habitable et propre. Cependant, certains logements laissent à désirer et certains locateurs ne sont pas disposés à y effectuer les travaux nécessaires pour les rendre en bon état d'habitabilité et y assurer un minimum de propreté. Certains locateurs ajoutent même dans le bail une clause selon laquelle le logement est très propre et très habitable, même si le logement ne l'est pas en réalité. Pour éviter cette situation, le législateur a prévu les points suivants :

1910 C.c.Q.   *Le locateur est tenu de délivrer un logement en bon état d'habitabilité ; il est aussi tenu de le maintenir ainsi pendant toute la durée du bail.*

La stipulation par laquelle le locataire reconnaît que le logement est en bon état d'habitabilité est sans effet.

En rendant nulle toute clause déclarant que le logement est en bon état d'habitabilité, le législateur a veillé à protéger le locataire. Certes, un logement peut être en bon état d'habitabilité, sans nécessairement être propre. Pour éviter cette situation, le législateur mentionne :

1911 C.c.Q.   *Le locateur est tenu de délivrer le logement en bon état de propreté ; le locataire est, pour sa part, tenu de maintenir le logement dans le même état.*

Lorsque le locateur effectue des travaux au logement, il doit remettre celui-ci en bon état de propreté.

Cette obligation s'applique à tous genres de travaux et ne se limite pas aux réparations ou améliorations. Ainsi, si le propriétaire procède à l'extermination de vermine, il devra remettre au locataire le logement en bon état de propreté.

Le locataire peut refuser de prendre possession d'un logement **impropre à l'habitation** ; le bail est alors résilié de plein droit :

1913 C.c.Q.   ***Est impropre à l'habitation*** *le logement dont l'état constitue une menace sérieuse pour la santé ou la sécurité des occupants ou du public, ou celui qui a été déclaré tel par le tribunal ou par l'autorité compétente.*

Évidemment, pour qu'un logement soit déclaré impropre à l'habitation et pour freiner le locataire qui désire résilier son bail à tout propos, il faut faire la preuve de la menace sérieuse pour la santé ou la sécurité des occupants. Si cela se produit en cours de bail,

1915 C.c.Q.   *Le locataire peut abandonner son logement s'il devient impropre à l'habitation. Il est alors tenu d'aviser le locateur de l'état du logement, avant l'abandon ou dans les dix jours qui suivent.*

*Le locataire qui donne cet avis est dispensé de payer le loyer pour la période pendant laquelle le logement est impropre à l'habitation, **à moins que l'état du logement ne résulte de sa faute**.*

En conséquence,

1972 C.c.Q.

> *Le locateur ou le locataire peut demander la résiliation du bail lorsque le logement devient impropre à l'habitation.*

Cependant, si c'est le locataire qui a rendu le logement impropre à l'habitation, il va de soi qu'il devra en assumer le coût.

1975 C.c.Q.

> *Le bail [...] peut être résilié, sans autre motif, lorsque le logement est impropre à l'habitation et que le locataire l'abandonne sans en aviser le locateur.*

Si le locateur prouve devant la Régie du logement que le logement n'est pas impropre à l'habitation, le locataire est tenu de respecter le bail et de payer le loyer, ce qui peut lui coûter cher s'il a loué un autre logement.

11.3.4 LES MODIFICATIONS AU LOGEMENT

Le locataire doit accepter les améliorations majeures et les réparations majeures non urgentes effectuées dans son logement.

1922 C.c.Q.

> *Une amélioration majeure ou une réparation majeure non urgente, ne peut être effectuée dans un logement avant que le locateur n'en ait avisé le locataire et, si l'évacuation temporaire du locataire est prévue, avant que le locateur ne lui ait offert une indemnité égale aux dépenses raisonnables qu'il devra assumer en raison de cette évacuation.*

Que doit contenir cet avis relatif aux travaux ?

1923 C.c.Q.

> *L'avis indique la nature des travaux, la date à laquelle ils débuteront et l'estimation de leur durée, ainsi que, s'il y a lieu, la période d'évacuation nécessaire; il précise aussi, le cas échéant, le montant de l'indemnité offerte, ainsi que toutes autres conditions dans lesquelles s'effectueront les travaux, si elles sont susceptibles de diminuer substantiellement la jouissance des lieux.*
>
> *L'avis doit être donné au moins dix jours avant la date prévue pour le début des travaux ou, s'il est prévu une période d'évacuation de plus d'une semaine, au moins trois mois avant celle-ci.*

À quel moment l'indemnité sera-t-elle payable ?

1924 C.c.Q.

> *L'indemnité due au locataire en cas d'évacuation temporaire est payable à la date de l'évacuation.*
>
> *Si l'indemnité se révèle insuffisante, le locataire peut être remboursé des dépenses raisonnables faites en surplus.*
>
> *Le locataire peut aussi obtenir, selon les circonstances, une diminution de loyer ou la résiliation du bail.*

11.3.5 L'ACCÈS AU LOGEMENT ET SA VISITE

Le locateur peut-il faire visiter le logement lorsque le locataire l'avise qu'il quitte le logement à la fin du bail ? Oui. En matière de bail d'habitation, il faut noter que les modalités d'exercice de ce droit d'accès par le propriétaire sont précisées aux articles 1931, 1932 et 1933 du *Code civil*. Ainsi, sauf pour la visite par un locataire éventuel et à moins d'urgence dans les autres cas, un préavis doit être donné au locataire. **Même si un préavis n'est pas formellement requis par le *Code civil*,** s'il y a absence d'entente entre le locateur et le locataire sur les modalités d'exercice des droits de visite d'un locataire éventuel, le locateur ne peut ignorer le droit du locataire au respect de sa vie privée (article 3 C.c.Q.) et à l'inviolabilité de sa demeure (*Charte des droits et libertés de la personne*, L.R.Q., c. C-12, a. 7), dans le cas où le locataire manifeste son refus de laisser visiter le logement. Cependant, **au cas de refus abusif du locataire, le locateur pourra requérir de la Régie du logement l'émission d'une ordonnance d'accès.**

1930 C.c.Q.

> *Le locataire qui avise le locateur de la non-reconduction du bail ou de sa résiliation est tenu de permettre la visite du logement et l'affichage, dès qu'il a donné cet avis.*

1931 C.c.Q.   *Le locateur est tenu, à moins d'une urgence, de donner au locataire un **préavis de vingt-quatre heures** de son intention de vérifier l'état du logement, d'y effectuer des travaux ou de le faire visiter par un acquéreur éventuel.*

Le locataire peut-il refuser au locateur le droit de faire visiter son logement ? Oui.

1932 C.c.Q.   *Le locataire peut, à moins d'une urgence, refuser que le logement soit visité par un locataire ou un acquéreur éventuel, si la visite doit avoir lieu avant 9 heures et après 21 heures ; **il en est de même dans le cas où le locateur désire en vérifier l'état***

Il peut, dans tous les cas, refuser la visite si le locateur ne peut être présent.

Le locataire peut-il également refuser l'accès de son logement au locateur lorsqu'il s'agit d'effectuer des travaux ? Non.

1933 C.c.Q.   *Le locataire ne peut refuser l'accès du logement au locateur, lorsque celui-ci doit y effectuer des travaux.*

Il peut, néanmoins, en refuser l'accès avant 7 heures et après 19 heures, à moins que le locateur ne doive y effectuer des travaux urgents.

Un locateur ou un locataire peut-il changer la serrure de son logement sans l'accord de l'autre partie ? Non.

1934 C.c.Q.   ***Aucune serrure ou autre mécanisme restreignant l'accès à un logement ne peut être posé ou changé sans le consentement du locateur et du locataire.***

Le tribunal peut ordonner à la partie qui ne se conforme pas à cette obligation de permettre à l'autre l'accès au logement.

11.3.6   LE DROIT AU MAINTIEN DANS LES LIEUX

Tout le droit du louage repose sur le principe du droit du locataire d'être maintenu dans son logement. Il est clair que le ***Code civil* protège le locataire quant à la stabilité de son logement.**

1936 C.c.Q.   *Tout locataire a un **droit personnel** au maintien dans les lieux ; il ne peut être évincé du logement loué que dans les cas prévus par la loi.*

Le locataire ne peut donc pas être évincé des lieux loués, sauf dans les trois cas suivants :

- si le locateur reprend le logement pour l'occuper lui-même ou pour y loger une personne apparentée reconnue par la loi ;
- si le locateur subdivise ou agrandit le logement ;
- si l'immeuble est démoli ou transformé en condominium avec l'autorisation de la Régie du logement.

De plus, la vente volontaire ou forcée d'un immeuble comportant un logement, la cessation de cohabitation avec le conjoint ou le concubin et le décès du locataire ne sont pas des causes qui permettent au locateur de mettre fin au bail.

11.3.7   LA RECONDUCTION ET LA MODIFICATION DU BAIL

Que se passe-t-il lorsque le bail arrive à son terme ?

1941 C.c.Q.   *Le locataire qui a droit au maintien dans les lieux a droit à la reconduction de plein droit du bail à durée fixe lorsque celui-ci prend fin.*

Le bail est, à son terme, reconduit aux mêmes conditions et pour la même durée ou, si la durée du bail initial excède douze mois, pour une durée de douze mois. Les parties peuvent, cependant, convenir d'un terme de reconduction différent.

En théorie, un bail se termine à l'arrivée du terme, mais en matière de bail de logement, la reconduction du bail pour une nouvelle période est la règle. Cependant, le locateur peut profiter de l'arrivée du terme pour modifier les conditions du bail (voir le tableau 11.2).

Tableau 11.2   Les délais d'avis de renouvellement d'un bail

Bail	Période pour envoyer l'avis
De 12 mois ou plus	Entre 3 et 6 mois avant la fin du bail
De moins de 12 mois	Entre 1 et 2 mois avant la fin du bail
D'une durée indéterminée	Entre 1 et 2 mois avant la fin du bail
D'une chambre	Entre 10 et 20 jours avant la fin du bail

1942 C.c.Q.

Le locateur peut, lors de la reconduction du bail, modifier les conditions de celui-ci, notamment la durée ou le loyer; il ne peut cependant le faire que s'il donne un avis de modification au locataire, au moins trois mois, mais pas plus de six mois, avant l'arrivée du terme. Si la durée du bail est de moins de douze mois, l'avis doit être donné, au moins un mois, mais pas plus de deux mois, avant le terme.

Lorsque le bail est à durée indéterminée, le locateur ne peut le modifier, à moins de donner au locataire un avis d'au moins un mois, mais d'au plus deux mois.

Ces délais sont respectivement réduits à dix jours et vingt jours s'il s'agit du bail d'une chambre.

Par exemple, Julie a loué un logement de quatre pièces dans un immeuble apparte-nant à Maryline en vertu d'un bail d'une année qui débute le 1er juillet 1995 et se termine le 30 juin 1996 au loyer mensuel de 500 $. Si Maryline désire modifier les conditions du bail pour la période du 1er juillet 1996 au 30 juin 1997, comme augmenter le prix du logement, elle doit faire parvenir un avis écrit à Julie entre le 1er janvier et le 31 mars 1996. Si Julie reçoit le 8 janvier 1996 un avis d'augmentation de 10 $ par mois, elle dispose d'un délai d'un mois, soit jusqu'au 8 février 1996, pour informer Maryline de son refus. Si elle ne le fait pas, elle est réputée avoir accepté l'augmentation de loyer.

*Par contre, si Maryline envoie le 1er janvier 1996 un avis à l'effet qu'elle propose à Julie de renouveler le bail aux mêmes conditions, cet avis n'est pas considéré comme un avis de modification du bail selon la jurisprudence développée par la Régie du logement. Par conséquent, cette situation équivaut au fait de ne pas avoir envoyé d'avis de sorte que Julie peut attendre jusqu'au 31 mars 1996 pour répondre à Maryline. Julie peut donc prendre un délai de trois mois pour répondre à Maryline et signifier qu'elle désire quitter le logement **car il n'y a pas eu d'avis de modifi-cation du bail**. Si Maryline avait voulu que Julie lui fasse connaître ses intentions de renouveler le bail ou de déménager dans le délai normal d'un mois, elle aurait dû lui envoyer un avis de modification au bail incluant, au moins, une augmentation ou une diminution de loyer de 1 $ par mois.*

11.3.8   LA FIXATION DES CONDITIONS DU BAIL

Si le locataire refuse une modification au bail proposée par le locateur, que se passe-t-il ?

1947 C.c.Q.

*Le locateur peut, **lorsque le locataire refuse la modification proposée**, s'adresser au tribunal dans le mois de la réception de l'avis de refus, pour faire fixer le loyer ou, suivant le cas, faire statuer sur toute autre modification du bail; s'il omet de le faire, le bail est reconduit de plein droit aux conditions antérieures.*

Cependant, en vertu de l'article 1955 du *Code civil*, tous les logements ne sont pas soumis à ce contrôle de la Régie du logement.

1955 C.c.Q.

*Ni le locateur ni le locataire d'un logement loué par une **coopérative d'habitation** à l'un de ses membres, ne peut faire fixer le loyer ni modifier d'autres conditions du bail par le tribunal.*

*De même, ni le locateur ni le locataire d'un logement situé dans un **immeuble nouvel-lement bâti** ou dont l'**utilisation à des fins locatives résulte d'un changement***

d'affectation récent ne peut exercer un tel recours, dans les cinq années qui suivent la date à laquelle l'immeuble est prêt pour l'usage auquel il est destiné.

Le bail d'un tel logement doit toutefois mentionner ces restrictions, à défaut de quoi le locateur ne peut les invoquer à l'encontre du locataire.

11.3.9   LA REPRISE DU LOGEMENT ET L'ÉVICTION DU LOCATAIRE

Comme l'indique le tableau 11.3, il existe deux exceptions au principe du droit du locataire au maintien dans les lieux : la reprise d'un logement et l'éviction du locataire.

Tableau 11.3   Les exceptions au principe du droit au maintien dans les lieux

La reprise du logement	L'éviction du locataire
Le locateur, **s'il est propriétaire**, peut reprendre le logement pour ses enfants ou pour ses parents de même que pour ses petits-enfants ou grands-parents, ou pour son conjoint dont il est divorcé mais dont il est le principal soutien	Le locateur peut reprendre le logement pour le subdiviser, réunir deux logements ou en changer l'affectation

Toutefois, avant de pouvoir reprendre le logement, le locateur doit respecter la démarche suivante :

1960 C.c.Q.

Le locateur qui désire reprendre le logement ou évincer le locataire doit aviser celui-ci, au moins six mois avant l'expiration du bail à durée fixe ; si la durée du bail est de six mois ou moins, l'avis est d'un mois.

Toutefois, lorsque le bail est à durée indéterminée, l'avis doit être donné six mois avant la date de la reprise ou de l'éviction.

Que doit contenir l'avis de reprise de possession ou d'éviction ?

1961 C.c.Q.

L'avis de reprise doit indiquer la date prévue pour l'exercer, le nom du bénéficiaire et, s'il y a lieu, le degré de parenté ou le lien du bénéficiaire avec le locateur.

L'avis d'éviction doit indiquer le motif et la date de l'éviction.

Toutefois, la reprise ou l'éviction peut prendre effet à une date postérieure, à la demande du locataire et sur autorisation du tribunal.

Le locataire a un mois à compter de la réception de l'avis pour prendre une décision. Si la demande est une **reprise de logement**, le locataire peut accepter ou refuser la reprise du logement. Si le locataire accepte que le locateur reprenne le logement, le locateur lui paie une indemnité de trois mois de loyer plus des frais raisonnables de déménagement.

Par contre, si le locataire refuse au locateur d'exercer son droit de reprise du logement, le locateur doit déposer une demande d'autorisation de reprendre le logement devant la Régie du logement qui doit décider s'il a droit ou non à la reprise du logement. Si la régie accueille la demande du locateur, le locataire doit quitter les lieux à la fin du bail avec la même indemnité de trois mois de loyer plus des frais raisonnables de déménagement. Par contre, si la régie refuse la demande du locateur, le bail est reconduit et le locateur doit s'adresser à la régie pour faire déterminer les conditions du renouvellement. Il importe de noter que l'absence de réponse du locataire constitue une présomption de refus du locataire de quitter les lieux.

Au contraire, s'il s'agit d'un cas d'**éviction** pour subdivision, agrandissement ou changement d'affectation, le silence du locataire équivaut à son consentement à quitter les lieux. Il doit prendre l'initiative de produire une opposition à la Régie du logement s'il entend contester le droit du locateur de l'évincer.

Il arrive parfois que le locateur décide de reprendre un logement ou d'évincer un locataire dans le but caché de se débarrasser d'un locataire « indésirable » et non pas pour occuper le logement ou pour y effectuer des travaux. Dans un tel cas, le locataire a les recours suivants :

1968 C.c.Q.

Le locataire peut recouvrer les dommages-intérêts résultant d'une reprise ou d'une éviction obtenue de mauvaise foi, qu'il ait consenti ou non à cette reprise ou éviction.

Il peut aussi demander que celui qui a ainsi obtenu la reprise ou l'éviction soit condamné à des dommages-intérêts punitifs.

11.3.10 LA RÉSILIATION DU BAIL

Qui peut obtenir une résiliation du bail, quand et pour quel motif ?

1971 C.c.Q.

*Le **locateur** peut obtenir la résiliation du bail si le locataire est en retard de plus de trois semaines pour le paiement du loyer ou, encore, s'il en subit un préjudice sérieux, lorsque le locataire en retarde fréquemment le paiement.*

Bien que certaines personnes croient avoir le droit d'attendre trois jours ou trois semaines avant de payer le loyer en invoquant un délai de trois jours de grâce ou le fait que le locateur ne peut pas demander la résiliation du bail avant un délai de trois semaines, il n'en reste pas moins que cela constitue une violation du bail. En effet, s'il est écrit dans le bail que le loyer est payable le premier jour du mois, le loyer doit être payé le premier jour du mois.

1972 C.c.Q.

*Le **locateur** ou le **locataire** peut demander la résiliation du bail lorsque le logement devient impropre à l'habitation.*

1974 C.c.Q.

*Un **locataire** peut résilier le bail en cours, s'il lui est attribué un logement à loyer modique ou si, en raison d'une décision du tribunal, il est relogé dans un logement équivalent qui correspond à ses besoins ; il peut aussi le résilier s'il ne peut plus occuper son logement en raison d'un handicap ou, s'il s'agit d'une personne âgée, s'il est admis de façon permanente dans un centre d'hébergement et de soins de longue durée ou dans un foyer d'hébergement, qu'il réside ou non dans un tel endroit au moment de son admission. [...]*

L'article 1974 du *Code civil* constitue une disposition à caractère social qui oblige le locateur à résilier le bail du locataire qui obtient un logement dans une habitation à loyer modique, ou HLM, ou dans un centre ou un foyer d'hébergement. C'est une disposition exceptionnelle et il n'est pas coutume de retrouver ce genre de disposition dans le *Code civil*.

Enfin, il existe un cas où le bail est résilié de plein droit :

1975 C.c.Q.

*Le bail est **résilié de plein droit** lorsque, sans motif, un locataire déguerpit en emportant ses effets mobiliers ; il peut être résilié, sans autre motif, lorsque le logement est impropre à l'habitation et que le locataire l'abandonne sans en aviser le locateur.*

Comme le déguerpissement du locataire entraîne la résiliation automatique du bail, cela permet au locateur de remettre le logement en location en toute légalité, sans pour autant le priver de ses recours contre le locataire pour le loyer perdu et pour la remise en état du logement, s'il y a lieu.

11.4 LA COMPARAISON ENTRE UN CONTRAT DE LOCATION DE MEUBLE, UN BAIL RÉSIDENTIEL ET UN BAIL COMMERCIAL

11.4.1 LE LOYER

Le loyer, ou le coût de location, peut comporter une **partie fixe** et une **partie variable**. *Par exemple, le loyer d'un logement résidentiel ne comporte généralement qu'une partie fixe, comme une somme de 450 $ par mois, tout comme la location* *d'une scie à chaîne à raison de 7 $ par jour. Dans le cas de la location d'un camion ou d'une automobile, il y a non seulement une partie fixe, par exemple 43,95 $ par jour, mais également une partie variable, par exemple 0,11 $ le kilomètre parcouru. Ainsi, Johanne loue une Chevrolet chez Tilden ltée pour une période de trois jours à raison de 43,95 $ par jour plus 0,11 $ le kilomètre parcouru avec une franchise de 100 kilomètres par jour. Si elle a parcouru une distance de 750 kilomètres, il lui en coûtera donc 181,35 $ (voir le tableau 11.4).*

Tableau 11.4   Le coût de location de l'automobile louée par Johanne

Partie fixe	43,95 $ par jour × 3 jours =	131,85 $
Partie variable	[750 km − (3 jours à 100 km)] × 0,11 $ =	49,50 $
Total du coût de location		181,35 $

En ce qui concerne la location d'un local commercial, le loyer peut comprendre jusqu'à trois montants distincts, selon la nature de l'activité exercée. Il s'agit du **loyer minimum**, du **loyer additionnel** et du **loyer à pourcentage** (voir le tableau 11.5).

Dans tous les cas, le locataire doit payer au locateur un **loyer minimum** établi en fonction de la superficie, par exemple 150 $ le mètre carré par année. *Par exemple, si Place Laurier loue un espace de 200 mètres carrés à la boutique Enjolie, cette dernière doit donc payer un loyer annuel de 30 000 $ (150 $ × 200 mètres carrés), ou un loyer mensuel de 2 500 $.*

*Le locataire doit également payer un **loyer additionnel** qui constitue une partie des dépenses d'exploitation et des frais d'entretien du centre commercial ou de l'édifice à bureaux. Cela comprend, entre autres :*

- les taxes ;

- les coûts de gestion de l'immeuble ;

- les coûts d'administration et d'entretien de l'immeuble.

Ainsi, si les dépenses d'exploitation et les frais d'entretien du centre commercial s'élèvent à 420 000 $, la quote-part de ces dépenses sera payée par chacun des locataires en fonction de la superficie louée.

*Par exemple, si le centre commercial dispose d'une superficie de 10 000 mètres carrés de surface à louer, et si Enjolie en occupe 200 mètres carrés, cette dernière doit donc payer un **loyer additionnel** égal au 200/10 000 ou à deux pour cent des dépenses d'exploitation et des frais d'entretien du centre commercial, soit 2 % × 420 000 $, c'est-à-dire 8 400 $ par année ou 700 $ par mois.*

De plus, il existe une différence importante entre un bail pour la location d'un espace à bureau et un bail pour la location d'un local commercial : dans le deuxième cas, il arrive souvent que le locataire doive payer au locateur, en plus du loyer minimum et du loyer additionnel, un loyer qui comprend une somme établie à partir de son chiffre d'affaires, communément appelé loyer à pourcentage. Le **loyer à pourcentage** est un montant égal à un certain pourcentage du chiffre d'affaires, tel dix pour cent des ventes. *Par exemple, si l'entreprise réalise un chiffre d'affaires de 960 000 $, elle doit payer un loyer à pourcentage de 96 000 $ par année, ou de 8 000 $ par mois.*

En général, le loyer minimum est soustrait du loyer à pourcentage lorsque ce dernier est supérieur au premier. Ainsi, Enjolie doit payer un loyer total de 8 700 $ par mois, montant qui comprend un loyer minimum de 2 500 $, un loyer additionnel de 700 $ et un loyer à pourcentage de 5 500 $. (Cette somme de 5 500 $ provient de la différence entre le loyer à pourcentage de 8 000 $ et le loyer minimum de 2 500 $.)

En pratique, lorsque le montant du loyer à pourcentage est plus élevé que celui du loyer minimum, il n'est pas nécessaire de tenir compte du loyer minimum. Ainsi, il est possible de dire que le loyer mensuel d'Enjolie est de 8 700 $, qui comprend un loyer à pourcentage de 8 000 $ et un loyer additionnel de 700 $.

Tableau 11.5 Le calcul du loyer de la boutique Enjolie

Type de loyer	Calcul	Loyer annuel	Loyer mensuel
Loyer minimum	150 $ le mètre carré 200 mètres carrés	30 000 $	2 500 $
Loyer additionnel	$\dfrac{200 \text{ mètres carrés} \times 420\,000 \text{ \$}}{10\,000 \text{ mètres carrés}}$	8 400 $	700 $
Loyer à pourcentage	(960 000 $ × 10 %) − 30 000 $ =	66 000 $	5 500 $
Loyer		104 400 $	8 700 $

11.4.2

LA DURÉE DU BAIL

Au Québec, en matière de location résidentielle, la pratique courante veut que le bail soit d'une durée d'un an, soit du 1er juillet d'une année au 30 juin de l'année suivante, et que le loyer soit payable le premier jour du mois.

Cependant, rien n'empêche un locataire de louer un logement pour une période d'une semaine, d'un mois, de six mois, de 20 mois ou même de cinq ans, avec un loyer payable le premier jour de chaque semaine ou le quinzième jour du mois. Il en va de même pour un local commercial.

En général, un bail résidentiel couvre une période fixe d'un an, et un bail commercial couvre une période fixe de cinq ans ou de dix ans, car le locateur et le locataire recherchent tous deux la sécurité d'un bail à long terme, particulièrement en matière commerciale.

Par contre, les contrats de location d'un objet, comme un camion, une automobile, une souffleuse ou un outil, ont généralement une durée variable, puisque le locataire rapporte l'objet lorsque le travail pour lequel il l'a loué est terminé.

11.4.3

L'EXPIRATION ET LE RENOUVELLEMENT DU BAIL

1877 C.c.Q.

Le bail à durée fixe cesse de plein droit à l'arrivée du terme. [...]

Dans le cas d'un bail résidentiel ou d'un bail commercial, il s'agit généralement d'un **bail à terme** dont la fin est prévue à une date précise ; la majorité des baux sont à terme. Cependant, en matière immobilière, il existe ce qui est appelé le **renouvelle-ment automatique**. *Par exemple, si le locataire ne quitte pas les lieux au terme du bail, et si le locateur n'expulse pas le locataire, le bail est automatiquement renouvelé.*

De plus, dans le cas d'un bail commercial, les parties doivent généralement donner un préavis de six mois pour signifier qu'elles ont l'intention de renouveler ou non le bail en cours, aux mêmes conditions ou à de nouvelles conditions.

D'autre part, le bail commercial comporte très souvent une **option de renouvelle-ment**. Une telle clause prévoit normalement la durée du renouvellement que pourra exercer le locataire, le nombre d'options qu'il sera possible d'exercer et le loyer qui sera payable durant la période de renouvellement. Notez que si une telle clause ne prévoyait pas le loyer à être payé pendant la période de renouvellement et qu'il n'y avait pas d'entente entre les parties, il y aurait lieu de considérer qu'il n'y a pas de véritable option de renouvellement.

1882 C.c.Q. *La partie qui entend résilier un bail à durée indéterminée doit donner à l'autre partie un avis à cet effet.*

Quant au bail à durée indéterminée, il se renouvelle généralement à chaque paiement de loyer. Ainsi, un bail pour un local commercial d'une durée indéterminée, dont le loyer est payable le premier jour du mois, se renouvelle chaque premier jour du mois pour une période d'un mois. Si le locataire désire résilier ce bail, il doit donner un avis d'un mois avant de quitter les lieux.

Dans le cas d'un contrat de location d'un objet, tel un marteau-piqueur ou une automobile, il s'agit généralement d'une obligation à terme. Cependant, il arrive très souvent que le locataire conserve l'outil pour une période plus longue que celle initialement prévue ou retourne l'objet dans un délai plus court. Si la période de location de l'objet est plus longue, le locataire n'aura qu'à payer une somme supplémentaire, tandis que si la période de location est plus courte, il peut arriver que le locateur rembourse au locataire une partie du coût de la location.

Nous avons vu que la majorité des règles concernant le bail d'un logement sont d'ordre public, ce qui empêche les parties d'y déroger. **Les dispositions applicables au bail commercial sont des dispositions facultatives** qui s'ajoutent aux règles générales concernant le louage. Pour que ces dispositions facultatives s'appliquent, il suffit qu'elles se trouvent dans le bail.

Le contenu d'un bail commercial peut varier à l'infini selon que le local est situé dans un centre commercial, un édifice à bureaux, un bâtiment industriel, etc.

Dans le bail d'un centre commercial, il est toujours très important de vérifier la clause qui délimite les activités commerciales que le locataire pourra exercer dans son local. *Par exemple, si une entreprise désire vendre des souliers, peut-être sera-t-elle limitée à vendre des souliers pour hommes.*

De plus, on trouve normalement certaines clauses par lesquelles le locataire s'engage à ne pas exercer des activités similaires dans un certain rayon géographique. Cette exigence du locateur est-elle convenable ? Oui, selon l'exploitant du centre commercial, et non, selon le point de vue du commerçant. Il en est de même des clauses qui obligent le locataire à respecter les heures d'ouverture du centre commercial.

RÉSUMÉ

Le louage, aussi appelé bail, est le contrat par lequel une personne, le locateur, s'engage envers une autre personne, le locataire, à lui procurer, moyennant un loyer, la jouissance d'un bien, meuble ou immeuble, pendant un certain temps.

Le locateur doit livrer la chose louée en bon état et la maintenir dans cet état.

Le locataire doit payer le loyer et rendre la chose louée à la fin du bail dans le même état qu'il l'a reçue.

Le bail résidentiel est fortement réglementé par l'État, tandis que le bail commercial et le contrat de location de meubles le sont très peu.

Le locateur et le locataire déterminent le loyer et la durée du bail.

Le bail se termine à l'expiration du terme ou par l'envoi d'un préavis si le bail est à durée indéterminée.

QUESTIONS

11.1   Qu'est-ce que le louage de meubles ?

11.2   Qu'est-ce qui distingue les règles qui régissent le louage de biens mobiliers de celles qui régissent le louage de biens immobiliers ?

11.3 Existe-t-il une présomption en ce qui concerne le contrat de location d'un meuble et le bail de location d'un immeuble ?

11.4 Établissez sous forme de tableau les principales caractéristiques propres au bail résidentiel et au bail commercial.

11.5 Quelles sont les durées que l'on rencontre généralement pour un bail d'un logement résidentiel, pour un bail commercial et pour un contrat de location d'un bien meuble ?

11.6 Quelles sont les principales obligations du locateur ?

11.7 Quelles sont les principales obligations du locataire ?

11.8 En matière de bail résidentiel, le locateur peut-il imposer toutes les conditions qu'il désire au locataire ? Pourquoi ?

11.9 Dans un bail commercial, indiquez les différentes composantes du loyer.

11.10 Qu'est-ce que le loyer additionnel ?

CAS PRATIQUES

11.11 Louise a loué un appartement dans un immeuble appartenant à Immeubles Trankil inc. Son voisin de palier, Arthur, fait jouer sa chaîne stéréo à pleine puissance toutes les nuits de 2 h à 5 h. Il faut préciser qu'Arthur finit de travailler à minuit, et qu'il rentre chez lui vers 2 h après avoir mangé au restaurant.

Louise désire déménager immédiatement et résilier son bail sans pénalité. Le peut-elle ? Justifiez votre réponse.

11.12 Marcel a loué une ponceuse pendant trois jours chez Location Bonprix inc. pour la somme de 90 $. Lorsqu'il a utilisé la ponceuse, il s'est produit un court-circuit et Marcel a reçu une violente décharge électrique qui l'a projeté à travers la pièce. Sous le choc, Marcel a échappé la ponceuse qui a volé dans les airs et défoncé un mur, causant pour 450 $ de dommages. Après un examen de la ponceuse, il s'est aperçu que le fil de mise à la terre était coupé et que c'était la cause de la décharge électrique qui s'est produite lorsque la ponceuse est entrée en contact avec un radiateur de chauffage à eau chaude.

Quels sont les recours de Marcel ? Pour quel montant ? Justifiez votre réponse.

11.13 Il y a sept ans, Zellers a signé un bail de 20 ans pour occuper un local à Place Laurier. Dans ce bail, il y a une clause d'exclusivité stipulant que Place Laurier s'engage à ne pas louer de locaux à un commerce similaire. Aujourd'hui, les nouveaux administrateurs de Place Laurier louent un local à Wal-Mart qui exploite un commerce similaire à celui de Zellers.

Quel recours Zellers devrait-elle privilégier ? Pourquoi ? Justifiez votre réponse.

11.14 Vous êtes étudiant et vous louez une voiture chez Tilden pour aller à New-York avec des amis durant la semaine de lecture. Une fois sur place, vous vous inscrivez à une course de démolition d'automobiles (stock car) et vous y participez avec le véhicule de promenade loué. Quels sont les manquements à vos obligations en tant que locataire ? Justifiez votre réponse.

11.15 Élisabeth a loué un appartement dans un immeuble à logements résidentiels. Elle a signé un bail d'une durée de six mois. Cela fait quelques jours que le bail est expiré et elle est toujours dans son appartement.

11.15.1 En vertu de quel droit continue-t-elle d'occuper son logement ? Justifiez votre réponse.

11.15.2 Pendant combien de temps encore pourra-t-elle habiter son appartement ? Justifiez votre réponse.

11.16   Normand habite dans un appartement situé au sous-sol d'une résidence privée. Il s'est entendu avec le locateur, Ronald, sur le fait qu'il s'agissait d'une situation temporaire. Dans quelques mois, il sera transféré dans une autre ville pour son travail. Les parties n'ont donc prévu aucun terme.

11.16.1   Afin de se conformer à la loi, quand Normand devra-t-il transmettre un avis à Ronald ? Justifiez votre réponse.

11.16.2   Après que Normand ait fait part de sa décision au locateur de quitter, Ronald a décidé de mettre sa maison en vente. Plus tard, sans avertir Normand, Ronald est arrivé à l'appartement pour le faire visiter à un acquéreur éventuel. Quelle obligation aurait dû être respectée par le locateur dans ces circonstances ? Justifiez votre réponse.

11.17   Linda est psychologue. Elle a loué un local pour y installer son bureau afin de faire des consultations en psychologie. Durant le bail, la foudre est tombée sur l'immeuble. Cela a provoqué un court-circuit et le feu a presque rasé son bureau. Les dommages élevés obligent Linda à fermer son bureau durant au moins deux mois pour effectuer les travaux. Elle craint une perte de clientèle et par conséquent une baisse de son chiffre d'affaires.

11.17.1   Le locateur doit-il obtenir l'autorisation préalable du tribunal afin de faire évacuer Linda pour les travaux ? Expliquez et justifiez votre réponse.

11.17.2   Dans les circonstances, que recommandez-vous à Linda ? Justifiez votre réponse.

11.18   Le 10 mars 1994, Arthur et Geneviève ont loué un local dans un centre commercial afin d'ouvrir un salon de bronzage pour une durée de cinq ans. Leur local a une superficie de 240 mètres carrés, au coût de 100 $ le mètre carré par année. Le centre commercial a une superficie totale de 2 400 mètres carrés. Les dépenses d'exploitation et les frais d'entretien du centre commercial totalisent 360 000 $ annuellement. La première année, Arthur et Geneviève ont réalisé un chiffre d'affaires de 540 000 $. Dans leur bail, ils s'étaient engagés à payer 8 % de leurs ventes. De plus, aucune option de renouvellement n'est prévue au bail. Finalement, ils savent déjà qu'à l'expiration du bail, ils ne continueront pas à opérer leur commerce dans ce centre commercial.

11.18.1   À quelle date précise leur bail prendra-t-il fin ? Référez-vous à l'article précis du *Code civil*.

11.18.2   Calculez le loyer minimum, le loyer additionnel, le loyer à pourcentage sur une base mensuelle puis déterminez le loyer mensuel total. Expliquez et justifiez votre réponse.

DOCUMENTS

Le document 11.1 est le bail type créé par la Régie du Logement. Les quatre premières pages de ce bail servent à identifier les parties, les lieux loués, la durée du bail, le loyer payable, les services et conditions, les clauses supplémentaires, la signature des parties ainsi que deux avis qui doivent être signés par le locateur ou le locataire selon le cas concernant le prix payé par le locataire précédent et la déclaration de résidence familiale qui protège un époux contre une résiliation unilatérale du bail par son conjoint. Les quatre dernières pages de ce bail contiennent les dispositions obligatoires du *Code civil* de même que des tableaux explicatifs concernant les délais d'avis de modification au bail et les délais d'avis de non-prolongation du bail ainsi que le délai pour répondre à un avis.

Le document 11.2 est une annexe au bail type. En matière de bail résidentiel, la liberté de sortir du cadre du bail type est exceptionnelle. Néanmoins, il est permis d'ajouter des clauses qui ne font pas l'objet de dispositions obligatoires. L'annexe au bail type qui suit donne des exemples de clauses supplémentaires qui peuvent être incluses dans un bail résidentiel. Elle contient 27 clauses supplémentaires qui sont destinées à préciser les obligations du locateur et du locataire ainsi que certaines interdictions concernant les animaux, les ordures ménagères et les réparations, améliorations ou travaux dans les lieux loués.

Parmi ces clauses, il y en a une qui rend les colocataires conjointement et solidairement responsables du paiement du loyer dans l'éventualité où plusieurs locataires auraient signé le bail. Dans un bail civil, le locateur doit prévoir une telle clause, à défaut de quoi chaque locataire ne sera tenu que conjointement responsable, c'est-à-dire responsable du paiement de sa part seulement.

Par exemple, si un logement est loué au prix de 600 $ par mois à trois locataires et que cette clause n'est pas inscrite dans le bail, le locateur ne peut exiger que 200 $ de chaque locataire et si l'un d'eux quitte les lieux sans prévenir, le locateur ne recevra plus que 400 $. Une telle clause de solidarité permet de réclamer le paiement du plein montant de 600 $ de chacun des trois colocataires. Dans un bail commercial, cette solidarité est présumée (1525 C.c.Q.).

De plus, la clause de renseignements permet au locateur de mieux connaître le locataire et sa situation financière. Ces renseignements peuvent provenir de toute institution financière et de toute autre personne et le locateur est également autorisé à divulguer ces renseignements à ces mêmes personnes.

Enfin, une clause permettant à une personne de cautionner le locataire est prévue. Cette clause est importante lorsqu'un étudiant, mineur ou non, mais avec peu ou pas de revenus, désire louer un appartement. Dans un tel cas, le locateur peut demander aux parents de cautionner le locataire afin de garantir le paiement du loyer.

Le document 11.3 constitue le bail type que la Société immobilière Marathon ltée fait signer à toutes les entreprises ou tous les commerçants qui louent un espace dans le centre commercial Place Laurier, situé dans la région de Québec.

Les premières pages de ce bail contiennent la table des matières qui expose très bien le contenu d'un tel bail de même que la nécessité de prévoir un certain nombre de clauses afin de couvrir toutes les éventualités qui pourraient se présenter et éviter les ambiguïtés ou les omissions.

Comme nous l'avons vu précédemment, le loyer, dans un centre commercial, se compose toujours de trois parties distinctes : le loyer minimum établi sur un taux annuel de X dollars du mètre carré, divisé par 12 pour obtenir le loyer mensuel ; un loyer à pourcentage égal au montant de l'excédent de Y pour cent du revenu brut du locataire sur le loyer minimum payable pour ladite année ; et, enfin, un loyer additionnel égal à sa quote-part proportionnelle des dépenses d'opération. Dans le cas du bail de Place Laurier, ces trois parties du loyer sont expliquées aux articles 3.1.1, 3.1.2 et 4.5 (voir la section 11.4.1, Le loyer).

Pour bien saisir ce que sont les dépenses d'opération, il faut lire attentivement l'article 1.1.8 qui détaille toutes les dépenses d'opération que le locateur assigne au locataire. Il faut comprendre que, tel que mentionné à l'article 1.2, il est de l'intention du locateur de recevoir un loyer net ; ce qui signifie que le locateur doit nécessairement attribuer aux locataires le coût de tous les services, lesquels sont couverts grâce au loyer additionnel. Quant au loyer minimum, il assure au locateur un revenu suffisant pour couvrir les coûts capitalisés du centre commercial, que ces coûts soient en capital ou en intérêts. Enfin, le loyer à pourcentage découle en quelque sorte de l'achalandage supplémentaire dont le locataire profite parce que son commerce est situé à Place Laurier ; le locateur demande donc un loyer à pourcentage qui correspond à cette réalité. La quote-part proportionnelle constitue tout simplement le rapport entre la superficie occupée par le locataire par rapport à la superficie locative totale du centre commercial.

Document 11.1　　BAIL TYPE DE LA RÉGIE DU LOGEMENT

FORMULAIRE OBLIGATOIRE DE LA RÉGIE DU LOGEMENT

BAIL

A　ENTRE

le locataire

Nom _____

N° _____ Rue _____ App. _____

Municipalité _____ Code postal _____

Téléphone (domicile) _____ Téléphone (autre) _____

le locataire

Nom _____

N° _____ Rue _____ App. _____

Municipalité _____ Code postal _____

Téléphone (domicile) _____ Téléphone (autre) _____

et le propriétaire (locateur)

Nom _____

N° _____ Rue _____ App. _____

Municipalité _____ Code postal _____

Téléphone (domicile) _____ Téléphone (autre) _____

S'il y a lieu, représenté par

Nom _____

Fonction _____

mandaté à cet effet.

– Le terme **propriétaire** utilisé dans le bail a le même sens que le terme locateur utilisé dans la loi.
– Les noms indiqués au bail doivent être celui du locataire et celui du propriétaire ou celui que la loi les autorise à utiliser.
– Le singulier inclut le pluriel.

B　DESCRIPTION ET DESTINATION DU LOGEMENT LOUÉ, DES ACCESSOIRES ET DÉPENDANCES

N° _____ Rue _____ App. _____

Municipalité _____ Code postal _____

Nombre de pièces _____

Le logement est loué à des fins résidentielles seulement.　Oui ☐　Non ☐

Si non, à des fins mixtes d'habitation et _____
Préciser
mais pas plus du tiers de la superficie totale ne servira à cette dernière fin (art. 1892 C.c.Q.).

Stationnement extérieur ☐　Nombre de places _____ Emplacements _____

Stationnement intérieur ☐　Nombre de places _____ Emplacements _____

Remise/espace de rangement ☐　Précisions _____

Autres _____

Des meubles sont loués et inclus dans le loyer.　Oui ☐　Non ☐

Cuisine	Chambre(s)	Salon	Autres
Cuisinière ☐	Lit(s) ☐	Divan(s) ☐	Laveuse ☐
Réfrigérateur ☐	nombre _____	nombre _____	Sécheuse ☐
Table ☐	format _____	Fauteuil(s) ☐	_____
Chaise(s) ☐	Commode(s) ☐	nombre _____	_____
nombre _____	nombre _____	Table(s) ☐	_____
Lave-vaisselle ☐	Table(s) de nuit ☐	nombre _____	
	nombre _____		

Il serait indiqué que les parties fassent une description de l'**état des lieux** lors de la délivrance du logement (art. 1890 C.c.Q.).

C　DURÉE DU BAIL (art. 1851 C.c.Q.)

Bail à durée fixe

• Ce bail a une durée de _____ commençant le ___/___/___
Préciser semaine, mois, année　　　　　　　jour　mois　année

et se terminant le ___/___/___.
jour　mois　année
(habituellement le dernier jour d'un mois)

ou

Bail à durée indéterminée

• Ce bail est à durée indéterminée, commençant le ___/___/___
jour　mois　année

Que le bail soit à durée fixe ou indéterminée, le propriétaire **ne peut** y mettre fin (sauf les cas prévus par la loi) (mentions 5 et 9).

Gouvernement du Québec
Régie du logement

Reproduction interdite
Page 1 de 8

Bail n° _____

Document 11.1 | **BAIL TYPE DE LA RÉGIE DU LOGEMENT (suite)**

D | LOYER (art. 1903 et 1904 C.c.Q.)

Le **loyer** est payable par versements égaux ne dépassant pas 1 mois de loyer, sauf le dernier versement qui peut être moins élevé. Le propriétaire ne peut exiger aucune autre somme d'argent du locataire (exemple : dépôt pour les clés).

- Le loyer est de _____ $ par mois ☐ par semaine ☐

  autre _____, pour un total de _____

  _____ $, pour toute la durée du bail (si celui-ci est à durée fixe).

Date du paiement

Le propriétaire ne peut exiger d'avance que le paiement du **premier terme** de loyer (le premier mois, la première semaine ou autre). Cette avance ne peut dépasser 1 mois de loyer. Quant aux **autres versements**, le loyer n'est payable que le **premier jour** de chaque terme (mois, semaine ou autre), sauf entente contraire.

- Le loyer du **premier terme** sera payé en tout, le _____/_____/_____

  jour　mois　année

  ou en partie, soit _____ $, le _____/_____/_____

  Préciser le montant　　jour　mois　année

  et _____ $, le _____/_____/_____.

  Préciser le montant　　jour　mois　année

- Le paiement des **autres termes** de loyer se fera le 1ᵉʳ jour du mois ☐ de la semaine ☐

  autre _____.

Mode de paiement

Le propriétaire ne peut exiger la remise d'un chèque ou d'un autre effet **postdaté**.

- Le loyer est payable selon le mode de paiement suivant :

  par chèque ☐ en argent comptant ☐ autre _____.

Lieu du paiement

Le loyer est payable au domicile du locataire, sauf entente contraire (art. 1566 C.c.Q.).

- Le loyer sera payable au _____.

  Lieu du paiement – si par la poste, l'indiquer

Preuve de paiement

Le locataire a droit à un reçu pour le paiement de son loyer (art. 1568 C.c.Q.).

E | SERVICES ET CONDITIONS

Règlement de l'immeuble (art. 1057 et 1894 C.c.Q.)

Un règlement peut établir les règles à observer dans l'immeuble. Il porte sur la jouissance, l'usage et l'entretien du logement et des lieux d'usage commun.

S'il existe un tel règlement, le propriétaire **doit** en remettre un exemplaire au locataire **avant** la conclusion du bail pour que ce règlement en fasse partie.

Si le logement est situé dans une copropriété divise, le règlement de l'immeuble s'applique dès qu'un exemplaire est remis au locataire par le copropriétaire ou par le syndicat.

- Il existe un règlement de l'immeuble.　Oui ☐　Non ☐

  Si oui, un exemplaire du règlement a été remis au locataire avant la conclusion du bail.　Oui ☐　Non ☐

  Si oui, le _____.

  Date de remise du règlement

Travaux et réparations

Le propriétaire doit, à la date prévue pour la remise du logement, le délivrer en bon état de réparation de toute espèce. Cependant, le locataire et le propriétaire peuvent convenir autrement et s'entendre sur les travaux à faire et leur calendrier d'exécution (art. 1854 al. 1 et 1893 C.c.Q.).

Toutefois, le propriétaire ne peut se dégager de son obligation de livrer le logement, ses accessoires et dépendances en bon état de propreté, et de les livrer et maintenir en bon état d'habitabilité (art. 1892, 1893, 1910 et 1911 C.c.Q.).

- S'il y a lieu, les travaux à exécuter par le propriétaire sont les suivants :

  – avant la délivrance du logement

  _____
  _____

  – en cours de bail

  _____
  _____

Service de conciergerie　Oui ☐　Non ☐

Précisions

- Le numéro de téléphone du concierge ou de la personne à contacter en cas de

  besoin est _____.

Document 11.1	**BAIL TYPE DE LA RÉGIE DU LOGEMENT (suite)**

E — SERVICES ET CONDITIONS (suite)

Services, taxes et coûts de consommation

• Sont à la charge du

	propriétaire	locataire		propriétaire	locataire
Chauffage du logement	☐	☐	Enlèvement de la neige :		
Eau chaude	☐	☐	stationnement	☐	☐
Électricité	☐	☐	balcon	☐	☐
Taxe d'eau	☐	☐	entrée	☐	☐
			escalier	☐	☐

Conditions

• Le locataire a un droit d'accès au terrain.   Oui ☐   Non ☐

_____
Précisions ou limitations

• Le locataire a le droit de garder un ou des animaux.   Oui ☐   Non ☐

_____
Précisions ou limitations

Autres services et conditions (exemple : salle de lavage)

_____
_____
_____

F — RESTRICTIONS AU DROIT À LA FIXATION DU LOYER ET À LA MODIFICATION DU BAIL PAR LA RÉGIE DU LOGEMENT (art. 1955 C.c.Q.)

Section à remplir lorsqu'une des situations qui y sont décrites s'applique.

Le locataire et le propriétaire **ne peuvent demander à la Régie du logement** de fixer le loyer ou de modifier une autre condition du bail parce que

☐ le logement est situé dans un immeuble construit depuis 5 ans ou moins. L'immeuble était prêt pour

l'habitation le ____ / ____ / _____ .
       jour   mois   année

ou

☐ le logement est situé dans un immeuble dont l'utilisation à des fins résidentielles résulte d'un changement d'affectation depuis 5 ans ou moins (exemple : école transformée en logements). L'immeuble était prêt

pour l'habitation le ____ / ____ / _____ .
             jour   mois   année

Le tribunal peut toutefois statuer sur toute autre demande relative au bail (exemple : diminution de loyer).

Si une des 2 cases ci-dessus est cochée, et que la période de 5 ans n'est pas encore expirée, le locataire qui refuse une modification de son bail demandée par le propriétaire, telle une augmentation de loyer, doit quitter son logement à la fin du bail (mentions 39 et 41).

Si aucune des 2 cases n'est cochée, et si le locataire refuse la modification du bail demandée par le propriétaire et désire continuer à demeurer dans le logement, le bail est alors reconduit. Le propriétaire peut demander à la Régie du logement de fixer les conditions du bail pour sa reconduction (mentions 41 et 42).

G — AVIS AU NOUVEAU LOCATAIRE OU AU SOUS-LOCATAIRE (art. 1896 et 1950 C.c.Q.)

Avis à remettre obligatoirement par le propriétaire ou le sous-locateur lors de la conclusion du bail, sauf lorsque la section F est remplie.

Je vous avise que le loyer le plus bas payé pour votre logement au cours des 12 mois précédant le début de votre bail, ou le loyer fixé par la Régie du logement au cours de cette période, a été de

_____ $ par mois ☐   par semaine ☐   autre _____ .

Le bien loué et les conditions de votre bail sont les mêmes.   Oui ☐   Non ☐

Si non, les changements suivants ont été apportés (exemples : ajout d'un stationnement, chauffage à la charge du locataire) :

_____
_____

_____   _____
Date   Signature du propriétaire ou du sous-locateur

Si le nouveau locataire ou le sous-locataire paie un loyer supérieur à celui déclaré dans l'avis, il peut, dans les 10 jours qui suivent la date de la conclusion du bail, demander à la Régie du logement de fixer son loyer.
Si le propriétaire ou le sous-locateur n'a pas remis cet avis lors de la conclusion du bail, le nouveau locataire ou le sous-locataire peut, dans les 2 mois du début du bail, demander à la Régie du logement de fixer son loyer.
Le nouveau locataire ou le sous-locataire peut également faire cette démarche dans les 2 mois du jour où il s'aperçoit d'une fausse déclaration dans l'avis.

| Document 11.1 | **BAIL TYPE DE LA RÉGIE DU LOGEMENT (suite)** |

H **SIGNATURES**

Attention : Chaque exemplaire doit être signé séparément.

| Lieu de signature | Date | Signature du propriétaire (ou de son mandataire) |

| Lieu de signature | Date | Signature du locataire |

| Lieu de signature | Date | Signature du locataire |

Toute autre personne qui signe le bail devrait indiquer clairement en quelle qualité elle le fait (exemples : autre locataire, autre propriétaire, caution, témoin, etc.).

| Nom | Adresse | Qualité |

| Lieu de signature | Date | Signature |

| Nom | Adresse | Qualité |

| Lieu de signature | Date | Signature |

Le propriétaire doit remettre au locataire un exemplaire de ce bail dans les 10 jours de sa conclusion (art. 1895 C.c.Q.).

I **AVIS DE RÉSIDENCE FAMILIALE (art. 403 C.c.Q.)**

Un locataire marié ne peut, sans le consentement écrit de son conjoint, sous-louer son logement, céder son bail ou y mettre fin lorsque le propriétaire a été avisé, par l'un ou l'autre des époux, que le logement loué sert de résidence familiale.

Avis au propriétaire

Je déclare être marié à _____ . Je vous avise que le logement
Nom de l'époux ou de l'épouse

faisant l'objet de ce bail sera la résidence de la famille.

_____
Date   Signature du locataire ou de son époux ou de son épouse

RÉGIE DU LOGEMENT

Les locataires et les propriétaires peuvent se renseigner sur leurs droits et obligations auprès de la Régie du logement. En cas de litige, ils peuvent y exercer des recours judiciaires.

COMMENT JOINDRE LA RÉGIE DU LOGEMENT PAR TÉLÉPHONE

Du lundi au vendredi entre 8 h 30 et 16 h 30
Région de Hull : **776-BAIL ou 776-2245**
Région de Montréal : **873-BAIL ou 873-2245***
Région de Québec : **643-BAIL ou 643-2245***

*Service de renseignements informatisé offert 24 heures sur 24.

Dans les autres régions du Québec, on trouvera le numéro de téléphone de son bureau local dans les pages bleues de l'annuaire téléphonique.

Afin de faciliter l'entretien téléphonique, réunissez d'abord tous les documents utiles.

La Régie du logement relève du ministre des Affaires municipales.

Document 11.1

BAIL TYPE DE LA RÉGIE DU LOGEMENT (suite)

MENTIONS

Renseignements généraux

Les présentes mentions décrivent la plupart des droits et obligations des locataires et des propriétaires. Elles résument l'essentiel de la loi, sur le contrat de bail, soit les articles 1851 à 1978 du *Code civil du Québec* (C.c.Q.).

Les numéros entre parenthèses renvoient à ces articles du Code civil. Les exemples donnés dans les mentions ont une valeur informative et servent à illustrer une règle.

Ces droits et obligations doivent s'exercer dans le respect des droits reconnus par la *Charte des droits et libertés de la personne* qui prescrit, entre autres, que toute personne a droit au respect de sa vie privée, que toute personne a droit à la jouissance paisible et à la libre disposition de ses biens, sauf dans la mesure prévue par la loi, et que la demeure est inviolable.

La Charte interdit aussi toute discrimination et tout harcèlement fondés sur la race, la couleur, le sexe, la grossesse, l'orientation sexuelle, l'état civil, l'âge sauf dans la mesure prévue par la loi, la religion, les convictions politiques, la langue, l'origine ethnique ou nationale, la condition sociale, le handicap ou l'utilisation d'un moyen pour pallier ce handicap.

Toute personne victime de discrimination ou de harcèlement pour un de ces motifs peut porter plainte auprès de la Commission des droits de la personne et des droits de la jeunesse.

De plus, sauf si les dimensions du logement le justifient, un propriétaire ne peut refuser de consentir un bail à une personne, refuser de la maintenir dans ses droits ou lui imposer des conditions plus onéreuses pour le seul motif qu'elle est enceinte ou qu'elle a un ou des enfants. Il ne peut non plus agir ainsi pour le seul motif qu'une personne a exercé un droit qui lui est accordé en vertu du chapitre sur le louage du *Code civil du Québec* ou en vertu de la *Loi sur la Régie du logement* (art. 1899 C.c.Q.).

Nul ne peut harceler un locataire de manière à restreindre son droit à la jouissance paisible des lieux ou à obtenir qu'il quitte son logement. En cas de violation, des dommages-intérêts punitifs peuvent être réclamés (art. 1902 C.c.Q.).

Les parties doivent aussi toujours agir selon les règles de la bonne foi. Aucun droit ne peut être exercé en vue de nuire à autrui ou d'une manière excessive et déraisonnable, allant ainsi à l'encontre des exigences de la bonne foi (art. 6, 7 et 1375 C.c.Q.).

L'inexécution d'une obligation par une partie donne le droit à l'autre partie d'exercer des recours devant un tribunal, généralement la Régie du logement, dont :
- l'exécution de l'obligation ;
- le dépôt du loyer ;
- la diminution du loyer ;
- la résiliation du bail ;
- des dommages-intérêts et, dans certains cas, des dommages-intérêts punitifs.

Par ailleurs, le propriétaire doit respecter les prescriptions de la *Loi sur la protection des renseignements personnels dans le secteur privé*.

Notez que des règles particulières, qui ne sont pas énoncées dans les présentes mentions, s'appliquent au bail d'un logement à loyer modique, au sens de l'article 1984 al. 2 du Code civil, lorsque le présent formulaire doit être utilisé.

La conclusion du bail

La langue du bail et du règlement de l'immeuble (art. 1897 C.c.Q.)

1. Le bail et le règlement de l'immeuble doivent être rédigés en français. Toutefois, le propriétaire et le locataire peuvent s'entendre pour utiliser une autre langue.

Les clauses du bail

2. Le propriétaire et le locataire peuvent s'entendre sur différentes clauses, mais ils ne peuvent déroger par une clause du bail aux dispositions d'ordre public (mention 3).

Les règles de droit contenues dans les mentions 13, 14 et 52 à 54 sont supplétives, c'est-à-dire qu'elles s'appliquent si les parties n'en conviennent pas autrement.

3. En vertu de l'article 1893 C.c.Q., les clauses qui dérogent aux articles 1854 (2ᵉ alinéa), 1856 à 1858, 1860 à 1863, 1865, 1866, 1868 à 1872, 1875, 1876, 1883, 1892 à 1978 et 1984 à 1995 du Code civil sont sans effet (nulles).

Par exemple, on ne peut renoncer dans le bail :
- à son droit au maintien dans les lieux (art. 1936 C.c.Q.) ;
- à son droit de sous-louer son logement ou de céder son bail (art. 1870 C.c.Q.).

On ne peut non plus se dégager de son obligation de donner un avis (art. 1898 C.c.Q.).

Est aussi sans effet :
- une clause qui limite la responsabilité du propriétaire ou le libère d'une obligation (art. 1900 C.c.Q.) ;
- une clause qui rend le locataire responsable d'un dommage causé sans sa faute (art. 1900 C.c.Q.) ;
- une clause qui change les droits du locataire à la suite d'une augmentation du nombre des occupants du logement, sauf si les dimensions du logement le justifient (art. 1900 C.c.Q.) ;
- une clause qui prévoit un réajustement du loyer dans un bail de 12 mois ou moins (art. 1906 C.c.Q.) ;
- une clause qui, dans un bail de plus de 12 mois, prévoit un réajustement du loyer au cours des 12 premiers mois du bail ou plus d'une fois au cours de chaque période de 12 mois (art. 1906 C.c.Q.) ;
- une clause par laquelle un locataire reconnaît que le logement est en bon état d'habitabilité (art. 1910 C.c.Q.) ;
- une clause qui prévoit le paiement total du loyer si le locataire fait défaut d'effectuer un versement (art. 1905 C.c.Q.) ;
- une clause qui limite le droit du locataire d'acheter des biens ou d'obtenir des services des personnes de son choix suivant les modalités dont lui-même convient (art. 1900 C.c.Q.).

4. De plus, le locataire peut s'adresser au tribunal pour faire apprécier le caractère abusif d'une clause du bail, laquelle peut être annulée ou l'obligation qui en découle réduite (art. 1901 C.c.Q.).

Le droit au maintien dans les lieux

5. Le locataire, à l'exception du sous-locataire (art. 1940 C.c.Q.), a un droit **personnel** de demeurer dans son logement (art. 1936 C.c.Q.). Il ne peut en être évincé que dans les cas prévus par la loi, dont :
- la reprise du logement (mention 45) ;
- la résiliation du bail (art. 1863 C.c.Q.) ;
- la sous-location de plus de 12 mois (art. 1944 C.c.Q.) ;
- la subdivision, l'agrandissement substantiel ou le changement d'affectation du logement (art. 1959 C.c.Q.).

6. Le droit au maintien dans les lieux peut s'étendre à certaines personnes lorsque cesse la cohabitation avec le locataire ou en cas de décès du locataire, à condition qu'elles respectent les formalités prévues par la loi (art. 1938 C.c.Q.).

Ces personnes ne sont toutefois pas considérées comme des nouveaux locataires (art. 1951 C.c.Q.) (section G, Avis au nouveau locataire ou au sous-locataire).

Le changement de propriétaire

7. Le nouveau propriétaire d'un immeuble est tenu de respecter le bail du locataire. Ce bail est continué et peut être reconduit comme tout autre bail (art. 1937 C.c.Q.).

8. Lorsque le locataire n'a pas été personnellement avisé du nom et de l'adresse du nouveau propriétaire ou de la personne à qui payer le loyer, il peut, avec l'autorisation de la Régie du logement, y déposer le loyer (art. 1908 C.c.Q.).

Le décès

9. Le décès du propriétaire ou du locataire ne met pas fin au bail (art. 1884 C.c.Q.). Le bail peut cependant être résilié, dans certains cas, par la succession (art. 1938 et 1939 C.c.Q.). Le propriétaire peut éviter la reconduction du bail dans certaines circonstances (art. 1944 C.c.Q.).

Le non-paiement du loyer

10. Le non-paiement du loyer confère au propriétaire le droit de demander au tribunal la condamnation du locataire au paiement du loyer. Et, si le locataire est en retard de plus de 3 semaines dans le paiement du loyer, le propriétaire peut obtenir la résiliation du bail.

Les retards fréquents à payer le loyer peuvent aussi justifier la résiliation du bail si le propriétaire en subit un préjudice sérieux (art. 1863 et 1971 C.c.Q.).

| Document 11.1 | **BAIL TYPE DE LA RÉGIE DU LOGEMENT (suite)** |

La responsabilité des époux et des colocataires

La responsabilité des personnes mariées
(art. 397 C.c.Q.)

11. L'époux qui loue un logement pour les besoins courants de la famille engage aussi pour le tout son conjoint non séparé de corps à moins que ce dernier n'ait, préalablement, informé le propriétaire de sa volonté de ne pas être tenu à cette dette.

La responsabilité des colocataires

12. Si le bail est signé par plus d'un locataire, la responsabilité quant aux obligations découlant du bail est conjointe, c'est-à-dire que chacun des locataires n'est tenu que pour sa part (art. 1518 C.c.Q.).

Toutefois, les colocataires et le propriétaire peuvent convenir que la responsabilité sera solidaire. En ce cas, chacun des locataires peut être contraint d'assumer la totalité des obligations du bail (art. 1523 C.c.Q.).

La solidarité des colocataires ne se présume pas. Elle n'existe que si elle est expressément stipulée au bail (art. 1525 C.c.Q.).

La jouissance des lieux

13. Le propriétaire doit procurer au locataire la jouissance paisible du bien loué pendant toute la durée du bail (art. 1854 al. 1 C.c.Q.) (mention 2).

14. Le locataire doit, pendant toute la durée du bail, user du bien loué avec « prudence et diligence », c'est-à-dire qu'il doit en faire un usage raisonnable (art. 1855 C.c.Q.) (mention 2).

15. Le locataire ne peut, sans le consentement du propriétaire, employer ou conserver dans le logement une substance qui constitue un risque d'incendie ou d'explosion et qui aurait pour effet d'augmenter les primes d'assurance du propriétaire (art. 1919 C.c.Q.).

16. Le nombre d'occupants d'un logement doit être tel qu'il permet à chacun de vivre dans des conditions normales de confort et de salubrité (art. 1920 C.c.Q.).

17. Le locataire et les personnes à qui il permet l'usage de son logement ou l'accès à celui-ci doivent se conduire de façon à ne pas troubler la jouissance normale des autres locataires (art. 1860 C.c.Q.).

18. En cours de bail, le propriétaire et le locataire ne peuvent changer la forme ou l'usage du logement (art. 1856 C.c.Q.).

L'entretien du logement et les réparations

L'obligation d'entretien

19. Le propriétaire a l'obligation de garantir au locataire que le logement peut servir à l'usage pour lequel il est loué et de l'entretenir à cette fin pendant toute la durée du bail (art. 1854 al. 2 C.c.Q.).

20. Le locataire doit maintenir le logement en bon état de propreté. Le propriétaire qui y effectue des travaux doit le remettre en bon état de propreté (art. 1911 C.c.Q.).

21. Le locataire qui a connaissance d'une défectuosité ou d'une détérioration substantielles du logement doit en aviser le propriétaire dans un délai raisonnable (art. 1866 C.c.Q.).

22. La loi et les règlements concernant la sécurité, la salubrité, l'entretien ou l'habitabilité d'un immeuble doivent être considérés comme des obligations du bail (art. 1912 C.c.Q.).

Le logement impropre à l'habitation

23. Le locataire peut refuser de prendre possession d'un logement qui est impropre à l'habitation, c'est-à-dire dont l'état constitue une menace sérieuse pour la santé ou la sécurité des occupants ou du public. Dans un tel cas, le bail est résilié automatiquement (art. 1913 et 1914 C.c.Q.).

24. Le locataire peut abandonner son logement si celui-ci devient impropre à l'habitation. Il doit alors aviser son propriétaire de l'état du logement, avant l'abandon ou dans les 10 jours qui suivent (art. 1915 C.c.Q.).

Les réparations urgentes et nécessaires

25. Le locataire doit subir les réparations urgentes et nécessaires pour assurer la conservation ou la jouissance du bien loué, mais il conserve, selon les circonstances, des recours, dont le droit à une indemnité en cas d'évacuation temporaire.

Dans le cas de réparations urgentes, le propriétaire peut exiger une évacuation temporaire, sans avis et sans autorisation de la Régie du logement (art. 1865 C.c.Q.).

26. Le locataire peut, sans l'autorisation de la Régie du logement, entreprendre une réparation ou engager une dépense urgente et nécessaire à la conservation ou à la jouissance du bien loué. Toutefois, il ne peut agir ainsi que s'il a informé ou tenté d'informer son propriétaire de la situation et si ce dernier n'a pas agi en temps utile.

Le propriétaire peut intervenir pour continuer lui-même les travaux.

Le locataire doit rendre compte au propriétaire des réparations entreprises et des dépenses engagées et lui remettre les factures. Il peut retenir sur son loyer le montant des dépenses raisonnables qu'il a faites (art. 1868 et 1869 C.c.Q.).

Les travaux majeurs non urgents
(art. 1922 à 1929 C.c.Q.)

27. Le propriétaire doit aviser le locataire avant d'entreprendre dans le logement des améliorations ou des réparations majeures qui ne sont pas urgentes. Si une évacuation temporaire est nécessaire, il doit lui offrir une indemnité égale aux dépenses raisonnables que le locataire devra assumer durant les travaux. Cette indemnité est payable au locataire à la date de l'évacuation.

L'avis doit indiquer :
• la nature des travaux ;
• la date à laquelle ils débuteront ;
• l'estimation de leur durée et, s'il y a lieu :
• la période d'évacuation nécessaire ;
• l'indemnité offerte ;
• toutes les autres conditions dans lesquelles s'effectueront les travaux, si elles sont susceptibles de diminuer substantiellement la jouissance des lieux du locataire.

L'avis doit être donné au moins 10 jours avant la date prévue pour le début des travaux, sauf si le locataire doit évacuer le logement pour plus de 1 semaine. Dans ce cas, l'avis est d'au moins 3 mois.

Si le locataire ne répond pas dans les 10 jours de la réception de l'avis qui prévoit une évacuation temporaire, il est réputé avoir refusé de quitter les lieux. Si le locataire refuse d'évacuer ou ne répond pas, le propriétaire peut, dans les 10 jours du refus, demander à la Régie du logement de se prononcer sur l'évacuation.

Par contre, lorsque l'avis ne prévoit pas d'évacuation temporaire ou si le locataire accepte l'évacuation demandée, le locataire peut, dans les 10 jours de la réception de l'avis, demander à la Régie du logement de changer ou d'enlever une condition de réalisation des travaux qu'il considère abusive.

La Régie du logement peut être appelée à se prononcer sur le caractère raisonnable des travaux, leurs conditions de réalisation, la nécessité de l'évacuation et l'indemnité, s'il y a lieu.

L'accès et la visite du logement

28. Pour l'exercice des droits d'accès au logement, le propriétaire et le locataire doivent agir selon les règles de la bonne foi :
• le locataire, en facilitant l'accès et en ne le refusant pas de façon injustifiée ;
• le propriétaire, en n'abusant pas de ses droits et en les exerçant de façon raisonnable dans le respect de la vie privée (art. 3, 6, 7, 1375 et 1857 C.c.Q.).

29. Le propriétaire peut, en cours de bail, avoir accès au logement pour :
• en vérifier l'état, ce qui doit se faire entre 9 h et 21 h ;
• le faire visiter par un acheteur éventuel entre 9 h et 21 h ;
• y effectuer des travaux entre 7 h et 19 h.

Dans ces 3 cas, le propriétaire doit donner au locataire un avis écrit ou verbal de 24 heures. Mais s'il s'agit de travaux majeurs, le délai d'avis diffère (art. 1898, 1931 et 1932 C.c.Q.) (mention 27).

30. Le locataire qui avise le propriétaire de son intention de quitter le logement (mentions 38, 41 et 51) doit, dès ce moment, permettre au propriétaire de le faire visiter par un locataire éventuel entre 9 h et 21 h, et lui permettre d'afficher le logement à louer (art. 1930 et 1932 C.c.Q.).

Le propriétaire n'est pas obligé d'aviser le locataire de la visite d'un locataire éventuel 24 heures à l'avance.

31. Le locataire peut exiger la présence du propriétaire ou de son représentant lors d'une visite du logement ou de sa vérification (art. 1932 et 2130 C.c.Q.).

Document 11.1

BAIL TYPE DE LA RÉGIE DU LOGEMENT (suite)

32. Sauf s'il y a urgence, le locataire peut refuser l'accès à son logement si les conditions fixées par la loi ne sont pas respectées.

Si le locataire n'autorise pas l'accès au logement pour un motif autre que ceux prévus par la loi, le propriétaire peut obtenir de la Régie du logement une ordonnance d'accès.

L'abus du droit d'accès par le propriétaire ou le refus injustifié du locataire peuvent aussi, dans certains cas, entraîner la condamnation à des dommages-intérêts ou à des dommages exemplaires (art. 1863 et 1931 à 1933 C.c.Q.).

33. Une serrure ou un mécanisme qui restreint l'accès au logement ne peut être posé ou changé qu'avec le consentement du locataire et du propriétaire (art. 1934 C.c.Q.).

34. Le propriétaire ne peut interdire l'accès à l'immeuble ou au logement à un candidat à une élection provinciale, fédérale, municipale ou scolaire, à un délégué officiel nommé par un comité national ou à leur représentant autorisé, à des fins de propagande électorale ou de consultation populaire en vertu d'une loi (art. 1935 C.c.Q.).

Les avis (art. 1898 C.c.Q.)

35. Tout avis concernant le bail, donné par le propriétaire (exemple : avis de modification de bail pour augmenter le loyer) ou par le locataire (exemple : avis de non-reconduction du bail), doit être écrit et rédigé dans la même langue que celle du bail. Il doit être donné à l'adresse indiquée au bail ou à une nouvelle adresse communiquée depuis.

Exception : Seul l'avis donné par le propriétaire pour avoir accès au logement peut être verbal (mention 29).

36. Dans le cas où un avis ne respecte pas les exigences relatives à l'écrit, à l'adresse ou à la langue, il n'est valide que si preuve est faite, par celui qui l'a donné, que le destinataire n'en a pas subi de préjudice.

La reconduction et la modification du bail

La reconduction du bail (art. 1941 C.c.Q.)

37. Le bail à durée fixe est renouvelé à son terme aux mêmes conditions et pour la même durée. On dit que le bail est reconduit de plein droit.

Le bail de plus de 12 mois n'est toutefois reconduit que pour 1 an.

Le propriétaire ne peut empêcher la reconduction du bail que dans certains cas (mentions 5 et 9). Il peut cependant, pour cette reconduction, le modifier s'il donne un avis au locataire (mentions 39 et 40).

Le locataire peut éviter cette reconduction à condition d'en aviser le propriétaire (mentions 38 et 41).

La non-reconduction du bail par le locataire (art. 1942, 1945 et 1946 C.c.Q.)

38. Le locataire qui désire quitter le logement à la fin de son bail à durée fixe, ou mettre fin à son bail à durée indéterminée, doit en aviser son propriétaire ou répondre à l'avis de ce dernier dans les délais indiqués au **tableau A**.

La modification du bail

39. Le propriétaire peut modifier les conditions du bail lors de sa reconduction. Il peut, par exemple, en modifier la durée ou augmenter le loyer. Pour cela, il doit donner un avis de modification au locataire dans les délais indiqués au **tableau B** (art. 1942 C.c.Q.).

40. Le propriétaire doit, dans cet avis de modification, indiquer au locataire :
- la ou les modifications demandées ;
- la nouvelle durée du bail, s'il désire modifier sa durée ;
- le nouveau loyer en dollars ou l'augmentation demandée, exprimée en dollars ou en pourcentage, s'il désire augmenter le loyer. Cependant, lorsque le loyer fait déjà l'objet d'une demande de révision ou de révision, l'augmentation peut être exprimée en pourcentage du loyer qui sera déterminé par la Régie du logement ;
- le délai de réponse accordé au locataire pour refuser la modification proposée, soit 1 mois à compter de la réception de l'avis (art. 1943 C.c.Q.).

La réponse à l'avis de modification (art. 1945 C.c.Q.)

41. Le locataire qui a reçu un avis de modification du bail a 1 mois à compter de la réception de l'avis du propriétaire pour y répondre et aviser celui-ci qu'il :
- accepte la ou les modifications demandées ; ou
- refuse la ou les modifications demandées ; ou

- quitte le logement à la fin du bail.

Si le locataire ne répond pas, cela signifie qu'il accepte les modifications demandées par le propriétaire. Si le locataire refuse la modification du bail, il a le droit de demeurer dans son logement car son bail est reconduit. La Régie du logement peut cependant être appelée à fixer les conditions de la reconduction (mention 42).

Exception : Lorsque la section F est remplie, le locataire qui refuse la modification demandée doit quitter le logement à la fin du bail.

La fixation des conditions du bail par la Régie du logement (art. 1941 et 1947 C.c.Q.)

42. Le propriétaire a 1 mois, à compter de la réception de la réponse du locataire refusant les modifications, pour demander à la Régie du logement de fixer le loyer ou de statuer sur toute autre modification du bail (**tableau B**). Si le propriétaire ne produit pas cette demande, le bail est reconduit aux mêmes conditions à l'exception de la durée qui ne peut excéder 12 mois.

L'entente sur les modifications (art. 1895 C.c.Q.)

43. Lorsque le propriétaire et le locataire se sont entendus sur les modifications à apporter au bail (exemples : loyer, durée), le propriétaire doit remettre au locataire un écrit qui contient ces modifications au bail précédent, avant le début du bail reconduit.

La contestation du réajustement de loyer (art. 1949 C.c.Q.)

44. Lorsqu'un bail de plus de 12 mois contient une clause de réajustement du loyer, le locataire ou le propriétaire peut contester le caractère excessif ou insuffisant du réajustement convenu et faire fixer le loyer.

Une demande à cet effet doit être déposée à la Régie du logement dans un délai de 1 mois à compter de la date où le réajustement doit prendre effet.

La reprise du logement (art. 1957, 1958, 1960 à 1964 et 1967 à 1970 C.c.Q.)

45. Le locateur du logement, s'il en est le propriétaire, peut le reprendre pour s'y loger ou y loger l'un des bénéficiaires prévus par la loi.

Si l'immeuble appartient à plus d'une personne, la reprise du logement ne peut généralement être exercée que s'il n'y a qu'un seul autre copropriétaire et que ce dernier est son époux ou concubin. (Exemple : un frère et une sœur copropriétaires ne peuvent reprendre un logement.)

Il est à noter qu'une personne morale (compagnie) ne peut se prévaloir du droit à la reprise du logement.

Les bénéficiaires peuvent être :
- le propriétaire, son père, sa mère, ses enfants ou tout autre parent ou allié dont il est le principal soutien ;
- le conjoint dont le propriétaire est séparé ou divorcé s'il en demeure le principal soutien.

Pour reprendre le logement, le locateur doit donner un avis dans les délais prescrits. Les étapes de la reprise du logement et les délais d'avis sont présentés au **tableau C**.

L'avis doit comprendre les éléments suivants :
- le nom du bénéficiaire ;
- le degré de parenté ou le lien du bénéficiaire avec le propriétaire, s'il y a lieu ;
- la date prévue de reprise du logement.

La cession et la sous-location

46. Quand un locataire cède son bail, il abandonne tous les droits et transfère toutes les obligations qu'il possède dans un logement à une personne appelée cessionnaire et, de ce fait, il est libéré de ses obligations face au propriétaire (art. 1873 C.c.Q.).

Quand le locataire loue son logement en tout ou en partie, il s'engage à titre de sous-locateur envers le sous-locataire, mais il n'est pas libéré de ses obligations à l'égard du propriétaire (art. 1870 C.c.Q.).

47. Le locataire a le droit de céder son bail ou de sous-louer son logement avec le consentement du propriétaire. Ce dernier ne peut toutefois refuser son consentement sans motif sérieux (art. 1870 et 1871 C.c.Q.).

48. Le locataire doit donner au propriétaire un avis de son intention de céder le bail ou de sous-louer le logement. Cet avis doit indiquer le nom et l'adresse de la personne à qui le locataire entend céder le bail ou sous-louer le logement (art. 1870 C.c.Q.).

S'il refuse, le propriétaire doit aviser le locataire des motifs de son refus dans les 15 jours de la réception de

| Document 11.1 | # BAIL TYPE DE LA RÉGIE DU LOGEMENT (suite) |

l'avis. Sinon, le propriétaire est réputé y avoir consenti (art. 1871 C.c.Q.).

49. Le propriétaire qui consent à la cession ou à la sous-location ne peut exiger que le remboursement des dépenses raisonnables qui en résultent (art. 1872 C.c.Q.).

50. La sous-location se termine au plus tard lorsque le bail du locataire prend fin. Toutefois, le sous-locataire n'est pas tenu de quitter le logement, tant qu'il n'a pas reçu un avis de 10 jours du sous-locateur ou, à défaut, du propriétaire (art. 1940 C.c.Q.) (mention 5).

La résiliation du bail par le locataire (art. 1974 C.c.Q.)

51. Un locataire peut résilier son bail :
- s'il lui est attribué un logement à loyer modique ; ou
- s'il ne peut plus occuper son logement en raison d'un handicap ; ou
- s'il s'agit d'une personne âgée, si elle est admise de façon permanente dans un centre d'hébergement et de soins de longue durée ou dans un foyer d'hébergement, qu'elle réside ou non dans un tel endroit au moment de son admission.

À moins que les parties n'en conviennent autrement, la résiliation prend effet 3 mois après **l'envoi d'un avis** au propriétaire, accompagné d'une **attestation** de l'autorité concernée, ou 1 mois après cet avis lorsque le bail est à durée indéterminée ou de moins de 12 mois.

La remise du logement à la fin du bail (mention 2)

52. Le locataire doit quitter son logement à la fin du bail, aucun délai de grâce n'étant prévu par la loi.

Le locataire doit, lorsqu'il quitte son logement, enlever tout meuble ou objet autre que ceux appartenant au propriétaire (art. 1890 C.c.Q.).

53. À la fin du bail, le locataire doit remettre le logement dans l'état où il l'a reçu, à l'exception des changements résultant du vieillissement, de l'usure normale ou d'un cas de force majeure.

L'état du logement peut être constaté par la description ou les photographies qu'en ont faites le locataire et le propriétaire, sinon le locataire est présumé l'avoir reçu en bon état (art. 1890 C.c.Q.).

54. À la fin du bail, le locataire doit enlever les constructions, ouvrages ou plantations qu'il a faits. S'ils ne peuvent être enlevés sans détériorer le logement, le propriétaire peut :
- les conserver en en payant la valeur ; ou
- obliger le locataire à les enlever et à remettre le logement dans l'état où il l'a reçu.

Lorsqu'il est impossible de remettre le logement dans l'état où il a été reçu, le propriétaire peut les conserver sans verser d'indemnité au locataire (art. 1891 C.c.Q.).

Tableau A

La non-reconduction du bail par le locataire : délais d'avis (art. 1942, 1945 et 1946 C.c.Q.)

	Locataire qui n'a pas reçu d'avis de modification du bail	Locataire d'une <u>chambre</u> qui n'a pas reçu d'avis de modification du bail	Locataire (y compris le locataire d'une chambre) qui a reçu un avis de modification du bail
Bail de 12 mois ou plus	Entre 3 et 6 mois avant la fin du bail	Entre 10 et 20 jours avant la fin du bail	1 mois à compter de la réception de l'avis du propriétaire
Bail de moins de 12 mois	Entre 1 et 2 mois avant la fin du bail		
Bail à durée indéterminée	Entre 1 et 2 mois avant la fin souhaitée du bail	Entre 10 et 20 jours avant la fin souhaitée du bail	

Tableau B

Les étapes de la modification du bail et les délais d'avis (art. 1942, 1945 et 1947 C.c.Q.)

	1re étape : Avis du propriétaire	2e étape : Réponse du locataire	3e étape : Demande à la Régie du logement par le propriétaire
Bail de 12 mois ou plus	Entre 3 et 6 mois avant la fin du bail	1 mois à compter de la réception de l'avis de modification. S'il ne répond pas, le locataire est réputé avoir accepté la modification.	1 mois à compter de la réception du refus du locataire. Sinon, le bail est reconduit.
Bail de moins de 12 mois	Entre 1 et 2 mois avant la fin du bail		
Bail à durée indéterminée	Entre 1 et 2 mois avant la modification souhaitée		
Bail d'une chambre	Entre 10 et 20 jours avant la fin du bail à durée fixe ou avant la modification souhaitée si le bail est à durée indéterminée		

Tableau C

Les étapes de la reprise du logement et les délais d'avis (art. 1960, 1962 et 1963 C.c.Q.)

	1re étape : Avis du propriétaire	2e étape : Réponse du locataire	3e étape : Demande à la Régie du logement par le propriétaire
Bail de plus de 6 mois	6 mois avant la fin du bail	1 mois à compter de la réception de l'avis du propriétaire. Si le locataire ne répond pas, il est réputé avoir refusé de quitter le logement.	1 mois à compter du refus ou de l'expiration du délai de réponse du locataire
Bail de 6 mois ou moins	1 mois avant la fin du bail		
Bail à durée indéterminée	6 mois avant la date à laquelle on entend reprendre le logement		

199609

| Document 11.2 | ANNEXE AU BAIL TYPE |

Annexe au bail type - clauses supplémentaires

1. Le locateur assume le coût du chauffage et de l'eau chaude.

2. Le locataire assume le coût de l'électricité de son logement, doit installer des tapis dans les passages et les chambres à coucher et doit déneiger les balcons avant et arrière.

3. Les locataires sont tenus conjointement et solidairement responsables du paiement du loyer.

4. Le locataire s'engage à souscrire une assurance de responsabilité connue sous le nom de police d'assurance de « locataire occupant » d'une valeur minimum de un million de dollars.

5. Le locataire jouira des lieux loués de façon prudente et diligente et tiendra le logement en bon état de propreté et de réparation. Plus particulièrement, le locataire protégera de manière raisonnable, contre les pertes ou dommages causés par la gelée, le mauvais usage ou autrement, les tuyaux d'eau, de gaz et de drainage, les éviers, les cabinets d'aisance, les bains, les douches, les systèmes de ventilation et de chauffage, les installations électriques, les vitres, les miroirs, et de manière générale, tout objet incorporé au logement ainsi que les meubles appartenant au locateur qui garnissent le logement et qui sont mis à la disposition du locataire. Le locataire est responsable de tout dommage causé par sa faute ou sa négligence.

Interdictions

6. Pour des raisons de santé, le locataire ne doit pas admettre ou garder un animal (chat, chien, oiseau, etc.) dans les lieux loués sans le consentement préalable et écrit du locateur.

   De plus, le locataire s'engage à ne pas acquérir d'animal pendant la durée du présent bail ou de sa reconduction.

   Si le locateur doit entreprendre des démarches judiciaires pour faire respecter la présente clause, tous les honoraires et frais, judiciaires et extra judiciaires, sont à la charge du locataire.

7. Le locataire ne doit pas posséder, conserver ou utiliser un poêle à gaz ou à charbon, un réchaud, une chaufferette et autres accessoires utilisant des matières combustibles, dans le logement. De plus, le locataire ne doit pas utiliser un tel appareil sur les balcons et dans les portiques ; l'usage d'un tel équipement est cependant permis à une distance minimale de 5 mètres de l'immeuble.

8. Le locataire ne doit pas entreprendre un quelconque travail dans l'immeuble sans le consentement écrit du locateur. Plus spécifiquement, il est interdit de poser de la tapisserie, du papier peint, de la tuile, du prélart, du linoléum ou tout autre revêtement. Il est interdit de peinturer les boiseries, les armoires en bois et toute pièce de bois verni ou laissant voir le grain du bois. Tout objet installé à demeure tel que miroir collé, crochets, serrures et autres doivent demeurer en place et deviennent la propriété du locateur sans aucune indemnité ou compensation. Si un travail est exécuté dans les lieux loués sans le consentement écrit du locateur, le locataire doit à ses frais, immédiatement si le locateur lui en fait la demande ou avant son départ dans les autres cas, remettre les lieux dans l'état où ils étaient au début du bail. Le locataire est responsable des dommages causés aux boiseries et doit en assumer le coût. Si le locateur doit faire effectuer des travaux par un tiers pour remettre les lieux dans l'état où ils étaient au début du bail, le locataire, en signant le présent bail, accepte immédiatement de payer le coût de ces travaux.

   Si le locataire peinture une ou plusieurs pièces de son logement dans une couleur autre que le blanc latex semi-lustre, le locataire doit, à ses frais et avant son départ, peinturer de nouveau lesdites pièces en blanc latex semi-lustre de manière à remettre les lieux dans l'état où ils étaient au début du bail ; le locataire peut se dégager de son obligation de peinturer le logement en payant une indemnité équivalente à un mois de loyer.

9. Le locataire ne doit pas laisser ou placer les ordures ménagères dans les corridors, sur les balcons ou dans les portiques mais il doit les déposer dans le contenant prévu à cet effet.

10. Il est interdit de suspendre aux fenêtres et au balcon du logement, tout objet qui pourrait nuire à l'apparence extérieure de l'immeuble

11. Le locataire ne peut installer ou faire installer toute enseigne, annonce, affiche, avis ou placards, à l'extérieur du logement ou visible de l'extérieur, sans la permission préalable et écrite du locateur.

12. Le locataire s'engage à ne pas laisser traîner d'objets personnels dans les cages d'escalier et dans le corridor où sont situés les casiers de rangement. Le locateur peut en tout temps confisquer et jeter aux ordures les objets qui traînent dans ces endroits.

13. Le locataire s'engage à ne pas installer de tapis sur les balcons.

| Document 11.2 | **ANNEXE AU BAIL TYPE (suite)** |

Conseils de sécurité et d'utilité courante

14. Le locateur informe le locataire qu'il est possible de couper l'eau de la cuisine en fermant les valves d'eau situées sous le comptoir de cuisine, de couper l'eau de la salle de bain en fermant les valves d'eau situées derrière un panneau dans la lingerie ou de couper l'eau de l'immeuble en fermant les valves d'eau de l'immeuble situées dans le corridor du sous-sol où se trouvent les casiers de rangement.

15. Le locateur informe le locataire qu'il est possible de couper l'électricité du logement en fermant le couteau principal situé dans le corridor où se trouvent les casiers de rangement. Si un fusible brûle, vous devez le remplacer par un fusible équivalent de 15 ou 20 ampères après avoir identifié la cause du court-circuit et procédé aux manoeuvres nécessaires pour remédier à cette cause.

16. En cas d'urgence, vous pouvez rejoindre le locateur par téléphone au 621-5032, ou s'il y a lieu, appeler les policiers ou les pompiers en composant le **911**. En cas d'incendie, vous devez déclencher le système d'alarme dans la cage d'escalier. S'il y a une fuite d'eau, que vous n'êtes pas en mesure de contrôler la situation et que le locateur n'est pas là, vous pouvez composer le 527-1795 et demander monsieur Aimé Villeneuve.

17. Le locateur informe le locataire qu'il y a un extincteur chimique dans la cuisine de chaque logement. Si l'indicateur de pression de l'extincteur chimique indique que l'extincteur doit être rechargé, le locataire doit en aviser le locateur.

18. Le locateur informe le locataire qu'il y a un détecteur de fumée dans chaque logement. Le locataire doit veiller à ce qu'il y ait une pile en bon état de fonctionnement dans le détecteur et à la remplacer lorsqu'il y a lieu. Lorsque le détecteur laisse entendre un petit son à toutes les 30 secondes, cela signifie qu'il faut changer la pile.

Renseignements personnels supplémentaires

19. Le locataire fournit au locateur les renseignements personnels supplémentaires suivants :

RENSEIGNEMENTS	PREMIER LOCATAIRE	DEUXIÈME LOCATAIRE
N° D'ASSURANCE SOCIALE		
N° DE PERMIS DE CONDUIRE		
N° D'ASSURANCE-MALADIE		
NOM DE L'EMPLOYEUR		
OCCUPATION		
DEPUIS COMBIEN DE TEMPS		
N° DE TÉLÉPHONE		
ADRESSE		
VILLE		
NOM DE LA BANQUE OU CAISSE		
N° DE TÉLÉPHONE		
N° DE COMPTE		
ADRESSE		
VILLE		
LOCATEUR ANTÉRIEUR		
N° DE TÉLÉPHONE DU LOCATEUR		
EN CAS D'URGENCE, PRÉVENIR		
N° DE TÉLÉPHONE		
ADRESSE		
VILLE		

| Document 11.2 | **ANNEXE AU BAIL TYPE (suite)** |

Autorisation d'enquête de crédit

20. Le locataire autorise le locateur à obtenir des renseignements sur son crédit, sa situation financière et le solde de tout compte en banque auprès de toute agence de renseignement sur le crédit, de toute institution financière, de tout employeur du locataire ou de toute personne avec qui le locataire entretient ou est susceptible d'entretenir des relations d'affaires. Le locataire autorise aussi le locateur à fournir de tels renseignements à chacune de ces personnes.

    Si les renseignements obtenus par le locateur relativement à la solvabilité du locataire, sont insatisfaisants, le présent bail est résilié de plein droit sur simple avis écrit au locataire envoyé par le locateur par courrier ordinaire.

    Le locateur peut utiliser les renseignements qu'il détient sur le locataire, y compris ceux provenant de dossiers fermés ou inactifs aux fins de toute décision qu'il aura à prendre concernant la décision d'accepter ou non de louer un logement au locataire.

Fin du bail

21. Le locataire qui, conformément à la loi, avise le locateur de son intention de ne pas renouveler le bail, permet, dès ce moment, au locateur d'afficher le logement à louer et de le faire visiter à des locataires éventuels. Dans ce cas, le locateur n'est pas obligé de donner un avis de 24 heures au locataire de son intention de faire visiter le logement et les visites peuvent avoir lieu du dimanche au samedi, de 9h00 à 21h00, même en l'absence du locataire.

22. Le bail est résilié de plein droit en cas d'infraction aux clauses six (6) et sept (7) et entraîne une pénalité automatique et ferme de trois (3) mois de loyer.

23. En cas d'incendie dans les lieux loués rendant le logement inhabitable, le bail est résilié de plein droit pour les deux parties sans indemnité à payer par l'une ou l'autre partie.

24. Le locataire peut en tout temps quitter les lieux loués en payant une indemnité de départ de trois (3) mois de loyer ; le paiement de cette indemnité entraîne automatiquement la résiliation du bail.

25. Le locataire reconnaît que toute fausse déclaration de sa part peut entraîner la résiliation du présent bail et l'éviction du locataire.

26. Dans l'éventualité ou un article du présent bail est déclaré nul, invalide ou inopérant en vertu d'un jugement rendu par un tribunal, cet article est réputé non écrit et ce jugement n'a pas pour effet d'invalider ou de rendre nul le présent bail ni les autres articles.

Acceptation des conditions du bail et signature

27. Le locataire reconnaît avoir pris connaissance de toutes les clauses contenues dans le présent bail, s'en déclare satisfait et les accepte de plein gré. De plus, le locataire reconnaît avoir reçu copie du bail type de la Régie du Logement lors de la signature du présent bail. Ces deux documents constituent le bail et le locataire reconnaît qu'il n'existe aucune autre convention ou entente relative au présent bail. Tout amendement ou toute modification au présent bail doit être constaté par écrit et signé par les parties pour être opposable tant au locateur qu'au locataire.

Signée à Québec, ce_____ jour de _____ 19 _____

_____   _____   _____
Locateur   Locataire   Locataire

Cautionnement

Je soussigné, ci-après appelée la « Caution », garantit le paiement de tout ce que le locataire doit au locateur et l'exécution des obligations du présent bail. Ce cautionnement lie solidairement la caution tant avec le locataire qu'avec toute autre caution.

Ce cautionnement est continu et subsistera tant et aussi longtemps que le locataire demeurera dans les lieux loués. Ce cautionnement oblige la caution à payer dès que le locateur lui demande le paiement de toute somme due. Le locateur n'est aucunement tenu d'exercer ses recours contre le locataire avant de procéder contre la caution qui renonce au bénéfice de division et de discussion.

Signée à Québec, ce_____ jour de _____ 19 _____

_____   _____   _____
Caution   Caution   Caution

Document 11.3	# EXTRAITS DU BAIL DE PLACE LAURIER À SAINTE-FOY

CONVENTION DE BAIL intervenue ce ( ) jour de
mil neuf cent (19).

ENTRE: LA SOCIETE IMMOBILIERE MARATHON, LIMITEE, compagnie incorporée en vertu.des lois du Canada, ayant son siège social dans la ville de Toronto, province d'Ontario (ci-après désignée le "Locateur"),

PARTIE DE PREMIERE PART;

ET: , compagnie dûment incorporée en vertu des lois d
ayant son siège social dans la ville de , agissant
aux présentes par , son
, dûment autorisé à cette fin en vertu d'une résolution de son conseil
d'administration tenue le ( ) jour de
mil neuf cent (19), dont copie
certifiée conforme est annexée aux présentes (ci-après désignée le "Locataire"),

PARTIE DE DEUXIEME PART.

LES PARTIES ont fait entre elles la présente convention:

ARTICLE I
DEFINITIONS, INTENTION ET INTERPRETATION

1.1 Définitions

Dans le présent Bail et ses annexes, les mots et expressions qui suivent auront le sens ci-après déterminé à moins d'incompatibilité avec leur contexte:

1.1.1 "Aires et Installations Communes" signifient les aires, espaces, installations, services, améliorations et équipements du Centre d'Achats qui ne sont pas désignés ou destinés à la location par le Locateur ou qui sont à l'usage du Centre d'Achats, qu'ils soient ou non situés à l'intérieur, adjacents ou à proximité du Centre d'Achats, et que le Locateur désigne ou fournit, à l'occasion, comme partie des Aires et Installations Communes du Centre d'Achats. Les Aires et Installations Communes incluent, sans limiter la généralité de ce qui précède, toutes les aires, espaces, installations, services, améliorations et équipements qui sont destinés ou désignés (et qui à l'occasion peuvent être changés) par le Locateur à l'usage et au bénéfice des locataires, de leurs employés, des clients du Centre d'Achats et de toutes autres personnes ayant l'autorisation du Locateur de les utiliser et d'en bénéficier, de la manière et pour les fins permises dans le Bail. Toujours sans limiter la généralité de ce qui précède, les Aires et Installations Communes comprennent le toit, les murs extérieurs, les éléments de structure extérieurs et intérieurs et les murs de soutènement des édifices ainsi que les améliorations incorporées au Centre d'Achats, les terrains de stationnement (incluant les structures du stationnement), les voies de circulation, les aménagements paysagers, les cabinets de toilette publics, les mails, les bancs publics, les cours et les arcades, les espaces pour camions, les zones de chargement et les installations communes de livraison, les voies d'accès, les rampes de service et les rampes pour clients, les escaliers, les systèmes de communication et ceux de détection de feu ou de fumée, les installations électriques, de plomberie, de drainage, de mécanique et toutes les autres installations, systèmes et services situés à l'intérieur de ces derniers ou qui y sont reliés ainsi que les structures les abritant (y compris le Système C.V.C.), les enseignes générales, les escaliers roulants et les colonnes;

1.1.2 "Année de Bail", en ce qui a trait à la première Année de Bail, signifie une période commençant le premier jour du Terme et se terminant le dernier jour du mois de suivant; par la suite, Année de Bail signifie toute période de douze (12) mois civils consécutifs, étant entendu que le Locateur pourra en tout temps durant le Terme changer la durée d'une Année de Bail;

1.1.3 "Architecte" signifie l'architecte nommé, à l'occasion, par le Locateur, lequel peut être un employé du Locateur, et dont les décisions ou certificats, toutes les fois que requis en vertu des présentes, constitueront une décision ou certificat final et lieront les parties aux présentes;

1.1.4 "Bail" signifie la présente convention, ses modifications et amendements écrits, ses annexes ainsi que les Règles et Règlements adoptés et promulgués par le Locateur;

1.1.5 "Centre d'Achats" signifie tous les terrains décrits à l'annexe "B" des présentes et désignés par le Locateur comme faisant partie du Centre d'Achats, ces derniers pouvant être transformés, étendus, réduits ou autrement modifiés à la seule discrétion du Locateur, ainsi que les édifices, améliorations, équipements et installations qui y sont érigés ou situés, à l'occasion, le tout étant présentement connu sous le nom de Place Laurier;

1.1.6 "Créancier Hypothécaire" signifie tout créancier hypothécaire ou détenteur d'une hypothèque sur le Centre d'Achats ou sur une partie de celui-ci;

| Document 11.3 | **EXTRAITS DU BAIL DE PLACE LAURIER À SAINTE-FOY (suite)** |

— 2 —

1.1.7 "Date d'Ouverture" signifie la date fixée par le Locateur pour l'ouverture du Centre d'Achats ou pour l'ouverture de la partie du Centre d'Achats dans laquelle les Lieux Loués sont situés;

1.1.8 "Dépenses d'Opération" signifient toutes les dépenses et frais annuels encourus par le Locateur pour l'entretien, la réparation, l'opération, la supervision et l'administration du Centre d'Achats et des Aires et Installations Communes, incluant, sans limiter la généralité de ce qui précède et sans dédoublement, le total de :

1.1.8.1 les frais d'assurance des édifices, des améliorations, de l'équipement et de tous autres biens dans le Centre d'Achats et dans les Aires et Installations Communes, qui sont, à l'occasion, la propriété du Locateur ou qui sont opérés par lui ou dont il est légalement responsable, selon la teneur et manière, avec les compagnies et pour les couvertures et montants que le Locateur ou le Créancier Hypothécaire, à l'occasion, détermine, incluant, sans limitation, (a) une assurance contre l'incendie ou contre tous autres risques qui présentement ou à l'occasion seront contenus ou définis dans une police d'assurance standard contre l'incendie avec souscription d'une couverture pour risques supplémentaires, (b) une assurance générale de responsabilité civile, (c) une assurance-chaudière et d'appareils à pression, (d) une assurance contre l'interruption des affaires et contre la perte de revenus de location, et (e) toute autre assurance exigée par le Locateur ou le Créancier Hypothécaire, à l'occasion, contre des risques assurables et pour des montants pour lesquels un Locateur prudent s'assurerait;

1.1.8.2 les frais de nettoyage, balayage, enlèvement des déchets et ordures, enlèvement de la neige, rénovation, redécoration, jardinage et entretien de l'environnement paysager, lignage, réparation et repavage des Aires et Installations Communes, les frais de maintien et d'opération des détecteurs de feu et fumée, des systèmes de prévention d'incendie, d'éclairage (incluant le remplacement des ampoules, des balastes et des dispositifs de fixation des ampoules) et des systèmes de communication et de diffusion de musique dans les Aires et Installations Communes;

1.1.8.3 les frais de surveillance et de sécurité dans le Centre d'Achats, y compris dans les Aires et Installations Communes, et les frais de surveillance, contrôle et supervision de la circulation vers et en provenance du Centre d'Achats;

1.1.8.4 le coût de toutes les réparations (incluant les réparations majeures), les remplacements, l'entretien et l'opération du Centre d'Achats et des Aires et Installations Communes, ainsi que des systèmes, installations et équipements servant au Centre d'Achats et aux Aires et Installations Communes, à l'exception du coût des réparations et des remplacements dus à des défauts ou des faiblesses inhérents à la structure;

1.1.8.5 les salaires de tout le personnel, y compris le personnel de supervision, engagé pour l'entretien, le nettoyage et l'opération du Centre d'Achats et des Aires et Installations Communes, le tout incluant les contributions et primes pour bénéfices marginaux, pour l'assurance-chômage et l'assurance-indemnité des travailleurs, les contributions à tout plan de pension ou retraite, ainsi que toute autre prime et contribution du même genre;

1.1.8.6 les frais de location de tout équipement et enseignes, ainsi que les frais pour les fournitures utilisées par le Locateur pour l'entretien, le nettoyage et l'opération du Centre d'Achats et des Aires et Installations Communes;

1.1.8.7 les frais de chauffage, ventilation et climatisation du Centre d'Achats et des Aires et Installations Communes incluant, non restrictivement, les frais d'opération, de réparation, d'entretien, de remplacement et d'inspection de la machinerie, de l'équipement et de toute autre composante du Système C.V.C., ainsi que de toutes les autres installations nécessaires pour le chauffage, la ventilation et la climatisation du Centre d'Achats et des Aires et Installations Communes, le coût des contrats d'entretien consentis à des entrepreneurs indépendants, s'il en est, et les coûts pour l'électricité, le mazout, l'eau, les produits chimiques, les lubrifiants et les filtres;

1.1.8.8 la dépréciation ou l'amortissement sur (a) le coût de tous les immobilisations, équipements et installations utilisés ou compris dans le Centre d'Achats et dans les Aires et Installations Communes, incluant, non restrictivement, les immobilisations, l'équipement et les installations du Système C.V.C. ou lui servant, ainsi que tout l'équipement d'entretien, de nettoyage et d'opération de même que les compteurs centraux pour les services, et sur (b) les frais encourus après la Date d'Ouverture pour la réparation ou le remplacement de tous les immobilisations, équipements et installations utilisés ou compris dans le Centre d'Achats et dans les Aires et Installations Communes, incluant, non restrictivement, les immobilisations, équipements et installations du Système C.V.C. ou lui servant, ainsi que tout l'équipement d'entretien, de nettoyage et d'opération de même que les compteurs centraux pour les services; le tout selon des taux d'amortissement déterminés à l'occasion par le Locateur conformément à des principes comptables sérieux;

1.1.8.9 l'intérêt sur la partie non dépréciée ou non amortie des coûts et frais décrits au sous-paragraphe 1.1.8.8 des présentes, au taux préférentiel quotidien moyen plus deux (2) points de pourcentage des prêts commerciaux de la banque à charte canadienne que désignera de temps à autre le Locateur (ce taux préférentiel quotidien moyen sera calculé en additionnant pareil taux préférentiel à la fin de chaque mois de l'Année de Bail et en divisant le montant ainsi obtenu par le nombre de mois dans ladite Année de Bail);

1.1.8.10 les frais de tous les services d'utilité publique, incluant, non restrictivement, l'électricité, l'eau, le mazout, l'énergie, le téléphone et autres services utilisés ou consommés dans les Aires et Installations Communes ou à l'égard de celles-ci, ou qui y sont attribués par le Locateur;

Document 11.3

EXTRAITS DU BAIL DE PLACE LAURIER À SAINTE-FOY (suite)

— 3 —

1.1.8.11 toutes les taxes d'affaires ou autres taxes, s'il en est, payables, à l'occasion, par le Locateur à l'égard des Aires et Installations Communes et toutes les taxes qui peuvent être applicables ou qui sont attribuées par le Locateur aux Aires et Installations Communes;

1.1.8.12 des frais d'administration de quinze pour cent (15%) du total des frais ci-haut mentionnés, à l'exclusion des coûts auxquels réfèrent les sous-paragraphes 1.1.8.9 et 1.1.8.11.

Doivent cependant être déduits du total des coûts et frais décrits aux sous-paragraphes 1.1.8.1 à 1.1.8.12 inclusivement:

1.1.8.13 le produit net des indemnités d'assurance reçues par le Locateur à l'égard de polices d'assurance souscrites par le Locateur, dans la mesure où lesdites indemnités se rapportent aux coûts et aux dépenses encourus pour l'entretien, le nettoyage et l'opération des Aires et Installations Communes;

1.1.8.14 le produit net des sommes, s'il en est, exigées pour l'utilisation des aménagements de stationnement du Centre d'Achats, mais jusqu'à concurrence seulement du coût total de l'entretien, du nettoyage et de l'opération desdits aménagements;

1.1.8.15 les contributions, s'il en est, au coût total de l'entretien, du nettoyage et de l'opération du Centre d'Achats et des Aires et Installations Communes, faites par les locataires ou les occupants qui sont exclus de la Superficie Locative Brute du Centre d'Achats selon le sous-paragraphe 1.1.21 des présentes;

1.1.9 "I.P.C." signifie l'index des prix à la consommation (l'indice d'ensemble pour les agglomérations urbaines) pour la ville de Sainte-Foy, Québec, tel que publié par Statistiques Canada, ou, s'il n'est pas publié, l'index qui lui correspond le plus, avec les ajustements appropriés, si la base de comparaison ou de calcul est différente;

1.1.10 "Lieux Loués" signifient les lieux loués au Locataire et décrits au paragraphe 2.1 des présentes. Nonobstant toute disposition contraire contenue au présent Bail ou toute disposition du Code civil de la province de Québec, mais sans limiter la généralité des dispositions du sous-paragraphe 5.1.5 des présentes, le Locateur pourra apporter des changements mineurs à la forme des Lieux Loués en tout temps avant la date de prise de possession des Lieux Loués par le Locataire. Ces changements mineurs ne rendront pas le Bail nul ou annulable et le Locataire ne pourra réclamer aucun dommage contractuel ou extra-contractuel ni aucune diminution de loyer, sauf si, en raison de tels changements mineurs, la Superficie Locative Brute des Lieux Loués s'en trouve diminuée;

1.1.11 "Locataire" signifie la Partie de Seconde Part, ses successeurs, ayants droit et cessionnaires autorisés;

1.1.12 "Locateur" signifie la Partie de Première Part, ses successeurs, ayants droit et cessionnaires;

1.1.13 "Loyer à Pourcentage" signifie le loyer payable par le Locataire conformément au sous-paragraphe 3.1.2 des présentes;

1.1.14 "Loyer Additionnel" signifie tout montant ou frais devant être payé par le Locataire en vertu du présent Bail (à l'exception du Loyer Minimum et du Loyer à Pourcentage), désigné ou non comme "Loyer Additionnel", payable ou non au Locateur, tout tel montant ou frais étant payable en argent ayant cours légal au Canada et, nonobstant toute disposition du Code civil de la province de Québec à l'effet contraire, sans réduction, déduction, abattement ou compensation de quelque nature que ce soit. A moins de disposition contraire, le Loyer Additionnel est exigible et payable en même temps et en sus de chacun des versements mensuels de Loyer Minimum;

1.1.15 "Loyer Minimum" signifie le loyer annuel payable par le Locataire suivant les dispositions du sous-paragraphe 3.1.1 des présentes;

1.1.16 "Période de Loyer Gratuit" signifie une période de trente (30) jours, débutant cinq (5) jours après la date de mise à la poste d'un avis du Locateur au Locataire à l'effet que les travaux du Locateur dans les Lieux Loués, tels que décrits à l'annexe "C" des présentes, sont suffisamment complétés pour permettre au Locataire de commencer ses propres travaux dans les Lieux Loués, tels que décrits également à l'annexe "C" des présentes;

1.1.17 "Quote-Part Proportionnelle" signifie une fraction ayant comme numérateur, la Superficie Locative Brute des Lieux Loués et comme dénominateur, la Superficie Locative Brute du Centre d'Achats;

1.1.18 "Règles et Règlements" signifient les règles et règlements adoptés et promulgués par le Locateur, de temps à autre;

1.1.19 "Revenu(s) Brut(s)" signifie le total de toutes les ventes de biens et services effectuées dans les Lieux Loués ou à partir de ceux-ci par le Locataire et tout concessionnaire, sous-locataire et cessionnaire du Locataire et en rapport avec tous les services ou secteurs du commerce du Locataire dans les Lieux Loués, ainsi que par toute autre personne faisant affaires dans les Lieux Loués ou à partir de ceux-ci, que lesdites ventes aient été effectuées dans les Lieux Loués ou ailleurs, de la même façon et avec les mêmes effets que si lesdites ventes ou services avaient été faits ou rendus dans les Lieux Loués. Sans limiter la généralité de ce qui précède, les Revenus Bruts comprennent:

1.1.19.1 les montants perçus et provenant de la vente ou de la location de marchandises dans les Lieux Loués ou à partir de ceux-ci;

| Document 11.3 | **EXTRAITS DU BAIL DE PLACE LAURIER À SAINTE-FOY (suite)** |

— 4 —

1.1.19.2　les montants perçus pour des services rendus dans les Lieux Loués ou à partir de ceux-ci;

1.1.19.3　les montants perçus de toute commande prise ou reçue dans les Lieux Loués, que ladite commande ait été remplie ou non dans les Lieux Loués;

1.1.19.4　tout dépôt donné pour de la marchandise achetée ou à être achetée dans les Lieux Loués et qui n'a pas été remboursée à l'acheteur; et

1.1.19.5　tout autre montant reçu ou à recevoir, de quelque nature que ce soit, (incluant intérêts, versements et frais de financement) pour toute affaire menée dans les Lieux Loués ou à partir de ceux-ci;

dans tous les cas, peu importe que les ventes ou autres montants reçus ou à recevoir soient payés par chèque, comptant, à crédit, par compte à charge, par échange ou autrement et peu importe que lesdites ventes aient été faites par des moyens mécaniques ou par des distributeurs automatiques. Aucune déduction n'est permise pour des créances non recouvrées ou non recouvrables, de même que pour des frais résultant de l'usage de cartes de crédit, et aucune provision n'est permise pour mauvaises créances. Toute vente à crédit ou payable en versements sera considérée comme une vente au comptant, pour le mois durant lequel telle vente aura été faite, sans tenir compte du moment où le Locataire recevra le paiement de cette vente.

Néanmoins, sont exclus des Revenus Bruts:

1.1.19.6　les remboursements faits pour de la marchandise retournée, mais dans la mesure où le prix de vente de cette marchandise a été préalablement inclus dans le Revenu Brut;

1.1.19.7　le prix de vente des marchandises retournées par des clients pour être échangées, si le prix de vente desdites marchandises retournées a été préalablement inclus dans les Revenus Bruts et si le prix de vente de ces marchandises remises au client en échange a été inclus dans les Revenus Bruts;

1.1.19.8　toute taxe de vente au détail imposée par tout gouvernement fédéral, provincial, municipal ou autre, directement sur les ventes et perçue au moment de l'achat, par le Locataire, au nom dudit gouvernement, si tel montant figure séparément du prix de vente et ne fait pas partie intégrante du prix marqué pour un article ou pour des services; et

1.1.19.9　le prix de vente des marchandises échangées ou transférées aux autres magasins du Locataire ainsi que les marchandises retournées à ses fournisseurs et manufacturiers, si lesdits transferts ou échanges sont faits uniquement pour faciliter les opérations commerciales du Locataire et non dans le but de réduire ses Revenus Bruts;

1.1.20　"Superficie Locative Brute" en ce qui a trait à des lieux loués ou destinés à la location, y compris les Lieux Loués, signifie la superficie, exprimée en pieds carrés, telle que certifiée par l'Architecte, de tous les planchers desdits lieux loués ou destinés à la location, mesurée à partir de la face extérieure de tous les murs, portes et fenêtres extérieurs, de la face extérieure de tous les murs, portes et fenêtres intérieurs et séparant lesdits lieux loués ou destinés à la location des Aires et Installations Communes, et de la ligne médiane de tous les murs intérieurs séparant lesdits lieux loués ou destinés à la location de d'autres lieux loués ou destinés à la location. La Superficie Locative Brute comprend tout l'espace intérieur, qu'il soit ou non rempli par des saillies, structures ou colonnes, de nature structurale ou non, et lorsque la façade des Lieux Loués du magasin est en retrait de la ligne locative, l'espace de ce retrait, fait partie de la Superficie Locative Brute;

1.1.21　"Superficie Locative Brute du Centre d'Achats" signifie l'ensemble des Superficies Locatives Brutes individuelles de tous les lieux loués ou destinés à la location dans le Centre d'Achats mesurées conformément à la méthode prévue au sous-paragraphe 1.1.20, à l'exclusion (a) des Aires et Installations Communes, (b) des espaces occupés par toute autorité gouvernementale ou quasi-gouvernementale, (c) des espaces occupés par tout kiosque amovible, (d) des espaces occupés par des constructions ou aménagements amovibles non reliés au mail intérieur, (e) des magasins ayant une Superficie Locative Brute excédant quinze mille pieds carrés (15,000 pi^2) qui sont ou pourront faire partie, de temps à autre, du Centre d'Achats, (f) de l'espace de tout lieu loué par le Locateur ou destiné à la location par ce dernier, comme espace à bureaux ou à des fins autres que la vente au détail, et (g) de cinquante pour cent (50%) de la Superficie Locative Brute de toute partie du Centre d'Achats, autre que les espaces décrits à l'item (d) du présent sous-paragraphe 1.1.21, qui n'a pas une façade, de quelque façon que ce soit, sur le mail intérieur;

1.1.22　"Système C.V.C." signifie tout le système du Centre d'Achats destiné à fournir le chauffage, la ventilation et/ou la climatisation dans les Aires et Installations Communes et dans les lieux loués ou destinés à la location, y compris les Lieux Loués, sans égard à l'endroit où ce système et ses composantes sont situés, incluant toute installation centrale et les améliorations et appareils qui lui sont nécessaires ainsi que tous les accessoires, équipements et systèmes reliés audit système, de même que les dispositifs pour les opérations de distribution et d'échappement de l'air tels les conduits, les diffuseurs, les serpentins de chauffage, les contrôles et autres dispositifs et équipements y afférents, y compris les dispositifs situés dans les lieux loués ou destinés à la location, incluant les Lieux Loués, même s'ils sont destinés à l'usage exclusif de ces lieux;

1.1.23　"Taxes" signifient toutes les taxes municipales, scolaires et de la communauté urbaine, les taxes d'améliorations locales, d'enlèvement de la neige, les taxes spéciales (incluant toute taxe imposée au Locateur et/ou aux propriétaires du Centre d'Achats, en remplacement des taxes spéciales, taxes d'améliorations locales, taxes municipales, scolaires et/ou taxes de la communauté urbaine et autres contributions, impôts ou répartitions) et toute taxe sur le capital payée ou imposée au Locateur ou aux propriétaires du Centre d'Achats, à l'égard du Centre d'Achats et toute autre taxe, contribution, cotisation, charge, répartition et impôt évalué, perçu ou imposé par toute autorité com-

Document 11.3

EXTRAITS DU BAIL DE PLACE LAURIER À SAINTE-FOY (suite)

— 5 —

pétente ayant juridiction maintenant ou en tout temps sur le Centre d'Achats, ou perçu, évalué ou imposé au Locateur en raison de son droit de propriété sur le Centre d'Achats ou de ses intérêts dans celui-ci;

1.1.24 "Terme" signifie la période de temps pour laquelle le présent Bail a été accordé, telle que prévue au paragraphe 2.5 des présentes.

1.2 Intention

Il est de l'intention du présent Bail que le Locateur perçoive un loyer entièrement net, à l'exception de ce qui est stipulé aux présentes à l'effet contraire. Le Locateur ne sera responsable, durant le Terme, d'aucun coût, frais, dépense ou déboursé de quelque nature que ce soit se rapportant aux Lieux Loués ou à leur usage et occupation, ou se rapportant aux objets qui s'y trouvent, ou en raison du commerce qui y est exploité, et le Locataire sera seul responsable de tous ces coûts, frais, dépenses et déboursés, sauf disposition expresse des présentes à l'effet contraire.

1.3 En-têtes et numérotation

Les en-têtes, sous-titres, numéros de paragraphes et sous-paragraphes, numéros d'articles et table des matières du présent Bail sont insérés seulement pour des raisons de commodité et, en aucune façon, ne définissent, limitent, interprètent ou décrivent la portée ou l'intention du présent Bail, ni n'affectent le présent Bail.

1.4 Interprétation

Les mots "ci-dessus", "des présentes", "susmentionné", "ci-dessous" et autres expressions semblables utilisées dans tout paragraphe ou sous-paragraphe du présent Bail font référence à tout le Bail et non pas seulement à un article, paragraphe ou un sous-paragraphe en particulier. À moins d'une stipulation à l'effet contraire. Lorsque le contexte le requiert, le singulier doit inclure le pluriel et le masculin, le féminin. Lorsque le Locataire comprend plus d'une personne, elles sont tenues responsables conjointement et solidairement de l'exécution des obligations des présentes, et renoncent par les présentes au bénéfice de division et au bénéfice de discussion.

ARTICLE II
LOCATION ET TERME

2.1 Location des Lieux Loués

Par les présentes, le Locateur loue au Locataire, acceptant, les Lieux Loués présentement aménagés ou à être aménagés comme partie du Centre d'Achats, et désignés sous le numéro   , lesdits Lieux Loués ayant une superficie approximative de   pieds carrés (pi²), sujet à confirmation par l'Architecte, conformément au sous-paragraphe 1.1.3 des présentes. L'emplacement approximatif des Lieux Loués est délimité en rouge sur le plan joint aux présentes comme annexe "A". Le Locateur et le Locataire reconnaissent et consentent à ce que les Lieux Loués soient construits conformément aux termes de l'annexe "C" ci-jointe.

2.2 Prise de possession

Le Locataire prendra possession des Lieux Loués dans les cinq (5) jours suivant la date de réception d'un avis du Locateur l'informant que les travaux de ce dernier dans les Lieux Loués, tels que décrits à l'annexe "C" des présentes, sont suffisamment complétés pour permettre au Locataire d'entreprendre ses propres travaux, tels que décrits également à l'annexe "C" des présentes. Durant la Période de Loyer Gratuit, le Locataire devra respecter toutes les dispositions du présent Bail, (à l'exception du paiement du Loyer Minimum et du Loyer Additionnel) et, sans limiter la généralité de ce qui précède, le Locataire sera responsable de tout dommage causé par ses actes ou omissions ou par les actes ou omissions de ses entrepreneurs, sous-entrepreneurs, agents et employés. Nonobstant ce qui précède, le Locataire devra cependant payer au Locateur une somme de   cents ($) du pied carré de Superficie Locative Brute des Lieux Loués pour l'électricité, l'eau, le chauffage temporaire, la sécurité, l'enlèvement des ordures et pour les services qui lui seront fournis ou qui seront fournis à ses entrepreneurs par le Locateur durant la Période de Loyer Gratuit, et ce, aussitôt que facturé par le Locateur.

2.3 Défectuosités

Le Locataire devra aviser par écrit le Locateur, dans les dix (10) jours de la prise de possession des Lieux Loués conformément au paragraphe 2.2 des présentes, de toute défectuosité dans ou à l'égard des Lieux Loués, ou des travaux du Locateur prévus à l'annexe "C", qui pourrait empêcher ou diminuer substantiellement l'usage des Lieux Loués par le Locataire. Si le Locataire fait défaut d'aviser le Locateur dans le délai ci-haut mentionné, le Locataire sera réputé avoir accepté les Lieux Loués et le Locateur n'aura plus aucune obligation envers le Locataire en ce qui a trait aux défectuosités, s'il en est, dans ou à l'égard des Lieux Loués ou de ses travaux dans les Lieux Loués.

2.4 Utilisation des Aires et Installations Communes

L'utilisation et l'occupation par le Locataire des Lieux Loués comprend le droit non exclusif et non cessible d'utiliser les Aires et Installations Communes conjointement avec les autres locataires qui y ont droit, selon l'usage pour lequel elles sont destinées, durant les heures d'ouverture du Centre d'Achats au public, telles que déterminées par le Locateur à l'occasion, le tout sous réserve des dispositions du présent Bail et des Règles et Règlements, et sujet au contrôle et à la direction exclusive du Locateur.

| Document 11.3 | EXTRAITS DU BAIL DE PLACE LAURIER À SAINTE-FOY (suite) |

— 6 —

2.5 Terme

Le Locataire occupera les Lieux Loués pendant toute la durée du Terme, lequel, à moins qu'il ne se termine plus tôt conformément à toute autre disposition des présentes, sera d'une période de   (   ) années plus le nombre de jours, s'il en est, entre la date du début du Terme et le dernier jour du mois au cours duquel a débuté ce Terme. Le Terme commencera à la moins tardive des dates suivantes (la "Date de Début"):

2.5.1   la date à laquelle le Locataire procède à l'ouverture des Lieux Loués ou d'une partie de ceux-ci, pour l'opération de son commerce; ou

2.5.2

2.5.2.1   la date suivant immédiatement l'expiration de la Période de Loyer Gratuit; ou

2.5.2.2   la Date d'Ouverture.

Le Locateur déterminera la Date de Début du Terme et enverra un avis au Locataire l'avisant de cette Date de Début, ledit avis devant former partie intégrante du présent Bail. Le Locataire ne devra en aucune circonstance ouvrir la totalité ou une partie des Lieux Loués pour l'opération de son commerce avant la Date d'Ouverture.

2.6   Défaut d'ouvrir le commerce

Si le Locataire n'exécute ni ne complète ses travaux dans les Lieux Loués, tels que décrits à l'annexe "C" des présentes, d'une manière convenable ou n'ouvre pas la totalité des Lieux Loués pour l'opération de son commerce à la Date de Début, ou si, ayant rempli ses obligations, le Locataire n'ouvre pas la totalité des Lieux Loués et n'opère pas son commerce pendant toute la durée du Terme, le Locateur aura droit, en plus des montants décrits au paragraphe 3.7, sur demande, à un Loyer Minimum égal au double de ce qui est stipulé au sous-paragraphe 3.1.1 ci-dessous, plus un montant égal au double du Loyer Additionnel pour chacune des journées pendant lesquelles le Locataire n'aura pas procédé à l'ouverture ou n'aura pas opéré son commerce tel que stipulé aux présentes. Les sommes prévues au présent paragraphe 2.6 constituent un montant liquidé représentant le montant minimum des dommages que le Locateur est réputé avoir souffert pour la perte de Loyer à Pourcentage auquel il avait droit autrement, et ce, sans préjudice à ses droits de réclamer et de prouver un montant plus élevé de dommages-intérêts ou d'utiliser tout autre recours pour le défaut susmentionné.

ARTICLE III

LOYER

3.1   Loyer

Le Locataire s'engage et consent à payer, à compter de la Date de Début, au Locateur ou selon ses directives, en monnaie ayant cours légal au Canada, et, nonobstant toute loi, usage ou coutume à l'effet contraire, sans avis préalable et sans aucune réduction, compensation ou déduction de quelque nature que ce soit, le loyer qui suit:

3.1.1   un Loyer Minimum, pour chaque année du Terme, égal à   dollars ($) et payable en versements mensuels égaux de   dollars ($), à l'avance, le premier jour de chaque mois civil, le premier de ces versements devenant dû à la Date de Début. Si la Date de Début ne correspond pas au premier jour d'un mois, alors le Locataire devra payer, à la Date de Début, une fraction du Loyer Minimum proportionnelle au rapport entre le nombre de jours entre la Date de Début et le dernier jour du mois au cours duquel ladite Date de Début survient, par rapport à une période de trois cent soixante-cinq (365) jours. Le Loyer Minimum est calculé d'après un taux annuel de   dollars ($) du pied carré de Superficie Locative Brute des Lieux Loués de sorte que lorsque la Superficie Locative Brute des Lieux Loués sera certifiée par l'Architecte, conformément aux dispositions du sous-paragraphe 1.1.3 des présentes, le Loyer Minimum sera, si nécessaire, ajusté en conséquence; et

3.1.2   un Loyer à Pourcentage pour chaque Année de Bail égal au montant, s'il en est, de l'excédent de   pour cent (%) du Revenu Brut du Locataire, pour ladite Année de Bail, sur le Loyer Minimum payable pour ladite Année de Bail, ledit Loyer à Pourcentage étant payable selon les conditions, de la manière et au moment prévus aux présentes.

3.2   Relevé mensuel des Revenus Bruts

Le Locataire remettra au Locateur, au plus tard le dixième (10ième) jour de chaque mois civil du Terme et, s'il y a lieu, le dixième (10ième) jour du mois suivant l'expiration du Terme ou suivant la fin prématurée du présent Bail, un relevé écrit, qu'il aura certifié exact et conforme, indiquant, de façon raisonnablement détaillée et suivant la forme, les détails et la teneur que le Locateur pourra à l'occasion déterminer, ses Revenus Bruts pour le mois précédent, ou pour la fraction de tel mois, le cas échéant. Si, pour un mois, le calcul du pourcentage des Revenus Bruts prévu au sous-paragraphe 3.1.2 donne un résultat excédant le Loyer Minimum payable par le Locataire pour ledit mois, alors un paiement additionnel au Locateur pour ledit excédent devra être joint au relevé mensuel des Revenus Bruts. Aux fins du calcul du Loyer à Pourcentage payable en vertu des présentes, si une Année de Bail ne correspond pas à une période de douze (12) mois civils, ledit Loyer à Pourcentage devra alors être calculé quotidiennement sur une base correspondant au nombre de jours de ladite période.

| Document 11.3 | **EXTRAITS DU BAIL DE PLACE LAURIER À SAINTE-FOY (suite)** |

— 7 —

3.3 Relevé annuel et vérifié des Revenus Bruts

Au plus tard le soixantième (60ième) jour suivant la fin de chaque Année de Bail (incluant la dernière Année de Bail du Terme), le Locataire devra remettre au Locateur un relevé écrit, qu'il aura signé et certifié conforme et exact, suivant la forme, le détail et la teneur que le Locateur pourra à l'occasion déterminer, et dûment certifié et vérifié par des comptables agréés indépendants, indiquant le montant des Revenus Bruts pour ladite Année de Bail. Si le total du Loyer Minimum et du Loyer à Pourcentage payé par le Locataire pour ladite Année de Bail est moindre que le total du Loyer Minimum et du Loyer à Pourcentage payable pour ladite Année de Bail en fonction des Revenus Bruts tels qu'établis par ledit relevé vérifié des Revenus Bruts pour ladite Année de Bail, alors, un paiement du Locataire correspondant à la différence devra être joint au relevé vérifié des Revenus Bruts. Si le total du Loyer Minimum et du Loyer à Pourcentage payé par le Locataire pour ladite Année de Bail est supérieur au total du Loyer Minimum et du Loyer à Pourcentage payable pour ladite Année de Bail d'après les Revenus Bruts tels qu'établis par le relevé vérifié des Revenus Bruts pour ladite Année de Bail, alors le Locateur devra, dans un délai raisonnable après la réception dudit relevé des Revenus Bruts, rembourser au Locataire le montant de tel excédent ou, si le Locateur le préfère, il pourra accorder au Locataire un crédit correspondant audit excédent, sur le paiement du Loyer à Pourcentage qui deviendra dû en vertu des présentes.

3.4 Livres et registres

Afin de déterminer le montant payable à titre de Loyer à Pourcentage, le Locataire préparera et gardera dans les Lieux Loués ou à sa principale place d'affaires dans la province de Québec, pendant au moins trois (3) années suivant la fin de chaque Année de Bail, des livres et registres appropriés indiquant les inventaires et les réceptions de marchandises dans les Lieux Loués ainsi que les reçus quotidiens de toutes les ventes, frais, services ou autres opérations faites dans les Lieux Loués, ou à partir de ceux-ci, par le Locataire ou par toute autre personne faisant affaires dans les Lieux Loués ou à partir de ceux-ci, et indiquant également les remises de taxe de vente ainsi que tous les registres originaux de ventes pertinents et tout autre registre de ventes que le Locateur pourra raisonnablement déterminer et qui seraient normalement examinés par un comptable agréé indépendant effectuant une vérification détaillée des ventes du Locataire selon les principes comptables généralement acceptés. Le Locataire devra faire en sorte que de tels registres soient gardés par les sous-locataires, cessionnaires ou toute autre personne faisant affaires dans les Lieux Loués ou à partir de ceux-ci ou dans une partie de ceux-ci. Le Locataire et toute autre personne faisant affaires dans les Lieux Loués, à partir de ceux-ci ou dans une partie de ceux-ci, devront enregistrer au moment d'une vente, en présence du client, toutes les recettes de ventes, de frais, de services ou d'autres opérations, au comptant ou à crédit, au moyen d'une caisse enregistreuse ou d'une caisse ayant un total cumulatif scellé et au moyen de tout autre outil de contrôle que le Locateur pourra raisonnablement exiger, à l'occasion.

3.5 Droit d'examen et de vérification

La réception ou l'utilisation par le Locateur de tout relevé de Revenus Bruts du Locataire ou de tout paiement de Loyer à Pourcentage basé sur de tels relevés, ne constituera ni une acceptation desdits relevés, ni une acceptation du Loyer à Pourcentage payable pour toute période, ni une renonciation par le Locateur à toute obligation du Locataire prévue aux présentes et sera sans préjudice aux droits du Locateur d'examiner les livres et registres du Locataire relativement à ses Revenus Bruts et ses inventaires de marchandises dans les Lieux Loués et à sa principale place d'affaires dans la province de Québec, pour la période couverte par tout relevé émis par le Locataire, tel que stipulé ci-dessus. Le Locateur et ses représentants dûment autorisés auront le droit d'examiner les registres et les procédés comptables du Locataire durant les heures d'affaires régulières et auront le droit d'envoyer toute personne dans les Lieux Loués pour vérifier et calculer le Revenu Brut ou pour examiner les registres et les procédés comptables du Locataire. De plus, le Locateur pourra exiger, raisonnablement et en tout temps, que les registres du Locataire soient vérifiés spécifiquement par un comptable agréé ou un vérificateur désigné par lui. Si les Revenus Bruts du Locataire pour toute période couverte par une telle vérification spéciale s'avèrent plus élevés que ce qui est indiqué dans le relevé ou les relevés remis par le Locataire au Locateur pour ladite période, le Locataire devra immédiatement payer la différence de Loyer à Pourcentage pour ladite période, si un tel loyer est dû pour cette période. Si les Revenus Bruts du Locataire pour toute période couverte par une vérification spéciale s'avèrent supérieurs de trois pour cent (3%) ou plus à ce qui était indiqué dans le relevé ou les relevés remis par le Locataire au Locateur pour ladite période, le Locataire devra aussi assumer les frais de cette vérification spéciale, à titre de Loyer Additionnel. Le rapport des comptables agréés ou vérificateurs qu'aura désignés le Locateur sera final et liera aussi bien le Locateur que le Locataire. S'il est découvert que le Locataire a sciemment falsifié un relevé de Revenus Bruts ou partie d'un tel relevé, ou si le comptable agréé ou vérificateur nommé par le Locateur vient à la conclusion que les livres et registres du Locataire ne sont ni appropriés ni suffisants pour permettre une vérification comptable, le Locateur pourra, en plus de tous les autres recours à sa disposition, annuler le présent Bail.

3.6 Défaut du Locataire de remettre les relevés de Revenus Bruts

Si le Locataire omet de remettre au Locateur l'un des relevés conformément aux dispositions du présent Article III et dans le délai qui y est prévu, le Locateur, en sus de tout autre droit ou recours prévu aux présentes ou par la loi, aura le droit d'engager un comptable agréé pour examiner les livres et registres du Locataire nécessaires à l'établissement des Revenus Bruts durant la période alors concernée, et le Locataire devra payer au Locateur, sur demande, à titre de Loyer Additionnel, le coût de cet examen ainsi que toutes les sommes exigibles à titre de Loyer à Pourcentage telles qu'ainsi déterminées.

3.7 Cessation des affaires

Si, en tout temps avant la fin du présent Bail, le Locataire, pour quelque raison que ce soit, cesse de faire affaires dans la totalité des Lieux Loués ou les laisse vacants ou les abandonne, alors, et ce, sans restreindre d'aucune façon les droits ou autres recours du Locateur, le Locataire sera réputé avoir fait affaires dans les Lieux Loués et avoir eu des revenus pour chaque Année de Bail ou partie de celle-ci durant laquelle ladite cessation des affaires ou abandon s'est continué, correspondant aux Revenus Bruts les plus élevés, par Année de Bail, (ou au meilleur trimestre de l'Année de Bail, si le Locataire a été en affaires pendant moins d'une Année de Bail complète avant la cessation ou l'abandon), enregistrés par le Locataire durant la période de trois (3) années précédant la cessation des affaires ou l'abandon des Lieux Loués, et le Locataire devra payer en sus de toute autre somme payable en vertu des présentes, un Loyer à Pourcentage basé sur de tels Revenus

Document 11.3	# EXTRAITS DU BAIL DE PLACE LAURIER À SAINTE-FOY (suite)

— 8 —

Bruts, à l'avance, le premier jour de chaque mois, à compter de la date de cessation des affaires ou d'abandon des Lieux Loués.

ARTICLE IV
TAXES ET DEPENSES D'OPERATION

4.1 Taxes foncières

Le Locataire paiera et acquittera aux autorités fiscales ou au Locateur, à titre de Loyer Additionnel, selon les directives du Locateur, pour toute Année de Bail du Terme, dans les délais requis par les autorités fiscales, toutes les Taxes levées, réparties, imposées ou évaluées à l'occasion, sur les Lieux Loués ou une partie de ceux-ci selon le compte de Taxes et l'avis de cotisation spécifiques émis à l'égard des Lieux Loués, et le Locataire devra de plus remettre promptement au Locateur les reçus prouvant le paiement desdites Taxes. Le Locataire devra également payer, à titre de Loyer Additionnel, sa Quote-Part Proportionnelle de toutes les Taxes levées, réparties, imposées ou évaluées sur les Aires et Installations Communes selon le compte de Taxes spécifique aux Aires et Installations Communes, conformément au sous-paragraphe 1.1.8.11 des présentes. S'il n'y a pas de compte de Taxes ni d'avis de cotisation spécifique aux Lieux Loués ou aux Aires et Installations Communes, le Locataire devra payer, dans un délai de cinq (5) jours après que le Locateur lui en ait fait la demande, une part de toutes lesdites Taxes levées, réparties, imposées ou évaluées par toute autorité fiscale, sur les terrains, édifices et améliorations composant le Centre d'Achats, ladite part étant déterminée comme suit:

4.1.1 le Locateur déduira des Taxes du Centre d'Achats, les Taxes attribuées par le Locateur aux espaces et lieux à louer dans le Centre d'Achats (autres que les Aires et Installations Communes) qui ne sont pas inclus dans la Superficie Locative Brute du Centre d'Achats, telle que définie au sous-paragraphe 1.1.21;

4.1.2 cette déduction ayant été effectuée, le Locataire paiera sa Quote-Part Proportionnelle du reliquat desdites Taxes conformément au paragraphe 4.6 des présentes.

4.2 Contestation de Taxes

Le Locataire paiera au Locateur, dans les cinq (5) jours après que le Locateur lui en ait fait la demande, à titre de Loyer Additionnel, sa Quote-Part Proportionnelle de toutes les dépenses, incluant les frais légaux, administratifs, généraux et frais d'évaluation, encourus par le Locateur afin d'obtenir ou dans l'intention d'obtenir une réduction de Taxes; toutefois le Locateur n'aura pas l'obligation de contester la perception ou l'imposition de toutes Taxes et pourra transiger, faire des compromis, consentir, renoncer ou déterminer autrement, à sa discrétion, toutes Taxes, sans avoir à aviser le Locataire ni à obtenir son approbation.

4.3 Taxe d'affaires et autres taxes imposées au Locataire

A titre de Loyer Additionnel et à la complète exonération du Locateur, le Locataire paiera aux autorités compétentes toute taxe d'eau et taxe d'affaires, taxe pour enlèvement des ordures et toutes les taxes imposées ou perçues à l'égard des biens personnels, des biens meubles, des fixtures de commerce et autres biens placés par le Locataire dans les Lieux Loués. Si de telles taxes sont imposées ou perçues du Locateur ou sur ses biens et que le Locateur paie ces sommes (ce que le Locateur aura le droit de faire, sans égard à la validité de telle perception) alors le Locataire devra rembourser au Locateur, à titre de Loyer Additionnel, le montant de tel paiement effectué par le Locateur. Si la valeur imposable du Centre d'Achats est augmentée parce qu'on y a inclus la valeur des biens ou des fixtures de commerce du Locataire, ou est augmentée suite à des modifications, des additions ou des améliorations faites par le Locataire dans les Lieux Loués, et si le Locateur paie ces taxes ainsi haussées en raison de l'accroissement de la valeur imposable du Centre d'Achats (ce que le Locateur pourra faire, sans égard à la validité de celles-ci) alors, le Locataire devra, sur demande, payer au Locateur, à titre de Loyer Additionnel le montant de l'augmentation des taxes résultant de l'augmentation de l'imposition du Centre d'Achats.

4.4 Taxes imposées au Locateur

Si une autorité compétente ayant juridiction exige que toutes les taxes mentionnées au paragraphe 4.3 soient payées par le Locateur au lieu du Locataire, alors, sans égard à la validité ou à l'exactitude d'une telle demande, le Locataire s'engage à payer ou rembourser au Locateur le montant desdites taxes imposées au Locateur quant aux Lieux Loués. Si lesdites taxes peuvent être comptabilisées en tout ou en partie au moyen d'un compteur, le Locateur aura le droit, en tout temps durant le Terme, d'installer ou de demander que soit installé un tel compteur dans les Lieux Loués, le tout aux frais du Locataire; le Locataire consent à rembourser au Locateur, quant à ces taxes, le plus élevé des montants suivants: (a) le montant chargé par toute autorité compétente ayant juridiction, (b) le montant comptabilisé par le compteur ci-haut mentionné, d'après les taux municipaux prévalant de temps à autre. Le paiement mentionné au présent paragraphe 4.4 devra être fait au Locateur, en totalité, à l'avance, à la Date de Début du Terme, d'après une évaluation raisonnable du Locateur pour le reste de l'Année de Bail au cours de laquelle le Terme a commencé et par la suite, au début de chaque Année de Bail du Terme, d'après de telles évaluations raisonnables, le tout sujet à des ajustements à la fin de la première Année de Bail complète, et par la suite à la fin de chaque Année de Bail, et ce, jusqu'à la fin du présent Bail.

4.5 Dépenses d'Opération

En plus du loyer mentionné à l'Article III des présentes, le Locataire s'engage à payer au Locateur, ou selon les directives du Locateur, durant chaque Année de Bail, en versements consécutifs mensuels égaux, à l'avance, en monnaie ayant cours légal au Canada, à titre de Loyer Additionnel, sans aucune réduction, compensation ou déduction de quelque nature que ce soit, un montant égal à sa Quote-Part Proportionnelle des Dépenses d'Opération.

4.6 Evaluation des frais et dépenses

Le Locateur pourra évaluer les dépenses, coûts et frais payables par le Locataire en vertu du présent Article IV, pour des périodes déterminées par le Locateur, à l'occasion, et le Locataire consent à payer au Locateur, à l'avance, durant lesdites périodes, sa Quote-Part Proportionnelle desdits montants, en versements mensuels, à titre de Loyer Additionnel, le premier jour de chaque mois civil. Nonobstant toute disposition à l'effet contraire, aussitôt que les factures pour la totalité des coûts et des dépenses ainsi estimés, ou une partie de ceux-ci, seront reçues, le Locateur pourra facturer le Locataire pour sa part, telle que déterminée en vertu du présent Bail, et le Locataire paiera au Locateur lesdits montants ainsi facturés (en soustrayant tout montant déjà payé par le Locataire en fonction des estimés du Locateur) à titre de Loyer Additionnel, sur demande. Dans un délai raisonnable après la fin de la période pour laquelle lesdits paiements estimés ont été faits, le Locateur enverra au Locataire un relevé lui indiquant sa part desdits montants et coûts qu'il devra alors payer conformément aux dispositions du présent Article IV. Si le Locataire a payé plus que les montants dus, l'excédent devra lui être remboursé par le Locateur, sans intérêts, dans un délai raisonnable de la livraison dudit relevé. Si les montants que le Locataire a payés sont moindres que les montants dus, le Locataire devra payer les montants additionnels dus, en même temps que le paiement du Loyer Minimum du mois suivant.

Chapitre 12

LES ASSURANCES

12.0 ## PLAN DU CHAPITRE

12.1 ## OBJECTIFS

Après la lecture du chapitre, l'étudiant doit être en mesure :

- de connaître les différentes catégories d'assurance ;

- de distinguer l'assurance-vie de l'assurance-invalidité ;
- de définir l'assurance de biens et l'assurance responsabilité civile ;
- d'expliquer l'utilité de l'assurance maritime ;
- de définir une police d'assurance ;
- de différencier la coassurance de la réassurance ;
- de définir l'obligation de déclarer ;
- d'énoncer les conséquences d'une fausse déclaration ou d'une réticence ;
- d'énumérer les caractéristiques de l'assurance de personnes ;
- d'énumérer les caractéristiques de l'assurance de dommages ;
- de définir l'intérêt d'assurance et d'en donner des exemples ;
- de faire la différence entre une indemnité en assurance de personnes et une indemnité en assurance de dommages.

| 12.2 | ## LES ASSURANCES |

| 12.2.1 | ### DÉFINITIONS |

2389 C.c.Q.

*Le **contrat d'assurance** est celui par lequel l'assureur, moyennant une prime ou cotisation, s'oblige à verser au preneur ou à un tiers une prestation dans le cas où un risque couvert par l'assurance se réalise. [...]*

L'**assureur** est une entreprise qui se spécialise dans l'assurance de personnes ou l'assurance de dommages.

La **prime** ou la **cotisation** est le coût de l'assurance, c'est-à-dire la somme que le preneur doit payer à l'assureur.

Le **preneur** est celui qui contracte une assurance.

Le **tiers** ou le **bénéficiaire** est celui qui reçoit la prestation ou l'indemnité en cas de réalisation d'un risque.

La **prestation** ou l'**indemnité** est le montant versé par l'assureur pour réparer un préjudice subi par une victime. *Par exemple, si l'automobile de l'assuré est endommagée dans un accident, l'assureur paie le coût de la réparation. De même, si le preneur cause accidentellement un dommage à une maison appartenant à un tiers, l'assureur indemnise ce tiers en lui donnant un montant d'argent pour réparer le préjudice qu'il a subi.*

Le **risque**, c'est ce contre quoi une personne s'assure, comme un accident, un incendie, un vol, du vandalisme, etc.

Le **sinistre** est la réalisation du risque, comme un accident d'automobile, le vol d'une chaîne stéréo, l'incendie d'une usine, le dommage causé à la maison du voisin, etc.

La **police d'assurance** est le document écrit qui constate l'existence du **contrat d'assurance**. La police doit indiquer :

- le nom des parties ;
- le nom du bénéficiaire de l'indemnité ;
- l'objet assuré ou le montant assuré ;
- la nature du risque ;
- la date du début de l'assurance ;
- la durée du contrat d'assurance ;
- le montant ou le taux de la prime ou des primes ;
- la date de paiement de la prime ou des primes.

L'**assuré** est une personne ou un bien, selon la nature du contrat d'assurance. *Par exemple, si Louise souscrit à une assurance de 200 000 $ sur la vie de son mari Paul au profit de leur fille Geneviève, Louise est le **preneur**, Paul est l'**assuré** et Geneviève est le **bénéficiaire** ou le **tiers**.*

Par ailleurs, si Louise souscrit à une assurance-incendie de 150 000 $ sur sa maison, elle est à la fois le preneur et le bénéficiaire, et la maison est l'objet assuré.

Enfin, si Louise souscrit à une assurance-invalidité de 3 000 $ par mois en cas d'accident, elle est à la fois le preneur, l'assuré et le bénéficiaire.

Voici un scénario qui illustre tous les éléments en cause en assurance. *Par exemple, un **preneur**, Constructel inc., souscrit à un **contrat d'assurance** de dommages auprès d'un **assureur**, L'Union canadienne, compagnie d'assurances générales, en vertu duquel le bien **assuré** est l'usine de Constructel inc., pour une **indemnité** maximale de 800 000 $ contre les **risques** que sont l'incendie et le vandalisme, et assure sa responsabilité civile pour une somme de 5 000 000 $, le tout pour une **prime** de 3 500 $. De plus, Constructel inc. a désigné la caisse populaire Laurier à titre de **bénéficiaire** d'une partie de l'indemnité, soit 500 000 $, puisque la caisse est créancier hypothécaire pour cette somme. Si un **sinistre**, un incendie par exemple, se produit et entraîne la destruction complète du bien assuré, soit l'usine, le bénéficiaire, soit la caisse populaire Laurier, recevra une indemnité de 500 000 $, tandis que le preneur, soit Constructel inc., recevra une indemnité de 300 000 $.*

12.2.2   LES CATÉGORIES D'ASSURANCE

Il existe deux catégories d'assurance : l'assurance terrestre et l'assurance maritime. L'**assurance terrestre** se divise en assurance de personnes et en assurance de dommages (voir le tableau 12.1). L'**assurance de personnes** porte sur la vie, l'intégrité physique ou la santé de l'assuré et inclut l'assurance-vie et l'assurance-invalidité ou l'assurance-salaire. L'**assurance de dommages** se divise en assurance de biens et en assurance de responsabilité.

Tableau 12.1   Les catégories d'assurance terrestre

Catégorie	Sous-catégorie	Exemple
Assurance de personnes	Assurance-vie	Louise souscrit à une assurance-vie de 100 000 $ sur sa vie au bénéfice de sa fille Claire
	Assurance-invalidité ou assurance-salaire	Philippe souscrit à une assurance-salaire de 2 000 $ par mois dans l'éventualité où il serait victime d'une maladie ou d'un accident
Assurance de dommages	Assurance de biens	Constructel inc. assure son entrepôt contre l'incendie pour une somme de 800 000 $
	Assurance de responsabilité	Constructel inc. souscrit à une assurance de responsabilité civile de 5 000 000 $ au cas où un de ses employés causerait un dommage à un client ou à un tiers, ou endommagerait un bien appartenant à un tiers

| 12.2.3 | ## LA COASSURANCE ET LA RÉASSURANCE |

La **coassurance** est le fait, pour plusieurs assureurs, de se réunir pour assurer un bien ou une personne, en raison de la valeur élevée du bien à assurer ou de l'importance de l'indemnité de l'assurance-vie.

Par ailleurs, même si le montant de l'indemnité est très élevé, il se peut qu'un assureur accepte seul d'assumer un tel risque. Par contre, il est également possible que cet assureur souscrive un contrat de réassurance auprès d'une compagnie d'assurance. La **réassurance** consiste, pour un assureur, à se faire assurer à son tour pour se protéger lui-même d'une partie ou parfois de la totalité des risques assumés.

| 12.2.4 | ## L'OBLIGATION DE DÉCLARER ET SES CONSÉQUENCES |

2408 C.c.Q.   *Le preneur, de même que l'assuré si l'assureur le demande, est **tenu de déclarer** toutes les circonstances connues de lui qui sont de nature à influencer de façon importante un assureur dans l'établissement de la prime, l'appréciation du risque ou la décision de l'accepter, mais il n'est pas tenu de déclarer les circonstances que l'assureur connaît ou est présumé connaître en raison de leur notoriété, sauf en réponse aux questions posées.*

2409 C.c.Q.   *L'obligation relative aux déclarations est réputée correctement exécutée lorsque les déclarations faites sont celles d'un assuré normalement prévoyant, qu'elles ont été faites sans qu'il y ait de réticence importante et que les circonstances en cause sont, en substance, conformes à la déclaration qui en est faite.*

Ces deux articles constituent la clef de voûte de l'assurance ; il s'agit de l'obligation de déclarer. Le premier article énonce le principe en vertu duquel le **preneur d'assurance**, c'est-à-dire celui qui signe le contrat d'assurance, et l'**assuré**, c'est-à-dire celui dont la vie est assurée dans le cas d'une assurance-vie, doivent déclarer à l'assureur tous les faits et toutes les circonstances qui peuvent influencer un assureur dans sa décision d'assurer ou non ce risque et dans l'établissement de la prime, si l'assureur décide d'assurer ce risque.

Le deuxième article précise que ce que le preneur dit doit être vrai et qu'il ne doit pas y avoir de réticence importante, c'est-à-dire des demi-vérités ou des omissions importantes.

Si le preneur ou l'assuré cache des faits à l'assureur, ces fausses déclarations ou ces réticences entraînent la nullité du contrat, même si cette fausse déclaration n'a aucun rapport avec la cause du sinistre. *Par exemple, Frédéric est propriétaire d'une maison chauffée à l'électricité. Il décide d'y installer un poêle à combustion lente et un foyer. Quand l'assureur lui demande s'il y a un foyer ou un poêle à combustion lente dans la maison, Frédéric affirme que non afin de payer une prime plus basse. Un mois plus tard, la foudre tombe sur la maison qui est détruite par un incendie. En faisant l'inspection d'usage, l'expert en sinistres constate qu'il y avait un poêle à combustion lente et un foyer dans la maison et il en fait rapport à l'assureur. Or, cet assureur refuse systématiquement d'assurer des maisons où il y a un poêle à combustion lente ou un foyer. Il appert que l'assureur refuse donc de payer ; c'est dommage pour Frédéric mais ce sont des faits importants qu'il aurait dû déclarer.*

Cependant, si cet assureur accepte d'assurer les maisons avec poêle à combustion lente et foyer, mais en demandant une prime trois fois plus élevée, l'indemnité sera trois fois moindre. Si, par exemple, la maison de Frédéric vaut 150 000 $, que la prime d'assurance pour une maison de cette valeur sans foyer et sans poêle à combustion lente est de 500 $, que la prime s'élève à 1 500 $ lorsqu'il y a un foyer et un poêle à combustion lente et que la maison est entièrement détruite par un incendie, l'assureur ne paiera que 50 000 $, car il était en droit de recevoir une prime trois fois plus élevée, soit 1 500 $ à la place de 500 $.

2410 C.c.Q. [...] *les fausses déclarations et les réticences du preneur ou de l'assuré [...] entraînent, à la demande de l'assureur, la nullité du contrat, même en ce qui concerne les sinistres non rattachés au risque ainsi dénaturé.*

2411 C.c.Q. *En matière d'assurance de dommages, à moins que la mauvaise foi du preneur ne soit établie ou qu'il ne soit démontré que le risque n'aurait pas été accepté par l'assureur s'il avait connu les circonstances en cause, ce dernier demeure tenu de l'indemnité envers l'assuré, dans le rapport de la prime perçue à celle qu'il aurait dû percevoir.*

Un preneur ou un assuré n'a jamais intérêt à tenter de frauder son assureur, car il se pénalise lui-même en cas de sinistre.

12.3 L'ASSURANCE DE PERSONNES

L'**assurance de personnes** porte sur la vie, la santé et l'intégrité physique de l'assuré. L'assurance de personnes est individuelle ou collective.

L'**assurance individuelle de personnes** ne couvre qu'une seule personne. Elle peut, en cas de décès de la personne assurée, garantir le paiement d'une indemnité à un bénéficiaire. Par ailleurs, si la personne assurée est victime d'une maladie, d'une invalidité ou de la perte d'un membre qui lui occasionne une perte de salaire ou de revenus, cette assurance peut lui garantir le paiement d'une indemnité.

L'**assurance collective de personnes** couvre, en vertu d'un contrat-cadre, les personnes qui font partie d'un groupe déterminé et, dans certains cas, leur famille ou leurs personnes à charge. Dans la plupart des entreprises, les employés sont couverts par des régimes d'assurance-vie et d'assurance-invalidité ; dans ce cas, une partie de la prime est payée par l'employeur et l'autre partie par l'employé. Un **contrat-cadre** est un contrat qui concerne un groupe de personnes et qui prévoit des indemnités ou des avantages similaires à tous les membres de ce groupe.

12.3.1 LES CATÉGORIES D'ASSURANCE DE PERSONNES

Il existe deux types d'assurance de personnes : l'assurance-vie et l'assurance-invalidité ou l'assurance-salaire.

12.3.1.1 L'assurance-vie

L'**assurance-vie** garantit le paiement d'une somme déterminée au décès de l'assuré ou à une époque déterminée. *Par exemple, Jean souscrit à une assurance-vie de 50 000 $ dont l'indemnité est payable à sa mort ou à l'âge de 70 ans s'il est encore vivant, selon la première des deux éventualités.*

Par ailleurs, Philippe, le père de Marie, contracte auprès de la compagnie d'assurances La Laurentienne une assurance-vie en vertu de laquelle La Laurentienne paiera 100 000 $ à Gérard, le conjoint de Marie, au moment du décès de cette dernière. Dans cet exemple, le preneur est Philippe, l'assurée est Marie, le bénéficiaire est Gérard et l'assureur est La Laurentienne.

12.3.1.2 L'assurance-invalidité ou l'assurance-salaire

L'**assurance-invalidité,** ou l'**assurance-salaire,** garantit au bénéficiaire le versement de son salaire pendant la période durant laquelle il sera invalide. Ce type d'assurance se trouve fréquemment dans les contrats d'assurance collective ; il permet au travailleur de recevoir, durant sa maladie ou son invalidité, une indemnité qui représente une somme variant entre 80 % et 90 % de son salaire, et cela pendant une période de une à deux années. *Par exemple, Julie est professeure au collège de Rosemont. Durant les vacances de Noël, elle subit de graves blessures lors d'une chute survenue à l'occasion d'une excursion d'alpinisme. Elle doit s'absenter de son travail pendant 26 semaines. Le contrat d'assurance-salaire de son collège prévoit une indemnité égale à 85 % de son salaire durant une période maximale de deux ans. Si le salaire hebdomadaire de Julie est de 800 $, elle recevra 680 $ par semaine durant ses 26 semaines d'absence.*

Paul est avocat et travailleur autonome. Il tombe gravement malade et doit être hospitalisé pendant six mois. S'il n'a pas souscrit à une assurance-invalidité personnelle, il n'aura aucun revenu durant cette période. S'il a souscrit à une assurance-invalidité qui prévoit le versement d'une indemnité de 2 000 $ par mois, Paul recevra donc 12 000 $ pour compenser sa perte de revenus durant ses six mois d'hospitalisation.

12.3.2 LES CARACTÉRISTIQUES DE L'ASSURANCE DE PERSONNES

Il existe un certain nombre de caractéristiques propres à l'assurance de personnes. Il s'agit :

- de l'intérêt d'assurance ;
- de la déclaration de l'âge et du risque ;
- de la prise d'effet de l'assurance ;
- de la désignation du bénéficiaire ;
- des clauses d'exclusion ou de réduction de garantie.

12.3.2.1 L'intérêt d'assurance

Pour qu'un contrat d'assurance-vie soit valable, il faut que le preneur ait un intérêt susceptible d'assurance dans la vie ou la santé de l'assuré.

2418 C.c.Q.
> *Le contrat d'assurance individuelle est nul si, au moment où il est conclu, le preneur n'a pas un intérêt susceptible d'assurance dans la vie ou la santé de l'assuré, à moins que ce dernier n'y consente par écrit. [...]*

Une personne a un intérêt susceptible d'assurance dans :

- sa propre vie et sa propre santé ;
- la vie et la santé de son conjoint ;
- la vie de ses descendants ;
- la vie des descendants de son conjoint ;
- la vie des personnes qui contribuent à son soutien ou à son éducation ;
- la vie et la santé de ses préposés et de son personnel ;
- la vie des personnes dont la vie et la santé présentent pour elle un intérêt moral ou pécuniaire.

Cela signifie qu'une entreprise peut souscrire à une assurance sur la vie de ses principaux dirigeants, tout comme un prêteur peut assurer la vie de son emprunteur. De plus, si une personne exprime son consentement à une autre en conformité avec l'article 2418 du *Code civil*, cette dernière peut souscrire à une assurance sur sa vie.

12.3.2.2 La déclaration de l'âge et du risque

En ce qui concerne l'âge, le preneur ou l'assuré n'a pas non plus intérêt à tenter de tromper l'assureur, car cela ne peut que se retourner contre lui.

2420 C.c.Q.   *La fausse déclaration sur l'âge de l'assuré n'entraîne pas la nullité de l'assurance. Dans ce cas, la somme assurée est ajustée suivant le rapport de la prime perçue à celle qui aurait dû être perçue.*

    Toutefois, si l'assurance porte sur la maladie ou les accidents, l'assureur peut choisir de redresser la prime pour la rendre conforme aux tarifs applicables à l'âge véritable de l'assuré.

En matière de déclaration de risque, il y a deux situations possibles. Premièrement, pour une assurance dont l'indemnité est inférieure à 40 000 $, l'assureur demande à l'assuré de répondre à un questionnaire sur son état de santé. Si les réponses ou les déclarations de l'assuré sont fausses, l'assureur est en droit de refuser de payer l'indemnité si l'assuré décède dans les deux ans suivant le début du contrat d'assurance.

Deuxièmement, pour une assurance dont l'indemnité est supérieure à 40 000 $, un assureur oblige généralement la personne qui désire s'assurer à se présenter chez un médecin, parfois choisi par l'assureur, pour obtenir un rapport médical sur son état général de santé. Si le rapport est satisfaisant, l'assureur accepte d'assurer cette personne, et l'assureur est lié par le rapport du médecin même si ce dernier a commis une erreur.

12.3.2.3   La prise d'effet de l'assurance

Le preneur qui désire une assurance-vie, soit sur sa vie ou sur celle d'une autre personne, doit soumettre à l'assureur, par l'intermédiaire d'un agent d'assurances ou d'un courtier en assurances, une proposition d'assurance dans laquelle il indique ce qu'il désire comme couverture d'assurance. La **couverture d'assurance** comprend le montant de l'indemnité ainsi que les restrictions et les exclusions. L'assurance-vie prend effet au moment de l'acceptation de la proposition par l'assureur, à condition :

- que la proposition ait été acceptée sans modification ;
- que la première prime ait été payée ;
- qu'aucun changement ne soit intervenu dans le caractère assurable du risque depuis la signature de la proposition.

Par exemple, si le preneur est victime d'une crise cardiaque entre le moment du dépôt de la proposition et celui de l'acceptation par l'assureur, il n'est pas couvert par cette assurance puisqu'un changement est intervenu dans l'assurabilité du risque.

12.3.2.4   La désignation du bénéficiaire

Le preneur peut désigner toute personne comme bénéficiaire, soit dans la police d'assurance, dans un testament ou dans un autre écrit. En principe, toute désignation de bénéficiaire est révocable, sauf si le bénéficiaire est désigné à titre de bénéficiaire irrévocable.

Par exemple, si Marie-Claude désigne sa sœur Alice à titre de bénéficiaire, elle peut en tout temps remplacer le nom de sa sœur Alice par celui de son frère Jacques, à moins qu'elle ait écrit qu'elle désignait sa sœur Alice à titre de bénéficiaire irrévocable. Il est peu pratique de désigner une personne à titre de bénéficiaire irrévocable parce qu'il n'est alors plus possible de changer le nom du bénéficiaire.

Il existe cependant une exception importante : la désignation du conjoint à titre de bénéficiaire est irrévocable, à moins de stipulation contraire. *Par exemple, si Marie-Claude désigne son mari Victor à titre de bénéficiaire, il est automatiquement bénéficiaire irrévocable, à moins que Marie-Claude ait écrit qu'elle désignait son mari Victor à titre de bénéficiaire révocable.*

12.3.2.5 | Le paiement de l'indemnité

Le bénéficiaire reçoit automatiquement le montant de l'indemnité à la mort de l'assuré. Cependant, si le bénéficiaire tente de tuer l'assuré pour toucher l'indemnité, la loi prévoit qu'il perd tout droit à cette indemnité.

En assurance de personnes, il est important de savoir qu'il est possible d'avoir plusieurs contrats d'assurance-vie pour une seule et même personne. En cas de décès, l'assureur paie le plein montant de toutes les indemnités prévues dans les différents contrats. *Par exemple, si Mario a signé quatre contrats d'assurance-vie de 20 000 $, 40 000 $, 60 000 $ et 100 000 $ dans lesquels il a désigné son épouse Carmen à titre de bénéficiaire, celle-ci touchera, au décès de Mario, la somme de 220 000 $.*

12.3.2.6 | Les clauses d'exclusion ou de réduction de garantie

L'assureur peut imposer certaines exclusions ou réductions de garantie, mais toute clause générale d'exclusion ou de réduction de la garantie en assurance contre la maladie ou les accidents n'a d'effet, en ce qui concerne une affection non déclarée dans la proposition, que si cette affection se manifeste dans les deux premières années de l'assurance.

Par exemple, Nicole est atteinte d'une maladie cardiaque, mais elle ignore son état. Elle souscrit à une assurance-vie de 250 000 $ auprès de La Laurentienne et elle meurt trois ans après avoir signé ce contrat d'assurance. Dans ce cas, La Laurentienne n'a pas le choix et doit payer l'indemnité de 250 000 $, car il s'est écoulé plus de deux ans depuis la date d'entrée en vigueur de l'assurance.

12.4 | L'ASSURANCE DE DOMMAGES

L'**assurance de dommages** garantit l'assuré contre les conséquences d'un événement pouvant porter atteinte à son patrimoine, c'est-à-dire contre la perte ou la diminution de ses biens.

12.4.1 | LES CATÉGORIES D'ASSURANCE DE DOMMAGES

Il existe deux catégories d'assurance de dommages : l'**assurance de biens** et l'**assurance de responsabilité civile**.

12.4.1.1 | L'assurance de biens

L'**assurance de biens** indemnise l'assuré pour les pertes matérielles qu'il subit. *Par exemple, Laurence contracte auprès de la compagnie d'assurances L'Union canadienne une assurance contre l'incendie en vertu de laquelle L'Union canadienne paiera un maximum de 150 000 $ à Laurence si sa maison est détruite par un incendie. Dans cet exemple, le preneur est Laurence, le bien assuré est la maison, le bénéficiaire est Laurence et l'assureur est L'Union Canadienne.*

L'assurance d'une maison meublée et l'assurance de meubles en général couvrent toutes les catégories de meubles, à l'exception de ce qui est exclu expressément ou de ce qui n'est assuré que pour un montant limité.

12.4.1.2 ## L'assurance de responsabilité

L'**assurance de responsabilité**, communément appelée **assurance de responsabilité civile**, garantit l'assuré contre les conséquences pécuniaires d'un fait dommageable dont il est responsable. *Par exemple, Raymond a souscrit à une assurance de responsabilité civile de 500 000 $ auprès de L'Union canadienne au cas où une personne subirait un dommage par sa faute, sur son terrain ou dans sa maison. Lors d'une visite chez Raymond, Germaine tombe dans l'escalier qui mène à la cave et se casse une jambe. Sa blessure et l'invalidité qui en découle lui occasionnent un dommage évalué à 75 000 $. Le mauvais état de l'escalier est la cause de la chute de Germaine. Elle peut poursuivre Raymond, l'assureur ou les deux pour une somme de 75 000 $, et le montant de l'assurance est réservé au paiement des dommages de la victime. Comme le montant de l'assurance est de 500 000 $, l'assureur couvrira la réclamation de Germaine en totalité.*

Cependant, si les dommages subis par Germaine s'élèvent à 625 000 $, l'assureur ne paiera que 500 000 $ et Raymond devra débourser l'excédent du 500 000 $, soit la somme de 125 000 $.

12.4.2 ## LES CARACTÉRISTIQUES DE L'ASSURANCE DE DOMMAGES

Il existe un certain nombre de caractéristiques propres à l'assurance de dommages, soit :

- la notion de préjudice réel ;
- le paiement de l'indemnité ;
- l'aggravation du risque ;
- la résiliation du contrat ;
- le transport de l'assurance.

LA DÉCLARATION DE SINISTRE

12.4.2.1 La notion de préjudice réel

Contrairement à l'assurance de personnes dans laquelle l'assureur paie toutes les indemnités prévues au contrat, en matière d'assurance de dommages, l'assureur ne paie que le coût du **préjudice réel**, c'est-à-dire le coût des dommages subis et non pas le montant de l'indemnité prévu au contrat d'assurance.

2463 C.c.Q. *L'assurance de dommages oblige l'assureur à réparer le préjudice subi au moment du sinistre, mais seulement jusqu'à concurrence du montant de l'assurance.*

Par exemple, à la figure 12.1, la Shadow de Lucie est assurée pour une somme de 12 243 $. Si Lucie a un accident dans lequel la Shadow subit des dommages pour la somme de 2 000 $, l'assureur ne paiera que 2 000 $, soit la valeur du préjudice réel subi par Lucie.

Figure 12.1 Le contrat d'assurance automobile

Assurances générales des caisses Desjardins inc.

POLICE D'ASSURANCE AUTOMOBILE DU QUÉBEC
(Formule abrégée des propriétaires) F.P.Q. NO 1A

CE DOCUMENT EST VOTRE RENOUVELLEMENT **NUMÉRO** L-E91-09017-5

Toute modification de votre contrat est indiquée par un astérisque (*) dans cette marge et PREND EFFET LE **PAGE** 1 DE 1

CONDITIONS PARTICULIÈRES

ARTICLE PREMIER - NOM ET PRÉNOMS (OU RAISON SOCIALE) ET ADRESSE DE L'ASSURÉ
Sauf déclaration contraire, la ville et la province de l'adresse déclarée par l'Assuré constituent les lieux d'usage principal et de garage du véhicule désigné.

ASSURÉ	ST-PIERRE LUCIE ET MONTREUIL PIERRE 860, AV. MARGUERITE-BOURGEOYS APP. 13 QUEBEC QC G1S 3W9	**AGENT**	ASS. GEN. DES CAISSES DESJARDINS C.P. LAURIER 2600 BOUL. LAURIER STE-FOY TEL: 418-658-4870 **NO:** 20480

ARTICLE 2 - DURÉE DU CONTRAT
* **DU** 1 AVRIL 1994 * **AU** 1 AVRIL 1995 * **EXCLUSIVEMENT** (* À 0 h 01, heure normale à l'adresse indiquée ci-dessus.)

ARTICLE 3 - CARACTÉRISTIQUES DU(DES) VÉHICULE(S) DÉSIGNÉ(S)

Véh.	Année du modèle	Marque, nom ou no de modèle, genre de carrosserie (ou cylindrée)	Numéro de série	Poids total en charge (si camion)	Achat (Ms-An)	Neuf/Occ./Démo.	Prix au comptant (équip. compris)
1	1991	DODGE SHADOW 4 PORTES	1B3BP48D2MN608535		05-91	N	12 243$
3	1988	OLDSMOBILE DELTA 88 ROYAL 4 PORTES	1G3HN5131JW312384		08-92	O	8 000$

Véh.	Créancier ayant droit, conjointement avec l'Assuré, aux indemnités du chapitre B (nom, adresse)	Numéro

Véh.	Usage du véhicule	Conducteur principal	Autre(s) conducteur(s) s'il y a lieu (Voir verso)
1	PROMENADE ET ALLER AU TRAVAIL, MAXIMUM 5KM(TRAJET SIMPLE)	ST-PIERRE LUCIE	
3	PROMENADE EXCLUANT ALLER ET RETOUR AU TRAVAIL	MONTREUIL PIERRE	

ARTICLE 4 - GARANTIES / RISQUES
Sur la base de la proposition soumise, la garantie du présent contrat est accordée contre ceux des risques ci-dessous en regard desquels il est stipulé une prime et à concurrence des montants arrêtés pour chacun.

Véh.	CHAPITRE A Responsabilité civile — DOMMAGES CORPORELS OU MATERIELS AUX TIERS (En supplement des frais, depens et interéts) par accident et sans egard a la nature des dommages ni au nombre des leses.	CHAPITRE B Dommages éprouvés par le véhicule assuré — Division 1 TOUS RISQUES	Division 2 COLLISION OU VERSEMENT	Division 3 ACCIDENTS SANS COLLISION NI VERSEMENT	Division 4 RISQUES SPÉCIFIÉS	F.A.Q. NO 34 Assurance individuelle — Division 1 Subd. 1 - 2 DÉCÈS ET MUTILATION	Division 1 Subd. 3 FRAIS MÉDICAUX ET D'OBSÈQUES	Division 2 INCAPACITÉ TOTALE	SOUS-TOTAL PAR VÉHICULE
Véh.	**MONTANTS**	**FRANCHISE PAR SINISTRE, SAUF EN CAS DE FOUDRE OU D'INCENDIE**				CAPITAL ASSURÉ	PAR PERSONNE	INDEMNITÉ HEBD. MAXIMALE	
1	1 000 000$	EXCLUE	EXCLUE	50$	INCLUSE	15 000$	2 000$	EXCLUE	
3	1 000 000$	EXCLUE	EXCLUE	50$	INCLUSE				
Véh.	**PRIME**	**PRIME**				**PRIME**			
1	119$	EXCLUE	EXCLUE	91$	INCLUSE	INCLUSE	INCLUSE	EXCLUE	210$
3	105$	EXCLUE	EXCLUE	66$	INCLUSE				171$
Véh.	**Conducteur occasionnel masculin âgé de moins de 25 ans** (Voir verso)								
1	EXCLUE	EXCLUE	EXCLUE	EXCLUE	EXCLUE				NIL
3	EXCLUE	EXCLUE	EXCLUE	EXCLUE	EXCLUE				NIL

Véh.	FAQ No	AVENANTS	MONTANTS	PRIME
		GARANTIES APPLICABLES AU VÉHICULE:		
1	AVIS	LA PRIME POUR CE VÉHICULE INCLUT LE RABAIS «DEUX VÉHICULES OU PLUS»		
3	AVIS	LA PRIME POUR CE VÉHICULE INCLUT LE RABAIS «DEUX VÉHICULES OU PLUS»		
		GARANTIES APPLICABLES À LA POLICE:		
	27	RESPONSABILITÉ CIVILE POUR DOMMAGES À DES VÉHICULES N'APPARTENANT PAS À L'ASSURÉ - FRANCHISE PAR SINISTRE: CHAP. B2 - $250 / CHAP. B3 - $50 LES GARANTIES S'APPLIQUENT AUX VOITURES DE TOURISME ET REMORQUES/ROULOTTES.	25 000$	20$
	34	ASSURANCE INDIVIDUELLE		15$

PRIME MINIMALE: 50$ **PRIME TOTALE:** 416$

IMPRIME LE: 1994/02/10 IMPORTANT: LOI SUR L'ASSURANCE AUTOMOBILE (Art. 177) ET CODE CIVIL - AVIS IMPRIMES AU VERSO

Président et chef de direction 1er vice-président directeur général

133 040 (01-94)

ASSURÉ

Cependant, si la Shadow est vieille de trois ans, que sa valeur marchande n'est plus que de 6 000 $, qu'elle est toujours assurée pour 12 243 $ et que la voiture est déclarée perte totale à la suite de l'accident, Lucie ne recevra que 6 000 $, même si l'automobile est assurée pour la somme de 12 243 $, car le préjudice réel n'est que de 6 000 $.

Par conséquent, en assurance de dommages, il est inutile d'assurer un bien au-delà de sa vraie valeur car, advenant une réclamation, l'assureur ne paie que le montant de la perte.

L'assurance de dommages vise à indemniser le preneur de ses pertes et non pas à lui permettre de s'enrichir.

12.4.2.2   Le paiement de l'indemnité

S'il advient un sinistre, l'assuré entre en contact avec son assureur pour lui en donner tous les détails. Ce dernier doit indemniser l'assuré dans les **60 jours** de la réception de l'avis du sinistre, des pièces justificatives requises par l'assureur ou des renseignements demandés.

12.4.2.3   L'aggravation du risque

2466 C.c.Q.

L'assuré est tenu de déclarer à l'assureur, promptement, les circonstances qui aggravent les risques stipulés dans la police et qui résultent de ses faits et gestes si elles sont de nature à influencer de façon importante un assureur dans l'établissement du taux de la prime, l'appréciation du risque ou la décision de maintenir l'assurance. [...]

Frédéric est propriétaire d'une maison chauffée à l'électricité et il signe un contrat d'assurance-incendie pour une valeur de 150 000 $ avec une prime de 500 $. Quelques mois plus tard, il décide d'y installer un poêle à combustion lente et un foyer. Comme un poêle à combustion lente et un foyer représentent une source additionnelle d'incendie, puisqu'il y a maintenant une source de flamme vivante dans la maison, il y a donc aggravation du risque. Frédéric doit communiquer sans tarder avec son assureur pour l'informer de cette aggravation du risque. L'assureur a le choix de maintenir en vigueur le contrat d'assurance, d'augmenter la prime ou de résilier ce contrat s'il refuse d'assurer les maisons qui abritent un foyer ou un poêle à combustion lente.

12.4.2.4   La résiliation du contrat

L'assureur ou l'assuré peut, en tout temps, résilier un contrat d'assurance au moyen d'un avis écrit. Si c'est l'assuré qui résilie le contrat, cette résiliation prend effet au moment où l'assureur reçoit l'avis. Si c'est l'assureur qui résilie le contrat, la résiliation prend effet 15 jours après la réception de l'avis par l'assuré.

Par exemple, si Armand signe un contrat d'assurance automobile d'un an, qu'il paie une prime de 1 000 $ et qu'il résilie son contrat après trois mois, l'assureur doit lui rembourser une certaine somme d'argent, calculée selon la table de résiliation à courte durée n° 1 (voir la figure 12.2). Cette table, présentée dans la police d'assurance, indique le pourcentage de la prime que l'assureur est en droit de retenir lorsque le preneur résilie le contrat d'assurance avant son expiration. En ce qui concerne Armand, l'assureur a le droit de retenir 31 % de la prime payée. Par conséquent, Armand a droit à un remboursement égal à 69 % du montant de la prime, soit 690 $.

Figure 12.2   Les tables de résiliation à courte durée

TABLE DE RÉSILIATION À COURTE DURÉE
(SOUS RÉSERVE DE LA PRIME À RETENIR STIPULÉE, LE CAS ÉCHÉANT, AUX CONDITIONS PARTICULIÈRES)

TABLE 1
(SAUF LES VÉHICULES À USAGE SAISONNIER)

Durée du contrat en jours 6 mois	Durée du contrat en jours 12 mois	% de la prime à retenir	Durée du contrat en jours 6 mois	Durée du contrat en jours 12 mois	% de la prime à retenir
	1 à 3	8	81 à 82	181 à 184	55
	4 à 7	9	83 à 84	185 à 188	56
	8 à 11	10	85 à 86	189 à 192	57
	12 à 15	11	87 à 88	193 à 195	58
	16 à 19	12	89 à 90	196 à 199	59
	20 à 23	13	91 à 92	200 à 203	60
	24 à 26	14	93 à 94	204 à 207	61
1	27 à 30	15	95 à 96	208 à 211	62
2 à 3	31 à 34	16	97 à 98	212 à 215	63
4 à 5	35 à 38	17	99 à 100	216 à 219	64
6 à 7	39 à 42	18	101 à 102	220 à 222	65
8 à 9	43 à 46	19	103 à 104	223 à 226	66
10 à 11	47 à 49	20	105 à 106	227 à 230	67
12 à 13	50 à 53	21	107 à 108	231 à 234	68
14 à 15	54 à 57	22	109 à 110	235 à 238	69
16 à 17	58 à 61	23	111 à 112	239 à 242	70
18 à 19	62 à 65	24	113 à 114	243 à 245	71
20 à 21	66 à 69	25	115 à 116	246 à 249	72
22 à 23	70 à 73	26	117 à 118	250 à 253	73
24 à 25	74 à 76	27	119 à 120	254 à 257	74
26 à 27	77 à 80	28	121 à 123	258 à 261	75
28 à 29	81 à 84	29	124 à 125	262 à 265	76
30 à 31	85 à 88	30	126 à 127	266 à 268	77
32 à 33	89 à 92	31	128 à 129	269 à 272	78
34 à 35	93 à 96	32	130 à 131	273 à 276	79
36 à 37	97 à 99	33	132 à 133	277 à 280	80
38 à 39	100 à 103	34	134 à 135	281 à 284	81
40 à 41	104 à 107	35	136 à 137	285 à 288	82
42 à 43	108 à 111	36	138 à 139	289 à 292	83
44 à 45	112 à 115	37	140 à 141	293 à 296	84
46 à 47	116 à 119	38	142 à 143	297 à 299	85
48 à 49	120 à 122	39	144 à 145	300 à 303	86
50 à 51	123 à 126	40	146 à 147	304 à 307	87
52 à 53	127 à 130	41	148 à 149	308 à 311	88
54 à 55	131 à 134	42	150 à 151	312 à 315	89
56 à 57	135 à 138	43	152 à 153	316 à 318	90
58 à 59	139 à 142	44	154 à 155	319 à 322	91
60 à 62	143 à 146	45	156 à 157	323 à 326	92
63 à 64	147 à 149	46	158 à 159	327 à 330	93
65 à 66	150 à 153	47	160 à 161	331 à 334	94
67 à 68	154 à 157	48	162 à 163	335 à 338	95
69 à 70	158 à 161	49	164 à 165	339 à 341	96
71 à 72	162 à 165	50	166 à 167	342 à 345	97
73 à 74	166 à 169	51	168 à 169	346 à 349	98
75 à 76	170 à 172	52	170 à 171	350 à 353	99
77 à 78	173 à 176	53	172 à 184	354 à 365	100
79 à 80	177 à 180	54			

TABLES DE RÉSILIATION À COURTE DURÉE
(VÉHICULES À USAGE SAISONNIER)

La table 2 s'applique aux motocyclettes, scooters, vélomoteurs et cyclomoteurs tandis que la table 3 s'applique aux motoneiges. Ces tables s'appliquent également à la résiliation d'une garantie ou d'un avenant.

TABLE 2 MOTOCYCLETTES	% de la prime à retenir	TABLE 3 MOTONEIGES	% de la prime à retenir
Janvier	0	Janvier	25
Février	0	Février	25
Mars	5	Mars	15
Avril	10	Avril	0
Mai	10	Mai	0
Juin	20	Juin	0
Juillet	20	Juillet	0
Août	20	Août	0
Septembre	10	Septembre	0
Octobre	5	Octobre	0
Novembre	0	Novembre	10
Décembre	0	Décembre	25

CES CONTRATS NE SONT PAS SUJETS À UN CRÉDIT POUR REMISAGE

133 010 (09-90)

12.4.2.5 Le transport du contrat d'assurance

Le contrat d'assurance peut être transporté ou cédé, avec le consentement de l'assureur, à une personne ayant un intérêt d'assurance dans la chose. Ce genre de transport est fréquent dans l'assurance d'immeuble.

Par exemple, si Louise vend un immeuble à bureaux à Richard, ce dernier peut racheter le contrat d'assurance qui protège déjà cet immeuble, puisque Richard a désormais un intérêt d'assurance dans la chose, car il en est maintenant le propriétaire. Au terme de ce contrat, il sera possible pour Richard de changer d'assureur. En rachetant ce contrat d'assurance, Richard n'a pas à chercher un nouvel assureur ni à lui fournir des renseignements supplémentaires, puisque l'assureur connaît déjà l'immeuble.

12.4.3 LES CARACTÉRISTIQUES DE L'ASSURANCE DE BIENS

L'**assurance de biens** est celle qui concerne l'assurance des meubles et des immeubles. Il existe un certain nombre de caractéristiques propres à l'assurance de biens, soit :

- l'intérêt d'assurance ;
- le montant d'assurance ;
- l'indemnité ;
- l'assurance contre l'incendie.

12.4.3.1 L'intérêt d'assurance

2481 C.c.Q.

Une personne a un intérêt d'assurance dans un bien lorsque la perte de celui-ci peut lui causer un préjudice direct et immédiat.

L'intérêt doit exister au moment du sinistre [...].

Pour assurer un bien, il faut avoir un intérêt d'assurance dans ce bien et, généralement, en être propriétaire. *Par exemple, Frédéric peut assurer sa maison pour 150 000 $, Johanne peut assurer sa Cadillac pour 45 000 $ et Angèle peut assurer son stradivarius pour 1 500 000 $.*

12.4.3.2 Le montant d'assurance

En assurance de choses, un bien peut être assuré pour une valeur à découvert ou pour une valeur agréée. La **valeur à découvert** est le montant maximum que l'assureur peut payer à la suite d'un sinistre, tandis que la **valeur agréée** est le montant que l'assureur va effectivement payer.

Par exemple, lorsque Frédéric assure sa maison pour 150 000 $ ou que Johanne assure sa Cadillac pour 45 000 $, il s'agit de contrats d'assurance avec valeur à découvert. En effet, l'assureur ne paie pas automatiquement 150 000 $ ou 45 000 $; il paie la valeur du préjudice réel. Si un incendie cause pour 63 000 $ de dommages à la maison de Frédéric et si la Cadillac de Johanne subit des dommages de 8 000 $ dans un accident, l'assureur ne paiera que 63 000 $ et 8 000 $ respectivement.

Par contre, l'assurance à valeur agréée convient davantage au cas de vol ou de destruction d'un objet de valeur, comme un stradivarius, des bijoux, des toiles, etc. *Par exemple, si un voleur s'empare du stradivarius d'Angèle ou si ce violon est détruit* *dans un incendie, Angèle recevra automatiquement la somme de 1 500 000 $, puisqu'il s'agit d'une valeur convenue entre l'assureur et Angèle. Dans ce cas, il s'agit donc d'un contrat d'assurance à valeur agréée.*

12.4.3.3

Le calcul de l'indemnité

2496 C.c.Q.

> *Celui qui, sans fraude, est assuré auprès de plusieurs assureurs, par plusieurs polices, pour un même intérêt et contre un même risque, de telle sorte que le total des indemnités qui résulteraient de leur exécution indépendante dépasse le montant du préjudice subi, peut se faire indemniser par le ou les assureurs de son choix, chacun n'étant tenu que pour le montant auquel il s'est engagé. [...]*

> *Entre les assureurs, [...] l'indemnité est répartie en proportion de la part de chacun dans la garantie totale [...].*

Par exemple, si Boris est propriétaire d'un édifice de 400 000 $, qu'il a souscrit à trois contrats d'assurance contre l'incendie de 500 000 $, 700 000 $ et 800 000 $ auprès de L'Union canadienne, du Groupe Commerce et d'Assurance Royale respectivement, et que son édifice est entièrement détruit par un incendie, il ne recevra que 400 000 $, soit le montant du préjudice réel. De plus, comme le total des pertes s'élève à 400 000 $, alors que le total des assurances s'élève à 2 000 000 $, ce qui donne un rapport de 1/5 ou de 20 %, chaque assureur ne paiera que 20 % du montant pour lequel l'édifice était assuré (voir le tableau 12.2).

Tableau 12.2   Calcul de l'indemnité à verser à Boris

Nom de l'assureur	Perte en $	Quote-part/total	Indemnité
L'Union Canadienne	400 000 $	× 500 000/2 000 000	100 000 $
Groupe Commerce	400 000 $	× 700 000/2 000 000	140 000 $
Assurance Royale	400 000 $	× 800 000/2 000 000	160 000 $
TOTAL			400 000 $

12.4.3.4

L'assurance contre l'incendie

L'assurance contre l'incendie fait partie de l'assurance de biens.

2485 C.c.Q.

> *L'assureur qui assure un bien contre l'incendie est tenu de réparer le préjudice qui est une conséquence immédiate du feu ou de la combustion, quelle qu'en soit la cause, y compris le dommage [...] occasionné par les moyens employés pour éteindre le feu, sauf les exceptions particulières contenues dans la police. Il est aussi garant de la disparition des objets assurés survenue pendant l'incendie, à moins qu'il ne prouve qu'elle provient d'un vol qu'il n'assure pas.*

> *Il n'est cependant pas tenu de réparer le préjudice occasionné uniquement par la chaleur excessive d'un appareil de chauffage [...], lorsqu'il n'y a ni incendie ni commencement d'incendie mais, même en l'absence d'incendie, il est tenu de réparer le préjudice causé par la foudre ou l'explosion d'un combustible.*

Dans le cadre de la loi, sauf dans le cas de la foudre ou de l'explosion de combustible que le législateur assimile à un incendie, un sinistre est qualifié d'incendie seulement s'il y a présence de flammes, et non pas uniquement de chaleur. *Par exemple, une plinthe électrique peut dégager suffisamment de chaleur pour faire roussir des rideaux ou de la peinture, mais les dommages ainsi causés ne sont pas considérés comme des dommages attribuables à un incendie. Par contre, si les rideaux s'enflamment sous l'effet de la chaleur, il y a alors incendie, et l'assureur paie les dommages.*

| 12.4.4 | **LES CARACTÉRISTIQUES DE L'ASSURANCE DE RESPONSABILITÉ** |

Il existe deux caractéristiques propres à l'assurance de responsabilité.

Premièrement, et contrairement à l'assurance de biens où le propriétaire d'un bien reçoit une indemnité si un dommage est causé à son bien, l'indemnité relative à l'assurance de responsabilité est toujours payable à un tiers qui a subi un dommage causé par la faute du preneur.

Deuxièmement, tout comme pour l'assurance de biens, l'assurance de responsabilité n'indemnise la victime que pour le montant du préjudice réel subi. *Par exemple, même si Gérard a souscrit une assurance de responsabilité de 1 000 000 $ auprès de La Capitale, cela ne signifie pas que La Capitale paiera 1 000 000 $ à chaque personne victime d'un dommage causé par Gérard ; La Capitale ne paiera que le montant du préjudice réel. Si Gérard a causé pour 15 000 $ de dommages à la maison de sa voisine, Caroline, La Capitale ne paiera que 15 000 $ à Caroline.*

| 12.5 | **L'ASSURANCE MARITIME** |

L'**assurance maritime** a pour objet de garantir le preneur contre les risques qui découlent d'une activité maritime ; elle permet d'assurer le navire, les marchandises ou les deux. *Par exemple, Bombardier achète 10 000 moteurs chez Volkswagen, en Allemagne, qui livre les moteurs par bateau. Bombardier peut souscrire à une assurance maritime qui lui garantit le remboursement du coût d'achat des moteurs si le navire venait à sombrer. De même, le transporteur, CP Navigation, peut assurer son navire pour être indemnisé pour la perte du navire en cas de naufrage.*

L'assurance maritime comporte les mêmes dispositions que l'assurance de biens en ce qui concerne l'obligation de déclarer, les obligations de l'assureur et les pertes.

Évidemment, il existe quelques particularités, c'est-à-dire en cas d'abordage ou en ce qui concerne l'obligation de transporter les marchandises à bord d'un deuxième navire si le premier n'est plus en état de naviguer.

RÉSUMÉ

Le contrat d'assurance est celui par lequel l'assureur, moyennant une prime ou une cotisation, s'oblige à verser au preneur ou à un tiers une prestation dans le cas où un risque couvert par l'assurance se réalise.

Il existe deux catégories d'assurance : l'assurance maritime et l'assurance terrestre. L'assurance terrestre se divise en assurance de personnes et en assurance de dommages. L'assurance de personnes comprend l'assurance-vie et l'assurance-invalidité. L'assurance de dommages inclut l'assurance de biens et l'assurance de responsabilité.

La police d'assurance est le document qui constate l'existence du contrat d'assurance.

La coassurance est le fait pour plusieurs assureurs de se réunir pour assurer un même bien.

La réassurance consiste, pour un assureur, à se faire assurer par un autre assureur.

L'obligation de déclarer consiste, pour le preneur ou l'assuré, à déclarer à l'assureur tous les éléments susceptibles d'influencer de façon importante un assureur raisonnable dans l'établissement de la prime, l'appréciation du risque ou la décision de l'accepter.

L'assurance de personnes porte sur la vie, la santé et l'intégrité physique de l'assuré et garantit le paiement d'une somme convenue, soit au décès de l'assuré soit à une époque déterminée.

L'assurance-vie garantit à l'assuré ou au bénéficiaire une indemnité au moment de la mort de l'assuré ou à une certaine époque.

L'assurance-invalidité, ou l'assurance-salaire, garantit à l'assuré un revenu régulier qui remplace le salaire tant que dure l'invalidité ou pour une certaine période.

Pour qu'un contrat d'assurance-vie soit valable, le preneur doit avoir un intérêt d'assurance dans la vie ou la santé de l'assuré.

Les fausses déclarations concernant l'âge ou le risque, c'est-à-dire l'état de santé de l'assuré, ne peuvent qu'entraîner une diminution de l'indemnité.

Le bénéficiaire d'une assurance-vie est normalement révocable, sauf s'il s'agit du conjoint ou s'il a été désigné à titre de bénéficiaire irrévocable.

En matière d'assurance de dommages, l'assureur n'indemnise l'assuré que pour le préjudice réel subi ; l'assurance de dommages n'a pas pour but de permettre à l'assuré de s'enrichir.

L'assuré doit divulguer à l'assureur toute aggravation du risque, sous peine de voir son indemnité réduite ou le contrat annulé en cas de sinistre.

En matière d'assurance de biens, lorsque l'assuré a souscrit à plusieurs contrats d'assurance distincts pour un même bien, les différents assureurs ne paient chacun qu'une partie de la perte en proportion du montant assuré.

L'assurance maritime a pour objet de garantir le preneur contre les risques qui découlent d'une activité maritime.

QUESTIONS

12.1   Qu'est-ce qu'un contrat d'assurance ?

12.2   Qu'est-ce qu'une police d'assurance ?

12.3   Expliquez la différence entre la coassurance et la réassurance.

12.4   Qu'est-ce que l'obligation de déclarer ?

12.5   Quelles sont les conséquences de fausses déclarations ou de réticences de la part du preneur ou de l'assuré ?

12.6   Qu'est-ce que l'assurance de personnes ?

12.7   À quoi sert l'assurance-invalidité ?

12.8   Qu'est-ce que l'intérêt d'assurance en matière d'assurance de personnes ?

12.9   Un preneur peut-il changer le bénéficiaire qu'il a désigné sur sa police d'assurance-vie ? Quand ? Comment ?

12.10   Qu'est-ce que l'assurance de dommages ?

12.11   Que doit faire l'assuré lorsqu'il y a aggravation du risque ?

12.12   Qu'est-ce que l'intérêt d'assurance en matière d'assurance de choses ?

12.13   Que se passe-t-il au moment du paiement de l'indemnité lorsque plusieurs assureurs ont assuré un même bien ?

12.14   Que couvre l'assurance maritime ?

CAS PRATIQUES

12.15 Rosalie a contracté trois polices d'assurance-vie : une de l'assurance-vie Desjardins, une de La Laurentienne et une de L'Industrielle-Alliance, pour des indemnités respectives de 40 000 $, 25 000 $ et 60 000 $. De plus, la police de La Laurentienne contient une clause d'indemnité double en cas de décès accidentel. Par ailleurs, Rosalie a assuré sa maison, d'une valeur de 200 000 $, auprès de deux assureurs, soit Assurance Royale et SSQ – Société d'assurances générales, pour des montants respectifs de 240 000 $ et de 360 000 $. Une défaillance technique de l'installation de chauffage au gaz provoque une explosion et la destruction complète de la maison par le feu. Rosalie, qui y dormait profondément, périt dans l'incendie. Son époux, Alain, est le seul héritier de tous ses biens.

Quel est le montant total d'assurance qu'Alain recevra et combien chaque assureur déboursera-t-il ? Justifiez votre réponse.

12.16 Camille possède une boutique de vêtements importés, Import-à-tout ltée. Elle achète tous les vêtements d'un couturier renommé de Paris. Ce couturier fait livrer toutes les marchandises par bateau.

12.16.1 Si Camille veut être prudente, que doit-elle faire avant le départ des marchandises de Paris ?

12.16.2 Quelle est l'utilité de cette démarche ? Expliquez votre réponse.

12.17 Victor est l'unique propriétaire du salon de coiffure, Coiffure Victor Lecourt. Il y a quatre mois, il a souscrit à une assurance de responsabilité de 1 000 000 $. La semaine dernière, Simone s'est fait coiffer. Victor lui a alors appliqué une permanente. Il a laissé agir la permanente trop longtemps, ce qui a brûlé le cuir chevelu de Simone et fait tomber ses cheveux. Le résultat est catastrophique. Ses blessures et dommages sont évalués à 6 000 $.

12.17.1 Quel sera le montant de l'indemnité qui sera versé par l'assureur de Victor ? Justifiez votre réponse.

12.17.2 Qui recevra cette indemnité ? Justifiez votre réponse.

12.18 Félix vient d'être embauché pour travailler au dépanneur du coin. Il transporte des boîtes du sous-sol à l'étage supérieur. Pour exécuter cette tâche, il emprunte un couloir étroit et dangereux. Il craint de se blesser et il pense s'assurer en conséquence. Il hésite entre l'assurance-vie et l'assurance-salaire. Il demande à France, courtière en assurances, de l'aider à faire un choix éclairé. Dans l'hypothèse où Félix a les moyens d'acheter une seule assurance, laquelle croyez-vous que France peut lui recommander ? Justifiez votre réponse.

12.19 En février 1995, L'Industrielle-Alliance a délivré une police d'assurance sur la vie de René Tremblay. Ce dernier est décédé accidentellement en 1996. Après son décès, la compagnie d'assurance a appris qu'il souffrait de dystrophie myotonique de Steinert et qu'il le savait. La compagnie affirme que si elle avait connu ce fait, elle aurait refusé d'assurer l'époux d'Annick Audet. À la question posée dans la proposition d'assurance relativement à l'existence d'anomalies physiques ou mentales, René Tremblay a répondu qu'il n'en avait aucune. La compagnie n'a pas consulté le dossier médical de René même s'il l'y autorisait. L'Industrielle-Alliance refuse de payer l'indemnité à Annick Audet qui est la bénéficiaire. De plus, la compagnie prétend que le contrat est nul.

Croyez-vous que le défaut de l'assuré de dévoiler sa maladie constitue un manquement au sens de l'article 2408 du *Code civil* ? Justifiez votre réponse.

12.20   La compagnie Club aviatique plus inc. fabrique et vend des avions téléguidés de format réduit. Lorraine, leur employée, crée les différents modèles d'avions offerts et distribués. Pour protéger ses intérêts, la compagnie veut contracter une assurance sur la vie de Lorraine. Par l'intermédiaire d'un courtier en assurances, Club aviatique plus inc. complète alors une proposition d'assurance et mentionne qu'elle veut, en tant que bénéficiaire, une indemnité de 2 000 000 $ advenant la mort de Lorraine. Club aviatique plus inc. paie la première prime. Aucun changement n'affecte le caractère assurable depuis la signature de la proposition. Le courtier rapporte cette proposition à l'assureur.

12.20.1   Quand la police d'assurance-vie prendra-t-elle effet ? Expliquez pourquoi.

12.20.2   Est-ce que Club aviatique plus inc. a un intérêt au sens du *Code civil* pour assurer la vie de Lorraine ? Justifiez votre réponse.

12.20.3   Advenant l'acceptation de la police d'assurance et le décès de Lorraine. Quelle indemnité sera versée à Club aviatique plus inc. ? Justifiez votre réponse.

12.21   Ronald Robinson a souscrit une assurance automobile auprès de la compagnie d'assurances Guardian du Canada. Il y a dix jours, son véhicule a été volé et Ronald réclame alors de la compagnie d'assurances le prix d'acquisition du véhicule, soit 14 715 $. Il y a cinq jours, l'assureur a reçu l'avis de sinistre et les pièces justificatives l'accompagnant. Une enquête de police a établi qu'il s'agissait d'un véhicule volé, acheté par Ronald d'un particulier. Ronald était de bonne foi lors de l'acquisition du véhicule. En effet, il ignorait tout de la provenance de cette automobile.

12.21.1   Considérant la bonne foi de Ronald, celui-ci a-t-il un intérêt d'assurance lui permettant de justifier une réclamation d'assurance ? Justifiez votre réponse.

12.21.2   La compagnie d'assurances Guardian du Canada dispose de combien de jours pour verser l'indemnité à Ronald ? Justifiez votre réponse.

12.21.3   Quel sera le montant de l'indemnité ? Référez-vous à l'article précis du *Code civil*.

Chapitre 13

LA DONATION, L'AFFRÈTEMENT, LE TRANSPORT, LE MANDAT, LE DÉPÔT, LA RENTE, LE JEU ET LE PARI

13.0   **PLAN DU CHAPITRE**

13.1 OBJECTIFS

Après la lecture du chapitre, l'étudiant doit être en mesure :

- de déterminer les conditions de validité de la donation ;
- de définir le contrat d'affrètement ;
- de définir le contrat de transport ;
- de définir le mandat ;
- de connaître les obligations du mandataire et du mandant ;
- d'expliquer ce qu'est le dépôt ;
- de connaître les obligations du dépositaire et celles du déposant ;
- de distinguer les types de dépôt ;
- de définir le contrat de rente ;
- d'expliquer les règles qui régissent le jeu et le pari.

13.2 LA DONATION

1806 C.c.Q.

> *La **donation** est le contrat par lequel une personne, le donateur, transfère la propriété d'un bien à titre gratuit à une autre personne, le donataire ; le transfert peut aussi porter sur un démembrement du droit de propriété ou sur tout autre droit dont on est titulaire. [...]*

Plus qu'un simple acte, la donation est un **contrat** à titre gratuit par lequel une personne se dépouille de la propriété d'un bien en faveur d'une autre personne.

13.2.1 LA NATURE ET L'ÉTENDUE DE LA DONATION

Il existe deux types de donation :

- la donation entre vifs ;
- la donation à cause de mort.

1807 C.c.Q.

> *La **donation entre vifs** est celle qui emporte le dessaisissement actuel du donateur, en ce sens que celui-ci se constitue actuellement débiteur envers le donataire. [...]*

1808 C.c.Q.

> *La **donation à cause de mort** est celle où le dessaisissement du donateur demeure subordonné à son décès et n'a lieu qu'à ce moment.*

13.2.2 CERTAINES CONDITIONS RELATIVES À LA DONATION

Le mineur non émancipé et le majeur en tutelle ou en curatelle participent à des actes usuels et courants de la vie quotidienne, mais

1813 C.c.Q.

> *Même représenté par son tuteur ou son curateur, le mineur ou le majeur protégé ne peut donner que des biens de peu de valeur et des cadeaux d'usage, sous réserve des règles relatives au contrat de mariage.*

De plus, la donation doit respecter une **forme** et est soumise à la **publicité** :

1824 C.c.Q.

> *La donation d'un bien meuble ou immeuble s'effectue, à peine de nullité absolue, **par acte notarié en minute** ; elle doit être publiée.*
>
> *Il est fait **exception** à ces règles lorsque, s'agissant de la donation d'un bien meuble, le consentement des parties s'accompagne de la délivrance et de la possession immédiate du bien.*

| 13.2.3 | ## LA RÉVOCATION POUR INGRATITUDE |

Comme il peut arriver que le donataire se montre ingrat envers le donateur, le législateur a prévu ceci :

1836 C.c.Q.
> *Toute donation entre vifs peut être révoquée pour cause d'ingratitude.*
>
> *Il y a cause d'ingratitude lorsque le donataire a eu envers le donateur un comportement gravement répréhensible, eu égard à la nature de la donation, aux facultés des parties et aux circonstances.*

Par conséquent :

1838 C.c.Q.
> *La révocation de la donation oblige le donataire à restituer au donateur ce qu'il a reçu en vertu du contrat, [...]*

| 13.2.4 | ## LA DONATION PAR CONTRAT DE MARIAGE |

Lors d'un mariage, il arrive souvent qu'un époux désire avantager son conjoint. À cette fin, le législateur a prévu les points suivants :

1839 C.c.Q.
> *Les donations consenties dans un contrat de mariage peuvent être entre vifs ou à cause de mort.*
>
> *Elles ne sont valides que si le contrat prend lui-même effet.*

Il est intéressant de noter que

1841 C.c.Q.
> *La donation à cause de mort, même faite à titre particulier, est **révocable**.*
>
> *Toutefois, lorsque le donateur a stipulé l'irrévocabilité de la donation, il ne peut disposer des biens à titre gratuit par acte entre vifs ou par testament, **à moins d'avoir obtenu le consentement du donataire et de tous les autres intéressés** ou qu'il ne s'agisse de biens de peu de valeur ou de cadeaux d'usage ; il demeure, cependant, titulaire des droits sur les biens donnés et libre de les aliéner à titre onéreux.*

Il est donc souhaitable de prévoir, dans l'éventualité d'un divorce, que toute donation soit révocable.

| 13.3 | # L'AFFRÈTEMENT |

2001 C.c.Q.
> *L'**affrètement** est le contrat par lequel une personne, le **fréteur**, moyennant un prix, aussi appelé fret, s'engage à mettre à la disposition d'une autre personne, l'**affréteur**, tout ou partie d'un navire, en vue de le faire naviguer.*
>
> *Le contrat, lorsqu'il est écrit, est constaté par une **charte-partie** qui énonce, outre le nom des parties, les engagements de celles-ci et les éléments d'individualisation du navire.*

L'affrètement étant un contrat particulier propre au droit maritime, le législateur n'a pas négligé la nature particulière des relations existant entre les parties. *Par exemple, l'importation de vin en vrac par navire est régie par les présentes dispositions :*

2002 C.c.Q.
> *L'affréteur est tenu de payer le prix de l'affrètement. Si aucun prix n'a été convenu, il doit payer une somme qui tienne compte des conditions du marché, au lieu et au moment de la conclusion du contrat.*

2003 C.c.Q.
> *Le fréteur qui n'est pas payé lors du déchargement de la cargaison du navire peut retenir les biens transportés jusqu'au paiement de ce qui lui est dû, y compris les frais raisonnables et les dommages qui résultent de cette rétention.*

| 13.4 | # LE TRANSPORT |

2030 C.c.Q.
> *Le **contrat de transport** est celui par lequel une personne, le transporteur, s'oblige principalement à effectuer le déplacement d'une personne ou d'un bien, moyennant un prix qu'une autre personne, le passager, l'expéditeur ou le destinataire du bien, s'engage à lui payer, au temps convenu.*

Par exemple, Transport Morneau s'engage à transporter 200 caisses de livres de Chicoutimi à Hull pour la somme de 325 $. Le **connaissement** est le formulaire qui tient lieu de contrat de transport (voir le document 13.1, Connaissement).

13.4.1 LE TRANSPORT DES PERSONNES ET DES BIENS

Le transporteur est tenu de mener le passager, sain et sauf, à destination. Le transport de personnes couvre toutes les opérations de transport, incluant l'embarquement et le débarquement. Advenant un préjudice au passager, le transporteur doit le réparer, à moins qu'il n'établisse que ce préjudice résulte d'une force majeure, de l'état de santé du passager ou de la faute de celui-ci.

Le transporteur n'a que deux droits. Premièrement, il a le droit d'être payé. Deuxièmement, à défaut d'être payé, il a le droit de retenir les biens transportés jusqu'à parfait paiement. Si le paiement ne vient pas, il doit en aviser l'expéditeur pour obtenir ses instructions. À défaut de recevoir des instructions dans les 15 jours de l'avis, le transporteur peut disposer des biens en les vendant aux enchères ou de gré à gré.

Il faut savoir que les frais de transport sont payables avant la livraison et que, si le destinataire refuse de payer ces frais, le transporteur peut retenir les biens ainsi transportés. Cependant, les parties sont libres d'établir des conditions de livraison et de paiement différentes de celles prévues au code.

Par ailleurs, le transporteur a certaines obligations. Il doit :

- transporter tout bien qui lui est confié ;
- prendre soin du bien et en assumer la garde comme le ferait une personne prudente et diligente ;
- livrer le bien dans les délais prévus.

En fait, ces obligations sont des obligations normales pour un transporteur : le client ne s'attend pas à moins.

Généralement, le transporteur est responsable des pertes ou des dommages subis par les biens transportés, à moins que la perte ou le dommage ne soit le résultat d'un cas fortuit ou de force majeure. Dans un tel cas, il appartient au transporteur d'en faire la preuve.

Donc, le transporteur doit effectuer le travail de manière prudente et diligente car :

2038 C.c.Q.

Le transporteur est responsable de la perte des bagages et des autres effets qui lui ont été confiés par le passager, à moins qu'il ne prouve la force majeure, le vice propre du bien ou la faute du passager.

Cependant, il n'est pas responsable [...] de la perte des bagages à main et des autres effets qui ont été laissés sous la surveillance du passager, à moins que ce dernier ne prouve la faute du transporteur.

Par exemple, si un autobus transportant des personnes, leurs bagages et des biens tombe dans une rivière à la suite de l'effondrement d'un pont, il s'agit d'un cas fortuit, et le transporteur n'est pas responsable. Par contre, si le camion est tombé dans la rivière à cause d'une mauvaise manœuvre du conducteur, le transporteur est responsable des préjudices subis aux passagers, de la perte ou des dommages causés aux bagages et aux biens.

13.4.2 LE CONNAISSEMENT

Le législateur a encadré la rédaction et le contenu du contrat de transport afin de préciser les droits et obligations des parties.

2041 C.c.Q.

*Le **connaissement** est l'écrit qui constate le contrat de transport de biens.*

Il mentionne, entre autres, les noms de l'expéditeur, du destinataire, du transporteur et, s'il y a lieu, de celui qui doit payer le fret et les frais de transport. Il mentionne également les lieu et date de la prise en charge du bien, les points de départ et de destination, le fret, ainsi que la nature, la quantité, le volume ou le poids et l'état apparent du bien et, s'il y a lieu, son caractère dangereux.

2042 C.c.Q.

Le connaissement [...] fait foi, jusqu'à preuve du contraire, de la prise en charge, de la nature et de la quantité, ainsi que de l'état apparent du bien.

Les transporteurs ont inséré, au verso du connaissement, une vingtaine de clauses spéciales afin de prévoir et d'éviter les réclamations. Il existe ainsi des clauses relatives au transport effectué par plusieurs transporteurs consécutifs, au retard, à la détermination de la valeur des biens transportés, à la responsabilité maximale du transporteur et au transport des articles de très grande valeur ainsi que des matières dangereuses. Ces clauses reproduisent plusieurs articles du *Code civil*.

Tout comme pour le transport de personnes, le contrat de transport de biens couvre la période qui s'étend de la prise en charge du bien jusqu'à la délivrance.

Le transporteur est tenu de délivrer le bien transporté au destinataire ou au détenteur du connaissement et il doit informer le destinataire de l'arrivée du bien et du délai imparti pour son enlèvement, à moins que la délivrance du bien ne s'effectue à la résidence ou à l'établissement du destinataire. Évidemment, le transporteur est tenu de transporter le bien à destination et doit réparer le préjudice résultant du transport, à moins qu'il ne prouve que la perte résulte d'une force majeure, du vice propre du bien ou d'une détérioration normale.

En cas de bris ou de perte, le destinataire doit agir avec diligence ; en effet :

2050 C.c.Q.   *L'action n'est pas recevable à moins qu'un avis écrit de réclamation n'ait été préalablement donné au transporteur, dans les soixante jours à compter de la délivrance du bien, que la perte survenue au bien soit apparente ou non [...]. Aucun avis n'est nécessaire si l'action est intentée dans ce délai.*

De plus, il est important de déclarer la valeur exacte du bien sur le connaissement ; en effet :

2052 C.c.Q.   *La responsabilité du transporteur, en cas de perte, ne peut excéder la valeur du bien déclarée par l'expéditeur.*

     À défaut de déclaration, la valeur du bien est établie suivant sa valeur au lieu et au moment de l'expédition.

De plus,

2053 C.c.Q.   *Le transporteur [...] n'est responsable de la perte que dans le cas où la nature ou la valeur du bien lui a été déclarée ; la déclaration mensongère qui trompe sur la nature ou qui augmente la valeur du bien l'exonère de toute responsabilité.*

Donc, il ne sert à rien de gonfler la valeur d'un bien ou de tenter de tromper le transporteur sur la valeur du bien car, dans tous les cas, c'est le client qui perd.

13.5   LE MANDAT

2130 C.c.Q.

> *Le **mandat** est le contrat par lequel une personne, le **mandant**, donne le pouvoir de la représenter dans l'accomplissement d'un acte juridique avec un tiers, à une autre personne, le **mandataire** qui, par le fait de son acceptation, s'oblige à l'exercer.*
>
> *Ce pouvoir et, le cas échéant, l'écrit qui le constate, s'appellent aussi **procuration**.*

Les règles du mandat encadrent les particuliers de même qu'un certain nombre de mandataires professionnels que sont les intermédiaires de marché, courtiers, agents, représentants et professionnels de la représentation. Dans le but d'assurer le respect de la volonté des personnes, le mandat peut également être donné par une personne en prévision de son inaptitude. Le *Code civil* identifie également deux autres mandataires :

321 C.c.Q.

> ***L'administrateur est considéré comme mandataire de la personne morale** [...]*

2219 C.c.Q.

> *[...] **chaque associé est mandataire de la société** [...].*

13.5.1   LA NATURE ET L'ÉTENDUE DU MANDAT

Le mandat ne requiert aucune forme particulière pour qu'il soit validement donné. Il peut être écrit ou verbal. Il est donc possible de donner mandat à un courtier par conversation téléphonique. Il existe cependant une exception importante à la règle du mandat verbal concernant une personne qui prévoit être inapte :

2166 C.c.Q.

> *Le mandat donné par une personne majeure en prévision de son inaptitude à prendre soin d'elle-même ou à administrer ses biens **est fait par acte notarié en minute ou devant témoins** [...].*

L'exigence de cette exception a pour but d'établir qu'au moment où le mandat a été donné, le mandant était apte, alors qu'il ne le sera plus au moment où le mandat produira ses effets.

2133 C.c.Q.

> *Le mandat est à titre gratuit ou à titre onéreux. Le mandat conclu entre deux personnes physiques est présumé à titre gratuit, mais le mandat professionnel est présumé à titre onéreux.*

Par exemple, si Marie veut vendre des livres au marché aux puces au prix de 0,50 $ l'unité et qu'elle demande à Jean de les vendre, puisqu'il dispose d'une table dans un marché aux puces, celui-ci peut les vendre 0,50 $, 0,75 $ et même 1 $ si les acheteurs sont disposés à payer un tel prix. Cependant, il ne peut pas les vendre en bas de 0,50 $, puisqu'il ne respecterait pas son mandat. Néanmoins, Jean peut demander à Yvonne, qui dispose d'une autre table au marché aux puces et qui vend elle aussi des livres, si elle est intéressée à vendre une partie des livres de Marie. Jean peut donc s'adjoindre une ou plusieurs personnes pour l'aider à exécuter son mandat.

Les mandataires professionnels que sont les avocats, les notaires, les courtiers en immeubles, les courtiers en valeurs mobilières, etc. sont payés par leurs clients, car ils sont des mandataires professionnels qui vivent des honoraires versés par leurs clients pour l'exécution des mandats qui leur ont été confiés.

Par exemple, si Édouard demande à une amie, Lucie, de le représenter pour négocier un contrat d'achat d'un immeuble, ce mandat est gratuit, puisque Lucie n'est qu'une amie d'Édouard. Mais si Lucie était une courtière en immeubles, elle aurait droit à sa commission.

13.5.2   LES OBLIGATIONS DES PARTIES

Nous allons maintenant étudier trois types de relations : les obligations du mandataire envers le mandant, les obligations du mandant envers le mandataire et les obligations du mandant et du mandataire envers les tiers.

| 13.5.2.1 | ## Les obligations du mandataire envers le mandant |

Dans l'exécution de son mandat, le mandataire doit :

- accomplir le mandat ;
- agir avec prudence et diligence ;
- agir avec honnêteté et loyauté ;
- informer le mandant de l'état d'exécution du mandat ;
- agir personnellement et non par l'entremise d'un tiers ;
- agir dans les limites du mandat ;
- rendre compte de l'exécution à la fin du mandat ;
- remettre au mandant tout ce qu'il a reçu dans le cadre de l'exécution du mandat.

Le concept de l'**honnêteté** se rapproche de la bonne foi, alors que le concept de **loyauté** signifie que le mandataire fait passer l'intérêt du mandant avant ses propres intérêts.

| 13.5.2.2 | ## Les obligations du mandant envers le mandataire |

Pour sa part, le mandant doit :

- coopérer avec le mandataire pour exécuter le mandat ;
- fournir des avances au mandataire et lui rembourser les dépenses que le mandataire a encourues pour exécuter le mandat ;
- rémunérer le mandataire si le mandat est à titre onéreux ;
- décharger le mandataire des obligations que ce dernier a contractées dans l'exécution du mandat ;
- indemniser le mandataire qui n'a commis aucune faute du préjudice que ce dernier a subi en raison de l'exécution du mandat.

Comme nous pouvons le constater, les obligations du mandant envers le mandataire ne sont que normales et visent à protéger le mandataire de manière à ce qu'il ne s'appauvrisse pas dans l'exécution du mandat. *Par exemple, si Gérard demande à Sylvie d'aller chercher un tableau à Mont-Joli et de l'apporter à Val-d'Or, Gérard doit rembourser à Sylvie les dépenses d'avion, d'automobile, de logement et de repas qu'elle a dû engager pour aller chercher ce tableau.*

| 13.5.2.3 | ## Les obligations envers les tiers |

Le mandataire qui, au nom du mandant, signe un contrat avec un tiers, n'est pas responsable personnellement envers ce tiers, puisqu'il agit au nom du mandant. Cependant, si le mandataire agit en son propre nom, il est responsable envers le tiers avec qui il a contracté. *Par exemple, si Brigitte, au nom d'Élaine, achète de Paul un camion de 25 000 $, Brigitte n'est nullement liée par ce contrat, même si elle l'a signé, puisqu'elle ne l'a pas signé en son nom mais en celui d'Élaine. Cependant, si Brigitte achète le camion de Paul en vue de le revendre 27 000 $ à Élaine et que cette dernière refuse de payer les 27 000 $ demandés, Brigitte doit quand même 25 000 $ à Paul, car, dans ce cas, elle a acheté le camion pour elle-même en vue de le revendre.*

Lorsque le mandataire agit au nom du mandant et dans les limites de son mandat, il est évident que le mandataire n'est pas personnellement tenu envers le tiers avec qui il contracte. Mais si le mandataire outrepasse ses pouvoirs, il est personnellement tenu envers le tiers avec qui il contracte, à moins que le tiers n'ait eu une connaissance suffisante du mandat, ou que le mandant ne ratifie les actes que le mandataire a accompli.

Pour sa part, le mandant est tenu envers le tiers pour les actes accomplis par le mandataire dans l'exécution et les limites du mandat, ainsi que pour les actes qui excèdent les limites du mandat s'il les a ratifiés.

Dans le cas de Brigitte, Élaine doit payer la somme de 25 000 $ à Paul puisque Brigitte avait le mandat d'Élaine de lui acheter un camion de 25 000 $. Par contre, Michel demande à Francine de lui acheter un moteur neuf pour sa chaloupe au prix maximum de 1 500 $. Francine en achète un à 1 800 $ parce qu'elle n'en a pas trouvé à un prix inférieur. Si Michel décide de garder le moteur, il est évident qu'il doit rembourser à Francine l'excédent de 300 $, car il se trouve à ratifier le mandat.

Il y a parfois des problèmes lorsqu'il s'agit d'un mandat apparent. Un **mandat apparent** existe lorsqu'un tiers a des raisons de croire qu'une personne est effectivement le mandataire d'une autre. *Par exemple, Maurice est un employé d'Orégon, un fabricant de chaînes de scies. Il visite régulièrement les détaillants de chaînes et les bûcherons pour les convaincre d'acheter des chaînes Orégon. Il y a deux semaines, Maurice a démissionné et a décidé d'aller passer une semaine de vacances au Lac-Saint-Jean. Il est descendu à l'hôtel où il avait l'habitude d'aller en tant qu'employé d'Orégon. L'hôtelier l'a reconnu et, comme d'habitude, il a envoyé la facture directement à Orégon. L'hôtelier fut surpris lorsqu'il reçut, quelques jours plus tard, une lettre l'informant que Maurice ne travaillait plus pour Orégon et que, par conséquent, cette facture ne serait pas payée. Comme Maurice était un mandataire d'Orégon et que l'entreprise n'a pas informé l'hôtelier du départ de Maurice, l'hôtelier est en droit d'exiger d'Orégon le paiement de cette facture parce que Maurice avait un mandat apparent.*

Le mandant doit donc prendre les mesures appropriées pour prévenir l'erreur dans des circonstances qui la rendaient prévisible.

13.5.3   LE MANDAT DONNÉ EN PRÉVISION DE L'INAPTITUDE DU MANDANT

2166 C.c.Q.

Le mandat donné par une personne majeure en prévision de son inaptitude à prendre soin d'elle-même ou à administrer ses biens est fait par acte notarié en minute ou devant témoins.

Son exécution est subordonnée à la survenance de l'inaptitude et à l'homologation par le tribunal, sur demande du mandataire désigné dans l'acte.

Le **mandat donné en prévision de l'inaptitude** du mandant permet à une personne de nommer, pendant qu'elle est en bonne santé, quelqu'un qui s'occupera d'elle et de ses biens si, un jour, elle devient incapable ou inapte à s'occuper d'elle-même à la suite d'un accident, d'une maladie ou en raison de la vieillesse. Ce mandataire peut ainsi gérer les biens du mandant, s'occuper d'autoriser ou non certaines interventions chirurgicales et prendre toutes les dispositions nécessaires pour assurer le bien-être de son mandant (voir la section 3.3.2.4, Les régimes de protection du majeur). *Par exemple, Robert peut donner un mandat à Micheline, son épouse, et, s'il tombe gravement malade, Micheline aura tous les pouvoirs nécessaires pour s'occuper de lui et de ses biens* (voir le document 13.2, Mandat donné en prévision de l'inaptitude).

13.5.4   CERTAINS MANDATAIRES SPÉCIAUX

Il existe un certain nombre de mandataires professionnels dont l'avocat, le notaire, le courtier en immeubles, le courtier en valeurs mobilières, le courtier en assurances et les intermédiaires de marché.

13.5.4.1 L'avocat ou le procureur

L'**avocat**, ou le **procureur**, représente son client devant les tribunaux et dans la négociation de contrats. Il est le mandataire professionnel par excellence. Il peut également représenter son client à une assemblée des actionnaires ou pour tout autre acte juridique. Il est généralement rémunéré selon un taux horaire qui peut varier entre 50 $ et 200 $, et, dans le cas d'actions devant les tribunaux, il reçoit en plus un pourcentage des sommes qu'il recouvre pour son client : ce pourcentage varie entre 5 et 35 %, selon l'importance du montant.

13.5.4.2 Le notaire

Le **notaire** agit principalement comme rédacteur de contrats de vente, d'hypothèque, de mariage ou de testament. Il arrive cependant que le notaire agisse comme mandataire de son client, particulièrement lorsqu'il doit faire valoir ses intérêts devant le tribunal pour une procédure d'homologation de testament. Il peut également représenter son client devant un autre notaire, un avocat, un courtier en immeubles ou un autre mandataire professionnel pour l'aider à négocier un contrat.

Les honoraires du notaire sont établis de deux manières. Dans le cas d'un acte de vente, de prêt, d'hypothèque, de nantissement, de transport de créances ou de fiducie, ils peuvent être à pourcentage, et leur taux varie entre 1 et 3 % du montant du contrat, ou il peut s'agir d'une somme fixe comme 500 $ ou 1 000 $. Dans le cas d'un contrat de mariage, d'un testament, d'un contrat de société, d'une incorporation, d'une quittance, d'une procuration ou autres actes de même nature, le notaire est rémunéré selon un taux horaire ou un taux fixe qui varie entre 60 $ et 500 $, selon l'importance du contrat.

Lorsqu'une personne prévoit s'absenter pendant une certaine période ou qu'elle est hospitalisée pour plusieurs mois, ce qui l'empêche de s'occuper de ses affaires, elle peut demander à un notaire de lui rédiger une procuration générale notariée par laquelle elle nomme un mandataire pour la remplacer dans les transactions courantes. *Par exemple, Raymonde, qui va enseigner en Afrique pendant deux ans, nomme Pierre par procuration générale comme mandataire pour encaisser ses chèques, payer ses comptes et poser tous les actes nécessaires.*

13.5.4.3 Le courtier en immeubles

Le **courtier en immeubles** agit comme intermédiaire entre le vendeur et l'acheteur d'un immeuble. Il peut représenter autant les intérêts de l'acheteur que ceux du vendeur, selon que ses services aient été retenus par l'un ou par l'autre.

Ses honoraires proviennent d'une commission en pourcentage du prix de vente de l'immeuble. Cette commission est généralement payée par le vendeur, et son taux varie entre 6 et 7 % pour le secteur résidentiel et entre 1 et 10 % pour le secteur commercial et industriel.

Certains courtiers offrent également leurs services à un taux fixe, à partir de 500 $, selon la nature de la transaction. Le courtier fait signer à son client vendeur un contrat de courtage de vente d'immeuble (voir le document 13.3, Contrat de courtage pour la vente d'immeuble).

13.5.4.4 Le courtier en valeurs mobilières

Le **courtier en valeurs mobilières** agit comme intermédiaire auprès du vendeur ou de l'acheteur d'actions ou d'obligations. Il peut représenter autant les intérêts du vendeur que ceux de l'acheteur, selon que ses services aient été retenus par l'un ou par l'autre.

Il est généralement rémunéré par une commission dont le pourcentage varie entre 1 et 3 % de la valeur des titres transigés. Certains courtiers offrent également leurs services à un taux fixe, selon la nature de la transaction.

13.5.4.5 Le courtier en assurances

Le **courtier en assurances** agit comme intermédiaire entre un assuré et un assureur. Il n'est pas l'employé d'un assureur ; il est indépendant, contrairement à l'**agent d'assurances** qui est l'employé d'un assureur. Le courtier conseille son client sur ses besoins en assurances et, selon la nature de ses besoins, il lui suggère une ou plusieurs polices d'assurance provenant d'un ou de plusieurs assureurs avec qui il entretient des relations d'affaires.

Il existe des courtiers en assurance-vie et en assurance IARD (incendie, accident, risques divers). Ils sont rémunérés selon un pourcentage des primes perçues, et cette somme est payée par l'assureur. Certains courtiers ont décidé, il y a quelques années, de facturer des honoraires au client, généralement entre 15 et 30 $, mais il ne s'agit pas d'une pratique très répandue.

13.5.4.6 Les intermédiaires de marché

La *Loi sur les intermédiaires de marché* est en vigueur depuis le mois de juin 1989. Par cette loi, le gouvernement du Québec vise à encadrer un certain nombre de personnes qui ne sont pas régies par le *Code des professions*, mais qui offrent des services de consultation ou de planification de nature financière au consommateur. Un intermédiaire de marché peut donc être, entre autres :

- un courtier en valeurs mobilières ;
- un courtier en assurances ;
- un agent d'assurances ;
- un conseiller en valeurs mobilières ;
- un conseiller en placement ;
- un planificateur financier ;
- un consultant en planification successorale ;
- un consultant en abris fiscaux ;
- un expert en sinistres.

Toutes ces personnes ont un point en commun : elles proposent au consommateur des services de planification ou de placement en vue de protéger son capital et de le faire fructifier. Leur rémunération peut prendre la forme d'une commission, d'un taux horaire ou d'un montant forfaitaire.

13.5.5 LA FIN DU MANDAT

Les principales causes d'extinction du mandat sont :

- l'exécution du mandat ;
- la mort du mandant ;
- la mort du mandataire ;

- la renonciation du mandataire ;
- la révocation du mandat par le mandant.

L'exécution du mandat est la cause normale d'extinction du mandat. *Rappelons-nous les exemples de Jean* (voir la section 13.5.1, La nature et l'étendue du mandat) *et de Sylvie* (voir la section 13.5.2.2, Les obligations du mandant envers le mandataire). *Lorsque Jean a vendu tous les livres de Marie, le mandat qu'il a reçu de Marie est terminé. Il en va de même si Jean remet les livres non vendus à Marie. Dans ce cas, il renonce à son mandat. Lorsque Sylvie a transporté le tableau de Mont-Joli à Val-d'Or, elle a exécuté son mandat.*

13.6 LE DÉPÔT

2280 C.c.Q.

*Le **dépôt** est le contrat par lequel une personne, le déposant, remet un bien meuble à une autre personne, le dépositaire, qui s'oblige à garder le bien pendant un certain temps et à le restituer.*

*Le **dépôt est à titre gratuit** ; il peut, cependant, être à titre onéreux lorsque l'usage ou la convention le prévoit.*

Quatre éléments sont nécessaires pour qu'il y ait contrat de dépôt :

- la remise d'un bien ;
- l'obligation de garde du bien ;
- l'obligation de restitution du bien ;
- le bien déposé doit être un bien meuble.

13.6.1 LES OBLIGATIONS DU DÉPOSITAIRE

Les obligations du dépositaire sont simples. Il doit :

- agir, dans la garde du bien, avec prudence et diligence ;
- ne pas se servir de la chose déposée sans la permission du déposant ;
- rendre la chose déposée lorsque le déposant lui en fait la demande.

2289 C.c.Q.

*Le dépositaire est tenu, **si le dépôt est à titre gratuit**, de la perte du bien déposé qui survient par sa faute ; **si le dépôt est à titre onéreux** ou s'il a été exigé par le dépositaire, celui-ci est tenu de la perte du bien, à moins qu'il ne prouve la force majeure.*

Pour ce qui est du dépôt **à titre gratuit**, le dépositaire ne peut être tenu responsable de la perte que si elle survient parce qu'il n'a pas apporté à la garde du bien la prudence et la diligence requises. Par contre, si le dépôt est **à titre onéreux**, le dépositaire ne pourra être libéré de sa responsabilité que s'il prouve un cas de force majeure.

13.6.2 LES OBLIGATIONS DU DÉPOSANT

Le déposant a pour obligations de rembourser au dépositaire les dépenses qu'il a faites pour conserver et prendre soin de la chose et, s'il y a lieu, de l'indemniser des dommages ou des pertes occasionnés par ce dépôt. Évidemment, si le déposant ne rembourse pas le dépositaire pour les dépenses qu'il a faites, ce dernier peut retenir le bien jusqu'au parfait remboursement des dépenses. *Par exemple, si Raymond confie la garde de 800 $ de nourriture congelée à Thérèse et que celle-ci loue un congélateur parce qu'elle n'en possède pas ou que le sien est plein, il est évident que Thérèse a le droit de réclamer à Raymond le coût de location du congélateur.*

De plus, dans le cas où le dépositaire se doit d'assurer le bien, les dépenses de conservation du bien comprennent les primes d'assurance.

| **13.6.3** | **LES TYPES DE DÉPÔT** |

Comme l'indique le tableau 13.1, il y a cinq types de dépôt : le dépôt volontaire, le dépôt nécessaire, le dépôt hôtelier, le séquestre conventionnel et le séquestre judiciaire.

Tableau 13.1 Les types de dépôt

Catégorie	Exemple
Dépôt volontaire	Paul laisse son automobile à Marie qui accepte de la garder durant son absence
Dépôt nécessaire	À la suite de l'incendie de sa maison, Paul confie à Marie les meubles qu'il a sauvés
Dépôt hôtelier	Henri laisse ses bagages à l'auberge du Vieux-Québec
Séquestre conventionnel	Paul et Marie se disputent la propriété d'une souffleuse : ils s'entendent pour la remettre entre les mains de Jeanne, jusqu'au moment où un tribunal décidera qui en est le véritable propriétaire
Séquestre judiciaire	Le tribunal confie à Jeanne la garde de la souffleuse dont Paul et Marie se prétendent propriétaires, jusqu'au moment où il déterminera le véritable propriétaire de cette souffleuse

| **13.6.3.1** | **Le dépôt volontaire** |

Le **dépôt volontaire** est l'action, pour une personne, de remettre un meuble entre les mains d'une autre personne. Ce dépôt peut être gratuit ou rémunéré.

Par exemple, Gérald doit déménager prochainement et il demande à sa voisine, Danielle, la permission d'entreposer chez elle certains meubles pendant quelques semaines afin de pouvoir effectuer des travaux dans sa nouvelle maison. Comme il s'agit d'un **contrat***, Danielle doit donner son consentement, ce qui veut dire qu'elle peut accepter ou refuser le dépôt.* Il s'agit d'un **dépôt volontaire**, car il y a consentement des deux parties.

| **13.6.3.2** | **Le dépôt nécessaire** |

2295 C.c.Q.

Il y a **dépôt nécessaire** *lorsqu'une personne est contrainte par une nécessité imprévue et pressante provenant d'un accident ou d'une force majeure de remettre à une autre la garde d'un bien.*

Par exemple, Gisèle est amenée d'urgence dans un hôpital. Les biens qu'elle avait en sa possession sont alors mis en sûreté par le personnel hospitalier. Ici, le dépositaire ne peut refuser de contracter.

Autre exemple, la maison de Brigitte est incendiée en plein hiver. Son voisin, André, n'a pas tellement le choix, il doit permettre à Brigitte d'entreposer dans son garage les meubles qu'elle a pu sauver. Évidemment, Brigitte ne doit quand même pas laisser ses meubles chez André pendant des mois ; dès qu'elle se sera de nouveau installée, elle devra retourner chez André pour chercher ses meubles.

Encore une fois, il s'agit d'un **dépôt nécessaire**.

| **13.6.3.3** | ### Le dépôt hôtelier |

2298 C.c.Q.

La personne qui offre au public des services d'hébergement, appelée l'hôtelier, est tenue de la perte des effets personnels et des bagages apportés par ceux qui logent chez elle, de la même manière qu'un dépositaire à titre onéreux, jusqu'à concurrence de dix fois le prix quotidien du logement qui est affiché ou, s'il s'agit de biens qu'elle a acceptés en dépôt, jusqu'à concurrence de cinquante fois ce prix.

2301 C.c.Q.

Malgré ce qui précède, la responsabilité de l'hôtelier est illimitée lorsque la perte d'un bien apporté par un client provient de la faute intentionnelle ou lourde de l'hôtelier ou d'une personne dont celui-ci est responsable.

La responsabilité de l'hôtelier est encore illimitée lorsqu'il refuse le dépôt de biens qu'il est tenu d'accepter, ou lorsqu'il n'a pas pris les moyens nécessaires pour informer le client des limites de sa responsabilité.

Le législateur suppose ainsi que l'hôtelier et son personnel sont honnêtes et qu'ils prendront soin des effets des voyageurs. Par ailleurs, s'ils ne se comportent pas en personnes prudentes et diligentes, de sorte que des voyageurs perdent des biens, l'hôtelier en sera responsable. Par contre, l'hôtelier, tout comme le dépositaire ordinaire, possède un droit de rétention sur les biens dont il est dépositaire. Ce droit garantit non seulement le prix du logement, mais aussi le prix des repas. Notez cependant qu'un restaurateur n'est pas assimilé à un hôtelier.

| **13.6.3.4** | ### Le séquestre conventionnel |

2305 C.c.Q.

*Le **séquestre** est le dépôt par lequel des personnes remettent un bien qu'elles se disputent entre les mains d'une autre personne de leur choix qui s'oblige à ne le restituer qu'à celle qui y aura droit, une fois la contestation terminée.*

Dans un tel cas, le dépositaire porte le nom de séquestre. *Par exemple, Antoine et Clémence se disputent la propriété d'une automobile et décident, en attendant le jugement du tribunal, d'en confier la garde à une amie, Dominique. Cette dernière gardera le bien chez elle et le remettra à celui que le tribunal désignera comme étant le vrai propriétaire.*

Contrairement au dépôt qui est habituellement gratuit et qui ne s'applique qu'aux meubles, le séquestre est généralement à titre onéreux et il concerne autant les meubles que les immeubles. *Si Antoine et Clémence avaient confié la garde de l'automobile au garage Bel-O-To, il est évident que Bel-O-To n'aurait pas gardé ce véhicule gratuitement ; il aurait pu demander, par exemple, la somme de dix dollars par jour.*

| **13.6.3.5** | ### Le séquestre judiciaire |

Le **séquestre judiciaire** découle de la décision d'un juge de confier la garde d'un bien à une personne, dans l'attente d'une vente en justice ou d'une décision du tribunal pour en déterminer le véritable propriétaire. Il est régi par les articles 742 à 750 du *Code de procédure civile* ainsi que par les articles 2280 à 2311 du *Code civil*, en autant que ces derniers ne soient pas incompatibles avec les dispositions du *Code de procédure civile*.

Par exemple, à la suite d'un jugement et d'une saisie contre Philippe, le tribunal décide de confier à Jean la garde des biens saisis. Ce dernier est donc un séquestre judiciaire et il doit garder les biens jusqu'à la vente en justice ou jusqu'au moment où une nouvelle décision du tribunal lui enlèvera la garde de ces biens.

13.7 LA RENTE

2367 C.c.Q.

*Le contrat constitutif de **rente** est celui par lequel une personne, le **débirentier**, gratuitement ou moyennant l'aliénation à son profit d'un capital, s'oblige à servir périodiquement et pendant un certain temps des redevances à une autre personne, le **crédirentier**.*

Le capital peut être constitué d'un bien immeuble ou meuble; s'il s'agit d'une somme d'argent, il peut être payé au comptant ou par versements.

Forme de revenu périodique, ce contrat nommé évolue parmi d'autres instruments financiers et se distingue par sa fonction d'apport complémentaire aux ressources financières d'une personne, à une époque où celle-ci cesse généralement d'accomplir un travail rémunéré.

La rente peut être :

- viagère ;
- non viagère.

2371 C.c.Q.

La rente [...] est viagère lorsque la durée de son service est limitée au temps de la vie d'une ou de plusieurs personnes.

Elle est non viagère lorsque la durée de son service est autrement déterminée.

Ce produit périodique qu'une personne est tenue de servir à une autre personne peut l'être soit en raison d'un contrat, d'un jugement ou d'une disposition testamentaire.

13.8 LE JEU ET LE PARI

2629 C.c.Q.

*Les contrats de **jeu** et de **pari** sont valables dans les cas expressément autorisés par la loi.*

Ils le sont aussi lorsqu'ils portent sur des exercices et des jeux licites qui tiennent à la seule adresse des parties ou à l'exercice de leur corps, à moins que la somme en jeu ne soit excessive, compte tenu des circonstances, ainsi que de l'état et des facultés des parties.

Tout en ne favorisant pas le développement du jeu et du pari, le législateur protège ainsi le citoyen contre son exploitation. Il est intéressant de noter qu'un pari peut être non valable si la somme en jeu est excessive compte tenu des circonstances et de la faculté d'un parieur. Il sera intéressant de voir comment le tribunal interprétera cet article.

2630 C.c.Q.

Lorsque le jeu et le pari ne sont pas expressément autorisés, le gagnant ne peut exiger le paiement de la dette et le perdant ne peut répéter la somme payée.

Toutefois, il y a lieu à répétition dans les cas de fraude ou de supercherie, ou lorsque le perdant est un mineur ou un majeur protégé ou non doué de raison.

Même si le jeu et le pari sont illégaux, le législateur permet cependant au perdant, dans le cas de fraude, supercherie ou tricherie, ainsi qu'au mineur et au majeur protégé de poursuivre le gagnant.

RÉSUMÉ

La donation est un contrat à titre gratuit par lequel une personne se dépouille de la propriété d'un bien en faveur d'une autre personne.

L'affrètement est le contrat par lequel une personne, le fréteur, moyennant un prix, aussi appelé fret, s'engage à mettre à la disposition d'une autre personne, l'affréteur, tout ou partie d'un navire, en vue de le faire naviguer.

Le contrat de transport est celui par lequel une personne, le transporteur, s'oblige principalement à effectuer le déplacement d'une personne ou d'un bien, moyennant un prix qu'une autre personne, le passager, l'expéditeur ou le destinataire du bien, s'engage à lui payer, au moment convenu.

Le mandat est le contrat par lequel une personne, le mandant, donne le pouvoir de la représenter dans l'accomplissement d'un acte juridique avec un tiers, à une autre personne, le mandataire qui, par le fait de son acceptation, s'oblige à l'exercer.

Le dépôt est le contrat par lequel une personne, le déposant, remet un bien meuble à une autre personne, le dépositaire, qui s'oblige à garder le bien pendant un certain temps et à le restituer.

Le séquestre est le dépôt par lequel des personnes remettent un bien qu'elles se disputent entre les mains d'une autre personne de leur choix qui s'oblige à ne le restituer qu'à celle qui y aura droit, une fois la contestation terminée.

Le contrat constitutif de rente est celui par lequel une personne, le débirentier, gratuitement ou moyennant l'aliénation à son profit d'un capital, s'oblige à servir périodiquement et pendant un certain temps des redevances à une autre personne, le crédirentier.

Les contrats de jeu et de pari sont valables dans les cas expressément autorisés par la loi.

QUESTIONS

13.1 Toute donation doit respecter deux conditions. Lesquelles ?

13.2 Expliquez la différence entre une donation entre vifs et une donation à cause de mort ?

13.3 Qu'est-ce qu'un contrat d'affrètement ?

13.4 Qu'est-ce que le contrat de transport ?

13.5 Qu'est-ce qu'un connaissement ?

13.6 Quelles sont les obligations du transporteur ?

13.7 Qui est le consignataire ?

13.8 Qu'est-ce qu'un mandat ?

13.9 Quelles sont les obligations du mandataire envers le mandant ?

13.10 Quelles sont les obligations du mandant envers le mandataire ?

13.11 Lorsque quelqu'un a recours aux services d'un courtier en immeubles, doit-il toujours lui payer une commission ?

13.12 Quelles sont les causes d'extinction d'un mandat ?

13.13 Qu'est-ce qu'un contrat de dépôt ?

13.14 Quels sont les cinq types de dépôt ?

13.15 Quelle est la différence entre le dépôt volontaire et le dépôt nécessaire ?

13.16 Quelles sont les obligations du déposant et celles du dépositaire ?

13.17 Différenciez le séquestre conventionnel et le séquestre judiciaire.

13.18 Qu'est-ce qu'un contrat de rente ?

CAS PRATIQUES

13.19 Transport Morneau signe un contrat avec La Baie pour le transport de 200 caisses de porcelaine pesant 4 000 livres au prix de 550 $, de Montréal à Chicoutimi. Le connaissement (voir le document 13.1) spécifie qu'il s'agit de porcelaine d'une valeur de 100 000 $. Durant le trajet de Montréal à Chicoutimi, le conducteur décide de passer par des routes en construction plutôt que d'utiliser les routes principales. En déballant la marchandise à Chicoutimi, les employés de La Baie découvrent que toutes les pièces de porcelaine sont cassées. La Baie réclame 100 000 $ à Transport Morneau, mais cette dernière refuse de payer la réclamation. De plus, Transport Morneau allègue que si elle était responsable, sa responsabilité se limiterait à 8 000 $.

En vertu de quelle disposition Transport Morneau peut-elle déclarer que sa responsabilité se limite à 8 000 $? La Baie aura-t-elle gain de cause ? Justifiez votre réponse.

13.20   Raymond, propriétaire d'un parc de taxis, donne à Geneviève le mandat de se rendre à Montréal pour y acheter cinq voitures neuves de six places au meilleur prix possible, sans toutefois excéder 17 000 $ par voiture, et de les rapporter à Saint-Jérôme dès le lendemain. Une fois à Montréal, Geneviève constate que le meilleur prix qu'elle peut obtenir est 18 000 $. Elle téléphone à Raymond pour obtenir des instructions supplémentaires, mais ce dernier est parti à la pêche pour trois jours. Geneviève décide alors d'acheter les cinq voitures à 18 000 $ et les rapporte le soir même à Saint-Jérôme. Au retour de Raymond, Geneviève demande que lui soient remboursés la somme supplémentaire de 5 000 $ ainsi que les frais de 700 $ engagés pour son déplacement entre Saint-Jérôme et Montréal et pour l'embauche de cinq chauffeurs pour rapporter les voitures. Raymond refuse de lui rembourser cette somme de 5 700 $, mais décide de conserver les cinq voitures.

Geneviève aura-t-elle gain de cause ? Pour quel montant ? Justifiez votre réponse.

13.21   Le 20 février, la maison de Charles est entièrement détruite par un incendie. Heureusement, Charles a pu sauver la majorité des meubles et sa voisine, Jeanne, accepte de les entreposer dans son garage vide, inutilisé et non chauffé, afin qu'ils ne se détériorent pas dans la neige. Quinze jours plus tard, Charles, qui s'est acheté une nouvelle maison, se présente chez Jeanne avec un camion de déménagement pour reprendre ses meubles. Jeanne refuse de les lui remettre à moins que Charles ne lui donne 500 $ à titre de frais d'entreposage. Charles refuse et se demande si Jeanne a raison d'exiger un tel montant.

Que peut faire Charles ? Justifiez votre réponse.

13.22   Fernand est majeur et est tout à fait sain d'esprit. Il possède une collection complète de livres sur différents pays. Il sait que son amie Claudette veut voyager. Lors de la visite de cette dernière, Fernand offre de donner sa collection à Claudette qui l'accepte avec plaisir. Fernand lui donne immédiatement ses livres.

Cette donation doit-elle être constatée par acte notarié et doit-elle être publiée ? Justifiez votre réponse.

13.23   Paul est l'oncle de Simon. Il a 40 ans et Simon en a 17. Ce dernier se rend chez son oncle Paul pour écouter la partie de hockey entre les Maple Leafs de Toronto et les Canadiens de Montréal. Paul parie 50 $ que les Maple Leafs gagneront la partie. Simon mise alors sur les Canadiens et parie également 50 $. À la fin de la soirée, c'est l'équipe de Toronto qui l'emporte. Simon paie donc à son oncle les 50 $ convenus.

L'oncle Paul pourrait-il être contraint, pour des raisons légales, de rembourser cette somme à son neveu Simon ? Justifiez votre réponse.

13.24   Un soir, Jeannine se rend à la discothèque chez Maurice. À son arrivée, elle remet sa veste à René, préposé au vestiaire de l'établissement. Elle paie 2 $ et René lui remet un coupon portant un numéro. À l'insu de ses supérieurs, René boit toute la soirée. À la fin de la soirée, René, ivre, trébuche et fait tomber plusieurs vêtements. Frustré et fâché, il remet les vêtements sur les crochets et en déchire quelques-uns. De plus, il mélange les numéros de certains vêtements. Jeannine qui veut récupérer sa veste présente le coupon à René. Celui-ci lui remet alors sa veste déchirée.

13.24.1   De quel type de dépôt s'agit-il ?

13.24.2 Quelles obligations n'ont pas été respectées dans la présente situation ? Expliquez et justifiez votre réponse.

13.25 Vincent est cuisinier dans un restaurant de Saint-Joseph-de-la-Rive. Demain, ce sera l'anniversaire de Diane, sa meilleure amie. Il appelle alors Marie-Claude, une amie commune, et il lui demande d'acheter à sa place le parfum préféré de Diane. Il lui remet alors 60 $, soit le prix régulier du parfum et 5 $ pour l'emballage cadeau. Marie-Claude se rend alors au magasin et constate que le parfum est en solde à 50 $ le flacon. Elle l'achète et le fait emballer. De plus, elle reçoit en prime, avec l'achat du parfum, une crème. Elle remet le parfum à Vincent mais ne l'informe pas qu'elle a bénéficié d'un rabais et reçu une prime. Elle considère que cela n'est qu'une juste commission. Elle ajoute même qu'elle a eu juste assez d'argent pour régler la facture.

Marie-Claude a-t-elle respecté toutes ses obligations ? Justifiez votre réponse.

13.26 La semaine dernière, Sarah achète deux miroirs et une énorme lampe sur pied chez Meubles de la Miche inc., une nouvelle entreprise qui ne fait pas encore de livraison. Le magasin retient alors les services de Transport Théberge pour livrer les meubles. Meubles de la Miche inc. déclare alors à Transport Théberge que les miroirs valent 150 $ chacun et la lampe 79 $. Lors du transport, le conducteur distrait applique les freins brusquement et endommage tous les biens. Les meubles sont dans un piètre état.

13.26.1 Que doit faire Sarah pour obtenir la réparation du préjudice ? Référez-vous à l'article précis du *Code civil*.

13.26.2 Quelle est la valeur maximale qui peut être réclamée par Sarah pour chaque bien endommagé par Transport Théberge ? Justifiez votre réponse.

DOCUMENTS

Le document 13.1 est un connaissement ou contrat de transport. Le recto du connaissement sert à identifier les parties que sont l'expéditeur, le consignataire ou destinataire et le transporteur ainsi que la nature et la quantité des marchandises transportées.

Comme le contrat de transport est peu encadré par le *Code civil*, les transporteurs ont inséré, au verso du connaissement, une vingtaine de clauses spéciales pour prévoir d'éventuels problèmes et éviter des réclamations. Il existe ainsi des clauses relatives au transport par plusieurs transporteurs consécutifs, au retard, à la détermination de la valeur des biens transportés, à la responsabilité maximale du transporteur et au transport des articles de très grande valeur et des marchandises dangereuses. *Par exemple, la clause 10 limite la responsabilité du transporteur à 2 $ la livre à moins de stipulation contraire.*

Le document 13.2 est un mandat donné en prévision de l'inaptitude fait sous seing privé par lequel Robert nomme Micheline à titre de mandataire. L'article 1 établit les pouvoirs de Micheline en matière de gestion des biens de Robert tandis que les articles 2 et 3 établissent les pouvoirs de Micheline relativement à la personne de Robert.

Le document 13.3 est un contrat de courtage pour la vente d'immeuble. Ce contrat est conclu entre un vendeur d'immeuble et un courtier en immeubles.

L'article 2.1 stipule que le vendeur accorde l'exclusivité de vente accordée au courtier.

L'article 7.1 établit le taux de commission versé au courtier ; ce taux de commission peut prendre la forme d'un pourcentage du prix de vente ou d'un montant fixe tel que 5 000 $. Ce même article contient également trois paragraphes qui prévoient l'obligation pour le vendeur de payer la commission prévue au courtier si :

- une promesse d'achat conforme aux conditions de vente du présent contrat de courtage est présentée au vendeur pendant la durée dudit contrat et que cette promesse d'achat conduise effectivement à la vente de l'immeuble ;

- une entente visant à vendre l'immeuble est conclue pendant la durée du présent contrat, que ce soit par ou sans l'intermédiaire du courtier, et que cette entente conduise effectivement à la vente de l'immeuble ;

- une vente a lieu dans les 180 jours suivant la date d'expiration du contrat avec une personne qui a été intéressée par l'immeuble pendant la durée du contrat, sauf si durant cette période, le vendeur a conclu avec un autre courtier immobilier un contrat stipulé exclusif pour la vente de l'immeuble.

De plus, l'article 7.2 prévoit que le courtier a droit d'obtenir le paiement de toutes sommes pouvant lui être dues à titre de rétribution ou de dommages-intérêts dans le cas où la vente n'aurait pas lieu par la faute du vendeur qui y a volontairement fait obstacle ou qui a autrement empêché la libre exécution du contrat de courtage.

Par exemple, un vendeur se trompe s'il pense pouvoir priver un courtier de sa commission en vendant l'immeuble deux ou trois mois après la fin du contrat de courtage, puisque l'article 7.1 l'oblige à payer la commission au courtier malgré tout.

D'autre part, l'article 8.2 est très important car le vendeur y déclare un certain nombre de faits qui peuvent donner lieu à des poursuites si ces faits s'avèrent faux ou erronés. Cela inclut la connaissance par le vendeur de vices pouvant affecter l'immeuble ainsi que le fait d'avoir reçu un avis d'une autorité compétente à l'effet que l'immeuble n'est pas conforme aux lois ou aux règlements en vigueur tel un avis à l'effet que la sortie d'urgence de l'immeuble est trop étroite et qu'elle doit être modifiée.

Pour sa part, l'article 9.1 prévoit que le vendeur s'engage à ne pas offrir l'immeuble en vente par lui-même ou par l'intermédiaire d'une personne autre que le courtier. Ce même article prévoit également que le vendeur ne doit pas devenir partie à une entente visant la vente, l'échange ou la location de l'immeuble sans l'intermédiaire du courtier. Si le vendeur manque à ses obligations, il va de soi que le courtier peut poursuivre le vendeur pour obtenir la commission prévue au contrat de courtage.

Enfin, l'article 10 impose 18 obligations au courtier parmi lesquelles nous retrouvons celles :

- d'offrir en vente l'immeuble avec loyauté, diligence et compétence ;

- de présenter au vendeur, dans les meilleurs délais, toute promesse d'achat relative à l'immeuble visé au contrat de courtage ;

- d'obtenir le consentement du vendeur avant d'annoncer l'immeuble à vendre à un prix autre que celui mentionné dans le contrat de courtage ;

- de n'exiger aucune commission si l'immeuble est vendu à certaines personnes dont le nom est mentionné dans le contrat de courtage.

Document 13.1   CONNAISSEMENT

CONNAISSEMENT	NON NÉGOCIABLE	NO. DE CONN.:
BILL OF LADING	NOT NEGOTIABLE	B/L NO.

S.V.P. ÉCRIRE EN LETTRES MOULÉES/PLEASE WRITE IN BLOCK LETTERS

1 EXPÉDITEUR OU AGENT (NOM & ADRESSE)/SHIPPER OR AGENT (NAME & ADDRESS)	2 NO CPTE EXP SHIPPER'S ACC'T NO	3 J.D.	M.	A.Y.	4 NO RÉF. EXPÉDITEUR SHIPPER'S REF. NO.

NOM/NAME

5 NOM DU TRANSPORTEUR NAME OF CARRIER

transport morneau

SIÈGE SOCIAL
Cté RIVIÈRE-DU-LOUP
Case Postale 21
G5R 3Y7

MONTRÉAL
8577, rue Pascal Gagnon
St-Léonard H1P 1Y6
(514) 321-3780

QUÉBEC
1250, rue Borne
G1N 1M4
(418) 688-1846

40, rue Principale
St-Arsène G0L 2K0
(418) 862-2727
Ligne directe:
1 (800) 463-1314

NO   RUE/STREET

VILLE/CITY   PROV.   CODE POSTAL CODE

7 CONSIGNATAIRE (NOM & ADRESSE) CONSIGNEE (NAME & ADDRESS)

8 —REÇU AU POINT D'ORIGINE À LA DATE ET DE L'EXPÉDITEUR MENTIONNÉ AUX PRÉSENTES LES MARCHAN-DISES CI-APRÈS DÉCRITES EN BON ÉTAT APPARENT (LE CONTENU DES COLIS ET SA CONDITION ÉTANT INCON-NUS) MARQUÉES, CONTRESIGNÉES ET DESTINÉES TEL QUE CI-APRÈS MENTIONNÉE. QUE LE TRANSPORTEUR CON-SENT À TRANSPORTER ET À DÉLIVRER À LEUR CONSIGNATAIRE AU POINT DE DESTINATION SI CE POINT SE TROUVE SUR LA ROUTE QU'IL EST AUTORISÉ À DESSERVIR. SINON À FAIRE TRANSPORTER ET DÉLIVRER PAR UN AUTRE TRANSPORTEUR AUTORISÉ À CE FAIRE ET CE, AUX TAUX ET À LA CLASSIFICATION EN VIGUEUR À LA DATE DE L'EXPÉDITION

IL EST MUTUELLEMENT CONVENU QUE CHAQUE TRANSPORTEUR TRANSPORTANT LES DITES MARCHANDISES EN TOUT OU EN PARTIE, SUR LE PARCOURS ENTIER OU UNE PORTION QUELCONQUE D'ICELUI JUSQU'À DESTINATION ET QUE TOUT INTÉRESSÉ À LA DITE EXPÉDITION POUR TOUT SERVICE À EFFECTUER EN VERTU DES PRÉSENTES EST SUJET À TOUTES LES CONDITIONS IMPRIMÉES OU ÉCRITES NON PROHIBÉES PAR LA LOI, INCLUANT LES CON-DITIONS CONTENUES AU VERSO DES PRÉSENTES QUI SONT ACCEPTÉES PAR L'EXPÉDITEUR POUR LUI-MÊME ET SES AYANTS-DROIT

NOM/NAME

NO   RUE/STREET

RECEIVED AT THE POINT OF ORIGIN ON THE SPECIFIED, FROM THE CONSIGNOR MENTIONED HEREIN, THE PROPER-TY HEREIN DESCRIBED, IN APPARENT GOOD ORDER, EXCEPT AS NOTED (CONTENTS AND CONDITIONS OF CON-TENTS OF PACKAGE UNKNOWN) MARKED, CONSIGNED AND DESTINED AS INDICATED BELOW, WHICH THE CAR-RIER AGREES TO CARRY AND TO DELIVER TO THE CONSIGNEE AT THE SAID DESTINATION, IF ON ITS OWN AUTHORIZED ROUTE OR OTHERWISE TO CAUSE TO BE CARRIED BY ANOTHER CARRIER ON THE ROUTE TO SAID DESTINATION SUBJECT TO THE RATES AND CLASSIFICATION IN EFFECT ON THE DATE OF SHIPMENT

VILLE/CITY   PROV.   CODE POSTAL CODE

9 PARTIE À NOTIFIER-COURTIER EN DOUANES*/NOTIFY PARTY-CUSTOM BROKER*

IT IS MUTUALLY AGREED AS TO EACH CARRIER OF ALL OR ANY OF THE GOODS OVER ALL OR ANY PORTION OF THE ROUTE TO DESTINATION AND AS TO EACH PARTY OF ANY TIME INTERESTED IN ALL OR ANY OF THE GOODS, THAT EVERY SERVICE TO BE PERFORMED HEREUNDER SHALL BE SUBJECT TO ALL THE CONDITIONS NOT PRO-HIBITED BY LAW, WHETHER PRINTED OR WRITTEN INCLUDING CONDITIONS ON BACK HEREOF, WHICH ARE HEREBY AGREED BY THE CONSIGNOR AND ACCEPTED FOR HIMSELF AND HIS ASSIGNS

10 POINT D'ORIGINE/POINT OF ORIGIN

11 ROUTE/ROUTING

12 VALEUR DÉCLARÉE/DECLARED VALUATION $

RESPONSABILITÉ MAXIMUM DE $2.00 LA LIVRE À MOINS D'INDICATION CONTRAIRE PAR LA VALEUR DÉCLARÉE (CONDITIONS 9 ET 10 AU VERSO).
MAXIMUM LIABILITY OF $2.00 PER POUND UNLESS DECLARED VALUATION STATES OTHERWISE. (CONDITIONS 9 AND 10 ON BACK).

13 MARQUES ET NUMÉROS* MARKS & NUMBERS*	14 NOMBRE TOTAL DE COLIS* TOTAL NO. OF PACKAGES*	15 DESCRIPTION GÉNÉRALE DE L'EXPÉDITION* GENERAL DESCRIPTION OF SHIPMENT*	16 NO DU VÉHICULE* VEHICLE NO.*	17 POIDS BRUT ET CUBAGE* TOTAL WEIGHT & CUBAGE*

18 NOMBRE ET TYPE DE PAQUETS NUMBER & TYPE OF PACKAGES	19 DESCRIPTION DES MARCHANDISES, MARQUES ET PARTICULARITÉS. PARTICULARS OF GOODS, MARKS AND EXCEPTIONS	20 POIDS WEIGHT	21 TAUX RATE	22 MONTANT AMOUNT	23 FRAIS DE TRANSPORT FREIGHT CHARGES
					À PERCEVOIR COLLECT ☐
					PAYÉ D'AVANCE PREPAID ☐

LES FRAIS SERONT À PERCE-VOIR À MOINS D'AVIS CON-TRAIRE/FREIGHT CHARGES WILL BE COLLECT UNLESS MARKED PREPAID

24 SI AU RISQUE DE L'EXPÉDI-TEUR, INDIQUEZ-LE ICI. IF AT SHIPPER RISK, WRITE OR STAMP HERE.

25 ENVOI CONTRE REMBOURSE-MENT/ C.O.D. SHIPMENT FRAIS DE RECOUVREMENT COLLECTION CHARGES

À PERCEVOIR COLLECT ☐
PAYÉ D'AVANCE PREPAID ☐

C.O.D.

MONTANT/AMOUNT $

FRAIS DE REC./COLL.CHARGES $

TOTAL $

26 ENTENTE SPÉCIALE ENTRE L'EXPÉDITEUR ET LE TRANSPORTEUR, Y FAIRE RÉFÉRENCE
SPECIAL AGREEMENT BETWEEN CONSIGNOR & CARRIER, ADVISE HERE.

27 AVIS DE RÉCLAMATION

A) LE TRANSPORTEUR N'EST PAS RESPONSABLE DE PERTES, DE DOMMAGES OU DE RETARDS AUX MARCHANDISES TRANSPORTÉES, QUI SONT DÉCRITES AU CONNAISSEMENT OU À LA CONDI-TION QU'UN AVIS ÉCRIT PRÉCISANT L'ORIGINE DES MARCHANDISES, LEUR DESTINATION, LEUR DATE D'EXPÉDITION ET LE MONTANT APPROXIMATIF RÉCLAMÉ EN RÉPARATION DE LA PERTE, DES DOMMAGES OU DU RETARD, NE SOIT SIGNIFIÉ AU TRANSPORTEUR INITIAL OU AU TRANSPORTEUR DE DESTINATION, OU DANS LES CAS DE NON-LIVRAISON, DANS UN DÉLAI DE LIVRAISON DES MARCHANDISES, OU DANS LES SOIXANTE (60) JOURS SUIVANT LA DATE DE NEUF (9) MOIS SUIVANT LA DATE DE L'EXPÉDITION

B) LA PRÉSENTATION DE LA RÉCLAMATION FINALE ACCOMPAGNÉE D'UNE PREUVE DU PAIE-MENT DES FRAIS DE TRANSPORT DOIT ÊTRE SOUMISE AU TRANSPORTEUR DANS UN DÉLAI DE NEUF (9) MOIS SUIVANT LA DATE DE L'EXPÉDITION

NOTICE OF CLAIM

A) NO CARRIER IS LIABLE FOR LOSS DAMAGE OR DELAY TO ANY GOODS CARRIED UNDER THE BILL OF LADING UNLESS NOTICE THEREOF SETTING OUT PARTICULARS OF THE ORIGIN DESTINATION AND DATE OF SHIPMENT OF THE GOODS AND THE ESTIMATED AMOUNT CLAIMED IN RESPECT OF SUCH LOSS, DAMAGE OR DELAY IS GIVEN IN WRITTEN TO THE ORIGINATING CARRIER OR THE DELIVERING CARRIER WITHIN SIXTY (60) DAYS AFTER THE DELIVERY OF THE GOODS, OR, IN THE CASE OF FAILURE TO MAKE DELIVERY, WITHIN NINE (9) MONTHS FROM THE DATE OF SHIP-MENT

B) THE FINAL STATEMENT OF THE CLAIM MUST BE FILED WITHIN NINE (9) MONTHS FROM THE DATE OF SHIPMENT TOGETHER WITH A COPY OF THE PAID FREIGHT BILL

28 À L'ARRIVÉE* INBOUND $

29 AU DELÀ BEYOND $

30 N.B. VEUILLEZ PRENDRE CONNAISSANCE DES CONDITIONS AU VERSO, QUI SONT ACCEPTÉES PAR LES PRÉSENTES.
N.B. NOTE CAREFULLY CONDITIONS ON BACK HEREOF WHICH ARE HEREBY ACCEPTED.

31 AUTRES (PRÉCISEZ) OTHERS (SPECIFY)
$
$
$

32 EXPÉDITEUR/SHIPPER	33 TRANSPORTEUR/CARRIER	34 CONSIGNATAIRE/CONSIGNEE	
DATE*	DATE*	DATE*	TOTAL DES FRAIS TOTAL CHARGES $
PAR/PER	PAR/PER	PAR/PER	

| Document 13.1 | # CONNAISSEMENT (suite) |

I APPLICATION

Les stipulations suivantes s'appliquent au transport des marchandises effectué par tout transporteur public autorisé en vertu de la *Loi sur le transport par véhicule à moteur* (S.R.C. 1970, chapitre M-14) ou par toute législation provinciale sous réserve des exceptions suivantes :

a) transport de biens domestiques usagés,

b) transport de bétail,

c) transport express de colis et de messageries par autobus,

d) transport de bagages personnels de passagers d'autobus,

e) transport de toute autre marchandise exemptée par une loi ou une réglementation provinciale.

II CONNAISSEMENT

1. Comme requis par une loi ou règlement, un connaissement doit être établi pour chaque chargement conformément aux dispositions des présentes.

2. Il appartient à l'expéditeur de s'assurer que chacun des articles couverts par le connaissement est clairement et distinctement identifié par le nom du consignataire et par sa destination.

3. L'expéditeur et le transporteur, en apposant leurs signatures sur le connaissement, acceptent de ce fait les conditions de transport qui y figurent.

4. Le transporteur peut préparer une feuille de route pour les marchandises transportées. La feuille de route doit porter le même numéro ou la même identification que le connaissement original. En aucune façon et en aucun temps la feuille de route ne peut tenir lieu de connaissement original.

III CONDITIONS DE TRANSPORT

1. Responsabilité du transporteur

Le transporteur des marchandises décrites au connaissement est responsable de la perte ou du dommage des marchandises acceptées par lui ou son représentant, sous réserve des stipulations ci-après.

2. Responsabilité du transporteur initial et du transporteur de destination

Lorsque des transporteurs successifs transportent un même chargement, le transporteur qui émet le connaissement (dénommé ci-après le transporteur initial) et celui qui assume la responsabilité de livrer la marchandise au consignataire (dénommé ci-après le transporteur de destination) sont, en plus des autres responsabilités dont ils peuvent être tenus en vertu du présent contrat, responsables de la perte ou du dommage des marchandises en possession d'un autre transporteur auquel elles sont ou ont été remises et qui n'est pas dégagé de ses responsabilités.

3. Réclamation auprès des transporteurs successifs

Le transporteur initial ou le transporteur de destination, suivant le cas, a le droit de se faire rembourser, par tout autre transporteur auquel les biens ont été ou sont remis, la valeur de la perte ou du dommage qu'il peut être appelé à payer parce que les marchandises ont été perdues ou endommagées alors qu'elles étaient en possession de l'autre transporteur. Dans les cas d'« interchange » entre transporteurs, le règlement des réclamations pour dommages cachés sera fait au prorata des revenus reçus.

4. Recours de l'expéditeur et du consignataire

Les articles 2 ou 3 ne peuvent avoir pour effet d'empêcher un expéditeur ou un consignataire d'obtenir des dommages-intérêts de quelque transporteur.

5. Exceptions

Pour les marchandises décrites au connaissement, le transporteur n'est pas responsable de la perte, du dommage ou du retard attribuable à un cas fortuit ou de force majeure, à des ennemis de la Couronne, à des ennemis publics, à des émeutes, à des grèves, à un défaut ou à une imperfection inhérents aux marchandises, à un acte ou un manquement de l'expéditeur, du propriétaire ou du consignataire, aux effets d'une loi, à une mise en quarantaine ou à des pertes dans le poids de grains, de semences, ou de toute autre denrée, dues à un phénomène naturel.

6. Retard

Aucun transporteur n'est tenu de transporter au moyen d'un véhicule particulier ou de livrer des marchandises à temps sur un marché particulier ou à d'autres conditions que selon les modalités d'expéditions régulières, à moins qu'un accord figurant sur le connaissement n'ait été ratifié par les parties contractantes.

| Document 13.1 | **CONNAISSEMENT (suite)** |

7. Acheminement par le transporteur

Lorsque par nécessité physique, le transporteur fait acheminer les marchandises par un moyen de transport autre qu'un véhicule immatriculé pour le transport contre rémunération, sa responsabilité est la même que si la totalité du transport avait été assurée par un tel véhicule.

8. Arrêt en cours de route

Lorsque des marchandises sont arrêtées et retenues en transit, à la demande de la personne habilité à ce faire, lesdites marchandises seront retenues au risque de cette personne.

9. Détermination de la valeur

Sous réserve de l'article 10, le montant maximal dont peut être redevable le transporteur pour toute perte ou dommages aux marchandises, qu'il y ait eu négligence ou pas, doit être calculé sur la base suivante :

a) la valeur des marchandises à l'endroit et au moment de l'expédition incluant les frais de transport et autres frais payés, s'il y a lieu, ou

b) lorsqu'une valeur inférieure à celle visée au paragraphe a) est inscrite par l'expéditeur sur le connaissement ou a été mutuellement convenue, cette valeur inférieure représente la responsabilité maximale du transporteur.

10. Responsabilité maximale

Le montant de toute perte ou dommage calculé selon les dispositions des paragraphes a) ou b) de l'article 9, ne doit pas excéder 2,00 $ la livre, à moins qu'une valeur supérieure n'ait été déclarée sur le recto du connaissement par l'expéditeur.

11. Risques supportés par l'expéditeur

S'il est convenu que les marchandises sont transportées aux risques de l'expéditeur, cette entente ne couvre que les risques qui sont liés directement au transport. Le transporteur demeure néanmoins responsable des pertes, dommages ou retards susceptibles de résulter d'une négligence ou d'un manquement de sa part, de celle de son agent ou de son employé. Le transporteur doit alors prouver qu'il n'y a pas eu négligence.

12. Avis de réclamation

a) Le transporteur n'est responsable de pertes, de dommages ou de retards aux marchandises transportées, qui sont décrites au connaissement, qu'à la condition qu'un avis écrit précisant l'origine des marchandises, leur destination, leur date d'expédition et le montant approximatif réclamé en réparation de la perte, des dommages ou du retard, ne soit signifié au transporteur initial ou au transporteur de destination, dans les soixante (60) jours suivant la date de la livraison des marchandises, ou, dans les cas de non livraison, dans un délai de neuf (9) mois suivant la date de l'expédition.

b) La présentation de la réclamation finale accompagnée d'une preuve de paiement des frais de transport doit être soumise au transporteur dans un délai de neuf (9) mois suivant la date de l'expédition.

13. Articles de très grande valeur

Nul transporteur n'est tenu de transporter des documents, des espèces ou tout autre article de très grande valeur à moins que n'ait été conclue une entente à cet effet. Si de telles marchandises sont transportées sans entente spéciale et que la nature des marchandises n'est pas révélée sur le connaissement, la responsabilité du transporteur pour perte ou dommage ne peut être engagée au-delà de la limite maximale établie à l'article 10.

14. Frais de transport

a) Si le transporteur l'exige, les frais de transport et tous les frais légitimement encourus à l'égard des marchandises doivent être versés avant la livraison, et si, lors de l'inspection, il s'avère que les marchandises expédiées ne sont pas celles mentionnées au connaissement, les frais de transport doivent être payés pour les marchandises effectivement expédiées incluant tous les autres frais supplémentaires légitimement exigibles.

b) Les frais de transport seront à percevoir, à moins que l'expéditeur ne donne un avis contraire sur le connaissement.

15. Marchandises dangereuses

Quiconque, directement ou indirectement, expédie des explosifs ou autres articles dangereux, sans avoir préalablement fait connaître au transporteur la nature exacte du chargement de la façon prescrite par une loi ou un règlement, doit indemniser le transporteur pour toute perte, dommage ou retard qui en résulterait, et ces articles peuvent être entreposés aux frais et risques de l'expéditeur.

Document 13.1

CONNAISSEMENT (suite)

16. Marchandises non livrées

a) Si, sans qu'il y ait faute du transporteur, les marchandises ne peuvent être livrées, le transporteur doit immédiatement aviser l'expéditeur et la consignataire que la livraison n'a pas été faite et il doit demander des instructions sur la façon de disposer des marchandises.

b) En attendant de recevoir les instructions sur la façon de disposer des marchandises, le transporteur peut :

i) conserver les marchandises dans son entrepôt, moyennant des frais d'entreposage raisonnables, ou

ii) pourvu qu'il ait donné un avis de ses intentions à l'expéditeur, déplacer et entreposer les marchandises dans un entrepôt public ou commercial aux frais de l'expéditeur, auquel cas il n'est plus responsable du chargement, tout en conservant un droit de rétention en échange du paiement de tous les frais légitimes de transport et autres, y compris des frais raisonnables d'entreposage.

17. Renvoi des biens

Si le transporteur a donné l'avis de non livraison des marchandises conformément à l'article 16a), et s'il n'a reçu aucune instruction sur la façon d'en disposer dans les dix (10) jours qui suivent la date de l'avis, il peut retourner à l'expéditeur, et aux frais de ce dernier, toutes les marchandises non livrées pour lesquelles il a remis un tel avis.

18. Modifications

Sous réserve de l'article 19, toute limitation de la responsabilité du transporteur ainsi que toute modification, addition ou rature qui figure au connaissement doivent être signées ou initialisées par l'expéditeur ou son représentant, et par le transporteur initial ou son représentant, sous peine de nullité.

19. Poids de l'expédition

L'expéditeur est responsable de l'exactitude des poids déclarés et il doit les inscrire au connaissement. Dans les cas où le poids réel de l'expédition ne coïnciderait pas avec le poids déclaré sur le connaissement, le transporteur fera les corrections qui s'imposent.

20. Marchandises payables à la livraison

a) Le transporteur ne doit livrer un chargement payable à la livraison qu'une fois ce dernier intégralement payé.

b) À moins que l'expéditeur ne donne des instructions contraires sur le connaissement, les frais de recouvrement et de virement des sommes payées à la livraison seront à percevoir du consignataire.

c) Le transporteur doit verser à l'expéditeur ou son représentant les sommes payées à la livraison, dans les quinze (15) jours suivant la date de leur recouvrement.

d) Le transporteur doit séparer les sommes payées à la livraison des autres recettes et fonds de son entreprise, en les conservant dans un compte en fidéicommis distinct.

e) Le transporteur doit inclure dans son barème de taux les frais de recouvrement et de virement des sommes payées par les consignataires.

IV AUTRES STIPULATIONS

Les parties, afin de respecter la loi 101, s'entendent pour que la description des marchandises soit faite en anglais, s'il y a lieu.

Document 13.2	# MANDAT DONNÉ EN PRÉVISION DE L'INAPTITUDE

Mandat donné en prévision de l'inaptitude

Je soussigné, **Robert Bouchard**, avocat, résidant actuellement au 208, Chemin le Tour du Lac, Lac Beauport (Québec), G0A 2C0, majeur, né le 17 décembre 1973, (NAS : 265 382 834)

ci-après nommé « le mandant »

nomme et constitue :

Micheline Montreuil, ingénieure, résidant actuellement au 1050, rue Orléans à Charlesbourg (Québec), G1H 2H2

ci-après nommée « le mandataire »

son mandataire en prévision de l'inaptitude du mandant à prendre soin de lui-même ou à administrer ses biens par suite notamment d'une maladie, d'une déficience ou d'un affaiblissement dû à l'âge qui altérerait ses facultés mentales ou son aptitude physique à exprimer sa volonté.

Pouvoirs du mandataire en matière de gestion des biens

1. Le mandataire dispose de tous les pouvoirs de la personne chargée de la pleine administration du bien d'autrui conformément aux dispositions des articles 1306 et 1307 du *Code civil du Québec* pour gérer et administrer tous les biens meubles et immeubles du mandant. Sans limiter la généralité de ce qui précède, le mandataire peut :

   1.1 conclure tout contrat de louage, tant en qualité de locateur que de locataire incluant la passation, la prolongation, le renouvellement, la modification et la résiliation de tout bail ainsi que la perception de tout loyer ;

   1.2 conclure tout contrat de travail, d'entreprise ou de service pour la construction et la rénovation de tout immeuble ;

   1.3 couvrir tout risque au moyen d'assurances ;

   1.4 faire tout rapport auquel; la loi l'oblige ainsi que toute opposition, demande de remboursement ou négociation avec les autorités concernées ;

   1.5 déposer toute somme d'argent ou effet négociable dans toute institution financière et émettre tout chèque ;

   1.6 accéder à tout coffret de sûreté, prendre possession de son contenu et signer tout procès-verbal ;

   1.7 vendre, acquérir, échanger, souscrire et faire tout emploi de fonds en action, obligation non garantie et autre valeur mobilière et placement sans pour cela être astreint aux dispositions du *Code civil du Québec* ou de toute autre loi en la matière ;

   1.8 vendre échanger et autrement aliéner à titre onéreux tous les biens meubles et immeubles du mandant ;

   1.9 recevoir le paiement, total ou partiel, de toutes les créances du mandant, les renouveler, accorder tout délai pour le paiement et donner quittance, totale ou partielle ;

   1.10 faire tout emprunt d'argent aux termes, taux d'intérêt et conditions que le mandataire juge convenables et, en garantie, hypothéquer les biens meubles et immeubles du mandant ;

   1.11 payer toutes les dettes du mandant, demander tout délai pour le paiement, accepter toute remise, délaisser tout bien en garantie et donner tout bien en paiement ;

   1.12 continuer l'exploitation de toute entreprise du mandant ;

   1.13 accepter ou renoncer à toute succession.

Pouvoirs du mandataire relativement à la personne

2. Le mandataire peut faire tout acte visant à assurer la protection de la personne du mandant et, en général, son bien-être moral et matériel. Sans limiter la généralité de ce qui précède, le mandataire peut :

Document 13.2	**MANDAT DONNÉ EN PRÉVISION DE L'INAPTITUDE (suite)**

2.1 accomplir tout acte visant à pourvoir aux nécessités de la vie du mandant ;

2.2 pourvoir à la garde et à l'entretien du mandant, s'il est manifeste qu'il ne peut plus prendre soin de lui-même.

3. Le mandataire peut prendre toute décision relative aux soins et aux traitements. Sans limiter la généralité de ce qui précède, le mandataire peut :

3.1 avoir accès aux renseignements contenus aux dossiers du mandant dans tout établissement de santé ou de services sociaux et en obtenir copies ;

3.2 consentir à tous les soins exigés par l'état de santé du mandant, qu'elle qu'en soit la nature, dans la mesure où ils sont bénéfiques malgré leurs effets, où ils sont opportuns dans les circonstances et où les risques présentés ne sont pas hors de proportion avec le bienfait espéré ;

3.3 autoriser l'administration de tout médicament susceptible de diminuer mes souffrances même si cela a pour effet d'écourter ma vie ;

3.4 consentir à l'interruption de tout traitement si ce dernier constitue de l'acharnement thérapeutique ;

3.5 autoriser le débranchement de tout appareil destiné à me maintenir en vie par des moyens artificiels ;

3.6 consentir, après ma mort, au prélèvement de tout organe pour fin de transplantation ou de recherche médicale.

Autres dispositions

4. Le mandataire peut donner pour et au nom du mandant, tout consentement et toute autorisation qui pourraient être requis par la loi, le représenter dans l'exercice de ses droits civils, passer et signer tout acte, document ou écrit nécessaire, et généralement faire tout ce que le mandataire jugera utile, avec le même effet que le pourrait faire le mandant lui-même.

5. Le mandataire doit, dans les plus brefs délais suivant son entrée en fonction, faire un inventaire des biens meubles et immeubles sans être astreint aux formalités du *Code civil du Québec*.

Le mandataire peut néanmoins omettre d'y énumérer en détail les meubles qui garnissent les résidences, les accessoires de maison, les outils, les livres, les vêtements, la literie, les effets personnels, les bijoux et oeuvres d'art de peu de valeur, les articles de loisirs et tous autres menus articles ou biens quelconques de peu de valeur.

6. Le mandataire doit rendre compte de sa gestion et de son administration à Lucien Houde une fois l'an à compter de la date de l'inaptitude ou sur demande.

7. En cas de décès, de démission ou d'impossibilité d'agir du mandataire, le mandant nomme et constitue Nicole Bourque, comptable, résidant actuellement au 157 9e Rue, Québec (Québec), G1L 2M9 pour le remplacer dans l'exécution du présent mandat, avec les mêmes pouvoirs ci-dessus énumérés.

8. Le présent mandat révoque tout mandat donné en prévision de l'inaptitude fait antérieurement.

En foi de quoi, j'ai signé à Québec

Ce 13e jour de juin 1995

Robert Bouchard

Déclaration des témoins

Nous soussignés, **Caroline Lebel** et **Michel Bergeron**, tous deux témoins à la signature de **Robert Bouchard**, déclarons n'avoir aucun intérêt dans le présent mandat et avoir constaté l'aptitude du mandant à agir

En foi de quoi, nous avons signé à Québec

Ce 13e jour de juin 1995 en présence de Robert Bouchard

Caroline Lebel.   Michel Bergeron

Document 13.3

CONTRAT DE COURTAGE
POUR LA VENTE D'IMMEUBLE

Préparé pour le
Service des affaires juridiques

FORMULAIRE REPRODUIT POUR FINS D'ENSEIGNEMENT SEULEMENT

ASSOCIATION DES COURTIERS
ET AGENTS IMMOBILIERS
DU QUÉBEC

CONTRAT DE COURTAGE EXCLUSIF
VENTE D'UN IMMEUBLE
PRINCIPALEMENT RÉSIDENTIEL
Formulaire obligatoire pour tous les courtiers
et agents immobiliers du Québec
à compter du 1er août 1994

1. IDENTIFICATION DES PARTIES

nom : courtier

adresse : courtier   (code postal)

représenté par

Certificat n°
(ci-après appelé le COURTIER)

nom et téléphone : vendeur 1

adresse : vendeur 1   (code postal)

nom et téléphone : vendeur 2

adresse : vendeur 2   (code postal)
(ci-après appelé le VENDEUR)

2. OBJET ET DURÉE DU CONTRAT

2.1 Les services du courtier immobilier sont retenus par le vendeur pour qu'il agisse comme intermédiaire exclusif pour la vente de l'immeuble visé par le présent contrat de courtage. Le présent contrat prend fin à 23h59, le _____.

3. DESCRIPTION SOMMAIRE DE L'IMMEUBLE

3.1 ADRESSE : _____ ;
(numéro, rue, endroit)

3.2 L'immeuble, avec constructions y érigées, circonstances et dépendances, est désigné comme suit :
Désignation cadastrale : _____
(numéro de lot, partie de lot, subdivision)   (nom du cadastre officiel)

mesurant _____, pour une superficie de _____.
Que l'on désigne ci-après comme : L'«immeuble».

Si l'immeuble est détenu en copropriété, il y a lieu de compléter ce qui suit :

L'immeuble est détenu en copropriété : ☐ divise
☐ indivise pour une quote-part de _____ %.
L'immeuble en copropriété comprend _____ espace(s) de stationnement (nos _____) et _____ espaces de rangement (nos _____).

4. PRIX

4.1 Le prix de vente demandé est de _____ dollars (_____ $),
somme qui devra être payée en totalité au comptant lors de la signature de l'acte de vente à moins qu'un autre mode de paiement ne soit prévu ci-après :

Toute taxe sur les produits et services, taxe de vente du Québec ou autre taxe pouvant être imposée comme conséquence de la vente de l'immeuble, le cas échéant, et devant être perçue par le vendeur en vertu des lois fiscales applicables devra être remise à ce dernier par l'acquéreur au moment de la signature de l'acte de vente.

4.2 Les frais reliés au remboursement et à la radiation de toute créance garantie par hypothèque, priorité ou tout autre droit réel affectant l'immeuble dont le paiement ne serait pas assumé par l'acquéreur seront à la charge du vendeur.

Les frais reliés au remboursement incluent toute pénalité pouvant être exigible dans le cas d'un remboursement par anticipation.

4.3 INCLUSIONS : sont inclus dans la vente :
1° les installations permanentes de chauffage, d'électricité et d'éclairage ;
2° autres : _____

4.4 EXCLUSIONS : sont exclus de la vente :
1° les tringles à rideaux et les stores ;
2° autres : _____
3° les appareils suivants font l'objet d'un contrat de location : (indiquer ci-après les appareils, les locateurs et autres informations pouvant être utiles)
_____

4.5 S'il s'agit d'un immeuble détenu en copropriété divise, il n'y aura aucune répartition quant à tout fonds quelconque de la copropriété.

5. PRISE DE POSSESSION ET SIGNATURE DE L'ACTE DE VENTE

5.1 Date ou délai de la prise de possession : _____
5.2 Date ou délai de la signature de l'acte de vente : _____

6. SERVICE INTER-AGENCES

Le vendeur doit indiquer ci-après son choix concernant le recours possible à un service inter-agences ou à un service similaire pour fins de distribution aux membres abonnés à un tel service en apposant ses paraphes dans la case correspondant à son choix.

☐ OUI, je désire que le courtier ait recours au service inter-agences^md de la chambre d'immeubles de _____ ou au service similaire de celle-ci ou de _____ pour fins de distribution aux membres abonnés à un tel service ;
(identification de l'organisme)

☐ NON, je ne désire pas que le courtier ait recours à un service inter-agences^md ou à un service similaire pour fins de distribution aux membres abonnés à un tel service.

Il est à noter que dans le cas où le vendeur désire que le courtier ait recours à un service inter-agences, la transmission des données du présent contrat au service inter-agences concerné incombe au courtier qui doit alors procéder à cette transmission sans délai.

Note : L'autorisation accordée aux auteurs de reproduire le présent formulaire ne signifie pas que l'Association des courtiers et agents immobiliers du Québec entérine ou accepte en tout ou en partie les propos tenus par les auteurs.

Document 13.3

CONTRAT DE COURTAGE
POUR LA VENTE D'IMMEUBLE (suite)

Préparé pour le
Service des affaires juridiques

7. RÉTRIBUTION DU COURTIER IMMOBILIER

7.1 Le vendeur versera au courtier, dans les cas prévus en 1°, 2° et 3° du présent article, au moment de la signature de l'acte de vente, une rétribution de :

☐ _____ pour cent (_____%) du prix de vente prévu à l'article 4.1 ou d'un prix de vente autre auquel le vendeur aura donné son assentiment par écrit, le cas échéant ; ou

☐ _____ dollars (_____ $) :

1° si une promesse d'achat conforme aux conditions de vente énoncées au présent contrat de courtage (et ses amendements, le cas échéant) lui est présentée pendant la durée dudit contrat et que cette promesse d'achat conduise effectivement à la vente de l'immeuble, ou

2° si une entente visant à vendre l'immeuble est conclue pendant la durée du présent contrat, que ce soit par ou sans l'intermédiaire du courtier, et que cette entente conduise effectivement à la vente de l'immeuble, ou

3° si une vente a lieu dans les 180 jours suivant la date d'expiration du contrat avec une personne qui a été intéressée à l'immeuble pendant la durée du contrat, sauf si, durant cette période, le vendeur a conclu avec un autre courtier immobilier un contrat stipulé exclusif pour la vente de l'immeuble.

7.2 Rien dans ce qui est stipulé à l'article 7.1 ne doit être interprété comme venant restreindre le droit du courtier d'obtenir, le cas échéant, le paiement de toutes sommes pouvant lui être dues à titre de rétribution ou de dommages-intérêts selon les règles ordinaires du droit commun notamment, mais sans limiter la généralité de ce qui précède, dans le cas où la vente n'aurait pas lieu parce que c'est le vendeur qui y a volontairement fait obstacle ou qui a autrement volontairement empêché la libre exécution du présent contrat.

7.3 Toute taxe sur les produits et services, taxe de vente du Québec ou autre taxe pouvant être imposée en raison de services rendus par le courtier s'ajoute à la rétribution mentionnée à l'article 7.1 et doit être versée au courtier par le vendeur conformément aux dispositions des lois fiscales applicables.

8. DÉCLARATIONS DU VENDEUR

8.1 Le vendeur déclare, qu'au meilleur de sa connaissance, les renseignements contenus au présent contrat sont exacts.

8.2 Le vendeur déclare de plus, à moins de stipulations contraires ci-après :

(Compte tenu de l'importance que revêtent les déclarations qui suivent, le vendeur devrait s'assurer que chacun des paragraphes ci-après reflète le mieux possible la situation telle qu'il la connaît et y apporter au besoin toute modification ou addition pouvant être requises pour atteindre ce résultat).

1° n'avoir connaissance d'aucun facteur se rapportant à l'immeuble susceptible, de façon significative, d'en diminuer la valeur ou les revenus ou d'en augmenter les dépenses, sauf : _____

2° n'avoir reçu aucun avis d'une autorité compétente indiquant que l'immeuble n'est pas conforme aux lois et règlements en vigueur ni aucun avis d'un assureur à la suite duquel il n'aurait pas remédié de façon complète au défaut y étant dénoncé, sauf : _____

3° ne pas être un non résident canadien au sens des lois fiscales provinciale et fédérale ;

4° que la municipalité concernée fournit à l'immeuble les services d'aqueduc et d'égout ; _____

5° être le seul propriétaire de l'immeuble ou être dûment autorisé à signer le présent contrat et à accepter toute promesse d'achat relative à l'immeuble ;

6° que l'immeuble ne fait pas l'objet d'un contrat de courtage avec un courtier autre que le courtier ni l'objet d'une promesse d'achat, d'échange ou de location ou d'une location comportant droit de préférence ou de premier refus en faveur d'un tiers ; _____

7° qu'au meilleur de sa connaissance et sous réserve de ce que les vérifications d'usage devant être effectuées par le courtier ou toute personne agissant pour le compte du courtier ou d'un acquéreur éventuel pourront révéler, l'immeuble est libre de toute redevance, priorité, hypothèque, servitude, droit réel et charge ou autre limitation de droit privé autres que les servitudes usuelles et apparentes d'utilité publique, sauf : _____

(Indiquer d'abord les créances et ensuite les autres limitations de droit privé pouvant affecter l'immeuble en mentionnant la nature du droit, le titulaire dudit droit et toute autre information jugée utile)

_____

8° qu'au meilleur de sa connaissance et sous réserve de ce que les vérifications d'usage devant être effectuées par le courtier immobilier ou toute autre personne agissant pour le compte du courtier ou d'un acquéreur éventuel pourront révéler, les seules limitations de droit public échappant au droit commun grevant l'immeuble sont : _____

(Indiquer les limitations de droit public échappant au droit commun pouvant grever l'immeuble en vertu, par exemple, mais sans limiter la généralité de ce qui précède, des règlements municipaux de zonage et de lotissement, de la Loi sur les biens culturels, de la Loi et des règlements relatifs à la protection de l'environnement ...)

9° qu'il fournira au courtier, dès qu'il en acquerra connaissance, le cas échéant, toute information additionnelle qui, au meilleur de sa connaissance, est susceptible de révéler une limitation de droit privé ou une limitation de droit public échappant au droit commun affectant l'immeuble et n'ayant pas été dénoncée aux termes des présentes;

10° dans le cas d'un immeuble comportant bail, le vendeur fait les déclarations suivantes :

   a) les loyers rapportent au moins _____ dollars (_____ $) annuellement, et les baux viennent à échéance le _____

   b) aucun avis susceptible de modifier les baux n'a été envoyé par l'une ou l'autre des parties et aucune instance n'est en cours devant la Régie du logement ;

   c) il n'a reçu aucun avis d'un locataire ou du conjoint d'un locataire déclarant que l'immeuble, ou une partie de celui-ci, sert de résidence familiale ;

9. OBLIGATIONS DU VENDEUR

9.1 Le vendeur s'engage, pendant la durée du présent contrat, à ne pas, directement ou indirectement :

1° offrir l'immeuble en vente par lui-même ou par l'intermédiaire d'une personne autre que le courtier ;

2° devenir partie à une entente visant à la vente, l'échange ou la location de l'immeuble sans l'intermédiaire du courtier ;

9.2 Le vendeur fournira au courtier, sur demande de ce dernier, les documents en sa possession suivants : contrat d'acquisition et tout autre titre de propriété, reçus de taxes foncières, bail, acte de prêt et de garantie hypothécaire, certificat de localisation (ou un extrait de celui-ci décrivant la partie divise), plan, contrat de service, procuration, derniers états financiers de la copropriété, déclaration de copropriété incluant le règlement de l'immeuble détenu en copropriété et, de façon générale, tous les documents en sa possession pouvant démontrer la validité de son titre, établir toute limitation de droit privé et toute limitation de droit public échappant au droit commun pouvant affecter l'immeuble de même que ceux pouvant être requis pour procéder aux répartitions à être effectuées à l'occasion de la vente.

9.3 Le vendeur accorde en exclusivité au courtier le droit :

1° de faire visiter l'immeuble à toute heure raisonnable, tout rendez-vous devant être fixé directement avec l'occupant des lieux. Le courtier peut permettre à d'autres courtiers d'exercer en tout ou en partie ce droit ;

2° d'effectuer, sujet aux restrictions ci-après exprimées, toute publicité qu'il juge appropriée y compris placer un écriteau indiquant que l'immeuble est à vendre, ou qu'il est vendu. Le courtier peut permettre à d'autres courtiers d'exercer en tout ou en partie ce droit.

La possibilité de poser un écriteau est accordée sous réserve de toute réglementation, par exemple, municipale ou découlant d'un règlement de copropriété, pouvant s'appliquer en la matière ;

3° d'obtenir du créancier hypothécaire tout renseignement et tout document concernant son emprunt hypothécaire et, à cet effet, le vendeur autorise le créancier hypothécaire à les fournir au courtier.

CC ⌶ ⌶ ⌶ ⌶ ⌶

Note : L'autorisation accordée aux auteurs de reproduire le présent formulaire ne signifie pas que l'Association des courtiers et agents immobiliers du Québec entérine ou accepte en tout ou en partie les propos tenus par les auteurs.

Document 13.3

CONTRAT DE COURTAGE
POUR LA VENTE D'IMMEUBLE (suite)

Préparé pour le
Service des affaires juridiques

FORMULAIRE REPRODUIT POUR FINS D'ENSEIGNEMENT SEULEMENT

9.4 Sous réserve de ce qui est mentionné à l'alinéa qui suit, l'immeuble est offert en vente sujet aux droits réels, charges et autres limitations de droit privé l'affectant et notamment, sans limiter la généralité de ce qui précède, à ceux mentionnés aux présentes et à ceux que les vérifications d'usage pourront révéler.

En ce qui concerne les priorités, hypothèques ou autres droits réels garantissant le paiement d'une créance affectant l'immeuble, le vendeur s'engage, advenant la vente de l'immeuble, à les purger à moins que l'acquéreur n'ait assumé le remboursement de la créance ainsi garantie.

L'immeuble est également offert en vente sujet à toute limitation de droit public échappant au droit commun le grevant et aux violations à une telle limitation pouvant exister et notamment, sans limiter la généralité de ce qui précède, à toute limitation de cet ordre mentionnée aux présentes ou que les vérifications d'usage pourront révéler.

Le vendeur fournira également à l'acquéreur une copie de l'acte d'acquisition de l'immeuble de même qu'une copie des titres antérieurs qu'il possède. Dans le cas où l'immeuble est détenu en copropriété divise, le vendeur fournira de plus à l'acquéreur une copie de la déclaration de copropriété incluant le règlement de l'immeuble.

10. OBLIGATIONS DU COURTIER IMMOBILIER

Le courtier s'engage à, conformément aux usages et règles de son art :

1° offrir en vente l'immeuble en agissant avec loyauté, diligence et compétence ;

2° présenter au vendeur, dans les meilleurs délais, toute promesse d'achat à l'immeuble visé au contrat ;

3° informer verbalement le vendeur, de façon régulière, de l'état de l'exécution du présent contrat ;

4° vérifier au préalable tous les faits ou données mentionnés dans une publicité relative à la vente de l'immeuble visé au contrat ;

5° transmettre au vendeur une copie de tout document ou fiche décrivant l'immeuble susceptible d'être transmis à tout acheteur éventuel ;

6° obtenir le consentement par écrit du vendeur avant de publiciser un prix de vente autre que celui mentionné au présent contrat ;

7° ne placer la mention «vendu» dans toute publicité incluant celle faite au niveau au niveau d'un écriteau que dans le cas où une promesse d'achat est acceptée et que toutes les conditions de celle-ci, excluant le fait de signer l'acte de vente chez le notaire, ont été remplies ;
Il est entendu que tout écriteau placé sur l'immeuble devra être enlevé dès l'expiration du présent contrat ;

8° transmettre au vendeur une preuve de la transmission des données relatives au présent contrat à un service inter-agences ou à un service similaire convenu si le vendeur a requis un tel service ;

9° divulguer sans délai par écrit au vendeur tout intérêt qu'il possède ou qu'il se propose d'acquérir, directement ou indirectement, dans l'immeuble visé au contrat ;

10° divulguer sans délai par écrit au vendeur toute rétribution autre que celle mentionnée au contrat qu'il a touchée ou peut espérer toucher dans le cadre de l'exécution du présent contrat ;

11° divulguer sans délai par écrit au vendeur le fait qu'il représente également l'acheteur contre rétribution lorsqu'un contrat de courtage d'achat existe ;

12° donner suite aux engagements spécifiques suivants :
(Par exemple, toute promesse, toute garantie ou autre avantage offerts par le courtier au vendeur ou à l'acheteur de l'immeuble, à titre onéreux ou à titre gratuit...)
(Indiquer ci-après la publicité que le courtier s'engage à faire, à ses frais, relativement à l'immeuble, toute garantie ou autre avantage offerts par le courtier au vendeur ou à l'acheteur de l'immeuble, à titre onéreux ou à titre gratuit...)

13° donner suite à son engagement de se porter acquéreur de l'immeuble suivant les modalités ci-après énoncées et, dans ce cas, à ne réclamer, directement ou indirectement, aucune rétribution pour ce faire ;
(S'il y a engagement du courtier de se porter acquéreur de l'immeuble, les modalités de cette acquisition doivent être indiquées ci-après.)

14° aviser sans délai le vendeur qu'il a autorisé, le cas échéant, un autre courtier à effectuer toute publicité convenue aux présentes relative à la vente de l'immeuble ;

15° aviser sans délai par écrit le vendeur que l'agent ou le courtier mentionné au contrat comme agissant pour et au nom du courtier inscripteur n'est plus autorisé à agir en son nom ou n'est plus en mesure d'agir et lui mentionner le nom d'un autre agent immobilier ou courtier immobilier affilié désigné pour le remplacer ;

16° aviser sans délai par écrit le vendeur s'il consent ou non à annuler le présent contrat, à la demande du vendeur, dans le cas où l'agent immobilier ou le courtier immobilier affilié désigné au présent contrat n'est plus à son emploi ou autorisé à agir pour lui ;

17° aviser sans délai par écrit le vendeur si son certificat de courtier venait à être suspendu, annulé ou non renouvelé ou s'il était autrement dans l'impossibilité de continuer à agir comme courtier immobilier ;

18° n'exiger du vendeur aucune rétribution dans le cas où l'immeuble viendrait à être vendu à l'une des personnes ci-après désignées dans les _____ jours de la signature du présent contrat.
(indiquer le nombre de jours)

11. AUTRES DÉCLARATIONS ET CONDITIONS

11.1 _____

12. ANNEXES

12.1 Les dispositions apparaissant aux annexes désignées ci-dessous font partie intégrante des présentes :

Annexe générale : AG- | | | | | Autre : _____

13. INTERPRÉTATION

13.1 À moins que le contexte ne s'y oppose, tout mot écrit au masculin comprend aussi le féminin et vice versa et tout mot écrit au singulier comprend aussi le pluriel et vice versa.

SIGNATURES   (Tous les exemplaires doivent porter des signatures originales)

Article 40 de la Loi sur le courtage immobilier (L.R.Q., c. C-73.1)

«40. Malgré toute stipulation contraire, la personne physique peut résoudre à sa discrétion le contrat dans les trois jours qui suivent celui où elle reçoit un double du contrat signé par les deux parties, à moins d'une renonciation écrite en entier par elle et signée. Le contrat est résolu de plein droit à compter de l'envoi ou de la remise d'un avis écrit au courtier.»

Le COURTIER reconnaît avoir lu et compris le présent contrat et en avoir reçu un double.   Le VENDEUR reconnaît avoir lu et compris le présent contrat et en avoir reçu un double.

Signé à _____   Signé à _____
(adresse du lieu de signature)   (adresse du lieu de signature)

le _____ 19 ____   le _____ 19 ____

_____   _____
Signature : courtier ou son agent ou son courtier affilié   Signature : vendeur 1

_____
Signature : vendeur 2

INTERVENTION DU CONJOINT DU VENDEUR Le soussigné déclare être le conjoint du VENDEUR, consentir et, le cas échéant, concourir au présent contrat, y compris les annexes.

_____
Signature : conjoint du vendeur 1

_____
Signature : conjoint du vendeur 2

Page 3 de 3 100FN (1,01) © Association des courtiers et agents immobiliers du Québec, 1994. Tous droits de reproduction réservés, sauf accord écrit.   CC | | | | |

Note : L'autorisation accordée aux auteurs de reproduire le présent formulaire ne signifie pas que l'Association des courtiers et agents immobiliers du Québec entérine ou accepte en tout ou en partie les propos tenus par les auteurs.

Chapitre 14

LES CONTRATS SOUMIS
À LA *LOI SUR LA PROTECTION*
DU CONSOMMATEUR

14.0 PLAN DU CHAPITRE

14.1   OBJECTIFS

Après la lecture du chapitre, l'étudiant doit être en mesure :

- de distinguer les contrats soumis à la *Loi sur la protection du consommateur* de ceux qui ne le sont pas ;
- d'énumérer les règles qui régissent la formation des contrats soumis à la *Loi sur la protection du consommateur* ;
- de reconnaître les différentes garanties, générales et spécifiques, créées par la *Loi sur la protection du consommateur* ;
- de reconnaître un contrat conclu par un commerçant itinérant ;
- de distinguer les différents contrats de crédit en les définissant et en donnant un exemple pour chacun ;
- d'énumérer les conditions particulières imposées par la *Loi sur la protection du consommateur* en ce qui concerne la vente et la réparation de véhicules ;
- d'énumérer les conditions particulières imposées par la *Loi sur la protection du consommateur* en ce qui concerne la réparation d'appareils domestiques ;
- d'énumérer les conditions particulières imposées par la *Loi sur la protection du consommateur* en ce qui concerne les contrats de louage de services à exécution successive ;
- de reconnaître des pratiques interdites en vertu de la *Loi sur la protection du consommateur* ;
- de comprendre l'usage et l'importance des comptes en fiducie ;
- de définir le rôle des agents de renseignements personnels ;
- d'expliquer les droits supplémentaires accordés au consommateur par la *Loi sur la protection du consommateur* ;
- d'énumérer les différents recours civils qui peuvent être exercés par le consommateur ;
- de choisir entre ces différents recours civils ;
- d'expliquer le rôle de l'Office de la protection du consommateur en matière de recours pénal.

14.2   LA *LOI SUR LA PROTECTION DU CONSOMMATEUR*

L'histoire de la consommation au Québec révèle plusieurs cas où un commerçant a abusé d'un consommateur. Afin d'équilibrer le rapport de force entre un commerçant et un consommateur, le législateur a choisi de protéger le consommateur par l'adoption de la *Loi sur la protection du consommateur*. Cette loi comporte de nombreuses exceptions aux règles générales de notre droit fondamental, ce qui a pour conséquence de donner à cette loi une place très importante dans le domaine commercial, puisqu'elle encadre la très grande majorité des contrats conclus entre un commerçant et un consommateur.

2 L.P.C.   *La présente loi s'applique à tout contrat conclu entre un consommateur et un commerçant dans le cours de son commerce et ayant pour objet un bien ou un service.*

La *Loi sur la protection du consommateur* définit un **commerçant** comme une personne, physique ou morale, dont la principale activité consiste à vendre des biens ou des services. Un **consommateur** est une **personne physique** qui se procure un bien à des fins personnelles. Cette définition du consommateur inclut donc tous les hommes, les femmes et les enfants, mais elle exclut les personnes morales.

Par exemple, l'Université du Québec à Chicoutimi, la ville de Sherbrooke, l'hôpital Royal Victoria à Montréal, Goodyear et toutes les autres personnes morales, ne sont jamais des consommateurs au sens de la Loi sur la protection du consommateur.

De plus, cette définition du consommateur contient une restriction relative à la personne physique qui est en même temps un consommateur et un commerçant ; cette définition exclut le commerçant qui est une personne physique mais qui se procure un bien ou un service pour son commerce.

Par exemple, Laurent, menuisier, achète pour son travail une toupie chez Ro-Na. Ce contrat n'est pas régi par la Loi sur la protection du consommateur *puisque Laurent a acheté cette toupie à des fins professionnelles et il n'est pas considéré comme un consommateur. Par contre, Brigitte, bricoleuse amateur, achète la même toupie chez Ro-Na. Le contrat est alors régi par la* Loi sur la protection du consommateur, *puisque Brigitte n'a pas acheté cette toupie pour des fins commerciales ou professionnelles.*

Si la toupie est l'objet d'un vice caché, Brigitte peut se prévaloir des dispositions de la Loi sur la protection du consommateur *relatives aux garanties, tandis que Laurent doit se prévaloir des dispositions du* Code civil *relatives à l'obligation de garantie.* Bien que les articles sur la garantie et sur les sanctions en cas d'infractions prévus dans la *Loi sur la protection du consommateur* ont à peu près le même effet que ceux prévus dans le *Code civil*, les règles de preuve sont un peu plus libérales dans la *Loi sur la protection du consommateur*.

La *Loi sur la protection du consommateur* s'applique autant à la vente de biens, meubles et immeubles, qu'au louage de services tels que les cours de danse, la réparation d'automobiles, la location d'outils, etc.

En ce qui concerne les immeubles, la *Loi sur la protection du consommateur* ne s'applique pas à une transaction conclue par l'intermédiaire d'un courtier en immeubles, ni à un bail résidentiel qui relève de la juridiction de la Régie du logement, mais elle s'applique à la vente, à la location et à la construction d'un immeuble par un entrepreneur en construction, un vendeur ou un manufacturier de maison mobile.

Cela signifie que la vente d'une maison neuve, d'un condominium, d'une maison mobile ou d'une unité d'habitation en temps partagé (*time sharing*), les travaux d'amélioration, la location d'une maison de villégiature et la revente d'une maison rénovée sont régis par la *Loi sur la protection du consommateur*, si la transaction s'effectue entre un commerçant et un consommateur. Il est important de noter que les articles 1785 à 1794 du *Code civil* s'appliquent aussi à la vente et à la construction d'un immeuble par un constructeur ou par un promoteur.

Certains contrats conclus entre un commerçant et un consommateur ne sont pas régis par la *Loi sur la protection du consommateur*. Par exemple, certains contrats sont déjà réglementés par une autre autorité, comme, entre autres, la Régie du gaz naturel pour Gaz Métropolitain, le Conseil de la radiodiffusion et des télécommunications canadiennes (CRTC) pour Bell Canada, Transports Canada pour Air Canada et Via Rail.

14.3   LES DISPOSITIONS GÉNÉRALES

Il existe trois dispositions générales qui s'appliquent à tous les contrats soumis à la *Loi sur la protection du consommateur*. Il s'agit :

- des règles de formation d'un contrat ;
- des garanties ;
- de la lésion.

14.3.1   LES RÈGLES DE FORMATION D'UN CONTRAT

Tout contrat régi par la *Loi sur la protection du consommateur* doit respecter les règles de formation d'un contrat prévues dans le *Code civil*, à savoir la capacité des parties, le consentement valablement donné, un objet, une cause ainsi qu'une forme (voir la section 7.3.2, La formation du contrat). De plus, ce contrat doit répondre à un certain nombre d'exigences précises imposées par la *Loi sur la protection du consommateur*. Le contrat doit être :

- par écrit ;
- en deux exemplaires ;
- en français, sauf si les parties le désirent dans une autre langue ;
- signé par le commerçant ;
- remis au consommateur pour qu'il en prenne connaissance avant signature ;
- signé par le consommateur ;
- en possession de chaque partie.

Les obligations du consommateur ne débutent qu'à partir du moment où il a en main un exemplaire du contrat. Si le contrat est écrit dans plusieurs langues et qu'il y a divergence entre les textes, l'interprétation qui prévaut est celle qui est la plus favorable au consommateur.

14.3.2   LES GARANTIES

La *Loi sur la protection du consommateur* impose une garantie légale minimale, mais elle n'empêche pas l'existence d'une garantie conventionnelle plus avantageuse.

35 L.P.C.   *Une **garantie** prévue par la présente loi n'a pas pour effet d'empêcher le commerçant ou le manufacturier d'offrir une garantie plus avantageuse pour le consommateur.*

Tout bien acheté en vertu d'un contrat soumis à la *Loi sur la protection du consommateur* possède une **garantie légale minimale** qui assure le bon fonctionnement du bien pendant une certaine période. Cette garantie est traitée dans les articles 37 et 38 de la *Loi sur la protection du consommateur*.

37 L.P.C.   *Un bien qui fait l'objet d'un contrat doit être tel qu'il puisse servir à l'usage auquel il est normalement destiné.*

38 L.P.C.   *Un bien qui fait l'objet d'un contrat doit être tel qu'il puisse servir à un usage normal pendant une durée raisonnable, eu égard à son prix, aux dispositions du contrat et aux conditions d'utilisation du bien.*

*Par exemple, si une personne achète un stylo, il est garanti et doit fonctionner pendant un certain temps. Il en est de même pour une montre, un jouet, une calculatrice, etc. Tous les biens, sans exception, possèdent ainsi une garantie légale de bon fonctionnement ou d'utilisation pendant un certain temps. La loi ne précise toutefois pas la durée de cette garantie ; elle fait allusion à une **durée raisonnable** compte tenu, entre autres, du prix. Théoriquement, un stylo à 5 $ écrira un peu plus longtemps qu'un stylo à 0,10 $. Par contre, un stylo à 5 000 $ n'écrira généralement pas plus longtemps qu'un stylo à 5 $; à ce prix, il s'agit plutôt d'un bijou ou d'une pièce de collection.*

Si une automobile ne fonctionne que durant deux jours, elle est certainement affectée d'un vice caché. Dans ce cas, le consommateur peut poursuivre aussi bien le commerçant que le manufacturier. Ce recours peut également être exercé par un acheteur subséquent. Il s'agit d'un point particulièrement important dans le cas de l'achat d'une automobile d'occasion, puisque les modèles les plus récents sont souvent protégés par des garanties relativement complètes pendant les trois premières années, et jusqu'à sept ans pour certaines défectuosités. Donc, en achetant une automobile d'occasion récente, l'acheteur subséquent se trouve à acheter le solde de la garantie, c'est-à-dire la portion de la garantie qui n'est pas encore expirée.

53 L.P.C. *Le consommateur qui a contracté avec un commerçant a le droit d'exercer directement contre le commerçant ou contre le manufacturier un recours fondé sur un vice caché du bien qui a fait l'objet du contrat, sauf si le consommateur pouvait déceler ce vice par un examen ordinaire.*

Il en est ainsi pour le défaut d'indications nécessaires à la protection de l'utilisateur contre un risque ou un danger dont il ne pouvait lui-même se rendre compte.

Ni le commerçant, ni le manufacturier ne peuvent alléguer le fait qu'ils ignoraient ce vice ou ce défaut.

Le recours contre le manufacturier peut être exercé par un consommateur acquéreur subséquent du bien.

54 L.P.C. *Le consommateur qui a contracté avec un commerçant a le droit d'exercer directement contre le commerçant ou contre le manufacturier un recours fondé sur une obligation résultant de l'article 37, 38 ou 39.*

Un recours contre le manufacturier fondé sur une obligation résultant de l'article 37 ou 38 peut être exercé par un consommateur acquéreur subséquent du bien.

Il faut également savoir que la *Loi sur la protection du consommateur* prévoit que la **publicité** ou les messages publicitaires à la télévision, à la radio, dans les journaux, dans les revues, etc., les déclarations du vendeur ainsi que les garanties annoncées à la télévision ou dans les journaux constituent une garantie dont le consommateur peut se prévaloir. Plus précisément :

41 L.P.C. *Un bien ou un service fourni doit être conforme à une déclaration ou à un message publicitaire faits à son sujet par le commerçant ou le manufacturier. Une déclaration ou un message publicitaire lie ce commerçant et ce manufacturier.*

42 L.P.C. *Une déclaration écrite ou verbale faite par le représentant d'un commerçant ou d'un manufacturier à propos d'un bien ou d'un service lie ce commerçant ou ce manufacturier.*

43 L.P.C. *Une garantie relative à un bien ou un service, mentionnée dans une déclaration ou un message publicitaire d'un commerçant ou d'un manufacturier, lie ce commerçant ou ce manufacturier. Il en est de même d'une garantie écrite du commerçant ou du manufacturier non reproduite dans le contrat.*

Bref, tout ce qu'un vendeur dit et toutes les **déclarations** et garanties télévisées ou imprimées dans les journaux sous forme de message publicitaire font partie du contrat et protègent le consommateur. Le consommateur doit cependant faire preuve de jugement. *Par exemple, le fameux couteau japonais qui est supposé couper une tomate après avoir scié un clou doit pouvoir scier ce clou, mais il ne faut pas oublier qu'il s'agit d'un couteau et non d'une scie ; il peut sûrement scier un ou deux clous, mais vous risquez de l'endommager si vous décidez de scier une centaine de clous.*

Les garanties énoncées aux articles 41 à 43 de la *Loi sur la protection du consommateur* sont complétées par les garanties prévues aux articles 1723 à 1735 du *Code civil* ; il y a donc lieu de lire tous ces articles en même temps (voir la section 10.2.4.2, L'obligation de garantie).

14.3.3   LA LÉSION

8 L.P.C. *Le consommateur peut demander la nullité du contrat ou la réduction des obligations qui en découlent lorsque la disproportion entre les prestations respectives des parties est tellement considérable qu'elle équivaut à de l'**exploitation du consommateur**, ou que l'obligation du consommateur est excessive, abusive ou exorbitante.*

Cet article est très important, car il permet au consommateur majeur de bénéficier de la **notion de lésion** pour les contrats qu'il signe avec un commerçant (voir la section 7.3.2.1 Le consentement).

1406 C.c.Q.   *La **lésion** résulte de l'exploitation de l'une des parties par l'autre, qui entraîne une dispro- portion importante entre les prestations des parties ; le fait même qu'il y ait disproportion importante fait présumer l'exploitation. [...]*

Les articles 1405 à 1408 du *Code civil* stipulent que la lésion n'existe qu'en faveur du mineur et du majeur protégé. La *Loi sur la protection du consommateur* rend possible la lésion en faveur du majeur pour un contrat conclu entre un commerçant et un consommateur.

Il arrive parfois que le consommateur subisse une pression indue de la part d'un vendeur à tel point que le consommateur a l'impression qu'il n'a pas d'autre choix que de donner son consentement et de signer un contrat. Cela s'appelle de la **vente sous pression**. La vente sous pression n'est pas nécessairement une cause de lésion, mais elle peut certainement être un bon exemple de situation qui peut donner ouver- ture à un recours basé sur la lésion, car il est parfois difficile de savoir si le consen- tement du consommateur a été légalement obtenu. *Par exemple, la vente sous pression, généralement par un commerçant itinérant, d'une collection de livres ou de disques, d'un matelas, d'un fauteuil, d'un aspirateur ou d'autres biens entraîne souvent des dépenses excessives pour le consommateur.* Pour faire face à ce genre de situation, le législateur a prévu une solution à l'avantage du consommateur :

9 L.P.C.   *Lorsque le tribunal doit apprécier le consentement donné par un consommateur à un contrat, il tient compte de la condition des parties, des circonstances dans lesquelles le contrat a été conclu et des avantages qui résultent du contrat pour le consommateur.*

17 L.P.C.   *[...] en cas de doute ou d'ambiguïté, le contrat doit être interprété en faveur du consom- mateur.*

Le consommateur inexpérimenté est donc protégé contre le commerçant sans scrupule.

14.3.4   LES MODALITÉS DE PAIEMENT D'UNE VENTE

Il existe trois modalités de paiement d'une vente. Il s'agit de :

- la vente au comptant ;
- la vente avec carte de crédit ;
- la vente avec contrat de crédit.

14.3.4.1   La vente au comptant

La **vente au comptant** suppose que l'acheteur paie le prix de vente en entier lors de la conclusion de la vente. *Par exemple, si Paul achète de la nourriture pour 100 $ chez Provigo, il paie intégralement le coût de ses achats au moment où il passe à la caisse, soit en espèces ou avec une carte de débit. Le magasin Provigo est donc immédiatement et totalement payé par le consommateur.* C'est la forme de paie- ment la plus utilisée pour l'achat d'un grand nombre de produits de consommation courante ou de faible valeur.

14.3.4.2   La vente avec carte de crédit

La **vente avec carte de crédit** suppose que le consommateur conclut un achat sans versement immédiat, mais qu'il remboursera ultérieurement l'établissement financier émetteur de la carte en un ou plusieurs versements. *Par exemple, Marie achète un téléviseur de 500 $ chez Ameublement Tanguay et elle paie avec sa carte de crédit MasterCard. Au moment de la conclusion du contrat, elle ne verse pas d'argent, mais, dans environ 30 jours, elle recevra son état de compte de MasterCard par* *lequel la banque exigera, au choix de Marie, soit le paiement total du solde, soit le paiement sur plusieurs mois, c'est-à-dire le versement mensuel minimum exigé.*

De nombreuses dépenses courantes relatives aux voyages et aux loisirs sont réglées avec la carte de crédit. De plus, les statistiques révèlent que la moitié des consommateurs paient en entier le solde de leur état de compte à la réception, tandis que l'autre moitié étalent leurs paiements sur plusieurs mois.

Pour le vendeur, une vente réglée avec une carte de crédit équivaut à une vente au comptant, puisqu'il est payé immédiatement par l'institution financière qui a émis la carte de crédit. En général, pour une vente de 100 $, le vendeur reçoit immédiatement 97 $ et l'institution financière conserve 3 $ pour couvrir les frais d'administration du système.

14.3.4.3   La vente avec contrat de crédit

Généralement, la **vente avec contrat de crédit** suppose que le consommateur paie une partie du prix d'achat, l'acompte, au moment de la conclusion du contrat, et qu'il paiera le solde ultérieurement en un ou plusieurs versements.

La vente avec un contrat de crédit revêt deux formes : la vente à terme et la vente à tempérament.

La **vente à terme** est une vente à crédit par laquelle le **consommateur devient propriétaire du bien au moment de la vente**, même si le paiement ne se fait qu'à une date ultérieure. Dans ce cas, le crédit est consenti par le vendeur ou par une institution financière.

La **vente à tempérament** est une vente à crédit par laquelle le **consommateur ne devient propriétaire du bien qu'au moment où il effectue le dernier versement** prévu au contrat. Lors d'une telle vente, le crédit est consenti par le vendeur ou par une institution financière.

Par exemple, Julie se rend chez Ameublement Tanguay et achète pour 800 $ de meubles. Au lieu de payer comptant ou d'utiliser sa carte de crédit, Julie décide de se prévaloir des conditions de vente offertes par le magasin. Elle remet donc un acompte de 100 $ et paiera le solde de 700 $ en sept versements égaux et consécutifs de 105,07 $, payables le premier jour de chaque mois à compter du prochain mois, pour un total de 735,49 $, dont 700 $ de solde du prix de vente et 35,49 $ d'intérêts.

Le contrat de vente entre Julie et Ameublement Tanguay est un contrat de vente avec contrat de crédit, mais cette vente peut être à terme ou à tempérament : cela dépend du type de contrat signé par Julie et Ameublement Tanguay. En général, les vendeurs de meubles et de véhicules utilisent le contrat de vente à tempérament, car ils peuvent ainsi conserver la propriété du bien jusqu'à parfait paiement. Si le consommateur fait défaut de payer, le vendeur peut reprendre le bien parce qu'il lui appartient toujours. Cependant, la *Loi sur la protection du consommateur* protège le consommateur contre les commerçants qui abusent du droit de reprise de possession en imposant un avis, un délai de trente jours et des modalités pour finir de payer le solde dû (voir le document 14.2, Contrat de vente à tempérament).

La vente avec un contrat de crédit est une méthode de financement courante pour les achats importants qui ne sont pas payés au moyen de la carte de crédit tels les achats de meubles, d'automobile, de piscine, de maison, de bateau, etc. Pour s'assurer du sérieux du consommateur, le vendeur effectue une vérification de la solvabilité du client en s'informant auprès d'un agent de renseignements personnels. L'**agent de renseignements personnels**, appelé aussi **bureau de crédit**, est une entreprise spécialisée dans la cueillette d'informations sur le crédit des consommateurs (voir la section 14.5.2, Les agents de renseignements personnels).

Si un acheteur est très solvable, il lui est même possible d'acheter des meubles à crédit sans avoir à débourser un acompte. Plusieurs magasins de meubles ont une publicité qui ressemble à celle-ci :

Achetez maintenant et ne payez que dans six mois sans intérêt et sans acompte.

C'est un moyen comme un autre et parfaitement légal d'attirer la clientèle.

14.4 LES PRINCIPAUX CONTRATS

Pour le bénéfice du consommateur, le législateur a établi un certain nombre de règles afin d'encadrer cinq contrats qu'il a particulièrement définis dans la *Loi sur la protection du consommateur* (voir le tableau 14.1). Il s'agit :

- des contrats conclus par un commerçant itinérant ;

- des contrats de crédit ;

- des contrats qui concernent un véhicule ;

- des contrats de réparation d'appareils domestiques ;

- des contrats de louage de services à exécution successive.

Tableau 14.1 Les contrats régis par la *Loi sur la protection du consommateur*

Contrat	Sous-catégorie	Exemple
Conclu par un commerçant itinérant		Hélène achète une encyclopédie ou un aspirateur d'un vendeur qui fait du porte-à-porte
De crédit	Prêt d'argent	Hélène emprunte 5 000 $ à la Banque de Montréal
	Crédit variable	Hélène signe un contrat de marge de crédit pour couvrir les risques de découvert dans son compte de chèques
	Assorti d'un crédit	Hélène achète des meubles payables en 12 versements
Qui concerne un véhicule	Vente	Hélène achète une voiture d'occasion de deux ans
	Réparation	Hélène fait réparer sa voiture dans un garage
De réparation d'appareils domestiques		Hélène fait réparer son téléviseur
De louage de services à exécution successive	Général	Hélène signe un contrat pour un cours de conduite automobile ou un cours de maquillage
	Studio de santé	Hélène signe un contrat pour maigrir et se faire des muscles
	Contrat accessoire	Hélène signe un contrat avec l'école de maquillage pour se procurer une trousse de maquillage identique à celle des autres clientes et fortement recommandée par son professeur

14.4.1

LES CONTRATS AVEC UN COMMERÇANT ITINÉRANT

Le **commerçant itinérant** est un commerçant qui, ailleurs qu'à son adresse, sollicite un consommateur ou signe un contrat avec celui-ci pour une somme de plus de 25 $. Les contrats de 25 $ ou moins conclus avec un commerçant itinérant ne sont pas soumis aux restrictions particulières de ce type de contrat.

59 L.P.C.

Le contrat conclu entre un commerçant itinérant et un consommateur peut être résolu à la discrétion de ce dernier dans les dix jours qui suivent celui où chacune des parties est en possession d'un double du contrat.

62 L.P.C.

Le contrat est résolu de plein droit à compter de la remise du bien ou de l'envoi de la formule ou de l'avis.

Contrairement aux autres contrats soumis au *Code civil* ou à la *Loi sur la protection du consommateur*, le contrat conclu avec un commerçant itinérant peut être résolu à la seule volonté du consommateur dans les dix jours suivant la date de signature du contrat, soit en retournant le bien ou la formule de résiliation au commerçant, soit en lui envoyant un avis pour résilier le contrat. *Par exemple, si Marc a acheté une encyclopédie de 375 $ d'un commerçant itinérant le 7 juin, il a jusqu'au 17 juin pour retourner l'encyclopédie ou la formule de résiliation attachée au contrat, ou pour lui envoyer un avis dans lequel il demande la résiliation du contrat. Après ce délai de dix jours, le consommateur ne peut plus résilier ce contrat ; ce délai doit rigoureusement être respecté.*

Examinons un autre exemple dans lequel le commerçant itinérant signe deux contrats ; un premier contrat avec un consommateur et un deuxième contrat avec un autre commerçant.

Par exemple, Caroline achète au prix de 5 000 $ un service de couverts en argent massif d'un vendeur itinérant qui fait la tournée de toutes les maisons du voisinage. Le contrat est régi par la Loi sur la protection du consommateur, *puisque Caroline a acheté ce bien en tant que consommatrice. Par conséquent, Caroline bénéficie d'un droit supplémentaire : la* Loi sur la protection du consommateur *lui accorde un délai de dix jours pour résilier ce contrat, car il s'agit d'un contrat conclu avec un commerçant itinérant.*

Par contre, Jacques Lepluart est propriétaire du Restaurant la Closerie inc. et il achète un service de couverts identiques au prix de 5 000 $. Ce contrat n'est pas régi par la Loi sur la protection du consommateur, *puisque Jacques Lepluart a acheté ce bien pour son commerce. Par conséquent, il ne peut pas résilier ce contrat.*

14.4.2

LES CONTRATS DE CRÉDIT

66 L.P.C.

La [Loi sur la protection du consommateur] vise tous les contrats de crédit, notamment :

a) le contrat de prêt d'argent ;

b) le contrat de crédit variable ;

c) le contrat assorti d'un crédit.

14.4.2.1

Le contrat de prêt d'argent

Le **contrat de prêt d'argent** est un emprunt que le consommateur contracte généralement auprès d'une institution financière, comme une banque, une caisse populaire ou une société de fiducie (voir la section 19.3.2.2, Le prêt d'argent). Il est remboursé au moyen de versements périodiques, réguliers et égaux. *Par exemple, Jean emprunte à la caisse populaire Laurier une somme de 1 000 $ au taux d'intérêt de 10 %, remboursable en 12 mensualités de 87,92 $ en capital et intérêts pour un total de 1 054,99 $, dont une portion de 1 000 $ de capital et de 54,99 $ d'intérêts (voir le tableau 14.2).*

Tableau 14.2 Le plan de remboursement d'un emprunt personnel

Montant emprunté	1 000 $
Taux annuel d'intérêt	10 %
Période d'amortissement	1 an
Nombre de versements	12

Versement	Montant	Intérêts	Capital	Solde
				1000,00
1	87,92	8,33	79,59	920,41
2	87,92	7,67	80,25	840,16
3	87,92	7,00	80,92	759,24
4	87,92	6,33	81,59	677,65
5	87,92	5,65	82,27	595,38
6	87,92	4,96	82,96	512,42
7	87,92	4,27	83,65	428,77
8	87,92	3,57	84,35	344,42
9	87,92	2,87	85,05	259,37
10	87,92	2,16	85,76	173,62
11	87,92	1,45	86,47	87,14
12	87,87	0,73	87,14	0,00

14.4.2.2 Le contrat de crédit variable

Le **contrat de crédit variable** englobe deux éléments différents mais similaires : la carte de crédit et la marge de crédit. Ce contrat de crédit est dit variable parce que le consommateur peut emprunter, utiliser et rembourser des fonds tous les jours, de sorte que le solde varie régulièrement.

14.4.2.3 Le contrat assorti d'un crédit

Le **contrat assorti d'un crédit** est en général un contrat d'achat avec paiement à crédit (voir la section 14.3.4.3, La vente avec un contrat de crédit). *Par exemple, Julie achète chez Ameublement Tanguay un téléviseur au prix de 1 800 $. Elle donne un acompte de 800 $ et paie le solde de 1 000 $ en 12 mensualités de 87,92 $ incluant le capital et les intérêts, pour un total de 1 054,99 $, dont une portion de 1 000 $ de capital et de 54,99 $ d'intérêts* (voir le tableau 14.2).

Selon la *Loi sur la protection du consommateur*, le remboursement d'une somme empruntée comporte deux parties : le capital et les frais de crédit. Le **capital** est le montant réellement emprunté, tandis que les **frais de crédit** constituent une somme supplémentaire que le consommateur doit rembourser et qui inclut, entre autres, les intérêts.

70 L.P.C.

Les frais de crédit [...] [comprennent] :

a) la somme réclamée à titre d'intérêt ;

b) la prime d'une assurance souscrite [...] ;

c) la ristourne ;

d) *les frais d'administration, de courtage, d'expertise, d'acte ainsi que les frais engagés pour l'obtention d'un rapport de solvabilité;*

e) *les frais d'adhésion ou de renouvellement;*

f) *la commission;*

g) *la valeur du rabais ou de l'escompte auquel le consommateur a droit s'il paye comptant;*

h) *les droits exigibles en vertu d'une loi fédérale ou provinciale, imposés en raison du crédit.*

Généralement, les **frais de crédit** sont des frais d'intérêts, mais ils peuvent parfois inclure une foule d'autres frais à la seule condition que tous ces frais soient mentionnés dans le contrat (voir le document 14.1, Contrat de prêt d'argent).

71 L.P.C.   *Le commerçant doit mentionner les frais de crédit en termes de dollars et de cents et indiquer qu'ils se rapportent:*

a) *à toute la durée du contrat dans le cas d'un contrat de prêt d'argent ou d'un contrat assorti d'un crédit; ou*

b) *à la période faisant l'objet de l'état de compte dans le cas d'un contrat de crédit variable.*

Pour éviter d'induire le consommateur en erreur avec un taux de crédit apparemment bas, la *Loi sur la protection du consommateur* exige que le **taux d'intérêt** soit indiqué en pourcentage annuel. Rien n'empêche d'indiquer un pourcentage mensuel, hebdomadaire ou quotidien, mais le pourcentage annuel doit obligatoirement être inscrit.

La *Loi sur la protection du consommateur* prévoit que le consommateur peut payer en tout temps son obligation, même avant l'échéance; il s'agit d'un **remboursement anticipé**. Le commerçant ne peut pas refuser un paiement anticipé partiel ou total. Il faut préciser que les emprunts garantis par hypothèque, c'est-à-dire ceux qui s'appliquent à un immeuble, ne sont pas régis par la *Loi sur la protection du consommateur* et, par conséquent, les modalités de remboursement anticipé, s'il y en a, sont prévues dans l'acte d'hypothèque et nulle part ailleurs.

Par ailleurs, les contrats régis par la *Loi sur la protection du consommateur* peuvent contenir une clause de déchéance du bénéfice du terme, auquel cas le solde de l'emprunt est immédiatement dû (voir la section 7.6.2, L'obligation à terme).

Le contrat de prêt d'argent et le contrat de vente à tempérament (voir le document 14.2, Contrat de vente à tempérament) sont des contrats qui comportent toutes les mentions obligatoires prévues par la *Loi sur la protection du consommateur* en ce qui concerne les clauses de déchéance du bénéfice du terme, l'obligation de contracter une assurance ou le contrat assorti d'un crédit.

73 L.P.C.   *Un contrat de prêt d'argent et un contrat assorti d'un crédit peuvent être résolus sans frais ni pénalité, à la discrétion du consommateur, dans les deux jours qui suivent celui où chacune des parties est en possession d'un double du contrat.*

Selon cet article, un consommateur peut résoudre tout contrat qui concerne un emprunt ou un crédit, mais il dispose seulement d'un délai de deux jours. *Par exemple, si Antoine regrette d'avoir emprunté 8 000 $ ou d'avoir acheté pour 8 000 $ de meubles à crédit, il a deux jours pour changer d'idée et annuler le contrat. Par contre, si Antoine paie les meubles comptant, il ne peut pas annuler le contrat, sauf s'il s'agit d'un contrat conclu avec un commerçant itinérant.*

14.4.3   LES CONTRATS QUI CONCERNENT UN VÉHICULE

La *Loi sur la protection du consommateur* encadre deux types de contrat concernant des véhicules: la vente d'un véhicule d'occasion et la réparation d'un véhicule.

14.4.3.1   La vente d'un véhicule d'occasion

La *Loi sur la protection du consommateur* prévoit qu'une **étiquette** doit être apposée sur tout véhicule mis en vente par un commerçant. Cette étiquette doit comprendre les informations suivantes au sujet du véhicule :

- le prix ;

- le nombre de kilomètres effectivement parcourus ;

- l'année de fabrication ;

- le numéro de série ;

- la marque et le modèle ;

- la cylindrée du moteur ;

- l'utilisation antérieure s'il a été utilisé comme taxi, voiture-école, voiture de police, ambulance, voiture de location, voiture de service ou voiture d'essai ;

- les réparations effectuées par le commerçant ;

- la possibilité pour le consommateur d'avoir le nom et le numéro de téléphone du dernier propriétaire ;

- la garantie offerte par le commerçant (voir les tableaux 14.3 et 14.4).

Tableau 14.3   La garantie pour une voiture d'occasion vendue par un commerçant à un consommateur (159 et 160 L.P.C.)

Durée de la garantie				
Mois		**Kilomètres**		**Âge**	**Kilométrage**
6	ou	10 000	si	Au plus 2 ans	Au plus 40 000
3	ou	5 000	si	Au plus 3 ans	Au plus 60 000
1	ou	1 700	si	Au plus 5 ans	Au plus 80 000
Aucune garantie spécifique, sauf la garantie des articles 37 et 38 de la *Loi sur la protection du consommateur*				Plus de 5 ans	Plus de 80 000

Tableau 14.4   La garantie pour une motocyclette d'occasion vendue par un commerçant à un consommateur (164 L.P.C.)

Durée de la garantie		Âge de la motocyclette
2 mois	si	Au plus 2 ans
1 mois	si	Au plus 3 ans
Aucune garantie spécifique, sauf la garantie des articles 37 et 38 de la *Loi sur la protection du consommateur*		Plus de 3 ans

Il faut se rappeler que ces garanties ne s'appliquent qu'aux ventes conclues entre un commerçant et un consommateur ; elles ne concernent pas les ventes conclues entre deux consommateurs. De plus, lorsqu'une voiture a plus de cinq ans ou plus de 80 000 kilomètres, ou qu'une motocyclette a plus de trois ans, la *Loi sur la protection du consommateur* ne prévoit pas de garantie spécifique, mais les dispositions des articles 37 et 38 (voir la section 14.3.2, Les garanties) s'appliquent, de telle sorte que le véhicule acheté doit pouvoir rouler pendant un certain temps, compte tenu, entre autres, de son prix de vente. *Par exemple, un véhicule acheté pour 8 000 $ doit pouvoir rouler pendant plusieurs années, tandis qu'un véhicule acheté pour 400 $ ne roulera probablement que quelques mois avant de nécessiter des réparations.*

14.4.3.2   La réparation d'un véhicule

Lorsqu'un véhicule est confié à un commerçant pour des réparations, la garantie est limitée à **trois mois ou 5 000 kilomètres** s'il s'agit d'une voiture, et à **un mois** s'il s'agit d'une motocyclette. Évidemment, la garantie ne porte que sur ce qui a fait l'objet de la réparation et couvre le coût des pièces et les frais de main-d'œuvre.

La *Loi sur la protection du consommateur* prévoit que le commerçant est obligé de fournir une **évaluation écrite** au consommateur, à moins que ce dernier n'écrive de sa propre main la déclaration suivante :

> JE RENONCE À MON DROIT À UNE ÉVALUATION ÉCRITE

et qu'il la signe. Cependant, un commerçant peut exiger des frais pour faire une évaluation, à condition d'en préciser le montant au consommateur avant de faire l'évaluation. Ces frais doivent comprendre le coût du remontage (au cas où le consommateur ne fait pas effectuer la réparation) et ceux de la main-d'œuvre ou des éléments (fluides et joints qui ont été vidangés ou détruits lors du démontage) qu'il faut remplacer.

14.4.4   LES CONTRATS DE RÉPARATION D'APPAREILS DOMESTIQUES

Au sens de la loi, un **appareil domestique** est :

- une cuisinière ;
- un réfrigérateur ;
- un congélateur ;
- un lave-vaisselle ;

UN BRIS NON COUVERT PAR LA GARANTIE

- une laveuse ;

- une sécheuse ;

- un téléviseur.

Il est à noter que le four à micro-ondes, le magnétoscope, la chaîne stéréo et le micro-ordinateur ne sont pas, selon la définition de la *Loi sur la protection du consommateur*, des appareils domestiques. Par conséquent, leur réparation n'est pas régie par cette loi.

Au moment de faire réparer un appareil domestique, le commerçant doit fournir une **évaluation écrite** au consommateur avant le début des travaux, mais il a le droit de demander des frais à condition d'en préciser le montant avant de faire l'évaluation. Enfin, toute réparation d'un appareil domestique est garantie pour une période de **trois mois** et comprend le coût des pièces et les frais de main-d'œuvre.

14.4.5 LES CONTRATS DE LOUAGE DE SERVICES À EXÉCUTION SUCCESSIVE

Le **louage de services à exécution successive** concerne tous les services échelonnés dans le temps ou qui ne peuvent pas être exécutés instantanément. *Par exemple, lorsque Claudine va chez le coiffeur, il ne s'agit pas d'un contrat de louage de services à exécution successive, mais d'un simple contrat de louage de services, puisque l'exécution se fait en un seul temps : quand Claudine sort du salon de coiffure, elle est coiffée. Mais si elle s'inscrit à un cours de coiffure, il s'agit d'un contrat de louage de services à exécution successive, puisque le service est échelonné dans le temps.* En fait, plusieurs types de cours sont des contrats de louage de services à exécution successive, qu'ils aient trait :

- à la conduite automobile ;

- au sport tel que le ski, le judo, la natation, etc. ;

- à l'art tel que la peinture, la céramique, la sculpture, etc. ;

- au maquillage, à l'esthétique, etc. ;

- à la danse ;

- aux langues ;

- à l'expression verbale ;

- à la culture personnelle.

Cependant, il existe des cours qui ne sont pas soumis aux dispositions de la *Loi sur la protection du consommateur*. Il s'agit des cours donnés par :

- une commission scolaire ;

- un cégep ;

- une université incluant ses écoles et instituts ;

- une école privée primaire, secondaire ou collégiale, a qui le ministère de l'Éducation a conféré le statut d'institution déclarée d'intérêt public ;

- un ministère ;

- une municipalité ;

- une personne membre d'une corporation professionnelle.

La *Loi sur la protection du consommateur* ne s'applique donc pas aux cours donnés à l'intérieur du réseau régulier d'enseignement, mais touche principalement toutes les écoles et tous les cours dits de culture personnelle.

14.4.5.1	## Les règles générales

La *Loi sur la protection du consommateur* prévoit en détail ce que doit contenir un contrat de louage de services à exécution successive (voir le tableau 14.5).

190 L.P.C.

Le contrat doit être constaté par écrit et indiquer :

a) *le nom et l'adresse du consommateur et ceux du commerçant ;*

b) *le lieu et la date du contrat ;*

c) *la description de l'objet du contrat et la date à laquelle le commerçant doit commencer à exécuter son obligation ;*

d) *la durée du contrat et l'adresse où il doit être exécuté ;*

e) *le nombre d'heures, de jours ou de semaines sur lesquels sont répartis les services ainsi que le taux horaire, le taux à la journée ou le taux à la semaine, selon le cas ;*

f) *le total des sommes que le consommateur doit débourser en vertu du contrat ;*

g) *les modalités de paiement ; et*

h) *toute autre mention prescrite par règlement [...].*

Le principe est toujours le même : le commerçant doit fournir le maximum d'informations au consommateur concernant le cours en plus du coût total.

192 L.P.C.

Le commerçant ne peut percevoir le paiement du consommateur avant de commencer à exécuter son obligation.

Le commerçant ne peut percevoir le paiement de l'obligation du consommateur en moins de deux versements sensiblement égaux. Les dates d'échéance des versements doivent être fixées de telle sorte qu'elles se situent approximativement au début de parties sensiblement égales de la durée du contrat.

Cet article vise à empêcher qu'un commerçant ne vende des services, n'encaisse un dépôt et ne disparaisse sans avoir donné le moindre cours.

Les **modalités de paiement** d'un tel contrat sont très simples. Premièrement, le commerçant ne peut exiger aucun paiement avant le début du cours. Deuxièmement, le paiement doit se faire en au moins deux versements sensiblement égaux ; le premier versement peut toujours être exigé lors du premier cours, mais le deuxième versement ne peut pas l'être avant la moitié du cours. Si le cours est payable en trois versements, le premier peut être versé au premier cours, le deuxième après le premier tiers du cours et le troisième après le deuxième tiers du cours.

Si le consommateur désire **résilier ce contrat**, il le peut en tout temps. Si le cours n'est pas commencé, il n'y a aucuns frais de résiliation. Si le cours est commencé, le consommateur doit payer pour les cours qui ont déjà eu lieu, plus une somme de 50 $, ou 10 % du solde du cours, selon le plus bas des deux montants. *Par exemple, Gérard s'est inscrit à un cours de ski acrobatique d'une durée de 20 semaines au prix de 100 $ par semaine, pour un total de 2 000 $. Le cours est payable en deux versements égaux exigibles respectivement à la première et à la onzième semaine de cours. Gérard a payé le premier versement et il désire maintenant résilier son contrat après sept semaines de cours. Le calcul se fait donc de la façon suivante :*

7 semaines à 100 $ = 700 $.

2 000 $ – 700 $ = 1 300 $ ×10 % = 130 $ ou 50 $, selon le plus bas des deux montants.

Le total est donc : 700 $ + 50 $ = 750 $.

Comme Gérard a fait le premier versement de 1 000 $, le commerçant lui doit : 1 000 $ – 750 $ = 250 $.

Si le cours coûte 10 $ par semaine au lieu de 100 $ par semaine, le calcul se fait de la façon suivante :

7 semaines à 10 $ = 70 $.

> *200 $ – 70 $ = 130 $ x 10 % = 13 $ ou 50 $ selon le plus bas des deux montants.*
>
> *Le total est donc : 70 $ + 13 $ = 83 $.*
>
> *Comme Gérard a fait le premier versement de 100 $, le commerçant lui doit : 100 $ – 83 $ = 17 $.*

Par ailleurs, si un cours de conduite automobile s'étend sur une période de 12 mois, soit du 1ᵉʳ janvier au 31 décembre, qu'il coûte 1 200 $ et que le commerçant demande quatre versements payables le plus tôt possible, ces quatre versements de 300 $ seront payables respectivement le premier jour des mois de janvier, avril, juillet et octobre. Si le commerçant demande trois versements, ils seront de 400 $ chacun et payables le premier jour des mois de janvier, mai et septembre. Enfin, si le commerçant demande deux versements, ils seront de 600 $ chacun et payables le premier jour des mois de janvier et juillet.

Tableau 14.5 Le contrat de louage de services à exécution successive. Exemple : cours de conduite automobile

Durée	12 mois
Coût	1 200 $
Début du cours	1ᵉʳ janvier
Date des versements	Le plus tôt possible

Nombre de versements	Montant du versement	Date des versements
Quatre versements	1 200 $ ÷ 4 = 300 $	01-01, 01-04, 01-07, 01-10
Trois versements	1 200 $ ÷ 3 = 400 $	01-01, 01-05, 01-09
Deux versements	1 200 $ ÷ 2 = 600 $	01-01, 01-07

Résiliation	Coût des cours	Pénalité	Total
1ᵉʳ janvier	Aucun	Aucune	0 $
1ᵉʳ février	1 200 $ × 1/12 = 100 $	1 100 $ × 10 % = 110 $ ou 50 $ selon le plus bas	150 $
1ᵉʳ octobre	1 200 $ × 9/12 = 900 $	300 $ × 10 % = 30 $ ou 50 $ selon le plus bas	930 $

14.4.5.2 Les contrats conclus avec un studio de santé

198 L.P.C.

> *[...] on entend par « studio de santé » un établissement qui fournit des biens ou des services destinés à aider une personne à améliorer sa condition physique par un changement dans son poids, le contrôle de son poids, un traitement, une diète ou de l'exercice.*

Les règles applicables aux contrats conclus avec un studio de santé sont les mêmes que pour tout contrat de louage de services à exécution successive. Il existe cependant deux règles supplémentaires :

200 L.P.C.

> *La durée du contrat ne peut excéder un an.*

201 L.P.C.

> *Le commerçant ne peut percevoir aucun paiement du consommateur avant de commencer à exécuter son obligation.*
>
> *Le commerçant ne peut percevoir le paiement de l'obligation du consommateur en moins de deux versements sensiblement égaux.*
>
> *Les dates d'échéances des versements doivent être fixées de telle sorte qu'elles se situent approximativement au début de parties sensiblement égales de la durée du contrat.*

203 L.P.C.

> *Le consommateur peut également, à sa discrétion, résilier le contrat dans un délai égal à un dixième de la durée prévue au contrat, à compter du moment où le commerçant*

commence à exécuter son obligation principale. Dans ce cas, le commerçant ne peut exiger du consommateur le paiement d'une somme supérieure à un dixième du prix total prévu au contrat.

Par exemple, Michel s'est inscrit à un programme d'amaigrissement dans un studio de santé d'une durée de 50 semaines au prix de 50 $ par semaine, pour un total de 2 500 $. Le programme est payable en deux versements égaux exigibles respectivement à la première et à la 26e semaine. Michel a effectué le premier versement et, après quatre semaines, il désire résilier son contrat. Le calcul se fait de la façon suivante :

> *4 semaines à 50 $ = 200 $.*

> *50 semaines × 1/10 = 5 semaines,*

> *5 semaines à 50 $ = 250 $,*

> *selon le plus élevé des deux montants, si Michel agit en dedans du délai qui correspond au dixième du contrat, soit cinq semaines.*

> *Le total est donc de 250 $.*

> *Comme Michel a effectué le premier versement de 1 250 $, le commerçant lui doit : 1 250 $ – 250 $ = 1 000 $.*

*Si Michel désire résilier le contrat après plus de cinq semaines, par exemple 11 semaines, il doit le plein montant du cours, soit 2 500 $. **Un contrat avec un studio de santé n'est pas résiliable après la période qui correspond à 10 % de la durée du cours.** Si le commerçant veut accepter la résiliation du contrat de Michel, il en a le droit, mais il n'est pas obligé de le faire.*

Dans un tel cas, il appartient au consommateur d'y penser sérieusement et à surveiller le délai de résiliation.

14.4.5.3 Les contrats accessoires

En plus des contrats principaux que sont les contrats de louage de services à exécution successive, il existe des **contrats accessoires**, c'est-à-dire ceux qui peuvent inclure la vente de tout produit nécessaire pour un cours, soit la vente, entre autres :

- de livres ;
- de disques ;
- de cassettes ;
- de produits de maquillage ;
- de collants ;
- de matériel de gymnastique ;
- d'espadrilles.

Un commerçant n'a pas le droit d'exiger que toutes les personnes qui suivent son cours de gymnastique achètent un collant de telle marque ou de telle couleur, un t-shirt de telle marque ou des espadrilles de tel modèle, vendus par lui ou par une boutique qu'il suggère, car il est bien entendu que ce n'est ni la sorte, ni la couleur du collant, du t-shirt ou des espadrilles qui ont une incidence sur la formation du consommateur.

Mais il y a des cas plus subtils. *Par exemple, dans le cadre d'un cours de maquillage, un commerçant demande à chaque étudiante d'acheter telle trousse de maquillage, de telle compagnie et de tel modèle afin que tout le monde ait les mêmes produits, ce qui, prétend-il, permet ainsi un enseignement plus facile et une meilleure comparaison des résultats.*

Évidemment, l'intention peut sembler louable, mais le commerçant doit se contenter de faire une simple suggestion, car la *Loi sur la protection du consommateur* **interdit formellement au commerçant de soumettre la conclusion du contrat principal à la signature d'un contrat accessoire**. Il est donc illégal pour un commerçant de dire à quelqu'un que s'il n'achète pas une telle trousse de maquillage, il ne pourra pas suivre son cours.

14.4.6

LES CONTRATS DE LOUAGE À LONG TERME DE BIENS

Le **contrat de louage à long terme** est le contrat par lequel une personne, le locateur, s'engage envers une autre personne, le locataire, à lui procurer, moyennant un loyer, la jouissance d'un bien pendant une période de location de quatre mois ou plus. De plus,

150.2 L.P.C.

> *[...] Le contrat qui prévoit une période de location de moins de quatre mois est réputé à long terme lorsque, par l'effet d'une clause de renouvellement, de reconduction ou d'une autre convention de même effet, cette période peut être portée à quatre mois ou plus.*

En outre, la *Loi sur la protection du consommateur* prévoit que le contrat qui comporte une option conventionnelle d'achat du bien loué et le contrat à valeur résiduelle garantie doivent être constatés par écrit. Ces contrats doivent indiquer le montant que le consommateur doit payer pour acquérir le bien, ou la manière de le calculer, ainsi que les autres conditions d'exercice de cette option s'il en est.

Le locateur peut imposer au locataire un loyer basé sur l'utilisation du bien au moyen d'un taux horaire ou basé sur le nombre de kilomètres si un tel taux est indiqué au contrat et si le bien est pourvu d'un dispositif permettant de mesurer le kilométrage ou le nombre d'heures utilisées.

150.9 L.P.C.

> *Est interdite, dans un contrat de louage à long terme, une convention :*
>
> *a) qui oblige le consommateur à rendre le bien dans un état meilleur que celui qui résulte d'une usure normale ;*
>
> *b) qui vise à préciser ce qu'est l'usure normale ; [...]*

En effet, il découle du principe même de la location que le bien est utilisé pendant la période de location et le coût de location est en fonction d'un bien qui revient plus usé qu'il ne l'était avant le début de la location.

150.13 L.P.C.

> *Si le consommateur n'exécute pas son obligation suivant les modalités du contrat, le commerçant peut :*
>
> *a) soit exiger le paiement immédiat de ce qui est échu ;*
>
> *b) soit exiger [...] le paiement immédiat de ce qui est échu et des versements périodiques non échus si le contrat contient une clause de déchéance du bénéfice du terme [...] ;*
>
> *c) soit reprendre possession du bien loué [...].*

150.14 L.P.C.

> *Avant d'exercer le droit de reprise du bien loué, le commerçant doit expédier au consommateur un avis écrit [...]*
>
> *Le consommateur peut remédier au fait qu'il est en défaut ou remettre le bien au commerçant dans les trente jours qui suivent la réception de l'avis prévu au premier alinéa, et le droit de reprise ne peut être exercé qu'à l'expiration de ce délai.*

C'est au consommateur de décider s'il préfère remédier à son défaut ou remettre le bien au commerçant. Il faut cependant noter que :

150.15 L.P.C.

> *Si, à la suite de l'avis de reprise de possession, il y a remise volontaire ou reprise forcée du bien, le contrat est résilié de plein droit à compter de cette remise ou de cette reprise.*
>
> *Le commerçant n'est alors pas tenu de remettre le montant des paiements échus déjà perçus, et il ne peut réclamer que les seuls dommages-intérêts réels qui soient une suite directe et immédiate de la résiliation du contrat.*
>
> *Le commerçant a l'obligation de minimiser ses dommages.*

D'autre part, la *Loi sur la protection du consommateur* contient une disposition très intéressante pour le consommateur qui désire mettre fin unilatéralement au contrat de louage à long terme.

150.17 L.P.C.

> *Le consommateur peut, pendant la période de location et à sa discrétion, remettre le bien au commerçant. Le contrat est résilié de plein droit à compter de la remise du bien, avec les mêmes conséquences qu'entraîne la résiliation visée à l'article 150.15.*

Il existe une forme particulière de contrat de louage à long terme d'un bien ; il s'agit du contrat de louage à valeur résiduelle garantie.

150.18 L.P.C.

> *Le **contrat de louage à valeur résiduelle garantie** est un contrat de louage à long terme d'un bien en vertu duquel le consommateur garantit au commerçant que, une fois expirée la période de location, ce dernier obtiendra au moins une certaine valeur de l'aliénation du bien. [...]*

Ce type de contrat se rencontre fréquemment dans le domaine de la location de véhicules. *Par exemple, Jean a loué une Oldsmobile Delta 88 chez Fournier Automobiles en vertu d'un contrat de location à long terme de cinq ans. Dans ce contrat, il y a une clause qui stipule que le véhicule doit avoir une valeur résiduelle de 6 000 $ à la fin du contrat de cinq ans. Jean a donc intérêt à prendre les dispositions nécessaires pour entretenir le bien, car si celui-ci subit une forte dépréciation pour cause de manque d'entretien, d'accident ou d'abus, Jean doit payer une partie de la différence. En effet,*

150.21 L.P.C.

> *L'obligation de garantie du consommateur quant à la valeur résiduelle se limite au moindre des montants suivants :*
>
> *a) l'excédent de la valeur résiduelle sur la valeur obtenue de l'aliénation du bien par le commerçant ;*
>
> *b) 20 pour cent de la valeur résiduelle.*

Par exemple, si à la fin des cinq années, Jean remet l'Oldsmobile Delta 88 à Fournier Automobiles qui ne peut la revendre que pour la somme de 1 500 $, Jean doit payer le moindre des deux montants suivants : la différence entre 6 000 $ et 1 500 $, soit 4 500 $; ou 20 % de 6 000 $, soit 1 200 $. Dans ce cas, Jean doit payer 1 200 $.

14.5 LES PARTICULARITÉS DE LA *LOI SUR LA PROTECTION DU CONSOMMATEUR*

La *Loi sur la protection du consommateur* contient un certain nombre de particularités concernant les comptes en fiducie, la preuve et la procédure ainsi que les pratiques interdites.

14.5.1 LES COMPTES EN FIDUCIE

Lorsqu'un commerçant vend un bien ou un service à un consommateur, que ce dernier paie immédiatement, mais que le bien ou le service ne sera livré que dans le futur, il doit mettre l'argent reçu dans un compte en fiducie, c'est-à-dire un compte indépendant de son compte courant ; le commerçant ne peut retirer cet argent de ce compte en fiducie que lorsqu'il a rendu le bien ou le service payé.

Par exemple, lorsqu'une entreprise comme Air Canada vend un billet d'avion de 500 $ payable immédiatement pour un voyage qui aura lieu dans trois mois, elle doit déposer cette somme dans un compte en fiducie. Si le consommateur annule son voyage, Air Canada n'a pas à puiser dans son compte courant pour le rembourser ; elle prélève l'argent dans le compte en fiducie. Par ailleurs, une fois que le consommateur a effectué son voyage, Air Canada peut retirer l'argent du compte en fiducie et le déposer dans son compte courant.

De même, si Patricia achète des meubles chez Ameublement Tanguay et que ces meubles ne sont livrables que dans six mois, Ameublement Tanguay doit déposer la somme reçue dans un compte en fiducie jusqu'au moment où les meubles auront été livrés à Patricia.

Un compte en fiducie existe pour une raison très simple : si une entreprise fait **faillite**, c'est-à-dire que son compte courant est à sec et qu'elle a plus de dettes que de biens, l'argent dans le compte en fiducie est toujours là et le syndic responsable de l'administration des biens du failli verra à remettre les sommes d'argent qui sont dans ce compte aux différents consommateurs qui n'ont pas encore reçu le bien ou le service acheté. C'est donc un moyen de protéger l'argent du consommateur.

14.5.2   LES AGENTS DE RENSEIGNEMENTS PERSONNELS

Un **agent de renseignements personnels** est une personne qui prépare et distribue à d'autres personnes, généralement des commerçants, un **rapport de crédit** ou **rapport de solvabilité** qui contient des informations relatives au caractère, à la réputation ou à la solvabilité d'un consommateur. Les articles 70 à 79 de la *Loi sur la protection des renseignements personnels dans le secteur privé* définissent et encadrent le rôle des agents de renseignements personnels. Ces articles remplacent les articles 260.1 à 260.4 de la *Loi sur la protection du consommateur* qui encadraient le travail des agents d'information, l'ancienne désignation des agents de renseignements personnels.

Il est bon qu'un consommateur vérifie de temps à autre le contenu de son **dossier de crédit** à l'**agence d'évaluation du crédit** ou **bureau de crédit** où son dossier de crédit est conservé, de manière à vérifier si des erreurs ne se sont pas glissées dans son dossier, comme une saisie pratiquée contre un autre consommateur qui porte le même nom et qui se retrouve dans son dossier.

Par exemple, lorsque Diane se présente à une institution financière pour obtenir un emprunt, l'institution financière demande à l'agence d'évaluation du crédit de lui fournir un rapport de solvabilité sur Diane afin de savoir si elle peut lui faire crédit. Si le dossier de Diane contient des inexactitudes, elle peut avoir de la difficulté à emprunter, et sa demande d'emprunt peut même être rejetée. Elle a donc intérêt à s'assurer que les informations contenues dans son dossier de crédit sont exactes.

14.5.3   LA PREUVE ET LA PROCÉDURE

La *Loi sur la protection du consommateur* accorde au consommateur certains droits, et ce, même à l'encontre de sa volonté, afin de mieux le protéger.

261 L.P.C.   *On ne peut déroger à la présente loi par une convention particulière.*

Même si le commerçant et le consommateur sont d'accord pour contourner une disposition de la *Loi sur la protection du consommateur*, cela n'a aucune valeur, car cette loi est une loi d'**ordre public** et il n'est pas possible de déroger à une telle loi. Même si les parties signent un contrat, ce dernier n'est pas valide.

La *Loi sur la protection du consommateur* prévoit ainsi que le consommateur a droit à une évaluation écrite pour tout travail de réparation sur une voiture, une motocyclette ou un appareil domestique. Par conséquent, un commerçant ne peut pas refuser de fournir une évaluation écrite à un consommateur, car il s'agit d'une disposition d'ordre public.

262 L.P.C.   *À moins qu'il n'en soit prévu autrement dans la présente loi, le consommateur ne peut renoncer à un droit que lui confère la présente loi.*

De plus, il existe un certain nombre de dispositions dans la *Loi sur la protection du consommateur* et le *Code civil* qui visent à faciliter la preuve de la violation des droits du consommateur et qui permettent même la présentation d'une preuve pour contredire un contrat valablement fait.

263 L.P.C.   *Malgré l'article 2863 du Code civil, le consommateur peut, s'il exerce un droit prévu par la présente loi ou s'il veut prouver que la présente loi n'a pas été respectée, administrer une preuve testimoniale, même pour contredire ou changer les termes d'un écrit.*

2863 C.c.Q.   *Les parties à un acte juridique constaté par un écrit ne peuvent, par témoignage, le contredire ou en changer les termes, à moins qu'il n'y ait un commencement de preuve.*

2864 C.c.Q.   *La preuve par témoignage est admise lorsqu'il s'agit d'interpréter un écrit, de compléter un écrit manifestement incomplet ou d'attaquer la validité de l'acte juridique qu'il constate.*

2865 C.c.Q.   *Le commencement de preuve peut résulter d'un aveu ou d'un écrit émanant de la partie adverse, de son témoignage ou de la présentation d'un élément matériel, lorsqu'un tel moyen rend vraisemblable le fait allégué.*

La preuve par écrit, comme un contrat ou un document signé par les deux parties, est sans conteste le meilleur moyen de preuve (voir la section 9.2.1, La preuve par écrit). Or, l'article 263 de la *Loi sur la protection du consommateur* permet au consommateur de contredire, s'il y a lieu, les termes d'un contrat écrit en utilisant la preuve testimoniale, c'est-à-dire en faisant témoigner des personnes qui ont été témoins de promesses de biens, de services ou de garanties faites par le commerçant.

Par exemple, Micheline, accompagnée de ses amis Clara et Julien, se présente chez Belpiscin inc. pour y acheter une piscine. Elle y rencontre Germain, un vendeur au service de Belpiscin inc., qui lui promet que sa piscine sera installée dans 15 jours. De plus, il ajoute qu'il lui donne un certain nombre d'accessoires, telles une échelle, une bouée et une chaise, ainsi qu'une garantie prolongée de deux ans sur le système de filtration, sans pour autant inscrire le tout dans le contrat. Or, si Belpiscin inc. ne fournit pas l'installation, les accessoires, le service ou la garantie selon ce que le vendeur a dit, Micheline peut poursuivre le commerçant en alléguant les promesses du vendeur, car la déclaration du vendeur lie le commerçant (voir la section 14.3.2, Les garanties).

42 L.P.C.   *Une déclaration écrite ou verbale faite par le représentant d'un commerçant ou d'un manufacturier à propos d'un bien ou d'un service lie ce commerçant ou ce manufacturier.*

Enfin, la *Loi sur la protection du consommateur* n'a pas pour but de remplacer tous les autres recours du consommateur contre le commerçant et le manufacturier, mais elle en ajoute simplement de nouveaux.

270 L.P.C.   *Les dispositions de la présente loi s'ajoutent à toute disposition d'une autre loi qui accorde un droit ou un recours au consommateur.*

14.5.4   LES PRATIQUES INTERDITES

219 L.P.C.   *Aucun commerçant, manufacturier ou publicitaire ne peut, par quelque moyen que ce soit, faire une représentation fausse ou trompeuse à un consommateur.*

216 L.P.C.   *[...] une **représentation** comprend une affirmation, un comportement ou une omission.*

218 L.P.C.   *Pour déterminer si une représentation constitue une pratique interdite, il faut tenir compte de l'impression générale qu'elle donne et, s'il y a lieu, du sens littéral des termes qui y sont employés.*

Ces articles concernent ce qui est couramment appelé la fausse publicité et la publicité trompeuse. Il est interdit de faire de la fausse publicité ou de tromper ou d'induire en erreur le consommateur. Les expressions **fausse publicité** et **tromper** ou **induire en erreur** ont chacune un sens distinct.

Par exemple, si Charest Ford annonce que la Tempo de l'année est en solde au prix de 10 000 $ incluant servofreins et servodirection, alors que les modèles qu'elle offre au *consommateur ne sont pas équipés de servofreins ni de servodirection, il s'agit de fausse publicité.*

Par ailleurs, Provigo, qui garde 8 000 produits différents en magasin, annonce à grand renfort de publicité que tous les aliments naturels sont réduits de 50 %. Or, Provigo ne garde sur ses tablettes que huit produits naturels, qui sont effectivement réduits de 50 %. Cette publicité est vraie, mais elle est trompeuse, car elle induit en erreur le consommateur qui croit, vu l'intense campagne de publicité, que Provigo offre un grand choix d'aliments naturels.

De même, un commerçant n'a pas le droit de faire de la publicité concernant un produit qu'il n'a pas en **quantité suffisante**. *Par exemple, Ameublement Tanguay garde normalement en stock dix téléviseurs RCA modèle F20S5003 de 50 centimètres. Prévoyant une campagne de publicité pour ce modèle et des ventes de 60 téléviseurs au cours de la fin de semaine, Ameublement Tanguay commande 55 téléviseurs, ce qui lui en fait 65 en stock. La vente est un tel succès que plus de 80 consommateurs désirent acheter un téléviseur RCA. Même si Ameublement Tanguay n'a pas en main tous les téléviseurs requis pour répondre à la demande, il ne s'agit pas de fausse publicité, puisque Ameublement Tanguay en avait commandé suffisamment, selon son évaluation, pour faire face à la demande. En pratique, les vendeurs de Ameublement Tanguay vont quand même vendre le téléviseur même, s'ils ne l'ont pas en main, et aviser le consommateur que la livraison se fera dans quatre ou cinq jours.*

Cependant, si Ameublement Tanguay ne commande que cinq téléviseurs supplémentaires malgré une prévision de vente de 60, il s'agit alors de fausse publicité, car le responsable des achats sait très bien qu'il n'a pas suffisamment de téléviseurs pour répondre à la demande.

Il existe encore beaucoup d'autres pratiques interdites, mais ce ne sont que des variantes de pratiques trompeuses ou mensongères.

| 14.5.5 | **LES CONTRATS DE GARANTIE SUPPLÉMENTAIRE** |

260.6 L.P.C.

*[…] on entend par «**contrat de garantie supplémentaire**» un contrat en vertu duquel un commerçant s'engage envers un consommateur à assumer directement ou indirectement, en tout ou en partie, le coût de la réparation ou du remplacement d'un bien ou d'une partie d'un bien advenant leur défectuosité ou leur mauvais fonctionnement, et ce autrement que par l'effet d'une garantie conventionnelle de base accordée gratuitement à tout consommateur qui achète ou qui fait réparer ce bien.*

On rencontre fréquemment ce type de contrat dans le domaine de l'automobile où il existe environ une dizaine d'entreprises au Québec qui vendent des contrats de garantie supplémentaire aux propriétaires d'automobiles. Au cours des dernières années, des journalistes ont souvent diffusé des informations défavorables sur ces entreprises à la suite de la faillite de plusieurs d'entre elles ou de leur incapacité à faire face aux réclamations de leurs clients. Aussi, la *Loi sur la protection du consommateur* prescrit maintenant que :

260.7 L.P.C.

*Le commerçant doit maintenir en tout temps, dans un compte en fidéicommis distinct désigné «**compte de réserves**» des réserves suffisantes destinées à garantir les obligations découlant des contrats de garantie supplémentaire qu'il conclut.*

260.8 L.P.C.

À cette fin, le commerçant doit sans délai déposer dans ce compte de réserves une portion au moins égale à 50 % de toute somme qu'il reçoit en contrepartie d'un contrat de garantie supplémentaire.

Évidemment, ces sommes serviront à acquitter le coût des réparations du véhicule d'un consommateur ou à lui rembourser les sommes qui peuvent lui être dues à la suite de l'annulation ou de la résiliation de son contrat. De plus, ce compte de réserve est incessible et insaisissable et l'entreprise doit fournir régulièrement un rapport à l'Office de la protection du consommateur sur les sommes qui y sont déposées et sur leur utilisation.

14.6 LES RECOURS

Il existe deux types de recours exercés en vertu de la *Loi sur la protection du consommateur* : les recours civils, exercés par le consommateur, et les recours pénaux, exercés par l'Office de la protection du consommateur.

14.6.1 LES RECOURS CIVILS

272 L.P.C.

Si le commerçant ou le manufacturier manque à une obligation que lui impose la présente loi, un règlement ou [...], le consommateur [...] peut demander, selon le cas :

a) l'exécution de l'obligation ;

b) l'autorisation de la faire exécuter aux frais du commerçant ou du manufacturier ;

c) la réduction de son obligation ;

d) la résiliation du contrat ;

e) la résolution du contrat ; ou

f) la nullité du contrat,

sans préjudice de sa demande en dommages-intérêts dans tous les cas. Il peut également demander des dommages-intérêts exemplaires.

En plus de son recours en **dommages-intérêts** pour les dommages subis et du recours en **dommages-intérêts exemplaires** pour imposer au commerçant une sorte de souvenir impérissable de son comportement fautif, le consommateur dispose de six recours (voir le tableau 14.6).

Tableau 14.6   Les recours civils du consommateur

Recours	Exemple
Exécution de l'obligation	Paul demande que le commerçant livre la marchandise, installe la piscine ou répare la tondeuse sous garantie
Autorisation de faire exécuter l'obligation aux frais du commerçant ou du manufacturier	Paul engage un autre commerçant pour compléter l'installation de la piscine ou la réparation de la tondeuse
Réduction de l'obligation	Paul ne désire payer que 3 500 $ pour la piscine au lieu de 4 000 $, parce que le commerçant ne l'a pas installée ou qu'il n'a pas fourni certains accessoires
Résiliation du contrat	Paul s'est inscrit à un cours de danse d'une durée de 40 semaines ; 12 semaines plus tard, Paul n'est plus satisfait de ce cours et il résilie son contrat. Il doit payer pour les cours qu'il a suivi, mais n'est pas tenu de payer pour les cours qui sont donnés après son avis de résiliation
Résolution du contrat	Si le vendeur de piscine est venu chez Paul pour lui vendre une piscine, il s'agit d'un contrat avec un commerçant itinérant ; Paul a donc dix jours à la date de sa signature pour résoudre ce contrat, c'est-à-dire pour y mettre fin
Nullité du contrat	Le contrat n'a pas été rédigé en deux exemplaires ou il n'a pas été signé par le commerçant ou le consommateur ; il est donc nul parce qu'il ne respecte pas les exigences de la *Loi sur la protection du consommateur*

Un consommateur dispose donc de plusieurs recours si le commerçant ou le manufacturier ne lui donne pas le bien ou le service qu'il s'est engagé à lui donner.

La **résiliation** est la suppression d'un contrat successif pendant sa durée ; il est habituellement impossible de remettre les parties dans l'état où elles étaient avant le début du contrat. Ainsi, dans le cas du locataire qui demande la résiliation d'un contrat de location à long terme d'une voiture ayant de nombreux problèmes mécaniques, il n'est pas possible de remettre les parties dans l'état où elles étaient avant la signature du contrat, puisque le locataire a utilisé la voiture pendant un certain temps et que cette voiture est désormais un véhicule usagé à la suite de l'utilisation qui en a été faite. En général, le locataire obtient la résiliation du bail pour le reste du terme mais le locateur conserve les loyers perçus.

De même, le propriétaire d'un immeuble demande la résiliation d'un contrat de construction avec un entrepreneur, car il constate que l'entrepreneur a commis de nombreuses erreurs dans l'exécution des plans. Puisque dans ce cas, il est impossible de remettre les parties dans l'état où elles étaient avant, parce qu'une part des travaux de construction a été réalisée et que le propriétaire a déjà payé une certaine somme, la résiliation du contrat fera en sorte que l'entrepreneur ne sera pas tenu de compléter les travaux et le propriétaire ne sera plus tenu de payer le solde.

La **résolution** du contrat consiste à mettre fin à un contrat qui a valablement existé lorsqu'il est possible de remettre les parties dans l'état où elles étaient avant la signature. Un consommateur a dix jours pour résoudre un contrat conclu avec un commerçant itinérant. Il en va de même pour un contrat de prêt d'argent ou un contrat assorti d'un crédit qui peut être résolu sans frais ni pénalité, à la seule discrétion du consommateur, dans les deux jours où chacune des parties est en possession d'un exemplaire du contrat. Dans bien des cas, la résolution d'un contrat a lieu lorsque celui-ci n'a pas encore produit ses effets.

La **nullité** du contrat est prononcée lorsque le contrat est entaché d'un vice majeur dès sa signature ; c'est un contrat qui n'a donc jamais existé. *Par exemple, Paul désire acheter une automobile d'occasion vendue par Barré Automobile. Il s'informe auprès d'un vendeur pour savoir si cette automobile a déjà été utilisée comme voiture de police ou comme taxi. Le vendeur lui affirme que non, alors qu'en réalité cette voiture a servi pendant deux ans comme voiture de police à Québec. Le consentement de Paul a donc été obtenu sous de fausses représentations* (voir la section 7.3.2.1, Le consentement).

Enfin, si le consommateur désire poursuivre un commerçant pour un problème de garantie selon les articles 37 et 38 de la *Loi sur la protection du consommateur*, le délai de prescription est de un an, alors que dans le cas d'une action qui s'appuie sur l'article 272 de la *Loi sur la protection du consommateur*, soit les recours civils, le délai de prescription est de trois ans. Les délais sont donc suffisamment longs pour permettre à un consommateur d'exercer ses droits contre un commerçant ou un manufacturier.

14.6.2 | LES RECOURS PÉNAUX

Indépendamment des recours civils exercés par le consommateur, l'Office de la protection du consommateur peut poursuivre le commerçant qui fraude, trompe ou induit en erreur le consommateur pour infraction à la loi en vue d'obtenir une injonction pour le forcer à respecter la *Loi sur la protection du consommateur* et ses règlements, ou pour le faire condamner à payer une amende.

Par exemple, René achète chez Bomeuble inc. pour 5 000 $ de meubles livrables dans six mois. L'Office de la protection du consommateur peut poursuivre Bomeuble inc. si cette dernière ne conserve pas ces 5 000 $ dans un compte en fiducie tant et *aussi longtemps que les meubles n'auront pas été livrés à René. Le montant des amendes varie entre 600 $ et 10 000 $ pour une première infraction, et entre 1 200 $ et 200 000 $ pour toute récidive.*

RÉSUMÉ

La *Loi sur la protection du consommateur* s'applique à la très grande majorité des contrats conclus entre un commerçant et un consommateur.

La *Loi sur la protection du consommateur* accorde au consommateur plus de droits que le *Code civil* ; elle introduit la notion de lésion en faveur du majeur et permet au tribunal d'apprécier le consentement donné par le consommateur.

Un contrat soumis à la *Loi sur la protection du consommateur* doit être écrit, présenté en deux exemplaires et signé par les deux parties.

La *Loi sur la protection du consommateur* crée une garantie légale sur tous les biens vendus par un commerçant selon laquelle le bien doit être en mesure de fonctionner pendant un certain temps compte tenu du prix et des conditions d'utilisation.

Le contrat conclu avec un commerçant itinérant doit s'élever à plus de 25 $ et est soumis à un délai de résolution de dix jours.

Un consommateur peut en tout temps rembourser sans pénalité le solde d'un contrat de crédit soumis à la *Loi sur la protection du consommateur.*

Les trois formes de contrat de crédit soumis à la *Loi sur la protection du consommateur* sont le contrat de prêt d'argent, le contrat de crédit variable et le contrat assorti d'un crédit.

Lorsqu'un commerçant vend un véhicule d'occasion à un consommateur, il doit apposer sur le véhicule une étiquette comportant plusieurs renseignements concernant l'état du véhicule et son utilisation antérieure ; il doit fournir une garantie spécifique ou générale selon l'âge et le kilométrage du véhicule.

Avant de réparer un véhicule, le commerçant doit normalement remettre une évaluation au consommateur. De plus, il doit garantir la réparation pendant trois mois ou 5 000 kilomètres s'il s'agit d'une voiture.

Avant de réparer un appareil domestique, le commerçant doit normalement remettre une évaluation au consommateur. Et il doit garantir la réparation pendant trois mois.

Un contrat de louage de services à exécution successive est une activité, tel un cours, qui se déroule sur une certaine période.

À l'exception du contrat avec un studio de santé, un contrat de louage de services à exécution successive est résiliable en tout temps par le consommateur, sans pénalité si la résiliation a lieu avant le début du cours, ou avec une pénalité qui ne peut excéder 50 $ si la résiliation a lieu après le début du cours.

Un contrat avec un studio de santé n'est résiliable que dans un délai égal au dixième de la durée du contrat ; après ce délai, il n'est plus résiliable et le consommateur doit payer le plein montant du contrat.

Un commerçant ne peut exiger, comme condition à la signature d'un contrat principal de louage de services à exécution successive, qu'un consommateur signe un contrat accessoire.

Quand un consommateur dépose aujourd'hui une somme pour un bien ou un service qui sera livré ou donné ultérieurement, le commerçant doit déposer l'argent dans un compte en fiducie.

Un agent de renseignements personnels est une personne qui recueille de l'information concernant la solvabilité d'un consommateur, ce qui permet de constituer son dossier de crédit.

Un consommateur peut présenter une preuve par témoin pour contredire un contrat qui relève de la *Loi sur la protection du consommateur* s'il veut prouver que la loi ou que certaines conditions ou promesses verbales n'ont pas été respectées.

Il est interdit de tromper ou d'induire un consommateur en erreur par une représentation ou une déclaration fausse ou trompeuse, ou de toute autre manière.

Si le commerçant ou le manufacturier manque à une obligation que lui impose la *Loi sur la protection du consommateur* ou un de ses règlements, le consommateur peut demander, selon le cas, l'exécution de l'obligation, l'autorisation de la faire exécuter aux frais du commerçant ou du manufacturier, la réduction de son obligation, la résiliation du contrat, la résolution du contrat ou la nullité du contrat sans préjudice à son droit de demander des dommages-intérêts ou des dommages-intérêts exemplaires.

L'Office de la protection du consommateur peut engager des poursuites pénales contre un commerçant qui ne respecte pas la *Loi sur la protection du consommateur* ou ses règlements, en vue de lui faire payer une amende ou d'obtenir une injonction.

QUESTIONS

14.1   Quelles doivent être les parties à un contrat pour qu'il soit soumis à la *Loi sur la protection du consommateur* ?

14.2   Quel droit important la *Loi sur la protection du consommateur* donne-t-elle de plus que le *Code civil* au consommateur majeur ?

14.3   Quelles sont les règles de formation d'un contrat soumis à la *Loi sur la protection du consommateur* ?

14.4   Définissez la garantie générale prévue dans la *Loi sur la protection du consommateur* qui couvre un bien acheté par un consommateur à un commerçant.

14.5   Qu'est-ce qu'un commerçant itinérant ?

14.6   Quelle est la principale caractéristique d'un contrat conclu avec un commerçant itinérant ?

14.7   Quels sont les trois types de contrat de crédit prévus dans la *Loi sur la protection du consommateur* ? Définissez-les et donnez au moins un exemple dans chacun des cas.

14.8   Quelles sont les différences entre un contrat de vente d'un véhicule d'occasion lorsque la vente a lieu entre un commerçant et un consommateur et lorsque la vente a lieu entre deux consommateurs ?

14.9   Quelle est la durée de la garantie sur la réparation :

14.9.1   – d'une automobile ?

14.9.2   – d'une motocyclette ?

14.9.3   – d'un appareil domestique ?

14.10   Qu'est-ce qu'un contrat de louage de services à exécution successive ?

14.11   Qu'est-ce qui différencie le contrat avec un studio de santé des autres contrats de louage de services à exécution successive ?

14.12   Un commerçant peut-il obliger un consommateur à signer un contrat accessoire à un contrat de louage de services à exécution successive ? Précisez votre réponse.

14.13   À quoi sert un compte en fiducie ?

14.14   Un consommateur peut-il consulter son dossier de crédit ?

14.15   Devant un tribunal, un consommateur peut-il prouver que le contenu d'un contrat qu'il a signé, et qui est soumis à la *Loi sur la protection du consommateur,* ne reflète pas les ententes convenues entre le commerçant et lui-même ?

14.16 Quelles sont les principales pratiques interdites par la *Loi sur la protection du consommateur* ?

14.17 Quels sont les recours d'un consommateur contre un commerçant ou un manufacturier qui a manqué à ses obligations ?

14.18 Que cherche à obtenir l'Office sur la protection du consommateur lorsqu'il poursuit le commerçant qui fraude, trompe ou induit en erreur le consommateur ?

CAS PRATIQUES

14.19 Johanne a acheté une Reliant 1992 chez Du Vallon Chrysler Plymouth ltée, pour le prix de 2 200 $ payé comptant. L'odomètre affiche 135 000 kilomètres. Deux jours plus tard, après avoir roulé à peine sept kilomètres avec sa nouvelle voiture, une défectuosité survient dans le moteur et la voiture devient inutilisable. Johanne dispose-t-elle d'un recours ? Justifiez votre réponse.

14.20 Richard vient d'ouvrir un restaurant. Il en est à la fois le propriétaire et le chef cuisinier. À ce titre, il effectue différents achats dans le but de compléter le matériel dont il dispose afin de parfaire son service et son image auprès de sa clientèle. Alors qu'il est occupé à la cuisine, un représentant vient lui offrir un service de porcelaine. Sans trop y penser, il signe le contrat par lequel il achète un service complet de porcelaine pour la somme de 22 000 $. Le lendemain, il se rend compte qu'il n'a pas les moyens d'acheter un tel service. Dispose-t-il d'un recours en vertu de la *Loi sur la protection du consommateur* ? Justifiez votre réponse.

14.21 IGA annonce que tous ses produits biologiques actuellement en magasin sont offerts avec un rabais de 40 %. Une grande annonce de ce solde paraît dans tous les quotidiens de la région. Alphonse se présente au magasin et constate que les seuls aliments biologiques qu'on y retrouve sont des tomates, des concombres et des laitues. Qualifiez cette pratique. Existe-t-il un recours contre ce commerçant ? Justifiez votre réponse.

14.22 Le 12 décembre 1992, Rachel Arnaud achète une Caprice 1993 pour la somme de 22 000 $ chez Barré Chevrolet Oldsmobile ltée avec une garantie du manufacturier, General Motors, de 24 mois ou 40 000 kilomètres, selon le premier terme atteint. Le 28 janvier 1994, Rachel vend cette Caprice à Claude Rivard, vente constatée au moyen de l'écrit suivant :

Par la présente, je soussignée Rachel Arnaud, vends à Claude Rivard une Caprice 1993, de couleur bleue, au numéro de série 89LD456K65432, dont l'odomètre indique 35 000 kilomètres, pour la somme de 15 000 $ payée comptant.

Charlesbourg, le 28 janvier 1994

Rachel Arnaud   Claude Rivard

Le 15 février 1994, alors que le véhicule n'a que 36 000 kilomètres, le moteur fend en deux. Claude décide de se prévaloir des articles 159 et 160 de la *Loi sur la protection du consommateur* et de poursuivre Rachel sur la base de cette garantie. Rachel rétorque que cette vente a été faite sans garantie. Indiquez si Claude a des recours contre Rachel, contre Barré Chevrolet Oldsmobile ltée et contre General Motors. Justifiez votre réponse.

14.23   Marie-France a signé un contrat avec l'école d'esthétique Bovisag inc. pour suivre un cours de maquillage durant les dix prochains mois : ce cours commence le 1er septembre et se termine le 30 juin à raison de deux soirs par semaine. Il coûte 1 000 $ et est payable en cinq versements égaux de 200 $ qui devront être faits le premier jour des mois de septembre, novembre, janvier, mars et mai. Le 1er décembre, Marie-France remet un avis écrit à l'école stipulant qu'elle cesse, à compter de ce jour, de suivre les cours.

14.23.1   Quelles sont les obligations de Marie-France envers Bovisag inc. ? Justifiez votre réponse.

14.23.2   Refaites vos calculs en supposant que le cours coûte 500 $ et que les versements sont de 100 $.

14.24   Micheline se présente chez Belauto inc., un important concessionnaire automobile de 50 employés de Charlesbourg, en compagnie de son mari Robert pour y louer une automobile pour la fin de semaine afin de faire une balade au Saguenay. La représentante de l'entreprise, Sylvie, offre de lui louer une Camaro Z28 au prix de 50 $ par jour plus 0,25 $ du kilomètre ou 100 $ pour la fin de semaine avec une franchise de 1 000 kilomètres ; l'automobile sera livrée le vendredi après 18h et le retour doit s'effectuer le lundi avant 9h. Vendredi à 18h05, Micheline se présente chez Belauto pour prendre la Camaro. Sylvie lui dit qu'elle n'a pas le temps de compléter le contrat immédiatement mais qu'elle le complétera en fin de semaine. À cette fin, elle prend une photocopie du permis de conduire de Micheline et lui remet immédiatement les clefs de l'automobile.

Au retour, lundi matin à 8h50, comme l'automobile n'a parcouru que 850 kilomètres, Micheline s'attend donc à payer la somme de 100 $. Or, Sylvie lui présente une facture de 362,50 $ comprenant 150 $ pour 3 jours de location à 50 $ par jour plus 212,50 $ pour 850 kilomètres à 0,25 $ du kilomètre. Micheline refuse de payer cette somme et Belauto inc. dépose une action contre Micheline devant la division des petites créances de la Cour du Québec. La représentante de Belauto fait la preuve que le tarif de location de Belauto inc. est de 50 $ par jour plus 0,25 $ du kilomètre.

14.24.1   Quels moyens de preuve et quels arguments Micheline peut-elle utiliser pour faire rejeter l'action de Belauto inc. ? Qui aura finalement raison et pourquoi ? Justifiez votre réponse.

14.24.2   Quelle aurait été votre réponse si Micheline, en tant qu'ingénieure, avait loué cette automobile afin d'aller faire une expertise technique au Saguenay ?

DOCUMENTS

Le document 14.1 est un contrat de prêt d'argent standard avec, au verso, les mentions exigées par la *Loi sur la protection du consommateur* ainsi qu'une section pour permettre l'endossement de ce prêt par une caution et une autre section pour servir d'accusé de réception du contrat.

Le document 14.2 est un contrat de vente à tempérament qui contient plusieurs sections qui ne sont pas toujours remplies selon la nature du contrat. Le verso contient plusieurs mentions exigées par la *Loi sur la protection du consommateur*.

Le document 14.3 est un contrat de services très simple avec un studio de santé. Ce contrat ne contient aucune clause abusive ou superflue et le verso de ce contrat contient les mentions exigées par la *Loi sur la protection du consommateur*.

Les documents 14.1 et 14.2 nous ont été gracieusement fournis par la caisse populaire Laurier de Sainte-Foy.

Document 14.1

CONTRAT DE PRÊT D'ARGENT

N° de la demande	Folio du membre	N° du prêt

**La caisse populaire
La caisse d'économie
Desjardins**

CONTRAT DE PRÊT D'ARGENT
(Loi sur la protection du consommateur, art. **115**)

ENTRE : LA CAISSE _____
Nom de la caisse

_____
Adresse

CI-APRÈS NOMMÉE «la caisse»

ET _____ _____
Nom du membre Nom du membre

_____ _____
Adresse Adresse

CI-APRÈS NOMMÉ(E)(S) «l'emprunteur»

1. L'emprunteur s'engage à rembourser à la caisse les sommes prêtées décrites ci-après aux conditions suivantes :

   a) Capital net : _____ $

   b) Solde total du ou des prêt(s) antérieur(s)* : _____ $

   c) Total des sommes prêtées : _____ $
   <small>Total de a et b</small>

   d) Intérêt : _____ $

   e) Prime d'assurance prêt souscrit par l'emprunteur selon la police en

   vigueur à la caisse : _____ $

   f) Autres composantes : _____ $

   g) Total des frais de crédit pour toute la durée du prêt : _____ $
   <small>Total de d, e et f</small>

   h) Obligation totale de l'emprunteur : _____ $
   <small>Total de c et g</small>

   i) Taux de crédit annuel : _____ %

---

* À remplir dans le cas de :
☐ consolidation avec un ou des prêt(s) antérieur(s)
☐ modification d'un prêt antérieur

1) Un prêt d'argent d'un montant de _____ $ consenti le _____
<small>Date</small>
dont le solde (capital et intérêts) s'élève présentement à : _____ $

2) Un prêt d'argent d'un montant de _____ $ consenti le _____
<small>Date</small>
dont le solde (capital et intérêts) s'élève présentement à : _____ $

Solde total : _____ $

---

2. L'obligation totale de l'emprunteur est payable aux bureaux de la caisse de la façon suivante :

   ☐ en _____ paiements différés, égaux et consécutifs de _____ $, le _____
   <small>Nombre</small> <small>Jour ou date</small>

   de chaque _____ à compter du _____ et un dernier paiement de _____ $,
   <small>Fréquence</small> <small>Date d'échéance du premier paiement</small>

   le _____ .

   ☐ Autre, spécifier : _____

   L'emprunteur, pour l'exécution de ses obligations prévues aux présentes, autorise la caisse à débiter son compte d'épargne avec opérations en conséquence.

3. L'emprunteur s'engage de plus à payer sur tout montant dû après échéance, des frais de crédit additionnels au taux de crédit indiqué précédemment.

4. La caisse exécute son obligation principale lors de la formation du présent contrat ☐ ou le _____ .
   <small>oui</small> <small>Date de l'exécution de l'obligation principale de la caisse</small>

5. L'emprunteur donne à la caisse, en reconnaissance ou en garantie de son obligation, l'objet ou le document suivant :

   _____

   _____

CF-01255-535 (GD-123-33)

VOIR VERSO

94-08

Document 14.1	# CONTRAT DE PRÊT D'ARGENT (suite)

6. La présente convention n'opère pas novation à l'égard des prêts antérieurs décrits à l'article **1**.

7. La créance de la caisse est indivisible et peut être réclamée en totalité de chacun des héritiers, légataires ou ayants droit de l'emprunteur. Si le terme «emprunteur» désigne plus d'une personne, leurs obligations sont solidaires.

8. L'emprunteur reconnaît que le défaut d'effectuer, à son échéance, un seul des remboursements stipulés plus haut entraîne l'exigibilité de tout solde alors dû en capital net et en frais de crédit sur le présent prêt.

9. Autres mentions :

Mentions exigées par la Loi sur la protection du consommateur :
(Ces mentions ne s'appliquent que si l'emprunteur AGIT COMME CONSOMMATEUR.)

Clause de déchéance du bénéfice du terme (article 8 précité)

Avant de se prévaloir de cette clause, la caisse doit expédier à l'emprunteur un avis écrit et un état de compte. Dans les trente **(30)** jours qui suivent la réception par l'emprunteur de l'avis et de l'état de compte, l'emprunteur peut :
  a) soit remédier au fait qu'il est en défaut;
  b) soit présenter une requête au tribunal pour faire modifier les modalités de paiement prévues au présent contrat.

L'emprunteur aura avantage à consulter les articles **104** à **110** de la Loi sur la protection du consommateur et, au besoin, à communiquer avec l'Office de la protection du consommateur.

Contrat de prêt d'argent

1) L'emprunteur peut résoudre, sans frais, le présent contrat dans les deux **(2)** jours qui suivent celui où chaque partie prend possession d'un double du contrat.

Pour résoudre le contrat, l'emprunteur doit :
  a) remettre l'argent à la caisse ou à son représentant, s'il a reçu l'argent au moment où chaque partie a pris possession d'un double du contrat;
  b) dans les autres cas, soit remettre l'argent, ou expédier un avis écrit à cet effet à la caisse ou à son représentant.

Le contrat est résolu, sans autre formalité, dès que l'emprunteur remet l'argent ou expédie l'avis.

2) Si l'emprunteur utilise l'argent pour payer en totalité ou en partie l'achat ou le louage d'un bien ou d'un service, il peut, si la caisse et le commerçant vendeur ou locateur collaborent régulièrement en vue de l'octroi de prêts d'argent à des consommateurs, opposer à la caisse les moyens de défense qu'il peut faire valoir à l'encontre du commerçant vendeur ou locateur.

3) L'emprunteur peut payer en tout ou en partie son obligation avant échéance.

Le solde dû est égal en tout temps à la somme du solde du capital net et des frais de crédit calculés conformément à la loi et au règlement général adopté en vertu de cette loi.

4) L'emprunteur peut, une fois par mois et sans frais, demander un état de compte à la caisse; cette dernière doit le fournir ou l'expédier aussitôt que possible mais au plus tard dans les dix **(10)** jours de la réception de la demande.

En plus de l'état de compte ci-dessus prévu, l'emprunteur qui veut payer avant échéance le solde de son obligation peut, en tout temps et sans frais, demander un état de compte à la caisse; cette dernière doit le fournir ou l'expédier aussitôt que possible mais au plus tard dans les dix **(10)** jours de la réception de la demande.

L'emprunteur aura avantage à consulter les articles **73, 74, 76, 91, 93** et **116** de la Loi sur la protection du consommateur (L.R.Q., c. P- **40.1**) et, au besoin, à communiquer avec l'Office de la protection du consommateur.

L'emprunteur reconnaît avoir pris connaissance de ses engagements en vertu du présent contrat et il s'en déclare satisfait. De plus, l'emprunteur reconnaît recevoir un double du présent contrat.

Signé à _____ , le _____ jour de _____ **19** ___ .

_____   _____
Signature du représentant autorisé de la caisse   Signature de l'emprunteur

                                                      _____
                                                      Signature de l'emprunteur

CAUTIONNEMENT

Le(s) soussigné(s) déclare(nt) se porter caution(s) des obligations de l'emprunteur et s'oblige(nt) solidairement avec lui. Lorsqu'il y a plus d'une caution, elles déclarent de plus s'engager solidairement entre elles.

La ou les caution(s) reconnaît (reconnaissent) recevoir un double du présent contrat.

Signé à _____ , le _____ jour de _____ **19** ___ .

_____   _____
Nom en lettres moulées   Nom en lettres moulées

_____   _____
Adresse   Adresse

_____   _____
Signature   Signature

Document 14.2   CONTRAT DE VENTE À TEMPÉRAMENT

caisses populaires
et d'économie desjardins

CONTRAT DE VENTE À TEMPÉRAMENT
(Loi sur la protection du consommateur, art. **134**)

ENTRE   **ET**

Nom du vendeur	Nom de l'acheteur	Nom de l'acheteur
Adresse	Adresse	Adresse

N° de la licence émise au commerçant
en vertu de l'article **22** du Code de la route
ci-après appelé « LE COMMERÇANT »

ci-après appelé « LE CONSOMMATEUR »

1 - OBJET DU CONTRAT Le commerçant vend au consommateur, qui accepte, le(s) bien(s) suivant(s) aux conditions énumérées ci-après

Quantité	Année	Neuf ou usagé	Descriptions des biens	Numéro de série	Prix de vente au comptant

LIVRAISON
Le commerçant livre le(s) bien(s) faisant l'objet du présent contrat à la formation du contrat ☐ ou le ▸ Date de livraison   Prix de vente au comptant ▸   Total

REMPLIR SEULEMENT LORSQU'IL Y A VENTE:

A) **d'une maison mobile: Normes minimales de qualité et de sécurité.** Si ce contrat est conclu pour la vente d'une maison mobile, le commerçant certifie que ladite maison mobile est conforme aux normes de qualité et de sécurité explicitées à l'article **166** du Règlement d'application de la Loi sur la protection du consommateur (Indiquer la norme applicable)

B) **d'un véhicule usagé:** L'étiquette mentionnée à l'article **156** de la Loi sur la protection du consommateur est annexée au contrat et tout ce qui est divulgué en fait partie à l'exception du prix auquel l'automobile ou la motocyclette est offerte et des caractéristiques de la garantie qui peuvent être modifiées (article **158e**, de la Loi sur la protection du consommateur)

Caractéristiques de la garantie

ASSURANCE SUR LE BIEN VENDU (voir article 5 au verso)
Une assurance-collision et risques multiples est requise sur tout véhicule.

BIENS REPRIS PAR ÉCHANGE

Année	Marque	Description	N° de série

Nom de la compagnie d'assurance			**Solde dû sur contrat de vente à tempérament**	
N° de police	Nom de l'agent	Échéance	à _____ (Nom du commerçant)	Montant alloué $
Adresse de l'agent				Solde dû (inscrire le montant) $
N° de téléphone	Couverture		Adresse _____	Allocation nette pour échange (inscrire à (2-3.b) plus bas) $

2- PRIX ET SOLDE DIFFÉRÉ

1. a) Prix comptant $ _____
   b) Frais d'installation de livraison et autres $ _____
   c) Taxe de vente et autres droits $ _____
2. Prix comptant total **(1a + 1b + 1c)** $ _____
3. a) Versement comptant $ _____
   b) Allocation nette pour échange $ _____
4. Comptant total **(3a + 3b)** $ _____
5. a) Solde — capital net **(2-4)** $ _____
   b) Intérêt $ _____
   c) Assurance-vie $ _____
       Assurance-invalidité $ _____
   d) Autres composantes $ _____
6. Total des frais de crédit pour toute la durée du contrat **(5b + 5c + 5d)** $ _____
7. Obligation totale du consommateur **(5a + 6)** $ _____
8. Taux de crédit annuel: _____ %

3- MODALITÉS DE PAIEMENT

L'obligation totale du consommateur est et sera payable au bureau de ____ la caisse (Nom)
situé au ▸ Adresse N°   Rue   Ville   Comté   Prov   Code postal

☐ En ___ paiements mensuels différés de $ _____ le ___ jour de chaque mois consécutif à compter du (date d'échéance du 1ᵉʳ paiement) et un dernier paiement de $ _____ le _____

☐ Si les paiements devaient être autres que mensuels et égaux, compléter le « tableau des paiements » ci-bas au lieu de la section ci-haut.

MAISON MOBILE FAISANT L'OBJET DU PRÉSENT CONTRAT
Si le bien faisant l'objet du présent contrat est une maison mobile et si, à l'expiration du terme du contrat, une somme excédant le montant d'un paiement différé reste due, le commerçant ne peut en exiger le paiement que **90** jours après avoir donné au consommateur un avis écrit de son intention.

TABLEAU DES PAIEMENTS
À la demande du consommateur et sur la foi de la déclaration ci-dessous, l'obligation totale du consommateur est et sera payable au bureau de la Caisse comme suit:

Date d'échéance	Montant	Date d'échéance	Montant	Date d'échéance	Montant	Date d'échéance	Montant	Date d'échéance	Montant

DÉCLARATION

A) M _____
(Activité principale)
déclare que son revenu principal est saisonnier.

B) M _____
(Activité principale)
déclare que le bien faisant l'objet du contrat est nécessaire à l'exercice de son métier, de son art ou de sa profession.

4- OBJET OU DOCUMENTS DONNÉS AU COMMERÇANT
Le consommateur donne au commerçant en reconnaissance ou en garantie de son obligation un billet à ordre et le document suivant:

_____
(description de documents ou garanties additionnels s'il en est)

_____
(Signature du consommateur)

_____
(signature du consommateur)

CF-01191-068   Caisse   86-11   **VOIR VERSO**

| Document 14.2 | CONTRAT DE VENTE À TEMPÉRAMENT (suite) |

CONDITIONS GÉNÉRALES DU CONTRAT

1. INTÉRÊTS POUR RETARD

Tout paiement non effectué conformément à ce qui précède porte intérêt au même taux que celui indiqué au présent contrat.

2. CESSION DU BILLET À ORDRE ET DU CONTRAT

Le consommateur reconnaît et accepte que le commerçant en même temps que les présentes cède à la Caisse tous ses droits à l'égard du billet à ordre émis ce jour pour constater son obligation à titre accessoire du présent contrat et subsidiairement cède également tous ses droits en vertu du présent contrat, conformément à l'article **102** de la Loi sur la protection du consommateur.

3. CLAUSE DE DÉCHÉANCE DU BÉNÉFICE DU TERME

Si le consommateur fait défaut à ses obligations ou manque à quelque terme que ce soit ou fait faillite ou si lesdits biens devenaient sérieusement endommagés ou détruits ou saisis, sous réserve des autres droits ou recours du commerçant, tous les versements non encore payés et toutes autres sommes dues en vertu des présentes deviendront exigibles et le commerçant pourra prendre possession desdits biens de façon légale conformément à la mention exigée par la Loi sur la protection du consommateur qui apparaît à l'article **4**.

4. RÉSERVE DU DROIT DE PROPRIÉTÉ

Le commerçant demeure propriétaire du(des) bien(s) vendu(s) et le transfert du droit de propriété n'a pas lieu à la formation du contrat mais aura lieu seulement lorsque tous les montants dus en vertu des présentes ou de tout renouvellement ou toute prolongation de délai ou en vertu de tout jugement obtenu auront été payés en espèces.

« Mention exigée par la Loi sur la protection du consommateur »
(Contrat de vente à tempérament contenant une
clause de déchéance du bénéfice du terme)

Si le consommateur n'exécute pas son obligation de la manière prévue au présent contrat, le commerçant peut:

a) soit exiger le paiement immédiat des versements échus;

b) soit se prévaloir de la clause de déchéance du bénéfice du terme prévue au présent contrat.

Avant de se prévaloir de cette clause, le commerçant doit expédier au consommateur un avis écrit et un état de compte. Dans les trente **(30)** jours qui suivent la réception par le consommateur de l'avis et de l'état de compte, le consommateur peut:

i. soit remédier au fait qu'il est en défaut;

ii. soit présenter une requête au tribunal pour faire modifier les modalités de paiement prévues au présent contrat;

iii. soit présenter une requête au tribunal pour obtenir la permission de remettre au commerçant le bien qui fait l'objet du contrat.

Si le consommateur remet le bien au commerçant avec la permission du tribunal, son obligation en vertu du présent contrat est éteinte et le commerçant n'est pas tenu de lui remettre les paiements qu'il en a reçus;

c) soit reprendre possession du bien qui fait l'objet du contrat.

Avant de reprendre possession du bien, le commerçant doit donner au consommateur un avis écrit de trente **(30)** jours pendant lesquels le consommateur peut, à son choix:

i. soit remédier au fait qu'il est en défaut;

ii. soit remettre le bien au commerçant.

Si le consommateur remet le bien au commerçant, son obligation en vertu du présent contrat est éteinte et le commerçant n'est pas tenu de lui remettre les paiements qu'il en a reçus.

Si le consommateur a payé au moins la moitié de la somme de l'obligation totale et du versement comptant avant de devenir en défaut, le commerçant ne peut reprendre le bien sans avoir d'abord obtenu la permission du tribunal.

Le consommateur aura avantage à consulter les articles **104 à 110 et 138 à 142** de la Loi sur la protection du consommateur **(L.R.Q., c. P-40.1)** et, au besoin, à communiquer avec l'Office de la protection du consommateur.

| Document 14.2 | CONTRAT DE VENTE À TEMPÉRAMENT (suite) |

5. ASSURANCE

Le consommateur devra assurer entièrement lesdits biens contre les risques usuels tels que le feu, le vol, la collision et les risques multiples avec les pertes payables au commerçant et devra procurer la preuve de telle assurance sur demande du commerçant. Dans le cas où le consommateur ferait défaut d'assurer et de procurer une preuve à cet effet, le commerçant pourra à son choix, mais sans y être obligé, assurer lesdits biens et le consommateur convient alors de payer la prime sur demande.

6. ANNULATION DU CONTRAT PAR LE CONSOMMATEUR

Le consommateur peut annuler le contrat conformément aux mentions obligatoires qui apparaissent ci-après, sauf en ce qui concerne la vente d'une automobile neuve.

«Mentions exigées par la Loi sur la protection du consommateur» (Assurance)

Avant de conclure le présent contrat, le commerçant exige que le consommateur détienne une police d'assurance-feu, vol, collision et risques multiples.

Le consommateur peut remplir cette exigence:

a) soit en souscrivant une police d'assurance auprès de l'assureur que peut lui suggérer le commerçant;

b) soit en souscrivant une police d'assurance équivalente à celle exigée par le commerçant auprès d'un assureur choisi par le consommateur;

c) soit au moyen d'une police d'assurance qu'il détient déjà.

(Contrat assorti d'un crédit)

1. Le consommateur peut résoudre, sans frais, le présent contrat dans les deux jours qui suivent celui où chaque partie prend possession d'un double du contrat.

   Pour résoudre le contrat, le consommateur doit:

   a) remettre le bien au commerçant ou à son représentant s'il en a reçu la livraison au moment où chaque partie a pris possession d'un double du contrat;

   b) expédier un avis écrit à cet effet, ou remettre le bien au commerçant ou à son représentant s'il n'en a pas reçu livraison au moment où chaque partie a pris possession d'un double du contrat.

2. Le contrat est résolu, sans autre formalité, dès que le consommateur remet le bien ou dès qu'il envoie l'avis.

3. Dans les plus brefs délais après la résolution, le consommateur et le commerçant doivent se remettre ce qu'ils ont reçu l'un de l'autre.

   Le commerçant assume les frais de restitution.

4. Le commerçant assume les risques de perte ou de détérioration, même par cas fortuit, du bien qui fait l'objet du contrat jusqu'à l'expiration du délai de deux **(2)** jours qui suivent celui où les parties ont pris possession d'un double du contrat.

5. Le consommateur ne peut résoudre le présent contrat si, par suite d'un fait ou d'une faute dont il est responsable, il ne peut restituer le bien au commerçant dans l'état où il l'a reçu.

6. Le consommateur peut payer en tout ou en partie son obligation avant échéance. Le solde dû est égal en tout temps à la somme du solde du capital net et des frais de crédit calculés conformément à la Loi et au Règlement général adopté en vertu de cette Loi.

7. Le consommateur peut, une fois par mois et sans frais, demander un état de compte au commerçant: ce dernier doit le fournir ou l'expédier aussitôt que possible mais au plus tard dans les dix **(10)** jours de la réception de la demande. En plus de l'état de compte ci-dessus prévu, le consommateur qui veut payer avant échéance le solde de son obligation peut, en tout temps et sans frais, demander un état de compte au commerçant; ce dernier doit le fournir ou l'expédier aussitôt que possible mais au plus tard dans les dix **(10)** jours de la réception de la demande.

Le consommateur aura avantage à consulter les articles **73, 75 à 79, 93, 111 et 112** de la Loi sur la protection du consommateur **(L.R.Q., c. P-40.1)** et, au besoin, à communiquer avec l'Office de la protection du consommateur.

| Document 14.2 | CONTRAT DE VENTE À TEMPÉRAMENT (suite) |

7. PERTE DU BIEN

Sous réserve des dispositions de la Loi sur la protection du consommateur, le consommateur convient d'être responsable de toute perte résultant de dommages causés auxdits biens, de quelque façon que ce soit, et assume tous les risques et obligations d'un propriétaire absolu et il s'engage de plus à indemniser et à garantir le commerçant de toute perte ou réclamation pour les pertes ou dommages à la personne ou la propriété, causés en raison de la propriété, de l'usage ou de la conduite desdits biens

8. USAGE OU CESSION DU BIEN

Le consommateur ne pourra pas vendre, louer ou céder lesdits biens ni s'en déposséder sans le consentement écrit du commerçant ni s'en servir illégalement ou pour des fins malhonnêtes et devra maintenir lesdits biens en bonne condition et libres de tout privilège ou charge. Le commerçant pourra à son choix payer tout droit de rétention ou autres charges et le montant ainsi payé deviendra dû et exigible immédiatement

9. DROITS ET RECOURS CONTRE LE CONSOMMATEUR

Tous les droits et recours en vertu du présent contrat sont cumulatifs et non alternatifs. Dans le présent contrat le mot « biens » signifie les biens décrits au recto du contrat et tout l'équipement, les accessoires, les pièces de rechange, les réparations que l'on peut ajouter ou que l'on peut faire auxdits biens

10. GARANTIES, CONDITIONS ET AUTRES

Sous réserve des dispositions de la Loi sur la protection du consommateur, le consommateur convient qu'il n'y a pas de conditions garanties, représentations ou promesses, explicites ou implicites, autres que celles contenues dans les présentes, ou dans la publicité du commerçant ou dans un écrit signé par le commerçant et annexé au présent contrat pour en faire partie

11. MAISON MOBILE

Le consommateur n'aura pas le droit de changer la nature de la maison mobile ou de la rendre immeuble sans le consentement écrit du commerçant. De plus, si à la suite d'un tel consentement, la maison mobile devenait immeuble, le consommateur s'engage à consentir immédiatement à ses frais une hypothèque de 1er rang en bonne et due forme au commerçant

12. INTERPRÉTATION

Le présent contrat liera les héritiers, exécuteurs, administrateurs, successeurs et ayants droit du consommateur et du commerçant. Le pluriel devra comprendre le singulier, le masculin, le féminin et vice-versa

13. PLUS D'UN CONSOMMATEUR

S'il y a plus d'un consommateur, ils sont conjointement et solidairement responsables de toutes les obligations contractées à ce titre en vertu du présent contrat.

Signé à _____ ce _____ jour de _____ 19 ____.

_____
(nom du commerçant)

_____
(signature du consommateur)

Par: _____
(signataire autorisé)

_____

ACCUSÉ DE RÉCEPTION PAR LE OU LES CONSOMMATEURS

Le présent contrat dûment rempli et signé par le commerçant a été remis au consommateur. Le consommateur déclare qu'il lui a été accordé suffisamment de temps pour prendre connaissance des conditions et de la portée de ce contrat avant d'y apposer sa signature. Le consommateur reconnaît qu'on lui a remis un double, dûment rempli, du contrat de vente à tempérament le

_____ jour de _____ 19 ____.

_____
(signature du consommateur)

| **Document 14.2** | **CONTRAT DE VENTE À TEMPÉRAMENT (suite)** |

CAUTIONNEMENT

Je, soussigné(e), _____ me

(nom et adresse)

porte caution conjointe et solidaire de l'exécution des obligations du ou des consommateur(s) en vertu de ce contrat et en conséquence. je garantis le paiement de toutes les sommes dues par lui en vertu des présentes et je reconnais, de plus, avoir reçu ce jour un double du présent contrat.

_____   _____

(date)   (caution)

CESSION DU BILLET À ORDRE ET DU CONTRAT

Pour valeur reçue, le commerçant cède et transporte à la Caisse tous ses droits, titres et intérêts dans le billet à ordre signé par le consommateur à titre accessoire du présent contrat et tous ses droits, titres et intérêts dans ledit contrat, ainsi que dans les biens qui y sont décrits, sous réserve des droits du consommateur tels que stipulés aux présentes. Le commerçant garantit à la Caisse: **1)** qu'il était parfait propriétaire des biens vendus et qu'aucune charge ne les affectait, **2)** que les biens vendus sont tels que mentionnés au présent contrat et, **3)** que ce contrat est valide et exécutoire.

Le commerçant convient, si l'une ou l'autre des garanties précitées n'est pas respectée. de payer à la Caisse sur demande le solde dû par le consommateur en vertu de ce contrat. que la Caisse ait ou non repris possession dudit bien avant la découverte de toute violation des garanties ci-dessus. ou. si le bien a été vendu après la reprise de possession, une somme d'argent égale à toute différence et en plus. le commerçant convient de payer tous les frais de reprise de possession et de vente engagés par la Caisse.

En outre, le commerçant convient de dégager la Caisse et lui garantit l'indemnité contre tous dommages. réclamations, frais et dépenses concernant et découlant de toute condition ou stipulation de la garantie expresse ou implicite, statutaire ou autre. couvrant le bien, que cette garantie ait été offerte par le manufacturier ou le commerçant.

Et le commerçant a signé ce _____ jour de _____ 19 _____.

_____   Par: _____

(nom du commerçant)   (signataire autorisé)

GARANTIE ADDITIONNELLE (RECOURS)

De plus. le commerçant garantit l'exécution des obligations du consommateur et il s'engage solidairement avec ce dernier à payer à la Caisse toutes les sommes dues à celle-ci en vertu de ce contrat. Le commerçant demeurera également responsable envers la Caisse de tout déficit découlant de la reprise de possession et de la revente desdits biens tels que décrits au contrat. La responsabilité du commerçant en vertu des présentes ne sera modifiée par aucun compromis, délai de paiement. ou autre changement dans les conditions du contrat. ni par aucune garantie supplémentaire prise par la Caisse. ni par aucune négligence de la part de la Caisse à revendiquer ses droits, ni en raison de toute perte ou de toute dépréciation desdits biens. ni en raison de tout dommage qu'ils pourraient subir. ni par l'annulation de tout droit de la Caisse contre le consommateur pour quelque raison que ce soit.

Si lesdits biens sont repris. le commerçant devra. à la demande de la Caisse et pour le compte de cette dernière. les entreposer en lieu sûr et sans frais.

Signé à _____ ce _____ jour de _____ 19 ____.

_____   Par: _____

(nom du commerçant)   (signataire autorisé)

Document 14.3	CONTRAT DE SERVICES

CONTRAT DE SERVICES

2600, boul. Laurier, Local 290, STE-FOY (Québec) G1V 4T3

IDENTIFICATION ET RÉFÉRENCE

NOM: Montreuil   PRÉNOM: Micheline

ADRESSE: 1050, rue Orléans

VILLE: Charlesbourg   CODE POSTAL: G1H 2H2

DATE DE NAISSANCE: 13 juin 1972   TÉL. RÉSIDENCE: 621-5032

OCCUPATION: Ingénieure

NOM DE L'ENTREPRISE: Services d'ingénierie de la Capitale inc.

ADRESSE: 860, avenue Marguerite-Bourgeois, bureau 13

VILLE: Québec   CODE POSTAL: G1S 3W9   TÉL. BUREAU: 621-5092

PLANS

TYPE DE PLAN: R   VERSEMENT MENSUEL (VOIR MODE DE PAIEMENT)   BRUT: 50,00 $

C= CONDITIONNEMENT PHYSIQUE   P= WORKOUT   ESCOMPTE: nil

R= SPORTS DE RAQUETTE   T= TAEKWONDO   NET: 50,00 $

RÉFÉRENCE: (TOUS LES CAS DE COUPLE OU FAMILLE)

ENTREPRISE PARTICIPANTE:

DÉBUT DE L'OBLIGATION: 96-01-01   FIN DE L'OBLIGATION: 96-12-31

AUTRES SERVICES

TOTAL DU CONTRAT

TOTAL DU CONTRAT
(COMPTE NON TENU DES PAIEMENTS PRÉ-AUTORISÉS)   NET:

MOINS: LA PARTIE FACTURABLE À L'ENTREPRISE PARTICIPANTE
NOM DE   N°   NUMÉRO   MOINS
L'ENTR.:   ENTR.:   FACTURE: MONTANT:

TOTAL À PAYER PAR LE MEMBRE (COMPTE NON TENU DES PAIEMENTS PRÉ-AUTORISÉS):

TOTAL DU CONTRAT SANS ÉGARD AU MODE DE PAIEMENT: 600,00 $

MODE DE PAIEMENT (TOTAL À PAYER PAR LE MEMBRE)

COMPTANT	CHÈQUE	MASTER CARD	VISA	AMEX	PAIEMENTS PRÉ-AUTORISÉS
	X				1er MOIS PAYABLE:

MONTANT	NOMBRE DE VERSEMENTS	DATE DU 1er VERSEMENT	DATE DU 2e VERSEMENT	N° FACTURE	DERNIER MOIS PAYABLE:
50,00 $	12	1996-01-01	1996-02-01		

REMARQUES

NUMÉRO DU MEMBRE

03427

Document 14.3	**CONTRAT DE SERVICES (suite)**

MENTION EXIGÉE PAR LA LOI SUR LA PROTECTION DU CONSOMMATEUR

CONTRAT CONCLU PAR UN COMMERÇANT EXPLOITANT UN STUDIO DE SANTÉ.

Le consommateur peut résilier le présent contrat sans frais ni pénalité avant que le commerçant n'ait commencé à exécuter son obligation principale en envoyant la formule ci-annexée ou un autre avis écrit à cet effet au commerçant.

Si le commerçant a commencé à exécuter son obligation principale, le consommateur peut résilier le présent contrat dans un délai égal à 1/10 (dixième) de la durée prévue au présent contrat en envoyant la formule ci-annexée ou un autre avis écrit à cet effet au commerçant. Ce délai a comme point de départ le moment où le commerçant commence à exécuter son obligation principale. Dans ce cas, le commerçant ne peut exiger au plus, du consommateur, que le paiement d'un dixième du prix total prévu au contrat.

Le contrat est résilié, sans autre formalité, dès l'envoi de la formule ou de l'avis.

Dans les dix jours qui suivent la résiliation du contrat, le commerçant doit restituer au consommateur l'argent qu'il lui doit.

Le consommateur aura avantage à consulter les articles 197 à 205 de la Loi de protection du consommateur (L.R.Q. C.P-40-1) et, au besoin, à communiquer avec l'office de la protection du consommateur.

ENTRAIN

NO DE PERMIS: 9256280-300751

FORMULE DE RÉSILIATION

(LOI SUR LA PROTECTION DU CONSOMMATEUR, ART. 199)

À _____
ENTRAIN ENR.
(NOM DU COMMERÇANT)

2600, BOUL. LAURIER STE-FOY (QUÉBEC) G1V 4T3
(ADRESSE DU COMMERÇANT)

DATE: _____
(DATE D'ENVOI DE LA FORMULE)

En vertu de l'article 204 de la Loi sur la protection du consommateur, je résilie le contrat.

N° _____
(N° DU CONTRAT)

conclu le _____
(DATE DE LA CONCLUSION DU CONTRAT)

à _____
STE-FOY
(LIEU DE LA CONCLUSION DU CONTRAT)

_____
(NOM DU CONSOMMATEUR)240

_____
(SIGNATURE DU CONSOMMATEUR)240

_____
(ADRESSE DU CONSOMMATEUR)240

RÉSERVÉ À L'ADMINISTRATION D'ENTRAIN

FORMULE DE RÉSILIATION REÇUE PAR _____
RÉSILIATION REÇUE LE _____
REMBOURSEMENT EFFECTUÉ LE _____
N° DU CHÈQUE DE REMBOURSEMENT : _____

NO MEMBRE	NOTES:		
	J'ai pris connaissance des règlements du club et m'engage à les respecter. La direction d'Entrain se réserve le droit en tout temps de retirer la carte de membre à toute personne qui manque aux règlement. La carte de membre demeure la propriété du club ENTRAIN.		
	SIGNÉ EN DUPLICATA À STE-FOY LE 95 | 12 | 13 AN MOIS JOUR	MEMBRE: *Micheline Morin*	
	REPRÉSENTANT: *Jacques Demers*	PRÉPOSÉ À LA RÉCEPTION: *Sylvie Morin*	

Chapitre **15**

LA FORME JURIDIQUE D'UNE ENTREPRISE NON CONSTITUÉE EN PERSONNE MORALE

15.0 PLAN DU CHAPITRE

| 15.0 | **PLAN DU CHAPITRE (SUITE)** |

| 15.1 | **OBJECTIFS** |

Après la lecture du chapitre, l'étudiant doit être en mesure :

- de différencier les cinq principales formes juridiques d'une entreprise non constituée en personne morale que sont l'entreprise individuelle, la société en nom collectif, la société en commandite, la société en participation et l'association ;

- de différencier les trois principales formes juridiques d'une entreprise constituée en personne morale que sont la compagnie, la corporation et la coopérative ;

- d'expliquer l'importance des aspects légaux, fiscaux, économiques et de risque de faillite dans le choix d'une forme juridique pour une entreprise ;

- de choisir, selon qu'il s'agisse d'une personne seule ou d'un groupe de personnes, la forme juridique adéquate pour une entreprise ;

- d'expliquer le rôle de la *Loi sur la publicité légale des entreprises individuelles, des sociétés et des personnes morales*, sur le choix du nom de l'entreprise ;

- de différencier une déclaration d'immatriculation d'une déclaration annuelle, d'une déclaration modificative et d'une déclaration de radiation ;

- de connaître les conséquences des sanctions civiles et des dispositions pénales en cas de violation de la *Loi sur la publicité légale des entreprises individuelles, des sociétés et des personnes morales* ;

- d'énumérer les avantages et les inconvénients de la forme juridique de l'entreprise individuelle ;
- de remplir une déclaration d'immatriculation pour une entreprise individuelle ;
- d'expliquer l'utilisation de la société en nom collectif ;
- de rédiger une déclaration d'immatriculation pour une société ;
- d'expliquer les droits et les obligations des associés entre eux ;
- d'énumérer les causes de dissolution d'une société ;
- de différencier la société en nom collectif de la société en commandite ;
- de différencier la société en nom collectif de la société en participation ;
- de différencier la société en participation de l'association ;
- d'expliquer les responsabilités des administrateurs d'une association.

| 15.2 | ## LA FORME JURIDIQUE D'UNE ENTREPRISE |

Avant de choisir une forme juridique pour une entreprise, il convient de savoir ce qu'est une entreprise ou ce qui constitue l'exploitation d'une entreprise. À cet égard, le législateur nous a facilité la tâche en définissant, dans le *Code civil*, ce qui constitue l'exploitation d'une entreprise et en nous donnant, dans la *Loi sur la publicité légale des entreprises individuelles, des sociétés et des personnes morales*, des indications qui nous permettent de présumer quand une personne exerce une activité ou exploite une entreprise.

1525 C.c.Q. > *[...]* ***Constitue l'exploitation d'une entreprise*** *l'exercice, par une ou plusieurs personnes, d'une activité économique organisée,* ***qu'elle soit ou non à caractère commercial****, consistant dans la production ou la réalisation de biens, leur administration ou leur aliénation, ou dans la prestation de services.*

6 L.P.L.E. > *[...] La personne ou la société qui possède une adresse au Québec ou qui, par elle-même ou par l'entremise de son représentant agissant en vertu d'un mandat général, possède un établissement ou un casier postal au Québec, y dispose d'une ligne téléphonique ou y accomplit un acte dans le but d'en tirer un profit,* ***est présumée exercer une activité ou exploiter une entreprise au Québec****.*

Maintenant, essayons de déterminer quelle est la meilleure forme juridique pour une entreprise.

| 15.2.1 | ### QUELQUES COMMENTAIRES GÉNÉRAUX |

Comme nous l'avons déjà vu, il existe une distinction fondamentale entre une personne physique et une personne morale (voir le chapitre 3, Les personnes).

L'intérêt de cette distinction, dans l'étude de la forme juridique d'une entreprise, réside dans la responsabilité personnelle que devra ou non assumer le propriétaire de l'entreprise.

De plus, la forme juridique d'une entreprise dépend, entre autres, du nombre de propriétaires.

| 15.2.2 | ### LA PERSONNE PHYSIQUE QUI EXPLOITE UNE ENTREPRISE |

Lorsqu'une personne physique est propriétaire d'une entreprise, elle assume personnellement et sans limite de responsabilité tous les risques afférents à l'exploitation de l'entreprise. C'est le cas notamment de :

- l'entreprise individuelle ;
- la société en nom collectif ;
- la société en commandite ;

- la société en participation ;
- l'association.

L'**entreprise individuelle** constitue la forme juridique d'entreprise la plus simple pour une personne seule. Les formalités de constitution sont réduites au minimum, c'est-à-dire dans certains cas au dépôt d'une déclaration d'immatriculation au greffe de la Cour supérieure. Cette personne encaisse tous les profits, mais subit aussi toutes les pertes de son entreprise. La responsabilité du propriétaire est illimitée, c'est-à-dire que les créanciers de l'entreprise peuvent faire saisir tous ses biens personnels si l'entreprise éprouve des difficultés financières. Elle est fréquemment utilisée pour l'exploitation d'un commerce telle une épicerie, l'exploitation d'un service tel un salon de coiffure, l'exercice d'un métier tel un plombier ou l'exercice d'une profession tel un notaire.

La **société en nom collectif** est la forme juridique d'entreprise utilisée par les gens d'affaires lorsqu'ils ne veulent pas constituer une compagnie. Cette forme juridique suppose que chaque associé accorde toute sa confiance aux autres associés, car, dans la société en nom collectif, tous les associés sont conjointement et solidairement responsables des dettes contractées pour la société. Elle est fréquemment utilisée pour l'exploitation d'un commerce telle une quincaillerie, l'exploitation d'un service telle une station-service, l'exercice d'un métier telle une entreprise de plomberie ou l'exercice d'une profession tel un bureau d'avocats.

La **société en commandite** est la forme juridique d'entreprise utilisée principalement pour protéger les investisseurs, pour réaliser un projet précis, pour bénéficier de crédits d'impôt ou pour profiter d'un régime fiscal attrayant. *Par exemple, les sports professionnels, la production de films, l'exploration minière, l'achat, la restauration et la revente d'un immeuble, la recherche en médecine ainsi que l'invention de nouvelles techniques ou de nouveaux produits sont les secteurs de l'économie ou nous retrouvons le plus de sociétés en commandite.* Enfin, la société en commandite est également utilisée dans le cas où certains associés, appelés commanditaires, désirent limiter leur responsabilité à leur mise de fonds.

La **société en participation** est la forme juridique d'entreprise utilisée principalement en matière de propriété d'immeuble lorsque deux ou trois personnes achètent un immeuble en copropriété indivise, ainsi que pour régir les ententes monétaires entre deux concubins ou pour régir toute entente avec une autre personne visant l'exercice d'une certaine activité commerciale sans existence formelle, *par exemple une société créée par trois étudiants pour tondre la pelouse ou pour exécuter des travaux de peinture.*

L'**association** est la forme juridique d'entreprise utilisée principalement par un regroupement de personnes qui conviennent de poursuivre un but commun autre que la réalisation de bénéfices pécuniaires à partager entre les membres de l'association. Il est possible d'imaginer ainsi une confrérie de dégustateurs de vin, un club de l'âge d'or, un club littéraire, etc., bref un regroupement de personnes qui se sont donné un but et quelques règles, écrites ou verbales. *Par exemple, si un certain nombre d'étudiants forment un comité pour organiser le bal de fin d'année, ce comité sera considéré comme une association au sens du* Code civil.

15.2.3 LA PERSONNE MORALE QUI EXPLOITE UNE ENTREPRISE

Lorsqu'une personne qui exploite une entreprise choisit de limiter sa responsabilité, elle peut alors décider de créer une **personne morale**, c'est-à-dire une entité juridique distincte de son fondateur et qui assume pleinement son existence. Cette personne morale peut prendre une des cinq formes juridiques suivantes :

- une compagnie constituée en vertu d'une loi générale telle que la *Loi sur les compagnies* du Québec ou la *Loi canadienne sur les sociétés par actions* ;

- une corporation ou association personnifiée, c'est-à-dire une personne morale à but non lucratif constituée en vertu de la Partie III de la *Loi sur les compagnies* du Québec ;

- une coopérative constituée en vertu d'une loi générale telle que la *Loi sur les coopératives* ;

- une compagnie constituée en vertu d'une loi régissant certaines activités économiques telles que la *Loi des banques* et la *Loi sur les sociétés de fiducie et les sociétés d'épargne* ;

- une coopérative constituée en vertu de lois régissant certains secteurs de l'économie, telle la *Loi des caisses d'épargne et de crédit.*

La **compagnie constituée en vertu de la *Loi sur les compagnies* ou de la *Loi canadienne sur les sociétés par actions*** est la forme juridique normale pour une personne morale qui exploite une entreprise dans le but de réaliser des profits ; c'est aussi une des formes juridiques les plus courantes.

Bien que d'autres vocables existent également pour désigner une compagnie, nous utiliserons toujours dans ce livre le terme **compagnie** pour désigner une personne morale qui exploite une entreprise dans le but de réaliser des profits. Une **compagnie** est parfois désignée sous un des vocables suivants :

- une société commerciale canadienne ;

- une société par actions ;

- une société par actions de régime fédéral ;

- une société à capital-actions ;

- une société à responsabilité limitée ;

- une société anonyme ;

- une corporation à but lucratif ;

- une corporation à capital-actions.

La loi fédérale qui régissait la constitution d'une entreprise en compagnie s'appelait auparavant la ***Loi sur les sociétés commerciales canadiennes***. Elle se nomme maintenant la ***Loi canadienne sur les sociétés par actions***.

Une compagnie est également appelée **société par actions** ou **société à capital-actions** parce que le titre de propriété qui donne le droit d'être convoqué aux assemblées de la compagnie, de voter pour l'élection des administrateurs, de recevoir un dividende ou de partager les biens de la compagnie lors de sa dissolution s'appelle une **action**, et que l'ensemble des actions d'une compagnie constitue son **capital-actions**. Le détenteur d'une ou de plusieurs actions est un **actionnaire**. Si la compagnie est constituée en vertu de la loi fédérale, elle est aussi appelée **société par actions de régime fédéral**.

Une compagnie peut également être appelée **société à responsabilité limitée** parce que la responsabilité de ses actionnaires se limite à leur mise de fonds.

Une compagnie est parfois désignée comme une **société anonyme**, car lorsqu'il s'agit d'une grosse entreprise, *par exemple Les Entreprises Bell Canada ltée, dont les actions sont détenues par des dizaines de milliers d'actionnaires*, la propriété de cette compagnie est dite anonyme, puisqu'il est impossible d'identifier un ou deux propriétaires principaux qui décident de tout : les vrais propriétaires sont les milliers d'actionnaires.

D'autre part, comme son nom l'indique, la **corporation à but lucratif** est constituée dans le but de réaliser des profits ; il s'agit donc d'une compagnie.

Enfin, comme une corporation sans but lucratif n'a pas de capital-actions, la **corporation à capital-actions** est donc une compagnie.

Ainsi, pour simplifier la terminologie, le mot **compagnie** sera utilisé pour désigner une personne morale qui exploite une entreprise dans le but de réaliser des profits.

De plus, comme la *Loi sur les compagnies* du Québec ressemble énormément à la *Loi canadienne sur les sociétés par actions*, le chapitre 16 ne traite que de la loi provinciale, puisque, au Québec, elle est beaucoup plus utilisée que la loi fédérale. Quoi qu'il en soit, qu'une entreprise soit constituée en compagnie en vertu des lois provinciale ou fédérale ne change pas grand-chose à la gestion courante de ses affaires et à l'exploitation de son entreprise. En effet, elle peut faire des affaires à travers le Canada et partout dans le monde, à la condition de se soumettre aux lois qui existent dans les autres provinces et dans les autres pays.

Pour sa part, la **corporation** que nous appellerons aussi une **association personnifiée** désigne une personne morale qui exploite une entreprise sans but lucratif. La corporation ne doit pas être vue comme un moyen de se lancer en affaires mais davantage comme un moyen de créer ou de conserver un emploi. *Par exemple, Sylvain a regroupé une quinzaine de personnes qui désirent créer une fondation pour venir en aide aux personnes défavorisées. Ces personnes demandent à l'inspecteur général des institutions financières de constituer leur fondation en corporation en vertu de la Partie III de la* Loi sur les compagnies *sous la dénomination sociale de Corporation d'aide aux personnes défavorisées de Saint-Roch. Une fois constituée, la corporation peut engager Sylvain comme directeur général et ainsi Sylvain a créé son propre emploi.* Certaines grandes corporations comme la Croix-Rouge ou la Société canadienne du cancer engagent des milliers de personne, mais ce n'est pas la forme juridique appropriée pour une personne qui désire exploiter une entreprise dans le but de réaliser des profits.

La **coopérative**, constituée en vertu de la *Loi sur les coopératives*, n'est pas, quant à elle, la forme juridique appropriée pour se lancer en affaires, et ce, pour deux raisons principales. Premièrement, une coopérative est un groupement dont l'objet n'est pas de faire du profit, mais de rendre un service à ses membres et, deuxièmement, une coopérative requiert, en général, la présence d'au moins 12 personnes.

Cependant, si plusieurs personnes désirent regrouper leurs efforts en vue de s'offrir un logement à faible coût (une coopérative d'habitation), d'assurer leur emploi (une coopérative de travailleurs), de se procurer des aliments à meilleur compte (une coopérative d'alimentation), de se procurer des semences, des engrais ou du matériel agricole (une coopérative agricole) ou d'exploiter une flotte de pêche (une coopérative de pêcheurs), elles peuvent fonder une coopérative. Il existe d'ailleurs au Québec de nombreuses coopératives qui procurent de l'emploi à des dizaines de milliers de personnes (voir la section 16.3, La coopérative).

D'autre part, une **compagnie constituée en vertu d'une loi régissant certaines activités économiques** comme une banque, une société de fiducie ou une compagnie d'assurance peut être une entreprise qui est une très bonne source de profit, mais rares sont les personnes qui disposent d'un capital d'un milliard de dollars pour fonder une banque.

Enfin, la **coopérative constituée en vertu de la *Loi sur les caisses d'épargne et de crédit*** n'est pas la forme juridique appropriée pour exploiter une entreprise. Cependant, si plusieurs personnes désirent unir leurs efforts en vue d'emprunter à meilleur compte, elles peuvent fonder une coopérative sous forme d'une caisse d'épargne. Il existe d'ailleurs au Québec de nombreuses caisses d'épargne ou caisses populaires. Cependant, encore une fois, le modèle coopératif n'est pas la forme juridique idéale pour se lancer en affaires, car une coopérative est un groupement de personnes dont le but n'est pas de réaliser des profits mais d'offrir un service.

15.2.4   LES DIFFÉRENTES FORMES JURIDIQUES POUR UNE ENTREPRISE

Le choix d'une forme juridique pour une entreprise varie selon qu'il s'agisse d'une personne seule ou de plusieurs personnes qui désirent exploiter une entreprise (voir la figure 15.1).

Figure 15.1 Le choix d'une forme juridique pour une entreprise

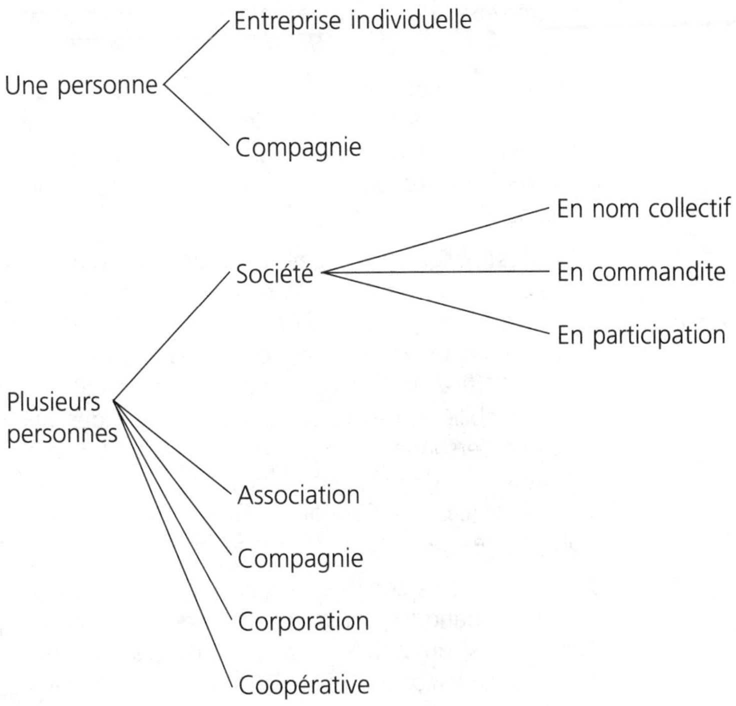

15.2.5 LE PROPRIÉTAIRE ET LA FORME JURIDIQUE DE SON ENTREPRISE

Pour chaque forme juridique d'entreprise, le propriétaire est identifié par un nom différent (voir le tableau 15.1).

Tableau 15.1 La forme juridique d'une entreprise et le nom du propriétaire

Forme juridique	Nom du propriétaire
Entreprise individuelle	Propriétaire
Société	Associé
Association	Membre
Compagnie	Actionnaire
Corporation	Membre
Coopérative	Membre ou sociétaire

15.2.6 LES PERMIS, LES EXCEPTIONS ET LES RESTRICTIONS

Par exemple, si Marie-France Saint-Pierre décide d'ouvrir une entreprise sous le nom de **Quincaillerie Marie-France Saint-Pierre***, au coin du chemin Sainte-Foy et de l'avenue Marguerite-Bourgeois à Québec, elle doit demander un permis à la ville de Québec pour exploiter son entreprise et s'inscrire auprès des ministères provincial et fédéral du Revenu pour obtenir un numéro de taxe de vente, un numéro d'employeur et un numéro de déduction à la source. De plus, elle doit aussi s'inscrire auprès de la Commission des normes du travail, de la Commission de la santé et de* *la sécurité du travail et de la Commission d'emploi et d'immigration du Canada. Enfin, si elle désire effectuer quelques réparations à son local, poser une nouvelle enseigne et aménager son terrain, elle doit obtenir des permis d'enseigne et de construction de la ville de Québec.*

L'exigence de détenir un permis ou de s'inscrire auprès de certains ministères ou organismes n'a pas pour but d'empêcher l'exploitation d'une entreprise, mais de la réglementer afin d'assurer la protection du public et de permettre aux autorités gouvernementales de savoir qui exerce quel genre d'entreprise et d'établir des statistiques.

Ainsi, il est obligatoire de détenir un **permis** pour exploiter un cinéma, un restaurant, un hôtel, un commerce de vente itinérante, pour fabriquer des explosifs et des armes, pour faire de l'importation et de l'exportation. Pour obtenir certains permis, il faut déposer un **cautionnement**, comme dans le cas d'un permis d'agent de voyage délivré par l'Office de la protection du consommateur ou d'un permis de courtier en valeurs mobilières délivré par la Commission des valeurs mobilières du Québec. De plus, une personne qui offre ses services à titre, entre autres, d'avocat, de notaire, de comptable, de médecin, d'ingénieur doit être membre d'une corporation professionnelle telle que le Barreau du Québec, la Chambre des notaires, l'Ordre des comptables agréés, le Collège des médecins ou l'Ordre des ingénieurs.

De plus, certains services ne peuvent être offerts que par une personne morale, comme les banques, les sociétés de fiducie, les caisses populaires et les compagnies d'assurances, qui doivent être **constituées** en vertu, entre autres, de la *Loi sur les banques*, de la *Loi sur les sociétés de fiducie et sur les sociétés d'épargne*, de la *Loi sur les caisses d'épargne et de crédit*.

Enfin, il se peut qu'une autorité municipale, comme la ville de Québec, ou supramunicipale, comme la Communauté urbaine de Québec, exige un quelconque permis pour, *par exemple, exploiter une entreprise, poser une enseigne ou un auvent, faire des réparations ou pour interdire des activités commerciales dans une zone résidentielle.*

Tous ces permis et toutes ces exceptions s'appliquent également à toutes les formes juridiques d'une entreprise. Par conséquent, les permis exigés par les autorités gouvernementales fédérales, provinciales, supramunicipales, municipales et d'autres organismes ainsi que les quelques exceptions couvertes par des lois spéciales constituent les principales mesures auxquelles doit se soumettre toute personne qui désire exploiter une entreprise.

Donc, quelle que soit sa forme juridique, qu'il s'agisse d'une entreprise individuelle, d'une société ou d'une compagnie, l'entreprise doit remettre des rapports et des sommes d'argent, entre autres :

- au ministère du Revenu du Québec concernant :
  - la taxe de vente du Québec, ou TVQ,
  - les déductions à la source,
  - l'impôt à payer ;
- au ministère du Revenu national concernant :
  - la taxe sur les produits et services, ou TPS,
  - les déductions à la source,
  - l'impôt à payer ;
- à la Régie des rentes du Québec ;
- à la Commission des normes du travail ;
- à la Commission de la santé et de la sécurité du travail ;
- à la Commission de l'emploi et de l'immigration.

15.2.7   LES CRITÈRES DE CHOIX D'UNE FORME JURIDIQUE POUR UNE ENTREPRISE

Quelle forme juridique doit choisir une personne qui désire exploiter une entreprise (voir la section 15.2.4, Les différentes formes juridiques pour une entreprise) ? Ce qui est important, ce n'est pas tant l'aspect légal que :

- la responsabilité à l'égard des dettes ;
- le risque de faillite ;
- l'aspect économique ;
- l'aspect fiscal.

15.2.7.1   La responsabilité à l'égard des dettes

La différence majeure entre une personne physique et une personne morale en affaires découle du concept de la **responsabilité à l'égard des dettes** de l'entreprise.

Par exemple, si Marie-France exploite sa quincaillerie sous la forme juridique d'une entreprise individuelle, elle est responsable de toutes les obligations de son entreprise puisque Marie-France et l'entreprise ne forment qu'une seule et même personne. Elle est donc responsable du préjudice causé par sa faute (voir l'article 1457 C.c.Q.), du préjudice découlant du défaut de respecter les engagements contractés par l'entreprise (voir l'article 1458 C.c.Q.), du préjudice causé par la faute de ses employés (voir l'article 1463 C.c.Q.), et tous ses biens mobiliers et immobiliers, présents et futurs, servent à garantir les dettes de son entreprise (voir l'article 2644 C.c.Q.), de telle sorte que les créanciers sont payés à même ses biens personnels (voir l'article 2645 C.c.Q.). Autrement dit, si l'entreprise fait faillite, Marie-France fait également faillite, puisqu'elle et son entreprise sont considérées comme une seule et même personne. Il s'agit donc d'un cas de **responsabilité illimitée**.

Pour éviter d'avoir à payer des réclamations parfois astronomiques à des personnes qui pourraient la poursuivre pour un préjudice causé par sa faute ou par celle de ses employés, Marie-France peut toujours souscrire à une **assurance de responsabilité civile**. *Dans ce cas, l'assureur assumera la défense de Marie-France contre toute poursuite pour préjudice découlant de sa responsabilité civile extracontractuelle (voir la section 8.3.2.1, La faute extracontractuelle). Par contre, il n'existe aucune assurance pour la protéger contre le préjudice découlant de sa responsabilité contractuelle.*

15.2.7.2   Le risque de faillite

En ce qui concerne la **faillite**, il n'existe aucune assurance pour s'en protéger. La seule assurance valable est celle d'une saine gestion. *Par exemple, lorsque le système de gestion signale que l'entreprise de Marie-France se dirige vers la faillite, il est alors préférable qu'elle ferme volontairement les portes de son entreprise pendant que l'entreprise dispose encore de quelques biens, plutôt que d'attendre le moment où les créanciers la forceront à fermer son entreprise et saisiront tous ses biens personnels.*

Devant cette éventualité, la compagnie est la forme juridique qui offre la seule solution valable, puisqu'en cas de faillite ce n'est pas l'actionnaire qui fait faillite mais bien la compagnie.

Par exemple, Marie-France et la Quincaillerie Marie-France Saint-Pierre forment une seule et même personne, et la faillite de l'une entraîne automatiquement la faillite de l'autre.

Par contre, Marie-France et la Quincaillerie Marie-France Saint-Pierre inc. sont deux personnes juridiques distinctes qui ont chacune leur patrimoine et, par conséquent, la faillite de la compagnie n'a aucune conséquence sur la situation financière de Marie-France.

C'est la raison pour laquelle il est parfois préférable d'opter pour la compagnie lorsqu'une entreprise présente des risques trop élevés de faillite ou de difficultés financières.

Si une personne constitue son entreprise en compagnie pour mettre ses biens personnels à l'abri des créanciers en cas de faillite, le prêteur n'hésite pas à demander à cette personne de cautionner les prêts accordés à son entreprise (voir la section 20.3, Le cautionnement de prêt). Ainsi, si cette personne cautionne les prêts de son entreprise et que cette dernière fait faillite, le prêteur peut se servir à même les biens de cette personne si le montant provenant de la liquidation des biens de l'entreprise est insuffisant pour rembourser le solde de leur prêt.

Il convient de mentionner que la **capacité d'emprunt** d'une entreprise individuelle se limite à la capacité d'emprunt de son propriétaire, puisqu'ils ne forment qu'une seule et même personne.

De la même manière, si le propriétaire d'une entreprise individuelle est seul pour administrer son entreprise, les résultats financiers de cette même entreprise dépendent de ses talents de gestionnaire. Rien ne l'empêche cependant d'engager des employés, ou même un directeur compétent, et de recourir aux services d'un avocat, d'un notaire et d'un comptable pour l'aider à améliorer sa gestion.

15.2.7.3 L'aspect économique

L'**aspect économique** est conjoncturel, c'est-à-dire que si l'économie se porte bien et que les taux d'intérêt sont bas, l'entreprise devrait continuer à engendrer des profits. Cependant, si une crise économique se manifeste ou que les taux d'intérêt subissent une hausse, l'entreprise peut subir des pertes. Il faut se rappeler qu'en 1981 et 1982, les taux d'intérêt ont atteint des sommets à 22 %, ce qui a occasionné la faillite de nombreuses entreprises. Or, même les experts éprouvent énormément de difficulté à établir des prévisions économiques fiables à moyen et à long terme.

15.2.7.4 L'aspect fiscal

Enfin, si l'entreprise est constituée en compagnie, elle doit produire sa propre déclaration de revenus et payer la taxe sur le capital. Toutefois, comme le taux d'imposition pour toute compagnie plafonne à 16,61 % pour les premiers 200 000 $ de revenus, et à 38,35 % pour l'excédent, alors que le taux maximal d'imposition d'un particulier est d'environ 48 %, il peut arriver que l'aspect fiscal joue en faveur de l'entreprise individuelle ou de la compagnie selon les exemptions, les déductions et les crédits que le propriétaire de l'entreprise peut réclamer.

15.2.8 LE CAS D'UNE PERSONNE SEULE

Une personne qui désire être la seule propriétaire de son entreprise peut choisir d'exploiter son entreprise sous la forme juridique de l'entreprise individuelle ou de la compagnie. *Par exemple, Marie-France Saint-Pierre peut choisir d'exploiter son entreprise sous son nom de famille et son prénom tel que **Quincaillerie Marie-France Saint-Pierre**, sous un nom d'emprunt tel que **Quincaillerie Saint-Sacrement** ou de constituer une compagnie sous le nom de **Quincaillerie Marie-France Saint-Pierre inc.** ou de **Quincaillerie Saint-Sacrement inc.***

LE CAS D'UNE PERSONNE SEULE

*Si Marie-France décide d'exploiter son entreprise sous la forme juridique de l'entreprise individuelle plutôt que sous la forme juridique de la compagnie, elle doit assumer une totale **responsabilité à l'égard des dettes**. En effet, les dettes de son entreprise sont considérées comme des dettes personnelles, car il n'y a pas de différence entre la personne et son entreprise. Par conséquent, si Marie-France achète la quincaillerie de son quartier et qu'elle désire séparer son patrimoine de celui de son entreprise, elle doit constituer son entreprise en compagnie afin que les dettes de l'entreprise soient les dettes de la compagnie et non pas les dettes de Marie-France.*

Il est également important de considérer le **risque de faillite** de l'entreprise. *Par exemple, Marie-France vient d'acheter la petite quincaillerie de son quartier, qui existe depuis déjà 20 ans et qui procure à son propriétaire actuel un revenu annuel garanti qui varie entre 15 000 $ et 20 000 $. Par conséquent, les risques de faillite de cette entreprise sont nuls ou presque, à moins que Marie-France n'ait aucune aptitude pour l'administration ou qu'elle se mette à dépenser sans retenue. Donc, en supposant qu'elle agisse d'une manière prudente et diligente, cette entreprise ne représente aucun risque : il est alors inutile pour Marie-France de constituer son entreprise en compagnie dans le but de limiter sa responsabilité. Elle peut donc exploiter sans risque cette quincaillerie sous son nom de famille et son prénom ou sous un nom d'emprunt.*

*Quant à l'**aspect économique**, il est conjoncturel, c'est-à-dire que si l'économie se porte bien et que les taux d'intérêt sont bas, l'entreprise devrait continuer à engendrer des profits. Cependant, si une crise économique se manifeste ou que les taux d'intérêt subissent une hausse, l'entreprise peut subir des pertes. Selon cette hypothèse, il est préférable que Marie-France constitue son entreprise en compagnie afin d'éviter la faillite personnelle.*

Enfin, l'**aspect fiscal** a une incidence importante sur le choix de la forme juridique d'une entreprise. *Par exemple, en tant que particulier, Marie-France a droit à des exemptions et à des déductions personnelles ainsi qu'à des crédits de taxe et d'impôt. Elle a également droit à des exemptions ou à des déductions supplémentaires si elle est mariée, si son conjoint ne travaille pas, ainsi que pour toute autre personne à sa charge : une partie importante de son revenu n'est donc pas imposable.*

Par ailleurs, une compagnie est imposée dès son premier dollar de revenu net. Par conséquent, si les revenus de l'entreprise sont faibles, la constitution de l'entreprise en compagnie n'est pas recommandée, puisque dans ce cas, l'entreprise devra payer plus d'impôt si elle est constituée en compagnie que si elle ne l'est pas. Toutefois, lorsque les revenus de l'entreprise varient entre 20 000 $ et 35 000 $, la constitution ou non d'une entreprise en compagnie représente une solution intéressante selon que le propriétaire contribue ou non à un régime enregistré d'épargne-retraite (REÉR) ou à un régime d'épargne-actions (RÉA), ou qu'il a des revenus ou des pertes qui proviennent d'autres sources, par exemple une perte découlant de l'exploitation d'un immeuble. Dans un tel cas, le seuil maximum de 35 000 $ peut facilement être porté à 50 000 $ ou même à 100 000 $ (voir le tableau 15.2).

Tableau 15.2   Un tableau comparatif du taux de l'impôt payable en 1994

Contribuable	Revenu	Taux
Particulier	Par paliers progressifs	0-48,20 %
Compagnie active	Sur les premiers 200 000 $	16,61 %
Compagnie active	Sur l'excédent	38,35 %
Compagnie de fabrication	Sur les premiers 200 000 $	13,52 %
Compagnie de fabrication	Sur l'excédent	33,71 %
Compagnie de placement	Sur tout le revenu imposable	42,18 %

* Ce tableau ne tient pas compte des nombreuses surtaxes imposées par les gouvernements aux entreprises et aux contribuables à revenu élevé ainsi que des surtaxes temporaires.

Selon les données du tableau 15.2, il est faux de prétendre que la compagnie est une forme juridique supérieure à l'entreprise individuelle et vice versa. Il faut plutôt tenir compte des besoins de la personne, de ses revenus, de ses dépenses, de ses charges familiales, de la valeur de son patrimoine, de la responsabilité à l'égard des dettes, du degré de risque de l'entreprise, de l'état de l'économie et des conséquences fiscales. Notez que le taux de l'impôt varie d'année en année selon que les gouvernements décident ou non de varier les tables d'impôt ou d'imposer des surtaxes.

15.2.9   LE CAS DE PLUSIEURS PERSONNES

Lorsque plusieurs personnes désirent exploiter une entreprise, elles doivent choisir entre la société en nom collectif, la société en commandite, la société en participation, l'association, la compagnie, la corporation ou la coopérative. Comme nous avons établi précédemment que l'association, la corporation et la coopérative ne sont pas des formes juridiques utilisées par des personnes qui désirent exploiter une entreprise dans le but de réaliser des profits, nous nous limiterons à comparer la société et la compagnie. Pour faire un choix entre la société et la compagnie, ces personnes doivent en analyser les différents aspects comme la responsabilité à l'égard des dettes, le degré de risque de faillite, l'aspect économique et l'aspect fiscal, tout en tenant compte du fait que les intérêts de plusieurs personnes sont en jeu. En outre, les intérêts des uns ne sont pas nécessairement les mêmes que les intérêts des autres.

Dans une société, la **responsabilité à l'égard des dettes** est légèrement modifiée par le fait que chaque associé est responsable des dettes que les autres associés contractent pour le bénéfice de la société. Cette responsabilité illimitée fait peur à bien des personnes qui préfèrent alors la constitution de leur entreprise en compagnie, car, dans une compagnie, un actionnaire n'est responsable des dettes de la compagnie que jusqu'à concurrence du capital qu'il y a investi, c'est-à-dire qu'il ne peut perdre, en général, que l'argent qu'il a déjà investi dans la compagnie sous forme d'action. **Être en société, c'est comme donner un chèque en blanc à son associé**. Votre associé est-il digne d'une telle confiance ?

Si la réponse à cette question est oui, il est possible d'opter pour la société ; si c'est non, il faut plutôt opter pour la compagnie.

D'autre part, le **degré de risque de faillite** varie énormément en fonction du secteur d'activité économique dans lequel les associés désirent œuvrer. Ainsi, il y a certainement beaucoup moins de risques à exploiter un immeuble que d'être propriétaire d'un restaurant, car, dans ce dernier cas, les statistiques révèlent que 50 % des restaurants font faillite dès leur première année d'existence et 90 % dans les cinq ans qui suivent leur ouverture. Puisqu'un seul restaurant sur dix survit plus de cinq ans, il s'agit donc d'un secteur d'activité à risque élevé.

L'**aspect économique** est conjoncturel. Lorsque l'économie se porte bien et que les taux d'intérêt sont bas, l'entreprise engendre des profits, mais en cas de crise économique ou d'une hausse des taux d'intérêt, il est plus difficile pour l'entreprise de survivre. Il suffit de se rappeler que les taux d'intérêt ont atteint un sommet de 22 % en 1981 et 1982. C'est pourquoi certaines personnes préfèrent constituer leur entreprise en compagnie plutôt qu'en société pour éviter que la faillite de l'entreprise n'entraîne leur faillite personnelle.

Ainsi, lorsque les taux d'intérêt sont élevés, il peut être plus difficile d'être propriétaire d'un immeuble à bureaux, car les locataires font également face à des difficultés financières. Si plusieurs locataires font faillite et ferment leurs portes, le propriétaire perdra des revenus de loyer et subira peut-être même des pertes. Depuis 1995, les gouvernements fédéral et provincial procèdent à la mise à pied de plusieurs milliers de fonctionnaires, ce qui entraîne une diminution des besoins de locaux pour les gouvernements et une augmentation des locaux vacants. Par conséquent, les propriétaires d'immeubles à bureaux auront plus de difficulté à trouver des locataires et à rentabiliser leur investissement.

Enfin, en ce qui concerne l'**aspect fiscal**, une compagnie a ses propres revenus, ses dépenses, son patrimoine et ses impôts à payer, tandis qu'une société doit diviser les revenus qu'elle engendre entre ses associés selon les termes du contrat de société. Par conséquent, une personne qui a cumulé une perte d'exploitation provenant d'un immeuble ou d'une autre source serait probablement intéressée à fonctionner en société pour que le profit réalisé, grâce à la société, compense la perte qu'elle subit dans ses autres activités. Par ailleurs, une personne dont les activités économiques sont florissantes ne sera peut être pas intéressée à recevoir un revenu supplémentaire dont jusqu'à 50 % sera versé en impôt ; cette personne préférera alors la compagnie.

15.3 LA *LOI SUR LA PUBLICITÉ LÉGALE DES ENTREPRISES INDIVIDUELLES, DES SOCIÉTÉS ET DES PERSONNES MORALES*

Le 1er janvier 1994, la *Loi sur la publicité légale des entreprises individuelles, des sociétés et des personnes morales* est entrée en vigueur. Elle régit l'utilisation d'un nom d'emprunt ou nom commercial, c'est-à-dire l'utilisation d'un nom pour exploiter une entreprise. La *Loi sur la publicité légale des entreprises individuelles, des sociétés et des personnes morales* prévoit les points suivants :

2 L.P.L.E.   *Est assujettie à l'obligation d'immatriculation :*

> *1° la **personne physique qui exploite une entreprise individuelle** au Québec, qu'elle soit ou non à caractère commercial, sous un nom ne comprenant pas **son nom de famille et son prénom** ;*

2° la **société en nom collectif** ou la **société en commandite** qui est constituée au Québec ;

3° la société qui n'est pas constituée au Québec, si elle y exerce une activité, incluant l'exploitation d'une entreprise, ou y possède un droit réel immobilier autre qu'une priorité ou une hypothèque ;

4° la **personne morale de droit privé** qui est constituée au Québec ;

5° la personne morale de droit privé qui n'est pas constituée au Québec, si elle y a son domicile, y exerce une activité, incluant l'exploitation d'une entreprise ou y possède un droit réel immobilier autre qu'une priorité ou une hypothèque [...].

Comme nous pouvons le constater, toute entreprise individuelle, société en nom collectif, société en commandite et compagnie est assujettie à l'obligation d'immatriculation ; il y a une seule exception à ce principe : une personne qui exploite seule une entreprise sous son nom de famille et son prénom n'est pas assujettie à l'obligation d'immatriculation. *Par exemple, si Marie-France Saint-Pierre utilise le nom de **Quincaillerie Marie-France Saint-Pierre** pour exploiter son entreprise, elle n'est pas assujettie à l'obligation d'immatriculation.*

Soulignons au passage qu'une société en participation ainsi qu'une association ne sont pas soumises à l'obligation d'immatriculation, mais qu'une corporation, une coopérative ou un syndicat de copropriétaires doit déposer une déclaration d'immatriculation, car il constitue une personne morale.

De plus, la loi impose aux utilisateurs d'un nom d'emprunt l'obligation de déposer :

• une déclaration d'immatriculation ;

• une déclaration annuelle ;

• une déclaration modificative ;

• une déclaration de radiation ;

selon qu'on utilise ce nom pour la première fois, qu'on soit à l'étape de la production annuelle de sa déclaration, qu'on doive apporter une modification à sa déclaration ou qu'on désire abandonner l'usage de ce nom. Notez qu'une personne qui exploite une entreprise sous son nom de famille et son prénom ainsi qu'une société en participation ou une association peuvent déposer une déclaration d'immatriculation afin de rendre public l'utilisation de leur nom. Elles devront alors déposer également une déclaration annuelle et, s'il y a lieu, une déclaration modificative et une déclaration de radiation.

15.3.1 LE CHOIX DU NOM

Avant de choisir un nom pour son entreprise, l'assujetti doit respecter un certain nombre de règles. Par exemple :

13 L.P.L.E.

L'assujetti ne peut déclarer ni utiliser au Québec un nom qui :

1° n'est pas conforme aux dispositions de la Charte de la langue française ;

2° comprend une expression que la loi ou les règlements réservent à autrui ou dont ils lui interdisent l'usage ;

3° comprend une expression qui évoque une idée immorale, obscène ou scandaleuse ;

4° indique incorrectement sa forme juridique ou omet de l'indiquer lorsque la loi le requiert, en tenant compte notamment des normes relatives à la composition des noms déterminés par règlement ;

5° laisse faussement croire qu'il est un groupement sans but lucratif ;

6° laisse faussement croire qu'il est une autorité publique mentionnée au règlement ou qu'il est lié à celle-ci ;

7° laisse faussement croire qu'il est lié à une autre personne, à une autre société ou à un autre groupement [...] ;

*8° **prête à confusion avec un nom utilisé par une autre personne, une autre société ou un autre groupement au Québec** [...];*

9° est de toute manière de nature à induire les tiers en erreur.

L'assujetti dont le nom est dans une langue autre que le français doit déclarer la version française du nom qu'il utilise au Québec dans l'exercice de son activité, l'exploitation de son entreprise ou aux fins de la possession d'un droit réel immobilier autre qu'une priorité ou une hypothèque.

Le deuxième alinéa ne s'applique pas à la personne physique qui s'immatricule volontairement et qui, à cette fin, ne déclare que ses noms de famille et prénom.

Il n'est pas possible de choisir comme nom d'emprunt un nom déjà utilisé ou une marque de commerce connue. Ainsi, Charles ne peut pas ouvrir un magasin général sous le nom de Magasin Zellers ou un restaurant sous le nom de Villa du poulet, puisqu'une telle situation pourrait prêter à confusion avec des entreprises existant déjà sous ces noms d'emprunt. C'est pour cette raison que dans un tel cas, même si le greffier de la Cour supérieure procède à l'enregistrement de la déclaration d'immatriculation, l'inspecteur général des institutions financières peut par la suite, de sa propre initiative ou à la demande d'un tiers, ordonner à l'entreprise de changer son nom.

De plus, il est interdit d'utiliser un nom qui peut induire les tiers en erreur ou leur laisser croire faussement qu'il existe une association ou un lien avec d'autres personnes.

En plus des restrictions imposées par la loi, le *Règlement d'application de la Loi sur la publicité légale des entreprises individuelles, des sociétés et des personnes morales* impose l'utilisation de certains sigles ou de certains mots pour indiquer aux tiers la forme juridique de l'entreprise.

1 R.A.L.P.L.E.

La personne physique qui exploite une entreprise individuelle au Québec ne peut ajouter à la suite du nom qu'elle utilise un mot ou une phrase indiquant une pluralité de membres, sauf s'il s'agit de l'indication de son métier ou de sa profession.

La société en nom collectif indique correctement sa forme juridique si elle utilise dans son nom ou à la suite de son nom les mots « société en nom collectif » ou si elle utilise, seulement à la fin de son nom, le sigle « S.E.N.C. ».

La société en commandite indique correctement sa forme juridique si elle utilise dans son nom ou à la suite de son nom les mots « société en commandite » ou si elle utilise, seulement à la fin de son nom, le sigle « S.E.C. ».

D'autre part, l'article 123.22 de la *Loi sur les compagnies* impose l'utilisation des mots « compagnie » ou « corporation » ou des abréviations « inc. » ou « ltée » pour identifier clairement la forme juridique qu'est la compagnie. Il précise que :

123.22 L.C.

La dénomination sociale de la compagnie qui ne comprend pas l'expression « compagnie » ou « corporation » doit comporter, à la fin, l'expression « inc. » ou « ltée » afin d'indiquer qu'elle est une entreprise à responsabilité limitée.

De plus, l'article 10 de la *Loi canadienne sur les sociétés par actions* impose l'utilisation des termes « Limitée », « Limited », « Incorporée », « Incorporated », « Société par actions de régime fédéral » ou « Corporation », ou des abréviations correspondantes « Ltée », « Ltd. », « Inc. », « S.A.R.F. » ou « Corp. » pour identifier clairement la forme juridique qu'est la compagnie. Il précise que :

10 L.C.S.A.

(1) Les termes « Limitée », « Limited », « Incorporée », « Incorporated », « Société par actions de régime fédéral » ou « Corporation », ou les abréviations correspondantes « Ltée », « Ltd. », « Inc. », « S.A.R.F. » ou « Corp. » doivent faire partie, autrement que dans un sens figuratif ou descriptif, de la dénomination sociale de toute société ; la société peut aussi bien utiliser les termes que les abréviations correspondantes et être légalement désignée de cette façon.

(1.1) Le paragraphe (1) ne s'applique pas à la société dont la dénomination sociale comportait, avant la date d'entrée en vigueur du présent paragraphe [...] le terme « Société commerciale canadienne » ou l'abréviation « S.C.C. ». [...]

Il est à noter que la *Loi canadienne sur les sociétés par actions* utilise le terme « société » pour désigner une compagnie constituée en vertu de la loi fédérale. Il ne faut pas confondre la société qui est créée en vertu de la loi fédérale et qui est une personne morale avec la société créée en vertu des dispositions du *Code civil* qui n'est pas une personne morale. Ce sont deux concepts différents et c'est la raison pour laquelle nous utilisons toujours le mot compagnie pour désigner, tant au fédéral qu'au provincial, une personne morale à but lucratif.

Enfin, l'article 16 de la *Loi sur les coopératives* impose l'utilisation des mots « coopérative », « coopératif », « coopération », « cooprix » ou de l'abréviation « coop » pour identifier clairement la forme juridique qu'est la coopérative. Il précise que :

16 L. Coop.

> *Le nom d'une coopérative doit comporter l'un des termes suivants : « coopérative », « coopératif », « coopération », « cooprix » ou « coop », pour indiquer qu'elle est une entreprise à caractère coopératif. [...]*

Afin d'illustrer ces quatre articles, nous présentons au tableau 15.3 des exemples de noms (personne physique), de noms d'emprunt (personne physique, société et association) et de dénominations sociales (compagnie, corporation et coopérative) acceptables pour une entreprise individuelle, une société en nom collectif, une société en commandite, une société en participation, une association, une compagnie, une corporation et une coopérative.

Il est à noter qu'une personne seule ne peut ajouter à la suite de son nom un mot ou une phrase indiquant une pluralité de membres. *Par exemple, si Gérard Tremblay désire exploiter une ferme ou une épicerie sous le nom de Ferme Gérard Tremblay et Fille ou d'Épicerie Gérard Tremblay & associés, il ne peut pas le faire, car ces noms ne sont pas acceptables pour une personne seule même si cette personne s'appelle réellement Gérard Tremblay. En effet, ces noms indiquent une pluralité de personnes alors que nous sommes en présence d'une entreprise individuelle.*

De plus, nous devons nous rappeler que la société en participation et l'association ne sont pas tenues de s'immatriculer ni de choisir un nom d'emprunt. Cependant, une société en participation ou une association peut décider d'utiliser un nom d'emprunt pour fin d'identification afin de différencier les activités de l'entreprise de celles de ses membres.

Tableau 15.3   Des noms acceptables pour une entreprise

Forme juridique	Exemples de nom acceptable
Entreprise individuelle	Reine de la pizza Quincaillerie Parent Louise tardif, libraire Restaurant Paul Bocuse Épicerie Saint-Sacrement Électricien 100 000 volts Restaurant À La Bonne Bouffe Station-service Pierre Lafrance
Société en nom collectif	Rapidor, société en nom collectif Société en nom collectif Gescomar Brasserie Au Bon Vivant, S.E.N.C. Ferme Bellehumeur et Fille, S.E.N.C. Vigneault, Poulin & associés, S.E.N.C. Société de consultation en génie, S.E.N.C. Société en nom collectif gestion de la capitale
Société en commandite	Constructel, S.E.C. Socabli, société en commandite Société en commandite développement Gesfor Les Expos de Montréal, société en commandite

Tableau 15.3 Des noms acceptables pour une entreprise (suite)

Société en participation	Roi de la patate S.O.S. Grand ménage Les peintres étudiants Casse-croûte Chantal Tremblay et associés Entretien de votre pelouse, société en participation
Association	Cercle littéraire de Québec Fondation Micheline Montreuil Œuvres du cardinal Maurice Roy Association des dégustateurs de vin Ligue des citoyens de Saint-Sacrement Regroupement des parents d'handicapés Club des partisans du Canadien de Montréal Comité de défense des droits des payeurs de taxes Organisation pour la promotion de l'équité fiscale Comité de bal des finissants de techniques administratives
Compagnie (provinciale et fédérale)	Sogili inc. Compagnie Virdar Sogetal incorporée Construction de la capitale inc. Gestion immobilière Derfor ltée Montreuil, Renaud & associés inc. Corporation de gestion La Vérendrye Investissements de la capitale limitée Restaurant du Vieux-Québec incorporé Socamer, corporation d'investissements Larimda, compagnie de gestion d'investissements
Compagnie (provinciale seulement)	1625-4567 Québec inc. 9114-9709 Québec inc.
Compagnie (fédérale seulement)	Socabli, S.C.C. 103245 Canada ltée Développement de Sherbrooke, S.A.R.F. Société commerciale canadienne Deltafer Excalibur, Société par actions de régime fédéral Gestion Mégachoix, Société commerciale canadienne Société par actions de régime fédéral Mont-Tremblant
Corporation	Fonds d'aide aux grands brûlés inc. Fondation de l'Hôpital Saint-Sacrement ltée Corporation d'aide aux travailleurs accidentés du Québec
Coopérative	Coopérative de logement du Trait Carré Club coopératif d'achat de nourriture du Vieux-Québec Services d'entraide à la coopération Magasin cooprix de Boucherville Coop étudiante du Collège de Limoilou

| 15.3.2 | **LA DÉCLARATION D'IMMATRICULATION** |

8 L.P.L.E.

*L'immatriculation d'une personne physique, d'une société ou d'un groupement, s'effectue par le greffier de la Cour supérieure, sur présentation de sa **déclaration d'immatriculation**.*

L'immatriculation d'une personne morale s'effectue, par l'inspecteur général des institutions financières, sur présentation de sa déclaration d'immatriculation ou, dans le cas d'une personne morale constituée au Québec en vertu de la loi applicable à son espèce, sur dépôt de son acte constitutif au registre des entreprises individuelles, des sociétés et des personnes morales.

La **déclaration d'immatriculation** est un document que doit déposer toute personne qui est assujettie à l'obligation d'immatriculation et qui permet à l'inspecteur général et à toute personne de disposer d'un certain nombre d'informations concernant :

- le nom et l'adresse de l'assujetti ;
- la forme juridique de l'assujetti ;
- l'objet de l'assujetti ;
- le nom et l'adresse des associés et des administrateurs de l'assujetti ;
- le nom et l'adresse des principaux actionnaires de l'assujetti ;
- le nom et l'adresse des établissements que l'assujetti exploite.

Par la *Loi sur la publicité légale des entreprises individuelles, des sociétés et des personnes morales*, le législateur a créé un **registre des entreprises individuelles, des sociétés et des personnes morales** qui regroupe les noms utilisés par toutes les personnes physiques, les sociétés et les personnes morales qui exploitent une entreprise au Québec et qui sont soumises à l'obligation d'immatriculation ou qui se sont immatriculées volontairement. La personne physique, la société en nom collectif et la société en commandite doivent déposer leur déclaration d'immatriculation au greffe de la Cour supérieure tandis que la personne morale doit déposer la sienne auprès de l'inspecteur général des institutions financières. Comme la personne qui exploite seule une entreprise sous son nom de famille et son prénom, la société en participation et l'association ne sont pas soumises à l'obligation de déposer une déclaration d'immatriculation, leur nom n'apparaît pas dans le registre à moins qu'elles ne décident de s'immatriculer volontairement afin de protéger leur nom d'emprunt.

Comme c'est l'inspecteur général des institutions financières qui a la responsabilité de tenir le registre des entreprises individuelles, des sociétés et des personnes morales, non seulement c'est lui qui fournit au greffier de la Cour supérieure le numéro d'immatriculation appelé **matricule** pour chaque entreprise individuelle ou société qui dépose sa déclaration d'immatriculation, mais, en plus, le greffier de la Cour supérieure doit transmettre à l'inspecteur général une copie de toutes les déclarations d'immatriculation qu'il reçoit.

9 L.P.L.E.

La déclaration d'immatriculation est présentée au greffier de la Cour supérieure ou à l'inspecteur général, selon le cas, au plus tard soixante jours après la date à laquelle l'obligation d'immatriculation s'impose. [...]

Comme il n'y a pas, dans la déclaration d'immatriculation, de case destinée à la date du début des activités de l'entreprise, nous pouvons supposer que si l'assujetti a respecté les exigences imposées par la loi, il a commencé à exploiter son entreprise à la date d'immatriculation ou au plus tôt 60 jours avant la date d'immatriculation, car il dispose de 60 jours pour déposer sa déclaration d'immatriculation. Si l'assujetti n'a pas respecté les exigences imposées par la loi, il est impossible, dans le cas d'une personne qui exploite seule une entreprise ou d'une société, de déterminer la date du début des activités de l'entreprise. Cependant, dans le cas d'une personne morale, nous retrouvons, sur la déclaration d'immatriculation, la date de constitution de la personne morale qui est un indice de la date de début des activités de l'entreprise.

Enfin, le législateur a décrit de manière très détaillée le contenu de la déclaration d'immatriculation.

10 L.P.L.E. *La déclaration d'immatriculation de l'assujetti contient :*

1° son nom et, s'il a déjà été immatriculé, son matricule ;

2° tout autre nom qu'il utilise au Québec dans l'exercice de son activité, l'exploitation de son entreprise ou aux fins de la possession d'un droit réel immobilier autre qu'une priorité ou une hypothèque, s'il y a lieu ;

3° une mention à l'effet qu'il est une personne physique qui exploite une entreprise ou, le cas échéant, la forme juridique qu'il emprunte en précisant la loi en vertu de laquelle il est constitué ;

4° son domicile.

Elle contient en outre, le cas échéant :

1° le domicile qu'il élit aux fins de l'application de la présente loi avec mention du nom du destinataire ;

2° le nom et le domicile de chaque administrateur avec mention de la fonction qu'il occupe ;

3° le nom et le domicile du président, du secrétaire et du principal dirigeant, lorsqu'ils ne sont pas membres du conseil d'administration, avec mention des fonctions qu'ils occupent ;

4° le nom et l'adresse de son fondé de pouvoir ;

5° le nom, l'adresse et la qualité de la personne visée à l'article 5 ;

6° l'adresse des établissements qu'il possède au Québec en précisant celle du principal, le nom qui les désigne et les deux principaux secteurs d'activités qui y sont exercés ;

7° par ordre d'importance, les deux principaux secteurs dans lesquels il exerce son activité ou exploite son entreprise ;

8° le nombre de salariés dont le lieu de travail est situé au Québec [...] ;

9° la date à laquelle il prévoit cesser d'exister.

5 L.P.L.E. *La personne qui, à titre d'administrateur du bien d'autrui, est chargée d'administrer l'ensemble des biens d'un assujetti a les droits et obligations que la présente loi confère à l'assujetti.*

Bien que l'énumération de l'article 10 soit assez complète, le législateur a ajouté les articles 11 et 12 pour encadrer la déclaration d'immatriculation de la société et celle de la compagnie.

11 L.P.L.E. *La déclaration d'une société contient de plus, le cas échéant :*

1° le nom et le domicile de chaque associé avec mention qu'aucune autre personne ne fait partie de la société en distinguant, dans le cas d'une société en commandite, les commandités des commanditaires connus lors de la conclusion du contrat et en précisant celui qui fournit le plus grand apport ;

2° l'objet poursuivi par la société ;

3° une mention indiquant que la responsabilité de certains ou de l'ensemble de ses associés est limitée, lorsque la société n'est pas constituée au Québec.

12 L.P.L.E. *La déclaration d'une personne morale contient de plus, le cas échéant :*

1° le nom de l'État où elle a été constituée et la date de sa constitution ;

2° le nom de l'État où la fusion ou la scission dont elle est issue s'est réalisée, la date de cette fusion ou scission ainsi que le nom, le domicile et le matricule de toute personne morale partie à cette fusion ou scission ;

3° la date de sa continuation ou autre transformation ;

4° le nom et le domicile des trois actionnaires qui détiennent le plus de voix, par ordre d'importance, avec mention de celui qui en détient la majorité absolue.

Par exemple, si Marie-France désire exploiter son entreprise sous le nom de Quin-caillerie Saint-Sacrement, elle peut s'adresser au greffier de la Cour supérieure qui lui remettra la formule de déclaration d'immatriculation ainsi qu'un guide explicatif pour lui permettre de remplir adéquatement sa déclaration d'immatriculation.

15 L.P.L.E.

La déclaration d'immatriculation est dressée sur la formule fournie à cette fin ou autorisée par l'inspecteur général, suivant les normes déterminées par règlement. Tout document annexé à une formule doit être dressé sur un support de même nature, qualité et format et doit respecter les mêmes normes.

17 L.P.L.E.

La déclaration d'immatriculation doit :

1° être signée par l'assujetti ou une personne autorisée ;

2° être dressée en double exemplaire lorsqu'elle est présentée à l'inspecteur général et en triple exemplaire lorsqu'elle est présentée au greffier de la Cour supérieure ;

3° être accompagnée des droits prescrits par règlement.

Lorsque Marie-France a rempli la déclaration d'immatriculation, elle la remet au greffier en trois copies avec le montant des droits exigibles. Le greffier y inscrit le numéro matricule et la date d'immatriculation, puis il en remet une copie à Marie-France, il transmet la deuxième copie à l'inspecteur général des institutions financières et il conserve la troisième copie.

18 L.P.L.E.

Le greffier de la Cour supérieure ou l'inspecteur général, selon le cas, refuse d'immatriculer l'assujetti lorsque sa déclaration d'immatriculation

1° ne contient pas une information visée à l'un des articles 10 à 12, si elle est exigible ;

2° contient un nom qui n'est pas conforme aux dispositions de l'un des paragraphes 1° à 6° du premier alinéa ou du deuxième alinéa de l'article 13 ;

3° n'est pas conforme aux dispositions de l'article 15 ou 17.

Il doit également refuser d'immatriculer l'assujetti qui est déjà immatriculé ou dont l'immatriculation a été radiée d'office.

En octobre 1998, les droits exigibles pour le dépôt d'une déclaration d'immatriculation étaient les suivants :

Forme juridique de l'entreprise	Montant
Personne physique ou personne morale sans but lucratif	32 $
Société en nom collectif ou en commandite	43 $
Personne morale à but lucratif ou compagnie non québécoise	210 $

Comme les droits exigibles sont indexés chaque année, il faut s'attendre à des changements continus à la hausse dans le montant des droits.

15.3.3 LA DÉCLARATION ANNUELLE

26 L.P.L.E.

*L'assujetti doit mettre à jour les informations contenues dans sa déclaration d'immatriculation ou sa déclaration initiale en produisant à l'inspecteur général une **déclaration annuelle** [...].*

L'assujetti doit donc produire chaque année une déclaration annuelle pour mettre à jour les informations qu'il a fournies dans sa déclaration d'immatriculation. Cette déclaration est déposée en un seul exemplaire au bureau de l'inspecteur général des institutions financières accompagnée des droits prescrits pour le dépôt d'une déclaration annuelle. Une personne physique ou une société doit déposer sa déclaration annuelle entre le 1er janvier et le 30 avril de chaque année tandis qu'une personne morale doit déposer sa déclaration annuelle entre le 1er août et le 31 octobre de chaque année. Les informations contenues dans la déclaration annuelle reflètent la situation de l'assujetti à la date de la signature de la déclaration.

En octobre 1998, les droits exigibles pour le dépôt d'une déclaration annuelle étaient les suivants :

Forme juridique de l'entreprise	Montant
Personne physique ou personne morale sans but lucratif	32 $
Société en nom collectif ou en commandite	48 $
Personne morale à but lucratif ou compagnie	78 $

L'assujetti qui ne produit pas sa déclaration annuelle peut se voir imposer par l'inspecteur général des institutions financières une pénalité égale à 50 % des droits payables.

15.3.4 LA DÉCLARATION MODIFICATIVE

33 L.P.L.E.

> *Lorsque l'assujetti constate que sa déclaration est incomplète ou qu'elle contient une information inexacte, il doit la corriger en produisant une **déclaration modificative**.*

La déclaration modificative vise donc à corriger un changement ou une erreur dans le nom ou l'adresse de l'assujetti, dans le nom qu'il utilise, l'adresse de son entreprise ou dans tout autre élément énuméré aux articles 10, 11 et 12 de la loi. Cette déclaration est déposée en deux exemplaires au bureau de l'inspecteur général des institutions financières et aucun droit n'est exigible. L'inspecteur inscrit la date du dépôt sur la déclaration modificative, dépose un exemplaire au registre des entreprises individuelles, des sociétés et des personnes morales et remet le deuxième exemplaire à l'assujetti.

Il est également possible pour un tiers de faire annuler une inscription faite sans droit ou de rectifier une information inexacte apparaissant au registre.

84 L.P.L.E.

> *Un intéressé peut, sur paiement des droits prescrits par règlement, demander à l'inspecteur général d'annuler une inscription ou le dépôt d'une déclaration au registre lorsque la présentation de la déclaration qui y a donné lieu a été faite sans droit.*

85 L.P.L.E.

> *Un intéressé autre que l'assujetti peut, sur paiement des droits prescrits par règlement, demander à l'inspecteur général de rectifier ou de supprimer une information inexacte qui apparaît au registre.*

15.3.5 LA DÉCLARATION DE RADIATION

45 L.P.L.E.

> *Lorsque l'obligation d'immatriculation ne s'impose plus, l'assujetti doit sans délai produire une **déclaration de radiation**, sauf s'il est sujet à une radiation d'office. [...]*

La déclaration de radiation vise donc à faire disparaître l'immatriculation d'un nom en faveur de l'assujetti ; elle est utile quand une personne vend son entreprise ou se retire des affaires. Cette déclaration est déposée en deux exemplaires au bureau de l'inspecteur général des institutions financières et aucun droit n'est exigible. L'inspecteur inscrit la date du dépôt sur la déclaration de radiation, dépose un exemplaire au registre des entreprises individuelles, des sociétés et des personnes morales et remet le deuxième exemplaire à l'assujetti.

Ainsi, si une personne achète une entreprise en exploitation, il est possible que le propriétaire antérieur ait contracté des dettes avant la vente. De plus, même s'il ne s'agit pas d'une entreprise existante, il est possible que des dettes aient été contractées par une autre personne qui a déjà exploité, par le passé, une entreprise sous ce même nom.

Par exemple, si le 23 février 1996, Sylvie achète de Marie-France son commerce de quincaillerie et qu'elle ne désire pas modifier le nom de l'entreprise afin de conserver l'achalandage ou la clientèle, elle peut, ce 23 février 1996, déposer une déclaration d'immatriculation qui indique qu'elle exploite un commerce de quincaillerie sous le nom de Quincaillerie Saint-Sacrement. Donc, si Marie-France a contracté des dettes ou des emprunts, ou effectué des achats pour la quincaillerie le 15 janvier 1996, Sylvie ne sera pas tenue responsable des obligations de Marie-France. C'est cette dernière qui devra assumer ses responsabilités vis-à-vis de ses créanciers.

*Si Marie-France a effectivement vendu son commerce de quincaillerie à Sylvie en date du 23 février 1996, elle doit produire une **déclaration de radiation** qui indique qu'elle a cessé d'utiliser ce nom.*

Si Marie-France ne produit pas une déclaration de radiation, elle peut être tenue responsable des dettes contractées par Sylvie après le 23 février 1996, car, pour les créanciers, Marie-France est toujours la propriétaire de cette entreprise. Cette déclaration de radiation protège donc le vendeur.

De toute manière, Sylvie peut toujours déposer une déclaration d'immatriculation même si Marie-France n'a pas encore déposé une déclaration de radiation, car il est évident que ce n'est pas Marie-France qui va déposer une plainte auprès de l'inspecteur général. D'autre part, l'acheteur, en l'occurrence Sylvie, peut se présenter au bureau de l'inspecteur général avec la déclaration de radiation du vendeur, soit celle de Marie-France. Elle dépose la déclaration de radiation du vendeur, puis elle peut, immédiatement après, déposer sa déclaration d'immatriculation au greffe de la Cour supérieure. Au moment où la déclaration de radiation est déposée, le nom Quincaillerie Saint-Sacrement est à nouveau disponible et peut être utilisé par Sylvie. À partir de cette date, l'acheteur devient responsable de toutes les dettes futures de l'entreprise, car pour les créanciers, l'acheteur est maintenant le propriétaire de cette entreprise.

15.3.6   LA RADIATION D'OFFICE

50 L.P.L.E.

L'inspecteur général peut radier d'office l'immatriculation de l'assujetti qui est en défaut de déposer deux déclarations annuelles consécutives ou qui ne se conforme pas à une demande qui lui a été faite en vertu de l'article 38 (déclaration modificative), en déposant un arrêté à cet effet au registre. Il transmet une copie de cet arrêté à l'assujetti.

La radiation de l'immatriculation d'une personne morale constituée au Québec emporte sa dissolution [...].

Cet article édicte une lourde sanction pour l'assujetti qui omet de produire la déclaration annuelle : c'est la radiation de l'immatriculation, c'est-à-dire la disparition pure et simple de l'inscription de l'entreprise. Il faut noter que la radiation de l'immatriculation entraîne la dissolution d'une compagnie constituée au Québec, par exemple en vertu de la *Loi sur les compagnies*, mais elle n'entraîne pas la dissolution d'une compagnie constituée en vertu d'une loi fédérale ou d'une loi d'une autre province ou d'un autre pays. D'autre part, cette radiation entraîne la transformation d'une société en nom collectif ou d'une société en commandite, en société en participation. Cette disposition a également un effet salutaire : si une entreprise disparaît et qu'elle omet de produire sa déclaration de radiation, l'inspecteur général pourra procéder à la radiation de l'immatriculation, ce qui aura pour effet de rendre ce nom d'emprunt à nouveau disponible.

15.3.7   LA RÉVOCATION DE LA RADIATION

54 L.P.L.E.

L'inspecteur général peut, sur demande et aux conditions qu'il détermine, révoquer la radiation d'office qu'il a effectuée en vertu de l'article 50.

La demande de révocation doit être accompagnée des droits prescrits par règlement.

En pratique, il est possible qu'une entreprise ait par inadvertance oublié de faire parvenir sa déclaration annuelle durant deux années consécutives et que l'inspecteur général ait alors procédé à la radiation de son immatriculation. L'entreprise peut renaître et son immatriculation exister de nouveau, mais il faudra alors payer les droits exigibles ainsi que les pénalités prescrites et fournir tous les renseignements que l'inspecteur général pourra demander.

En octobre 1998, les droits exigibles pour le dépôt d'une demande de révocation de radiation étaient les suivants :

Forme juridique de l'entreprise	Montant
Personne physique ou personne morale sans but lucratif	106 $
Société en nom collectif ou en commandite	158 $
Personne morale à but lucratif ou compagnie étrangère	210 $

Dans le cas d'une compagnie constituée au Québec en vertu de la *Loi sur les compagnies*, la procédure est légèrement différente. En effet, comme la radiation de l'immatriculation d'une compagnie constituée au Québec entraîne sa dissolution, la compagnie devra non seulement payer les droits exigibles pour le dépôt d'une demande de révocation de dissolution, mais en plus, elle devra payer les sommes exigibles pour les déclarations annuelles manquantes.

Par exemple, si Constructel inc., une compagnie constituée en vertu de la Loi sur les compagnies*, a été dissoute pour défaut de production de sa déclaration annuelle durant trois années consécutives, non seulement elle devra payer la somme de 210 $ pour une demande de révocation de la radiation, mais en plus, elle devra payer une somme supplémentaire de 351 $ pour la production des trois déclarations annuelles manquantes à raison de 117 $ par déclaration incluant les pénalités. De plus, comme Constructel inc. utilisait une dénomination sociale, elle devra préalablement compléter un formulaire intitulé « Demande de réservation de dénomination sociale » et payer une somme supplémentaire de 43 $. Ainsi, le coût total de la révocation dépassera les 600 $.*

15.3.8   LA PUBLICITÉ DU REGISTRE

74 L.P.L.E.   *Toute personne peut consulter le registre.*

La consultation se fait aux bureaux des greffiers de la Cour supérieure ou de l'inspecteur général aux heures d'ouverture.

La consultation est gratuite lorsqu'elle porte sur l'index des documents, sur l'état des informations ou sur l'index des noms. Elle est sujette aux droits prescrits par règlement lorsqu'elle porte sur les documents déposés.

Ainsi, toute personne peut consulter le registre pour savoir qui est la personne qui exploite une entreprise sous un nom d'emprunt ou sous une dénomination sociale. *Par exemple, en consultant le registre, il est possible de savoir que Marie-France Saint-Pierre est la personne qui exploite l'entreprise de quincaillerie portant le nom de Quincaillerie Saint-Sacrement.*

78 L.P.L.E.   *Le greffier de la Cour supérieure ou l'inspecteur général doit délivrer gratuitement à toute personne qui lui en fait la demande une copie ou un extrait d'un index des documents, d'un état des informations ou d'un index des noms.*

Il est donc possible d'obtenir gratuitement une copie des informations affichées à l'écran de l'ordinateur situé dans un palais de justice ou au bureau de l'inspecteur général.

79 L.P.L.E.   *Sur paiement des droits prescrits par règlement, l'inspecteur général doit délivrer à toute personne qui lui en fait la demande une copie ou un extrait d'un document déposé au registre.*

De plus, toute personne peut obtenir une copie de la déclaration d'immatriculation d'une entreprise exploitée au Québec. *Par exemple, si un créancier désire poursuivre personnellement Marie-France Saint-Pierre pour des factures impayées par son entreprise, la Quincaillerie Saint-Sacrement, il doit déposer, avec son action, une copie de la déclaration d'immatriculation pour prouver au juge que la Quincaillerie Saint-Sacrement et Marie-France Saint-Pierre constituent une seule et même personne.*

La règle générale veut donc que les informations contenues dans le registre soient publiques et accessibles à tous.

15.3.9	**LA SANCTION CIVILE**

100 L.P.L.E.

L'instruction d'une demande présentée par un assujetti non immatriculé, devant un tribunal ou un organisme exerçant des fonctions judiciaires ou quasi-judiciaires, peut être suspendue jusqu'à ce que cet assujetti s'immatricule, lorsqu'un intéressé le requiert avant l'audition. [...]

Par exemple, si le créancier qui poursuit Marie-France est lui-même un assujetti, puisqu'il est un des fournisseurs de Marie-France, et qu'il n'a pas produit sa déclaration d'immatriculation, Marie-France peut faire retarder les procédures en s'adressant à la cour et en demandant la suspension des procédures tant et aussi longtemps que le créancier n'aura pas remédié à son défaut ; cela lui permet ainsi de gagner du temps.

15.3.10	**LES DISPOSITIONS PÉNALES**

107 L.P.L.E.

La personne qui commet une infraction [...] est passible d'une amende d'au moins 200 $ et d'au plus 2 000 $.

En cas de récidive, les amendes sont portées au double.

Le fait d'omettre de produire une déclaration d'immatriculation, une déclaration modificative ou de fournir tout renseignement demandé par l'inspecteur général peut s'avérer coûteux, surtout s'il y a récidive. Nous verrons à l'usage comment ces pénalités sont appliquées par l'inspecteur général.

15.4	**L'ENTREPRISE INDIVIDUELLE**

L'**entreprise individuelle** constitue la forme juridique d'entreprise la plus simple pour une personne physique seule. Elle n'est pas définie dans le *Code civil* ni dans aucun autre texte de loi. Cependant, elle est fréquemment utilisée pour :

- l'exploitation d'un commerce tel qu'une épicerie, une quincaillerie, une tabagie, un dépanneur, une boutique de vêtements, un magasin de jouets, etc. ;
- l'exploitation d'un service tel qu'une buanderie, un service de rapport d'impôt, un salon de coiffure, une station-service, etc. ;
- l'exercice d'un métier tel un entrepreneur de construction, un électricien, un plombier, un maçon, un mécanicien, un peintre, etc. ;
- l'exercice d'une profession tel un avocat, un notaire, un comptable, un architecte, un ingénieur, un dentiste, un médecin, etc.

15.4.1	**UNE DÉFINITION DE L'ENTREPRISE INDIVIDUELLE**

L'**entreprise individuelle,** aussi appelée **personne physique exploitant une entreprise individuelle**, est une entreprise exploitée par une personne physique seule et qui n'appartient qu'à une seule personne physique. Cette personne encaisse tous les profits mais subit aussi toutes les pertes de son entreprise.

Les formalités de constitution sont réduites au minimum, c'est-à-dire au dépôt d'une déclaration d'immatriculation au greffe de la Cour supérieure si cette personne fait affaire sous un nom ne comprenant pas son nom de famille et son prénom.

15.4.2	**LE NOM DE L'ENTREPRISE INDIVIDUELLE**

Une personne peut utiliser son nom de famille et son prénom pour identifier son entreprise mais elle peut aussi utiliser un nom d'emprunt qui est propre à son entreprise et qui la distingue de son propriétaire. Cependant, ce nom ne doit jamais indiquer une pluralité de personnes comme Ferme Bellehumeur et Fille, car la composition même de ce nom laisse croire qu'il y a une pluralité de personnes. Mise à part cette exception, aucune règle n'encadre la formation du nom de l'entreprise individuelle, sauf les règles générales prévues dans la *Loi sur la publicité légale des entreprises individuelles, des sociétés et des personnes morales* (voir la section 15.3.1, Le choix du nom). Voici quelques exemples de nom qu'une entreprise individuelle peut utiliser :

- Reine de la pizza

- Quincaillerie Parent

- Louise Tardif, libraire

- Restaurant Paul Bocuse

- Épicerie Saint-Sacrement

- Électricien 100 000 volts

- Restaurant À La Bonne Bouffe

- Station-service Pierre Lafrance

Dans les huit noms précédents, nous pouvons croire qu'il y a trois cas où la personne exploite une entreprise sous son nom de famille et son prénom, ce qui la dispense de l'obligation de s'immatriculer : il s'agit des cas de Louise Tardif, libraire, du Restaurant Paul Bocuse et de la Station-service Pierre Lafrance. Cependant, ces trois noms peuvent être des noms d'emprunt ; il faut donc vérifier le registre des entreprises individuelles, des sociétés et des personnes morales pour déterminer s'il s'agit d'un nom d'emprunt ou du véritable nom du propriétaire.

15.4.3 LA DÉCLARATION D'IMMATRICULATION

2 L.P.L.E.

Est assujettie à l'obligation d'immatriculation :

*1° la **personne physique qui exploite une entreprise individuelle** au Québec, qu'elle soit ou non à caractère commercial, sous un nom ne comprenant pas **son nom de famille et son prénom** ; [...]*

*Par exemple, si Marie-France Saint-Pierre décide d'ouvrir une entreprise sous le nom de **Quincaillerie Marie-France Saint-Pierre**, au coin du chemin Sainte-Foy et de l'avenue Marguerite-Bourgeois à Québec, elle n'est pas tenue de déposer une déclaration d'immatriculation, car elle choisit d'exploiter une entreprise individuelle sous un nom qui comprend son nom de famille et son prénom.*

*Par contre, si Marie-France désire exploiter une entreprise sous le nom de **Quincaillerie Saint-Sacrement**, elle doit déposer une déclaration d'immatriculation au greffe de la Cour supérieure, car elle choisit d'exploiter une entreprise sous un nom qui ne comprend pas son nom de famille et son prénom (voir la section 15.3.2, La déclaration d'immatriculation). Examinons la déclaration d'immatriculation de Marie-France Saint-Pierre qui exploite une entreprise sous le nom de **Quincaillerie Saint-Sacrement** :*

Cette déclaration d'immatriculation comprend dix éléments principaux :

1. le nom et le domicile de l'assujetti : il s'agit du nom et de l'adresse de la personne physique qui exploite l'entreprise, Marie-France Saint-Pierre dans le présent cas, afin de permettre à tout créancier de connaître le propriétaire de cette entreprise, dans l'éventualité où il devrait le poursuivre ;

Gouvernement du Québec
L'Inspecteur général
des institutions financières

DÉCLARATION D'IMMATRICULATION
Personne physique exploitant
une entreprise individuelle

CONSULTER
LE GUIDE

Réservé à l'administration

Section 1 — Identification de l'assujetti

A) NOM ET DOMICILE DE L'ASSUJETTI

	Matricule: 2 2 4 0 9 3 3 0 9 5
	Date d'immatriculation: Année 1995 Mois 09 Jour 20

Marie-France Saint-Pierre
1460, rue Frontenac
Québec, Québec
Canada G1S 2S8

B) DOMICILE ÉLU
(adresse de correspondance)

Nom du destinataire

N°   Rue

Ville

Province   Code postal   Pays

Inscrire au complet (nom, n°, rue, ville, province, code postal et pays)

Section 2 — Forme juridique de l'assujetti

[X] Je suis une personne physique qui exploite une entreprise individuelle au Québec

Section 3 — Informations générales

A) NATURE DES ACTIVITÉS – INSCRIRE LES DEUX PRINCIPAUX SECTEURS D'ACTIVITÉS DE L'ASSUJETTI

	Code d'activité
1ʳᵉ activité Exploitation d'un commerce de vente de quincaillerie au détail	
2ᵉ activité	

B) NOMBRE DE SALARIÉS AU QUÉBEC

	Tranche correspondante
Indiquer la tranche correspondante au nombre de salariés au Québec	B

C) IDENTIFICATION DES ÉTABLISSEMENTS AU QUÉBEC Pour inscrire les autres établissements, remplir et joindre l'Annexe A

Nom et adresse de l'établissement principal (si différent de la Section 1-A)	Principaux secteurs d'activités de l'établissement
Nom Quincaillerie Saint-Sacrement	1ʳᵉ activité Exploitation d'un commerce de vente de quincaillerie au détail
N° Rue 1380, chemin Sainte-Foy	Code d'activité
Ville Québec	2ᵉ activité
Province Québec Code postal G1S 3V5	Code d'activité

D) INSCRIRE TOUS LES AUTRES NOMS UTILISÉS AU QUÉBEC Si l'espace est insuffisant, remplir et joindre l'Annexe B

Premier nom	Deuxième nom

Section 4 — Entreprise étrangère

Si l'assujetti n'a ni domicile ni établissement au Québec, inscrire les nom et adresse d'un fondé de pouvoir qui réside au Québec.

Nom

N°   Rue   Ville   Province   Code postal

Section 5 — Administrateur du bien d'autrui

Si l'assujetti est représenté par une personne chargée d'administrer l'ensemble de ses biens, inscrire les nom, adresse et qualité de cette personne.

Code de l'administrateur	CU Curateur FI Fiduciaire SE Séquestre TU Tuteur	AU Autre (détailler) :
	LS Liquidateur de succession LI Liquidateur SY Syndic	

Code   Nom

N°   Rue   Ville   Province   Code postal   Pays

Section 6 — Certification

Je Marie-France Saint-Pierre   , domicilié au
     Nom
     1460, rue Frontenac, Québec, Québec, Canada, G1S 2S8
     N°, rue, ville, province, code postal et pays

atteste que je suis l'assujetti ou la personne autorisée par l'assujetti, que j'ai pris connaissance de la présente déclaration, que les renseignements déclarés sont vrais et que les droits prescrits accompagnent la présente déclaration.

Et j'ai signé: *Marie-France Saint-Pierre*   , ce 1995 - 09 - 18
                Signature   Date (année, mois, jour)

K-531-93

2. le domicile élu ou une adresse de correspondance différente de l'adresse du domicile de l'assujetti dans l'éventualité où le propriétaire préfère que le courrier destiné à l'entreprise soit dirigé vers le bureau de son comptable ou vers toute autre personne ; comme dans la majorité des cas, Marie-France n'a pas choisi d'indiquer une adresse de correspondance différente de la sienne et cette section ne doit pas être remplie ;

3. la forme juridique de l'assujetti, soit celle de la personne physique qui exploite une entreprise individuelle au Québec ;

4. la nature des activités de l'assujetti, soit une quincaillerie dans le présent cas ;

5. le nombre de salariés qui travaillent au Québec pour l'assujetti. Dans ce cas, la lettre « B » signifie entre six et dix personnes ;

6. l'identification des établissements au Québec, c'est-à-dire le nom et l'adresse de l'établissement et, par conséquent, l'endroit où l'assujetti exploite son entreprise. Si le propriétaire exploite plusieurs entreprises sous différents noms, il doit inscrire chaque nom et chaque adresse qu'il utilise. Par contre, si une personne exploite son entreprise dans sa maison, l'adresse de l'établissement sera la même que celle de l'assujetti. Dans le présent cas, Marie-France exploite son entreprise dans un seul établissement dont l'adresse est différente de son adresse personnelle ;

7. les autres noms utilisés au Québec, ce qui comprend non seulement les noms d'emprunt servant à identifier une activité, un établissement ou une entreprise, mais aussi les noms de marchandises ou de services (marques de commerce) dont l'assujetti est propriétaire ou usager. Dans la plupart des cas, tout comme dans celui de Marie-France, aucun autre nom n'est utilisé et cette section ne doit pas être remplie ;

8. dans le cas d'une entreprise étrangère, l'identification d'un fondé de pouvoir si l'assujetti n'a pas de domicile ou d'établissement au Québec. Dans la plupart des cas, tout comme dans celui de Marie-France, l'assujetti demeure au Québec et cette section ne doit pas être remplie ;

9. le nom et l'adresse de son curateur, fiduciaire, liquidateur, séquestre, syndic ou tuteur si l'assujetti est représenté par l'un d'eux. Dans tous les cas où un assujetti exploite lui-même une entreprise, cette section ne doit pas être remplie ;

10. la certification de la déclaration. En datant et en signant cette déclaration, Marie-France atteste que les renseignements contenus dans cette déclaration sont vrais en date du 18 septembre 1995, date de la signature.

Comme il n'y a pas de case destinée à la date du début des activités de l'entreprise, nous pouvons supposer que l'entreprise a commencé ses activités à la date d'immatriculation ou, au plus tôt, dans les 60 jours précédant cette date, si l'assujetti a respecté le délai prévu par la loi. Autrement, nous ignorons la date du début de l'exploitation de cette entreprise.

Par la suite, l'assujetti doit déposer une déclaration annuelle, et, si survient un changement qui modifie les renseignements contenus dans la déclaration d'immatriculation ou dans la déclaration annuelle, l'assujetti doit déposer une déclaration modificative. Enfin, lorsque l'assujetti décidera de vendre ou de fermer son entreprise, il devra produire une déclaration de radiation.

| 15.4.4 | **LES RAPPORTS DU PROPRIÉTAIRE AVEC LES TIERS** |

L'entreprise individuelle est caractérisée par le fait qu'une seule personne physique est propriétaire de l'entreprise. Par conséquent, le propriétaire encaisse tous les profits, mais subit aussi toutes les pertes de son entreprise. De plus, l'entreprise est liée par tout contrat signé par son propriétaire et la responsabilité du propriétaire est personnelle et illimitée, car le propriétaire et l'entreprise constituent une seule et même entité. Ainsi, les créanciers de l'entreprise peuvent faire saisir tous les biens personnels du propriétaire si l'entreprise éprouve des difficultés financières.

| **15.4.5** | **LA DISSOLUTION DE L'ENTREPRISE INDIVIDUELLE** |

La dissolution d'une entreprise individuelle se produit lorsque son propriétaire en cesse l'exploitation, la vend, décède ou fait faillite.

Par exemple, si Marie-France vend ou ferme son entreprise, elle doit déposer une déclaration de radiation à l'effet qu'elle a cessé l'exploitation de l'entreprise connue sous le nom de Quincaillerie Saint-Sacrement.

Si Marie-France décède, le liquidateur de sa succession doit déposer une déclaration d'immatriculation au bureau de l'inspecteur général pour l'informer qu'il a pris en charge l'exploitation de l'entreprise connue sous le nom de Quincaillerie Saint-Sacrement. Dès que la liquidation de l'entreprise est complétée ou que l'entreprise est vendue, le liquidateur de succession doit déposer une déclaration de radiation afin d'indiquer qu'il a cessé l'exploitation de l'entreprise connue sous le nom de Quincaillerie Saint-Sacrement.

Si Marie-France fait faillite, le syndic doit déposer une déclaration d'immatriculation au bureau de l'inspecteur général pour l'informer qu'il a pris en charge l'exploitation de l'entreprise connue sous le nom de Quincaillerie Saint-Sacrement. Dès que la liquidation de l'entreprise est complétée ou que l'entreprise est vendue, le syndic doit déposer une déclaration de radiation afin d'indiquer qu'il a cessé l'exploitation de l'entreprise connue sous le nom de Quincaillerie Saint-Sacrement.

D'autre part, si Marie-France exploite son entreprise sous le nom de Quincaillerie Marie-France Saint-Pierre et qu'elle n'a pas déposé de déclaration d'immatriculation, elle n'a pas à produire une déclaration de radiation. Par contre, si Marie-France décède ou fait faillite, le liquidateur de succession ou le syndic doit déposer une déclaration d'immatriculation au bureau de l'inspecteur général pour l'informer qu'il a pris en charge l'exploitation de l'entreprise connue sous le nom de Quincaillerie Marie-France Saint-Pierre. Dès que la liquidation de l'entreprise est complétée ou que l'entreprise est vendue, le liquidateur de succession ou le syndic doit déposer une déclaration de radiation afin d'indiquer qu'il a cessé l'exploitation de l'entreprise connue sous le nom de Quincaillerie Marie-France Saint-Pierre.

| **15.5** | **LA SOCIÉTÉ EN NOM COLLECTIF** |

La **société en nom collectif** est la forme juridique de société la plus répandue ; elle est régie par les articles 2186 à 2266 du *Code civil* et suppose la participation d'au moins deux personnes. Elle a pour objet l'exploitation d'une entreprise et les associés y sont tous sur le même pied. Elle est généralement utilisée pour l'exploitation d'une entreprise commerciale tel un commerce de quincaillerie, d'épicerie, de construction ou pour l'exploitation d'une entreprise de services tel un bureau d'avocat, de notaire, de comptable.

| **15.5.1** | **UNE DÉFINITION DE LA SOCIÉTÉ EN NOM COLLECTIF** |

2186 C.c.Q.

> *Le **contrat de société** est celui par lequel les parties conviennent, dans un esprit de colla-boration, d'exercer une activité, incluant celle d'exploiter une entreprise, d'y contribuer par la mise en commun de biens, de connaissances ou d'activités et de partager entre elles les bénéfices pécuniaires qui en résultent. [...]*

Dans la société, quatre éléments sont essentiels :

- c'est un contrat ;
- pour exercer une activité ;
- chacun doit y contribuer en apportant quelque chose ;
- la société est pour le bénéfice de tous.

Ce « quelque chose » qui constitue l'apport peut être, entre autres, de l'argent, des biens, un immeuble, des clients, une expertise, un métier, mais chaque associé n'est pas tenu de faire un apport d'égale valeur (voir le document 15.1, Contrat de société en nom collectif). Cependant, les revenus et les dépenses des associés sont mis en commun.

2187 C.c.Q. *La société [...] est formée dès la conclusion du contrat, si une autre époque n'y est indiquée.*

Dès que les associés signent le contrat de société, cette dernière existe juridiquement à moins que le contrat ne contienne une disposition prévoyant une date de début des activités de la société (voir la clause 3 du Document 15.1, Contrat de société en nom collectif).

15.5.2 LE NOM DE LA SOCIÉTÉ EN NOM COLLECTIF

2189 C.c.Q. *La société en nom collectif [...] est formée sous un nom commun aux associés. [...]*

Une société en nom collectif a un nom qui lui est propre et qui la distingue des associés. Ce nom peut être composé d'un ou de plusieurs noms d'associés comme il peut être tout simplement un nom d'emprunt. Ce nom doit toujours indiquer qu'il s'agit d'une société en nom collectif comme dans les exemples suivants :

- Rapidor, société en nom collectif

- Société en nom collectif Gescomar

- Brasserie Au Bon Vivant, S.E.N.C.

- Ferme Bellehumeur et Fille, S.E.N.C.

- Vigneault, Poulin & associés, S.E.N.C.

- Société de consultation en génie, S.E.N.C.

- Société en nom collectif gestion de la capitale

15.5.3 LA DÉCLARATION D'IMMATRICULATION

2189 C.c.Q. *La société en nom collectif [...] est tenue de se déclarer, de la manière prescrite par les lois relatives à la publicité légale des sociétés ; à défaut, elle **est réputée** être une société en participation, sous réserve des droits des tiers de bonne foi.*

La société en nom collectif doit déposer une déclaration d'immatriculation similaire à celle d'une entreprise individuelle. Consultons la déclaration d'immatriculation de la Brasserie Au Bon Vivant, S.E.N.C., pour y retrouver les similitudes avec celle d'une entreprise individuelle.

La déclaration d'immatriculation d'une société comprend 14 éléments principaux.

1. le nom et le domicile de l'assujetti : il s'agit du nom et de l'adresse de la société qui exploite l'entreprise. L'adresse du 298, rue de la Couronne à Québec, G1K 6E3 est celle de la société et elle peut être différente de l'adresse de l'établissement ;

2. le domicile élu est une adresse de correspondance différente de l'adresse du domicile de l'assujetti dans l'éventualité où la société préfère que le courrier destiné à l'entreprise soit dirigé vers le bureau de son comptable ou vers toute autre personne. Dans ce cas, la société a choisi de faire expédier toute sa correspondance au domicile de l'un de ses associés ;

3. la forme juridique de l'assujetti, soit celle de la société, de la société en nom collectif, de la société en commandite ou de l'association. Dans ce cas, il s'agit d'une société en nom collectif ;

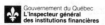
Gouvernement du Québec
L'Inspecteur général
des institutions financières

DÉCLARATION D'IMMATRICULATION
Société ou autre groupement

CONSULTER
LE GUIDE

Réservé à l'administration

Section 1 — Identification de l'assujetti

A) NOM ET DOMICILE DE L'ASSUJETTI

BRASSERIE AU BON VIVANT, S.E.N.C.
298, rue de la Couronne
Québec, Québec
Canada   G1K 6E3

Matricule	3 3 4 4 5 6 9 8 5 3
Date d'immatriculation	Année 1996 Mois 03 Jour 17

B) DOMICILE ÉLU
(adresse de correspondance)

Nom du destinataire
Geneviève Deschâtelets

N° 1271, Rue avenue Sarah

Ville Sillery

Province	Code postal	Pays
Québec	G1S 3Y8	Canada

Inscrire au complet (nom, n°, rue, ville, province, code postal et pays) et la version française le cas échéant

Section 2 — Forme juridique de l'assujetti

Code des formes juridiques	SOC Société SEC Société en commandite	SNC Société en nom collectif ASS Association	AU Autre (détailler) :
Inscrire le code correspondant à la forme juridique de l'assujetti	Code S N C	Loi constitutive (le cas échéant)	

Section 3 — Objet de la société

DÉCRIRE L'OBJET POURSUIVI PAR LA SOCIÉTÉ

Exploitation de différentes entreprises dans le domaine de la restauration et de l'alimentation

Section 4 — Identification des associés

Si l'espace est insuffisant, remplir et joindre l'Annexe A

Code des associés	AS Associé CA Commanditaire	PC Principal commanditaire CE Commandité	AU Autre (détailler) :

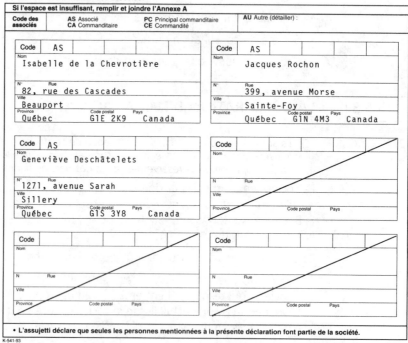

Code AS
Nom Isabelle de la Chevrotière
N° 82, Rue rue des Cascades
Ville Beauport
Province Québec Code postal G1E 2K9 Pays Canada

Code AS
Nom Jacques Rochon
N° 399, Rue avenue Morse
Ville Sainte-Foy
Province Québec Code postal G1N 4M3 Pays Canada

Code AS
Nom Geneviève Deschâtelets
N° 1271, Rue avenue Sarah
Ville Sillery
Province Québec Code postal G1S 3Y8 Pays Canada

Code
Nom
N° Rue
Ville
Province Code postal Pays

Code
Nom
N Rue
Ville
Province Code postal Pays

Code
Nom
N Rue
Ville
Province Code postal Pays

• **L'assujetti déclare que seules les personnes mentionnées à la présente déclaration font partie de la société.**

K-541-93

Section 5 — *Entreprise étrangère*

A) SOCIÉTÉ ÉTRANGÈRE

La responsabilité des associés est-elle limitée? ☐ Oui ☐ Non

B) Si l'assujetti n'a ni domicile ni établissement au Québec, inscrire les nom et adresse d'un fondé de pouvoir qui réside au Québec.

Nom

N°　　Rue　　　　　　Ville　　　　　　　Province　　　　　Code postal

Section 6 — *Administrateur du bien d'autrui*

Si l'assujetti est représenté par une personne chargée d'administrer l'ensemble de ses biens, inscrire les nom, adresse et qualité de cette personne.

Code de l'administrateur	**CU** Curateur **LS** Liquidateur de succession	**FI** Fiduciaire **LI** Liquidateur	**SE** Séquestre **SY** Syndic	**TU** Tuteur	**AU** Autre (détailler) :

Code　　Nom

N°　　Rue　　　　　　Ville　　　　　Province　　　　Code postal　　Pays

Section 7 — *Informations générales*

A) NATURE DES ACTIVITÉS – INSCRIRE LES DEUX PRINCIPAUX SECTEURS D'ACTIVITÉS DE L'ASSUJETTI

1ʳᵉ activité

Exploitation d'un restaurant de type brasserie

Code d'activité

2ᵉ activité

Exploitation d'un bar et d'une salle de danse

Code d'activité

B) NOMBRE DE SALARIÉS AU QUÉBEC	**C) PÉRIODE D'EXISTENCE**
Indiquer la tranche correspondante au nombre de salariés au Québec — Tranche correspondante **C**	Si l'existence de l'assujetti est limitée, quelle est la date de cessation prévue? — Année **2001** Mois **03** Jour **15**

D) IDENTIFICATION DES ÉTABLISSEMENTS AU QUÉBEC　Pour inscrire les autres établissements, remplir et joindre l'Annexe B

Nom et adresse de l'établissement principal (si différent de la Section 1-A)	Principaux secteurs d'activités de l'établissement
Nom	1ʳᵉ activité — Exploitation d'un restaurant de type brasserie — Code d'activité
N°　Rue	2ᵉ activité — Exploitation d'un bar et d'une salle de danse — Code d'activité
Ville	
Province　　Code postal	

E) INSCRIRE TOUS LES AUTRES NOMS UTILISÉS AU QUÉBEC　Si l'espace est insuffisant, remplir et joindre l'Annexe C

Premier nom　　　　　　　　Deuxième nom

Section 8 — *Certification*

Je Geneviève Deschâtelets , domicilié au
Nom

1271, avenue Sarah, Sillery, Québec, Canada, G1S 3Y8
N°, rue, ville, province, code postal et pays

atteste que je suis l'assujetti ou la personne autorisée par l'assujetti, que j'ai pris connaissance de la présente déclaration, que les renseignements déclarés sont vrais et que les droits prescrits accompagnent la présente déclaration.

Et j'ai signé: *Geneviève Deschâtelets* , ce 1996 - 03 - 15
Signature　　　　　　　　　　　　　　　　　　　Date (année, mois, jour)

4. les objets visés par la société. En définissant de manière générale ses objets en disant qu'il s'agit de « l'exploitation de différentes entreprises dans le domaine de la restauration et de l'alimentation », la société laisse la porte grande ouverte à l'exploitation de plusieurs établissements distincts comme une brasserie, un restaurant, un bar et même une épicerie ;

5. la liste des associés avec leur adresse et leur fonction au sein de la société ; cela permet à un créancier de savoir qui sont les vrais propriétaires de la société. Dans le présent cas, il n'y a que trois associés ordinaires ;

6. dans le cas d'une société étrangère, la responsabilité des associés est-elle limitée ? En effet, les règles régissant les sociétés constituées à l'extérieur du Québec peuvent être différentes et prévoir que la responsabilité des associés est limitée à une certaine somme. Par conséquent, il est important pour un créancier de connaître une telle limitation si elle existe. Comme la majorité des sociétés exploitant une entreprise au Québec sont constituées en vertu du *Code Civil*, cette case est en règle générale laissée en blanc ;

7. dans le cas d'une société étrangère, l'identification d'un fondé de pouvoir si l'assujetti n'as pas de domicile ou d'établissement au Québec. Pour permettre à un créancier d'exercer ses droits contre un assujetti domicilié à l'extérieur du Québec, la loi oblige cet assujetti à identifier une personne au Québec à qui le créancier ou toute autre personne peut s'adresser pour faire valoir ses droits ou faire des représentations. Généralement, cette section ne s'applique pas et est laissée en blanc ;

8. le nom et l'adresse de son curateur, fiduciaire, liquidateur, séquestre, syndic ou tuteur si l'assujetti est représenté par l'un d'eux. Cette section ne s'applique pas aux personnes qui désirent exploiter une entreprise ; elle s'applique en matière de succession, de curatelle, de tutelle ou de faillite. Par conséquent, dans le présent cas, cette section ne s'applique pas et est laissée en blanc ;

9. la nature des deux principaux secteurs d'activité de l'assujetti. Les objets de la société (point n° 4) sont très généraux tandis que la nature des deux principaux secteurs d'activité de l'assujetti renvoie plus particulièrement aux deux plus importantes activités de la société. Dans ce cas, la première activité consiste en l'exploitation d'une brasserie tandis que la deuxième activité consiste en l'exploitation d'un bar et d'une salle de danse. Rien n'empêche l'assujetti d'avoir une troisième activité comme l'exploitation d'une franchise de Rôtisserie St-Hubert, une quatrième activité comme l'exploitation d'une cafétéria dans un hôpital, etc. ; l'inspecteur général ne désire connaître que les deux principaux secteurs d'activité de l'assujetti ;

10. le nombre de salariés qui travaillent pour la société au Québec. Dans le présent cas, la lettre « C » correspond à une tranche de 11 à 25 personnes ;

11. la période d'existence ou durée de vie de la société. Dans un contrat de société, il y a généralement une clause qui prévoit une date de cessation d'activité. Dans ce cas, si nous consultons la clause 3 du contrat de société que nous retrouvons dans la section Document, nous constatons que la durée de vie de cette société est limitée à cinq années. Comme cette société a été créée le 15 mars 1996, sa vie se terminera donc le 15 mars 2001. Cependant, cette même clause 3 prévoit que la société peut se continuer pour une période additionnelle de cinq ans. Si en 2001 les associés décident de continuer la vie de la société pour une certaine période, ils inscriront la nouvelle date dans cette case ;

12. l'identification des établissements au Québec. Si l'établissement de l'assujetti est situé à une adresse autre que celle de son domicile, l'assujetti doit indiquer l'adresse de son établissement, c'est-à-dire l'endroit où il exploite son entreprise. Dans le présent cas, l'adresse du domicile de l'assujetti au 298, rue de la Couronne à Québec, G1K 6E3 est en même temps l'adresse de son établissement

et par conséquent cette case est laissée en blanc. Si l'assujetti exploite plusieurs entreprises sous différents noms, il doit inscrire le nom et l'adresse de chaque établissement ainsi que la nature des deux principales activités de chaque établissement ;

13. les autres noms utilisés au Québec. Cela comprend non seulement les noms d'emprunt servant à identifier une activité, un établissement ou une entreprise, mais aussi les noms de marchandises ou de services (marques de commerce) dont l'assujetti est propriétaire ou usager. *Par exemple, un restaurant McDonald's utilise, entre autres, les marques de commerce Big Mac, MacPoulet, MacPoisson.* Dans la plupart des cas, tout comme dans le présent cas, aucun autre nom n'est utilisé et cette case est laissée en blanc ;

14. la certification. La personne qui signe cette déclaration, Geneviève Deschâtelets dans le présent cas, atteste que tous les renseignements contenus dans la déclaration sont vrais en date du 15 mars 1996, date de la signature de la déclaration.

Comme il n'y a pas de case destinée à la date du début des activités de l'entreprise, nous pouvons supposer que la société a commencé l'exploitation de son entreprise à la date d'immatriculation ou, au plus tôt, dans les soixante jours précédant cette date si elle a respecté le délai prévu par la loi. Autrement, nous ignorons la date du début de l'exploitation de cette entreprise.

Par la suite, la société doit déposer une déclaration annuelle, et, si survient un changement qui modifie les renseignements contenus dans la déclaration d'immatriculation ou dans la déclaration annuelle, la société doit déposer une déclaration modificative. Les principaux changements qui peuvent survenir sont les suivants :

- le départ ou le décès d'un associé ;

- l'arrivée d'un nouvel associé ;

- le déménagement d'un associé ;

- le changement de nom de l'entreprise ;

- le déménagement de l'entreprise ;

- le changement des activités de l'entreprise ;

- le changement de forme juridique.

Bref, tout ce qui fait en sorte que le contenu de la déclaration d'immatriculation ne reflète plus fidèlement la réalité oblige la société à produire une déclaration modificative.

Enfin, lorsque les associés décideront de vendre ou de fermer l'entreprise, la société devra produire une déclaration de radiation. De plus, puisque chaque associé est responsable des dettes de la société, la société doit déposer une **déclaration modificative** pour indiquer le départ d'un associé afin d'éviter que cet associé soit tenu responsable des dettes contractées après son départ par les associés restants.

Il est bon de se souvenir qu'en cas de faillite ou de dissolution de la société, tous les créanciers doivent être remboursés avant les associés et s'il reste de l'argent après le paiement des sommes dues aux créanciers, il sera distribué entre les associés.

15.5.4   LES RAPPORTS DES ASSOCIÉS ENTRE EUX ET ENVERS LA SOCIÉTÉ

2198 C.c.Q.   *L'associé est débiteur envers la société de tout ce qu'il promet d'y apporter.*

Chaque associé doit apporter à la société la mise de fonds ou l'apport qu'il s'est engagé à fournir en vertu du contrat de société. S'il ne le fait pas, ses associés peuvent le poursuivre pour l'obliger à le faire.

2201 C.c.Q.	*La participation aux bénéfices d'une société emporte l'obligation de partager les pertes.*
2202 C.c.Q.	*La part de chaque associé dans l'actif, dans les bénéfices et dans la contribution aux pertes est égale si elle n'est pas déterminée par le contrat.*
	Si le contrat ne détermine que la part de chacun dans l'actif, dans les bénéfices ou dans la contribution aux pertes, cette détermination est présumée faite pour les trois cas.

Ainsi, les profits et les pertes se répartissent en parts égales entre les associés, sauf si les associés ont convenu dans le contrat d'une répartition inégale et même différente, selon qu'il s'agisse de profits ou de pertes. Le tableau 15.4 illustre six situations possibles de partage des profits et des pertes.

Toutes les répartitions des profits et des pertes sont parfaitement valides, même si elles sont inégales, pour autant que les associés en ont ainsi décidé dans le contrat de société, mais :

2203 C.c.Q.	*La stipulation qui exclut un associé de la participation aux bénéfices de la société est sans effet.*
	Celle qui dispense l'associé de l'obligation de partager les pertes est inopposable aux tiers.

La répartition des pertes entre les associés ne vaut qu'entre eux et n'a aucune valeur à l'égard des tiers ou des créanciers. *Par exemple, dans le tableau 15.4.6, Victoria et Yvonne sont exclues des pertes. Si les dettes de la société s'élèvent à 100 000 $, Victoria, Walter, Xavier et Yvonne sont chacun responsables pour 100 000 $. Cependant, si Yvonne décide de verser le 100 000 $ aux créanciers, elle peut dans ce cas se retourner contre Walter et Xavier pour leur réclamer respectivement 60 000 $ et 40 000 $, puisque Walter et Xavier sont engagés respectivement pour 60 et 40 % des dettes de la société alors que Victoria et Yvonne en sont exclues.*

2204 C.c.Q.	*L'associé ne peut, pour son compte ou celui d'un tiers, faire concurrence à la société ni participer à une activité qui prive celle-ci des biens, des connaissances ou de l'activité qu'il est tenu d'y apporter ; le cas échéant, les bénéfices qui en résultent sont acquis à la société, sans préjudice des recours que celle-ci peut exercer.*

Lorsque des personnes signent un contrat de société, c'est dans le but de mettre un certain nombre de choses en commun pour exploiter une entreprise et en tirer un profit. Il est ainsi parfaitement concevable d'empêcher une personne de faire concurrence à sa propre société et surtout à ses associés.

2205 C.c.Q.	*L'associé a le droit, s'il était de bonne foi, de recouvrer la somme qu'il a déboursée pour le compte de la société et d'être indemnisé en raison des obligations qu'il a contractées et des pertes qu'il a subies en agissant pour celle-ci.*

Par ailleurs, si l'associé engage des dépenses ou signe un contrat pour la société, cette dernière doit évidemment assumer ces dépenses ou respecter ce contrat. *Par exemple, si Donald dépense 150 $ pour se rendre de Sherbrooke à Chicoutimi pour signer un contrat au nom de la société, la société doit rembourser 150 $ à Donald et respecter les obligations stipulées dans le contrat.*

2212 C.c.Q.	*Les associés peuvent faire entre eux toute convention qu'ils jugent appropriée quant à leurs pouvoirs respectifs dans la gestion des affaires de la société.*
2213 C.c.Q.	*Les associés peuvent nommer l'un ou plusieurs d'entre eux, ou même un tiers, pour gérer les affaires de la société.*
	L'administrateur peut faire, malgré l'opposition des associés, tous les actes qui dépendent de sa gestion, pourvu que ce soit sans fraude. Ce pouvoir de gestion ne peut être révoqué sans motif sérieux tant que dure la société ; mais s'il a été donné par un acte postérieur au contrat de société, il est révocable comme un simple mandat.

Les associés peuvent, dans le contrat de société, décider d'une répartition entre eux des pouvoirs de gestion ou ils peuvent même nommer un tiers à titre de gérant pour gérer la société à leur place. S'ils décident de nommer un gérant pour prendre en charge les activités de la société, deux situations différentes peuvent se présenter : ce gérant est nommé dans le contrat de société ou dans un autre document.

Tableau 15.4 Six exemples possibles de répartition des profits
et des pertes entre les associés

Tableau 15.4.1 : Répartition égale des profits et des pertes et égale entre les associés

Nom de la personne	Pourcentage de profit	Pourcentage de perte
Aline	25 %	25 %
Benoît	25 %	25 %
Caroline	25 %	25 %
Denis	25 %	25 %

Tableau 15.4.2 : Répartition égale des profits et des pertes mais inégale entre les associés

Nom de la personne	Pourcentage de profit	Pourcentage de perte
Élaine	20 %	20 %
Frédéric	35 %	35 %
Gisèle	35 %	35 %
Henri	10 %	10 %

Tableau 15.4.3 : Répartition inégale des profits et des pertes et inégale entre les associés

Nom de la personne	Pourcentage de profit	Pourcentage de perte
Isabelle	15 %	25 %
Jacques	40 %	10 %
Karl	25 %	45 %
Louise	20 %	20 %

Tableau 15.4.4 : Répartition égale des profits mais inégale des pertes

Nom de la personne	Pourcentage de profit	Pourcentage de perte
Maurice	25 %	10 %
Nicole	25 %	20 %
Odette	25 %	30 %
Paul	25 %	40 %

Tableau 15.4.5 : Répartition inégale des profits mais égale des pertes

Nom de la personne	Pourcentage de profit	Pourcentage de perte
Roger	35 %	25 %
Suzanne	15 %	25 %
Thomas	10 %	25 %
Ursule	40 %	25 %

Tableau 15.4.6 : Répartition inégale des profits et des pertes, et exclusion de deux associés des pertes

Nom de la personne	Pourcentage de profit	Pourcentage de perte
Victoria	10 %	0 %
Walter	20 %	60 %
Xavier	30 %	40 %
Yvonne	40 %	0 %

Si ce gérant est nommé dans le contrat de société, il est impossible de le renvoyer ou de le démettre de ses fonctions à moins de modifier le contrat de société, car si son nom a été inscrit dans le contrat de société, cela suppose que sa nomination est un élément essentiel du contrat de société. Par conséquent, le gérant a le droit d'administrer la société selon son bon vouloir et ce, même malgré l'opposition des autres associés, en autant qu'il gère la société comme le ferait une personne raisonnable et sans fraude. Par contre, si ce gérant a été nommé dans un autre document, il s'agit alors d'un simple mandat qui peut être facilement révoqué.

2214 C.c.Q.   *Lorsque plusieurs administrateurs sont chargés de la gestion sans que celle-ci soit partagée entre eux et sans qu'il soit stipulé que l'un ne pourra agir sans les autres, chacun d'eux peut agir séparément ; mais si cette stipulation existe, l'un d'eux ne peut agir en l'absence des autres, lors même qu'il est impossible à ces derniers de concourir à l'acte.*

2215 C.c.Q.   *À défaut de stipulation sur le mode de gestion, les associés **sont réputés** s'être donné réciproquement le pouvoir de gérer les affaires de la société.*

Tout acte accompli par un associé concernant les activités communes oblige les autres associés, sauf le droit de ces derniers, ensemble ou séparément, de s'opposer à l'acte avant que celui-ci ne soit accompli.

De plus, chaque associé peut contraindre ses coassociés aux dépenses nécessaires à la conservation des biens mis en commun, mais un associé ne peut changer l'état de ces biens sans le consentement des autres, si avantageux que soit le changement.

En matière de contrat de société, le principe fondamental est celui de la confiance mutuelle entre les associés, ce qui fait en sorte que, à moins de restrictions particulières dans le contrat de société, chaque associé a le pouvoir de lier la société et d'engager ainsi la responsabilité des autres associés ; il s'agit d'une présomption irréfragable qui ne peut être renversée par une preuve contraire, car il s'agit de faits réputés.

2216 C.c.Q.   *Tout associé a le droit de participer aux décisions collectives et le contrat de société ne peut empêcher l'exercice de ce droit.*

À moins de stipulation contraire dans le contrat, ces décisions se prennent à la majorité des voix des associés, sans égard à la valeur de l'intérêt de ceux-ci dans la société, mais celles qui ont trait à la modification du contrat de société se prennent à l'unanimité.

Donc, dans une société comprenant quatre ou cinq associés, le vote de trois associés est suffisant pour prendre une décision à moins d'une stipulation contraire dans le contrat de société. En effet, les associés peuvent prévoir que toute décision doit se prendre à l'unanimité. Cependant, une seule décision requiert l'unanimité et ne peut pas faire l'objet d'un vote majoritaire ; il s'agit de la décision de modifier le contrat de société.

2218 C.c.Q.   *Tout associé, même s'il est exclu de la gestion, et malgré toute stipulation contraire, a le droit de se renseigner sur l'état des affaires de la société et d'en consulter les livres et registres.*

Il est tenu d'exercer ce droit de manière à ne pas entraver indûment les opérations de la société ou à ne pas empêcher les autres associés d'exercer ce même droit.

En aucun temps un associé ne peut empêcher un autre associé de prendre connaissance des livres de la société. Cependant, l'associé qui désire prendre connaissance de ces livres ne doit pas abuser de ce droit de manière à entraver la gestion de l'entreprise comme le fait de demander des états financiers complets chaque semaine ou de soumettre de longues listes de questions à répondre hebdomadairement.

15.5.5   LES RAPPORTS DE LA SOCIÉTÉ ET DES ASSOCIÉS ENVERS LES TIERS

2219 C.c.Q.   *À l'égard des tiers de bonne foi, chaque associé est mandataire de la société et lie celle-ci pour tout acte conclu au nom de la société dans le cours de ses activités.*

Toute stipulation contraire est inopposable aux tiers de bonne foi.

Les ententes prévues dans le contrat de société lient les associés entre eux, mais elles ne sont pas opposables aux tiers. En effet, comme les tiers n'ont aucune connaissance du contenu du contrat de société qui est un document privé, il est impossible pour un tiers de connaître l'étendue ou les restrictions des pouvoirs de l'associé avec qui il transige. Par conséquent, lorsqu'un associé signe un contrat au nom de la société, il lie la société et cette dernière doit exécuter les obligations qui découlent de ce contrat. Cette règle a pour but de protéger le tiers de bonne foi contre des stipulations écrites dans un contrat de société qu'il ne peut même pas consulter.

2221 C.c.Q.   *À l'égard des tiers, les associés sont tenus **conjointement** des obligations de la société; mais ils en sont tenus **solidairement** si les obligations ont été contractées pour le service ou l'exploitation d'une entreprise de la société. [...]*

La responsabilité personnelle, illimitée, conjointe et solidaire qui affecte les associés d'une société en nom collectif et qui peut entraîner leur faillite personnelle, fait en sorte que bon nombre de gens d'affaires préfèrent la responsabilité limitée de la compagnie à la responsabilité personnelle illimitée conjointe et solidaire de la société.

2225 C.c.Q.   *La société peut ester en justice sous le nom qu'elle déclare et elle peut être poursuivie sous ce nom.*

Même si la société n'est pas une personne morale, le législateur prévoit expressément que la société peut ester en justice sous son propre nom, car, en pratique, c'est sous ce nom qu'elle est connue et non pas sous le nom de ses associés; c'est une simple question de logique et de gros bon sens. N'oublions pas que les factures et les contrats sont rédigés sous le nom de la société et non pas sous le nom des associés.

15.5.6   LA PERTE DE LA QUALITÉ D'ASSOCIÉ

2226 C.c.Q.   *Outre qu'il cesse d'être membre de la société par la cession de sa part ou par son rachat, un associé cesse également de l'être par son décès, par l'ouverture à son égard d'un régime de protection, par sa faillite ou par l'exercice de son droit de retrait; il cesse aussi de l'être par sa volonté, par son expulsion ou par un jugement autorisant son retrait ou ordonnant la saisie de sa part.*

Une personne cesse donc d'être associée lorsqu'elle quitte la société, lorsqu'elle en est expulsée, lorsqu'elle n'est plus capable de contracter en tombant sous un régime de protection ou en faillite.

2228 C.c.Q.   *L'associé d'une société dont la durée n'est pas fixée ou dont le contrat réserve le droit de retrait peut se retirer de la société en donnant, de bonne foi et non à contretemps, un avis de son retrait à la société.*

L'associé d'une société dont la durée est fixée ne peut se retirer qu'avec l'accord de la majorité des autres associés, à moins que le contrat ne règle autrement ce cas.

Pour éviter qu'un associé se retire dans une période difficile pour la société, il est préférable de prévoir des modalités de retrait dans le contrat de société de manière à éviter un retrait surprise et à permettre aux autres associés de disposer d'un délai suffisant pour se réorganiser ou réorganiser la société.

2229 C.c.Q.   *Les associés peuvent, à la majorité, convenir de l'expulsion d'un associé qui manque à ses obligations ou nuit à l'exercice des activités de la société.*

Dans les mêmes circonstances, un associé peut demander au tribunal l'autorisation de se retirer de la société; il est fait droit à cette demande, à moins que le tribunal ne juge plus approprié d'ordonner l'expulsion de l'associé fautif.

Bien que cela ne soit pas courant, il peut arriver qu'une majorité d'associés désirent se débarrasser d'un associé qui nuit à l'exercice des activités de la société. Encore une fois, il est préférable de prévoir un mécanisme d'expulsion au sein même du contrat de société afin que chaque associé soit au courant du mécanisme par lequel il peut être expulsé s'il manque à ses obligations ou nuit à l'exercice des activités de la société.

Il est important de noter que la perte de la qualité d'associé n'entraîne pas automatiquement la dissolution de la société. Cela permet d'éviter que la société puisse être dissoute à propos de tout et de rien.

15.5.7   LA DISSOLUTION ET LA LIQUIDATION DE LA SOCIÉTÉ EN NOM COLLECTIF

2230 C.c.Q.   *La société, outre les causes de dissolution prévues par le contrat, est dissoute par l'accomplissement de son objet ou l'impossibilité de l'accomplir, ou, encore, du consentement de tous les associés. Elle peut aussi être dissoute par le tribunal, pour une cause légitime.*

On procède alors à la liquidation de la société.

Les causes les plus courantes de dissolution d'une société sont :

- l'accomplissement de l'objet pour lequel la société avait été créée, tel l'achat d'un immeuble suivi de sa rénovation et de sa revente ;
- l'impossibilité d'accomplir l'objet de la société ;
- le consentement de tous les associés ;
- l'expiration du terme ;
- la faillite de la société ;
- la réunion de toutes les parts sociales entre les mains d'un seul associé ;
- toute autre cause prévue dans le contrat de société.

Une des causes de dissolution mérite une attention plus particulière : il s'agit du cas de la réunion de toutes les parts sociales entre les mains d'un seul associé. En effet, s'il ne reste plus qu'un seul associé, nous ne sommes plus en présence d'une société mais d'une entreprise individuelle. Cependant, le législateur a cru bon d'accorder à l'associé restant une période de 120 jours pour lui permettre de se trouver un nouvel associé. S'il ne réussit pas à trouver un nouvel associé à l'intérieur de ce délai, la société est dissoute automatiquement à l'expiration de ces 120 jours.

Une fois que la société est dissoute, il faut maintenant procéder à la liquidation de la société et au partage de ses biens.

2233 C.c.Q.   *Les pouvoirs des associés d'agir pour la société cessent avec la dissolution de celle-ci, sauf quant aux actes qui sont une suite nécessaire des opérations en cours. [...]*

Évidemment, la dissolution de la société entraîne la fin du mandat des associés.

2235 C.c.Q.   *On suit, pour la liquidation de la société, les règles prévues aux articles 358 à 364 du livre Des personnes, compte tenu des adaptations nécessaires et du fait que les avis requis par ces règles doivent être déposés conformément aux lois relatives à la publicité légale des sociétés.*

358 C.c.Q.   *Les administrateurs doivent déposer un avis de la dissolution auprès de l'inspecteur général des institutions financières [...] et désigner [...] un liquidateur qui doit procéder immédiatement à la liquidation.*

À défaut de respecter ces obligations, les administrateurs peuvent être tenus responsables des actes de la société, et tout intéressé peut s'adresser au tribunal pour que celui-ci désigne un liquidateur.

360 C.c.Q.   *Le liquidateur a la saisine des biens de la société ; il agit à titre d'administrateur du bien d'autrui chargé de la pleine administration. [...]*

361 C.c.Q.   *Le liquidateur procède au paiement des dettes, puis au remboursement des apports.*

Il procède ensuite [...] au partage de l'actif entre les membres, en proportion de leurs droits ou, autrement, en parts égales ; il suit, au besoin, les règles relatives au partage d'un bien indivis. [...]

364 C.c.Q.   *La liquidation de la société est close par le dépôt de l'avis de clôture au même lieu que l'avis de dissolution. Le cas échéant, le dépôt de cet avis opère radiation de toute inscription concernant la société.*

Le liquidateur procède donc à la vente de tous les biens de la société et procède ensuite à la distribution du produit de la vente en payant en premier les créanciers et, s'il reste de l'argent, en répartissant le solde entre les associés.

Si le produit de la liquidation des biens de la société est supérieur au montant des dettes de la société, le liquidateur paie tous les créanciers, puis répartit les sommes restantes entre les associés à parts égales ou selon les conditions prévues dans le contrat de société s'il existe une stipulation sur la répartition des actifs en cas de liquidation.

Par contre, si le produit de la liquidation des biens de la société est inférieur au montant des dettes de la société, le liquidateur paie tous les créanciers en proportion de leurs créances, et demande aux associés une mise de fonds supplémentaire pour payer le solde des dettes. Si les associés n'ont plus d'argent, ils sont eux-mêmes mis en faillite.

15.6   LA SOCIÉTÉ EN COMMANDITE

La **société en commandite**, décrite aux articles 2236 à 2249 du *Code civil*, est la forme juridique utilisée principalement pour la réalisation de projets précis comme l'achat, la restauration et la revente d'un immeuble ainsi que dans les secteurs à risque élevé afin de protéger les investisseurs et de bénéficier de crédits d'impôt ou d'un régime fiscal attrayant. *Par exemple, les sports professionnels, la production d'émissions ou de séries télévisées, la production de films, l'exploration pétrolière et minière, la recherche dans les secteurs à risque telle que la recherche en biologie, en biochimie, en médecine et en pharmacologie, l'invention de nouvelles techniques ou de nouveaux produits, ainsi que la construction ou l'exploitation d'immeubles locatifs sont les secteurs de l'économie ou nous retrouvons le plus de sociétés en commandite.*

15.6.1   UNE DÉFINITION DE LA SOCIÉTÉ EN COMMANDITE

2186 C.c.Q.

*Le **contrat de société** est celui par lequel les parties conviennent, dans un esprit de collaboration, d'exercer une activité, incluant celle d'exploiter une entreprise, d'y contribuer par la mise en commun de biens, de connaissances ou d'activités et de partager entre elles les bénéfices pécuniaires qui en résultent. [...]*

Tout comme dans la société en nom collectif, la société en commandite est composée de quatre éléments essentiels :

- c'est un contrat ;
- pour exercer une activité ;
- chacun doit y contribuer en apportant quelque chose ;
- la société est pour le bénéfice de tous.

15.6.2   LE NOM DE LA SOCIÉTÉ EN COMMANDITE

2189 C.c.Q.

La société [...] en commandite est formée sous un nom commun aux associés. [...]

Une société en commandite a un nom qui lui est propre et qui la distingue des associés. Ce nom peut être composé d'un ou de plusieurs noms d'associés comme il peut être tout simplement un nom d'emprunt. Ce nom doit toujours indiquer qu'il s'agit d'une société en commandite comme dans les exemples suivants :

- Constructel, S.E.C.
- Socabli, société en commandite
- Société en commandite développement Gesfor
- Les Expos de Montréal, société en commandite

L'AVANTAGE D'ÊTRE COMMANDITAIRE

<table>
<tr><td>**15.6.3**</td><td></td></tr>
</table>

LA DÉCLARATION D'IMMATRICULATION

2189 C.c.Q.

> *La société [...] en commandite [...] est tenue de se déclarer, de la manière prescrite par les lois relatives à la publicité légale des sociétés; à défaut, elle **est réputée** être une société en participation, sous réserve des droits des tiers de bonne foi.*

La société en commandite doit déposer une déclaration d'immatriculation similaire à celle de la société en nom collectif. Par la suite, la société doit déposer une déclaration annuelle, et, si survient un changement qui modifie les renseignements contenus dans la déclaration d'immatriculation ou dans la déclaration annuelle, la société doit déposer une déclaration modificative. Enfin, lorsque les associés décideront de vendre ou de fermer l'entreprise, la société devra produire une déclaration de radiation.

<table>
<tr><td>**15.6.4**</td><td></td></tr>
</table>

LES PARTICULARITÉS DE LA SOCIÉTÉ EN COMMANDITE

2236 C.c.Q.

> *La société en commandite est constituée entre un ou plusieurs commandités, qui sont seuls autorisés à administrer la société et à l'obliger, et un ou plusieurs commanditaires qui sont tenus de fournir un apport au fonds commun de la société.*

Dans une société en commandite, il existe deux sortes d'associés: les associés commandités et les associés commanditaires.

2238 C.c.Q.

> *Les commandités ont les pouvoirs, droits et obligations des associés de la société en nom collectif, mais ils sont tenus de rendre compte de leur administration aux commanditaires.*
>
> *Ils sont tenus, envers ces derniers, des mêmes obligations que celles auxquelles l'administrateur chargé de la pleine administration du bien d'autrui est tenu envers le bénéficiaire de l'administration.*
>
> *Les clauses limitant les pouvoirs des commandités sont inopposables aux tiers de bonne foi.*

Les **associés commandités**, ou **gérants**, sont ceux qui gèrent les activités de la société. Ils ont exactement les mêmes droits, les mêmes pouvoirs et les mêmes obligations que les associés d'une société en nom collectif.

2239 C.c.Q.   *Les commandités tiennent, au lieu du principal établissement de la société, un registre dans lequel sont inscrits les nom et domicile des commanditaires et tous les renseignements concernant leur apport au fonds commun.*

2240 C.c.Q.   *L'apport du commanditaire, lorsque cet apport consiste en une somme d'argent ou en un autre bien, est fourni lors de la constitution du fonds commun ou en tout autre temps, comme apport additionnel à ce fonds. [...]*

Quant aux **associés commanditaires**, ils commanditent la société, c'est-à-dire qu'ils fournissent des fonds à la société, mais ils ne participent pas à sa gestion courante. Ils n'ont pas le droit de prendre des décisions ou de signer des contrats au nom de la société. En échange de cette absence de participation à la gestion de la société, ils ne sont pas responsables des dettes de la société ; leur responsabilité est limitée à leur mise de fonds.

2241 C.c.Q.   *Pendant la durée de la société, le commanditaire ne peut, de quelque manière, retirer une partie de son apport en biens au fonds commun, à moins d'obtenir le consentement de la majorité des autres associés et que suffisamment de biens subsistent, après ce retrait, pour acquitter les dettes de la société.*

Une fois que le commanditaire a investi une certaine somme d'argent dans la société ou qu'il y a apporté certains biens, il ne peut pas retirer cette mise de fonds ou ces biens si cela a pour effet de rendre la société insolvable.

2242 C.c.Q.   *Le commanditaire a le droit de recevoir sa part des bénéfices, mais si le paiement de ces bénéfices entame le fonds commun, le commanditaire qui les reçoit est tenu de remettre la somme nécessaire pour couvrir sa part du déficit, avec intérêts. [...]*

Évidemment, le commanditaire qui a investi une certaine somme d'argent dans la société a le droit d'en retirer un certain profit.

2244 C.c.Q.   *Les commanditaires ne peuvent donner que des avis de nature consultative concernant la gestion de la société.*

Ils ne peuvent négocier aucune affaire pour le compte de la société, ni agir pour celle-ci comme mandataire ou agent, ni permettre que leur nom soit utilisé dans un acte de la société ; le cas échéant, ils sont tenus, comme un commandité, des obligations de la société résultant de ces actes et, suivant l'importance ou le nombre de ces actes, ils peuvent être tenus, comme celui-ci, de toutes les obligations de la société.

Comme le mentionne l'article 2236 du *Code civil*, seul le commandité a le droit de gérer la société. Par conséquent, le commanditaire n'a pas le droit de gérer la société, ni de participer, directement ou indirectement, à la gestion de la société. Évidemment, le commanditaire peut toujours donner des conseils, de sa propre initiative ou à la demande du commandité, mais le commandité n'est jamais tenu de suivre ces conseils. De plus, le commanditaire ne peut pas signer un contrat pour la société puisqu'il n'est pas un mandataire de la société ; il n'est qu'une sorte de bailleur de fonds.

2245 C.c.Q.   *Les commanditaires peuvent faire les actes de simple administration que requiert la gestion de la société, lorsque les commandités ne peuvent plus agir.*

Si les commandités ne sont pas remplacés dans les cent vingt jours, la société est dissoute.

Cependant, lorsqu'un commandité ne peut plus agir, soit à cause de son décès ou par incapacité, il est normal de permettre au commanditaire de poser des actes de simple administration en attendant le remplacement du commandité. S'il n'y a plus de commandité dans la société pendant au moins 120 jours, la société est automatiquement dissoute par l'effet de la loi.

2246 C.c.Q.   *En cas d'insuffisance des biens de la société, chaque commandité est tenu solidairement des dettes de la société envers les tiers ; le commanditaire y est tenu jusqu'à concurrence de l'apport convenu, malgré toute cession de part dans le fonds commun.*

Est sans effet la stipulation qui oblige le commanditaire à cautionner ou à assumer les dettes de la société au-delà de l'apport convenu.

La responsabilité d'un commandité est identique à celle d'un associé dans une société en nom collectif : sa responsabilité est personnelle, illimitée, conjointe et solidaire.

Évidemment, la responsabilité d'un commanditaire est limitée, car il n'a pas participé à la gestion de l'entreprise ; il n'a que fourni des fonds.

2248 C.c.Q.

Dans le cas d'insuffisance des biens de la société, le commanditaire ne peut, en cette qualité, réclamer comme créancier avant que les autres créanciers de la société n'aient été satisfaits.

Par contre, même si un commanditaire n'est pas responsable des dettes de la société, il ne peut pas, en cas de liquidation de la société, être remboursé au même titre qu'un autre créancier, car il est plus qu'un simple prêteur ; il est également un associé. Par conséquent, en cas d'insuffisance de fonds pour rembourser à la fois les créanciers et les associés, le liquidateur doit commencer par rembourser les autres créanciers, puis les commanditaires et enfin les commandités.

15.6.5 LA SOCIÉTÉ EN NOM COLLECTIF ET LA SOCIÉTÉ EN COMMANDITE

2249 C.c.Q.

Les règles relatives à la société en nom collectif sont, pour le reste, applicables à la société en commandite, compte tenu des adaptations nécessaires.

En faisant abstraction du fait qu'il existe deux catégories d'associés dans une société en commandite et une seule catégorie d'associés dans une société en nom collectif, nous constatons que les règles gouvernant ces deux formes juridiques de société sont presque identiques ; c'est ce que confirme le libellé de l'article 2249 du *Code civil*.

Comme la majorité des règles relatives à la société en nom collectif sont applicables à la société en commandite, il convient d'analyser les similitudes et les différences entre ces deux types de société pour mieux les différencier.

15.6.5.1 Les similitudes

Il existe donc un certain nombre de points communs entre la société en nom collectif et la société en commandite :

- elles doivent déposer une déclaration d'immatriculation ;
- elles ont un nom différent de celui des associés ;
- elles doivent indiquer leur forme juridique dans leur nom ;
- elles possèdent un domicile où est situé leur siège ;
- elles ne sont pas une personne morale, et les associés peuvent être poursuivis personnellement pour un manquement de la société ;
- elles possèdent des droits et des obligations qui leur sont propres ;
- elles exercent une activité propre et distincte de celle des associés ;
- elles ont un patrimoine qui leur est propre et qui leur appartient jusqu'au moment de leur dissolution ;
- elles sont propriétaires de l'apport versé par chaque associé ;
- elles sont responsables solidairement avec les associés, et, par conséquent, les tiers n'ont pas à vérifier la validité et l'étendue du mandat des associés ;
- elles peuvent poursuivre et être poursuivies sous leur propre nom.

15.6.5.2 Les différences

Il existe deux différences entre la société en nom collectif et la société en commandite : elles concernent le **rôle de l'associé** et le **droit de faire appel à l'épargne de tiers**.

Dans une société en nom collectif, l'associé a tous les pouvoirs nécessaires pour administrer et lier la société ; il **possède un mandat implicite pour lier la société**.

Donc, si un associé prend un engagement sans le consentement des autres associés, la société est généralement responsable de cet engagement. Par ailleurs, il est toujours possible pour les associés de nommer l'un d'entre eux, soit à même le contrat de société, soit par une résolution à cet effet, pour administrer les affaires courantes de la société ou pour les représenter.

Dans une société en commandite, seul le commandité a le mandat implicite d'agir pour la société, pour toute activité faisant partie du cours normal de ses affaires. Donc, **le commandité peut lier la société par ses actes mais le commanditaire ne peut pas lier la société**; le commanditaire n'a d'ailleurs pas le droit de s'ingérer dans l'administration de la société, et, s'il le fait, il sera responsable solidairement comme tout commandité.

2224 C.c.Q.   *La société (en nom collectif) ne peut faire publiquement appel à l'épargne ou émettre des titres négociables, à peine de nullité des contrats conclus ou des titres émis et de l'obligation de réparer le préjudice qu'elle a causé aux tiers de bonne foi.*

2237 C.c.Q.   *La société en commandite peut faire publiquement appel à l'épargne de tiers pour la constitution ou l'augmentation du fonds commun et émettre des titres négociables.*

Le tiers qui s'engage à fournir un apport devient commanditaire de la société.

Ainsi, la société en commandite peut faire appel à l'épargne des tiers pour augmenter le fonds commun de la société tandis que la société en nom collectif n'a pas le droit de faire appel publiquement à l'épargne des tiers; elle est limitée aux fonds que les associés ont apportés. Cependant, rien n'empêche les associés de la société en nom collectif de contacter des tiers pour les convaincre d'investir des fonds dans la société et ainsi de devenir des associés; dans un tel cas, il faut signer un nouveau contrat de société.

Si la société désire faire un appel public à l'épargne des tiers, elle doit émettre un prospectus et se soumettre au contrôle de la Commission des valeurs mobilières du Québec (voir la section 16.2.10, La *Loi sur les valeurs mobilières*).

15.6.6 LA DISSOLUTION ET LA LIQUIDATION DE LA SOCIÉTÉ EN COMMANDITE

La société en commandite est dissoute pour les mêmes causes que la société en nom collectif et sa liquidation se fait de la même manière (voir la section 15.5.7, La dissolution et la liquidation de la société en nom collectif). Par contre, il existe une cause supplémentaire de dissolution; il s'agit du cas où tous les commandités ont quitté la société et que le dernier commandité n'est pas remplacé dans les 120 jours qui suivent son retrait.

15.7 LA SOCIÉTÉ EN PARTICIPATION

La **société en participation** est décrite aux articles 2250 à 2266 du *Code civil*. Elle est une forme juridique d'entreprise utilisée principalement en matière de propriété d'immeuble lorsque deux ou trois personnes achètent un immeuble en copropriété indivise, ainsi que pour régir les ententes monétaires entre deux concubins ou pour régir toute entente avec une autre personne visant l'exercice d'une certaine activité commerciale sans existence formelle, comme une société créée par trois étudiants pour exécuter des travaux de peinture.

15.7.1 UNE DÉFINITION DE LA SOCIÉTÉ EN PARTICIPATION

2186 C.c.Q.   *Le contrat de société est celui par lequel les parties conviennent, dans un esprit de collaboration, **d'exercer une activité, incluant celle d'exploiter une entreprise**, d'y* *contribuer par la mise en commun de biens, de connaissances ou d'activités et de partager entre elles les bénéfices pécuniaires qui en résultent. [...]*

2250 C.c.Q.   *Le contrat constitutif de la société en participation est écrit ou verbal. Il peut aussi résulter de faits manifestes qui indiquent l'intention de s'associer.*

La seule indivision de biens existant entre plusieurs personnes ne fait pas présumer leur intention de s'associer.

Tout comme pour la société en nom collectif et la société en commandite, quatre éléments essentiels constituent une société en participation :

- c'est un contrat ;

- pour exercer une activité ;

- chacun doit y contribuer en apportant quelque chose ;

- la société est pour le bénéfice de tous.

Par contre, même si le contrat constitutif de la société en nom collectif ou de la société en commandite est toujours par écrit, le contrat constitutif de la société en participation peut être soit par écrit, soit verbal. Il peut même résulter de faits qui démontrent que différentes personnes ont le désir de s'associer d'une certaine manière pour exploiter une entreprise. Le législateur a donc prévu une formulation très large et peu formaliste pour encadrer toutes les activités faites par plusieurs personnes qui n'ont pas rédigé de contrat de société ou, s'ils en ont rédigé un, qui n'ont pas choisi spécifiquement la forme juridique de la société en nom collectif ou de la société en commandite.

Dans plusieurs cas, pour décider de l'existence ou non d'une société en participation, il faut évaluer l'attitude des personnes qui se sont regroupées pour déterminer si elles se comportent comme des associés au sein d'une société ; il faut qu'il y ait une forme de collaboration active ou de partage des tâches et non pas seulement une simple situation d'indivision.

Par exemple, si Lucien, Micheline et Robert achètent un immeuble de vingt logements en copropriété indivise, il peut s'agir d'une société en participation, mais ce n'est pas obligatoirement le cas ; il peut également s'agir d'une simple modalité de propriété. Pour déterminer si Lucien, Micheline et Robert ont réellement l'intention de s'associer pour exploiter un immeuble ou s'il ne s'agit que d'une modalité de propriété, il faut analyser les faits qui se présentent à notre examen. Par exemple, si Lucien s'occupe de la conciergerie et de l'entretien, Micheline de la perception des loyers et des finances et Robert de la location des logements et du renouvellement des baux et qu'ils décident d'investir tous leurs profits dans l'achat et l'exploitation de nouveaux immeubles, nous sommes certainement en présence d'une société en participation. Par contre, si Lucien s'occupe de tout et que même les baux signés avec les locataires mentionnent Lucien comme locateur, nous sommes probablement en présence d'une simple modalité de propriété que constitue la copropriété. Pour nous éclairer, nous pouvons d'ailleurs nous poser la question suivante : Lucien, Micheline et Robert se présentent-ils comme trois associés en affaires ou seulement comme les trois propriétaires d'un immeuble ?

Il en va de même pour Georges et Marthe, deux concubins qui ont décidé de régir de manière concrète et détaillée les ententes monétaires entre eux afin de préciser clairement ce à quoi chacun s'engage en ce qui a trait au coût du logement, du chauffage, des assurances, de la nourriture, de l'automobile, des vacances, etc. De cette manière, Georges et Marthe ont utilisé la forme juridique de la société en participation.

Enfin, que devons-nous penser de Juliette, Françoise, Nicole et Yvan, quatre étudiants qui se sont regroupés au début du mois d'avril pour créer leur propre emploi d'été en constituant une entreprise spécialisée dans l'entretien paysager, c'est-à-dire pour tondre la pelouse, couper les arbustes, épandre de l'engrais, planter des fleurs et exécuter toute autre activité de même nature. De plus, ils n'ont même pas pris la peine de préciser les détails de leur convention par écrit puisqu'ils ont prévu partager les profits en quatre parts égales. Dans ce cas, il s'agit sûrement d'une société en participation.

15.7.2 | LE NOM DE LA SOCIÉTÉ EN PARTICIPATION

Compte tenu que certaines sociétés en participation existent plus ou moins, parfois sans cadre très précis, le législateur n'oblige pas la société en participation a posséder et à utiliser un nom qui lui est propre et qui la distingue des associés. Néanmoins, si les associés décident d'utiliser un nom distinct, ce nom peut être composé d'un ou de plusieurs noms d'associés comme il peut être tout simplement un nom d'emprunt. De plus, la loi n'oblige pas les associés à indiquer qu'il s'agit d'une société en participation. Voici des exemples de noms acceptables pour une société en participation :

- Roi de la patate
- S.O.S. Grand ménage
- Les peintres étudiants
- Casse-croûte Chantal Tremblay et associés
- Entretien de votre pelouse, société en participation

15.7.3 | LA DÉCLARATION D'IMMATRICULATION

2189 C.c.Q.

*La **société en nom collectif ou en commandite** [...] est tenue de se déclarer, de la manière prescrite par les lois relatives à la publicité légale des sociétés; à défaut, elle est réputée être une société en participation, sous réserve des droits des tiers de bonne foi.*

2 L.P.L.E.

Est assujettie à l'obligation d'immatriculation : [...]

*2° la **société en nom collectif** ou la **société en commandite** qui est constituée au Québec ; [...]*

Le législateur n'a pas imposé à la société en participation l'obligation de déposer une déclaration d'immatriculation, ce qui la rend invisible aux tiers, puisque ces derniers ne trouveront aucune déclaration d'immatriculation s'ils se présentent au greffe de la Cour supérieure ou au bureau de l'inspecteur général des institutions financières. Cependant, rien n'empêche une société en participation de déposer une déclaration d'immatriculation afin de protéger l'usage du nom qu'elle a choisi. Dans ce cas, la société en participation doit également déposer une déclaration annuelle, et, si survient un changement qui modifie les renseignements contenus dans la déclaration d'immatriculation ou dans la déclaration annuelle, la société doit déposer une déclaration modificative. Enfin, lorsque les associés décideront de vendre ou de fermer l'entreprise, la société devra produire une déclaration de radiation. Elle utilisera alors les mêmes formulaires que ceux utilisés par la société en nom collectif.

15.7.4 | LES RAPPORTS DES ASSOCIÉS ENTRE EUX

2251 C.c.Q.

Les associés conviennent de l'objet, du fonctionnement, de la gestion et des autres modalités de la société en participation.

En l'absence de convention particulière, les rapports des associés entre eux sont réglés par les dispositions qui régissent les rapports des associés en nom collectif, entre eux et envers leur société, compte tenu des adaptations nécessaires.

Les associés d'une société en participation peuvent convenir, dans le contrat de société, de l'objet, du fonctionnement, de la gestion et des autres modalités. S'ils ne le font pas, les règles pour la société en nom collectif prévues aux articles 2198 à

2218 du *Code civil* s'appliquent automatiquement tout comme pour la société en commandite. Comme nous pouvons le constater, le législateur a uniformisé les règles de fonctionnement des trois types de société dans le cas où les associés font défaut de prévoir des règles de fonctionnement différentes dans leur contrat de société.

Il est à noter que si le contrat de société en participation est verbal, comme la loi le permet, il sera très difficile de faire la preuve devant un tribunal des obligations des associés si ces derniers se contredisent devant le tribunal. Dans bien des cas, le juge devra conclure à l'absence de convention précise et s'en référer aux règles du *Code civil* qui s'appliquent à défaut de convention particulière.

15.7.5   LES RAPPORTS DES ASSOCIÉS AVEC LES TIERS

2252 C.c.Q.   *À l'égard des tiers, chaque associé demeure propriétaire des biens constituant son apport à la société. [...]*

Contrairement à la société en nom collectif et à la société en commandite, dans lesquelles la société devient propriétaire des biens fournis par les associés, dans la société en participation, les biens demeurent la propriété des associés.

2253 C.c.Q.   *Chaque associé contracte en son nom personnel et est seul obligé à l'égard des tiers.*

Toutefois, lorsque les associés agissent en qualité d'associés à la connaissance des tiers, chaque associé est tenu à l'égard de ceux-ci des obligations résultant des actes accomplis en cette qualité par l'un des autres associés.

Reprenons l'exemple de Juliette, Françoise, Nicole et Yvan qui se sont regroupés pour créer une entreprise spécialisée dans l'entretien paysager. *Par exemple, nous pouvons imaginer Juliette en train de se présenter chez un client et lui dire qu'elle et trois autres étudiants se sont regroupés pour créer une entreprise spécialisée dans l'entretien paysager afin de payer leurs études et qu'elle aimerait obtenir un contrat pour tondre la pelouse et couper les arbustes. Dans ce cas, Juliette se trouve à se présenter comme une associée membre d'une société spécialisée dans l'entretien paysager. Par conséquent, la responsabilité de chaque associé est personnelle, illimitée, conjointe et solidaire pour l'exécution des obligations du contrat intervenu entre Juliette et le client.*

Par contre, si Juliette n'informe pas le client qu'elle travaille pour une société, le client est en droit de croire qu'il ne fait affaire qu'avec Juliette et par conséquent la responsabilité de Juliette est personnelle et illimitée envers ce client, mais elle n'engage pas la responsabilité des autres associés qui sont donc exempts de toute responsabilité advenant une poursuite que peut intenter le client contre Juliette pour défaut d'exécution des obligations découlant du contrat.

2254 C.c.Q.   *Les associés ne sont pas tenus solidairement des dettes contractées dans l'exercice de leur activité, à moins que celles-ci n'aient été contractées pour le service ou l'exploitation d'une entreprise commune; ils sont tenus envers le créancier, chacun pour une part égale, encore que leurs parts dans la société soient inégales.*

Par exemple, si Juliette se présente chez Canadian Tire pour acheter une tondeuse, Juliette est la seule personne responsable de cette dette. Toutefois, si Juliette a acheté cette tondeuse pour son entreprise spécialisée dans l'entretien paysager, il s'agit alors d'une situation où la responsabilité des associés est personnelle, illimitée, conjointe et solidaire.

Ainsi, chaque fois qu'un associé se procure des biens ou des services pour permettre à la société d'utiliser ces mêmes biens et services dans le cadre de ses activités ou de l'exploitation de son entreprise, il entraîne automatiquement la responsabilité personnelle, illimitée, conjointe et solidaire des autres associés.

2255 C.c.Q.   *Toute stipulation qui limite l'étendue de l'obligation des associés envers les tiers est inopposable à ces derniers.*

Tout comme pour la société en nom collectif, les ententes prévues dans le contrat de société lient les associés entre eux, mais elles ne sont pas opposables aux tiers. En effet, comme les tiers n'ont aucune connaissance du contenu du contrat de société qui est un document privé, il est impossible pour un tiers de connaître l'étendue ou les restrictions des pouvoirs de l'associé avec qui il transige. Par conséquent, lorsqu'un associé signe un contrat au nom de la société, il lie la société et cette dernière doit exécuter les obligations qui découlent de ce contrat.

| 15.7.6 | ## LA DISSOLUTION ET LA LIQUIDATION DE LA SOCIÉTÉ EN PARTICIPATION |

2258 C.c.Q.

Le contrat de société (en participation), outre sa résiliation du consentement de tous les associés, prend fin par l'arrivée du terme ou l'avènement de la condition apposée au contrat, par l'accomplissement de l'objet du contrat ou par l'impossibilité d'accomplir cet objet.

Il prend fin aussi par le décès ou la faillite de l'un des associés, par l'ouverture à son égard d'un régime de protection ou par un jugement ordonnant la saisie de sa part.

2261 C.c.Q.

Le contrat de société (en participation) peut être résilié pour une cause légitime, notamment si l'un des associés manque à ses obligations ou nuit à l'exercice de l'activité des associés.

Le contrat de société en participation se termine pour les mêmes raisons qu'un contrat de société en nom collectif et la liquidation se fait de la même manière (voir la section 15.5.7, La dissolution et la liquidation de la société en nom collectif). Par contre, il existe quatre causes supplémentaires de dissolution :

- le décès ou la faillite de l'un des associés ;
- l'ouverture d'un régime de protection à l'égard d'un associé ;
- un jugement ordonnant la saisie de la part d'un associé ;
- la résiliation du contrat pour une cause légitime, tel le fait pour un associé de manquer à ses obligations envers la société ou de nuire à l'exploitation de l'entreprise de la société.

| 15.8 | # L'ASSOCIATION |

L'**association** est décrite aux articles 2267 à 2279 du *Code civil*. Sa principale caractéristique résulte du fait qu'elle est une forme juridique d'entreprise utilisée par des personnes qui conviennent de poursuivre un but commun autre que la réalisation de bénéfices pécuniaires à partager entre les membres de l'association. Ainsi, il est possible d'imaginer une confrérie de dégustateurs de vin, un club de l'âge d'or, un club littéraire, bref un regroupement de personnes qui se sont donné un but et quelques règles, écrites ou verbales.

| 15.8.1 | ## UNE DÉFINITION DE L'ASSOCIATION |

2186 C.c.Q.

[...] Le contrat d'association est celui par lequel les parties conviennent de poursuivre un but commun autre que la réalisation de bénéfices pécuniaires à partager entre les membres de l'association.

Trois éléments sont essentiels pour constituer une association :

- c'est un contrat ;
- pour exercer une activité ;
- mais sans but lucratif.

L'**association** n'est pas réellement une forme juridique pour se lancer en affaires et faire des profits, mais, en la définissant dans le *Code civil*, le législateur a voulu encadrer certaines activités humaines. Ainsi, il est possible d'imaginer une association des partisans du Canadien de Montréal, un club des retraités de la fonction publique, un cercle culinaire, un comité d'étudiants pour l'organisation d'un voyage en Europe, bref un regroupement de personnes qui se sont donné un but et quelques règles écrites ou verbales.

2187 C.c.Q.

[...] L'association est formée dès la conclusion du contrat, si une autre époque n'y est indiquée.

Dès que les membres s'entendent sur les modalités d'un contrat d'association, cette dernière existe juridiquement à moins que le contrat ne contienne une disposition prévoyant une date de début des activités de l'association.

2267 C.c.Q.

Le contrat constitutif de l'association est écrit ou verbal. Il peut aussi résulter de faits manifestes qui indiquent l'intention de s'associer.

Comme le contrat constitutif de l'association peut être écrit ou verbal, tout comme il peut même résulter de faits qui démontrent que différentes personnes ont le désir de s'associer d'une certaine manière pour exploiter une entreprise sans but lucratif, le législateur a prévu une formulation très large et peu formaliste pour encadrer toutes les activités faites par plusieurs personnes qui désirent exploiter une entreprise sans but lucratif sans recourir au cadre de la personne morale que constitue la corporation.

Par exemple, si un certain nombre d'étudiants forment un comité pour organiser le bal de fin d'année, ce comité sera considéré comme une association au sens du Code civil. *De même, si des parents décident de créer une équipe de base-ball avec leurs enfants et, à cette fin, mettre en branle des activités de financement, de vente de macarons, d'achat en groupe d'équipement, etc., nous sommes en présence d'une association.*

Il est à noter que si le contrat d'association est verbal, comme la loi le permet, il sera très difficile de faire la preuve devant un tribunal des obligations des membres si ces derniers se contredisent devant le tribunal. Dans bien des cas, le juge devra conclure à l'absence de convention précise et s'en référer aux règles du *Code civil* qui s'appliquent à défaut de convention particulière.

15.8.2 LE NOM DE L'ASSOCIATION

Compte tenu que certaines associations existent plus ou moins, parfois sans cadre très précis, le législateur n'oblige pas l'association a posséder et à utiliser un nom qui lui est propre et qui la distingue des membres. Si les membres décident d'utiliser un nom distinct, ce nom peut être composé d'un ou de plusieurs noms de membres comme il peut être tout simplement un nom d'emprunt. Voici des exemples de noms acceptables pour une association :

- Cercle littéraire de Québec
- Fondation Micheline Montreuil
- Œuvres du Cardinal Maurice Roy
- Association des dégustateurs de vin
- Ligue des citoyens de Saint-Sacrement
- Regroupement des parents d'handicapés
- Club des partisans du Canadien de Montréal
- Comité de défense des droits des payeurs de taxes
- Organisation pour la promotion de l'équité fiscale
- Comité de bal des finissants de techniques administratives

| 15.8.3 | ## LA DÉCLARATION D'IMMATRICULATION |

Le législateur n'a pas imposé à l'association l'obligation de déposer une déclaration d'immatriculation, ce qui la rend invisible aux tiers. En effet, les tiers ne trouveront aucune déclaration d'immatriculation s'ils se présentent au greffe de la Cour supérieure ou au bureau de l'inspecteur général des institutions financières. Cependant, rien n'empêche une association de déposer une déclaration d'immatriculation afin de protéger l'usage du nom qu'elle a choisi. Dans ce cas, l'association doit également déposer une déclaration annuelle et, si survient un changement qui modifie les renseignements contenus dans la déclaration d'immatriculation ou dans la déclaration annuelle, l'association doit déposer une déclaration modificative. Enfin, lorsque les membres décideront de dissoudre l'association, cette dernière devra produire une déclaration de radiation. Elle utilisera alors les mêmes formulaires que ceux utilisés par la société en nom collectif.

| 15.8.4 | ## LES RAPPORTS DES MEMBRES ENTRE EUX |

2268 C.c.Q.

Le contrat d'association régit l'objet, le fonctionnement, la gestion et les autres modalités de l'association.

Il est présumé permettre l'admission de membres autres que les membres fondateurs.

Comme le but du contrat d'association est de régir le fonctionnement, la gestion et les autres modalités de l'association, il est important que ce contrat soit bien rédigé et qu'il énonce clairement l'objet et les objectifs de l'association ainsi que les droits et les obligations des membres pour éviter toute mésentente possible. Le législateur prévoit également que d'autres membres peuvent se joindre à l'association à moins d'une stipulation à l'effet contraire dans le contrat d'association.

2269 C.c.Q.

En l'absence de règles particulières dans le contrat d'association, les administrateurs de l'association sont choisis parmi ses membres, et les membres fondateurs sont, de plein droit, les administrateurs jusqu'à ce qu'ils soient remplacés.

Le législateur a donc prévu que les administrateurs sont choisis parmi les membres de l'association et que les membres fondateurs en sont les premiers administrateurs. Il va de soi que les personnes qui ont formé cette association en assument la direction jusqu'au moment où les membres nommeront de nouveaux administrateurs lors d'une assemblée des membres. De plus, les membres fondateurs peuvent prévoir dans le contrat d'association que telle personne sera la représentante officielle de l'association. Ils peuvent même prévoir la participation d'une ou de deux personnes qui ne sont pas membres de l'association à titre d'administrateur de l'association.

2270 C.c.Q.

Les administrateurs agissent à titre de mandataire des membres de l'association.

Ils n'ont pas d'autres pouvoirs que ceux qui leur sont conférés par le contrat d'association ou par la loi, ou qui découlent de leur mandat.

Un administrateur doit prendre des décisions qui sont conformes au contrat d'association ou aux décisions prises par les membres. Les règles générales sur le mandat s'appliquent à chaque administrateur (voir la section 13.5, Le mandat).

2271 C.c.Q.

Les administrateurs peuvent ester en justice pour faire valoir les droits et les intérêts de l'association.

Ce n'est pas l'association mais les administrateurs qui peuvent poursuivre au nom de l'association ou défendre celle-ci devant un tribunal lorsque les intérêts de l'association sont mis en cause.

2272 C.c.Q.

Tout membre a le droit de participer aux décisions collectives et le contrat d'association ne peut empêcher l'exercice de ce droit.

Ces décisions, y compris celles qui ont trait à la modification du contrat d'association, se prennent à la majorité des voix des membres, sauf stipulation contraire dudit contrat.

Une fois l'association créée, tous les membres ont le droit de participer aux réunions et de voter sur toute décision soumise au vote des membres. Si ces derniers ne parviennent pas à faire l'unanimité sur certaines décisions ou sur des changements à apporter au contrat d'association, le *Code civil* prévoit que les décisions sont prises à la majorité des voix des membres, ce qui évite les impasses à moins que le contrat d'association ne contienne une disposition qui prévoit une majorité qualifiée tels les deux tiers ou les trois quarts des membres. Si une impasse se produit à la suite de la présence d'une disposition de majorité qualifiée, certains membres n'auront pas d'autre choix que de quitter l'association pour permettre à une majorité d'apparaître ou de s'adresser au tribunal pour dénouer l'impasse.

2273 C.c.Q.

Tout membre, même s'il est exclu de la gestion, et malgré toute stipulation contraire, a le droit de se renseigner sur l'état des affaires de l'association et de consulter les livres et registres de celle-ci.

Il est tenu d'exercer ce droit de manière à ne pas entraver indûment les activités de l'association ou à ne pas empêcher les autres membres d'exercer ce même droit.

Un membre d'une association a toujours le droit de s'informer sur le fonctionnement interne et sur la gestion de son association et, à cette fin, il peut consulter les livres et registres de l'association. Cependant, il ne doit pas exercer ce droit de manière à entraver le fonctionnement de l'association. *Par exemple, si un membre désire consulter chaque jour le registre des membres et des administrateurs ainsi que les registres comptables de l'association, il semble évident qu'il y a une forme d'abus.*

15.8.5   LA RESPONSABILITÉ DES ADMINISTRATEURS ET DES MEMBRES

2274 C.c.Q.

En cas d'insuffisance des biens de l'association, les administrateurs et tout membre qui administre de fait les affaires de l'association, sont solidairement ou conjointement tenus des obligations de l'association qui résultent des décisions auxquelles ils ont souscrit pendant leur administration, selon que ces obligations ont été, ou non, contractées pour le service ou l'exploitation d'une entreprise de l'association.

Toutefois, les biens de chacune de ces personnes ne sont affectés au paiement des créanciers de l'association qu'après paiement de leurs propres créanciers.

La **responsabilité des administrateurs est solidaire ou conjointe**, selon que les obligations contractées par l'association ont été ou non contractées pour le service ou l'exploitation d'une entreprise de l'association. *Par exemple, si une association loue une salle dans un hôtel pour y tenir une réunion, il s'agit sûrement d'une dépense engagée pour le service de l'association et, par conséquent, il s'agit d'un cas où la responsabilité des administrateurs est solidaire. Si l'association n'a plus assez d'argent pour payer le coût de location de cette salle, les administrateurs doivent en payer le coût de location à même leurs biens personnels. Dans un tel cas, ils doivent cependant rembourser d'abord leurs propres créanciers personnels et, s'il leur reste de l'argent, payer les dettes de l'association.*

Par contre, si Jérôme, un administrateur de l'association, loue une salle au nom de l'association mais pour y tenir une soirée de mariage pour sa fille, il va de soi qu'il s'agit d'une obligation personnelle et conjointe, c'est-à-dire d'une obligation qui n'est due que par Jérôme, car cette obligation n'a pas été contractée pour l'exploitation d'une entreprise de l'association. Si l'association ou Jérôme ne paie pas cette dette et que l'hôtel les poursuit, l'association peut faire valoir qu'il ne s'agit pas d'une obligation engagée dans le cours de ses activités. Cependant, elle risque de devoir payer cette somme et elle devra se faire rembourser par Jérôme.

2275 C.c.Q.

Le membre qui n'a pas administré l'association n'est tenu des dettes de celle-ci qu'à concurrence de la contribution promise et des cotisations échues.

Par ailleurs, la **responsabilité des membres est limitée** jusqu'à concurrence de la contribution promise et des cotisations échues, c'est-à-dire des sommes que chaque membre avait promis de verser régulièrement, comme une cotisation mensuelle. *Par exemple, si Lucie s'est engagée à donner une contribution de 100 $ et à verser une cotisation mensuelle de 10 $, qu'elle a effectivement donné cette contribution et versé toutes les cotisations mensuelles jusqu'à ce jour, elle ne peut* *pas être tenue au paiement d'une somme supplémentaire, car elle n'est qu'un membre de l'association sans aucun pouvoir de gestion ou de décision et que la loi prévoit que la responsabilité d'un membre est limitée au montant de la contribution promise et des cotisations échues.*

2276 C.c.Q.　　*Un membre peut, malgré toute stipulation contraire, se retirer de l'association, même constituée pour une durée déterminée; le cas échéant, il est tenu au paiement de la contribution promise et des cotisations échues.*

Il peut être exclu de l'association par une décision des membres.

Par exemple, si Lucie décide de quitter l'association, elle en a parfaitement le droit et comme elle a effectivement donné la contribution de 100 $ qu'elle s'était enga-gée à donner et qu'elle a versé toutes les cotisations mensuelles jusqu'à ce jour, elle n'est pas tenue d'ajouter la moindre somme. Par contre, si Gérard est un membre qui n'a pas donné sa contribution ni versé ses cotisations mensuelles, l'association peut l'exclure.

| 15.8.6 | ## LA DISSOLUTION ET LA LIQUIDATION DE L'ASSOCIATION |

2277 C.c.Q.　　*Le contrat d'association prend fin par l'arrivée du terme ou l'avènement de la condition apposée au contrat, par l'accomplissement de l'objet du contrat ou par l'impossibilité d'accomplir cet objet.*

En outre, il prend fin par une décision des membres.

Le plus souvent, l'association prend fin lorsque les membres décident de mettre fin à leur association.

2278 C.c.Q.　　*Lorsque le contrat prend fin, l'association est liquidée par une personne nommée par les administrateurs ou, à défaut, par le tribunal.*

Dans ce cas, les administrateurs doivent nommer un liquidateur qui liquidera tous les biens de l'association pour ensuite distribuer les sommes d'argent entre les membres sous réserve de l'exception suivante :

2279 C.c.Q.　　*Après le paiement des dettes, les biens qui restent sont dévolus conformément aux règles du contrat d'association ou, en l'absence de règles particulières, partagés entre les membres, en parts égales.*

Toutefois, les biens qui proviennent des contributions de tiers sont, malgré toute stipula-tion contraire, dévolus à une association, à une personne morale ou à une fiducie parta-geant des objectifs semblables à l'association; si les biens ne peuvent être ainsi employés, ils sont dévolus à l'État et administrés par le curateur public comme des biens sans maître ou, s'ils sont de peu d'importance, partagés également entre les membres.

Par exemple, si Apple Canada ltée a donné deux ordinateurs à l'Association pour la lutte contre l'alcoolisme à titre de contribution pour l'encourager dans la lutte contre l'alcoolisme et que les administrateurs de cette association décident de la dissoudre, ces deux ordinateurs doivent être remis à une autre association luttant contre l'alcoo-lisme ou œuvrant ou dans un domaine similaire comme la lutte contre le tabagisme. Si le liquidateur n'est pas en mesure d'identifier un organisme défendant une cause similaire, il doit remettre ces deux ordinateurs au curateur public qui les utilisera selon son bon plaisir. Ainsi, les membres ne peuvent pas s'enrichir en profitant des contributions des tiers.

| 15.9 | # QUELQUES COMMENTAIRES SUR LA SOCIÉTÉ |

| 15.9.1 | ## LA SOCIÉTÉ EN NOM COLLECTIF ET LA COMPAGNIE |

Les sociétés en nom collectif sont assez nombreuses au Québec. Cependant, leur utilisation est plutôt restreinte. En effet, bon nombre de gens d'affaires préfèrent la responsabilité limitée de la compagnie à la responsabilité personnelle, illimitée, conjointe et solidaire qui affecte les associés d'une société en nom collectif.

De plus, comme l'arrivée, le départ ou le décès d'un associé oblige les associés restants à rédiger un nouveau contrat de société ou à le modifier, cela démontre que la compagnie est une forme juridique plus stable que la société. *Par exemple, si Jean vend les actions qu'il détient dans Gestion Socabli inc., le nouvel actionnaire prend la place de Jean. Par contre, si Jean décède, sa succession prend sa place.*

En outre, il faut souligner qu'une **part sociale dans une société** ne constitue pas une part indivise des biens de la société, mais uniquement un droit de participation qui permet d'administrer la société, de partager les profits, d'exiger des comptes et de partager le surplus net de la société en cas de dissolution. Cette part dans la société n'est pas cessible à un tiers sans le consentement des autres associés, car ce tiers n'est pas partie au contrat original.

Enfin, un autre élément joue en faveur de la compagnie de préférence à la société : les actions d'une compagnie sont plus faciles à transférer que les parts sociales d'une société.

15.9.2 LA RESPONSABILITÉ DES ASSOCIÉS EN SOCIÉTÉ

Dans une société en nom collectif ou en commandite, la responsabilité d'un associé ou d'un commandité est toujours personnelle, conjointe, solidaire et illimitée lorsqu'un associé contracte au nom de la société ou même en son propre nom si cet engagement s'inscrit dans le cadre des activités de la société. Cependant, la responsabilité d'un commanditaire est limitée à son apport ou à sa mise de fonds. Un commanditaire ne peut donc pas perdre plus que la somme qu'il a investie dans la société.

D'autre part, dans une société en participation, la responsabilité d'un associé est personnelle et illimitée, car il contracte en son nom personnel et les autres associés ne sont pas responsables de ses dettes. Par contre, sa responsabilité sera personnelle, conjointe, solidaire et illimitée si un associé agit en qualité d'associé à la connaissance des tiers ou que l'associé a contracté pour le service ou l'exploitation d'une entreprise commune.

Par exemple, Albert, Bernard, Caroline et Danielle ont formé une société en nom collectif qui a accumulé une perte de 400 000 $. Par conséquent, chaque associé doit supporter une perte de 400 000 $, et si Albert paie ce 400 000 $, il libère les autres associés. S'il n'y a aucune stipulation dans le contrat de société concernant la répartition des pertes, Albert peut poursuivre ses coassociés pour leur réclamer chacun une somme de 100 000 $. Cependant, si une clause du contrat de société prévoit une répartition des pertes autre qu'à parts égales, Albert doit se conformer à cette clause. De plus, si tous les autres associés ont fait une faillite personnelle, Albert sera seul à assumer le paiement de 400 000 $.

Par contre, si les quatre associés avaient formé une société en participation, Albert aurait également eu à payer 400 000 $, car les associés ne peuvent limiter l'étendue de leur obligation vis-à-vis des tiers. Afin de diminuer sa part dans cette dette de 400 000 $, Albert peut toujours essayer de prouver devant un tribunal que certaines dettes n'ont pas été contractées pour le service ou l'exploitation d'une entreprise commune, mais si Albert échoue dans ce genre de preuve qui est souvent difficile à faire, la responsabilité d'Albert risque fort d'être personnelle, conjointe, solidaire et illimitée.

De plus, il faut se rappeler que la répartition des pertes entre les associés ne vaut qu'entre eux et n'a aucune valeur à l'égard des tiers ou des créanciers.

Enfin, la faillite d'une société en nom collectif ou d'une société en commandite entraîne automatiquement la faillite des associés, puisqu'une telle faillite signifie que les associés n'ont pas suffisamment de fonds pour renflouer la société, tandis que la faillite d'une société en participation n'entraîne pas automatiquement la faillite des associés, car ils ne sont pas toujours engagés solidairement. Cependant, il y a fort à parier que la faillite d'une société en participation entraînera également la faillite des associés, car ces derniers sont généralement responsables solidairement des dettes de la société.

RÉSUMÉ

L'exploitation d'une entreprise est définie comme étant l'exercice, par une ou plusieurs personnes, d'une activité économique organisée, qu'elle soit ou non à caractère commercial, consistant dans la production ou la réalisation de biens, leur administration ou leur aliénation, ou dans la prestation de services.

L'entreprise individuelle, la société en nom collectif, la société en commandite, la société en participation et l'association sont les différentes formes juridiques qui existent pour une entreprise qui n'est pas constituée en personne morale.

L'entreprise individuelle constitue la forme juridique d'entreprise la plus simple pour une personne seule. Cette personne encaisse tous les profits mais subit aussi toutes les pertes de son entreprise. De plus, la responsabilité du propriétaire est illimitée.

La société en nom collectif est la forme juridique d'entreprise utilisée par les gens d'affaires lorsqu'ils ne veulent pas constituer une compagnie. De plus, tous les associés sont conjointement et solidairement responsables des dettes contractées pour la société.

La société en commandite est la forme juridique d'entreprise utilisée principalement pour réaliser un projet précis, pour bénéficier de crédits d'impôt ou pour profiter d'un régime fiscal attrayant. De plus, la société en commandite est également utilisée dans le cas où le commanditaire désire limiter sa responsabilité à sa mise de fonds.

La société en participation est la forme juridique d'entreprise utilisée lorsque deux ou trois personnes achètent un immeuble en copropriété indivise, ainsi que pour régir les ententes monétaires entre deux concubins ou pour régir toute entente avec une autre personne visant l'exercice d'une certaine activité commerciale sans existence formelle.

L'association est la forme juridique d'entreprise utilisée principalement par un regroupement de personnes qui conviennent de poursuivre un but commun autre que la réalisation de bénéfices pécuniaires à partager entre les membres de l'association.

La compagnie, la corporation et la coopérative sont les différentes formes juridiques qui existent pour une entreprise constituée en personne morale.

La compagnie est la forme juridique normale pour une personne morale qui exploite une entreprise dans le but de réaliser des profits ; c'est aussi une des formes juridiques les plus courantes.

La corporation, appelée aussi une association personnifiée, désigne une personne morale qui exploite une entreprise sans but lucratif.

La coopérative ne constitue pas la forme juridique appropriée pour se lancer en affaires, et ce, pour deux raisons principales. Premièrement, une coopérative est un groupement dont l'objet n'est pas de faire du profit, mais de rendre un service à ses membres. Deuxièmement, une coopérative requiert, en général, la présence d'au moins 12 personnes.

Toute entreprise doit s'inscrire auprès des ministères provincial et fédéral du Revenu pour obtenir un numéro de taxe de vente, un numéro d'employeur et un numéro de déduction. Elle doit aussi s'inscrire auprès de la Commission des normes du travail, de la Commission de la santé et de la sécurité du travail et de la Commission d'emploi et d'immigration du Canada.

Pour choisir la forme juridique appropriée pour une entreprise, il faut tenir compte des quatre critères suivants : la responsabilité à l'égard des dettes, le risque de faillite, l'aspect économique et l'aspect fiscal.

La personne seule a le choix entre les formes juridiques de l'entreprise individuelle et de la compagnie.

Un groupe de personnes peut choisir entre les formes juridiques de la société en nom collectif, la société en commandite, la société en participation, l'association, la compagnie, la corporation ou la coopérative.

Toute entreprise assujettie à la *Loi sur la publicité légale des entreprises individuelles, des sociétés et des personnes morales* doit produire une déclaration d'immatriculation et une déclaration annuelle et, s'il y a lieu, elle doit également produire une déclaration modificative et une déclaration de radiation.

Le nom d'une entreprise indique généralement la forme juridique de l'entreprise.

La déclaration d'immatriculation est un document que doit déposer toute personne qui est assujettie à l'obligation d'immatriculation et qui permet à l'inspecteur général et à toute personne de disposer d'un certain nombre de renseignements concernant l'assujetti.

L'inspecteur général peut radier d'office l'immatriculation de l'assujetti qui est en défaut de déposer deux déclarations annuelles consécutives.

Toute personne peut consulter le registre des entreprises individuelles, des sociétés et des personnes morales qui regroupe les noms utilisés par toutes les personnes physiques, les sociétés et les personnes morales qui exploitent une entreprise au Québec et qui sont soumises à l'obligation d'immatriculation ou qui se sont immatriculées volontairement.

Toute personne qui exploite une entreprise individuelle doit produire au greffe de la Cour supérieure une déclaration d'immatriculation, sauf si elle exploite cette entreprise sous son nom de famille et son prénom.

Cette déclaration contient le nom et l'adresse de l'assujetti, le nom et l'adresse de l'établissement, la nature des activités, le nombre d'employés, les noms et marques de commerce utilisés, et les adresses de ses autres établissements, s'il y a lieu.

L'assujetti doit produire une déclaration de radiation lorsqu'il vend son entreprise ou qu'il en cesse les activités, de manière à limiter sa responsabilité à l'égard des dettes de l'entreprise à la date de la vente ou de la fermeture de son entreprise.

La société en nom collectif est une entité créée par un contrat intervenu entre plusieurs personnes qui y contribuent chacune en y apportant de l'argent, des biens, son crédit, son habileté ou son industrie dans des proportions qui peuvent varier d'une personne à l'autre, le tout dans un but commun.

Tous les associés sont sur le même pied et participent aux profits, mais ils doivent assumer les pertes. Cependant, les associés peuvent choisir d'exclure un ou plusieurs d'entre eux de la participation aux pertes, mais cette exclusion n'est pas opposable aux tiers.

Les ententes prévues dans le contrat de société lient les associés entre eux, mais elles ne sont pas opposables aux tiers.

La responsabilité personnelle, illimitée, conjointe et solidaire qui affecte les associés d'une société en nom collectif peut entraîner leur faillite personnelle.

La société en commandite est une forme de société qui a pour objet d'exercer une activité, incluant celle d'exploiter une entreprise. Cependant, tous les associés n'y sont pas sur le même pied, puisqu'il en existe deux catégories : les associés commandités et les associés commanditaires.

Les associés commandités, ou gérants, sont ceux qui gèrent les activités de la société. Ils ont exactement les mêmes droits, les mêmes pouvoirs et les mêmes obligations que les associés d'une société en nom collectif.

Les associés commanditaires fournissent des fonds à la société, mais ils ne participent pas à sa gestion courante ; leur responsabilité est limitée à leur mise de fonds.

La société en participation est une forme de société qui a pour objet d'exercer une activité, incluant celle d'exploiter une entreprise. Les associés y sont tous sur le même pied, mais le formalisme juridique est réduit au minimum. De plus, chaque associé demeure propriétaire des biens constituant l'apport qu'il a fait.

L'association est un regroupement de personnes qui poursuivent un but commun autre que la réalisation de bénéfices pécuniaires à partager entre les membres de l'association.

La responsabilité des administrateurs d'une association est solidaire ou conjointe, selon que les obligations contractées par l'association ont été ou non contractées pour le service ou l'exploitation d'une entreprise de l'association. En général, cette responsabilité est solidaire.

La **responsabilité des membres d'une association est limitée** jusqu'à concurrence de la contribution promise et des cotisations échues.

QUESTIONS

15.1   Quelles sont les cinq formes juridiques qui existent pour une entreprise qui n'est pas une personne morale ?

15.2   Quelles sont les trois grandes formes juridiques qui existent pour une entreprise constituée en personne morale ?

15.3   Quels sont les autres vocables utilisés pour désigner une compagnie ?

15.4   Quels sont les six principaux ministères et organismes à qui toute entreprise doit remettre des rapports et des sommes d'argent ?

15.5   Quels sont les quatre critères qu'il faut considérer avant de choisir une forme juridique pour une entreprise ?

15.6   Existe-t-il une forme juridique idéale pour une entreprise ? Justifiez votre réponse.

15.7   Quelles sont les entreprises assujetties à l'obligation d'immatriculation ?

15.8   Nommez les quatre types de déclaration qu'une entreprise peut devoir produire en vertu de la *Loi sur la publicité légale des entreprises individuelles, des sociétés et des personnes morales* ?

15.9   Quels sont les critères qu'un assujetti doit respecter dans le choix du nom de son entreprise ?

15.10 À quoi sert une déclaration d'immatriculation ?

15.11 Qu'est-ce que le registre des entreprises individuelles, des sociétés et des personnes morales ?

15.12 À quoi sert une déclaration annuelle ?

15.13 À quoi sert une déclaration modificative ?

15.14 À quoi sert une déclaration de radiation ?

15.15 Qui peut consulter le registre des entreprises individuelles, des sociétés et des personnes morales ?

15.16 Qu'est-ce que l'entreprise individuelle ?

15.17 Le propriétaire d'une entreprise individuelle est-il toujours obligé de produire une déclaration d'immatriculation ? Justifiez votre réponse.

15.18   Quels sont les renseignements contenus dans une déclaration d'immatriculation d'une personne physique exploitant une entreprise individuelle ?

15.19   Que peut-il se produire si le vendeur d'une entreprise exploitée sous la forme juridique d'une entreprise individuelle omet de déposer une déclaration de radiation ?

15.20   Définissez la société en nom collectif.

15.21   Est-il possible d'exclure un associé d'une société en nom collectif de sa part des bénéfices ?

15.22   Est-il possible d'exclure un associé d'une société en nom collectif de sa part des pertes ?

15.23   Un seul associé parmi cinq autres peut-il lier une société en nom collectif ?

15.24   Quelles sont les principales causes de dissolution d'une société ?

15.25   À quoi sert principalement une société en commandite ?

15.26   Qu'est-ce qui différencie la société en nom collectif de la société en commandite ?

15.27   À quoi sert principalement une société en participation ?

15.28   Qu'est-ce qui différencie la société en nom collectif de la société en participation ?

15.29   Nommez les trois grandes catégories de société et indiquez dans quel cas chacune est utilisée.

15.30   Définissez l'association.

15.31   À quoi sert principalement une association ?

15.32   Quelle est la responsabilité des administrateurs d'une association envers les tiers ?

15.33   Quelle est la responsabilité des membres d'une association envers les tiers ?

CAS PRATIQUES

15.34   Nathalie décide d'acheter l'épicerie du coin de la rue, qui existe depuis déjà 30 ans, afin d'y travailler à plein temps puisqu'elle n'a pas d'autres activités. Après avoir examiné les états financiers, elle constate que l'entreprise a rapporté des profits de 22 000 $, 22 500 $, 23 000 $, 24 000 $ et 24 500 $ au cours des cinq dernières années : elle génère donc un profit régulier et légèrement en hausse au fil des ans. Quelle forme juridique d'entreprise recommandez-vous à Nathalie ? Justifiez votre réponse.

15.35   Caroline décide d'ouvrir un restaurant ougandais à Sherbrooke. D'après les études de marché qu'elle a faites, il y a un bon potentiel pour ce type de restaurant à Sherbrooke. Quelle forme juridique d'entreprise recommandez-vous à Caroline ? Justifiez votre réponse.

15.36   Jocelyn, Élaine et Antoine, trois personnes bien nanties, décident de se porter acquéreurs du restaurant La Fine Gueule dont la santé financière laisse à désirer. Pourquoi hésitent-ils entre les formes juridiques que sont la société et la compagnie ? Justifiez votre réponse.

15.37   Denise, Fernand, Madeleine et Roger décident de former une société pour exploiter une entreprise de construction immobilière. Denise fournit un immeuble pour y installer les bureaux de l'entreprise, Fernand fournit trois camions et une chargeuse, Madeleine apporte son expérience et sa clientèle de courtière en immeubles et Roger apporte ses dix années d'expérience comme contremaître et chef de chantier.

15.37.1   Quelles sont les deux manières de répartir les profits entre les associés ?

15.37.2   Quelle devrait être la méthode privilégiée par ces associés ? Justifiez votre réponse.

15.38 Claude et Isabelle exploitent une entreprise de réparation de plomberie et d'électricité sous le nom de Plombier rapide. Un de leurs employés, Dominique, se rend le vendredi 13 mai 1994 chez Maurice pour y réparer un chauffe-eau au mazout défectueux. Par erreur, Dominique relie les fils du secteur (le courant de 120 volts) aux mauvaises bornes du relais du chauffe-eau, ce qui cause un court-circuit suivi d'une explosion et d'un incendie qui détruit entièrement la maison de Maurice. Maurice n'a pas d'assurance et la perte de sa maison et de son contenu est évaluée à 225 000 $.

Dominique n'a pas le moindre sou ; l'entreprise a une valeur nette de 65 000 $, Claude a une valeur nette de 80 000 $ et Isabelle a une valeur nette de 130 000 $. Maurice décide de poursuivre conjointement et solidairement Dominique, l'entreprise Plombier rapide, Claude et Isabelle pour la somme de 225 000 $.

15.38.1 Devant quel tribunal Maurice déposera-t-il son action ? Justifiez votre réponse.

15.38.2 Pour éviter une condamnation à payer 225 000 $ de dommages, Claude et Isabelle songent à mettre l'entreprise en faillite : le peuvent-ils ? Justifiez votre réponse.

15.38.3 Claude et Isabelle sont-ils responsables personnellement à l'égard de Maurice ? Justifiez votre réponse.

15.38.4 Quelles sont les deux méthodes que Claude et Isabelle auraient pu utiliser pour éviter de payer personnellement ce 225 000 $? Justifiez votre réponse.

15.38.5 Quelle sera la décision du tribunal ? Justifiez votre réponse.

15.39 Marie-Michelle Laverdière décide d'ouvrir un atelier de vente et de réparation de jeux vidéo et d'autres appareils de divertissement électroniques dans son sous-sol. Elle en fera d'ailleurs son unique activité, puisqu'elle sait qu'elle aura assez de travail pour l'occuper 60 heures par semaine. Elle demeure au 605, rue de Tracy, à Québec, G1K 5M6, et elle est mariée sans contrat de mariage avec Gérald Fortier depuis le 21 avril 1983. Comme elle possède assez d'argent pour ouvrir ce commerce et préfère travailler seule, elle a l'intention de ne pas avoir d'associé. Elle pense ouvrir son commerce sous le nom de Vidéojeulectronik. Remplissez la déclaration d'immatriculation qui se trouve à la page suivante.

DOCUMENT

Le document 15.1 est un contrat de société en nom collectif. Il est basé sur la déclaration d'immatriculation de la Brasserie Au Bon Vivant, S.E.N.C., que nous avons vue dans ce chapitre. Il s'agit d'un contrat relativement complet qui détaille les droits et obligations des associés et qui prévoit la plupart des éventualités. Nous y retrouvons, entre autres, des clauses de mises de fonds composées d'argent et de biens, des répartitions inégales de profits, de pertes et d'avoir, des clauses de salaires et des clauses en cas de décès.

Cas pratiques n⁰ 15.39

Gouvernement du Québec
L'Inspecteur général
des institutions financières

DÉCLARATION D'IMMATRICULATION
Personne physique exploitant
une entreprise individuelle

CONSULTER
LE GUIDE

Réservé à l'administration

Matricule									Année	Mois	Jour
Date d'immatriculation			

Section 1 — Identification de l'assujetti

A) NOM ET DOMICILE DE L'ASSUJETTI

B) DOMICILE ÉLU
(adresse de correspondance)

Nom du destinataire

N°   Rue

Inscrire au complet (nom, n°, rue, ville, province, code postal et pays)

Ville

Province   Code postal   Pays

Section 2 — Forme juridique de l'assujetti

☐   Je suis une personne physique qui exploite une entreprise individuelle au Québec

Section 3 — Informations générales

A) NATURE DES ACTIVITÉS – INSCRIRE LES DEUX PRINCIPAUX SECTEURS D'ACTIVITÉS DE L'ASSUJETTI

1ʳᵉ activité   Code d'activité

2ᵉ activité   Code d'activité

B) NOMBRE DE SALARIÉS AU QUÉBEC

Tranche correspondante

Indiquer la tranche correspondant au nombre de salariés au Québec

C) IDENTIFICATION DES ÉTABLISSEMENTS AU QUÉBEC   Pour inscrire les autres établissements, remplir et joindre l'Annexe A

Nom et adresse de l'établissement principal (si différent de la Section 1-A)	Principaux secteurs d'activités de l'établissement
Nom	1ʳᵉ activité
	Code d'activité
N° Rue	2ᵉ activité
Ville	
Province Code postal	Code d'activité

D) INSCRIRE TOUS LES AUTRES NOMS UTILISÉS AU QUÉBEC   Si l'espace est insuffisant, remplir et joindre l'Annexe B

Premier nom	Deuxième nom

Section 4 — Entreprise étrangère

Si l'assujetti n'a ni domicile ni établissement au Québec, inscrire les nom et adresse d'un fondé de pouvoir qui réside au Québec.
Nom

N°   Rue   Ville   Province   Code postal

Section 5 — Administrateur du bien d'autrui

Si l'assujetti est représenté par une personne chargée d'administrer l'ensemble de ses biens, inscrire les nom, adresse et qualité de cette personne.

Code de l'administrateur	**CU** Curateur	**FI** Fiduciaire	**SE** Séquestre	**TU** Tuteur	**AU** Autre (détailler) :
	LS Liquidateur de succession	**LI** Liquidateur	**SY** Syndic		
Code	Nom
N°   Rue   Ville   Province   Code postal   Pays

Section 6 — Certification

Je _____ , domicilié au
Nom

_____
N°, rue, ville, province, code postal et pays

atteste que je suis l'assujetti ou la personne autorisée par l'assujetti, que j'ai pris connaissance de la présente déclaration, que les renseignements déclarés sont vrais et que les droits prescrits accompagnent la présente déclaration.

Et j'ai signé: _____ , ce _____
Signature   Date (année, mois, jour)

K-531-93

| Document 15.1 | # CONTRAT DE SOCIÉTÉ EN NOM COLLECTIF |

Contrat de société en nom collectif intervenu entre

Isabelle de la Chevrotière, chef cuisinière, résidante et domiciliée au 82, rue des Cascades, à Beauport, G1E 2K9, district de Québec,

Jacques Rochon, serveur, résidant et domicilié au 399, avenue Morse, à Sainte-Foy, G1N 4M3, district de Québec, et

Geneviève Deschâtelets, ingénieure, résidante et domiciliée au 1271, avenue Sarah, à Sillery, G1S 3Y8, district de Québec,

ci-après appelés les associés

lesquels, désirant former une société en nom collectif, font les conventions suivantes, à savoir :

1. Il y a entre les associés une société en nom collectif pour exploiter un commerce de restauration de type brasserie.

2. Cette société est connue sous le nom d'emprunt de **Brasserie Au Bon Vivant, S.E.N.C.**

3. Cette société a une durée de cinq ans à partir du 15 mars 1996.

    Elle ne peut être dissoute avant cette époque, sauf à la demande écrite d'un associé, signifiée aux deux autres au moins trois mois à l'avance et acceptée à l'unanimité.

    De plus, à l'expiration du terme ci-dessus fixé, ladite société se continue pour une période additionnelle de cinq ans, à moins qu'un associé ait signifié aux autres, au moins trois mois avant la fin dudit terme, un avis de son intention de ne pas renouveler ladite société.

4. Le siège de la société est situé au 298, rue de la Couronne, à Québec, G1K 6E3 et ne peut être changé que du consentement des associés.

5. Le capital social est fixé à la somme de deux cent mille dollars et est composé comme suit :

    5.1 de la somme de 40 000 $ comptant fournie par **Isabelle de la Chevrotière**,

    5.2 de la somme de 60 000 $ comptant fournie par **Jacques Rochon**, et

    5.3 de la somme de 100 000 $ fournie par **Geneviève Deschâtelets** au moyen d'un immeuble situé au 298, rue de la Couronne, à Québec, connu et désigné comme étant le lot 37-543 du cadastre officiel de la Paroisse de Saint-Roch Nord, circonscription foncière de Québec. Pour les fins du présent contrat, l'immeuble est évalué à 400 000 $, somme de laquelle doit être déduite une hypothèque de premier rang de 300 000 $ en faveur de la Banque Nationale du Canada, du 1385, chemin Sainte-Foy, à Québec, G1S 2N2, laquelle hypothèque est, par les présentes, assumée par la société.

    Geneviève Deschâtelets s'engage à signer tous les actes de cession nécessaires pour permettre la transmission dudit immeuble à la société.

6. Les apports de chaque associé ne portent aucun intérêt.

7. L'administration des affaires de la société est faite par les associés indifféremment et chacun peut faire seul usage de la signature sociale, mais seulement pour les affaires de la société et cette signature n'oblige la société que lorsqu'elle a pour objet des affaires la concernant.

8. L'exercice financier de la société se termine le dernier jour de février de chaque année.

9. Les livres sont tenus, suivant les principes comptables généralement reconnus, par **Geneviève Deschâtelets,** et les autres associés peuvent vérifier les livres en tout temps.

10. Les états financiers sont préparés par **Geneviève Deschâtelets**.

11. Les bénéfices sont en totalité ou en partie laissés dans la société ou en sont retirés, suivant le désir commun des associés, soixante (60) jours après la fin de l'exercice financier.

| Document 15.1 | **CONTRAT DE SOCIÉTÉ EN NOM COLLECTIF (suite)** |

12. **Isabelle de la Chevrotière** et **Jacques Rochon** doivent consacrer tout leur temps aux affaires de la société, mais **Geneviève Deschâtelets** n'est pas tenue de faire de même.

13. Durant le cours de la société, **Isabelle de la Chevrotière** a droit à un salaire hebdomadaire de mille cent vingt cinq (1 125) dollars pour une semaine de travail de soixante (60) heures, **Jacques Rochon** a droit à un salaire hebdomadaire de sept cent cinquante (750) dollars pour une semaine de travail de cinquante (50) heures et **Geneviève Deschâtelets** a droit à un salaire hebdomadaire de deux cents (200) dollars pour la tenue des livres comptables. Le paiement de ces salaires est considéré comme une dépense de la société.

14. Les salaires des employés, et généralement toutes les dépenses relatives au commerce, sont à la charge de la société.

15. La société doit contracter une assurance-vie de 200 000 $ sur la vie de chacun des associés, dont l'indemnité de 200 000 $ est payable à la société pour assurer le rachat de la part d'un associé décédé.

16. Aucun associé ne peut céder ses droits dans la présente société sans le consentement unanime des autres associés.

17. Si un associé quitte la société et que cette dernière continue ses activités, l'associé qui quitte ne peut travailler ou participer, directement ou indirectement, dans un commerce similaire durant une période de trois ans et dans un rayon de vingt-cinq (25) kilomètres du siège de la société.

18. Si un associé enfreint la clause de non-concurrence prévue à l'article précédent, il doit payer à la société une somme de 25 000 $ à titre de dommages-intérêts.

19. Les bénéfices sont partagés de la manière suivante :

    - trente (30) pour cent pour **Isabelle de la Chevrotière**,

    - quarante-cinq (45) pour cent pour **Jacques Rochon**, et

    - vingt-cinq (25) pour cent pour **Geneviève Deschâtelets**.

20. Les pertes sont supportées de la manière suivante :

    - quarante (40) pour cent pour **Isabelle de la Chevrotière**,

    - soixante (60) pour cent pour **Jacques Rochon**, et

    - **Geneviève Deschâtelets** est exclue des pertes.

21. Un associé ne peut prélever, par imputation sur sa part des bénéfices de la société, la moindre somme.

22. Dans tous les cas de dissolution ou de partage ci-après prévus, le capital social est partagé entre les associés en proportion de leur apport respectif, soit :

    - vingt (20) pour cent pour **Isabelle de la Chevrotière**,

    - trente (30) pour cent pour **Jacques Rochon**, et

    - cinquante (50) pour cent pour **Geneviève Deschâtelets**.

23. Dans le cas de dissolution de la société, soit du consentement des associés, soit par l'expiration du terme fixé pour sa durée, la liquidation et le partage en sont faits à l'amiable par les associés suivant les usages du commerce, et les opérations de la liquidation et du partage doivent être terminées dans un délai de quatre-vingt-dix (90) jours à partir de la date de la dissolution.

    Déduction faite du passif de la société et après le prélèvement des apports respectifs selon la répartition prévue à l'article 22 et des bénéfices non répartis selon la répartition prévue à l'article 19, les associés se partagent le solde résultant de la plus-value de l'actif social dans la proportion suivante :

    - Trente (30) pour cent pour **Isabelle de la Chevrotière**,

    - Trente (30) pour cent pour **Jacques Rochon**, et

    - Quarante (40) pour cent pour **Geneviève Deschâtelets**.

24. Dans le cas du départ d'un associé, la société se continue de plein droit entre les associés restants qui restent propriétaires de tous les biens de la société à la charge de payer à l'associé qui quitte la valeur de sa part, telle qu'établie dans le dernier bilan de la société s'il a été fait moins de trois mois avant son départ, ou si tel bilan n'a pas été fait moins de trois mois avant ce départ, la valeur de telle part doit être

Document 15.1   # CONTRAT DE SOCIÉTÉ EN NOM COLLECTIF (suite)

établie par un bilan fait à la date du départ, dans les trente jours suivant la date de ce départ.

La somme due par les associés restants à l'associé qui quitte, pour sa part, est payable en six versements mensuels, égaux et consécutifs, dont le premier est exigible deux mois après la date de son départ, avec intérêt sur ladite somme au taux de dix (10) pour cent l'an, à partir de la date de son départ.

Les associés restants, ainsi que l'associé qui quitte, doivent assumer la responsabilité de toutes les dettes et obligations de la société antérieures à la date du départ de l'associé qui quitte.

25. Dans le cas du décès d'un associé, la société se continue de plein droit entre les associés survivants, qui restent propriétaires de tous les biens de la société, à la charge de payer aux représentants légaux de l'associé prédécédé la valeur de la part de ce dernier, telle qu'établie dans le dernier bilan de la société s'il a été fait moins de trois mois avant le décès de l'associé prédécédé, ou si tel bilan n'a pas été fait moins de trois mois avant ce décès, la valeur de telle part doit être établie par un bilan fait à la date du décès, dans les trente jours suivant la date de ce décès.

La somme due par les associés survivants aux ayants droit de l'associé prédécédé, pour la part de ce dernier, est payable en six versements mensuels, égaux et consécutifs dont le premier est exigible deux mois après la date du décès de l'associé prédécédé, avec intérêt sur ladite somme au taux de dix (10) pour cent l'an, à partir de la date du décès de l'associé prédécédé.

Les associés survivants doivent, en outre, assumer seuls et à l'acquit de la succession de l'associé prédécédé, la responsabilité de toutes les dettes et obligations de la société.

26. Dans tous les cas de dissolution ou de partage, aucune valeur n'est attribuée à la clientèle ou achalandage.

27. Pour l'exécution des présentes, les parties font élection de domicile au siège de la société.

En foi de quoi, nous avons signé

À Québec, ce 7e jour de mars 1996

Isabelle de la Chevrotière
_____
ISABELLE DE LA CHEVROTIERE

Jacques Rochon
_____
JACQUES ROCHON

Geneviève Deschatelets
_____
GENEVIEVE DESCHATELETS

Chapitre 16

LA FORME JURIDIQUE D'UNE ENTREPRISE CONSTITUÉE EN PERSONNE MORALE

16.0 **PLAN DU CHAPITRE**

16.0 PLAN DU CHAPITRE (suite)

16.1 OBJECTIFS

Après la lecture du chapitre, l'étudiant doit être en mesure :

- de définir une compagnie ;
- de différencier les lettres patentes des statuts de constitution ;
- d'énumérer les avantages de la compagnie par rapport à la société ;
- de créer une dénomination sociale conforme aux exigences de la loi ;
- d'expliquer le rôle du siège social ;
- d'expliquer en quoi consiste la capacité de la compagnie ;
- de remplir correctement les formulaires 1, 2, 3 et 4 relatifs à la constitution d'une compagnie ;
- de calculer les coûts de constitution d'une compagnie ;
- d'expliquer le contenu et l'usage du livre de la compagnie ;
- de remplir une déclaration d'immatriculation ;
- de préparer une déclaration annuelle ;
- de définir le capital-actions ;
- de définir une action ordinaire ;
- d'énumérer les pouvoirs de l'assemblée des actionnaires ;
- de définir le rôle d'une convention unanime des actionnaires ;
- d'expliquer l'étendue des pouvoirs de l'actionnaire unique ;
- de définir le rôle du vérificateur ;
- de différencier les rôles et les fonctions des administrateurs et des officiers ;
- d'expliquer les moyens de dissolution d'une compagnie ;
- de différencier une compagnie publique, ou société ouverte, d'une compagnie privée, ou société fermée ;
- de définir la coopérative ;

- d'expliquer les exigences pour la constitution d'une coopérative ;
- d'expliquer la façon de devenir membre d'une coopérative ;
- d'expliquer le rôle de la réserve dans une coopérative ;
- d'expliquer ce qu'il advient des surplus en cas de liquidation d'une coopérative.

16.2 LA COMPAGNIE

La compagnie est certainement la forme d'entreprise la plus connue en raison de son utilisation quasi universelle et de l'existence de grandes compagnies telles que :

- Apple Canada inc.
- Bombardier inc.
- Canadian Tire ltée
- Cascades inc.
- Compagnie de La Baie d'Hudson ltée
- Compagnie Pétrolière Impériale ltée
- General Motors du Canada ltée
- International Business Machine Ltd., ou IBM Canada ltée
- Provigo distribution inc.
- Sears Canada inc.

16.2.1 INTRODUCTION À LA COMPAGNIE

Les règles qui suivent s'appliquent à toutes les compagnies, les petites comme les grandes. Cependant, les grandes compagnies peuvent avoir des règles de fonctionnement internes plus complexes pour faire face à de plus grands problèmes.

16.2.1.1 Qu'est-ce qu'une compagnie ?

298 C.c.Q.	*Les personnes morales ont la personnalité juridique.*
301 C.c.Q.	*Les personnes morales ont la pleine jouissance des droits civils.*
302 C.c.Q.	*Les personnes morales sont titulaires d'un patrimoine [...]*
303 C.c.Q.	*Les personnes morales ont la capacité requise pour exercer tous leurs droits [...]*
305 C.c.Q.	*Les personnes morales ont un nom qui leur est donné au moment de leur constitution ; elles exercent leurs droits et exécutent leurs obligations sous ce nom. [...]*
307 C.c.Q.	*La personne morale a son domicile aux lieu et adresse de son siège.*
309 C.c.Q.	*Les personnes morales sont distinctes de leurs membres. Leurs actes n'engagent qu'elles-mêmes, sauf les exceptions prévues par la loi.*
314 C.c.Q.	*L'existence d'une personne morale est perpétuelle, à moins que la loi ou l'acte constitutif n'en dispose autrement.*

La **compagnie** constitue une personne morale qui jouit d'une **personnalité juridique distincte** de celle de ses actionnaires. Elle est une personne morale et non pas une personne physique, car elle n'a pas, bien entendu, de corps et elle a une durée de vie illimitée. Par conséquent, la compagnie possède :

- un nom ;
- un domicile ;
- une nationalité ;

- un patrimoine ;

- des droits ;

- des obligations ;

- une durée de vie illimitée.

De plus, elle peut poursuivre ou être poursuivie en justice sous son propre nom. Cependant, ses actionnaires et ses administrateurs ne seront pas poursuivis pour un préjudice causé par la compagnie. Enfin, la **responsabilité des actionnaires est limitée à leur mise de fonds**

16.2.1.2 Qui peut créer une compagnie ?

299 C.c.Q.

Les personnes morales sont constituées suivant les formes juridiques prévues par la loi, et parfois directement par la loi.

300 C.c.Q.

Les personnes morales de droit public sont d'abord régies par les lois particulières qui les constituent et par celles qui leur sont applicables ; les personnes morales de droit privé sont d'abord régies par les lois applicables à leur espèce.

Les unes et les autres sont aussi régies par le présent code lorsqu'il y a lieu de compléter les dispositions de ces lois, notamment quant à leur statut de personne morale, leurs biens ou leurs rapports avec les autres personnes.

Une compagnie est créée par un État en vertu de la *Loi sur les compagnies*, de la *Loi canadienne sur les sociétés par actions* ou d'une loi d'une autre province ou d'un pays étranger selon qu'il s'agisse d'une compagnie constituée au provincial, au fédéral, dans une autre province ou dans un pays étranger. Cependant, même si une compagnie est constituée au fédéral, dans une autre province ou dans un pays étranger, elle est toujours soumise aux lois du Québec, du moins en ce qui concerne la compétence des provinces, si elle y exploite une entreprise. Ainsi, le droit civil et la formation des contrats relèvent du provincial, alors que le droit commercial et les lettres de change relèvent du fédéral.

Dans certains domaines précis, surtout dans le secteur de l'économie, les compagnies sont constituées en vertu de lois particulières comme :

- la *Loi sur les banques* ;

- la *Loi sur les caisses d'épargne et de crédit* ;

- la *Loi sur les assurances* ;

- la *Loi sur les sociétés de fiducie et les sociétés d'épargne*.

16.2.1.3 Quelques définitions

La compagnie appartient aux actionnaires. Un **actionnaire** est une personne qui détient une ou plusieurs actions de la compagnie. Une **action** est un titre qui confère à son détenteur, l'actionnaire, le droit de participer à la gestion de la compagnie, soit en élisant les administrateurs, en participant aux assemblées des actionnaires ou de toute autre manière, sous réserve des droits, privilèges et restrictions afférents aux différentes catégories d'actions.

Le **capital-actions** d'une compagnie est l'ensemble des actions que cette compagnie peut émettre.

Les actionnaires, réunis en assemblée, élisent des **administrateurs** qui représentent la compagnie et qui peuvent lier la compagnie par la signature, entre autres, de contrats d'achat, de vente, de louage, au nom de celle-ci. Les principaux administrateurs sont le **président**, le **vice-président**, le **secrétaire** et le **trésorier**.

16.2.1.4 Les avantages de la compagnie

Le principal avantage de la compagnie est la **responsabilité limitée**, ce qui signifie que la responsabilité d'un actionnaire est limitée à sa mise de fonds dans la compagnie, c'est-à-dire la valeur de ses actions. Évidemment, pour contrer cet avantage, les prêteurs n'hésiteront pas à demander aux principaux administrateurs et actionnaires de cautionner les emprunts de leur compagnie, tout comme les prêteurs l'ont fait pour le cas de l'entreprise individuelle et de la société.

Selon les données relatives à l'entreprise individuelle et à la société, il est possible d'affirmer que la compagnie est souhaitable dans le cas où les risques de faillite sont assez élevés, afin de limiter la responsabilité des actionnaire de la compagnie. Elle est également souhaitable lorsque les profits, d'un point de vue fiscal, deviennent trop élevés. De surcroît, si le nombre d'associés est considérable, la société peut rencontrer des difficultés de fonctionnement, car chaque associé peut lier la société, ce qui n'est pas le cas de la compagnie. Par ailleurs, la compagnie peut servir comme outil de planification fiscale et successorale. Enfin, la compagnie a une durée de vie illimitée.

16.2.1.5 L'évolution de la *Loi sur les compagnies*

La *Loi sur les compagnies* comprend quatre parties appelées respectivement Partie 1, Partie 1A, Partie 2 et Partie 3 qui régissent chacune un ou des types de personnes morales.

- la Partie 1 régit la compagnie constituée avant 1980 ;
- la Partie 1A régit la compagnie constituée depuis 1980, ainsi que toute compagnie constituée en vertu de la Partie 1 et qui a demandé à être continuée sous la Partie 1A ;
- la Partie 2 régit les compagnies constituées par une loi de l'Assemblée nationale du Québec ;
- la Partie 3 régit la corporation sans but lucratif.

En ce qui concerne les compagnies constituées avant 1980, ce sont les **lettres patentes** qui constituent l'acte de naissance ou de constitution. Ces lettres patentes comportent les données suivantes :

- le nom de la compagnie ;
- le nom des trois fondateurs ;
- l'adresse du siège social ;
- le nom des trois administrateurs provisoires ;
- la description des objets ou buts de la compagnie ;
- la description du capital-actions ;
- les pouvoirs spéciaux d'emprunt ;
- les trois clauses de société fermée.

Depuis le mois de janvier 1980, la Partie 1A de la *Loi sur les compagnies* est en vigueur. Depuis ce temps, au lieu des lettres patentes, ce sont les **statuts de constitution** qui font office d'acte de naissance d'une compagnie constituée en vertu de la Partie 1A de la *Loi sur les compagnies*. Voici les principales caractéristiques de la Partie 1A de cette loi.

Premièrement, et contrairement à une croyance populaire, il n'est pas obligatoire d'être trois personnes pour constituer une compagnie ; une seule suffit.

Deuxièmement, il n'est pas nécessaire de décrire les objets ou les buts de la compagnie; la compagnie peut tout faire dans les limites de la loi, sauf si elle se restreint volontairement.

Troisièmement, les réunions du conseil d'administration peuvent se tenir par téléphone.

Quatrièmement, une résolution signée par tous les actionnaires a la même valeur que si elle avait été adoptée au cours d'une assemblée des actionnaires.

Cinquièmement, il n'est pas nécessaire d'être actionnaire de la compagnie pour en devenir administrateur.

16.2.2 — LA COMPAGNIE : UNE PERSONNE MORALE

Une compagnie est une personne morale qui possède un nom, ou dénomination sociale, une adresse, ou siège social, et qui est dotée d'une pleine capacité juridique.

16.2.2.1 — La dénomination sociale

123.22 L.C.

La dénomination sociale de la compagnie qui ne comprend pas l'expression « compagnie » ou « corporation » doit comporter, à la fin, l'expression « inc. » ou « ltée » afin d'indiquer qu'elle est une entreprise à responsabilité limitée.

Si le nom d'emprunt est le nom d'une entreprise individuelle ou d'une société, la **dénomination sociale** est le nom d'une compagnie. La dénomination sociale d'une compagnie doit toujours être mentionnée, entre autres, sur tous ses contrats, factures et documents. Cette dénomination sociale doit inclure un des mots suivants ou une des abréviations suivantes :

- compagnie, ou Cie
- corporation
- limitée, ou ltée
- incorporé, ou inc.

Une compagnie a un nom qui lui est propre et qui la distingue des actionnaires. Ce nom peut être composé d'un ou de plusieurs noms d'actionnaires comme il peut être tout simplement un nom totalement différent. Ce nom doit toujours indiquer qu'il s'agit d'une compagnie comme dans les exemples suivants :

- Sogili inc.
- Compagnie Virdar
- Sogetal incorporée
- 1625-4567 Québec inc.
- 9114-9709 Québec inc.
- Construction de la capitale inc.
- Gestion immobilière Derfor ltée
- Montreuil, Renaud & associés inc.
- Corporation de gestion La Vérendrye
- Investissements de la capitale limitée
- Restaurant du Vieux-Québec incorporé
- Socamer, corporation d'investissements
- Larimda, compagnie de gestion d'investissements

Ces éléments précisent qu'il s'agit bien d'une compagnie. De plus, la dénomination sociale peut comprendre une partie générique ou descriptive pour indiquer le genre d'entreprise, et une partie spécifique qui permet de la différencier d'une autre compagnie.

*Par exemple, dans la dénomination sociale **Entreprise Le Central inc.**, le mot **Entreprise** est un générique qui ne permet pas d'indiquer le type d'activité de l'entreprise. Dans la dénomination sociale **Restaurant le central inc.**, le mot **Restaurant** constitue un descriptif, qui indique que l'activité de l'entreprise consiste à exploiter un restaurant, l'expression **le central** est la partie spécifique, qui permet de différencier ce restaurant d'un autre restaurant, et enfin l'abréviation **inc.** indique que l'entreprise est bien une compagnie parce qu'elle est incorporée.*

*Ce restaurant peut également être constitué en compagnie sous la dénomination sociale **Le central inc.**, sans la mention du terme **Restaurant** ; le descriptif n'est pas obligatoire, mais il aide souvent à préciser la nature des activités de l'entreprise.*

Il est important que la dénomination sociale ne prête pas à confusion avec une autre dénomination ou un nom d'emprunt existant. S'il existe déjà un **Restaurant central inc.**, il faut alors choisir une autre dénomination sociale ou encore modifier son choix en y ajoutant une deuxième partie spécifique, par exemple **Restaurant le central de Jacques Le Pluart inc.**, car l'ajout de l'article **le** dans la dénomination sociale n'est pas suffisant. L'ajout des mots **de Jacques Le Pluart** distingue alors cette compagnie de l'autre.

De même, il est impossible de constituer une compagnie sous le nom de Magasin Sears, Magasin Zellers, Quincaillerie Canadian Tire, etc., car ces dénominations sociales portent à confusion avec celles d'entreprises existantes et bien connues.

La dénomination sociale peut également être un numéro. En effet, plutôt que d'opter pour un nom caractéristique comme Gestion Larimda inc., les fondateurs peuvent demander à l'inspecteur général de créer une compagnie et de lui attribuer un numéro comme nom. Dans ce cas, l'inspecteur général va lui donner comme nom un numéro composé de huit chiffres comme **9114-9709 Québec inc.** Les huit chiffres constituent la partie spécifique du nom de la compagnie, qui la distingue des autres compagnies qui portent un numéro comme nom, tandis que le mot **Québec** signifie que la compagnie est constituée au Québec. Ce numéro de huit chiffres n'a aucun lien avec le numéro de dix chiffres utilisé comme numéro matricule dans le registre des entreprises. *Par exemple, si Gestion Larimda inc. décide d'abandonner sa dénomination sociale pour un numéro matricule, l'inspecteur général peut très bien attribuer à cette compagnie le nom de **9015-2435 Québec inc.** et c'est sous ce nom que la compagnie sera dorénavant connue.*

D'autre part, si l'entreprise est constituée en vertu de la loi fédérale, le numéro est composé de six chiffres et peut être **103245 Canada ltée**, car le système de numéro au fédéral diffère du système utilisé par l'inspecteur général au Québec.

Pour sa part, une compagnie constituée sous un numéro matricule avant le 1er janvier 1994 a un numéro de huit chiffres qui débute par **1**, **2** ou **3** comme **1625-4567 Québec inc**. et ce numéro correspondait au numéro de dossier de la compagnie au bureau de l'inspecteur général des institutions financières. Pour une compagnie constituée après le 31 décembre 1993 sous un numéro, ce numéro de huit chiffres commence obligatoirement par **9**. Cela permet à l'inspecteur général de différencier une compagnie constituée avant le 1er janvier 1994 d'une compagnie constituée après le 31 décembre 1993.

Par ailleurs, lorsqu'une compagnie est constituée, elle peut utiliser d'autres noms pour exploiter une entreprise si elle en donne avis. En effet :

306 C.c.Q.

> *La personne morale peut exercer une activité ou s'identifier sous un nom autre que le sien. Elle doit déposer un avis en ce sens auprès de l'inspecteur général des institutions financières [...]*

Lorsque nous consultons la déclaration initiale de Gestion Larimda inc., nous constatons que cette compagnie utilise également trois autres noms que sont :

- Rôtisserie St-Hubert
- Salon Jolie Tête
- À la table de Robert Montreuil

La compagnie peut utiliser ces trois noms, car elle en a donné avis à l'inspecteur général en inscrivant ces trois noms dans sa déclaration initiale.

Quand une personne est convaincue que la dénomination sociale choisie répond aux critères exigés, elle doit déposer les documents de constitution de la compagnie, appelés **statuts de constitution**, au bureau de l'inspecteur général des institutions financières.

Lorsqu'une personne désire constituer une compagnie, elle doit obligatoirement faire faire une recherche de nom pour savoir si le nom qu'elle souhaite donner à son entreprise est déjà utilisé par une autre personne. *Par exemple, Julie peut remplir le formulaire 3, intitulé **Demande de réservation de dénomination sociale** et le transmettre au bureau de l'inspecteur général des institutions financières pour que ce dernier fasse la recherche et réserve, s'il y a lieu, le nom choisi pour une période de 90 jours. Julie peut également demander à une entreprise privée comme Marque d'Or de faire la recherche. Dans les deux cas, Julie doit examiner le rapport de recherche et choisir un nom. Il est possible que l'inspecteur général n'assume plus la recherche de nom d'ici quelques mois.*

*Quand Julie est convaincue que la dénomination sociale choisie répond aux exigences du Règlement sur les dénominations sociales des compagnies régies par la Partie 1A de la Loi sur les compagnies, elle doit déposer les documents de constitution d'une compagnie, appelés **statuts de constitution**, au bureau de l'inspecteur général et une compagnie sera ainsi constituée sous la dénomination sociale choisie dès que les statuts auront été enregistrés.*

Si la dénomination sociale choisie par Julie est déjà utilisée par une autre entreprise ou prête à confusion avec la dénomination sociale d'une autre entreprise, Julie peut être contrainte de changer de dénomination sociale.

Pour illustrer notre propos, remplissons un formulaire 3 pour une compagnie à être constituée sous le nom de Gestion Larimda inc.

| 16.2.2.2 | **Le siège social** |

123.34 L.C.

> *La compagnie doit avoir en permanence un siège social au Québec, dans le district judiciaire indiqué dans ses statuts.*
>
> *C'est à son siège social qu'elle a son domicile.*

Le **siège social** est l'endroit où toute personne peut prendre contact avec la compagnie ou lui signifier une poursuite judiciaire. C'est également à cet endroit que sont conservés les registres de la compagnie.

| 16.2.2.3 | **La capacité de la compagnie** |

123.29 L.C.
301 C.c.Q.
303 C.c.Q.

> *La compagnie a la pleine jouissance des droits civils au Québec et hors du Québec [...]*
> *Les personnes morales ont la pleine jouissance des droits civils.*
> *Les personnes morales ont la capacité requise pour exercer tous leurs droits [...]*

Tant la *Loi sur les compagnies* que le *Code civil* stipulent que la compagnie a la capacité pour exercer ses droits et tous les pouvoirs nécessaires pour accomplir ses buts. Par conséquent, toute personne peut contracter sans crainte avec une compagnie.

Gouvernement du Québec
L'Inspecteur général
des institutions financières
Direction des entreprises

Québec
L'Inspecteur général
des institutions financières
Direction des entreprises
Case postale 1153
Québec (Québec)
G1K 7C3

Montréal
L'Inspecteur général
des institutions financières
Direction des entreprises
800, Place Victoria
Case postale 355
Montréal (Québec)
H4Z 1H9

FORMULAIRE 3
Demande de réservation
de dénomination sociale

N.B.: *Joindre un chèque visé ou un mandat à l'ordre du ministre des Finances au montant indiqué au numéro 5 de la liste des tarifs ci-jointe.*

Réservé à l'administration	
N° de dossier	N° de la demande

PAIEMENT PAR CARTE DE CRÉDIT
Numéro de la carte

Date de validité

Date d'expiration

1 Nom, adresse et code postal du demandeur

Me Pierre Montreuil, avocat
1050, rue Orléans
Charlesbourg, Québec
G1H 2H2

4 Activité principale et lieu de cette activité

Entreprise de gestion immobilière

et commerciale

District de Québec

2 Dénomination sociale proposée

GESTION LARIMDA INC.

5 S'il s'agit d'une modification de la dénomination sociale d'une compagnie québécoise existante, inscrire la dénomination sociale actuelle

3 Décision   Réservé à l'administration

6 Signature du demandeur et n° de téléphone

(418) 621-5032

7 Commentaires   Réservé à l'administration

---

* Règlement concernant les dénominations sociales des compagnies régie par la Partie 1A de la Loi sur les compagnies
** Règlement sur la langue du commerce et des affaires

C-213 (Rev.12- 93)

Direction des entreprises

310 C.c.Q.

> *Le fonctionnement, l'administration du patrimoine et l'activité des personnes morales sont réglés par la loi, l'acte constitutif et les règlements [...].*

De plus, le *Code civil* prévoit qu'il faut consulter la *Loi sur les compagnies* ainsi que les statuts de constitution et les règlements internes de la compagnie, car ces derniers peuvent prévoir certaines modalités de fonctionnement, à savoir qui a l'autorité pour, notamment, signer un contrat au nom de la compagnie, signer un chèque ou donner une quittance.

16.2.3 LA CONSTITUTION D'UNE COMPAGNIE

Procédons maintenant à la constitution d'une compagnie.

16.2.3.1 Sa représentation avant la constitution

Comme l'inspecteur général peut créer une compagnie dans un délai de quelques heures ou de quelques jours, il n'est pas pratique de faire une transaction au nom d'une compagnie à être constituée pour transférer par la suite les droits et obligations découlant de cette transaction à la compagnie. N'oublions pas que celui qui a signé cette transaction en est personnellement responsable jusqu'à ce que la compagnie en assume la charge et, si pour une raison ou pour une autre la compagnie n'est pas constituée, celui qui a signé cette transaction en demeure entièrement responsable.

16.2.3.2 Sa constitution

Toute personne, physique ou morale, peut demander la constitution d'une compagnie, à l'exclusion :

- d'un mineur ;
- d'un majeur en tutelle ou en curatelle ;
- d'un failli non libéré ;
- d'une personne morale en liquidation.

Pour ce faire, il suffit de remplir les formulaires 1, 2 et 4, ou de remplir seulement le formulaire 1 et d'y joindre une déclaration initiale (voir la section 16.2.4.3, La déclaration initiale).

Le formulaire 1, intitulé *Statuts de constitution,* fait office d'acte de naissance de la compagnie. Il indique :

- la dénomination sociale de la compagnie ;
- le district judiciaire du Québec où la compagnie établit son siège social ;
- le nombre de ses administrateurs ;
- la date d'entrée en vigueur des statuts ;
- la description du capital-actions ;
- les restrictions sur le transfert des actions ;
- les limites imposées à ses activités ;
- les autres dispositions non prévues dans ce formulaire ;
- la liste des fondateurs incluant leur adresse, leur profession et leur signature.

Le formulaire 2, intitulé *Avis relatif à l'adresse du siège social,* indique l'adresse du siège social de la compagnie.

Le formulaire 4, intitulé *Avis relatif à la composition du conseil d'administration*, est la liste des administrateurs en fonction.

Remplissons les formulaires 1, 2 et 4 pour constituer la compagnie Gestion Larimda inc. (voir le document 16.1, Statuts de constitution de Gestion Larimda inc.)

16.2.3.3 La modification des statuts

Une compagnie peut modifier ses statuts de constitution en tout temps. Elle peut ainsi changer, entre autres :

- sa dénomination sociale ;
- le district judiciaire où elle a son siège social ;
- le nombre de ses administrateurs ;
- la composition de son capital-actions ;
- les restrictions sur le transfert d'actions ;
- les pouvoirs d'emprunt du conseil d'administration.

Pour ce faire, le conseil d'administration adopte un règlement dans lequel il rédige les modifications demandées, soumet ce règlement à l'approbation de l'assemblée des actionnaires puis le transmet à l'inspecteur général des institutions financières pour enregistrement avec le montant des droits exigibles. À partir de la date de l'enregistrement, les statuts sont modifiés conformément à la demande du conseil d'administration.

16.2.3.4 Le coût de constitution

Actuellement, le coût réel de constitution d'une compagnie s'élève à environ 578 $ et se répartit ainsi :

Réservation de dénomination sociale	43 $
Droits de constitution d'une compagnie	395 $
Livre de la compagnie	90 $
Sceau	50 $
TOTAL DES FRAIS	578 $

À cette somme, il convient d'ajouter les honoraires de l'avocat ou du notaire qui prépare les différents formulaires et documents. Ces honoraires peuvent varier entre 600 $ et 2 000 $, selon la complexité des statuts et des services demandés. En pratique, nous pouvons dire que le coût total de constitution d'une compagnie peut s'élever entre 1 100 $ et 2 500 $. Dans certains cas très complexes, les honoraires peuvent être beaucoup plus élevés.

De plus, cette même somme augmente d'année en année, car le gouvernement du Québec a décidé d'indexer tous les tarifs et droits judiciaires, incluant les tarifs de constitution d'une compagnie, sans oublier la TPS et la TVQ qui s'appliquent, entre autres, à la demande de réservation de dénomination sociale.

Il est important de se rappeler qu'en vertu de l'article 128 de la *Loi sur le Barreau* et de l'article 9 de la *Loi sur le notariat*, seul l'avocat ou le notaire a le droit de remplir et de déposer les documents pour constituer une compagnie.

16.2.4 L'ORGANISATION DE LA COMPAGNIE

Une fois que la compagnie est constituée, il faut la mettre en état de fonctionner.

16.2.4.1   La réunion d'organisation

123.17 L.C.   *Après la constitution de la compagnie, les administrateurs tiennent une réunion d'orga-nisation au cours de laquelle ils émettent au moins une action.*

Pour commencer ses activités, la compagnie doit avoir au moins un actionnaire détenteur d'au moins une action. Par conséquent, il est essentiel que la compagnie émette au moins une action à sa première réunion. Elle peut aussi en émettre 800 à Micheline, 700 à Louis, et 200 à Sylvie ; cela dépend des sommes investies par chacun.

123.19 L.C.   *Au cours de la réunion d'organisation, les administrateurs peuvent notamment :*

1. *établir des règlements généraux ;*

2. *nommer les officiers ;*

3. *adopter toutes mesures relatives aux affaires bancaires de la compagnie.*

Lors de la réunion d'organisation, les administrateurs doivent prendre plusieurs déci-sions importantes. Pour illustrer les premières décisions que les administrateurs ont prises, nous avons joint les résolutions de la réunion d'organisation de Gestion Larimda inc. (voir le document 16.2, Résolutions de la réunion d'organisation de la compagnie Gestion Larimda inc.). Dans ce cas, nous constatons que les administra-teurs ont émis 400 actions de catégorie A à Pierre Montreuil, 300 à Caroline Poulin, 200 à Chantal Hamel et 100 à Robert Bouchard.

16.2.4.2   Le livre de la compagnie

123.111 L.C.   *Toute compagnie tient à son siège social un livre contenant :*

1. *ses statuts, ses règlements et la convention unanime des actionnaires [...]*

2. *les procès-verbaux des assemblées et les résolutions des actionnaires ;*

3. *les nom, prénom et adresse de ses administrateurs [...] ;*

4. *les renseignements (à l'égard de chaque action) [...].*

Chaque compagnie possède un **livre de la compagnie**, appelé aussi **livre des procès-verbaux** ou **livre des minutes**, dans lequel elle doit conserver :

* ses statuts de constitution ;

* ses règlements ;

* le nom et l'adresse des actionnaires ;

* le nombre et la catégorie d'actions détenues par les actionnaires ;

* la convention unanime des actionnaires ;

* les procès-verbaux des assemblées d'actionnaires ;

* les résolutions des actionnaires ;

* les nom et prénom de ses administrateurs en indiquant, pour chaque mandat, la date à laquelle il commence et celle à laquelle il se termine ;

* les procès-verbaux des réunions du conseil d'administration et du comité exécutif ;

* les résolutions des administrateurs ;

* le montant dû sur les actions ;

* les transferts d'actions.

Il est possible d'acheter un livre de la compagnie dans lequel sont déjà imprimés de nombreux textes ainsi que des formules qu'il suffit de remplir en ajoutant, par exem-ple, le nom des actionnaires, le nom des administrateurs, les détenteurs d'actions, les transferts d'actions, les certificats d'actions, etc.

Ce livre comprend des notes explicatives concernant toutes les procédures que les nouveaux administrateurs doivent suivre ainsi que l'ordre à respecter. De plus, il comprend des règlements généraux qui s'appliquent au fonctionnement interne de la compagnie, d'autres qui concernent les affaires bancaires et enfin des résolutions et des procès-verbaux préimprimés pour la réunion d'organisation et l'assemblée subséquente. Bien qu'ils permettent de réaliser des économies d'honoraires professionnels, ces livres comportent l'inconvénient de ne pas être à la mesure de chaque compagnie, car il s'agit d'un modèle général que l'avocat ou le notaire expérimenté adapte aux besoins de son client.

Il est faux de croire que l'organisation d'une compagnie est dans tous les cas une affaire extrêmement compliquée. Il suffit que les actionnaires et les administrateurs réservent un certain temps à la lecture de tous les textes préimprimés contenus dans le livre de la compagnie pour s'assurer de les comprendre.

16.2.4.3 La déclaration initiale

Lorsque la personne qui a demandé la constitution d'une compagnie reçoit les statuts de constitution, elle reçoit en même temps une formule appelée **Déclaration initiale**. Cette déclaration initiale, qui est l'équivalent de la déclaration d'immatriculation, doit être remplie et retournée dans les 60 jours de la date d'enregistrement des statuts, à défaut de quoi l'inspecteur général exigera le paiement d'une pénalité. Comme il s'agit du premier document déposé par la compagnie, il est possible que les renseignements qui y sont inscrits soient sommaires, car ce sont les renseignements en date de la constitution de la compagnie et à cette date l'entreprise ne faisait que commencer ses activités.

De plus, si cette compagnie, dans le cas présent Gestion Larimda inc., désire exploiter un restaurant, un bar ou un salon de coiffure, il est évident que cette dénomination sociale ne décrit en aucune manière un genre de commerce précis. La compagnie peut cependant utiliser des noms d'emprunt si elle les indique dans sa déclaration initiale. Regardons aux pages suivantes la déclaration initiale déposée par Gestion Larimda inc.

16.2.4.4 La déclaration annuelle

La formule intitulée **Déclaration annuelle** est un document que toute compagnie doit transmettre à l'inspecteur général des institutions financières entre le 1er août et le 31 octobre de chaque année.

Cette déclaration contient des renseignements concernant :

- les activités de la compagnie ;
- le siège social de la compagnie ;
- ses principaux actionnaires ;
- ses administrateurs ;
- les noms d'emprunt qu'elle utilise ;
- l'adresse de ses différents établissements.

Ces renseignements reflètent la situation de la compagnie à la date de signature de la déclaration. *Par exemple, si Gestion Larimda inc. produit sa déclaration annuelle en date du 22 septembre 1996, cette déclaration reflète la situation de Gestion Larimda inc. en date du 22 septembre 1996. En 1997, Gestion Larimda inc. peut très bien produire sa déclaration annuelle aussi tôt que le 1er août 1997 ou aussi tard que le 31 octobre 1997 de sorte que la période couverte par la déclaration annuelle*

Gouvernement du Québec
L'Inspecteur général
des institutions financières

DÉCLARATION INITIALE
Personne morale

**CONSULTER
LE GUIDE**

Réservé à l'administration

Section 1 — Identification de l'assujetti

A) NOM ET DOMICILE DE L'ASSUJETTI

GESTION LARIMDA INC.
1050, rue Orléans
Charlesbourg, Québec
G1H 2H2

Inscrire au complet (nom, n°, rue, ville, province, code postal et pays)
et la version française le cas échéant

Matricule	1 1 4 4 8 6 9 7 0 9
Date d'immatriculation	Année 1995 Mois 08 Jour 15

B) DOMICILE ÉLU
(adresse de correspondance)

Nom du destinataire

N°   Rue

Ville

Province   Code postal   Pays

Section 2 — Forme juridique de l'assujetti

Code des formes juridiques	**CIE** Compagnie **COP** Coopérative	**MUT** Mutuelle d'assurance **APE** Association personnifiée	**AU** Autre (détailler) :

Inscrire le code correspondant à la forme juridique de l'assujetti	Code	Loi constitutive	Lieu (province/état/pays)	Date de constitution
	C I E	Loi sur les compagnies	Québec	Année 1995 Mois 08 Jour 14

Section 3

A) CONTINUATION / TRANSFORMATION

☐ Continuation   ☐ Transformation   Année   Mois   Jour

B) FUSION / SCISSION   Si l'espace est insuffisant, remplir et joindre l'Annexe A

☐ Fusion   ☐ Scission   Année   Mois   Jour   Lieu (province/état/pays)

Inscrire les nom, domicile et matricule de toutes les personnes morales partie à cette fusion ou à cette scission.

Matricule		Matricule	
Nom		Nom	
N° Rue		N° Rue	
Ville		Ville	
Province Code postal Pays		Province Code postal Pays	

Section 4 — Identification des actionnaires

Inscrire par ordre d'importance, le nom des trois actionnaires qui détiennent le plus grand nombre de voix.

Est-ce que le premier actionnaire détient plus de 50 % des voix?   ☐ Oui   ☒ Non

Nom du **premier** actionnaire
Pierre Montreuil
N°   Rue
1050, rue Orléans
Ville
Charlesbourg
Province   Code postal   Pays
Québec   G1H 2H2   Canada

Nom du **deuxième** actionnaire
Caroline Poulin
N°   Rue
1081, rue Le Comte
Ville
Charlesbourg
Province   Code postal   Pays
Québec   G2L 1B2   Canada

Nom du **troisième** actionnaire
Chantal Hamel
N°   Rue
3, rue du Manège
Ville
Beauport
Province   Code postal   Pays
Québec   G1E 5G5   Canada

Section 5 — Identification des administrateurs

Si l'espace est insuffisant, remplir et joindre l'Annexe B

Code des administrateurs	**PR** Président **VP** Vice-président **SE** Secrétaire	**TR** Trésorier **ST** Secrétaire-trésorier **AD** Administrateur	**PD** Principal dirigeant	**AU** Autre (détailler) :

Code   PR
Nom
Pierre Montreuil
N°   Rue
1050, rue Orléans
Ville
Charlesbourg
Province   Code postal   Pays
Québec   G1H 2H2   Canada

Code   VP
Nom
Robert Bouchard
N°   Rue
208, chemin le Tour du Lac
Ville
Lac Beauport
Province   Code postal   Pays
Québec   G0A 2C0   Canada

K-511-93

Section 5 — *Identification des administrateurs (suite)*

Code	ST
Nom	Caroline Poulin
N°	1081, rue Le Comte
Ville	Charlesbourg
Province	Québec — Code postal G2L 1B2 — Pays Canada

Code	
Nom	
N°	Rue
Ville	
Province	Code postal — Pays

Section 6 — *Identification des principaux dirigeants*

* Si le président, le secrétaire ou le principal dirigeant ne sont pas membres du conseil d'administration, préciser ci-dessous leur nom, adresse et fonction.

Code des dirigeants
PR Président
SE Secrétaire
PD Principal dirigeant

Code	
Nom	
N°	Rue
Ville	
Province	Code postal — Pays

Code	
Nom	
N°	Rue
Ville	
Province	Code postal — Pays

Code	
Nom	
N°	Rue
Ville	
Province	Code postal — Pays

Section 7 — *Administrateur du bien d'autrui*

Si l'assujetti est représenté par une personne chargée d'administrer l'ensemble de ses biens, inscrire les nom, adresse et qualité de cette personne.

Code de l'administrateur
CU Curateur · FI Fiduciaire · SE Séquestre · TU Tuteur
LS Liquidateur de succession · LI Liquidateur · SY Syndic
AU Autre (détailler) :

Code	Nom	Adresse (n°, rue, ville, province, code postal et pays)

Section 8 — *Informations générales*

A) NATURE DES ACTIVITÉS – INSCRIRE LES DEUX PRINCIPAUX SECTEURS D'ACTIVITÉS DE L'ASSUJETTI

		Code d'activité
1ᵉ activité	Entreprise de consultation en gestion	
2ᵉ activité	Entreprise de gestion d'autres entreprises (portefeuille)	

B) NOMBRE DE SALARIÉS AU QUÉBEC

	Tranche correspondante
Indiquer la tranche correspondante au nombre de salariés au Québec	D

C) PÉRIODE D'EXISTENCE

	Année	Mois	Jour
Si l'existence de l'assujetti est limitée, quelle est la date de cessation prévue?			

D) IDENTIFICATION DES ÉTABLISSEMENTS AU QUÉBEC — Pour inscrire les autres établissements, remplir et joindre l'Annexe C

Nom et adresse de l'établissement principal (si différent de la Section 1-A)	Principaux secteurs d'activités de l'établissement
Nom Rôtisserie St-Hubert	1ᵉ activité Restaurant — Code d'activité
N° Rue 3870, rue Sherbrooke est	2ᵉ activité — Code d'activité
Ville Montréal	
Province Québec — Code postal H1X 2A4	

E) INSCRIRE TOUS LES AUTRES NOMS UTILISÉS AU QUÉBEC — Si l'espace est insuffisant, remplir et joindre l'Annexe D

Premier nom	Deuxième nom
Salon Jolie Tête	Restaurant Le Beaugarte

Section 9 — *Certification*

Je **Pierre Montreuil** , domicilié au
Nom
1050, rue Orléans, Charlesbourg, Québec, G1H 2H2, Canada
N°, rue, ville, province, code postal et pays

atteste que je suis l'assujetti ou la personne autorisée par l'assujetti, que j'ai pris connaissance de la présente déclaration, que les renseignements déclarés sont vrais et que les droits prescrits accompagnent la présente déclaration.

Et j'ai signé : _[signature]_ , ce 1995-08-25
Signature — Date (année, mois, jour)

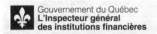

Gouvernement du Québec
L'Inspecteur général
des institutions financières

Réservé à l'administration

| 1 | 1 | 4 | 4 | 8 | 6 | 9 | 7 | 0 | 9 |

DÉCLARATION INITIALE (Personne morale)

Annexe C — IDENTIFICATION DES ÉTABLISSEMENTS

Inscrire tous les autres établissements que l'assujetti possède au Québec
(si l'espace est insuffisant, veuillez joindre une autre annexe)

Nom et adresse de l'établissement	Principaux secteurs d'activités de l'établissement
Nom Salon Jolie Tête	1ʳᵉ activité Salon de coiffure
	Code d'activité
Nᵒ 381, Rue rue King est	2ᵉ activité
Ville Sherbrooke	
Province Québec Code postal J1G 1B4	Code d'activité
Nom Restaurant Le Beaugarte	1ʳᵉ activité Restaurant
	Code d'activité
Nᵒ 2600, Rue boulevard Laurier	2ᵉ activité Bar
Ville Sainte-Foy	
Province Québec Code postal G1V 4M6	Code d'activité
Nom	1ʳᵉ activité
	Code d'activité
Nᵒ Rue	2ᵉ activité
Ville	
Province Code postal	Code d'activité

Annexe D — AUTRES NOMS UTILISÉS AU QUÉBEC

Inscrire tous les autres noms que l'assujetti utilise au Québec
(si l'espace est insuffisant, veuillez joindre une autre annexe)

K-511C-93

peut varier entre neuf et quinze mois selon que la compagnie produise sa déclaration plus ou moins rapidement. De plus, ce document est public et toute personne peut se présenter au bureau de l'inspecteur général pour le consulter et prendre note de son contenu. Il faut souligner que le défaut de transmettre la déclaration annuelle à l'inspecteur général lui donne le droit de radier l'immatriculation, ce qui entraîne la dissolution d'une compagnie constituée en vertu d'une loi québécoise.

16.2.4.5   La déclaration modificative

Si survient un changement qui modifie les renseignements contenus dans la déclaration initiale, dans la déclaration d'immatriculation ou dans la déclaration annuelle de sorte que le contenu de la déclaration n'est plus conforme à la réalité, la compagnie doit déposer une déclaration modificative auprès de l'inspecteur général afin de mettre à jour les informations dont dispose l'inspecteur général.

16.2.5   LE CAPITAL-ACTIONS

123.38 L.C.

Sauf disposition contraire de ses statuts, une compagnie a un capital-actions illimité et ses actions sont sans valeur nominale.

123.40 L.C.

Le capital-actions d'une compagnie doit comprendre des actions donnant le droit :

1. de voter à toute assemblée des actionnaires ;

2. de recevoir tout dividende déclaré ; et

3. de partager le reliquat des biens lors de la liquidation de la compagnie.

Il n'est pas nécessaire que ces droits se rattachent aux actions d'une même catégorie.

Trois grands concepts sont à définir en ce qui concerne cet aspect important de la compagnie.

Premièrement, l'**action** est un titre qui confère à son détenteur, l'actionnaire, le droit de participer à la gestion de la compagnie soit en élisant les administrateurs, en participant aux activités des assemblées des actionnaires, ou de toute autre manière, sous réserve des droits, privilèges et restrictions afférents aux différentes catégories d'actions.

Deuxièmement, le **capital-actions** d'une compagnie comprend l'ensemble des actions d'une compagnie, quelle que soit leur catégorie. La description des droits, des privilèges et des restrictions afférents aux différentes catégories du capital-actions d'une compagnie est une tâche complexe. Il est donc recommandé de retenir les services d'un expert en la matière, soit un avocat ou un notaire, afin que la description du capital-actions de la compagnie corresponde exactement aux besoins des actionnaires.

Troisièmement, les actions sont traditionnellement appelées actions ordinaires ou actions privilégiées. L'**action ordinaire** accorde à l'actionnaire les trois droits mentionnés à l'article 123.40 de la *Loi sur les compagnies*, soit le droit :

- de voter à toute assemblée des actionnaires ;

- de recevoir tout dividende déclaré ;

- de partager le reliquat des biens lors de la liquidation de la compagnie.

L'**action privilégiée** comporte davantage de restrictions que de droits. Générale-ment, l'actionnaire qui détient une action privilégiée n'a pas le droit :

- de voter aux assemblées des actionnaires ;

- d'être convoqué aux assemblées d'actionnaires ;

- de partager le reliquat des biens de la compagnie lors de sa liquidation.

Cependant, il a droit :

- au paiement d'un dividende préférentiel, c'est-à-dire avant le paiement d'un dividende aux détenteurs d'actions ordinaires ;

- en cas de liquidation de la compagnie, au remboursement préférentiel de ses actions, c'est-à-dire avant le remboursement des actions ordinaires.

Par contre, le conseil d'administration peut décider le rachat obligatoire, total ou partiel, des actions privilégiées sans le consentement de leurs détenteurs.

Dans la *Loi sur les compagnies*, les expressions « action ordinaire » et « action privilégiée » ne figurent pas ; la loi ne parle que d'**actions de différentes catégories**. Pour les besoins de ce texte, une action de catégorie A est une action ordinaire et une action de catégorie B est une action privilégiée.

Dans la pratique, il est possible que cette désignation soit inversée, c'est-à-dire qu'une action de catégorie A soit une action privilégiée. Avant d'acheter une action, il faut donc vérifier non seulement à quelle catégorie elle appartient, mais quels sont les droits, les privilèges et les restrictions qui y sont rattachés. En général, l'action ordinaire représente la meilleure catégorie d'actions, car sa valeur augmente en même temps que celle de l'entreprise.

123.39 L.C.   *Le capital-actions d'une compagnie peut être constitué d'actions avec valeur nominale ou d'actions sans valeur nominale ou des deux à la fois.*

Les actions peuvent avoir une **valeur nominale**, ou **valeur au pair**, c'est-à-dire que la valeur ou le prix de l'action a été déterminé dans les statuts. Cependant, les actions peuvent également être **sans valeur nominale**, ou **sans valeur au pair**, c'est-à-dire sans valeur ou prix déterminé dans les statuts.

En décrivant le capital-actions de la compagnie Gestion Larimda inc., nous aurions pu utiliser la formulation la plus simple qui existe et qui nous donne :

LE CAPITAL-ACTIONS EST COMPOSÉ D'UN NOMBRE ILLIMITÉ D'ACTIONS ORDINAIRES SANS VALEUR NOMINALE.

Cependant, en examinant le capital-actions de la compagnie Gestion Larimda inc. (voir le document 16.1, Statuts de constitution de la compagnie Gestion Larimda inc.), nous constatons que :

LE CAPITAL-ACTIONS EST COMPOSÉ D'UN NOMBRE ILLIMITÉ D'ACTIONS COMPRENANT UN NOMBRE ILLIMITÉ D'ACTIONS DE CATÉGORIE A SANS VALEUR NOMINALE ET UN NOMBRE ILLIMITÉ D'ACTIONS DE CATÉGORIE B AVEC VALEUR NOMINALE DE 100 $.

Par exemple, Gestion Larimda inc. procède à différentes émissions d'actions à différentes dates. Si la compagnie émet des actions de catégorie A, le prix payé peut varier, mais si elle émet des actions de catégorie B, le prix payé doit toujours être au moins égal ou supérieur à la valeur nominale, soit 100 $ par action. Illustrons cet exemple avec le tableau suivant :

Date d'émission	Catégorie	Nombre	Prix
14-08-1995	A	1 000	5 $
18-08-1995	B	200	100 $
18-09-1995	A	5 000	6 $
23-11-1995	A	2 000	4 $
12-01-1996	B	1 800	100 $
13-03-1996	A	1 500	8 $
13-03-1996	B	3 000	100 $
30-06-1996	A	500	10 $

La compagnie considère qu'elle a émis 10 000 actions de catégorie A ; elle n'a pas à s'occuper du prix payé parce que, pour elle, toutes ces actions sont des actions de catégorie A, c'est-à-dire qu'elles sont sur le même pied. Certains acheteurs ont payé un prix plus élevé, mais c'est parce qu'ils attribuaient une plus grande valeur à ces actions.

Durant la même période, la compagnie a émis 5 000 actions de catégorie B au prix unitaire de 100 $.

Ainsi, en date du 30 juin 1996, le capital-actions émis et payé de Gestion Larimda inc. est le suivant :

Date	Catégorie	Nombre	Montant payé
30-06-1996	A	10 000	60 000 $
30-06-1996	B	5 000	500 000 $
30-06-1996	TOTAL	15 000	560 000 $

La compagnie remet un certificat d'actions à tout détenteur de ses actions qui le désire (voir le certificat d'actions reproduit plus bas). Un **certificat d'action** est un document qui atteste qu'une personne est propriétaire d'un certain nombre d'actions d'une certaine catégorie d'une certaine compagnie. C'est donc une valeur mobilière qui représente un titre de propriété d'une compagnie.

16.2.6   LE DIVIDENDE

Le **dividende** est la fraction des bénéfices accumulés que le conseil d'administration de la compagnie décide de distribuer à ses actionnaires en proportion des actions qu'ils détiennent. Lorsqu'une personne dépose de l'argent dans un compte en banque, elle s'attend de recevoir des intérêts sur cet argent. De la même manière, lorsqu'une personne achète des actions d'une compagnie, elle s'attend à recevoir des dividendes.

Cependant, pour que les actionnaires reçoivent un dividende, il faut que le conseil d'administration déclare un dividende, c'est-à-dire qu'il vote la remise d'un dividende aux actionnaires. S'il ne le fait pas, les actionnaires n'ont pas droit au dividende. Une **déclaration de dividende** prend la forme suivante :

> LE CONSEIL D'ADMINISTRATION DE LA COMPAGNIE GESTION LARIMDA INC. A DÉCLARÉ UN DIVIDENDE DE CINQUANTE CENTS PAR ACTION DE CATÉGORIE A, PAYABLE LE 28 FÉVRIER 1996 AUX ACTIONNAIRES INSCRITS DANS LES LIVRES DE LA COMPAGNIE LE 21 FÉVRIER 1996.

Dans ce cas-ci, la compagnie a décidé de verser un dividende en espèces, c'est-à-dire en argent.

En pratique, les grandes entreprises se font un devoir de toujours payer un dividende, même si elles ont subi une perte au cours de la dernière année, afin de préserver la confiance des actionnaires. Cependant, si les pertes devaient se répéter d'année en année, la compagnie devra, un jour ou l'autre, cesser de verser un dividende, mais, tant qu'elle le peut, elle maintiendra cette politique, c'est-à-dire tant et aussi longtemps qu'il restera des profits accumulés durant les années précédentes.

Le dividende est payé à même les profits de l'année ou des bénéfices non répartis, c'est-à-dire à même les bénéfices des autres années qui n'ont pas été répartis ou remis aux actionnaires. En général, les compagnies versent un dividende qui représente entre 25 et 50 % des profits de l'année.

La compagnie n'est pas obligée de distribuer un dividende en espèces ; elle peut également le verser en actions. Dans ce cas, la déclaration de dividende précise que la compagnie a décidé de déclarer un dividende en actions :

> LE CONSEIL D'ADMINISTRATION DE LA COMPAGNIE GESTION LARIMDA INC. A DÉCLARÉ UN DIVIDENDE DE UN DIXIÈME D'ACTION DE CATÉGORIE A POUR CHAQUE ACTION DE CATÉGORIE A, PAYABLE LE 31 AOÛT 1996 AUX ACTIONNAIRES INSCRITS DANS LES LIVRES DE LA COMPAGNIE LE 24 AOÛT 1996.

16.2.7   LES ACTIONNAIRES

Après avoir défini les actions, nous allons maintenant examiner les droits et pouvoirs de leurs détenteurs, les actionnaires.

16.2.7.1   L'assemblée des actionnaires

Les actionnaires exercent leurs pouvoirs lors de l'assemblée des actionnaires. À cette occasion, ils peuvent, entre autres :

- prendre connaissance des résultats de la gestion ;
- prendre connaissance des états financiers ;
- élire ou destituer les administrateurs ;
- nommer un vérificateur ;
- ratifier des règlements.

La loi oblige la tenue d'au moins une **assemblée annuelle** au cours de laquelle ont lieu l'élection des administrateurs et la nomination d'un vérificateur. Quant aux autres assemblées, elles sont convoquées, selon le besoin, par le conseil d'administration. Le conseil d'administration peut également convoquer une **assemblée spéciale** ou **extraordinaire** des actionnaires pour étudier un point précis, comme la création d'une nouvelle catégorie d'action.

Lors d'une assemblée des actionnaires, le mode de scrutin en vigueur est celui en vertu duquel le détenteur d'actions jouit d'un vote par action détenue selon le principe « **une action, un vote** ». En pratique, cela signifie que l'actionnaire qui détient la majorité des actions d'une compagnie détient le pouvoir de décider qui occupe tel poste ; il peut aussi décider, entre autres, qui doit être démis de ses fonctions ou quel règlement doit être ratifié ou refusé.

Enfin, lorsqu'un actionnaire ne peut pas être présent à une assemblée, il peut donner une **procuration** à une personne pour agir en son nom. Ainsi, cette personne, appelée aussi mandataire, procureur ou fondé de pouvoir, votera à l'assemblée selon les directives de l'actionnaire, ou s'il n'en a pas reçues, il votera comme bon lui semble.

16.2.7.2 La convention unanime des actionnaires

La convention unanime des actionnaires est un contrat par lequel les actionnaires restreignent ou délimitent les pouvoirs du conseil d'administration. Elle peut être utilisée lorsque les actionnaires désirent surveiller de près les activités des administrateurs afin qu'ils respectent intégralement leurs décisions. Elle peut servir également pour préciser aux administrateurs ce que les actionnaires attendent d'eux. Un actionnaire unique qui nomme plusieurs administrateurs peut aussi signer une convention unanime des actionnaires pour restreindre les pouvoirs des administrateurs.

16.2.7.3 L'actionnaire unique

123.90 L.C.

> *L'actionnaire qui détient toutes les actions comportant le droit de vote exerce seul les pouvoirs de l'assemblée des actionnaires.*

Une compagnie peut donc n'avoir qu'un seul actionnaire qui peut, en même temps, en être le seul administrateur. Cet actionnaire est également en mesure de nommer plusieurs administrateurs et de les renvoyer selon son bon plaisir, puisqu'il détient toutes les actions de la compagnie ; il lui est donc possible de les élire ou de les démettre de leurs fonctions.

S'il est à la fois le seul actionnaire et le seul administrateur de la compagnie, il n'a pas à réunir le conseil d'administration ou à convoquer l'assemblée des actionnaires pour prendre une décision, puisqu'il est à la fois le conseil d'administration et l'assemblée des actionnaires. Par conséquent, sa seule signature suffit pour lier la compagnie.

16.2.7.4 L'aide financière à un actionnaire

En règle générale, une compagnie ne peut pas accorder de prêt à un actionnaire si cela doit lui causer des difficultés financières, sauf dans les trois cas suivants :

- le prêt est l'activité principale de la compagnie ;
- le prêt constitue une avance de fonds sur des dépenses engagées par un actionnaire au bénéfice de la compagnie ;

- le prêt a lieu dans le cadre d'un programme d'acquisition d'actions par un actionnaire qui est en même temps son employé.

Ces trois exceptions s'expliquent par le fait que, dans chaque cas, le prêt est à l'avantage de la compagnie.

16.2.7.5 Le vérificateur

123.97 L.C.　*Les actionnaires nomment, à leur première assemblée et à chaque assemblée annuelle subséquente, un vérificateur dont le mandat expire à l'assemblée annuelle suivante.*

Les actionnaires possèdent également le pouvoir de nommer un vérificateur lors de l'assemblée annuelle. Le **vérificateur** est habituellement un comptable agréé, ou c.a., chargé par les actionnaires de vérifier les états financiers de la compagnie. Cette vérification a pour objet de s'assurer que les états financiers qui sont présentés par le conseil d'administration représentent fidèlement la réalité.

123.98 L.C.　*Les actionnaires d'une compagnie qui n'a pas réalisé une distribution publique de ses valeurs mobilières peuvent décider, par voie de résolution, de ne pas nommer de vérificateur.*

En règle générale, les actionnaires d'une petite compagnie ne nomment pas de vérificateur afin de diminuer les coûts. En effet, lorsqu'une petite compagnie ne compte que quatre ou cinq actionnaires qui sont en même temps les administrateurs de la compagnie, chacun devrait être au courant de ce qui se passe au sein de la compagnie.

16.2.8 LES ADMINISTRATEURS

311 C.c.Q.　*Les personnes morales agissent par leurs organes, tels le conseil d'administration et l'assemblée des membres.*

312 C.c.Q.　*La personne morale est représentée par ses dirigeants, qui l'obligent dans la mesure des pouvoirs que la loi, l'acte constitutif ou les règlements leur confèrent.*

123.72 L.C.　*Les affaires de la compagnie sont administrées par un conseil d'administration composé d'un ou de plusieurs administrateurs. Toutefois, les affaires d'une compagnie qui a réalisé une distribution publique de ses valeurs mobilières sont administrées par un conseil d'administration composé d'au moins trois administrateurs.*

Une compagnie peut donc être administrée par une seule personne, mais une compagnie publique, comme celles qui sont inscrites à la Bourse, doit être gérée par au moins trois administrateurs, car il s'agit d'une compagnie qui a fait une distribution publique de ses actions.

Un **administrateur** est une personne élue par les actionnaires réunis en assemblée; il représente la compagnie et il peut signer, entre autres, des contrats d'achat, de vente ou de louage au nom de la compagnie. Pour être élu administrateur, il faut être âgé d'au moins 18 ans. Les principaux administrateurs sont le **président**, le **vice-président**, le **secrétaire** et le **trésorier**. Un administrateur peut occuper plusieurs postes, et, quand il occupe tous les postes, il est désigné **administrateur unique**. De plus, il n'est pas nécessaire d'être actionnaire de la compagnie pour être admissible à un poste d'administrateur.

Lorsqu'il s'agit de prendre une décision, les administrateurs ont deux choix: ils peuvent se réunir ou signer une résolution. S'ils choisissent de **se réunir**, la loi leur permet de tenir la réunion à l'aide du téléphone, de la télévision ou de tout autre moyen de communication. S'ils choisissent de **signer une résolution**, un administrateur écrit le texte de la résolution qu'il désire voir adopter par le conseil d'administration et la fait signer par tous les administrateurs. Lorsque le dernier administrateur la signe, elle est adoptée tout comme si elle avait été adoptée lors d'une réunion des administrateurs.

92 L.C.   *Si le conseil d'administration d'une compagnie se compose de plus de six administrateurs, il peut [...] choisir parmi ses membres un comité exécutif composé d'au moins trois administrateurs. Ce comité exécutif peut exercer les pouvoirs du conseil d'administration [...]*

La majorité des grandes entreprises ont un **conseil d'administration** qui compte entre 15 et 50 membres, de telle sorte qu'il est illusoire de penser qu'il est possible de réunir toutes ces personnes chaque semaine pour décider des affaires courantes de la compagnie. Cela est d'autant plus vrai que les administrateurs des grandes compagnies sont à la fois administrateurs de plusieurs compagnies, en moyenne entre 10 et 15, et certains même sont parfois membres d'une trentaine de conseils d'administration. D'ailleurs, dans une grande entreprise, les membres du conseil d'administration ne sont pas là pour diriger la compagnie, mais pour agir à titre de conseillers expérimentés puisque ce sont généralement des gens d'affaires qui ont réussi. Aussi délèguent-ils leurs pouvoirs à un **comité exécutif**, formé de trois à sept membres, qui voit à l'administration courante de la compagnie.

Habituellement, le comité exécutif est formé des **officiers de la compagnie**, c'est-à-dire de ceux qui ont le pouvoir de lier la compagnie. La distinction entre administrateur et officier est très simple : tous les membres du conseil d'administration sont des administrateurs et, habituellement, tous les membres du comité exécutif sont des officiers. Il peut y avoir un officier qui n'est pas membre du comité exécutif, tel un directeur général, et il peut y avoir un membre du comité exécutif qui n'est pas un officier, tel un administrateur qui y est délégué pour rendre compte au conseil d'administration.

Comme les membres du **comité exécutif** sont choisis parmi les membres du conseil d'administration, ils sont à la fois administrateurs et officiers. Les officiers, ou membres du comité exécutif, sont généralement le président, le secrétaire, le trésorier et quelques vice-présidents. Il est à noter que le **conseil d'administration** peut lui aussi avoir un président et un secrétaire, de telle sorte qu'il n'est pas rare de lire un communiqué du genre :

LA DIRECTION DE GESTION LARIMDA INC. EST HEUREUSE D'ANNONCER LA NOMINATION DE MADAME LOUISE DE LA SABLONNIÈRE À TITRE DE PRÉSIDENTE DU CONSEIL D'ADMINISTRATION ET DE MONSIEUR PIERRE MONTREUIL À TITRE DE PRÉSIDENT DU COMITÉ EXÉCUTIF ET CHEF DE LA DIRECTION.

Dans bien des entreprises, le président du comité exécutif porte le titre de **président-directeur général**, ou **PDG**. Il est le vrai patron de la compagnie et il touche un salaire relativement important, tandis que les administrateurs n'ont droit qu'à des honoraires de présence et jouent un rôle plutôt symbolique.

De façon générale, les membres du comité exécutif sont des salariés à plein temps qui ne font pas partie de comités ou de conseils d'administration d'autres compagnies, alors que les membres du conseil d'administration s'occupent souvent simultanément de plusieurs compagnies et ne sont pas des salariés ; ils reçoivent des jetons de présence pour leur participation aux réunions du conseil d'administration, lesquels jetons sont échangeables contre de l'argent.

123.31 L.C.   *Les tiers peuvent présumer que :*

1. *la compagnie exerce ses pouvoirs conformément à ses statuts, à ses règlements et à la convention unanime des actionnaires [...] ;*

2. *les documents déposés au registre en vertu de la présente partie contiennent des informations véridiques ;*

3. *les administrateurs ou officiers de la compagnie occupent valablement leurs fonctions et exercent légalement les pouvoirs qui en découlent ;*

4. *les documents de la compagnie provenant d'un de ses administrateurs, officiers ou autres mandataires sont valides.*

Ainsi, toute personne qui contracte avec une compagnie par l'intermédiaire d'un de ses administrateurs a un contrat en bonne et due forme, puisque cet administrateur est présumé avoir la capacité de lier la compagnie.

123.83 L.C.   *Les administrateurs, officiers et autres représentants de la compagnie sont considérés comme des mandataires de la compagnie.*

Lorsqu'un administrateur, un officier ou un dirigeant d'une compagnie agit au nom de la compagnie, il agit à titre de **mandataire**. Par conséquent, il ne peut pas être poursuivi personnellement pour un préjudice causé dans l'exécution de ses fonctions.

123.87 L.C.   *Une compagnie assume la défense de son mandataire qui est poursuivi par un tiers pour un acte posé dans l'exercice de ses fonctions et paie, le cas échéant, les dommages-intérêts résultant de cet acte, sauf s'il a commis une faute lourde ou une faute personnelle séparable de l'exercice de ses fonctions.*

Toutefois, lors d'une poursuite pénale ou criminelle, la compagnie n'assume que le paiement des dépenses de son mandataire qui avait des motifs raisonnables de croire que sa conduite était conforme à la loi ou le paiement des dépenses de son mandataire qui a été libéré ou acquitté.

Par exemple, si Raymond décide de poursuivre Caroline, une administratrice de Gestion Larimda inc., en alléguant que Caroline l'a fraudé dans un contrat signé avec la compagnie, Gestion Larimda inc. doit assumer la défense de Caroline en retenant les services d'un avocat et en payant les dommages-intérêts qui résultent de cet acte, sauf si Caroline a commis une faute lourde ou une faute personnelle distincte de l'exercice de ses fonctions, tel le meurtre d'un employé ou d'un client.

123.84 L.C.   *Un administrateur est présumé avoir agi avec l'habileté convenable et tous les soins d'un bon père de famille s'il se fonde sur l'opinion ou le rapport d'un expert pour prendre une décision.*

Par exemple, le gouvernement du Québec publie une demande de soumission pour la gestion d'un complexe immobilier. Caroline prépare une soumission dans laquelle elle établit un coût annuel de gestion à 2,75 $ le mètre carré. Avant de la transmettre, elle consulte le comptable de la compagnie qui lui confirme que cette somme de 2,75 $ correspond bien à la réalité du marché. Caroline envoie la soumission et le gouvernement du Québec accepte cette soumission. Malheureusement, plusieurs imprévus se produisent et le coût annuel de gestion augmente à 3,25 $ le mètre carré entraînant une perte globale de 50 000 $. Comme Caroline avait pris la peine de consulter un expert, la compagnie ne peut pas poursuivre son administratrice pour se faire rembourser cette perte de 50 000 $, mais elle peut la congédier pour incompétence.

16.2.9   LA DISSOLUTION D'UNE COMPAGNIE

La dissolution d'une compagnie est volontaire ou forcée.

La compagnie peut se dissoudre volontairement si elle démontre à l'inspecteur général :

- qu'elle n'a plus de dettes, d'obligations ou de passif ;
- qu'elle s'est départie de tous ses biens et a divisé son actif proportionnellement entre ses actionnaires ;
- qu'elle a publié un avis de son intention de demander sa dissolution dans un journal publié en français.

Si la compagnie a rempli ces trois conditions, l'inspecteur général prononcera sa dissolution.

Il est donc simple de dissoudre une compagnie, mais les frais de dissolution peuvent facilement atteindre entre 500 $ et 1 500 $, compte tenu du coût de la publication dans un journal ainsi que des honoraires de l'avocat ou du notaire qui prépare la demande de dissolution.

Enfin, même si la compagnie est dissoute, les administrateurs demeurent responsables des dettes qui n'auraient pas été payées à la date de la dissolution.

La compagnie peut également faire l'objet d'une dissolution forcée si la compagnie omet de produire sa déclaration annuelle durant deux années consécutives (voir la section 16.2.4.4, La déclaration annuelle).

En pratique, si une personne désire dissoudre une compagnie constituée en vertu d'une loi québécoise sans payer les frais relatifs à une dissolution volontaire, il suffit qu'elle omette de produire la déclaration annuelle pendant quelques années et, dans ce cas, l'inspecteur général procédera à la radiation de l'immatriculation, ce qui entraînera la dissolution de la compagnie.

Avant de dissoudre une compagnie, l'inspecteur général lui envoie un avis et fait publier dans un journal la liste des compagnies qu'il entend dissoudre pour défaut de production de la déclaration annuelle. Si les administrateurs d'une compagnie fautive ne réagissent pas à l'avis ou à la publication, l'inspecteur général procède alors à la dissolution de cette compagnie. Cette dissolution n'entache pas la réputation des administrateurs.

16.2.10   LA *LOI SUR LES VALEURS MOBILIÈRES*

La *Loi sur les valeurs mobilières* est une loi québécoise qui s'applique aux formes d'investissement suivantes :

- les actions, les obligations et les bons de souscription ;
- une option et un contrat à terme négociable sur valeurs mobilières ;
- une option sur un contrat à terme de marchandises ou de titres financiers ;
- une part dans un club d'investissement ;
- un contrat d'investissement ;
- une option quelconque négociable sur un marché organisé.

Un **contrat d'investissement** est un contrat par lequel une personne s'engage, dans l'espoir du bénéfice qu'on lui a fait entrevoir, à participer aux risques d'une affaire par la voie d'un apport ou d'un prêt quelconque, sans posséder les connaissances requises pour la bonne marche de l'affaire ou sans obtenir le droit de participer directement aux décisions concernant la bonne marche de l'affaire.

La *Loi sur les valeurs mobilières* s'applique donc à toutes les transactions qui impliquent des valeurs mobilières, particulièrement les actions, les obligations et les contrats d'investissement.

Il existe un organisme chargé de l'administration de la *Loi sur les valeurs mobilières*; il s'agit de la **Commission des valeurs mobilières du Québec** (CVMQ). La Commission a pour mission :

- de favoriser le bon fonctionnement du marché des valeurs mobilières ;

- d'assurer la protection des épargnants contre les pratiques déloyales, abusives et frauduleuses ;

- de régir l'information des porteurs de valeurs mobilières et du public sur les personnes qui font publiquement appel à l'épargne et sur les valeurs émises par celles-ci ;

- d'encadrer l'activité des professionnels du marché des valeurs mobilières, des associations qui les regroupent et des organismes chargés d'assurer le fonctionnement d'un marché de valeurs mobilières.

La Commission peut, entre autres, instituer une enquête, intenter une poursuite en vertu de la *Loi sur les valeurs mobilières*, prononcer une ordonnance de blocage pour empêcher une personne de se départir de fonds ou de titres qu'elle a en sa possession ainsi que recommander au ministre la nomination d'un administrateur provisoire, la liquidation des biens d'une personne ou la liquidation d'une société.

De plus, la *Loi sur les valeurs mobilières* encadre les professions de conseiller en valeurs et de courtier en valeurs. Le **conseiller en valeurs** est une personne qui :

- conseille autrui, soit directement, soit par des publications ou par tout autre moyen, concernant l'acquisition ou l'aliénation de valeurs ou une participation à des opérations sur valeurs ;

- gère, en vertu d'un mandat, un portefeuille de valeurs ;

- fait du démarchage relié à son activité de conseil ou de gestion de portefeuille.

Le **courtier en valeurs** est une personne qui :

- exerce l'activité d'intermédiaire dans les opérations sur valeurs ;

- fait des opérations de contrepartie sur valeurs ;

- effectue le placement d'une valeur, pour son propre compte ou pour le compte d'autrui ;

- fait du démarchage relié à une des trois activités précédentes.

Enfin, le conseiller en valeurs et le courtier en valeurs doivent s'inscrire auprès de la Commission.

Comme nous pouvons le constater, la *Loi sur les valeurs mobilières* s'applique à tout ce qui touche la notion de valeurs mobilières au sens large du terme ainsi qu'aux personnes qui travaillent dans ce domaine.

D'autre part, la *Loi sur les valeurs mobilières* précise que toute personne qui entend procéder au placement d'une valeur est tenue d'établir un prospectus soumis au visa de la Commission. Un prospectus est un document pouvant comprendre de 20 à 100 pages et qui permet à un investisseur de se faire une bonne idée sur l'historique de l'entreprise, ses différentes activités, les résultats financiers des dernières années, les principaux dirigeants, le nombre et la catégorie des actions détenues par ces dirigeants, les principaux actionnaires, le but de cet appel à l'épargne, les risques reliés à ce projet ainsi que les bénéfices prévus.

Par exemple, si une société en commandite décide de faire appel à l'épargne des tiers pour réaliser des forages pétroliers, elle doit déposer, auprès de la Commission des valeurs mobilières du Québec, un prospectus qui contient toutes ces informations concernant l'entreprise et ses activités. Ainsi, les investisseurs sont en mesure d'apprécier le risque de ce projet compte tenu du bénéfice escompté.

La *Loi sur les valeurs mobilières* encadre également la prise de contrôle d'une entreprise lorsqu'une personne se propose d'acquérir une participation égale ou supérieure à 20 % des actions comportant le droit de vote. *Par exemple, supposons que les actions de Provigo distribution inc. comportant le droit de vote sont les actions de catégorie « A », qu'il existe 1 000 000 de ces actions en circulation et que le prix de ces actions à la Bourse de Montréal est de 20 $. Si Micheline se propose d'acquérir 60 % des actions de catégorie « A » de Provigo distribution inc. au prix de 22 $, la Loi sur les valeurs mobilières stipule que Micheline doit procéder par une offre publique d'achat afin de permettre à tous les détenteurs de cette catégorie d'actions de savoir qu'elle est disposée à offrir une somme de 22 $ par action pour acquérir 600 000 actions de catégorie « A » de Provigo distribution inc. Ainsi, les détenteurs de ces actions peuvent choisir de les offrir à Micheline ou de les garder.*

Enfin, toute compagnie soumise au contrôle de la Commission doit lui transmettre des états financiers trimestriels ainsi que des états financiers annuels. De plus, elle doit également transmettre à la Commission tout changement important susceptible d'exercer une influence appréciable sur la valeur de ses actions si ce changement est inconnu du public; cette transmission d'information prend la forme d'un communiqué de presse.

Nous pouvons donc dire que toutes les compagnies sont soumises au contrôle de la Commission des valeurs mobilières du Québec lorsqu'elles émettent des actions. Cependant, la Commission ne porte aucune attention aux sociétés fermées. Une **société fermée**, autrefois appelée **compagnie privée**, est une compagnie dont les statuts prévoient:

- une restriction sur le transfert des actions;

- une interdiction d'inviter le public à souscrire des actions de la compagnie;

- une limitation du nombre d'actionnaires à 50, déduction faite de ceux qui sont ou ont été salariés de la compagnie ou d'une filiale.

Ces trois clauses se trouvent à l'annexe II des statuts de Gestion Larimda inc. (voir le document 16.1, Statuts de constitution de la compagnie Gestion Larimda inc.). Par conséquent, cette compagnie n'est pas soumise au pouvoir de contrôle de la CVMQ.

Une société fermée est donc une compagnie où le nombre d'actionnaires est limité à 50, où les actions ne peuvent être vendues sans l'autorisation des administrateurs et qui n'offre pas ses actions au grand public. Cette définition se trouve à l'article 5 de la *Loi sur les valeurs mobilières*.

Par opposition, une **société ouverte**, ou **compagnie publique**, est une compagnie qui offre ses actions au grand public, et dont éventuellement les actions sont inscrites à la cote officielle et se transigent à la bourse. Par conséquent, la société ouverte est soumise au contrôle de la Commission et elle doit lui transmettre un prospectus ainsi que ses états financiers trimestriels.

16.3 LA COOPÉRATIVE

Une **coopérative** est un groupement de personnes qui ont des besoins économiques et sociaux communs, et qui, dans le but de les satisfaire, s'associent pour exploiter une entreprise conformément aux règles d'action coopérative.

Les **règles d'action coopérative** sont les suivantes :

1. l'adhésion d'un **membre** à une coopérative est subordonnée à l'utilisation des services offerts par la coopérative et à la possibilité pour la coopérative de les lui fournir ;

2. le membre n'a droit qu'à **une seule voix**, quel que soit le nombre de parts sociales qu'il détient, et il ne peut voter par procuration ;

3. le paiement d'un intérêt sur le **capital social** doit être limité ;

4. la coopérative doit constituer une **réserve** qui ne peut être partagée entre les membres, même en cas de liquidation ;

5. les **trop-perçus** ou **excédents** sont affectés à la réserve et à l'attribution de **ristournes** aux membres au prorata des opérations effectuées entre chacun d'eux et la coopérative ;

6. la coopérative doit viser la **promotion de la coopération** entre les membres et la coopérative, et entre les coopératives ;

7. la coopérative doit promouvoir l'**éducation coopérative** des membres dirigeants et des employés de la coopérative.

Les coopératives les plus répandues sont, entre autres :

- la caisse populaire ;

- la coopérative alimentaire ;

- la coopérative d'habitation ;

- la coopérative de travailleurs ;

- la coopérative de pêcheurs ;

- la coopérative agricole.

Une coopérative est généralement constituée en vertu de la *Loi sur les coopératives*.

16.3.1   DESCRIPTION GÉNÉRALE

La coopérative est une forme très particulière d'exploitation d'une entreprise. Fondamentalement, le but d'une coopérative n'est pas de faire un profit, mais **d'offrir un service à ses sociétaires, ou membres, au plus bas prix possible.**

Les **membres** d'une coopérative en sont à la fois les propriétaires et les usagers, sauf dans le cas des coopératives d'alimentation et des coopératives étudiantes, qui acceptent de vendre aux **non-membres**. Néanmoins, les membres de ces coopératives ont généralement droit à des rabais particuliers.

Ainsi, les membres d'une coopérative d'habitation ne désirent pas faire un profit avec leur immeuble, mais plutôt se loger au meilleur prix possible. D'ailleurs, si l'immeuble compte 20 logements, il y a 20 membres dans cette coopérative et leur but est de maintenir leur loyer au plus bas en contrôlant les dépenses. De plus, une fois l'immeuble entièrement payé, le coût du loyer devrait diminuer compte tenu du fait qu'il n'y a plus de remboursement hypothécaire à effectuer auprès d'un prêteur. **Attention : c'est la coopérative qui est propriétaire de l'immeuble et non les membres.**

Donc, lorsqu'une coopérative enregistre un **trop-perçu** (un profit), elle verse une **ristourne** (un remboursement) à ses membres, soit sous forme d'argent, de réduction du prix de vente des produits et services ou par l'ajout de services pour le même prix.

Par ailleurs, la loi oblige les coopératives à accumuler une **réserve** pour faire face à d'éventuelles difficultés ; c'est une obligation un peu normale, mais ce qui est particulier, c'est que les membres ne peuvent pas partager cette réserve entre eux, même en cas de dissolution ou de liquidation volontaire. En effet, la loi prescrit que cette réserve doit être remise à une ou à plusieurs autres coopératives.

16.3.2 LA COOPÉRATIVE : UNE PERSONNE MORALE

Tout comme la compagnie, la coopérative est une personne morale.

16.3.2.1 Le nom de la coopérative

16 L. Coop.   *Le nom d'une coopérative doit comporter l'un des termes suivants : « coopérative », « coopératif », « coopération », « cooprix » ou « coop », pour indiquer qu'elle est une entreprise à caractère coopératif. [...]*

Une coopérative a un nom qui lui est propre et qui la distingue de ses membres. Pour la distinguer des autres formes de personne morale, le nom d'une coopérative doit obligatoirement comprendre une des expressions suivantes :

- coopérative ;
- coopératif ;
- coopération ;
- cooprix ;
- coop.

Voici quelques exemples de noms acceptables pour une coopérative :

- Coopérative de logement du Trait Carré ;
- Club coopératif d'achat de nourriture du Vieux-Québec ;
- Services d'entraide à la coopération ;
- Magasin cooprix de Boucherville ;
- Coop étudiante du Collège de Limoilou.

Enfin, le nom ne doit pas prêter à confusion avec le nom d'une coopérative existante. *Par exemple, s'il existe une Coopérative du Faubourg, il est impossible de former une autre coopérative sous le même nom, mais il est possible d'en fonder une variante, comme la Coopérative du Faubourg Saint-Jean-Baptiste.*

16.3.2.2 La capacité de la coopérative

301 C.c.Q.   *Les personnes morales ont la pleine jouissance des droits civils.*

303 C.c.Q.   *Les personnes morales ont la capacité requise pour exercer tous leurs droits [...]*

Comme une coopérative est une **personne morale** au sens du *Code civil*, elle jouit de tous les pouvoirs, droits et obligations d'une personne morale (voir la section 3.4, La personne morale). Les membres d'une coopérative jouissent donc également de la **responsabilité limitée**.

16.3.3 LA CONSTITUTION DE LA COOPÉRATIVE

Pour fonder une coopérative, il est nécessaire d'être plusieurs personnes. La *Loi sur les coopératives* exige un **minimum de 12 personnes** en général, et de 25 personnes dans le cas d'une coopérative agricole. Dans ces deux cas, ce nombre peut être réduit à cinq personnes, si nécessaire. Dans le cas d'une coopérative de travailleurs, le ministre responsable de l'application de la loi peut réduire de 12 à trois le nombre minimum de personnes requis pour constituer une telle coopérative.

Une coopérative est constituée en vertu de la *Loi sur les coopératives*.

16.3.4 LES MEMBRES

Pour exister, une coopérative doit avoir des membres.

16.3.4.1 Le membre

Pour devenir **membre** d'une coopérative, une personne doit :

- être en mesure de participer à l'objet pour lequel la coopérative est constituée ;
- faire une demande d'admission ;
- souscrire et payer le nombre minimum de parts sociales prévu par règlement ;
- s'engager à respecter les règlements de la coopérative ;
- être admise par le conseil d'administration.

Dans le cas d'une coopérative de travailleurs, le règlement peut établir des conditions supplémentaires d'admission. De plus, **un mineur âgé d'au moins 16 ans** peut devenir membre d'une coopérative.

Pour devenir membre d'une caisse populaire, une personne doit être en mesure de signer son nom. *Par exemple, un mineur âgé de six, sept ou huit ans peut devenir membre d'une caisse populaire. C'est le cas des membres des caisses scolaires dans les écoles, caisses qui sont parrainées par les caisses populaires Desjardins.*

16.3.4.2 La part sociale

La loi fixe à **10 $ le montant d'une part sociale**. Toutefois, dans le cas d'une coopérative de pêcheurs, ce montant est de 50 $, tandis qu'en ce qui concerne une coopérative d'étudiants et d'économie familiale, la coopérative peut, par règlement, établir ce montant à entre 2 $ et 10 $.

Si un membre le désire, il peut acheter plus d'une part sociale. La part sociale est **nominative** (émise au nom d'une personne), n'augmente pas de valeur et ne rapporte pas d'intérêt. Lorsqu'un membre désire quitter la coopérative, cette dernière lui rachète la ou les parts sociales au même prix. Il peut arriver que le règlement de la coopérative prescrive qu'une personne doit détenir plus d'une part sociale ; dans ce cas, les membres sont tenus de souscrire le nombre de parts sociales prescrit sous peine d'exclusion.

16.3.4.3 L'assemblée générale

Les membres participent à la coopérative principalement lors des assemblées générales, similaires à celles des compagnies, où ils :

- nomment le vérificateur ;
- élisent les administrateurs ;
- statuent sur la distribution des trop-perçus ;
- décident de liquider les biens de la coopérative ;
- prennent connaissance des résultats financiers de la coopérative ;
- proposent les grandes orientations et les politiques de leur coopérative ;

- autorisent le conseil d'administration à donner les biens de la coopérative en garantie ;

- votent pour ou contre toute autre résolution ou règlement soumis à leur approbation.

Par opposition à l'actionnaire d'une compagnie qui jouit d'autant de votes qu'il a d'actions, le membre d'une coopérative n'a droit qu'à un seul vote, même s'il détient la majorité des parts sociales, selon le principe « **une personne, un vote** ».

Donc, dans une coopérative, la détention de plusieurs parts sociales ne donne aucun avantage particulier à un membre ; elle ne permet que de démontrer l'attachement du membre à l'idéal coopératif, car il y a un **principe d'égalité** entre tous les membres. De plus, contrairement à l'actionnaire d'une compagnie, le membre d'une coopérative ne peut pas voter par procuration.

À moins de dispositions contraires prévues par règlement, les membres présents à une assemblée générale constituent le quorum. Le **quorum** est le nombre nécessaire de personnes présentes pour qu'une assemblée soit valablement constituée. De façon générale, les décisions sont prises à la majorité des membres présents, mais la loi précise que certaines décisions doivent être prises à la majorité des deux tiers. Dans le cas d'une liquidation, la majorité doit être des trois quarts.

16.3.4.4 La convention des membres

La coopérative qui compte moins de 25 membres n'est pas tenue d'élire un conseil d'administration si 90 % des membres en conviennent par écrit. Cela s'appelle une **convention des membres**.

Dans un tel cas, les membres doivent élire un président, un vice-président et un secrétaire, mais ils ne sont pas tenus d'engager un directeur général.

La convention des membres est similaire à la convention unanime des actionnaires, mais elle doit être renouvelée chaque année à moins qu'un conseil d'administration ne soit élu.

16.3.5 LE FONCTIONNEMENT DE LA COOPÉRATIVE

Tout comme la compagnie, la coopérative possède un conseil d'administration ainsi qu'un livre des procès-verbaux, appelé registre de la coopérative. Elle doit aussi remplir une déclaration d'immatriculation, une déclaration annuelle, une déclaration modificative s'il y a lieu, et une déclaration de radiation.

16.3.5.1 Le conseil d'administration

Le **conseil d'administration** est composé de 5 à 15 administrateurs, sauf pour la coopérative de travailleurs où le nombre minimum d'administrateurs est de 3. La durée du mandat des administrateurs est d'une année. Ce mandat peut cependant s'étendre sur trois années si un règlement à cet effet a été voté par les membres lors d'une assemblée générale. Le conseil d'administration nomme le président, le vice-président, le secrétaire et le trésorier.

De plus, si le conseil d'administration compte au moins neuf administrateurs, ces derniers peuvent décider de créer un **comité exécutif** dont ils pourront nommer les membres.

Le conseil d'administration doit :

- approuver les états financiers ;

- assurer les biens de la coopérative ;

- recommander l'affectation des surplus ;

- engager, superviser et évaluer un directeur général ;
- rendre compte de son mandat à l'assemblée annuelle ;
- préparer et présenter le rapport annuel aux membres ;
- désigner les personnes responsables de la signature des contrats et autres documents.

Le **quorum** du conseil d'administration est fixé à la majorité des membres. Les administrateurs ne sont pas personnellement responsables des obligations de la coopérative.

16.3.5.2   Le registre de la coopérative

La coopérative doit tenir un **registre de la coopérative** ou **livre de coopérative**, similaire au livre de la compagnie, qui contient :

- ses statuts de constitution ;
- ses règlements ;
- la liste des administrateurs ;
- la liste des membres avec le capital souscrit et payé ;
- les procès-verbaux des assemblées générales ;
- les procès-verbaux des réunions du conseil d'administration et du comité exécutif.

16.3.5.3   Les réserves

En ce qui concerne les **trop-perçus annuels**, la coopérative doit obligatoirement les accumuler pour rembourser le déficit qu'elle aurait pu enregistrer pendant les premières années de son existence. Dès que ce déficit est épongé, elle doit absolument verser 20 % du montant qui reste à une **réserve obligatoire** au cas où des années difficiles se présenteraient à nouveau. Cependant, rien ne l'empêche de verser 50 %, 75 % ou même 100 % de ses trop-perçus à la réserve générale.

Dès que la réserve générale a atteint au moins 25 % du passif total de la coopérative, cette obligation cesse. *Par exemple, si le passif de la coopérative est de 100 000 $, sa réserve générale doit atteindre au moins 25 000 $ avant que ne cesse l'obligation imposée par la loi.*

16.3.6   La liquidation volontaire

La coopérative peut procéder à sa **liquidation volontaire** en nommant des **liquidateurs** chargés de l'effectuer. Premièrement, les liquidateurs vendent tous les biens de la coopérative pour les transformer en argent liquide. Deuxièmement, ils paient tous les créanciers et, troisièmement, ils remboursent les parts sociales des membres. Quatrièmement, le solde de la liquidation, incluant la réserve générale, n'est pas distribué aux membres de la coopérative ; il est transféré à une autre coopérative ou à une fédération désignée par le ministre responsable de l'application de la loi.

16.4   UNE COMPARAISON ENTRE UNE COMPAGNIE ET UNE COOPÉRATIVE

La comparaison entre une compagnie et une coopérative est présentée sous forme de tableau à la page suivante (voir le tableau 16.1).

Tableau 16.1 La comparaison entre une compagnie et une coopérative

Caractéristique	Compagnie	Coopérative
Personne	Morale	Morale
Nom propre	Oui	Oui
Siège social	Oui	Oui
Capacité	Pleine	Pleine
Conseil d'administration	Oui	Oui
Nombre minimum d'administrateurs	1	5 (sauf exception)
Nom du surplus accumulé	Bénéfices non répartis	Réserve
Surplus obligatoire	Non	Oui
Nom du propriétaire	Actionnaire	Membre
Responsabilité	Limitée	Limitée
Nombre minimum de propriétaires	1	12 (sauf exception)
Droit de propriété	Action	Part sociale
Ensemble des droits	Capital-actions	Capital social
Vote	Une action, un vote	Une personne, un vote
Vote par procuration	Permis	Interdit
Excédent des revenus	Profit	Trop-perçu
Rendement	Dividende	Ristourne
Reliquat en cas de liquidation	Aux actionnaires	À une autre coopérative
Convention	Des actionnaires	Des membres
Registre	Livre de la compagnie	Registre de la coopérative
Déclaration initiale ou d'immatriculation	Oui	Oui
Déclaration annuelle	Oui	Oui
Déclaration modificative	Oui	Oui
Déclaration de radiation	Oui	Oui

RÉSUMÉ

La compagnie constitue une personne morale qui jouit d'une personnalité juridique distincte de celle de ses actionnaires. Elle a un nom, un domicile, une nationalité, un patrimoine, des droits et des obligations. Elle peut poursuivre ou être poursuivie en justice sous son propre nom.

La dénomination sociale est le nom d'une compagnie. Elle ne doit pas prêter à confusion avec la dénomination sociale d'une autre compagnie.

Le siège social est le lieu où se trouvent les registres de la compagnie et où il est possible de lui signifier une action.

La compagnie a la capacité d'une personne morale telle que défini dans le *Code civil*; elle peut donc faire tous les actes nécessaires pour arriver à ses fins.

Une personne n'a pas intérêt à signer des contrats au nom d'une compagnie qui n'est pas encore constituée, car si cette dernière ne l'était pas, le signataire serait personnellement responsable des contrats signés.

Pour constituer une compagnie, il faut remplir les formulaires 1, 2 et 4 que sont les statuts de constitution, l'avis relatif à l'adresse du siège social et l'avis relatif à la composition du conseil d'administration ou remplir le formulaire 1 et la déclaration initiale.

En tout temps, une compagnie peut modifier ses statuts en adoptant le règlement approprié et en le déposant auprès de l'inspecteur général des institutions financières.

Lorsque la compagnie est constituée, les fondateurs tiennent une réunion d'organisation au cours de laquelle ils émettent au moins une action ; ils peuvent également adopter les règlements généraux.

Le livre de la compagnie, aussi appelé livre des procès-verbaux, contient les statuts de constitution de la compagnie, ses règlements, le nom et l'adresse des actionnaires, le nombre et la catégorie d'actions détenues par les actionnaires, la convention unanime des actionnaires, les procès-verbaux des assemblées d'actionnaires, les résolutions des actionnaires, les nom et prénom de ses administrateurs en indiquant, pour chaque mandat, la date à laquelle il commence et celle à laquelle il se termine, les procès-verbaux des réunions du conseil d'administration et du comité exécutif, les résolutions des administrateurs, le montant dû sur les actions et les transferts d'actions.

Toute nouvelle compagnie doit déposer une déclaration initiale au bureau de l'inspecteur général des institutions financières dans les 60 jours de la date d'enregistrement de ses statuts.

Chaque année, entre le 1er août et le 31 octobre, toute personne morale doit produire une déclaration annuelle au bureau de l'inspecteur général des institutions financières ; les renseignements sur la personne morale contenues dans cette déclaration rendent compte de la situation de la personne morale à la date de signature.

Le capital-actions d'une compagnie comprend l'ensemble de ses actions quelle que soit leur catégorie.

L'action confère à son détenteur, l'actionnaire, un droit de participer à la gestion de la compagnie, soit en élisant les administrateurs, soit en participant aux activités des assemblées des actionnaires ou de toute autre manière.

Les actions sont traditionnellement appelées actions ordinaires ou actions privilégiées.

L'action ordinaire accorde à l'actionnaire les trois droits que sont le droit de voter à toute assemblée des actionnaires, celui de recevoir tout dividende et celui de partager le reliquat des biens lors de la liquidation de la compagnie.

Le dividende est une forme de rémunération que reçoit le détenteur d'une action ; il est comparable à l'intérêt sur un dépôt versé par une institution financière.

L'assemblée des actionnaires est la réunion de tous les actionnaires : ils y élisent les administrateurs, prennent connaissance des états financiers, nomment le vérificateur et adoptent les règlements nécessaires au bon fonctionnement de la compagnie.

La responsabilité des actionnaires est limitée à leur mise de fonds.

Les actionnaires peuvent signer une convention unanime pour restreindre ou pour délimiter les pouvoirs des administrateurs.

Une compagnie est dite à actionnaire unique quand il n'y a qu'un seul détenteur d'actions. Dans ce cas, cet actionnaire exerce à lui seul les pouvoirs de l'assemblée des actionnaires.

En général, une compagnie n'accorde pas de prêt à son actionnaire.

Le vérificateur est un comptable dont les services sont retenus par l'assemblée des actionnaires pour vérifier si les états financiers présentés par le conseil d'administration sont conformes à la réalité.

Les administrateurs sont élus par les actionnaires ; ils représentent la compagnie et forment le conseil d'administration. S'il y a plus de six administrateurs, le conseil d'administration peut créer un comité exécutif composé d'au moins trois personnes.

Les officiers d'une compagnie sont les personnes qui ont l'autorité pour engager la compagnie. Les principaux officiers sont le président, le vice-président, le secrétaire et le trésorier.

L'actionnaire et l'administrateur de la compagnie ne peuvent pas être poursuivis pour un préjudice causé par la compagnie.

Une compagnie peut se dissoudre volontairement ou subir une dissolution forcée sur décision de l'inspecteur général des institutions financières.

La *Loi sur les valeurs mobilières* contient une disposition relative à la société fermée, c'est-à-dire une compagnie qui n'est pas soumise à la juridiction de la Commission des valeurs mobilières du Québec.

Une coopérative est une personne morale formée par un groupe d'au moins 12 personnes en général, 25 pour une coopérative agricole ou 3 pour une coopérative de travailleurs, dans le but d'offrir un service au meilleur prix possible.

Une coopérative est constituée en vertu de la *Loi sur les coopératives*.

Le nom d'une coopérative doit comprendre un des mots suivants : coopérative, coop, coopération, cooprix ou coopératif, et ne doit pas prêter à confusion avec le nom d'une autre coopérative.

En tant que personne morale, la coopérative a tous les pouvoirs prévus dans la *Loi sur les coopératives* et le *Code civil* pour atteindre ses buts.

Une personne peut devenir membre d'une coopérative en achetant une part sociale.

Le fonctionnement de la coopérative ressemble à celui de la compagnie, à l'exception du vote : dans une coopérative, un membre n'a droit qu'à un vote, même s'il détient plusieurs parts sociales.

Le conseil d'administration d'une coopérative est composé de 5 à 15 personnes.

Une coopérative doit tenir un registre de la coopérative, qui s'apparente au livre de la compagnie.

Une coopérative doit mettre de côté une partie de ses trop-perçus à titre de réserve.

En cas de liquidation d'une coopérative, et après le remboursement des parts sociales, le solde de la liquidation et la réserve générale ne sont pas distribués aux membres : ils sont transférés à une autre coopérative.

QUESTIONS

16.1   Qu'est-ce qu'une compagnie ?

16.2   Quels sont les avantages à choisir la compagnie plutôt que la société ?

16.3   Quelles sont les règles de base en matière de choix d'une dénomination sociale ?

16.4   Quel est le nom et le numéro du formulaire à utiliser pour obtenir une dénomination sociale ?

16.5   Qu'est-ce que le siège social d'une compagnie ?

16.6   Désignez par leur nom le formulaire et la déclaration, ou les trois formulaires, que doit remplir une personne qui fait une demande de constitution d'une compagnie.

16.7   À quoi sert la réunion d'organisation ?

16.8   Que contient le livre de la compagnie ?

16.9   À quoi sert la déclaration annuelle ?

16.10   Quels sont les trois droits que doit conférer toute action ordinaire ?

16.11   À quoi sert l'assemblée des actionnaires ?

16.12   À quoi sert une convention unanime des actionnaires ?

16.13 Une personne peut-elle être élue administrateur sans être actionnaire de la compagnie ?

16.14 À quoi servent les administrateurs ?

16.15 Qui sont les principaux administrateurs d'une compagnie ?

16.16 De quelle façon la *Loi sur les valeurs mobilières* s'applique-t-elle aux compagnies ?

16.17 Qu'est-ce qu'une coopérative ?

16.18 Que doit obligatoirement comprendre le nom d'une coopérative ?

16.19 Combien faut-il de personnes pour fonder une coopérative ? Détaillez et justifiez votre réponse.

16.20 Quelle est la capacité juridique d'une coopérative ? Justifiez votre réponse.

CAS PRATIQUES

16.21 André, Brigitte, Caroline, Denise et Éric fondent une compagnie dans laquelle ils sont actionnaires à parts égales. Brigitte, Caroline et Denise s'entendent pour s'élire respectivement aux postes de président, secrétaire et trésorier au grand désespoir d'André qui jouissait de l'appui d'Éric pour le poste de trésorier.

André et Éric peuvent-ils faire quelque chose pour renverser la décision prise par Brigitte, Caroline et Denise ? Justifiez votre réponse.

16.22 Micheline, actionnaire unique de l'entreprise de construction Belmaison inc., a nommé ses deux frères, Louis et Charles, au conseil d'administration de sa compagnie pour l'aider à prendre des décisions éclairées. Depuis deux mois, toutes les suggestions que Micheline a faites sont systématiquement rejetées par les deux autres administrateurs. Excédée par cette situation, Micheline demande à ses deux frères de démissionner du conseil d'administration. Ces derniers refusent en alléguant qu'ils détiennent la majorité des voix au conseil d'administration.

Micheline peut-elle faire quelque chose pour dénouer cette impasse ? Justifiez votre réponse.

16.23 Robert, Sylvie, Thérèse et Wilfrid fondent une entreprise de consultation sous le nom de Consultech inc. dans laquelle ils détiennent respectivement 20 %, 30 %, 30 % et 20 % des actions. Ils sont tous d'accord pour encadrer de manière très stricte l'exercice du droit de vote de façon à empêcher le fait que Robert et Wilfrid soient en minorité. Pour ce faire, ils songent, entre autres, à exiger une majorité de 75 % sur toute question soumise au vote.

Peuvent-ils le faire compte tenu du fait que la *Loi sur les compagnies* prescrit qu'une question soumise au vote est décidée à la majorité simple ? Justifiez votre réponse.

16.24 Le 15 janvier 1994, Louise Demers, comptable, qui demeure au 715, avenue Myrand, à Sainte-Foy, G1V 2T8, 522-2001, et Mario Noreau, entrepreneur de construction, qui demeure au 1525, avenue Ernest-Lapointe, à Québec, G1J 5A5, 525-5191, décident de constituer une compagnie de construction sous le nom de Construction Denoro inc. Le 18 janvier 1994, Mario Noreau dépose une formule de demande de réservation de dénomination sociale, et le 3 février 1994, il reçoit une réponse positive de l'inspecteur général des institutions financières.

Ils comptent installer leur entreprise dans la région de Québec, dans les bureaux que possède Mario Noreau au 2901, chemin Royal, à Beauport, G1E 1T2.

Ils entendent donner le maximum de flexibilité à leur entreprise tout en demeurant une société fermée au sens de la *Loi sur les valeurs mobilières*.

Ils désirent que le conseil d'administration ait tous les pouvoirs d'emprunt nécessaires pour une bonne gestion.

De plus, bien qu'il soit possible que l'entreprise fonctionne avec un seul administrateur, ils pensent qu'un jour il pourrait y avoir un conseil d'administration formé de plus d'une dizaine d'administrateurs. Mario Noreau agira à titre de président et Louise Demers à titre de secrétaire-trésorier.

Ils comptent débuter en affaires le 1er mars 1994.

Remplissez les formulaires 3, 1, 2 et 4 sur les pages suivantes.

Cas pratiques n° 16.24

Gouvernement du Québec
L'Inspecteur général
des institutions financières
Direction des entreprises

Québec
L'Inspecteur général
des institutions financières
Direction des entreprises
Case postale 1153
Québec (Québec)
G1K 7C3

Montréal
L'Inspecteur général
des institutions financières
Direction des entreprises
800, Place Victoria
Case postale 355
Montréal (Québec)
H4Z   1H9

FORMULAIRE 3
Demande de réservation
de dénomination sociale

N.B.: *Joindre un chèque visé ou un mandat à l'ordre du ministre des Finances au montant indiqué au numéro 5 de la liste des tarifs ci-jointe.*

Réservé à l'administration	
N° de dossier	N° de la demande

PAIEMENT PAR CARTE DE CRÉDIT

Numéro de la carte

Date de validité   Date d'expiration

1   Nom, adresse et code postale du demandeur

4   Activité principale et lieu de cette activité

2   Dénomination sociale proposée

5   S'il s'agit s'une modification de la dénomination sociale d'une compagnie québécoise existante, inscrire la dénomination sociale actuelle

3   Décision   Réservé à l'administration

6   Signature du demandeur et n° de téléphone

7   Commentaires   Réservé à l'administration

*   Règlement concernant les dénominations sociales des compagnies régie par la Partie 1A de la Loi sur les compagnies
** Règlement sur la langue du commerce et des affaires

Direction des entreprises

C-213 (Rev.12- 93)

Cas pratiques n° 16.24

Gouvernement du Québec
**L'Inspecteur général
des institutions financières**

Formulaire 1
STATUTS DE CONSTITUTION
Loi sur les compagnies, L.R.Q., c. C-38
Partie 1A

1 Dénomination sociale		
2 District judiciaire du Québec où la compagnie établit son siège social	3 Nombre précis ou nombres minimal et maximal des administrateurs	4 Date d'entrée en vigueur si postérieure à celle du dépôt
5 Description du capital-actions		
6 Restrictions sur le transfert des actions, le cas échéant		
7 Limites imposées à son activité, le cas échéant		
8 Autres dispositions		

9 Fondateurs

Nom et prénom	Adresse incluant le code postal (s'il s'agit d'une corporation, indiquer le siège social et la loi constitutive)	Signature de chaque fondateur (s'il s'agit d'une corporation, signature de la personne autorisée)

Si l'espace est insuffisant, joindre une annexe en deux (2) exemplaires

Réservé à l'administration

C-211 (Rev.12-93)

Cas pratiques n° 16.24

 Gouvernement du Québec
**L'Inspecteur général
des institutions financières**

Formulaire 2
**AVIS RELATIF À L'ADRESSE
DU SIÈGE SOCIAL**
Loi sur les compagnies, L.R.Q., c. C-38
Partie 1A

1 Dénomination sociale

2 Avis est donné par les présentes que l'adresse du siège social de la compagnie, dans les limites du district judiciaire indiqué dans les statuts, est la suivante:

N°   Nom de la rue

Municipalité

Province   Code postal

La compagnie

_____   Fonction du
(signature)   signataire   _____

Réservé à l'administration

C-212 (Rev.12-93)

Cas pratiques n° 16.24

Gouvernement du Québec
**L'Inspecteur général
des institutions financières**

Formulaire 4
**AVIS RELATIF À LA COMPOSITION
DU CONSEIL D'ADMINISTRATION**
Loi sur les compagnies, L.R.Q., c. C-38
Partie 1A

---

1 Dénomination sociale

---

2 Adresse actuelle de la compagnie:

N°   Nom de la rue

Municipalité

Province   Code postal

Nom et prénom	Adresse résidentielle complète (incluant le code postal)

3 Les administrateurs de la compagnie sont:

Si l'espace est insuffisant, joindre une annexe en deux (2) exemplaires

La compagnie

_____   Fonction du
          (signature)   signataire _____

Réservé à l'administration   C-214 (Rev.12- 93)

DOCUMENTS

Le document 16.1 constitue les statuts de constitution de la compagnie Gestion Larimda inc. Nous y retrouvons un certificat de constitution, un formulaire 1 intitulé *Statuts de constitution*, trois annexes, un formulaire 2 intitulé *Avis relatif à l'adresse du siège social* et un formulaire 4 intitulé *Avis relatif à la composition du conseil d'administration*.

Le **certificat de constitution** affirme que la compagnie Gestion Larimda inc. a bien été constituée le 14 août 1995 en vertu de la Partie 1A de la *Loi sur les compagnies* et que les statuts de constitution ont bien été déposés au registre des entreprises le 15 août 1995 sous le numéro 1144869709.

Le formulaire 1 qui suit est accompagné de trois annexes, car les espaces en blanc du formulaire 1 ne sont pas assez grands pour permettre d'y insérer certains pouvoirs ou textes.

Dans l'annexe I, nous retrouvons la description du capital-actions de la compagnie, qui comprend, dans le présent cas, deux catégories d'actions : les actions de catégorie A et les actions de catégorie B. Dans cet exemple, l'action de catégorie A correspond à une action ordinaire et l'action de catégorie B correspond à une action privilégiée.

Dans l'annexe II, nous retrouvons les trois clauses de restriction sur le transfert des actions qui permettent à la compagnie d'être une société fermée au sens de la *Loi sur les valeurs mobilières*.

L'annexe III décrit les pouvoirs d'emprunt du conseil d'administration.

Le formulaire 2 indique l'adresse du siège social de la compagnie, et le formulaire 4 donne la liste des membres du conseil d'administration de la compagnie.

Le document 16.2 constitue les résolutions de la réunion d'organisation que les administrateurs et les actionnaires de la compagnie Gestion Larimda inc. ont adoptées pour organiser le début du fonctionnement de la compagnie. À cette fin, ils ont adopté des règlements de gestion interne, nommé des administrateurs, émis des actions, etc.

Le document 16.3 constitue le procès-verbal de la réunion des administrateurs de la compagnie Gestion Larimda inc. tenue au siège social de la compagnie au 1050, rue Orléans, à Charlesbourg, le mercredi 13 septembre 1995 à 20 h. Lors de cette réunion, les administrateurs ont adopté le procès-verbal de la réunion des administrateurs tenue la semaine précédente, le mercredi 6 septembre 1995. Ils ont également adopté le règlement numéro 5 concernant le rachat d'actions de catégorie « A », émis des actions de catégorie « C », augmenté la marge de crédit de la compagnie, effectué trois autres emprunts garantis par hypothèque, acheté les actifs d'une autre compagnie et pris connaissance d'une décision fiscale du ministère du Revenu du Québec. Après avoir épuisé l'ordre du jour, la réunion a été levée.

Comme nous pouvons le constater, les administrateurs peuvent prendre des décisions en signant une résolution (voir le document 16.2) ou en tenant une réunion au cours de laquelle ils prennent des décisions qui sont consignées dans un procès-verbal par le secrétaire de la compagnie (voir le document 16.3). Ces deux modes de prise de décision ont la même valeur ; les administrateurs optent pour celle qui leur convient davantage.

Document 16.1 STATUTS DE CONSTITUTION DE LA COMPAGNIE
GESTION LARIMDA INC.

Québec ⠿

CERTIFICAT DE CONSTITUTION

Loi sur les compagnies, Partie IA
(L.R.Q., chap. C-38)

J'atteste par les présentes que la compagnie

GESTION LARIMDA INC.

a été constituée le *14 août 1995*, sous l'autorité de la partie IA de
la Loi sur les compagnies, tel qu'indiqué dans les statuts de constitution ci-joints.

Déposés au registre le 15 août 1995
sous le matricule 1144869709

Gouvernement
du Québec
**L'Inspecteur
général des
institutions
financières**

T710C19O07M91JA

Inspecteur général des institutions financières par intérim

Document 16.1	STATUTS DE CONSTITUTION DE LA COMPAGNIE GESTION LARIMDA INC. (suite)

Gouvernement du Québec
**L'Inspecteur général
des institutions financières**

Formulaire 1
STATUTS DE CONSTITUTION
Loi sur les compagnies, L.R.Q., c. C-38
Partie 1A

1 Dénomination sociale
GESTION LARIMDA INC.

2 District judiciaire du Québec où la compagnie établit son siège social	3 Nombre précis ou nombres minimal et maximal des administrateurs	4 Date d'entrée en vigueur si postérieure à celle du dépôt
Québec	Nombre minimal : 1 Nombre maximal : 13	N/A

5 Description du capital-actions
Voir Annexe I

6 Restrictions sur le transfert des actions, le cas échéant
Voir Annexe II

7 Limites imposées à son activité, le cas échéant
N/A

8 Autres dispositions
Voir Annexe III

9 Fondateurs

Nom et prénom	Adresse incluant le code postal (s'il s'agit d'une corporation, indiquer le siège social et la loi constitutive)	Signature de chaque fondateur (s'il s'agit d'une corporation, signature de la personne autorisée)
Montreuil, Pierre	1050, rue Orléans Charlesbourg, Québec G1H 2H2	*(signature)*

Si l'espace est insuffisant, joindre une annexe en deux (2) exemplaires

Réservé à l'administration

C-211 (Rev.12-93)

| Document 16.1 | # STATUTS DE CONSTITUTION DE LA COMPAGNIE GESTION LARIMDA INC. (suite) |

Annexe I

Description du capital-actions

Le capital-actions de la compagnie est composé d'un nombre illimité d'actions comprenant un nombre illimité d'actions de catégorie A sans valeur nominale et un nombre illimité d'actions de catégorie B avec valeur nominale de 100 $.

Lesdites actions comportent et sont assujetties aux droits, restrictions, limitations et privilèges suivants, à savoir :

CATÉGORIE A

Le détenteur d'actions de catégorie A :

1.   a le droit de voter à toute assemblée et de participer à l'élection des administrateurs ;

2.   a le droit de recevoir tout dividende déclaré par la compagnie ;

3.   a le droit de partager le reliquat des biens de la compagnie en cas de dissolution ou de liquidation de la compagnie.

CATÉGORIE B

Le détenteur d'actions de catégorie B :

1.   n'a pas le droit de recevoir l'avis de convocation des assemblées ni de participer et de voter auxdites assemblées ;

2.   n'a pas le droit de participer à l'élection des administrateurs ;

3.   a droit de recevoir chaque année, à la discrétion de la compagnie mais toujours par préférence et en priorité à tout paiement de dividende sur les actions de catégorie A pour ladite année, un dividende non cumulatif de dix (10) pour cent par année calculé sur le montant versé pour les actions de catégorie B, à même une partie ou l'ensemble des profits ou surplus disponibles à cette fin ; si, durant une année quelconque et après avoir pourvu au paiement entier du dividende sur les actions de catégorie B, il reste des profits ou surplus disponibles pour le paiement de dividendes, ces profits ou surplus ou une partie de ceux-ci peuvent, à la discrétion de la compagnie, être employés au paiement de dividendes sur les actions de catégorie A. Le détenteur d'actions de catégorie B n'a droit à aucun dividende autre que ou excédant le dividende non cumulatif au taux prescrit susmentionné ;

4.   prend rang, quant au paiement du dividende et au remboursement du capital versé, en priorité à toute autre catégorie d'actions de la compagnie mais n'a aucun autre droit de participer aux profits ou aux surplus d'actif de la compagnie ;

Document 16.1

STATUTS DE CONSTITUTION DE LA COMPAGNIE GESTION LARIMDA INC. (suite)

5.　　est soumis à la condition suivante, à savoir que la compagnie peut racheter la totalité ou une partie des actions de catégorie B, sur avis écrit de trente (30) jours, à un prix qui doit comprendre le montant versé pour celles-ci ainsi que tous les dividendes déclarés et restés impayés. Dans l'éventualité où une partie seulement des actions de catégorie B alors en circulation doivent être rachetées, les actions devant ainsi être rachetées doivent être choisies par tirage au sort de la manière déterminée par la compagnie à sa discrétion ou, si les administrateurs en décident ainsi, la compagnie peut racheter les actions de catégorie B proportionnellement sans tenir compte des fractions d'action et la compagnie peut prendre les dispositions nécessaires pour éviter le rachat de fractions d'action ;

6.　　est soumis à la condition suivante, à savoir que la compagnie a le droit, à son gré, d'acheter en tout temps ou de temps à autre, la totalité ou une partie des actions de catégorie B par soumission ou de gré à gré au plus bas prix auquel, dans l'opinion des administrateurs, ces actions peuvent être obtenues, mais n'excédant pas le prix de rachat des actions de catégorie B tel que fixé dans le paragraphe qui précède. Si, à la suite d'une soumission, deux ou plusieurs actionnaires font des offres à un même prix et que ces offres sont acceptées par la compagnie en totalité ou en partie, alors la compagnie doit accepter ces offres proportionnellement au nombre d'actions offertes par chaque détenteur sans tenir compte des fractions d'action, à moins que la compagnie accepte toutes les offres dans leur totalité ;

7.　　peut convertir ses actions de catégorie B en actions de catégorie A à raison de vingt actions de catégorie A pour chaque action de catégorie B si aucun dividende n'est payé sur les actions de catégorie B durant cinq années consécutives ;

8.　　a droit de recevoir, dans le cas de la liquidation ou de la dissolution de la compagnie, volontaire ou forcée, avant que puisse être faite toute distribution de quelque partie de l'actif de la compagnie parmi les détenteurs d'actions d'autres catégories, un montant égal à cent (100) pour cent du montant versé pour ces actions et tous les dividendes déclarés sur celles-ci et restés impayés mais rien de plus.

9.　　Sous réserve de ratification par statuts de modification, les administrateurs de la compagnie peuvent en tout temps adopter un règlement pour modifier, amender ou abroger les présents termes ou ceux des paragraphes qui précèdent, suspendre leur application dans quelque situation particulière et modifier les droits, privilèges, restrictions et limitations des actions de catégorie B, mais un tel règlement ne peut entrer en vigueur tant et aussi longtemps qu'il n'a pas été approuvé par le vote des détenteurs d'au moins les deux tiers en valeur desdites actions de catégorie B alors en circulation et d'au moins les deux tiers en valeur des actions de catégorie A alors en circulation, réunis en assemblée extraordinaire convoquée à cette fin.

| **Document 16.1** | **STATUTS DE CONSTITUTION DE LA COMPAGNIE GESTION LARIMDA INC. (suite)** |

Annexe II

Restrictions sur le transfert des actions

1. Les actions de la compagnie ne peuvent être transférées sans le consentement de la majorité des administrateurs, exprimé dans une résolution passée par ces derniers et enregistrée dans le livre de la compagnie.

2. Toute invitation au public pour la souscription des valeurs mobilières émises par la compagnie est interdite.

3. Le nombre des actionnaires est limité à cinquante (50), déduction faite de ceux qui sont ou ont été salariés de la compagnie ou d'une filiale.

Annexe III

Pouvoirs d'emprunt du conseil d'administration

En plus des pouvoirs conférés par ses statuts et sans restreindre la portée des pouvoirs conférés à l'administrateur unique ou aux administrateurs par l'article 77 de la *Loi sur les compagnies*, l'administrateur unique ou les administrateurs peuvent, lorsqu'ils le jugent opportun et sans avoir à obtenir l'autorisation de l'actionnaire unique ou ses actionnaires :

1. acheter, détenir et vendre des actions ou autres titres mobiliers d'autres compagnies ;

2. faire des emprunts de deniers sur le crédit de la compagnie ;

3. émettre ou réémettre des obligations ou autres valeurs de la compagnie et les donner en garantie ou les vendre pour un prix et des sommes jugés convenables ;

4. consentir une hypothèque même ouverte, sur une universalité de biens, meubles ou immeubles, présents ou à venir, corporels ou incorporels ; et constituer l'hypothèque ci-dessus mentionnée par acte de fiducie ou de toute autre manière ;

5. consentir une hypothèque même ouverte, sur une universalité de biens, meubles ou immeubles, présents ou à venir, corporels ou incorporels, pour assurer le paiement des emprunts faits autrement que par émission d'obligations, ainsi que le paiement ou l'exécution des autres dettes, contrats et engagements de la compagnie ;

6. pour fins de placement, acquérir, détenir, hypothéquer et disposer de biens immobiliers, même non nécessaires à son entreprise.

Document 16.1	STATUTS DE CONSTITUTION DE LA COMPAGNIE GESTION LARIMDA INC. (suite)

Gouvernement du Québec
**L'Inspecteur général
des institutions financières**

Formulaire 2
**AVIS RELATIF À L'ADRESSE
DU SIÈGE SOCIAL**
Loi sur les compagnies, L.R.Q., c. C-38
Partie 1A

---

1 Dénomination sociale

GESTION LARIMDA INC.

---

2 Avis est donné par les présentes que l'adresse du siège social de la compagnie, dans les limites du district judiciaire indiqué dans les statuts, est la suivante:

1050, rue Orléans

N°   Nom de la rue

Charlesbourg

Municipalité

Québec   G1H 2H2

Province   Code postal

La compagnie

(signature)   Fonction du   Président
                   signataire

Réservé à l'administration   C-212 (Rev.12-93)

Document 16.1	STATUTS DE CONSTITUTION DE LA COMPAGNIE GESTION LARIMDA INC. (suite)

Gouvernement du Québec
**L'Inspecteur général
des institutions financières**

Formulaire 4
**AVIS RELATIF À LA COMPOSITION
DU CONSEIL D'ADMINISTRATION**
Loi sur les compagnies, L.R.Q., c. C-38
Partie 1A

---

1 Dénomination sociale

GESTION LARIMDA INC.

2 Adresse actuelle de la compagnie:

1050, rue Orléans

N°   Nom de la rue

Charlesbourg

Municipalité

Québec   G1H 2H2

Province   Code postal

3 Les administrateurs de la compagnie sont:

Nom et prénom	Adresse résidentielle complète (incluant le code postal)
Montreuil, Pierre	1050, rue Orléans Charlesbourg, Québec G1H 2H2
Poulin, Caroline	1081, rue Le Comte Charlesbourg, Québec G2L 1B2
Bouchard, Robert	208, chemin le Tour du Lac Lac Beauport, Québec G0A 2C0

Si l'espace est insuffisant, joindre une annexe en deux (2) exemplaires

La compagnie

(signature)   Fonction du   Président
                       signataire

Réservé à l'administration   C-214 (Rev.12- 93)

| Document 16.2 | # RÉSOLUTIONS DE LA RÉUNION D'ORGANISATION DE LA COMPAGNIE GESTION LARIMDA INC. |

Résolutions de la réunion d'organisation des administrateurs de

Gestion Larimda inc.

Règlements généraux (Règlement numéro 1)

Il est résolu d'adopter, pour avoir effet immédiatement, les Règlements généraux de la compagnie régissant, entre autres, l'interprétation des règlements, le siège social de la compagnie et son sceau, le conseil d'administration, les officiers et autres dirigeants, les assemblées d'actionnaires, les actions et leur transfert, l'exercice financier, le vérificateur, les contrats, lettres de change et affaires bancaires et financières, ainsi que les déclarations devant être faites par la compagnie à l'occasion de certaines procédures.

Règlement général d'emprunt (Règlement numéro 2)

Il est résolu d'adopter le Règlement général d'emprunt de la compagnie, aussi désigné comme étant le Règlement numéro 2.

Règlement bancaire (Règlement numéro 3)

Il est résolu d'adopter le Règlement bancaire de la compagnie, aussi désigné comme le Règlement numéro 3, et d'autoriser les président et secrétaire de la compagnie à le signer et à en délivrer copie certifiée à la banque ou à l'institution financière de la compagnie.

Certificat d'actions

Il est résolu d'adopter la formule du certificat d'actions devant représenter les actions de la compagnie.

Livre de la compagnie

Il est résolu d'adopter le livre préparé pour la compagnie et requis par la Loi sur les compagnies ; il est également résolu d'y insérer les documents suivants :

a)   le certificat et les statuts de constitution de la compagnie ;
b)   l'avis de l'adresse du siège social et la liste des administrateurs ;
c)   les Règlements généraux, étant le Règlement numéro 1 ;
d)   le Règlement général d'emprunt, étant le Règlement numéro 2 ;
e)   le Règlement bancaire étant le Règlement numéro 3.

Sceau

Il est résolu d'adopter un sceau préparé pour la compagnie, l'empreinte de ce sceau étant ci-après reproduite :

Émission d'actions

Il est résolu d'émettre aux personnes désignées ci-dessous, pour la contrepartie ci-après indiquée, les actions dont le nombre et la désignation apparaissent ci-dessous en regard de chaque nom.

Document 16.2

RÉSOLUTIONS DE LA RÉUNION D'ORGANISATION DE LA COMPAGNIE GESTION LARIMDA INC. (suite)

Nom	Nombre d'actions	Désignation	Contrepartie
Pierre Montreuil	400	Catégorie A	5 $/action
Caroline Poulin	300	Catégorie A	5 $/action
Chantal Hamel	200	Catégorie A	5 $/action
Robert Bouchard	100	Catégorie A	5 $/action

Il est de plus résolu d'enregistrer l'émission de ces actions et d'inscrire les autres renseignements nécessaires dans le registre approprié et de délivrer les certificats d'actions requis.

Nomination des officiers et autres représentants

Il est résolu de nommer les personnes dont le nom suit, officiers, dirigeants ou représentants de la compagnie afin qu'elles occupent les postes ou exercent les fonctions indiquées en regard de leur nom :

Nom	Poste ou fonction
Pierre Montreuil	Président
Robert Bouchard	Vice-président
Caroline Poulin	Secrétaire-trésorier

Adresse du siège social

Il est résolu de confirmer la désignation de l'adresse du siège social de la compagnie faite dans l'avis accompagnant les statuts de constitution, à savoir :

1050, rue Orléans
Charlesbourg, Québec
G1H 2H2

Affaires bancaires ou financières

Il est résolu d'adopter une résolution relative aux affaires bancaires ou financières de la compagnie et à la signature des chèques et autres lettres de change par ses dirigeants, le tout tel qu'il appert à la formule fournie par la banque ou l'institution financière de la compagnie et dont copie est annexée aux présentes résolutions. Il est également résolu d'autoriser les président et secrétaire de la compagnie à signer cette résolution et à en délivrer copie certifiée à la banque ou à l'institution financière de la compagnie.

Déclaration

Ces résolutions signées par tous les administrateurs habiles à voter sur celles-ci ont la même valeur que si elles avaient été adoptées lors d'une réunion du conseil d'administration, conformément à l'article 89.3 de la Loi sur les compagnies du Québec.

Signées à Charlesbourg, ce 14e jour d'août 1995

Document 16.2

RÉSOLUTIONS DE LA RÉUNION D'ORGANISATION DE LA COMPAGNIE GESTION LARIMDA INC. (suite)

Résolutions de la première assemblée des actionnaires de

Gestion Larimda inc.

Règlements numéros 1, 2 et 3

Il est résolu de ratifier les Règlements numéro 1, 2 et 3, étant respectivement les Règlements généraux, le Règlement général d'emprunt et le Règlement bancaire de la compagnie, tels qu'adoptés par les administrateurs de la compagnie.

Élection des administrateurs

Il est résolu de déclarer élues au poste d'administrateur les personnes suivantes :

Pierre Montreuil

Robert Bouchard

Caroline Poulin

Décision de ne pas nommer de vérificateur

Il est résolu, conformément à l'article 123.98 de la Loi sur les compagnies du Québec, de ne pas nommer de vérificateur ; cette résolution ne devant valoir que jusqu'à la prochaine assemblée annuelle.

Déclaration

Ces résolutions signées par tous les actionnaires habiles à voter sur celles-ci ont la même valeur que si elles avaient été adoptées à une assemblée des actionnaires de la compagnie, conformément à l'article 123.96 de la Loi sur les compagnies du Québec.

Signées à Charlesbourg, ce 14e jour d'août 1995

| **Document 16.3** | # PROCÈS-VERBAL DE LA RÉUNION DES ADMINISTRATEURS DE LA COMPAGNIE GESTION LARIMDA INC. DU MERCREDI 13 SEPTEMBRE 1995 |

Procès-verbal de la réunion des administrateurs de la compagnie **Gestion Larimda inc.** tenue au siège social de la compagnie au 1050, rue Orléans, à Charlesbourg, le mercredi 13 septembre 1995 à 20 h.

Présents :   Pierre Montreuil
               Robert Bouchard
               Caroline Poulin

Renonciation à l'avis de convocation

Tous les administrateurs sont présents et ont renoncé à l'avis écrit de convocation tel qu'en fait foi la renonciation à l'avis écrit de convocation signée par tous les administrateurs et jointe à la présente à titre d'annexe I pour valoir comme étant partie des présentes minutes.

Quorum

Tous les administrateurs étant présents, la réunion est déclarée régulièrement constituée.

Nomination du président et du secrétaire de la réunion

Il est résolu que le président et le secrétaire de la compagnie, Pierre Montreuil et Caroline Poulin, assument respectivement les fonctions de président et de secrétaire de la réunion.

Adoption de l'ordre du jour

Le secrétaire donne lecture de l'ordre du jour proposé :

- Adoption de l'ordre du jour
- Adoption du procès-verbal de la réunion des administrateurs de la compagnie du mercredi 6 septembre 1995
- Adoption du Règlement numéro 5
- Émission d'actions de catégorie «C»
- Augmentation de 200 000 $ de la marge de crédit
- Emprunt de 450 000 $ garanti par hypothèque mobilière
- Emprunt de 600 000 $ garanti par hypothèque mobilière
- Emprunt de 300 000 $ garanti par hypothèque immobilière
- Achat des actifs de Dragon Gémeaux inc.
- Divers
- Levée de la réunion

Il est résolu d'adopter l'ordre du jour tel que présenté.

Adoption du procès-verbal du mercredi 6 septembre 1995

Il est résolu d'adopter le procès-verbal de la réunion des administrateurs de la compagnie du mercredi 6 septembre 1995.

| Document 16.3 | **PROCÈS-VERBAL DE LA RÉUNION DES ADMINISTRATEURS DE LA COMPAGNIE GESTION LARIMDA INC. DU MERCREDI 13 SEPTEMBRE 1995 (suite)** |

Adoption du Règlement numéro 5

Il est résolu d'adopter le Règlement numéro 5 qui se lit ainsi :

Que la compagnie procède au rachat de trois mille (3 000) actions de catégorie «A» au prix de 15 $ l'action, pour une somme totale de 45 000 $ se répartissant ainsi :

Pierre Montreuil	1 500 actions
Robert Bouchard	1 000 actions
Caroline Poulin	500 actions

Il est résolu d'enregistrer le rachat de ces actions et d'inscrire les autres renseignements nécessaires dans le registre approprié. Ce rachat sera effectif le 15 septembre 1995.

Émission d'actions de catégorie «C»

Il est résolu que la compagnie émette 10 000 actions de catégorie «C» d'une valeur nominale de 100 $ l'action pour une somme globale de 1 000 000 $. Cette émission s'opérera de la façon suivante :

Caroline Poulin	4 000 actions
Chantal Hamel	3 000 actions
Pierre Montreuil	3 000 actions

Il est résolu d'enregistrer cette émission d'actions et d'inscrire les autres renseignements nécessaires dans le registre approprié. Cette émission sera effective le 15 septembre 1995.

Augmentation de 200 000 $ de la marge de crédit

Il est résolu d'autoriser la compagnie à emprunter à la Banque Nationale du Canada une somme additionnelle de 200 000 $ pour augmenter la marge de crédit de la compagnie de 600 000 $ à 800 000 $. Pierre Montreuil et Caroline Poulin sont autorisés à signer tous les documents nécessaires à cette fin.

Emprunt de 450 000 $ garanti par hypothèque mobilière

Il est résolu d'autoriser la compagnie à emprunter une somme de 450 000 $ garantie par une hypothèque mobilière en faveur de la Banque Nationale du Canada et portant sur tous les comptes clients et les stocks de la compagnie. Pierre Montreuil et Caroline Poulin sont autorisés à signer tous les documents nécessaires à cette fin.

Emprunt de 600 000 $ garanti par hypothèque mobilière

Il est résolu d'autoriser la compagnie à emprunter la somme de 600 000 $ de la Caisse populaire Laurier et de signer en faveur de cette dernière un acte d'hypothèque mobilière donnant en garantie une partie de l'équipement de production de la compagnie d'une valeur de 800 000 $, le tout tel que décrit sur une liste jointe à la présente à titre d'annexe II pour valoir comme étant partie des présentes minutes.

Il est résolu d'autoriser le trésorier de la compagnie, Caroline Poulin, à signer tous les documents nécessaires à cette fin.

Document 16.3	# PROCÈS-VERBAL DE LA RÉUNION DES ADMINISTRATEURS DE LA COMPAGNIE GESTION LARIMDA INC. DU MERCREDI 13 SEPTEMBRE 1995 (suite)

Emprunt de 300 000 $ garanti par hypothèque immobilière

Il est résolu d'autoriser la compagnie à emprunter la somme de 300 000 $ de la Banque Nationale du Canada et de signer en faveur de cette dernière un acte d'hypothèque immobilière de premier rang, laquelle porte sur l'immeuble suivant :

> Un immeuble connu et désigné comme étant la subdivision cent trente-deux du lot originaire numéro sept cent trente-sept (737-132) du cadastre officiel de la paroisse de Charlesbourg, circonscription foncière de Québec.

> Avec maison dessus construite et portant le numéro civique 1050, Orléans, à Charlesbourg (Québec) G1H 2H2, circonstances et dépendances

et d'autoriser le trésorier de la compagnie, Caroline Poulin, à signer tous les documents nécessaires à cette fin.

Achat des actifs de Dragon Gémeaux inc.

Il est résolu de racheter l'ensemble des actifs de la compagnie Dragon Gémeaux inc. pour la somme de 15 000 000 $ payée de la manière suivante : 8 000 000 $ comptant et 7 000 000 $ en assumant le passif de la compagnie. Le détail des actifs et du passif de la compagnie Dragon Gémeaux inc. apparaît dans le bilan de la compagnie daté du 31 août 1995 et joint à la présente à titre d'annexe IV.

Il est résolu d'autoriser le président de la compagnie, Micheline Montreuil, à signer tous les documents nécessaires à cette fin.

Divers

Caroline Poulin informe le conseil que la compagnie Basildar inc. a déposé une offre d'achat de toutes les actions de catégorie «A» en circulation au prix de 3,25 $ par action. Cette offre a été remise au vérificateur de la compagnie, Nicole Bourque, pour étude et commentaire.

Divers

Caroline Poulin informe les administrateurs de la teneur des discussions qu'elle a eues avec le ministère du Revenu du Québec concernant les changements de catégorie d'amortissement pour certains équipements de production.

Levée de la réunion

L'ordre du jour étant épuisé, la réunion est levée à 21 h.

Le tout conforme

Caroline Poulin, secrétaire

Chapitre 17

LE FRANCHISAGE

| 17.0 | **PLAN DU CHAPITRE** |

| 17.1 | **OBJECTIFS** |

Après la lecture du chapitre, l'étudiant doit être en mesure :

- d'expliquer l'importance du contrat de franchise dans notre économie ;
- de décrire les principales obligations du franchiseur ;
- d'énumérer les principales obligations du franchisé ;
- de reconnaître les limites de la marge de manœuvre dont dispose le franchisé dans l'aménagement et l'exploitation de la franchise ;
- d'expliquer l'importance du manuel d'exploitation et des normes d'exploitation ;
- d'expliquer les normes régissant la publicité ;
- d'expliquer les types de contrôle utilisés par le franchiseur pour s'assurer de la justesse des chiffres transmis par le franchisé et de la perception des redevances qui lui sont dues.

| 17.2 | **LE FRANCHISAGE** |

Depuis quelques années, le franchisage a pris une place importante dans l'économie mondiale. Il suffit de penser que, depuis 1990, il y a même un restaurant McDonald's à Moscou.

Mais qu'est-ce que le franchisage ? Le **franchisage** est un contrat par lequel une personne, le **franchiseur**, vend à une autre personne, le **franchisé**, le droit d'exploiter un commerce sous le nom d'emprunt et la marque du franchiseur selon les méthodes et les normes du franchiseur, en contrepartie d'un **droit d'entrée**, de **redevances annuelles** et de **redevances publicitaires**.

L'existence d'un nom d'emprunt commun indique tout simplement que plusieurs personnes se sont regroupées afin de bénéficier d'avantages particuliers, tels que des produits, des prix, une identification et un service communs, ainsi que des économies d'échelle.

17.2.1	## LE CONTRAT DE FRANCHISE

Certains contrats, comme la location d'un logement, sont très étroitement encadrés par le *Code civil*. D'autres contrats, comme la vente ou la location d'un local commercial, sont beaucoup moins encadrés par le *Code civil* et donnent beaucoup plus de latitude aux parties. Enfin, il y a des contrats qui sont peu ou pas encadrés par le *Code civil* tel le contrat de franchise. La raison fondamentale de cette absence d'encadrement découle de l'inexistence de ce type de contrat lors de la rédaction du *Code civil* en 1866 et du fait que le gouvernement du Québec n'a jamais cru bon de légiférer pour encadrer ce type de contrat, pas même lors de la rédaction du nouveau *Code civil du Québec* entré en vigueur en 1994.

De plus, comme il s'agit d'un contrat commercial conclu entre des personnes averties ou d'expérience, le législateur peut, à bon droit, présumer que les parties à un tel contrat savent à quoi elles s'engagent.

En pratique, certaines dispositions du *Code civil* s'appliquent au contrat de franchise : il s'agit des articles 1377 à 1456 concernant les dispositions qui s'appliquent à tous les contrats (voir la section 7.3, Le contrat). Mis à part l'article 1385 qui énonce les cinq éléments essentiels pour former un contrat valide, à savoir la capacité des parties, l'échange de consentement, un objet, une cause et une forme, les autres articles sont très peu contraignants et, en matière commerciale, les parties peuvent signer pratiquement toutes les conventions qu'elles désirent.

Comme nous pouvons présumer que tous les contrats de franchise respectent les dispositions de l'article 1385, nous devons nous en remettre au contenu même du contrat de franchise pour connaître les droits et obligations de chaque partie. En fait, le contrat constitue en quelque sorte la loi des parties (voir le chapitre 7, Les obligations et le contrat).

Donc, comme le contrat de franchise n'est pas strictement encadré par le *Code civil* ou par une autre loi, les parties peuvent y insérer toutes les dispositions qui leur semblent pertinentes. En pratique, le franchisé ne peut pas réellement négocier son contrat puisque, tout comme dans le cas d'un bail commercial, le franchiseur impose au franchisé un contrat déjà rédigé qui comporte généralement une trentaine de pages. Le franchisé n'a pas tellement le choix : ou il accepte de signer le contrat tel quel, ou il renonce à exploiter un commerce sous forme de franchise.

Cependant, comme l'exploitation d'un commerce sous une raison sociale reconnue telle que McDonald's, Burger King, Rôtisserie St-Hubert ou Poulet frit Kentucky est une activité très rentable, plusieurs gens d'affaires acceptent de signer un tel contrat et de limiter leur marge de manœuvre.

Chaque fois qu'il est possible de vendre l'idée à plusieurs personnes d'exploiter un commerce sous un même nom, il est possible de créer un système de franchise. D'ailleurs, en regroupant les achats et la publicité, il est possible de diminuer les coûts de production tout en augmentant la visibilité et la renommée du commerce.

Au Québec, il existe actuellement plus d'une centaine de franchiseurs différents qui œuvrent dans divers secteurs. Les plus connus sont, entre autres :

- McDonald's, St-Hubert, Dunkin' Donuts, Mikes, Harvey's, Burger King, A & W, Poulet frit Kentucky, dans le secteur de la restauration ;
- Jean Coutu, Uniprix, Cumberland, Pharmaprix, Famili-Prix, dans le secteur de la pharmacie ;
- H & R Block, dans le secteur de l'impôt ;
- Le Rénovateur, Ro-Na, Dismat, Le Chantier, dans le domaine de la quincaillerie ;
- Sports Experts, Podium Sport, dans le domaine des articles de sport ;
- Provi-Soir, Couche-Tard, Dépan-E$compte, en ce qui concerne les dépanneurs ;
- G. Lebeau, Monsieur Muffler, UniPro, Octo, dans le domaine de l'automobile.

17.2.2 L'OBJET ET LA DURÉE DU CONTRAT

L'objet du contrat est évidemment l'exploitation d'un commerce sous un nom d'emprunt commun. Il est possible de comparer le franchisage à une forme de contrat de louage par lequel le franchiseur loue au franchisé le droit d'exploiter un commerce sous une certaine forme pendant un certain temps.

Compte tenu des dizaines pour ne pas dire des centaines de milliers de dollars nécessaires pour ouvrir une franchise, il faut que le contrat soit d'une durée assez longue, soit dix ans en moyenne, pour assurer la rentabilité de l'investissement.

Le renouvellement se fait également pour une période de dix ans, et l'avis de renouvellement doit être donné en général 12 mois avant la fin du contrat, de telle sorte que si le franchisé ne désire pas le renouveler, le franchiseur dispose d'un délai suffisamment long pour trouver un nouveau franchisé pour continuer l'exploitation du commerce dans les mêmes lieux.

Le franchiseur dispose généralement du droit de racheter l'immeuble qui abrite le commerce à un prix préétabli, de manière à pouvoir revendre à un nouveau franchisé le droit d'exploiter ce commerce. Il arrive parfois que le franchiseur demeure propriétaire de l'immeuble et le loue au franchisé pour simplifier la reprise de possession au cas où le franchisé ne désirerait plus renouveler le contrat.

17.2.3 LES OBLIGATIONS DU FRANCHISEUR

En plus des normes de construction et d'aménagement, le franchiseur donne généralement au franchisé une formation initiale ainsi qu'un manuel d'exploitation.

La **formation initiale** se donne soit au bureau du franchiseur, soit dans des locaux spécialisés, soit dans les locaux d'un autre franchisé ou dans l'établissement du nouveau franchisé. Cette formation n'est pas gratuite et doit être payée par le franchisé. Elle lui permet de connaître la façon de fonctionner du franchiseur. Évidemment, la nature des opérations et les exigences du franchiseur varient d'un contrat à l'autre.

Le **manuel d'exploitation**, qui est fourni gratuitement au franchisé, comprend la liste des cours offerts par le franchiseur, la nature des services offerts ainsi que les **normes d'exploitation** qui concernent les prix, les normes d'entretien de l'établissement, les mesures de sécurité et d'hygiène et les renseignements sur les visites de contrôle effectuées par le franchiseur. *Par exemple, le manuel d'exploitation de St-Hubert précise les cours proposés aux différents employés, les repas offerts, la disposition de la nourriture, les recettes ainsi que les prix, les normes d'entretien des tables, des chaises, des planchers, les tests en laboratoire sur la nourriture et les droits de visite et d'inspection de l'établissement par le franchiseur.*

17.2.4   LES OBLIGATIONS DU FRANCHISÉ

Les obligations du franchisé sont simples. Il doit :

- payer les redevances ;
- respecter les normes de construction et d'aménagement ;
- s'approvisionner auprès des fournisseurs autorisés ;
- participer aux programmes de publicité édictés par le franchiseur ;
- contracter les assurances nécessaires ;
- se conformer aux exigences du contrat en matière de cession ou de transfert du contrat de franchise ;
- respecter les restrictions qui sont imposées à ses activités.

Le franchisé doit donc :

- respecter le contrat de franchise ;
- exploiter son commerce conformément aux normes d'exploitation ;
- se soumettre à certaines règles comptables et financières dont :
  - remettre au franchiseur la liste de ses actionnaires ;
  - faire autoriser ses emprunts par le franchiseur ;
  - respecter certains ratios financiers afin d'assurer la stabilité financière de l'entreprise ;
  - utiliser les caisses enregistreuses et les logiciels comptables recommandés par le franchiseur ;
  - permettre la vérification régulière de sa comptabilité par le franchiseur.

Toutes ces règles comptables et financières visent à assurer la solidité financière de chaque établissement et à permettre au franchiseur de s'assurer que le montant des redevances qu'il reçoit correspond réellement au montant que le franchisé doit lui remettre. Ces règles empêchent donc la fraude et permettent de déceler les difficultés financières avant qu'elles ne soient trop graves.

17.2.4.1   Les redevances

Un contrat de franchise est presque une assurance de revenus. Cependant, pour avoir le droit de bénéficier d'une telle assurance, le franchisé doit payer au franchiseur un droit d'entrée et deux types de redevance.

Le **droit d'entrée**, ou **droit initial**, est une somme d'argent déterminée que le franchisé paie une fois au franchiseur, *par exemple 40 000 $ pour avoir le droit d'exploiter une franchise St-Hubert*. Cette somme est remise au franchisé lorsque ce dernier résilie son contrat de franchise ; elle constitue donc une forme de dépôt.

Le premier type de redevance est la **redevance annuelle**, qui consiste à remettre annuellement au franchiseur un montant d'argent égal à un certain pourcentage du chiffre d'affaires. Cette redevance est le véritable profit du franchiseur. *Par exemple, dans le cas de St-Hubert, la redevance annuelle est fixée à 4 % du chiffre d'affaires annuel.*

Enfin, le deuxième type de redevance est une **redevance publicitaire**, qui consiste à payer annuellement au franchiseur un montant d'argent égal à un certain pourcentage du chiffre d'affaires à des fins publicitaires. Le franchiseur utilise cet argent pour acheter de la publicité à la télévision, à la radio, dans les journaux, sous forme de promotion spéciale, etc. *Par exemple, dans le cas de St-Hubert, la redevance publicitaire est fixée à 3 % du chiffre d'affaires annuel.*

Le contrat de franchise peut également contenir des dispositions qui obligent le franchisé à consacrer une certaine somme chaque année pour faire de la publicité locale, indépendante de la publicité nationale. Cette publicité locale doit toujours être approuvée par le franchiseur. *Par exemple, la publicité nationale vise à attirer la clientèle chez St-Hubert, tandis que la publicité locale vise à attirer la clientèle dans* **ce** *St-Hubert. Cette somme est généralement égale à un certain pourcentage déterminé du chiffre de ventes, comme 1 ou 2 %.*

Par exemple, Myriam a ouvert un St-Hubert et elle vient de terminer sa première année d'exploitation avec un chiffre d'affaires de 1 800 000 $. Elle devra donc payer des redevances de 126 000 $ (voir le tableau 17.1), sans tenir compte du droit d'entrée de 40 000 $.

Tableau 17.1   Les redevances payées par Myriam à St-Hubert

Redevance annuelle	1 800 000 $ × 4 %	72 000 $
Redevance publicitaire	1 800 000 $ × 3 %	54 000 $
Total des redevances		126 000 $

17.2.4.2   **Les normes de construction et d'aménagement**

Si le franchisé pense avoir le droit de choisir la dimension de l'établissement, sa forme, les couleurs, l'aménagement intérieur, etc., il se trompe. Généralement, le franchiseur impose au franchisé la forme et la dimension des locaux, les couleurs, l'aménagement intérieur, les meubles et même les uniformes pour standardiser l'apparence des établissements.

L'avantage d'une telle **uniformisation** résulte dans le fait que tous les établissements d'une même franchise se repèrent facilement. Il n'y a qu'à signaler le grand **M** jaune de McDonald's, le style caractéristique de Poulet frit Kentucky ou la tête de coq de St-Hubert.

17.2.4.3 L'approvisionnement

Tout ce dont le franchisé a besoin pour l'exploitation de son commerce, qu'il s'agisse du matériel ou des produits, doit être acheté du franchiseur ou d'un vendeur autorisé par celui-ci. *Par exemple, un franchisé St-Hubert doit se procurer le matériel pour les cuisines ainsi que les tables et les chaises auprès d'un certain fournisseur, tandis que la nourriture et les boissons doivent provenir de St-Hubert ou d'autres fournisseurs autorisés par St-Hubert. Évidemment, St-Hubert peut prélever un certain pourcentage sur tout ce qui est vendu à chaque franchisé, de telle sorte que cela augmente encore ses profits.*

17.2.4.4 La publicité

C'est le franchiseur qui s'occupe des campagnes publicitaires pour tout le réseau de franchise. En utilisant les redevances publicitaires, le franchiseur choisit les thèmes des campagnes publicitaires ainsi que les médias auxquels il aura recours. Évidemment, les franchisés sont tenus de participer aux activités de promotion organisées par le franchiseur. *Par exemple, lorsque McDonald's fixe le prix du cheeseburger à 0,59 $ pour une durée de trois semaines, ou qu'il organise une journée au bénéfice du Manoir Ronald McDonald en lui remettant 1 $ pour chaque Big Mac vendu, tous les McDonald's doivent participer à ces activités de promotion.*

17.2.4.5 Les assurances

Le franchiseur exige du franchisé qu'il contracte les assurances suivantes :

- une assurance « tous risques » contre l'incendie, l'explosion ou toute autre cause susceptible d'endommager l'immeuble ;
- une assurance pour les biens meubles, les stocks et autres objets mobiliers à l'intérieur de l'immeuble ;
- une assurance de responsabilité civile dans l'éventualité où un client se blesserait à l'intérieur de l'immeuble ou sur le terrain ;
- une assurance « interruption des affaires » ou « perte des bénéfices » pour couvrir les pertes résultant d'un arrêt des opérations du commerce à la suite d'un incendie ou pour toute autre cause.

En obligeant le franchisé à souscrire à de telles assurances, le franchiseur est certain que le franchisé a les moyens de reconstruire l'immeuble en cas d'incendie et qu'il est en mesure de faire face aux poursuites d'un client blessé. De plus, le contrat de franchise mentionne toujours que si le franchisé oublie ou omet de souscrire à ces assurances, le franchiseur peut y souscrire au nom du franchisé et lui demander de les lui rembourser.

17.2.4.6 Les cessions, les transferts et les retraits

Un franchisé peut toujours se retirer des affaires en vendant sa franchise, mais, pour ce faire, il doit préalablement obtenir l'accord du franchiseur. Ce dernier peut racheter la franchise pour lui-même, l'offrir à une personne intéressée ou en autoriser la vente à une personne choisie par le franchisé.

Quel que soit le nouveau franchisé, il doit être accepté par le franchiseur et signer un contrat de franchise avec ce dernier.

17.2.4.7 Les restrictions quant aux activités du franchisé

La plupart des contrats de franchise contiennent des dispositions qui interdisent au franchisé d'exercer d'autres activités similaires. *Par exemple, l'exploitant St-Hubert ne peut pas posséder simultanément un autre restaurant. Cependant, il peut posséder une deuxième et même une troisième franchise St-Hubert.*

De plus, lorsque le franchisé quitte le franchiseur en résiliant son contrat ou en le vendant, le contrat de franchise contient également des dispositions qui interdisent à l'ancien franchisé d'ouvrir un commerce similaire dans un certain rayon pendant une certaine période. *Par exemple, St-Hubert peut mentionner dans ses contrats qu'un ancien franchisé ne peut pas ouvrir de restaurant pendant trois ans dans un rayon de dix kilomètres de l'établissement. Cela signifie que l'ancien franchisé peut ouvrir immédiatement un autre restaurant, mais il faut qu'il soit situé à au moins dix kilomètres du St-Hubert qu'il exploitait.*

17.2.5 L'EXPIRATION ET LA RÉSILIATION

Il existe un certain nombre de cas où le franchiseur peut d'office mettre fin au contrat de franchise sans le consentement du franchisé. Il s'agit des cas :

- de faillite du franchisé ;
- de fraude envers le franchiseur ;
- d'intervention pour empêcher le franchiseur de faire une inspection ;
- de non-respect du bail si l'établissement appartient au franchiseur ;
- de non-respect du manuel d'exploitation ;
- de défaut de payer les fournisseurs.

Le franchiseur se garde donc des moyens pour résilier le contrat de franchise lorsqu'il est évident que le franchisé ne respecte pas son contrat ou ses obligations, et ce, afin de sauvegarder la réputation du franchiseur.

17.2.6 LES SIGNATURES

Tout contrat, commercial ou autre, se termine par la signature des parties et il est important d'aborder cet aspect pour éviter de graves erreurs. Lorsqu'il s'agit de personnes physiques, il suffit de s'assurer que ces personnes sont majeures et capables et que la personne qui signe est bien celle qui est désignée au contrat. Cependant, lorsqu'il s'agit de personnes morales, il faut s'assurer que la compagnie est en droit de signer le contrat. Pour ce faire, il faut que les représentants de la compagnie produisent une copie d'une résolution de la compagnie les mandatant à signer ce contrat. Si une telle résolution est produite, il ne reste plus qu'à s'assurer que les personnes autorisées à signer sont bien celles qui vont signer ce contrat. D'ailleurs, c'est la coutume d'annexer au contrat une copie des résolutions autorisant une telle signature, afin qu'il soit facile de s'y référer plus tard si cela devenait nécessaire.

Enfin, des témoins apposeront également leurs signatures afin de pouvoir témoigner devant un tribunal, si nécessaire, qu'ils étaient présents à la signature de ce contrat de franchise, que c'était bien les représentants du franchiseur et du franchisé qui ont signé le contrat, que le tout a été fait dans les formes et sans contrainte et que ce contrat représente bien les conventions intervenues entre le franchiseur et le franchisé.

Si le contrat avait été notarié, les parties auraient pu se dispenser des témoins puisqu'un acte notarié est un document authentique en vertu de l'article 2814 du *Code civil* et que, par conséquent, en vertu de l'article 2818 du *Code civil*, il fait preuve complète entre les parties des obligations qui y sont exprimées.

RÉSUMÉ

Un contrat de franchise est un contrat en vertu duquel un franchiseur met à la disposition d'un franchisé ses connaissances, ses compétences, son expérience et sa réputation dans le but de lui permettre d'exploiter un commerce sous le nom du franchiseur.

Le franchiseur percevra du franchisé un droit d'entrée ou d'admission ainsi que deux types de redevance : la redevance annuelle et la redevance publicitaire.

Le franchisé devra respecter toutes les normes du franchiseur concernant, entre autres, l'emplacement de l'immeuble, sa construction, son apparence, son aménagement intérieur, l'équipement de production, les annonces publicitaires ou enseignes, les normes d'exploitation, la formation des employés, le système comptable, les produits à offrir et leur prix.

Bref, le franchiseur décide de tout à la place du franchisé, ce dernier n'étant qu'un opérateur.

En échange, le franchisé est presque assuré de faire des profits puisque les franchiseurs de bonne réputation ont des franchises qui sont rentables et renommées.

Le coût d'exploitation d'une franchise peut être élevé si nous tenons compte des nombreuses normes à respecter et du fait que, sur plusieurs aspects, le franchisé ne peut pas économiser. Toutefois la présence de très nombreuses franchises au Canada prouve la réussite de cette formule.

Le franchiseur a généralement tous les droits ou presque, tandis que le franchisé supporte toutes les obligations ou presque. Le contrat de franchise est préimprimé et le franchisé n'a qu'à le signer ou le refuser et renoncer à la franchise ; il n'y a pas de place pour une véritable négociation entre les deux parties.

QUESTIONS

17.1   Qu'est-ce que le franchisage ?

17.2   Quelles sont les dispositions obligatoires du *Code civil* que doivent respecter les signataires d'un contrat de franchise pour détenir un bon et valable contrat de franchise ?

17.3   Quel est l'utilité d'un manuel d'exploitation ?

17.4   Quelles sont les principales obligations du franchisé ?

17.5   Que sont les redevances dans un contrat de franchise ?

17.6   De quelle latitude jouit un franchisé qui désire aménager à sa façon son établissement ?

17.7   Un franchisé a-t-il le droit de s'approvisionner auprès d'une laiterie locale à un prix plus bas que le prix du fournisseur suggéré par le franchiseur ?

17.8   Si le franchisé a payé la redevance publicitaire prévue au contrat de franchise, a-t-il rempli ses obligations ou doit-il débourser des sommes supplémentaires en publicité ?

17.9   Un franchisé peut-il exploiter simultanément plusieurs établissements ?

17.10   Quels sont les deux principaux engagements du franchiseur ?

CAS PRATIQUES

Toutes les questions qui suivent se rapportent à un contrat de franchise signé entre Gestion Pouldor inc., le franchiseur, et Restobon inc., le franchisé, pour l'exploitation d'un restaurant en franchise sous le nom de Rôtisserie poulette dorée. Par conséquent, les réponses aux questions doivent être tirées des articles du contrat de franchise reproduits dans le document 17.1 de ce chapitre.

17.11   Le restaurant exploité par la compagnie Restobon connaît un tel succès que Restobon décide d'agrandir le bâtiment en respectant le style architectural et les aménagements particuliers à une Rôtisserie poulette dorée. Restobon peut-elle procéder à cet agrandissement sans le consentement de Gestion Pouldor inc. ? Justifiez votre réponse.

17.12   Afin d'assurer un excellent service aux tables, Restobon désire que ses employés suivent les cours donnés par l'Institut de l'hôtellerie du Québec : ce cours dure quatre mois et contient tous les éléments relatifs au service aux tables et au service du bar. Restobon assumera évidemment le coût de ce cours. Restobon peut-elle exiger que Gestion Pouldor inc. reconnaisse cette formation en lieu et place de la formation offerte par Gestion Pouldor inc. ? Justifiez votre position.

17.13   Restobon désire lancer une campagne de publicité pour la promotion de son restaurant Rôtisserie poulette dorée indépendamment de la campagne nationale de publicité organisée par Gestion Pouldor inc. Le peut-elle ? Justifiez votre réponse.

17.14   Restobon vient de mettre la main sur une nouvelle recette de poulet barbecue qui lui permettra de présenter un plat de poulet rôti sur riz accompagné d'une sauce japonaise à la cerise. Peut-elle offrir ce nouveau mets ? Justifiez votre réponse.

17.15   Restobon, en accord avec le franchiseur, a procédé à l'agrandissement du bâtiment au coût de 300 000 $. Pour financer le coût des travaux, Restobon utilise 100 000 $ à même les bénéfices non répartis de la compagnie et emprunte 200 000 $ en donnant le bâtiment en garantie sous forme d'hypothèque. Restobon peut-elle signer cet acte d'hypothèque sans le consentement de Gestion Pouldor inc. ? Justifiez votre réponse.

17.16   Marcel, le président de Restobon, a engagé ses deux filles, Marie-Claude et Catherine pour travailler dans le restaurant à titre de gérantes d'équipe. Elles ont suivi le cours initial de formation établi par Gestion Pouldor inc. Cependant, Catherine n'a pas réussi ce cours malgré deux tentatives. Gestion Pouldor inc. demande à Marcel de remplacer Catherine. Marcel a-t-il le droit de refuser d'obéir à cette demande de Gestion Pouldor inc. ? Justifiez votre réponse.

17.17   Restobon a souscrit une police d'assurance de responsabilité civile pour une somme de cinq millions de dollars. Cette somme est-elle suffisante ? Restobon peut-elle souscrire à une assurance de responsabilité civile pour une somme supérieure à la somme prévue au contrat ? Justifiez votre réponse.

DOCUMENT

Le document 17.1 est le contrat de franchise intervenu entre un franchiseur, la compagnie Gestion Pouldor inc., et un franchisé, Restobon inc. Ce contrat stipule que le franchisé pourra exploiter un restaurant en franchise sous le nom de Rôtisserie poulette dorée. L'étude de ce contrat nous permettra de mieux comprendre les implications découlant de la signature d'un contrat de franchise. Tout au long de ce contrat, nous utiliserons les lettres GPI pour désigner le franchiseur et le mot franchisé pour désigner la personne qui a signé le contrat de franchise et qui exploite une Rôtisserie poulette dorée.

| Document 17.1 | **CONTRAT DE FRANCHISE** |

Contrat de franchise

Entre

Gestion Pouldor inc., compagnie légalement constituée en vertu de la Loi sur les compagnies du Québec, ayant son siège social au 1050, rue Orléans à Charlesbourg (Québec), G1H 2H2, représentée par Micheline Montreuil et Pierre Montreuil dûment autorisés aux fins des présentes tel qu'ils attestent en signant

ci-après appelée « GPI »

et

Restobon inc., compagnie légalement constituée en vertu de la Loi sur les compagnies du Québec, ayant son siège social au 1219, rue Ozanam à Québec (Québec), G1L 3T1, représentée par Marcel Côté, dûment autorisé aux fins des présentes en vertu d'une résolution de son conseil d'administration dont une copie certifiée est jointe aux présentes comme Annexe A

ci-après appelée le « franchisé »

**Contrat de franchise pour l'exploitation
d'une Rôtisserie poulette dorée**

Table des matières

| Document 17.1 | **CONTRAT DE FRANCHISE (suite)** |

Préambule

GPI a créé et développé, au cours des années, le « Système GPI » qui comprend, entre autres : des plans de devis type d'architecture et d'aménagement d'une « Rôtisserie poulette dorée » ; des méthodes et techniques pour l'exploitation d'une « Rôtisserie poulette dorée » tant pour le service en salles, que pour celui des livraison à domicile et celui des commandes au comptoir ; des techniques de cuisson et des recettes de cuisine et de bar ; des menus distinctifs ; la norme « qualité, propreté et service » ; et des techniques et des éléments de publicité, de marketing et de promotion ci-après désignés collectivement le « Système GPI ».

De plus, GPI a créé et développé ou pourra, dans l'avenir, créer et développer, à titre de détenteur ou propriétaire enregistré ou non, ou à titre d'usager inscrit ou de détenteur de licence, relativement à ses affaires et à celles de ses franchisés, des sigles, dessins, emblèmes, symboles, pictogrammes, slogans, enseignes, affiches, écriteaux, plaques, formulaires, papeterie et tout autre objet d'identification, des méthodes et techniques qui lui sont propres, le « Manuel d'exploitation », les secrets de commerce, des œuvres bénéficiant de droits d'auteur, des brevets d'invention, des dessins industriels et des marques de commerce tels que modifiés ou amendés de temps à autre par GPI ainsi que tous ceux qui pourraient être acquis dans l'avenir par GPI.

Article 1

Définitions et annexes

1.1 Dans ce contrat et dans le Manuel d'exploitation, à moins que le contexte n'exige une interprétation différente, les mots ou les expressions qui suivent ont la définition qui leur est donnée en cet article :

1.1.1 Le mot « Bail » désigne le contrat de bail ou, selon le cas, le « Contrat de sous-location » joint aux présentes comme Annexe C et aux termes de laquelle le franchisé loue l'établissement.

1.1.2 Les expressions « ce contrat » et « les présentes » désignent le présent contrat y compris son préambule et ses annexes, lesquels en font partie intégrante.

1.1.3 L'expression « Droits réservés » désigne les sigles, dessins, emblèmes, symboles, pictogrammes, slogans, enseignes, affiches, écriteaux, plaques, formulaires, papeterie et tout autre objet d'identification, les méthodes et techniques qui sont propres à GPI, le Manuel d'exploitation, les secrets de commerce, les œuvres bénéficiant de droits d'auteur, les brevets d'invention, les dessins industriels et les marques de commerce que GPI a créés ou développés ou pourra, dans l'avenir, créer ou développer, à titre de détenteur ou propriétaire enregistré ou non, ou à titre d'usager inscrit ou de détenteur de licence, relativement à ses affaires et à celles de ses franchisés, tels que modifiés ou amendés de temps à autre par GPI ainsi que tous ceux qui pourraient être acquis dans l'avenir par GPI.

1.1.4 L'expression « Fonds de publicité commun » désigne le fonds constitué et administré par GPI aux fins de faire la promotion des Rôtisseries poulette dorée ou de l'une d'entre elles ou la mise en marché d'un ou plusieurs des produits de même qu'aux fins de recherche et de développement de nouveaux produits.

1.1.5 L'expression « Manuel d'exploitation » désigne le manuel, en un ou plusieurs volumes, tel qu'amendé ou modifié de temps à autre par GPI, lequel contient les directives, les instructions, les énoncés de procédure et d'exploitation, les politiques confidentielles et toutes les directives que GPI donne à ses franchisés, lesquels font partie intégrante de ce contrat.

1.1.6 Le mot « Produits » désigne tous les mets, denrées alimentaires, boissons alcoolisées, breuvages ainsi que les autres marchandises généralement requises pour l'exploitation du commerce, que GPI et ses fournisseurs désignés pourront offrir en vente de temps à autre aux franchisés.

CONTRAT DE FRANCHISE (suite)

1.1.7 L'expression « Revenus bruts » désigne le montant total de tous les revenus provenant de ventes de produits par le franchisé ainsi que toutes les autres recettes ou comptes à recevoir quels qu'ils soient provenant de toute affaire conclue dans le cours normal par le franchisé dans l'établissement ou à l'extérieur de l'établissement, que ces ventes ou autres recettes ou comptes soient attestés par chèque, argent comptant, compte à crédit, échange, coupons de promotion, autres attestations de rabais ou autrement. Ces revenus bruts incluent notamment les montants suivants :

1.1.7.1 Les montants reçus de la vente des produits par le franchisé.

1.1.7.2 Le montant de toutes les commandes relativement aux produits, acceptées ou reçues dans l'établissement.

1.1.7.3 Tous les dépôts ou acomptes donnés par un ou plusieurs clients pour la vente de l'un ou l'autre des produits et non remboursés au client.

1.1.7.4 Les montants reçus de toute vente par machine mécanique ou autre machine distributrice dans l'établissement.

1.1.7.5 Le montant des indemnités reçues par le franchisé en vertu de polices d'assurance couvrant l'interruption des affaires ou la perte de bénéfices.

1.2 Les annexes suivantes font partie intégrante de ce contrat :
1.2.1 Annexe A : Résolution du franchisé
1.2.2 Annexe B : Résolution du comité exécutif (le cas échéant)
1.2.3 Annexe C : Bail (le cas échéant)
1.2.4 Annexe D : Description de l'établissement
1.2.5 Annexe E : Acte de servitude (le cas échéant)
1.2.6 Annexe F : Liste des représentants du franchisé, des gérants d'équipe et le détail du coût de certains services initiaux
1.2.7 Annexe G : Lettre d'engagement des actionnaires du franchisé, de leurs actionnaires, administrateurs et officiers
1.2.8 Annexe H : Demande d'enregistrement d'usager inscrit.

Article 2

Objet

2.1 Sous réserve des termes et conditions de ce contrat, GPI accorde par les présentes au franchisé, qui accepte, une franchise pour exploiter le commerce dans l'établissement selon le « Système GPI » et, à cette fin, le droit non exclusif d'utiliser les Droits réservés, le tout selon les directives énoncées dans le Manuel d'exploitation.

2.2 Le franchisé reconnaît et convient que l'exploitation du commerce dans l'établissement implique un risque d'affaires comme tout autre commerce et que GPI n'est garante, en aucune façon que ce soit, du commerce, ni ne formule à ce sujet quelque garantie ou représentation de quelque nature que ce soit.

2.3 Le franchisé reconnaît l'importance du maintien à son emploi de l'opérateur. Il s'engage à faire en sorte que ce dernier détienne en tout temps un minimum de cinquante pour cent (50 %) des actions émises et en circulation du capital-actions du franchisé et qu'il consacre la totalité de son temps et de ses efforts à l'administration et à l'opération du commerce.

2.4 Malgré son droit à l'usage des Droits réservés de GPI conformément aux termes et conditions de ce contrat, le franchisé reconnaît qu'il n'est pas un mandataire ni un employé de GPI, qu'il ne doit pas se présenter à ce titre envers des tiers et qu'il n'a aucune autorité pour engager GPI de quelque façon que ce soit dans l'exploitation de son commerce.

Document 17.1	**CONTRAT DE FRANCHISE (suite)**

Article 3

Durée

3.1 Ce contrat sera en vigueur pour une période de dix (10) ans à compter de sa date de signature.

3.2 À l'expiration de la période de dix (10) ans à laquelle il est référé au paragraphe 3.1, le franchisé pourra renouveler ses droits de franchise pour une période additionnelle de dix (10) ans, aux termes et conditions qui suivent :

    3.2.1 Le franchisé devra aviser GPI de son intention de renouveler ses droits de franchise au moins six (6) mois mais pas plus de douze (12) mois avant la date d'expiration du présent contrat.

    3.2.2 Le franchisé ne sera pas en défaut concernant l'une quelconque des dispositions du présent contrat, ni d'aucune autre entente avec GPI ou ses filiales ou sociétés affiliées et ne l'aura pas été au cours des vingt-quatre (24) mois précédents.

    3.2.3 Le franchisé devra signer le contrat de franchise alors en vigueur chez GPI, laquelle contiendra, entre autres, le montant des redevances et des contributions en vigueur au moment du renouvellement et il devra faire signer les lettres d'engagement requises par GPI.

    3.2.4 Le franchisé s'engage à débourser les sommes nécessaires afin de rénover et moderniser l'établissement et les objets mobiliers, ainsi qu'à changer ou modifier les enseignes, affiches et autres objets d'identification de telle sorte que son commerce soit exploité en conformité avec l'image GPI telle qu'elle existera en date du renouvellement.

Article 4

Ouverture officielle de l'établissement et servitude

4.1 La date de l'ouverture officielle de l'établissement au public sera fixée par GPI, de façon discrétionnaire.

4.2 Le franchisé convient de tenir, à ses frais, une réception d'ouverture de l'établissement, à une date qui sera établie par GPI et selon les normes déterminées par GPI.

4.3 Le franchisé, s'il est propriétaire de l'établissement, s'engage à signer et à enregistrer à ses frais, sur demande de GPI, un acte de servitude en faveur de GPI, selon la teneur de l'acte de servitude joint aux présentes comme Annexe E.

Article 5

Normes de construction et d'aménagement

5.1 GPI fournit au franchisé des plans et devis type d'architecture et d'aménagement de l'intérieur et de l'extérieur de l'établissement. Ces plans et devis sont fournis, à titre de référence seulement, pour les architectes, les ingénieurs, les designers et les autres professionnels du franchisé. Le franchisé reconnaît que ces plans et devis demeurent la propriété absolue et exclusive de GPI et il s'engage à ne pas les utiliser, ni à permettre qu'ils soient utilisés à d'autres fins que celles mentionnées à ce contrat. Il s'engage spécifiquement à respecter leur caractère confidentiel et à faire en sorte que ses représentants et leurs représentants en fassent de même.

5.2 Le franchisé devra soumettre à GPI ses plans et devis descriptifs d'architecture, de travaux d'ingénierie, de décoration, d'aménagement intérieur et extérieur, et obtenir l'approbation écrite de GPI avant le début des travaux de construction de l'établissement. Toute modification subséquente aux plans et devis approuvés par GPI devra recevoir l'approbation écrite de GPI. Si GPI doit, avant d'approuver des plans et devis ou des modifications subséquentes, consulter ses architectes, ingénieurs, designers ou autres professionnels, les honoraires de ces professionnels seront à la charge du franchisé, lequel s'engage à les acquitter. Les plans et devis du franchisé devront respecter les exigences municipales et provinciales en matière de construction et être conformes, dans la mesure du possible, aux plans et devis fournis à titre de référence au franchisé par GPI.

| Document 17.1 | **CONTRAT DE FRANCHISE (suite)** |

5.3 Le franchisé reconnaît par ailleurs l'importance du respect des normes qui lui seront fournies par GPI relativement aux couleurs et au revêtement de l'établissement. Il s'engage donc à respecter ces normes et à faire en sorte qu'elles soient respectées par ses architectes, ingénieurs, designers et autres professionnels de même que par son entrepreneur en construction.

Article 6

Contrepartie

6.1 En contrepartie de l'octroi par GPI au franchisé du droit d'exploiter le commerce dans l'établissement selon le « Système GPI », du droit non exclusif d'utiliser les Droits réservés et de certains autres droits prévus à ce contrat, le franchisé :

    6.1.1 verse la somme de cinquante mille (50 000) dollars par chèque visé payable à GPI lors de la signature de ce contrat à titre de paiement du **droit initial** ; et

    6.1.2 s'engage à verser à GPI une **redevance** annuelle égale à cinq pour cent (5 %) du montant annuel des revenus bruts.

6.2 En contrepartie des services fournis par GPI au franchisé relativement au cours initial de formation donné, avant l'ouverture de l'établissement au public, aux personnes qui occupent une fonction qui apparaît à l'Annexe F et au support fourni par GPI au franchisé lors de l'ouverture de son établissement au public, le franchisé s'engage à verser à GPI le montant mentionné à l'Annexe F, aux époques prévues à cette annexe.

6.3 En reconnaissance de l'importance de la publicité, du développement des affaires, de la promotion de son commerce et des autres Rôtisseries poulette dorée, le franchisé s'engage à :

    6.3.1 verser, à titre de contribution au Fonds de publicité commun de GPI, un montant annuel égal à trois pour cent (3 %) du montant annuel des revenus bruts ou tout autre pourcentage plus élevé, selon ce qui sera établi chaque année par GPI ;

    6.3.2 effectuer des dépenses pour un montant annuel égal à au moins deux pour cent (2 %) du montant annuel des revenus bruts à des fins de publicité et de promotion locale de son établissement ; et

    6.3.3 participer, en effectuant des versements additionnels au Fonds de publicité commun, à tout programme spécial de publicité, de développement des affaires ou de promotion élaboré par GPI si ce programme a été autorisé par la majorité des Rôtisseries poulette dorée visées par ce programme.

6.4 La somme versée à GPI à titre de droit initial conformément au sous-paragraphe 6.1.1 n'est pas remboursable lorsque ce contrat est résiliée par GPI conformément aux dispositions de l'article 19 des présentes.

6.5 La redevance annuelle prévue au sous-paragraphe 6.1.2 et les contributions au Fonds de publicité commun prévues aux sous-paragraphes 6.3.1 et 6.3.2 seront dues à toutes les deux (2) semaines à compter du jour de l'ouverture officielle de l'établissement au public et seront payables au plus tard sept (7) jours à compter de la fin de chaque période de deux (2) semaines au siège social de GPI ou à tout autre endroit que GPI pourra désigner de temps à autre au franchisé par avis écrit donné à cette fin. Le paiement de cette redevance et de ces contributions sera accompagné d'un état écrit détaillé des revenus bruts pour les deux (2) semaines concernées, signé et attesté par le franchisé. Les sommes ainsi payées seront sujettes à ajustement de la façon décrite à l'article 15 de la présente.

6.6 Tout montant exigible du franchisé par GPI portera intérêt à compter de son échéance au taux d'intérêt annuel préférentiel de la Banque nationale du Canada majoré de six pour cent (6 %). Tous les arrérages d'intérêt porteront également intérêt au même taux jusqu'à leur date de paiement. Si un jugement est rendu contre le franchisé en faveur de GPI, le franchisé accepte de payer, sur tout montant accordé par jugement, un intérêt au taux prévu au présent paragraphe.

| Document 17.1 | **CONTRAT DE FRANCHISE (suite)** |

Article 7

Certains engagements de GPI

7.1 En plus des autres engagements stipulés dans ce contrat, GPI s'engage à :

    7.1.1 donner aux représentants du franchisé dont la fonction apparaît à l'Annexe F ci-jointe, moyennant paiement des montants prescrits, un cours initial de formation relativement au « Système GPI » ; et

    7.1.2 fournir au franchisé un exemplaire du Manuel d'exploitation ainsi que tout amendement ou modification.

Article 8

Certains engagements du franchisé

8.1 En plus de tous les engagements contractés par le franchisé en vertu de ce contrat, et sans les limiter, ce dernier s'engage à :

    8.1.1 exploiter son commerce conformément aux normes d'exploitation mentionnées au Manuel d'exploitation ;

    8.1.2 remettre à GPI dans les soixante (60) jours de la fin de l'exercice financier, une liste de tous les administrateurs, officiers et actionnaires du franchisé, laquelle devra être dûment certifiée et attestée par un certificat du vérificateur du franchisé ou de toute autre personne autorisée par GPI et porter la date de la fin de l'exercice financier ; le cas échéant, cette liste devra indiquer le nombre d'actions détenues par chaque actionnaire du franchisé, la catégorie d'actions et les droits et privilèges y afférents ainsi qu'une déclaration à l'effet qu'aucune option d'achat d'actions de quelque catégorie que ce soit n'a été accordée à quiconque au cours de cet exercice financier ;

    8.1.3 soumettre, pour approbation préalable et écrite de GPI, l'identité du prêteur ainsi que les modalités, les termes et les conditions de tout emprunt, avant de le contracter ;

    8.1.4 maintenir en tout temps un rapport de l'actif à court terme sur le passif à court terme égal ou supérieur à un demi-point sur un (0,50/1,00) ; et

    8.1.5 maintenir en tout temps un rapport de la dette à long terme sur l'avoir net des actionnaires égal ou inférieur à deux points et demi sur un (2,50/1,00).

Article 9

Objets mobiliers et éléments d'identification

9.1 Le franchisé reconnaît l'importance de l'utilisation des objets mobiliers au sein des Rôtisseries poulette dorée. Le détail des objets mobiliers requis pour son établissement est mentionné au Manuel d'exploitation. Le franchisé s'engage à doter son établissement de tels objets mobiliers et de ceux qui seront mentionnés de temps à autre au Manuel d'exploitation, à les utiliser et à maintenir, pendant toute la durée de ce contrat, l'inventaire d'objets mobiliers mentionné de temps à autre par GPI au Manuel d'exploitation.

9.2 Le franchisé convient d'utiliser les enseignes, affiches, écriteaux, plaques, pictogrammes-signes selon la forme prescrite par GPI au Manuel d'exploitation. Sans préjudice à ses autres droits, GPI pourra enlever ou faire enlever, aux frais du franchisé, les enseignes, affiches, écriteaux, plaques, pictogrammes-signes qui ne sont pas conformes à ce qui est prescrit au Manuel d'exploitation, et les confisquer, sans dédommagement au franchisé, à moins que le franchisé n'ait obtenu l'autorisation écrite et préalable de GPI avant de les installer. Le franchisé s'engage à tenir tous les éléments d'identification mentionnés au présent sous-paragraphe francs et quittés de toutes charges ou affectations ou de tous liens quelconques.

Document 17.1   # CONTRAT DE FRANCHISE (suite)

Article 10

Approvisionnement

10.1   Le franchisé s'engage à s'approvisionner en objets mobiliers, en objets d'identification et en denrées alimentaires et boissons exclusivement de GPI ou des fournisseurs désignés de temps à autre par GPI au Manuel d'exploitation ou de fournisseurs autorisés par écrit par GPI à la demande du franchisé.

Article 11

Marques de commerce - Droits réservés

11.1   Le franchisé s'engage à utiliser les Droits réservés de GPI dans le cours normal de son commerce ainsi que pour les fins de publicité et de promotion selon les normes d'utilisation établies de temps à autre au Manuel d'exploitation et d'inscrire toute autre mention qui pourrait être requise de temps à autre par GPI pour protéger les Droits réservés.

Article 12

Manuel d'exploitation

12.1   Le franchisé reconnaît avoir reçu, lors de la signature des présentes, un exemplaire du Manuel d'exploitation. Le franchisé souscrit à l'avance aux modifications et amendements que GPI pourra apporter au Manuel d'exploitation et il convient de respecter en tout temps les normes d'exploitation qui y sont mentionnées.

12.2   Les modifications ou amendements apportés par GPI au Manuel d'exploitation prendront effet à la date mentionnée à la modification ou à l'amendement.

12.3   Le franchisé reconnaît le caractère confidentiel du Manuel d'exploitation. Il s'engage à respecter ce caractère confidentiel et à faire en sorte que ses représentants en fassent de même.

Article 13

Normes d'exploitation

Cours de formation

13.1   Le franchisé devra faire en sorte que les personnes à son emploi dont la fonction apparaît à l'Annexe F ci-jointe suivent le cours initial de formation établi par GPI au Manuel d'exploitation. Ces personnes devront réussir ce cours avec succès, à défaut de quoi le franchisé devra désigner un ou plusieurs remplaçants.

13.2   Le franchisé devra, pendant toute la durée de ce contrat, faire en sorte que les personnes qui occupent une fonction qui apparaît à l'Annexe F aient complété avec succès le cours initial de formation établi par GPI et suivent le cours de formation continue requis de temps à autre par GPI.

13.3   Le coût des cours suivis par les représentants du franchisé sont à sa charge.

13.4   Le franchisé s'engage à maintenir à son emploi, en tout temps, les nombres et la catégorie d'employés indiqués au Manuel d'exploitation pour son genre d'exploitation.

13.5   Le franchisé s'engage par ailleurs à ce que l'ensemble du personnel de l'établissement suive, à ses frais, les cours de formation requis de temps à autre par GPI. Le franchisé s'engage à cet égard à acheter tout équipement de formation prescrit de temps à autre par GPI.

13.6   Le franchisé s'engage à respecter la philosophie de gestion de ressources humaines prônée par GPI.

Mets offerts à la clientèle

13.7   Le franchisé reconnaît l'importance de l'uniformité de la qualité, des portions et de la présentation des mets et boissons servis aux clients des Rôtisseries poulette dorée. Il s'engage donc à respecter toutes les instructions contenues à cet effet au Manuel d'exploitation. De la même manière, il s'engage à suivre exactement les recettes de cuisine et de bar mentionnées au Manuel d'exploitation. Le franchisé convient de ne servir dans son établissement aucun autre mets et aucune autre boisson que ceux qui sont spécifiquement autorisés au Manuel d'exploitation ou par GPI.

Document 17.1	**CONTRAT DE FRANCHISE (suite)**

Entretien de l'établissement

13.8 Le franchisé fera en sorte que les objets mobiliers, l'établissement et l'aménagement extérieur et paysager du site sur lequel est situé l'établissement soient, pendant toute la durée de ce contrat, maintenus en bon état d'entretien et de réparation conformément aux normes mentionnées de temps à autre au Manuel d'exploitation. De la même façon, les objets mobiliers, l'établissement et l'aménagement extérieur et paysager du site devront en tout temps être conformes aux exigences établies de temps à autre par GPI au Manuel d'exploitation. Sur préavis écrit de GPI, le franchisé devra procéder à l'entretien, à la réparation ou au remplacement, selon le cas, de l'objet mobilier ou de l'élément de l'établissement ou de l'aménagement extérieur et paysager du site selon les exigences d'un tel avis. Le franchisé s'engage spécifiquement et sans nécessité d'avis de la part de GPI à rénover les objets mobiliers, l'établissement et l'aménagement extérieur et paysager du site à l'échéance de chaque période de cinq (5) ans pendant la durée du présent contrat à compter de la date de l'ouverture de l'établissement au public.

Sécurité et hygiène

13.9 Le franchisé fera en sorte que tous les employés de l'établissement prennent connaissance et respectent les dispositions du Manuel d'exploitation relatives aux mesures sanitaires, de sécurité et d'hygiène. Par ailleurs, le franchisé s'engage à faire effectuer des analyses d'aliments selon les dispositions du Manuel d'exploitation auprès d'un laboratoire industriel approuvé par GPI et à transmettre sur réception le rapport d'analyse qui sera émis par ce laboratoire industriel.

Visites de contrôle

13.10 Le franchisé convient de permettre à GPI, ses représentants et employés, de pénétrer dans l'établissement en tout temps durant les heures normales d'affaires aux fins de vérifier les lieux, l'état des objets mobiliers, la qualité, les portions et la présentation des mets offerts et servis à la clientèle et de s'assurer que toutes les exigences de GPI prévues au Manuel d'exploitation ou à ce contrat sont respectées par le franchisé. Si GPI est d'avis que l'établissement n'est pas opéré adéquatement par le franchisé, GPI pourra, à sa seule discrétion, sur préavis écrit d'au moins quarante-huit (48) heures au franchisé, gérer, administrer ou opérer l'établissement moyennant un honoraire équivalent à la rémunération courante d'un gérant de Rôtisserie poulette dorée plus le remboursement de toutes ses dépenses et frais occasionnés par telle gérance, administration ou opération. GPI continuera sa gérance, son administration ou son opération de l'établissement aussi longtemps que GPI ne sera pas convaincue que le franchisé est en mesure d'opérer l'établissement selon les normes et directives mentionnées au Manuel d'exploitation. GPI ne formule aucune garantie quant aux résultats de son administration lors de sa gérance, de son administration ou de son opération de l'établissement.

Article 14

Publicité

14.1 Le franchisé reconnaît que le Fonds de publicité commun est administré par GPI à sa seule discrétion et sous sa seule autorité dans l'intérêt commun des Rôtisseries poulette dorée ou pour faire la promotion particulière d'une seule Rôtisserie poulette dorée.

14.2 GPI s'engage à verser au Fonds de publicité commun une contribution annuelle équivalant à la contribution d'un franchisé pour chacune des Rôtisseries poulette dorée exploitées par GPI.

14.3 Le franchisé s'engage à soumettre à l'approbation écrite et préalable de GPI tout projet de publicité effectué à des fins de publicité et de promotion locale de son établissement conformément au sous-paragraphe 6.3.2 de ce contrat. GPI pourra à sa seule discrétion refuser ou modifier tout projet de publicité soumis par le franchisé.

| Document 17.1 | **CONTRAT DE FRANCHISE (suite)** |

Article 15

Comptabilité

15.1 Le franchisé s'engage à remettre à GPI, lors du paiement des sommes mentionnées aux sous-paragraphes 6.1.2, 6.3.1 et 6.3.3 de ce contrat, tous les rapports de gestion qui pourraient être exigés par GPI, lesquels seront préparés selon la forme indiquée au Manuel d'exploitation.

15.2 Le franchisé s'engage à garder dans l'établissement des livres et registres comptables tenus par ordre chronologique relativement à ses revenus bruts et aux autres transactions effectuées au cours de chaque exercice financier, pour une période de trois (3) ans de la fin de chaque exercice financier.

15.3 Le franchisé s'engage à enregistrer toutes ses ventes dans l'établissement sur les caisses enregistreuses qu'il se procurera de GPI de temps à autre.

15.4 Le franchisé s'engage à acquérir de GPI ou des fournisseurs autorisés par GPI, selon les modalités désignées par GPI, tout système, mécanisme, matériel, système informatique et logiciel qui pourraient remplacer ou compléter les caisses enregistreuses du franchisé aux fins d'enregistrements des ventes, de la tenue d'inventaires et de la tenue des livres comptables du franchisé selon les stipulations du Manuel d'exploitation.

15.5 Le franchisé s'engage à remettre à GPI, dans les trente (30) jours de la fin de chaque période de quatre (4) semaines d'opération de son établissement, des états financiers intérimaires couvrant cette période, lesquels devront être préparés selon la forme prescrite au Manuel d'exploitation. Sur demande de GPI, ces états financiers intérimaires devront être accompagnés de pièces justificatives.

15.6 Le franchisé s'engage à remettre à GPI, dans les quatre-vingt-dix (90) jours de la fin de l'exercice financier, des états financiers vérifiés par un membre de l'Institut canadien des comptables agréés pour cet exercice financier. Ces états financiers vérifiés devront comprendre un bilan, un état de revenus et pertes, un état de provenance et d'utilisation des fonds, un état de l'évaluation du fonds de roulement et le rapport des vérificateurs. Ces états financiers devront, sur demande de GPI, être accompagnés de pièces justificatives ainsi que de tout document nécessaire à leur compréhension.

15.7 Le franchisé s'engage à parfaire le montant de tout paiement effectué conformément aux sous-paragraphes 6.1.2, 6.3.1 et 6.3.3 de ce contrat lors de la remise de ses états financiers vérifiés si ces états établissent que ses revenus bruts annuels sont supérieurs à ceux qu'il a indiqués à GPI au moment de ses paiements. De la même façon, GPI s'engage à rembourser au franchisé, dans les trente (30) jours qui suivent la remise des états financiers du franchisé, tout montant contribué en trop par le franchisé lors des paiements effectués conformément aux sous-paragraphes 6.1.2, 6.3.1 et 6.3.3 de ce contrat.

15.8 Le franchisé s'engage à permettre aux représentants ou aux vérificateurs de GPI, en tout temps pendant les heures normales d'affaires de l'établissement, d'avoir accès à l'établissement pour examiner et vérifier tout livre comptable et registre, toute pièce justificative ou dossier se rapportant aux transactions financières du franchisé de même qu'aux états financiers et effets bancaires du franchisé et d'effectuer tout sondage qu'ils estiment nécessaire ou utile à leur fournir tout renseignement ou autre document y afférent.

15.9 La réception ou l'encaissement par GPI de toute somme d'argent versée par le franchisé ne constituera, en aucune façon, une acceptation du montant payable par le franchisé. L'acceptation de tout paiement sera effectuée sans préjudice au droit de GPI d'examiner tous et chacun des livres comptables, registres, pièces justificatives ou dossiers se rapportant aux transactions financières du franchisé. GPI et ses représentants auront le droit de mener une vérification complète des affaires du franchisé pour l'établissement pour toute une période jugée nécessaire par GPI. Si l'inspection révèle une divergence de trois pour cent (3 %) ou plus entre les revenus bruts montrés par l'inspection et les revenus bruts rapportés par le franchisé, le franchisé devra assumer les coûts de vérification de GPI et payer immédiatement GPI, en plus des redevances applicables à la différence entre lesdits montants, un montant équivalent au double de la redevance sur la différence entre les revenus bruts rapportés par GPI et ceux révélés par l'inspection avec intérêts au taux mentionné à ce contrat à compter de la date où les sommes auraient dû être rapportées à GPI.

| Document 17.1 | **CONTRAT DE FRANCHISE (suite)** |

Article 16

Assurances

16.1 Le franchisé s'engage à défendre et à tenir GPI indemne et à couvert de toute réclamation, poursuite, perte, dépense, pénalité, dommage, condamnation et frais judiciaires qui pourraient résulter, directement ou indirectement, de l'exploitation du commerce par le franchisé, ses mandataires ou employés.

16.2 Le franchisé devra souscrire et maintenir en vigueur, pendant toute la durée de ce contrat, les polices d'assurance mentionnées à ce contrat, ainsi que toute autre assurance pour tel montant et selon les termes et conditions qui pourront être raisonnablement prescrits par GPI de temps à autre et dont le montant, les modalités et la forme seront déterminés par GPI dans le Manuel d'exploitation.

16.3 Plus particulièrement, le franchisé devra souscrire et maintenir en vigueur ou faire en sorte que soient souscrites et maintenues en vigueur, à ses frais, pendant la durée de ce contrat, les polices d'assurance suivantes :

    16.3.1 Une ou des polices d'assurance de type « tous risques », couvrant l'établissement contre toute perte ou dommage résultant d'un incendie, d'une explosion ou de tout autre péril ou sinistre couvrant les biens à leur pleine valeur de remplacement.

    16.3.2 Une ou des polices d'assurance couvrant tous les biens se trouvant dans l'établissement et incluant notamment les produits, les objets d'identification et les objets mobiliers ainsi que toutes améliorations qui ne seraient pas déjà couvertes par les assurances dont il est fait mention au sous-paragraphe 16.3.1, le tout pour leur pleine valeur de remplacement.

    16.3.3 Une ou des polices d'assurance de responsabilité civile, formule générale protégeant les assurés contre les conséquences pécuniaires de la responsabilité civile qu'ils peuvent encourir pour quelque raison que ce soit, du fait de la propriété, de la location, de l'opération, de l'occupation ou de l'usage de l'établissement ou du fait des présentes, à raison de dommages corporels ou matériels subis par qui que ce soit. De telles polices d'assurance devront couvrir la responsabilité des produits (products liability), la responsabilité réciproque des assurés (cross liability) et elles devront prévoir une protection d'au moins deux millions de dollars (2 000 000 $) pour chaque cas de blessures, de décès, ou de dommages à la propriété, cette protection minimale pourra être augmentée tel que prescrit au Manuel d'exploitation.

    16.3.4 Une ou des polices d'assurance pour interruption des affaires ou perte des bénéfices pour tel montant établi de temps à autre par GPI en tenant compte des ventes et des profits du franchisé ainsi que des sommes payables à GPI aux termes de ce contrat.

16.4 Le franchisé devra remettre à GPI une copie de ces polices d'assurance ou de tout autre document conformant les couvertures décrites ci-dessus au paragraphe 16.3 dans un délai de trente (30) jours de la signature de ce contrat ainsi qu'une copie de tous les certificats de renouvellement de ces polices au moins trente (30) jours avant l'expiration de toute police.

16.5 Dans l'éventualité où le franchisé manque à son engagement de souscrire ou de maintenir en vigueur les polices d'assurance mentionnées au paragraphe 16.3, ou si de telles assurances ne sont pas acceptées ou sont annulées, ou dans l'éventualité où le franchisé ne rectifie pas promptement une situation qui a occasionné le refus ou l'annulation de l'une ou l'autre des polices d'assurance, GPI aura alors le droit, sans obligation de sa part, de souscrire ou de maintenir en vigueur ces polices d'assurance et d'en payer les primes. Le franchisé devra rembourser immédiatement à GPI le montant des déboursés effectués par elle à cette fin, à compter de la date de paiement par GPI, avec les intérêts calculés conformément au paragraphe 6.6, le tout sans préjudice aux autres droits et recours de GPI en vertu de ce contrat.

| Document 17.1 | **CONTRAT DE FRANCHISE (suite)** |

Article 17

Cessions et transferts

17.1 Sujet à ce que GPI se prévale du droit de premier refus prévu à l'article 20, aucune cession ou transfert du contrat de franchise n'est autorisé sans le consentement exprès et écrit du franchiseur, lequel consentement peut être refusé par GPI sans que GPI ne soit tenu de fournir la moindre raison.

17.2 Le cessionnaire, ses administrateurs et ses actionnaires devront répondre aux même qualités que celles exigées du franchisé et devront signer tous les documents requis par GPI.

Article 18

Restrictions quant aux activités du franchisé, de ses actionnaire, leurs actionnaires, administrateurs et officiers

18.1 Le franchisé s'engage à utiliser l'établissement à la seule fin d'exploiter une Rôtisserie poulette dorée. Il s'engage par ailleurs à restreindre ses activités à l'opération du commerce, et ce à l'exclusion de toute autre activité commerciale.

18.2 Les parties conviennent que ni le franchisé, ni aucun de ses actionnaires, de leurs actionnaires respectifs, le cas échéant, de leurs administrateurs et de leurs officiers, ne pourra, pendant la durée de ce contrat, faire affaires, investir dans, être engagé ou intéressé, assister une autre personne, société ou compagnie, à faire affaires ou être engagée dans un commerce de restauration incluant, sans restriction, des restaurants, salles à manger, comptoirs, services de livraison ou autres, directement ou indirectement, soit comme employé, franchisé, mandataire, gérant, associé conjoint, associé ou autrement, et ce, à l'intérieur du Canada.

18.3 Pendant une durée de trois (3) ans après la résiliation ou la terminaison de ce contrat, ni le franchisé, ni aucun de ses actionnaires, de leurs actionnaires respectifs, le cas échéant, de leurs administrateurs et de leurs officiers ne pourra faire affaires, investir dans, être engagé ou intéressé, assister une autre personne, société ou compagnie, à faire affaires ou à être engagée dans un commerce de restaurant incluant, sans restriction, une salle à manger, un comptoir, un service de livraison ou autres offrant une spécialité de poulet, grillé ou rôti à la broche, ou de côtes levées ou de tout autre produit alors commercialisé dans les Rôtisseries poulette dorée, directement ou indirectement, soit comme employé, franchisé, mandataire, gérant, associé conjoint, associé ou autrement, et ce, dans un rayon de cinquante (50) kilomètres de l'établissement et dans un rayon de dix (10) kilomètres de chacune des autres Rôtisseries poulette dorée.

18.4 Le franchisé s'engage à ne pas employer ou chercher à employer toute personne qui, à ce moment, est employée de GPI, d'une compagnie qui lui est associée ou affiliée ou de l'un ou l'autre des franchisés, ou amener autrement, directement ou indirectement, telle personne à quitter son emploi, sauf avec consentement préalable et écrit de GPI et, le cas échéant, aux conditions spécifiées dans un tel consentement.

18.5 Toute contravention aux engagements mentionnés en cet article aura pour effet de rendre le franchisé responsable envers GPI du paiement, à titre de pénalité, d'un montant de cinq mille (5 000) dollars par jour de contravention, sous réserve cependant du recours en injonction ou de tout autre recours qui pourrait être exercé par GPI en vertu de la présente.

Article 19

Expiration et résiliation

19.1 Malgré les dispositions du paragraphe 3.1 de ce contrat, GPI aura le droit de mettre fin immédiatement à ce contrat, sans autre avis ni délai, dans les cas suivants :

19.1.1 si le franchisé fait une cession de ses biens pour le bénéfice de ses créanciers ou est déclaré être en faillite ou fait une proposition concordataire ou admet de quelque façon que ce soit qu'il est insolvable, ou si un syndic est nommé relativement à ses biens en vertu de la Loi sur la faillite et l'insolvabilité ou autrement ;

| Document 17.1 | **CONTRAT DE FRANCHISE (suite)** |

19.1.2   si le franchisé fait quelque fausse représentation à GPI quant à ses activités ;

19.1.3   si le franchisé fait obstacle, de quelque façon que ce soit, à l'exercice par GPI de son droit d'inspecter l'établissement pendant les heures ouvrables et d'avoir accès à tous les documents ou livres du franchisé ; ou

19.1.4   si le franchisé, à titre de locataire de l'établissement, contrevient à l'un ou l'autre des termes ou conditions du bail.

19.2   Sous réserve de toute disposition spécifique des présentes, GPI aura le droit de mettre fin à ce contrat dans les circonstances et dans les délais prévus ci-dessous :

19.2.1   si le franchisé fait défaut de respecter une des normes, instructions ou directives de GPI contenues au Manuel d'exploitation et qu'il n'a pas remédié à ce défaut à la satisfaction de GPI dans les trois (3) jours d'un avis à cet effet ; ou

19.2.2   si le franchisé fait défaut de payer à échéance à GPI ou à l'un des fournisseurs du commerce un montant quelconque qui lui est dû et que ce défaut ne soit pas remédié par le franchisé dans les cinq (5) jours d'un avis à cet effet.

Article 20

Droit de premier refus

20.1   Si le franchisé désire vendre l'établissement dont il est propriétaire ou s'il désire vendre ou céder la totalité ou une partie de ses droits et intérêts dans ce contrat, il devra alors faire parvenir à GPI un avis dans les trente (30) jours de la réception d'une offre à cet effet laquelle devra lui avoir été faite par une tierce personne de bonne foi avec laquelle il n'a aucun lien de dépendance, indiquer son intention d'accepter l'offre et remettre à GPI une copie de l'offre reçue. GPI disposera d'un délai de trente (30) jours de la réception d'un tel avis pour exécuter un contrat d'achat suivant les termes de l'offre de la tierce personne de bonne foi. Dans tous les cas, le franchisé devra fournir des titres libres et clairs de propriété. Si GPI n'a pas acquis l'établissement ou, selon le cas, les droits et intérêts dans ce contrat à l'intérieur de ce délai, le franchisé pourra en disposer en faveur de la tierce personne de bonne foi pourvu toutefois que les conditions énumérées à l'article 17 de ce contrat soient respectées et que le transfert ait lieu dans les quatre-vingt-dix (90) jours de l'échéance du délai consenti à GPI aux termes de la présente.

Article 21

Indemnisation de GPI

21.1   Le franchisé s'engage à indemniser GPI, ses représentants, agents, mandataires, employés et successeurs relativement à tout montant réclamé de GPI à quelque titre que ce soit se rapportant à l'établissement, l'opération du commerce ou l'exploitation de la franchise, et à acquitter tous les frais et déboursés incluant les frais légaux encourus et payés par GPI en rapport avec une telle réclamation, à moins que le dommage reproché à GPI ne résulte de sa faute ou de sa négligence grossière.

Article 22

Élection de domicile

22.1   Le franchisé élit domicile à l'établissement pour les fins de toute signification, demande ou poursuite relative au présent contrat. Le franchisé convient par la présente que toute poursuite ou procédure quelle qu'elle soit, intentée par GPI pour faire valoir ses droits en vertu de ce contrat, pourra être intentée dans le district judiciaire de l'établissement.

Document 17.1   **CONTRAT DE FRANCHISE (suite)**

Article 23

Avis

23.1 S'il devient nécessaire ou utile de donner un avis en vertu des présentes, cet avis sera donné, à moins d'une disposition à l'effet contraire, soit par courrier recommandé avec avis de réception ou certifié, soit remis de la main à la main avec accusé de réception, ou encore signifié par huissier sous l'huis de la porte. Si l'avis est donné par courrier recommandé ou certifié, il sera indéniablement présumé avoir été reçu trois (3) jours francs après la date de sa mise à la poste si le service postal fonctionne alors normalement. Dans le cas contraire ou au choix de l'expéditeur, l'avis devra être livré ou signifié par huissier. Dans le cas de remise de l'avis de la main à la main ou de sa signification, cet avis sera indéniablement présumé avoir été reçu le jour même.

23.2 Tout avis à être donné en vertu des présentes le sera, dans le cas du franchisé, à l'établissement, et dans le cas de GPI au 1050, rue Orléans à Charlesbourg (Québec), G1H 2H2, à l'attention du président et chef de la direction.

23.3 L'adresse de GPI pourra être changée de temps à autre par avis écrit.

Article 24

Interprétation

24.1 Le préambule de ce contrat en fait partie intégrante.

24.2 Ce contrat est régie par les dispositions des lois en vigueur dans la province de Québec. Les cours ayant juridiction dans cette province et la Cour suprême du Canada auront juridiction exclusive pour régler tout différend intervenu entre les parties.

24.3 Ce contrat lie les parties aux présentes, de même que leurs successeurs et ayants droit.

24.4 Chacun des articles ou paragraphes de ce contrat est interprété séparément et l'invalidité de l'un d'entre eux n'aura pas pour effet d'invalider la totalité de ce contrat.

24.5 Dans un article, à moins d'indication contraire, la référence à un paragraphe comprend tout sous-paragraphe.

24.6 Selon que le contexte l'exige, le singulier comprend le pluriel et le masculin, le féminin et vice versa.

24.7 Ce contrat annule tout contrat ou représentation, le cas échéant, antérieur aux présentes, relatif, en tout ou en partie, à l'objet des présentes.

24.8 Ce contrat ne peut être amendé ou complété que par un écrit souscrit par les parties aux présentes.

24.9 Tous les exemplaires signés des présentes constituent autant d'originaux d'un seul et même contrat.

En foi de quoi, les parties aux présentes ont signé le présent contrat en quatre (4) exemplaires, à Charlesbourg, le 18e jour du mois de mars mil neuf cent quatre-vingt seize.

Restobon inc.

par Marcel Côté

Gestion Pouldor inc.

par Micheline Montreuil

par Pierre Montreuil

Claudette Drapeau, témoin

Caroline Poulin, témoin

Chapitre 18

LES RELATIONS DE TRAVAIL

| 18.0 | **PLAN DU CHAPITRE** |

18.0   PLAN DU CHAPITRE (suite)

18.1   OBJECTIFS

Après la lecture du chapitre, l'étudiant doit être en mesure :

- de distinguer le contrat d'entreprise ou de service du contrat de travail ;

- de définir le rôle du contrat individuel de travail ;

- d'analyser le rôle et l'importance de la *Loi sur les normes du travail* ;

- de connaître les principales normes du travail en matière de salaire minimum, de durée de la semaine de travail, de jours fériés, de congés annuels payés, de repos, de congés familiaux, d'avis de cessation d'emploi, de certificat de travail, de retraite et d'uniforme ;

- d'expliquer ce qu'est la réclamation de salaire ;

- de reconnaître les pratiques interdites ;

- d'énoncer les règles applicables en matière de congédiement sans cause juste et suffisante ;

- de préciser le but de la *Loi sur la santé et la sécurité du travail* ;

- de distinguer les droits du travailleur que sont le droit de refus, le droit de retrait préventif et le droit de retrait préventif de la travailleuse enceinte ;

- de déterminer les principales obligations de l'employeur ;

- de définir le rôle de l'inspecteur ;

- d'expliquer le but de la *Loi sur les accidents du travail et les maladies professionnelles* ;

- d'expliquer le rôle de l'indemnité de remplacement du revenu ;

- de distinguer les trois formes de réadaptation que sont la réadaptation physique, la réadaptation sociale et la réadaptation professionnelle ;

- de préciser en quoi consiste le droit au retour au travail d'un travailleur ;

- d'expliquer la différence entre un employé syndiqué et un employé non syndiqué ;

- d'expliquer pourquoi certaines personnes qui travaillent au Québec sont soumises au *Code du travail du Québec* tandis que d'autres sont soumises au *Code canadien du travail* ;

- de différencier une association de salariés d'une association accréditée ;

- d'expliquer ce qu'est une association accréditée ;

- de définir le concept d'unité de négociation ;

- d'expliquer le processus de déroulement d'une négociation collective ;
- de distinguer le rôle du conciliateur de celui du médiateur et de celui de l'arbitre de différend ;
- d'expliquer le rôle de la grève et du lock-out dans le déroulement d'une négociation collective ;
- de décrire tout ce que peut contenir une convention collective ;
- de définir l'arbitrage de grief ;
- de différencier l'arbitrage de différend de l'arbitrage de grief.

18.2 LES PRINCIPALES LOIS DU TRAVAIL

La législation relative au travail est constituée de plusieurs lois ayant des objets différents (voir le tableau 18.1). Au Québec, le domaine des relations du travail n'est pas réglementé par un « code du travail » unique, comme par exemple dans le cas des entreprises de compétence fédérale (voir la section 18.9, Le *Code canadien du travail*). D'une part, il existe des lois qui régissent les rapports du travail, tant individuels que collectifs et qui peuvent :

- fixer des conditions minimales de travail, comme la *Loi sur les normes du travail* ;
- favoriser et encadrer l'association de salariés aux fins de la négociation collective, comme le *Code du travail* ;
- protéger la santé et la sécurité des travailleurs, comme la *Loi sur la santé et la sécurité du travail*.

D'autre part, s'ajoutent des dispositions prévues dans d'autres lois ne visant pas spécifiquement les relations du travail, tel le *Code civil* qui traite du contrat individuel de travail.

L'administration de ces lois est en général confiée à divers organismes créés spécialement à cette fin. C'est le cas notamment de la Commission des normes du travail qui surveille l'application de la *Loi sur les normes du travail*. Quant à la Commission de la santé et de la sécurité du travail (CSST), elle veille à l'application de la *Loi sur la santé et la sécurité du travail* de même que de la *Loi sur les accidents du travail et les maladies professionnelles*. En matière d'accréditation, c'est-à-dire lorsque des salariés cherchent à se syndiquer ou former une association en vue de négocier une convention collective, un commissaire général du travail, des commissaires du travail et des agents d'accréditation voient à l'application et au respect du *Code du travail*.

Tableau 18.1 Les principales lois du travail en vigueur au Québec

Lois québécoises et lois connexes	Objet
Charte de la langue française	Protège le français comme langue du travail
Charte des droits et libertés de la personne	Protège les droits et libertés fondamentaux de la personne
*Code civil**	Définit le contrat individuel de travail
*Code criminel**	Encadre le piquetage Sanctionne les actes criminels commis à l'occasion du travail
Code du travail	Régit les rapports collectifs du travail

Tableau 18.1   Les principales lois du travail en vigueur au Québec (suite)

Lois québécoises et lois connexes	Objet
Loi sur la fête nationale	Détermine que le 24 juin est un jour férié et chômé
Loi sur la fonction publique	Établit le régime de travail des fonctionnaires provinciaux
Loi sur la santé et la sécurité du travail	Vise l'élimination à la source des dangers pour la santé et l'intégrité physique des travailleurs dans leur milieu de travail
Loi sur le régime de négociation des conventions collectives dans les secteurs public et parapublic	Établit un régime de négociation collective particulier pour ces secteurs
Loi sur les accidents du travail et les maladies professionnelles*	Indemnise les travailleurs victimes d'un accident du travail ou atteints d'une maladie professionnelle
Loi sur les normes du travail	Fixe les conditions minimales de travail
Loi sur les relations du travail, la formation professionnelle et la gestion de la main-d'œuvre dans l'industrie de la construction	Régit le domaine de la construction

* Cette loi s'applique également aux entreprises de compétence fédérale

Lois fédérales et lois connexes	Objet
Code canadien du travail	Fixe les conditions minimales de travail Vise la prévention des accidents du travail et des maladies liées à l'emploi
	Régit les rapports collectifs du travail
Déclaration canadienne des droits	Protège les droits et libertés fondamentaux de la personne
Loi canadienne sur les droits de la personne	Interdit diverses formes de discrimination
Loi sur les relations de travail dans la fonction publique	Établit le régime de travail des fonctionnaires fédéraux

18.3   LE CONTRAT INDIVIDUEL DE TRAVAIL PRÉVU AU *CODE CIVIL*

Un **contrat individuel de travail** est un contrat passé entre un salarié et un employeur par lequel ce dernier détermine les conditions de travail de son salarié, comme le salaire, les avantages sociaux, les conditions d'emploi, les heures de travail, la nature du travail et les autres conditions d'emploi qui ne sont pas traitées par le *Code civil* ou par la *Loi sur les normes du travail*.

Il est fort possible que ce contrat individuel de travail contienne également des dispositions relatives au départ volontaire ou au licenciement de l'employé ainsi qu'à la durée du préavis de départ ou de licenciement.

Tout salarié a, avec son employeur, un contrat individuel de travail. Ce contrat peut être verbal ou écrit, mais ce contrat existe.

Notez qu'il ne faut pas confondre le contrat de travail avec le **contrat d'entreprise ou de service**.

2098 C.c.Q.   *Le **contrat d'entreprise ou de service** est celui par lequel une personne, selon le cas l'entrepreneur ou le prestataire de services, s'engage envers une autre personne, le client, à réaliser un ouvrage matériel ou intellectuel ou à fournir un service moyennant un prix que le client s'oblige à lui payer.*

C'est le cas notamment lorsque vous retenez les services :

- d'un entrepreneur de construction, pour la construction d'une maison ;
- d'un électricien, pour la réparation d'une défectuosité électrique ;
- d'un ébéniste, pour la fabrication d'un meuble.

La caractéristique fondamentale de ce contrat est la suivante :

2099 C.c.Q.   *L'entrepreneur ou le prestataire de services a le libre choix des moyens d'exécution du contrat et il n'existe entre lui et le client aucun lien de subordination quant à son exécution.*

Revenons au contrat de travail. Puisque tous les employés n'ont pas la compétence ou les connaissances nécessaires pour se négocier un bon contrat individuel de travail, le législateur a adopté la ***Loi sur les normes du travail*** qui détermine les normes minimales que doit contenir tout contrat individuel de travail.

Si l'employé travaille dans une entreprise où il existe une convention collective, il est lié non seulement par son contrat individuel de travail mais également par le **contrat collectif de travail** que constitue la **convention collective**.

Enfin, si l'employé est un cadre ou un spécialiste qui œuvre au sein d'une entreprise, il négocie généralement un **contrat individuel de travail** dont les avantages dépassent largement les normes minimales de la *Loi sur les normes du travail*.

Cependant, tous ces travailleurs ont un point commun : ils ont tous un **contrat de travail**.

2085 C.c.Q.   *Le **contrat de travail** est celui par lequel une personne, le salarié, s'oblige, pour un temps limité et moyennant rémunération, à effectuer un travail sous la direction ou le contrôle d'une autre personne, l'employeur.*

Cette définition fait ressortir les éléments suivants, qui ont été vus précédemment (voir la section 7.3.1, Certaines espèces de contrat) :

- le contrat de travail est un **contrat synallagmatique**, c'est-à-dire qui comporte obligation réciproque de la part des parties, au sens de l'article 1380 du *Code civil* ;
- le contrat de travail est un **contrat onéreux**, au sens de l'article 1381 du *Code civil* ;
- le contrat de travail est **commutatif**, au sens de l'article 1382 du *Code civil* ;
- le contrat de travail est **d'exécution successive**, au sens de l'article 1383 du *Code civil* ;

La définition que propose l'article 2085 du *Code civil* nous renvoie ainsi aux règles générales qui gouvernent les obligations. C'est pourquoi le contrat de travail n'est assujetti à aucune forme particulière. Il peut être aussi bien verbal qu'attesté par un écrit plus ou moins élaboré, qu'il s'agisse d'un document établissant les obligations réciproques des parties ou de la signature d'une simple formule d'engagement.

18.3.1   LES ÉLÉMENTS ESSENTIELS DU CONTRAT DE TRAVAIL

Il existe trois éléments essentiels du contrat de travail :

- la subordination ;
- l'exécution personnelle ;
- la durée limitée.

Le *Code civil du Québec* nous apprend qu'un contrat de travail ne peut exister sans la **subordination** du salarié à l'employeur, c'est-à-dire que le travail du salarié doit être exécuté selon les instructions de l'employeur ou dans le cadre déterminé par celui-ci. Cette subordination est à l'origine du pouvoir de l'employeur d'imposer des directives de conduite dans l'entreprise, par exemple en adoptant des règlements à cet effet, et de l'obligation de l'employé de s'y soumettre. Le pouvoir de direction de l'employeur ne saurait cependant s'étendre jusqu'à lui permettre d'exiger de l'employé qu'il agisse à l'encontre de la loi ou de l'ordre public. Ce pouvoir n'autorise pas non plus l'employeur à imposer à l'employé des normes de conduite qui concernent sa vie privée, du moins en l'absence de justification étroitement reliée à la nature du travail de l'employé. Le manquement de l'employé à son devoir d'obéissance peut donner lieu à l'exercice par l'employeur de son pouvoir disciplinaire, sous forme d'avertissement, de réprimande, de suspension, ou même, à la limite, de congédiement pour cause d'insubordination.

D'autre part, le salarié doit exécuter **personnellement** le contrat de travail, c'est-à-dire qu'il doit exécuter lui-même les obligations qui lui incombent.

Finalement, le salarié ne peut s'engager que pour un **temps limité**; il ne peut pas s'engager à perpétuité ou à vie.

18.3.2   LE TERME DU CONTRAT

Un contrat de travail peut avoir une durée déterminée, par exemple de six mois. Dans ce cas, aucune partie ne peut y mettre fin unilatéralement sans le consentement de l'autre partie; chacune des parties doit le respecter jusqu'à la fin. Il y a une exception à cette règle, il s'agit du cas où une faute grave est commise par le salarié.

2094 C.c.Q.   *Une partie peut, pour un motif sérieux, résilier unilatéralement et sans préavis le contrat de travail.*

Par exemple, lorsque le restaurant le Beaugarte engage Stéphane à titre de gérant pour une durée déterminée de 18 mois, et qu'au neuvième mois l'entreprise décide de le remercier pour le remplacer par Philippe, le cousin de l'un des propriétaires, il est clair que Stéphane bénéficie alors d'un recours en réclamation de salaire dû jusqu'à l'expiration du contrat. Il peut alors poursuivre le Beaugarte pour récupérer les neuf mois de salaire dus puisque non seulement l'employeur a l'obligation de respecter le terme d'un contrat à durée déterminée mais dans ce cas-ci il n'y a aucun motif sérieux de congédiement. Cela nous permet de comprendre pourquoi un très grand nombre d'employeurs n'optent pas pour un contrat à durée déterminée.

Un contrat peut également être prolongé par **reconduction tacite**. *Par exemple, Gestim inc. engage Odette à titre de concierge pour s'occuper d'un ensemble immobilier de 100 logements pour une période d'une année. Après cette période, et constatant que tout le monde est satisfait du travail d'Odette, Gestim la garde à son service; cette situation se reproduit depuis sept ans. Il y a donc reconduction tacite du contrat d'Odette et, ainsi, ce contrat devient un contrat à durée indéterminée.*

2090 C.c.Q.   *Le contrat de travail est reconduit tacitement pour une durée indéterminée lorsque, après l'arrivée du terme, le salarié continue d'effectuer son travail durant cinq jours, sans opposition de la part de l'employeur.*

Ce contrat reconduit est alors soumis à l'avis de cessation d'emploi ou de mise à pied prévu à la Loi sur les normes du travail (voir la section 18.3.7, L'avis de cessation d'emploi ou de mise à pied).

*Si Odette profite de la période de renouvellement de son contrat pour négocier un nouveau salaire ou de nouveaux avantages, il ne s'agit pas de reconduction tacite, mais d'un nouveau contrat; la **reconduction tacite** suppose que le contrat s'est continué après son expiration.*

Le *Code civil* mentionne également que le contrat se termine par le décès de l'employé ou lorsque ce dernier n'est plus en mesure d'exécuter ses tâches.

Pour le reste, le *Code civil* ne traite aucunement des conditions de travail d'un employé. Aussi, en raison de ce vide juridique, la signature d'un contrat individuel de travail entre un employeur et un employé protège chaque partie contre les abus qui peuvent être commis par l'autre, car le contrat individuel de travail décrit les conditions de travail de l'employé ainsi que les obligations des deux parties.

D'autre part, si l'employé travaille dans une entreprise où les employés sont syndiqués, il bénéficie en plus des conditions de travail prévues dans la convention collective.

Figure 18.1   Le contrat de travail

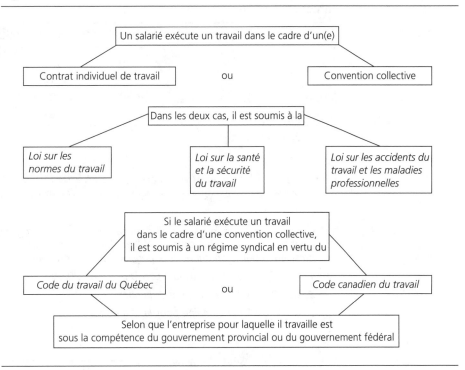

<table>
<tr><td>**18.4**</td><td>## LA *LOI SUR LES NORMES DU TRAVAIL*</td></tr>
</table>

La *Loi sur les normes du travail*, telle que nous la connaissons, date de 1979 et remplace l'ancienne *Loi sur le salaire minimum* ; elle a fait l'objet d'une première révision en profondeur à l'automne 1990.

93 L.N.T.   ***Il s'agit d'une loi d'ordre public et par conséquent, nul ne peut y déroger.***

La **Loi sur les normes du travail** établit les conditions minimales de travail pour tous les salariés et tous les domestiques travaillant au Québec, incluant ceux qui travaillent pour le gouvernement du Québec ou ses organismes (article 2), mais à l'exclusion de ceux qui relèvent de la compétence du gouvernement fédéral. Un **salarié** est une personne qui travaille pour un employeur moyennant un salaire, tandis qu'un **domestique** est un salarié employé par une personne physique et dont la fonction principale est d'effectuer des travaux ménagers dans le logement de cette personne. Cependant, la définition du mot « domestique » n'inclut pas les personnes dont la fonction exclusive est d'assumer la garde ou de prendre soin dans un logement d'un enfant, d'un malade, d'une personne handicapée ou d'une personne âgée, y compris d'effectuer des travaux ménagers qui sont directement reliés aux besoins immédiats de cette personne.

La **Commission des normes du travail** est l'organisme qui est chargé de l'application de cette loi et toute personne qui désire obtenir plus de renseignements sur l'application de la loi et des règlements relatifs aux normes minimales de travail peut s'adresser à la commission.

18.4.1   LE SALAIRE MINIMUM

L'article 40 de la *Loi sur les normes du travail* et les articles 3, 4 et 5 du ***Règlement sur les normes du travail*** fixent le salaire minimum (voir le tableau 18.2) :

Tableau 18.2   Le taux du salaire minimum

	1997-10-01	1998-10-01	1999-10-01*	2000-10-01*
Taux horaire général	6,80 $	6,90 $		
Taux si pourboire	6,05 $	6,15 $		
Salaire hebdomadaire pour le domestique	264,00 $	271,00 $		

* Tableau à compléter.

De plus, le législateur a prévu à l'article 6 du *Règlement sur les normes du travail* les montants que l'employeur peut demander à son employé pour la chambre et la pension.

6 R.N.T.

Lorsque les conditions de travail d'un salarié l'obligent à loger ou à prendre ses repas à l'établissement ou à la résidence de l'employeur, le montant maximum qui peut être exigé du salarié pour la chambre et la pension, ou l'un ou l'autre est :

1. de 1,50 $ par repas jusqu'à concurrence de 20,00 $ par semaine ;

2. de 20,00 $ par semaine pour la chambre ;

3. de 40,00 $ par semaine pour la chambre et la pension.

Les articles 3, 4, 5 et 6 du *Règlement sur les normes du travail* sont des normes minimales d'ordre public, et, par conséquent, il est interdit d'y déroger, c'est-à-dire d'offrir des conditions de travail inférieures à ces normes.

Cependant, rien n'interdit à l'employeur d'offrir des conditions de travail supérieures à ces normes, tant dans un contrat individuel de travail que dans une convention collective ; il suffit que les parties s'entendent pour négocier des conditions plus avantageuses, par exemple un salaire horaire de 15,50 $ ou des repas à la cafétéria de l'employeur au prix de 0,50 $. L'employeur peut même mettre une chambre ou un appartement gratuitement à la disposition de son salarié ou pour une somme symbolique de 1 $ par mois. Enfin, en ce qui concerne le domestique qui réside chez son employeur, rien n'empêche ce dernier de lui offrir un salaire hebdomadaire de 400 $ ou plus ; ce n'est qu'une question de négociation entre l'employeur et le domestique.

Si l'employeur fournit une automobile, des vêtements ou tout autre objet à l'employé, il ne peut se servir de ce prétexte pour réduire le salaire du travailleur à un taux inférieur à celui prévu aux articles 3, 4 et 5 du *Règlement sur les normes du travail*.

41 L.N.T.   *Aucun avantage ayant une valeur pécuniaire ne doit entrer dans le calcul du salaire minimum.*

De plus, le législateur a prévu le cas du salarié travaillant à temps partiel.

41.1 L.N.T.   *Un employeur ne peut accorder à un salarié un taux de salaire inférieur à celui consenti aux autres salariés qui effectuent les mêmes tâches dans le même établissement, pour le seul motif que ce salarié travaille habituellement moins d'heures par semaine.*

                 Le premier alinéa ne s'applique pas à un salarié qui gagne un taux de plus de deux fois le salaire minimum

Ainsi, cet article protège les travailleurs occasionnels ou à temps partiel contre un employeur qui a l'intention de leur payer un taux horaire inférieur à celui des employés à plein temps. Un employeur ne peut accorder à un salarié un taux de salaire inférieur à celui accordé aux autres salariés effectuant les mêmes tâches dans le même établissement pour le seul motif qu'il travaille moins d'heures hebdomadairement. Les conditions d'application de cette disposition sont les suivantes :

- il doit s'agir d'un salarié qui travaille habituellement moins d'heures par semaine que d'autres salariés effectuant les mêmes tâches ;

- c'est avec les « autres salariés effectuant les mêmes tâches » que la comparaison doit être effectuée. Il peut s'agir des salariés à plein temps ou à temps partiel qui travaillent un plus grand nombre d'heures ;

- les salariés doivent effectuer les mêmes tâches ;

- les salariés doivent travailler dans le même établissement ;

- pour le seul motif qu'un salarié travaille moins d'heures. Il doit s'agir d'un motif véritable et valable autre que le nombre d'heures travaillées. Ainsi, un taux de salaire qui serait fondé sur les qualifications, l'expérience ou le rendement constituerait un motif valable. C'est l'employeur qui devra faire la preuve de ce motif.

D'autre part, concernant les périodes de paie :

43 L.N.T.   *Le salaire doit être payé à intervalles ne pouvant dépasser seize jours [...].*

Cette disposition permet donc à l'employeur de payer le salarié chaque semaine, à toutes les deux semaines ou deux fois par mois.

Enfin, lorsqu'un employeur appelle un salarié pour travailler quelques heures, il doit lui payer un minimum de trois heures, tel que prévu à l'article 58 :

58 L.N.T.   *Un salarié qui se présente au lieu de travail à la demande expresse de son employeur ou dans le cours normal de son emploi et qui travaille moins de trois heures consécutives, a droit, hormis le cas fortuit, à une indemnité égale à trois heures de son salaire horaire habituel [...]*

La présente disposition ne s'applique pas dans le cas où la nature du travail ou les condi- tions d'exécution du travail requièrent plusieurs présences du salarié dans une même jour- née et pour moins de trois heures à chaque présence, tel un brigadier scolaire ou un chauffeur d'autobus.

Elle ne s'applique pas non plus lorsque la nature du travail ou les conditions d'exécution font en sorte qu'il est habituellement effectué en entier à l'intérieur d'une période de trois heures, tel un surveillant dans les écoles ou un placier.

Ainsi, cette disposition ne s'applique pas lorsque :

- il se présente un cas fortuit empêchant l'employeur de donner du travail au sala- rié, par exemple, un feu.

- la nature du travail ou les conditions d'exécution de ce travail font en sorte que la ou les présences du salarié ont une durée de moins de trois heures.

À toutes fins utiles, lorsque la durée du travail est préalablement prévue pour moins de trois heures, le salarié ne peut réclamer l'indemnité. Seul le salarié qui devrait normalement travailler plus de trois heures y aura droit. Lorsque l'entente prévoit que le salarié travaillera moins de trois heures, ce dernier ne pourra donc pas bénéficier de cette disposition.

18.4.2 LA DURÉE DE LA SEMAINE DE TRAVAIL

La durée de la semaine de travail varie selon la nature du travail effectué (voir le tableau 18.3).

Tableau 18.3 La durée de la semaine de travail

Catégorie de travailleur	Nombre d'heures
Salarié dans toute entreprise (41 au 1999-10-01 et 40 au 2000-10-01)	42
Sauf les exceptions suivantes :	
• Domestique qui réside chez son employeur	51
• Gardien qui travaille pour une entreprise de gardiennage	44
• Gardien qui travaille pour tout autre employeur	60
• Salarié dans une exploitation forestière	47
• Salarié dans une scierie	47
• Salarié dans un endroit isolé	55
• Salarié sur le territoire de la Baie James	55

Les salariés soumis à la *Loi sur les normes du travail* doivent, en général, travailler au moins 42 heures par semaine avant de se voir payer des heures à taux majoré.

55 L.N.T.

Tout travail exécuté en plus des heures de la semaine normale de travail entraîne une majoration de 50 % du salaire horaire habituel que touche le salarié à l'exclusion des primes établies sur une base horaire.

[...] L'employeur peut, à la demande du salarié ou dans les cas prévus par une convention collective ou un décret, remplacer le paiement des heures supplémentaires par un congé payé d'une durée équivalente aux heures supplémentaires effectuées, majorée de 50 %. [...]

Par exemple, si Paul travaille comme homme d'entretien, qu'il reçoit un salaire horaire de 8,00 $ et qu'il travaille 62 heures durant cette semaine, son salaire sera de :

42 heures × 8,00 $	*336,00 $*
+ *20 heures × 12,00 $*	*240,00 $*
62 heures	*576,00 $*

Il peut aussi remplacer la rémunération des 20 heures de temps supplémentaire par un congé de 30 heures :

$$20 \ heures \times 150\,\% = 30 \ heures$$

Si Paul a besoin d'argent, il va opter pour une rémunération en argent, mais s'il préfère un congé, il peut échanger le paiement de ces heures supplémentaires contre un congé.

Par ailleurs, si Paul est un gardien à l'emploi de Constructel inc., son salaire sera très différent :

$$
\begin{array}{lr}
\ \ 60 \ heures \times 8,00 \ \$ & 480,00 \ \$ \\
+ \ \ \underline{2 \ heures \times 12,00 \ \$} & \underline{24,00 \ \$} \\
\ \ 62 \ heures & \underline{\underline{504,00 \ \$}}
\end{array}
$$

18.4.3 LES JOURS FÉRIÉS, CHÔMÉS ET PAYÉS

En plus de son salaire régulier, le salarié a droit à un certain nombre de jours fériés, chômés et payés. Un **jour férié, chômé et payé** est une fête durant laquelle le salarié ne travaille pas tout en étant payé. Il existe sept jours fériés, chômés et payés :

- le 1er janvier, ou jour de l'An ;
- le Vendredi saint ou le lundi de Pâques, au choix de l'employeur ;
- le lundi qui précède le 25 mai, ou fête de la Reine ou fête de Dollard ;
- le 1er juillet, ou fête du Canada ;
- le premier lundi de septembre, ou fête du Travail ;
- le deuxième lundi d'octobre, ou jour de l'Action de grâces ;
- le 25 décembre, ou jour de Noël.

À ces jours fériés, chômés et payés s'ajoute :

- le 24 juin, ou jour de la Saint-Jean-Baptiste ou jour de la fête nationale, en vertu de la *Loi sur la fête nationale*.

L'employeur doit verser au salarié une indemnité égale à la moyenne de son salaire journalier des jours travaillés au cours de la période complète de paie précédant ce jour férié, sans tenir compte de ses heures supplémentaires. Un salarié reçoit donc son plein salaire pour chacun de ces jours fériés et chômés à la condition d'être en mesure de justifier 60 jours de service continu dans l'entreprise et de ne pas s'être absenté du travail, sans l'autorisation de son employeur ou sans une raison valable, la veille ou le lendemain de ce jour. Ainsi, on ne doit tenir compte, lors du calcul de l'indemnité, que des jours effectivement travaillés et du salaire correspondant à ces jours. Les périodes de vacances annuelles sont assimilées à des jours travaillés aux fins de ce calcul.

Par exemple, si Philippe, au cours de la période complète de paie précédant un jour férié, a travaillé 50 heures à raison de 10 heures par jour à un taux régulier de 12 $ l'heure, il aura droit à une indemnité se calculant ainsi :

salaire correspondant aux 42 premières heures de travail divisé par le nombre de jours entiers requis pour effectuer ces 42 heures de travail, c'est-à-dire :

42 heures × 12 $ l'heure = 504 $
42 heures ÷ 10 (heures par jour) = 4,2 jours
504 $ ÷ 4 jours = 126 $ d'indemnité

Il est à remarquer qu'on ne peut cependant pas fractionner un jour de travail lors de ce calcul. Par ailleurs, la base de calcul de cette indemnité est différente pour le salarié rémunéré principalement à commission, c'est-à-dire celui pour qui les commissions représentent plus de 50 % de son salaire.

Dans ce cas, en effet, la moyenne de son salaire journalier doit être établie à partir de toutes les périodes complètes de paie comprises dans les trois mois précédant le jour férié. Cela ne signifie pas que ce salarié doive avoir trois mois de service continu pour pouvoir bénéficier de l'indemnité. Il s'agit simplement d'un mode de calcul de cette indemnité et la période de trois mois pourrait être réduite si, par exemple, le salarié ne justifie pas ces trois mois de service continu. L'expression « période complète de paie » utilisée dans la loi correspond à la période couverte par l'intervalle régulier de paiement qui ne peuvent dépasser les 16 jours prévus à l'article 43 de la loi.

| 18.4.4 | ## LES CONGÉS ANNUELS PAYÉS |

Un salarié acquiert une journée de congé pour chaque mois de service continu jusqu'à un maximum de deux semaines de congé par année. Par la suite, le salarié a droit à deux semaines continues de congé pendant les cinq premières années de service continu, puis à trois semaines continues de congé quand il atteint plus de cinq ans de service continu (voir le tableau 18.4).

Tableau 18.4   La durée des congés annuels payés

Durée du service continu	Durée du congé
Moins d'un an	1 jour par mois jusqu'à concurrence de 2 semaines
1 an et plus	2 semaines (plus 1 semaine supplémentaire sans salaire si désiré)
5 ans et plus	3 semaines depuis le 1er janvier 1995

Ces journées et ces semaines de congé annuel payé sont rémunérées de la manière suivante :

- 4 % du salaire brut gagné durant l'année de référence pour un congé de deux semaines ou moins ;

- 6 % du salaire brut gagné durant l'année de référence pour un congé de trois semaines.

Le calcul s'établit à partir du salaire brut. Cela implique que l'on tienne compte du salaire et des diverses indemnités (jours fériés, congé annuel, congés divers, bonis, commissions, pourboires déclarés) reçus au cours de l'année de référence précédente.

66 L.N.T.

L'année de référence est une période de douze mois consécutifs pendant laquelle un salarié acquiert progressivement le droit au congé annuel.

Cette période s'étend du 1er mai de l'année précédente au 30 avril de l'année en cours, sauf si une convention collective ou un décret fixent une autre date pour marquer le point de départ de cette période.

Le but de cet article est, tout simplement, d'établir une période pendant laquelle le salarié acquiert le droit au congé annuel. Il faut noter que le congé annuel doit être pris dans l'année qui suit la fin de l'année de référence. Quant au choix de la date du congé annuel, il appartient à l'employeur. Ce dernier suggère généralement au salarié la période qui lui convient le mieux à partir de propositions sur lesquelles ils vont s'entendre.

| 18.4.5 | ## LES REPOS |

Tout salarié a droit à un repos hebdomadaire d'une durée minimale de 24 heures, c'est-à-dire d'un jour sans travail par semaine.

De plus, l'employeur doit accorder au salarié une période de 30 minutes sans salaire au-delà d'une période de travail de cinq heures consécutives pour lui permettre de manger.

| 18.4.6 | ## LES CONGÉS FAMILIAUX |

Les articles 80 à 81.17 de la *Loi sur les normes du travail* créent un certain nombre de congés dits familiaux (voir le tableau 18.5), qui accordent à un salarié le droit de s'absenter pour diverses raisons concernant :

- lui-même ;
- son conjoint ;
- ses enfants ;
- ses parents ;
- ses frères et sœurs ;
- ses petits-enfants ;
- ses grands-parents ;
- son gendre et sa bru ;
- l'enfant, le frère, la sœur, le père et la mère de son conjoint.

| 18.4.7 | ## L'AVIS DE CESSATION D'EMPLOI OU DE MISE À PIED |

Selon l'article 82 de la *Loi sur les normes du travail*, un employeur qui désire mettre fin au contrat d'un salarié ou le mettre à pied, pour une période de six mois ou plus, doit lui donner un avis écrit en respectant le délai prévu (voir le tableau 18.6).

Les règles relatives à l'avis de cessation d'emploi ou de mise à pied ne s'appliquent pas dans les trois cas suivants :

- au salarié lors de l'expiration d'un contrat pour une durée déterminée ou pour une entreprise déterminée, *par exemple l'engagement d'un employé surnuméraire pour trois mois ou l'engagement d'un employé pour la récolte ;*
- au salarié qui a commis une faute grave, *par exemple des voies de fait sur un contremaître ;*
- au salarié dont le contrat ou la mise à pied résulte d'un cas fortuit, *par exemple la destruction de l'usine par un incendie.*

L'employeur peut, au lieu de donner un avis de cessation d'emploi ou de mise à pied à un salarié dont il désire se départir, lui verser une indemnité compensatrice équivalente à son salaire habituel pour une période égale à celle de la durée de l'avis. C'est ce que prévoit l'article 83 de la loi. *Par exemple, si Louise travaille depuis sept ans au salaire hebdomadaire de 800 $ pour Constructel inc. et que la compagnie doit la mettre à pied immédiatement à la suite d'une baisse des mises en chantier, Constructel doit normalement donner à Louise un avis de quatre semaines.*

Tableau 18.5 Les différents congés familiaux

Nature du congé	Application	Durée	Payé
Décès ou funérailles	• de son conjoint	1 jour + 3 jours	Oui Non
	• de son enfant	1 jour + 3 jours	Oui Non
	• de l'enfant de son conjoint	1 jour + 3 jours	Oui Non
	• de son père	1 jour + 3 jours	Oui Non
	• de sa mère	1 jour + 3 jours	Oui Non
	• d'un frère	1 jour + 3 jours	Oui Non
	• d'une sœur	1 jour + 3 jours	Oui Non
Décès ou funérailles	• d'un gendre • d'une bru • de l'un de ses grands-parents • de l'un de ses petits-enfants • du père, de la mère, d'un frère ou d'une sœur de son conjoint	1 jour	Non
Mariage	• du salarié	1 jour	Oui
Mariage	• de l'un de ses enfants • de son père • de sa mère • d'un frère • d'une sœur • d'un enfant de son conjoint	1 jour	Non

Parentaux	• obligations reliées à
	  – la garde
	  – la santé, ou
	  – l'éducation de son enfant mineur
		5 jours/an	Non

Examen médical ou par une sage-femme	• relié à la grossesse	Au besoin	Non
Maternité		18 semaines	Non
Parental	• pour le père ou la mère d'un nouveau-né • pour l'adoptant d'un enfant qui n'a pas atteint l'âge scolaire	52 semaines	Non
Naissance	• de son enfant	5 jours	*
Adoption	• d'un enfant	5 jours	*

* Les deux premières journées d'absence sont rémunérées si le salarié est en mesure de justifier 60 jours de service continu.

Constructel peut également choisir de lui remettre une somme de 3 200 $, soit l'équivalent de quatre semaines de travail au salaire de 800 $ par semaine. On peut donc conclure de l'article 82 que lorsqu'un salarié refuse de travailler pendant la période couverte par l'avis, il perd le droit à l'indemnité compensatrice prévue à l'article 83.

Tableau 18.6 Les délais de l'avis de cessation d'emploi ou de mise à pied

Période de service continu	Délai de l'avis
Moins de 3 mois	Aucun avis n'est requis
3 mois à 1 an	1 semaine
1 an à 5 ans	2 semaines
5 ans à 10 ans	4 semaines
10 ans ou plus	8 semaines

18.4.8 LE CERTIFICAT DE TRAVAIL

84 L.N.T.

À l'expiration du contrat de travail, un salarié peut exiger que son employeur lui délivre un certificat de travail faisant état exclusivement de la nature et de la durée de son emploi, du début et de la fin de l'exercice de ses fonctions ainsi que du nom et de l'adresse de l'employeur. Le certificat ne peut faire état de la qualité du travail ou de la conduite du salarié.

Par exemple, si Louise est convaincue qu'elle ne pourra pas reprendre son emploi chez Constructel inc., elle peut demander à la compagnie de lui fournir un certificat de travail attestant qu'elle y a travaillé pendant sept ans, dont quatre ans à titre d'électricienne et trois ans comme chef d'équipe. Bien que la loi interdise à Constructel inc. de faire mention de la qualité du travail de Louise ou de sa conduite, il est certain que Louise ne refusera pas les commentaires de Constructel inc. dans son certificat de travail, s'ils lui sont favorables. Par cet article, le législateur a voulu éviter que, lorsque l'employeur et le salarié se quittent dans un climat d'animosité, il devienne presque impossible pour le salarié d'obtenir une attestation de la nature et de la durée de l'emploi qu'il a occupé.

18.4.9 LA RETRAITE

L'article 84.1 de la *Loi sur les normes du travail* prévoit qu'un salarié a le droit de demeurer au travail malgré le fait qu'il ait atteint ou dépassé l'âge ou le nombre d'années de service à partir duquel il serait mis à la retraite, conformément :

- à une disposition législative ;
- au régime de retraite auquel il participe ;
- à la convention collective ;
- à la sentence arbitrale qui tient lieu de convention collective ;
- au décret qui le régit ;
- à la pratique en usage chez son employeur.

De plus, l'article 122.1 de la *Loi sur les normes du travail* interdit à un employeur de congédier, de suspendre ou de mettre à la retraite un salarié sous prétexte qu'il a atteint ou dépassé l'âge ou le nombre d'années de service à partir duquel il serait mis à la retraite conformément à un des six motifs mentionnés dans le paragraphe précédent.

Par exemple, même si la convention collective en vigueur chez Constructel inc. stipule que tout salarié doit prendre sa retraite à l'âge de 60 ans, une telle disposition n'est pas applicable, puisque l'article 84.1 de la Loi sur les normes du travail *interdit une telle clause. Néanmoins, un employeur peut congédier, suspendre ou déplacer un salarié pour une cause juste et suffisante, comme l'incapacité physique d'exécuter sa tâche, qui consiste à soulever des poches de 20 kg de ciment et à les verser dans un malaxeur.*

| 18.4.10 | **L'UNIFORME** |

85 L.N.T.

Lorsqu'un employeur rend obligatoire le port d'un uniforme, il doit le fournir gratuitement au salarié payé au salaire minimum.

L'employeur ne peut exiger une somme d'argent du salarié pour l'achat, l'usage ou l'entretien d'un uniforme qui aurait pour effet que le salarié reçoive moins que le salaire minimum.

L'exemple suivant servira à illustrer le texte de l'article de loi. *Commençons par calculer le salaire hebdomadaire minimum d'un employé qui travaille 40 heures par semaine :*

- *si le salaire horaire minimum est fixé à 6,90 $;*
- *si le nombre d'heures travaillées est de 40 heures par semaine ;*
- *alors le salaire hebdomadaire minimum est de 276 $.*

Puis, calculons le salaire hebdomadaire d'un employé qui gagne 7,10 $ l'heure :

- *si l'employeur paie un salaire horaire de 7,10 $;*
- *si la semaine normale de travail est de 40 heures ;*
- *si l'employé travaille 40 heures par semaine ;*
- *alors le salaire hebdomadaire de l'employé est de 284 $.*

Compte tenu de ces informations, supposons qu'un employeur agisse de la façon suivante :

- *il exige le port d'un uniforme qu'il fournit ;*
- *il exige que l'employé paie une somme hebdomadaire de 25 $ pour l'usage et l'entretien de l'uniforme.*

Nous constatons alors que l'employeur commet une infraction à l'article 85 de la Loi sur les normes du travail, *puisque la différence entre le salaire payé de 284 $ et le salaire minimum de 276 $ n'est que de 8 $, montant maximum que l'employeur peut exiger pour l'usage et l'entretien de l'uniforme.*

| 18.4.11 | **LA RÉCLAMATION DE SALAIRE ET LES AUTRES RÉCLAMATIONS** |

98 L.N.T.

*Lorsqu'un employeur fait défaut de payer à un salarié **le salaire** qui lui est dû, la Commission peut, pour le compte de ce salarié, réclamer de cet employeur le salaire impayé.*

Par exemple, si Constructel inc. n'a pas payé le salaire de Louise, elle n'a pas à poursuivre l'entreprise ; elle peut s'adresser à la Commission des normes du travail qui exercera le recours en son nom. Ainsi, Louise n'aura pas à débourser des frais de cour ou à tenter de franchir le labyrinthe de la machine judiciaire.

Par ailleurs, il ne faut pas confondre le recours prévu à l'article 98 avec celui prévu à l'article 99 qui permet à la Commission des normes du travail de réclamer le paiement des avantages pécuniaires découlant uniquement de la loi ou d'un règlement.

99 L.N.T.

*Dans le cas où un employeur fait défaut de payer **les autres avantages pécuniaires** qui résultent de l'application de la présente loi ou d'un règlement, la Commission peut réclamer ces avantages [...].*

Par exemple, si l'employeur de Louise refuse de lui payer l'indemnité de 3 200 $ pour sa mise à pied sans préavis, Louise peut demander à la Commission des normes du travail d'intervenir dans ce dossier et de réclamer le paiement de cette somme de 3 200 $ puisque nous sommes en présence d'un avantage pécuniaire découlant de l'application de la loi (voir la section 18.4.7, L'avis de cessation d'emploi ou de mise à pied). Par contre, Louise ne pourrait faire une réclamation relative à un congé de maladie puisque aucune disposition de la Loi sur les normes du travail *ne prévoit un tel congé.*

18.4.12　LES PRATIQUES INTERDITES

L'article 122 de la *Loi sur les normes du travail* interdit à un employeur de congédier, de suspendre ou de déplacer un salarié, d'exercer à son endroit des mesures discriminatoires ou des représailles ou de lui imposer toute autre sanction :

- si le salarié a exercé un droit qui résulte de la présente loi ou d'un règlement, telle une plainte déposée devant la commission pour réclamer un salaire impayé ;

- si le salarié a fourni des renseignements à la commission ;

- si le salaire du salarié est saisi ;

- si la salariée est enceinte ;

- si l'employeur veut contourner l'application de la présente loi ou d'un règlement ;

- si le salarié a refusé de faire des heures supplémentaires parce que sa présence était nécessaire pour remplir des obligations reliées à la garde, à la santé ou à l'éducation de son enfant mineur, bien qu'il ait pris tous les moyens raisonnables à sa disposition pour assumer autrement ces obligations.

Par exemple, si un employeur impose une sanction à un travailleur qui a exercé un droit découlant de la Loi sur les normes du travail, *ce travailleur peut, selon l'article 123 de la loi, déposer une plainte dans les 45 jours de son congédiement au commissaire général du travail nommé en vertu du* Code du travail. *À la suite du dépôt de cette plainte, un commissaire du travail est nommé pour faire enquête et disposer du cas. S'il est établi, à la satisfaction du commissaire, que le plaignant est un salarié au sens de la* Loi sur les normes du travail, *qu'un des faits mentionnés à l'article 122 est survenu, que le salarié s'est vu imposer une sanction, et qu'il y a concomitance entre ces événements, il y a présomption en faveur du salarié que la mesure a été prise contre lui en raison de l'existence de ce fait.*

Il incombe alors à l'employeur de renverser cette présomption en prouvant que la sanction découle d'une autre cause juste et suffisante. À défaut de quoi, on accorde au salarié une protection élargie. Le succès du recours de ce dernier entraîne la réintégration du salarié avec pleine indemnité.

De plus, le salarié qui justifie de trois mois de service continu jouit d'une protection à l'égard d'un congédiement, d'une suspension ou d'un déplacement dû à une absence pour cause de maladie ou d'accident. Le total des absences ne doit toutefois pas avoir excédé 17 semaines au cours des 12 derniers mois pour que le salarié puisse bénéficier de cette protection.

Cependant, les conséquences de la maladie ou de l'accident peuvent constituer une cause juste et suffisante de congédiement, de déplacement ou de suspension. *Par exemple, il pourrait s'agir du cas où un salarié est devenu incapable physiquement d'accomplir ses fonctions. Également, peuvent constituer une cause juste et suffisante d'imposer une mesure les absences répétitives d'un salarié pour des motifs de maladie ou d'accident.*

18.4.13　LE CONGÉDIEMENT SANS CAUSE JUSTE ET SUFFISANTE

124 L.N.T.

> *Le salarié qui justifie de trois ans de service continu dans une même entreprise et qui croit avoir été congédié sans cause juste et suffisante peut soumettre sa plainte par écrit à la Commission ou la mettre à la poste à l'adresse de la Commission dans les 45 jours de son congédiement [...]*

Ainsi, le salarié qui travaille depuis au moins trois ans chez le même employeur a une certaine protection contre un congédiement injustifié. *Par exemple, si Louise a travaillé sept ans chez Constructel inc., la compagnie ne peut pas la congédier à moins d'avoir une raison valable, comme le ralentissement des affaires. Si Constructel inc.*

décide de congédier Louise pour faire rouler son personnel, il ne s'agit pas d'une cause juste et suffisante et, par conséquent, Louise peut déposer une plainte devant la commission pour obtenir :

- *la réintégration dans son emploi ;*
- *une indemnité monétaire ;*
- *ou toute autre solution juste et raisonnable compte tenu des circonstances.*

De plus, la Commission des normes du travail peut représenter gratuitement ce salarié. Mentionnons que le calcul du service continu doit se faire en considérant la période d'emploi dans l'entreprise et non pour le même employeur. Le service continu s'attache ainsi à l'entreprise, quel que soit le propriétaire qui l'administre.

Il faut noter que peuvent être reconnus comme étant une cause juste et suffisante de congédiement les motifs suivants :

Motifs d'ordre disciplinaire

- retards et absences répétés ;
- incompétence ;
- négligence ;
- incapacité physique ou intellectuelle ;
- insubordination ;
- déloyauté ;
- faute dans l'exécution du travail.

Motifs d'ordre économique ou administratif

- baisse des affaires ;
- réorganisation interne ;
- changements technologiques.

Il faut finalement retenir que pour que l'un ou l'autre des motifs constitue une cause juste et suffisante de congédiement, certaines conditions, élaborées par la jurisprudence, doivent être respectées. Il est bon de consulter un avocat pour s'en assurer.

18.5 LA *LOI SUR LA SANTÉ ET LA SÉCURITÉ DU TRAVAIL*

Depuis l'adoption, en 1979, de la *Loi sur la santé et la sécurité du travail*, un certain nombre de changements sont intervenus pour améliorer les droits du travailleur et lui assurer une meilleure protection en cas de mesures discriminatoires imposées par son employeur (voir la figure 18.2).

4 L.S.S.T.

La présente loi est d'ordre public et une disposition d'une convention ou d'un décret qui y déroge est nulle de plein droit.

Cependant une convention ou un décret peut prévoir pour un travailleur [...] des dispositions plus avantageuses pour la santé, la sécurité ou l'intégrité physique du travailleur.

Il s'agit donc d'une loi d'ordre public et nul ne peut y déroger. Cependant, il est possible d'aller au-delà des exigences minimales imposées par la loi. Il faut noter de plus que c'est la Commission de la santé et de la sécurité du travail qui est l'organisme chargé de l'application de cette loi. Toute personne qui désire obtenir des renseignements sur les règles relatives à son milieu de travail peut s'adresser à cette commission.

18.5.1 LES DROITS DES EMPLOYÉS

La *Loi sur la santé et la sécurité du travail* a pour objet **l'élimination à la source même des dangers pour la santé, la sécurité et l'intégrité physique des**

travailleurs. Il est évident qu'il n'est pas possible d'éliminer toutes les sources de danger, comme dans les cas du pompier qui doit éteindre un incendie, du mineur qui travaille au fond d'une mine ou encore de l'ouvrier de la construction qui travaille à l'édification d'un gratte-ciel.

Cependant, il est possible de déterminer un certain nombre de normes et de règles sur la présence de divers contaminants dans le milieu de travail. De plus, il est possible de concevoir des méthodes de travail plus sécuritaires.

Enfin, la *Loi sur la santé et la sécurité du travail* a créé trois droits principaux pour protéger les travailleurs dans des situations dangereuses. Il s'agit du :

- droit de refus ;
- droit de retrait préventif ;
- droit de retrait de la travailleuse enceinte.

Figure 18.2 Les droits du travailleur en vertu de la *Loi sur la santé et la sécurité du travail*

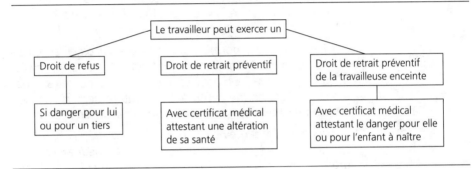

18.5.1.1 | **Le droit de refus**

Le **droit de refus** se définit comme étant le droit d'un travailleur de refuser d'exécuter un travail s'il a des motifs raisonnables de croire que l'exécution de ce travail l'expose à un danger pour sa santé, sa sécurité ou son intégrité physique, ou peut avoir l'effet d'exposer une autre personne à un semblable danger. L'exercice du droit de refus se justifie par des conditions de travail et non par la condition physique ou l'état de santé du travailleur. Ce droit est prévu aux articles 12 à 31 de la *Loi sur la santé et la sécurité du travail*.

Cependant, le travailleur ne peut exercer un droit de refus :

- si son refus met en péril immédiat la vie, la santé, la sécurité ou l'intégrité physique d'une autre personne ;
- ou si les conditions d'exécution de ce travail sont normales dans le genre de travail qu'il exerce.

Par exemple, si un incendie se déclare dans un hôpital, une infirmière ne peut pas refuser d'aider à sortir les malades même s'il ne s'agit pas de conditions normales de travail, car son refus met en danger la vie des patients. Cela ne veut pas dire pour autant qu'elle est obligée de se jeter tête baissée dans le feu ; elle doit évidemment prendre des moyens raisonnables pour assurer sa sécurité.

Un autre exemple : un pompier ne peut pas refuser d'éteindre un incendie sous prétexte qu'éteindre un incendie est une tâche dangereuse. Dans son cas, il s'agit de conditions normales de travail. Cependant, il a le droit d'exiger que le matériel nécessaire à son travail soit en bon état, c'est-à-dire un camion à incendie dont les freins fonctionnent, une tenue ignifuge adéquate, une bouteille d'air comprimé bien remplie d'air pur, etc.

Cependant, si un contremaître demande à un maçon de terminer la pose de la brique sur un mur en construction et, pour ce faire, de travailler sur des échafaudages qui ne respectent pas les normes de sécurité, ce maçon est en droit de refuser l'ordre de son contremaître et d'exercer ainsi son droit de refus. Évidemment, il doit en aviser son contremaître.

18.5.1.2   Le droit de retrait préventif

Le **droit de retrait préventif** se définit comme étant le droit qu'a un travailleur d'effectuer des tâches ne comportant pas d'exposition à un contaminant qui présente des dangers pour lui, eu égard au fait que sa santé présente des signes d'altération et que cette altération est constatée par un certificat médical. Ainsi, le travailleur peut être désigné pour une autre tâche qu'il est raisonnablement en mesure d'accomplir, jusqu'à ce que son état de santé lui permette de réintégrer ses fonctions antérieures et que les conditions de son travail soient conformes aux normes établies par règlement pour ce contaminant. Ce droit est prévu aux articles 32 à 39 de la *Loi sur la santé et la sécurité du travail*.

Par exemple, si la norme pour la présence d'acide sulfurique dans l'air est de 50 parties par million (ppm) et qu'un analyseur d'air révèle une concentration de 80 ppm, le travailleur peut exercer un droit de refus, que sa santé soit ou non atteinte, car la norme est dépassée. D'autre part, si l'analyseur d'air ne révèle que 17 ppm, le travailleur ne peut pas exercer un droit de refus.

Cependant, si sa santé présente des signes d'altération, telles des difficultés à respirer et que cet état est constaté par un certificat médical, ce travailleur peut exercer son droit de retrait préventif. Dans ce cas, l'employeur l'affectera généralement à d'autres tâches qu'il est en mesure d'accomplir, dans un endroit où il ne sera pas exposé à ce contaminant.

18.5.1.3   Le droit de retrait de la travailleuse enceinte

Le **droit de retrait de la travailleuse enceinte** se définit comme le droit qu'a une travailleuse enceinte d'être affectée à des tâches qui ne comportent pas de dangers physiques pour l'enfant à naître, ou pour elle-même en raison de son état de grossesse ; ce danger doit être constaté par un certificat médical. Ainsi, la travailleuse peut être désignée pour une autre tâche qu'elle est raisonnablement en mesure d'accomplir jusqu'à la date de son retour au travail après son accouchement. Ce droit est décrit aux articles 40 à 48 de la *Loi sur la santé et la sécurité du travail*.

Par exemple, si Marie, qui est enceinte, travaille comme soudeuse et que son métier l'oblige à transporter de lourdes barres de métal, elle peut demander un certificat médical à son médecin afin d'être affectée à des tâches de soudure légère ou à d'autres tâches où elle n'a pas à manipuler de lourdes charges.

L'article 46 de cette loi stipule également qu'une travailleuse peut obtenir le retrait préventif de la travailleuse enceinte si les conditions de son travail comportent des dangers pour l'enfant qu'elle allaite.

18.5.2   LES OBLIGATIONS DE L'EMPLOYEUR

L'employeur doit prendre les mesures nécessaires pour protéger la santé et assurer la sécurité et l'intégrité physique du travailleur ; ces obligations sont décrites aux articles 51 à 57 de la *Loi sur la santé et la sécurité du travail*. Plus précisément, il doit :

- s'assurer que les établissements sur lesquels il a autorité sont équipés et aménagés de façon à assurer la protection du travailleur ;

- s'assurer que l'organisation du travail et les méthodes et techniques utilisées pour l'accomplir sont sécuritaires et ne portent pas atteinte à la santé du travailleur ;

- contrôler la tenue des lieux de travail, fournir des installations sanitaires, l'eau potable, un éclairage, une aération et un chauffage convenables et faire en sorte que les repas pris sur les lieux de travail soient consommés dans des conditions hygiéniques ;

- utiliser les méthodes et techniques visant à relever, à contrôler et à éliminer les risques pouvant affecter la santé et la sécurité du travailleur ;

- prendre les mesures de sécurité contre l'incendie ;

- fournir un matériel sécuritaire et assurer son maintien en bon état ;

- s'assurer que l'émission d'un contaminant ou l'utilisation d'une matière dangereuse ne porte pas atteinte à la santé ou à la sécurité de quiconque sur un lieu de travail ;

- informer adéquatement le travailleur des risques reliés à son travail et lui assurer la formation, l'entraînement et la supervision appropriés afin de faire en sorte qu'il ait l'habileté et les connaissances requises pour accomplir de façon sécuritaire le travail qui lui est confié ;

- fournir gratuitement au travailleur tous les moyens et équipements de protection individuels ou collectifs nécessaires pour son travail et s'assurer que le travailleur utilise ces moyens et équipements.

18.5.3   L'INSPECTEUR

L'**inspecteur** est la personne la plus importante en matière de santé et sécurité au travail ; son rôle et ses pouvoirs sont décrits aux articles 177 à 193 de la *Loi sur la santé et la sécurité du travail*. Un inspecteur peut :

- pénétrer à toute heure raisonnable du jour et de la nuit dans un lieu ou sont exercées des activités soumises à la *Loi sur la santé et la sécurité du travail* ;

- avoir accès à tous les livres, registres et dossiers d'un employeur, d'un maître d'œuvre, d'un fournisseur ou de toute autre personne dont les activités sont soumises à la présente loi ;

- enquêter sur toute matière relevant de sa compétence ;

- exiger le plan des installations et de l'aménagement du matériel ;

- prélever des échantillons ;

- faire des essais et prendre des photographies ou enregistrements sur un lieu de travail ;

- exiger une attestation de solidité signée par un ingénieur ou un architecte pour toute installation ou établissement ;

- installer des appareils de mesure ;

- émettre un avis de correction enjoignant une personne de se conformer à la présente loi ou aux règlements et fixer un délai pour y parvenir ;

- ordonner la suspension des travaux ou la fermeture, en tout ou en partie, d'un lieu de travail ;

- ordonner à une personne de cesser de fabriquer, fournir, vendre, louer, distribuer ou installer le produit, le procédé, l'équipement, le matériel, le contaminant ou la matière dangereuse concernée et apposer les scellés ou confisquer ces biens et ordonner à cette personne de cesser toute activité susceptible de causer l'émission d'un contaminant.

Le pouvoir de l'inspecteur est donc très grand ; il peut ainsi veiller adéquatement à la santé et à l'intégrité d'un travailleur. D'ailleurs, si un travailleur exerce un droit de refus et que l'employeur conteste ce droit, c'est l'inspecteur qui décidera si le travailleur a raison ou non d'exercer ce droit.

De plus, si un inspecteur a fermé un lieu de travail ou s'il a interdit l'utilisation d'un certain produit, personne ne peut avoir accès à ce lieu de travail ou utiliser ce produit sans sa permission. Enfin, la loi stipule que les travailleurs sont réputés être au travail et ont ainsi droit à leur salaire et aux avantages reliés à leur emploi pendant le temps de la suspension des travaux ou de la fermeture ordonnée par un inspecteur. Par conséquent, l'employeur n'a pas intérêt à défier longtemps un inspecteur, car il est obligé de payer ses employés même s'ils ne travaillent pas. L'inspecteur a donc une arme redoutable entre les mains.

L'inspecteur est le chien de garde du système qui vise à assurer au travailleur une certaine protection en ce qui concerne sa santé, sa sécurité et son intégrité physique.

18.5.4 LES RECOURS

En vertu de la *Loi sur la santé et la sécurité du travail,* aucune sanction ne peut être exercée contre un travailleur parce qu'il a exercé un droit que cette loi lui reconnaît. Ainsi, l'employeur ne peut le congédier pour cette raison, le suspendre, le déplacer de son poste ou le pénaliser de quelque autre façon.

Un travailleur qui fait l'objet d'une telle sanction a le choix entre deux recours pour faire valoir ses droits :

- utiliser la procédure de griefs prévue à sa convention collective, ou

- porter plainte à la CSST.

S'il choisit de s'adresser à la CSST, il a 30 jours pour déposer sa plainte. Il doit la présenter par écrit et en remettre une copie à son employeur.

Dans le but de favoriser un climat d'entente entre le travailleur et l'employeur, la CSST peut, si le travailleur y consent, tenter une conciliation entre lui et son employeur. S'il n'y a pas d'entente possible, elle entend la plainte.

Si la plainte établit à la satisfaction de la CSST que le travailleur a fait l'objet d'une sanction dans les six mois suivant la date à laquelle il a exercé un droit prévu à la loi, il y a présomption que cette sanction a été imposée pour ce motif. Cela a pour effet de déplacer le fardeau de la preuve. Il appartient alors à l'employeur de prouver que la sanction a été imposée pour une autre raison juste et suffisante.

La CSST a 30 jours pour rendre sa décision. Elle peut ordonner à l'employeur de réintégrer le salarié dans son emploi, d'annuler une sanction ou de cesser d'exercer des représailles et l'obliger à lui verser le salaire et les avantages dont il a été privé.

18.6 LA *LOI SUR LES ACCIDENTS DU TRAVAIL ET LES MALADIES PROFESSIONNELLES*

Adoptée en 1985, la **Loi sur les accidents du travail et les maladies profession-nelles** remplace l'ancienne **Loi sur les accidents du travail**.

Cette loi a pour objet la réparation des lésions professionnelles découlant d'un accident du travail et des conséquences qu'elles entraînent pour un travailleur. Le processus

de réparation des lésions professionnelles comprend la fourniture des soins nécessaires à la consolidation d'une lésion, la réadaptation physique, sociale et professionnelle du travailleur, le paiement d'une indemnité de remplacement du revenu et le
droit de retour au travail (voir la figure 18.3).

Un **accident du travail** est un événement imprévu et soudain, attribuable à toute
cause, survenant à une personne par le fait ou à l'occasion de son travail et qui
entraîne pour elle une lésion professionnelle.

Une **lésion professionnelle** est une blessure ou une maladie qui survient par le fait
ou à l'occasion d'un accident de travail, ou une maladie professionnelle, y compris
la récidive, la rechute ou l'aggravation.

Une **maladie professionnelle** est une maladie contractée par le fait ou à l'occasion
du travail et qui est caractéristique de ce travail ou reliée directement aux risques
particuliers de ce travail. *Par exemple, l'amiantose, la sidérose, la silicose, la talcose,
la rétinite, l'anthrax, la brucellose sont toutes des maladies professionnelles si le
travailleur en est victime en raison de la nature même de son travail.*

L'article 4 stipule qu'**il s'agit d'une loi d'ordre public et que, par conséquent,
nul ne peut y déroger.**

La **Commission de la santé et de la sécurité du travail** est l'organisme qui est
chargé de l'application de cette loi, et toute personne qui désire obtenir plus de
renseignements sur les indemnités applicables à la suite d'une lésion professionnelle
ou d'une maladie professionnelle, ou encore sur le programme de réadaptation
applicable à son cas, peut s'adresser à cette commission.

Figure 18.3   Les droits du travailleur en vertu de la *Loi sur les accidents du travail
et les maladies professionnelles*

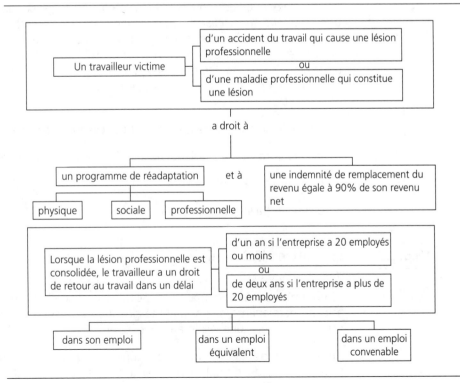

| 18.6.1 | **LES INDEMNITÉS** |

La *Loi sur les accidents du travail et les maladies professionnelles* mentionne aux articles 44 à 116 une série d'indemnités. Il s'agit de :

- l'indemnité de remplacement du revenu ;

- l'indemnité pour dommages corporels ;

- l'indemnité de décès ;

- diverses indemnités.

| 18.6.1.1 | **L'indemnité de remplacement du revenu** |

L'indemnité de remplacement du revenu est de loin l'indemnité la plus importante et celle qui touche le plus grand nombre de travailleurs. Un travailleur victime d'une lésion professionnelle a droit à une indemnité de remplacement du revenu s'il devient incapable de reprendre son emploi en raison de cette lésion. Selon l'article 45, l'**indemnité de remplacement du revenu** est égale à 90 % du revenu net que le travailleur tire annuellement de son emploi sous réserve d'un certain plafond et de certaines restrictions.

Une fois sa lésion professionnelle consolidée et sa réadaptation terminée, le travailleur est considéré comme étant capable de reprendre son emploi, un emploi équivalent ou un emploi convenable.

Si le travailleur n'est pas en mesure de reprendre son emploi, mais doit se contenter d'un autre emploi dont le salaire est inférieur, il continue de bénéficier de l'indemnité de remplacement du revenu pour la différence entre le salaire versé pour son ancien emploi et celui qu'il gagne pour son nouvel emploi.

Par exemple, si Claude touchait auparavant 600 $ net par semaine, il avait droit à une indemnité de remplacement du revenu de 90 % de cette somme, soit 540 $. Or, si son nouveau salaire est maintenant de 500 $ net par semaine, il a droit à une indemnité de remplacement du revenu de 90 % de cette somme, soit 450 $. Il a donc droit à une indemnité de remplacement du revenu net égale à la différence entre 540 $ et 450 $, soit 90 $. Ainsi, Claude aura un revenu total de 590 $, soit 500 $ + 90 $.

Le droit à l'indemnité de remplacement du revenu s'éteint dans les trois cas suivants :

- lorsque le travailleur devient capable de reprendre son emploi ;

- au décès du travailleur ;

- lorsque le travailleur atteint l'âge de 68 ans.

| 18.6.1.2 | **Les autres indemnités** |

L'**indemnité pour dommages corporels** est versée lorsque le travailleur subit une atteinte permanente à son intégrité physique ou psychique, comme la perte d'un bras ou de l'ouïe, une lésion au cerveau, etc.

L'**indemnité de décès** donne au conjoint ou à la conjointe et à l'enfant du travailleur décédé le droit de recevoir une certaine somme d'argent.

Les **diverses indemnités** sont des sommes d'argent que le travailleur peut recevoir pour le nettoyage et la réparation de vêtements endommagés à la suite d'une lésion professionnelle.

18.6.2 LA RÉADAPTATION

Pour assurer au travailleur l'exercice de son droit à la réadaptation, la Commission de la santé et de la sécurité du travail prépare et met en œuvre, avec la collaboration du travailleur, un plan individualisé de réadaptation qui peut comprendre, selon les besoins du travailleur, un programme de réadaptation physique, sociale et professionnelle.

18.6.2.1 La réadaptation physique

La **réadaptation physique** a pour but d'éliminer ou d'atténuer l'incapacité physique du travailleur et de lui permettre de développer sa capacité résiduelle afin de pallier les limitations fonctionnelles qui résultent de sa lésion professionnelle.

Un **programme de réadaptation physique** peut comprendre :

- des soins médicaux et infirmiers ;
- des traitements de physiothérapie et d'ergothérapie ;
- des exercices d'adaptation à une prothèse ou une orthèse ;
- les soins à domicile d'un infirmier, d'un garde-malade auxiliaire ou d'un aide-malade ;
- tous les autres soins et traitements jugés nécessaires par le médecin traitant du travailleur.

Le coût de l'ensemble de ces soins n'est pas couvert par la **Régie de l'assurance-maladie du Québec** et le travailleur ne bénéficie pas toujours d'une assurance-maladie individuelle ou collective pour couvrir tous ces frais. Donc, en cas de lésion professionnelle ou de maladie professionnelle, la commission paie tous les soins médicaux nécessaires à la réadaptation du travailleur.

18.6.2.2 La réadaptation sociale

La **réadaptation sociale** a pour but d'aider le travailleur à surmonter, dans la mesure du possible, les conséquences personnelles et sociales de sa lésion professionnelle, à s'adapter à la nouvelle situation qui en découle et à redevenir autonome dans l'accomplissement de ses activités habituelles.

Un **programme de réadaptation sociale** peut comprendre :

- des services professionnels d'intervention psychosociale ;
- la mise en œuvre de moyens pour procurer au travailleur un domicile et un véhicule adaptés à sa capacité résiduelle ;
- le paiement de frais d'aide personnelle à domicile ;
- le remboursement de frais de garde d'enfants ;
- le remboursement du coût des travaux courants d'entretien du domicile.

Par exemple, si Caroline a perdu ses deux jambes dans un accident de travail, la commission paiera les sommes nécessaires pour adapter la maison et le véhicule de Caroline à sa nouvelle condition. Ainsi, la commission paiera pour l'installation de plans inclinés pour permettre à Caroline d'entrer et de sortir de sa maison en chaise roulante. Elle paiera également le coût des transformations nécessaires de l'automobile de Caroline pour que cette dernière puisse la conduire en se servant uniquement de ses mains. Enfin, comme il est possible que le nouvel état de Caroline l'empêche d'effectuer certains travaux courants d'entretien qu'elle avait l'habitude de faire, la commission paiera également pour l'exécution de ces travaux.

18.6.2.3 La réadaptation professionnelle

La **réadaptation professionnelle** a pour but de faciliter la réintégration du travailleur dans son emploi ou dans un emploi équivalent, ou, si ce but ne peut être atteint, l'accès à un emploi convenable.

Un **programme de réadaptation professionnelle** peut comprendre :

- un programme de recyclage ;

- des services d'évaluation des possibilités professionnelles ;

- un programme de formation professionnelle ;

- des services d'aide en recherche d'emploi ;

- le versement de subventions à un employeur pour favoriser l'embauchage du travailleur qui a subi une atteinte permanente à son intégrité physique ou psychique ;

- l'adaptation d'un poste de travail ;

- le paiement de frais pour explorer un marché d'emplois ou pour déménager près d'un nouveau lieu de travail ;

- le versement de subventions au travailleur.

Reprenons l'exemple de Caroline. Son programme de réadaptation professionnelle est conçu dans le but de faire en sorte qu'elle puisse recommencer à travailler dans les plus brefs délais. Si elle était comptable, elle pourrait reprendre, même en chaise roulante, le poste qu'elle occupait avant son accident de travail. Par contre, si elle était mécanicienne, elle pourrait maintenant se recycler dans l'enseignement de la mécanique ou dans une autre carrière où l'usage de ses jambes n'est pas requis.

Chaque cas est donc un cas d'espèce et le programme de réadaptation professionnelle varie en fonction de ce que le travailleur accidenté veut faire et peut faire. Il existe même, *par exemple,* un cas où la commission a payé les études de droit d'une personne à la suite d'un accident de travail.

18.6.3 LE DROIT AU RETOUR AU TRAVAIL

Le travailleur victime d'une lésion professionnelle qui redevient capable d'exercer son emploi a le droit de réintégrer prioritairement son emploi dans l'établissement où il travaillait lorsque s'est manifestée sa lésion, ou de réintégrer un emploi équivalent dans cet établissement ou dans un autre établissement de son employeur. Le droit au retour au travail est décrit aux articles 234 à 246 de la *Loi sur les accidents du travail et les maladies professionnelles.*

Le travailleur qui demeure incapable d'exercer son emploi en raison de sa lésion professionnelle et qui devient capable d'exercer un emploi convenable a le droit d'occuper le premier **emploi convenable** qui devient disponible dans un établissement de son employeur.

Le droit pour un travailleur de réintégrer son emploi doit être exercé :

- dans l'année suivant le début de la période d'absence continue du travailleur si l'établissement compte 20 travailleurs ou moins ;
- dans les deux ans suivant le début de la période d'absence continue du travailleur si l'établissement compte plus de 20 travailleurs.

Il y a trois notions importantes en matière de réintégration d'emploi :

- l'emploi que le travailleur occupait ;
- un emploi équivalent ;
- un emploi convenable.

En principe, le travailleur victime d'une lésion professionnelle reprend l'**emploi qu'il occupait** au moment de son accident de travail. Si son emploi ou son poste n'existe plus, il a le droit d'occuper un **emploi équivalent**, c'est-à-dire un emploi qui présente des caractéristiques semblables à celles de l'emploi qu'occupait le travailleur au moment de sa lésion professionnelle relativement aux qualifications professionnelles requises, au salaire, aux avantages sociaux, à la durée et aux conditions d'exercice.

Si aucun emploi équivalent n'est disponible, le travailleur a le droit d'occuper le premier emploi convenable disponible. Un **emploi convenable** est un emploi approprié qui permet au travailleur victime d'une lésion professionnelle d'utiliser sa capacité résiduelle et ses qualifications professionnelles dans un emploi dont les conditions d'exercice ne comportent pas de danger pour sa santé, sa sécurité ou son intégrité physique, compte tenu de sa lésion.

Par exemple, si Caroline ne peut plus exercer son emploi de mécanicienne, elle peut certainement exercer un emploi de professeure de mécanique et cet emploi peut être considéré comme un emploi équivalent. Par contre, si l'entreprise lui offre un poste de préposé aux pièces ou de commis de bureau, il s'agit plutôt d'un emploi convenable.

18.6.4 LES RECOURS

En vertu de la *Loi sur les accidents du travail et les maladies professionnelles,* aucune sanction ne peut être exercée contre un travailleur parce qu'il est victime d'un accident de travail ou d'une maladie professionnelle. Ainsi, l'employeur ne peut pas le congédier pour cette raison, le suspendre, le déplacer de son poste ou le pénaliser de quelque autre façon.

Un salarié qui fait l'objet d'une telle sanction dispose des mêmes recours que ceux prévus en vertu de la *Loi sur la santé et la sécurité du travail* (voir la section 18.5.4, Les recours).

18.7 LE RÉGIME SYNDICAL AU QUÉBEC

Au Québec, un travailleur peut être ou ne pas être membre d'un syndicat. S'il est membre d'un syndicat, il est soumis aux dispositions du *Code du travail* du Québec ou du *Code canadien du travail* selon que l'entreprise pour laquelle il travaille soit sous la compétence du gouvernement du Québec ou sous celle du gouvernement du Canada.

Puisque plus de 90 % des travailleurs québécois travaillent pour des entreprises qui sont sous la compétence du gouvernement du Québec et que les deux codes du travail sont assez similaires, nous allons étudier les principes généraux du *Code du travail* du Québec.

18.8

LE *CODE DU TRAVAIL* DU QUÉBEC

Adopté en 1964, le *Code du travail du Québec* remplace l'ancienne *Loi sur les relations ouvrières* adoptée en 1944. Il vise à mettre à jour les règles sur les relations de travail entre l'État, l'employeur et le syndicat ainsi qu'à préciser les droits et les obligations de l'État, de l'employeur, du syndicat et du salarié (voir la figure 18.4).

Figure 18.4   Le système des relations de travail et la négociation d'une convention collective

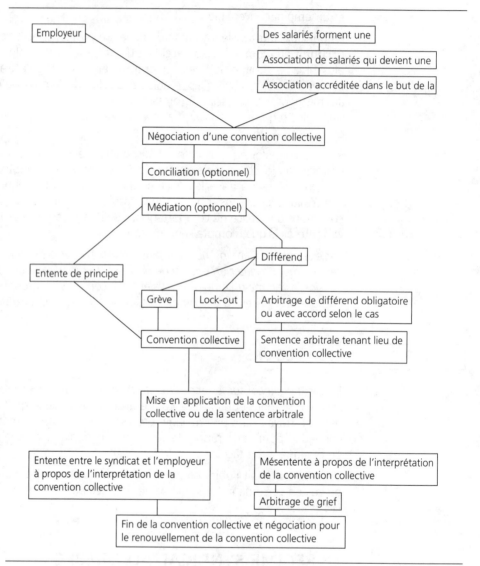

18.8.1

L'ASSOCIATION DE SALARIÉS ET L'ACCRÉDITATION

Le premier principe établi dans le *Code du travail* stipule que les salariés d'une entreprise ont le droit de se regrouper pour former une **association de salariés** dont les buts sont l'étude, la sauvegarde et le développement des intérêts économiques, sociaux et éducatifs de ses membres.

Cependant, pour pouvoir négocier une convention collective, il est nécessaire que cette association de salariés devienne une association accréditée. Une **association**

accréditée est une association reconnue par l'agent d'accréditation, le commissaire du travail ou tout autre représentant gouvernemental autorisé, pour représenter l'ensemble ou une partie des salariés de l'employeur lors de la négociation et de l'application d'une convention collective.

Lorsqu'une association accréditée décide de se constituer en personne morale en vertu de la *Loi sur les syndicats professionnels* afin de devenir une personne juridique distincte de ses membres, elle prend alors le nom de **syndicat**. Un syndicat est donc une personne morale.

Bien qu'il puisse y avoir une seule association accréditée pour représenter tous les salariés d'un même employeur, il est fréquent de rencontrer plusieurs associations de salariés chez un même employeur. *Par exemple, le cégep François-Xavier-Garneau à Québec compte trois associations accréditées distinctes :*

- le Syndicat des enseignants du cégep François-Xavier-Garneau ;
- le Syndicat des employés de soutien du cégep François-Xavier-Garneau ;
- le Syndicat des professionnels du cégep François-Xavier-Garneau.

Cette pluralité d'associations accréditées au sein d'une même entreprise s'explique par les divergences d'intérêt entre ces groupes de salariés. Comme les revendications et les conditions de travail des enseignants ne sont pas les mêmes que celles des employés de soutien, il convient d'accréditer plusieurs associations de salariés et, par conséquent, de définir plusieurs unités de négociation.

18.8.2 L'UNITÉ DE NÉGOCIATION

Une **unité de négociation** est un groupe de salariés distinct des autres groupes de salariés de l'entreprise. *Reprenons l'exemple du cégep François-Xavier-Garneau. Comme les enseignants et les employés de soutien n'ont pas les mêmes revendications et les mêmes conditions de travail, il serait difficile d'unir ces deux groupes de salariés et de leur demander de faire une négociation commune, car leurs conditions de travail et leurs intérêts sont trop différents. Aussi, afin d'assurer un meilleur déroulement de la négociation d'une convention collective, il est normal que la personne qui autorise l'accréditation de l'association de salariés puisse donner cette accréditation à un groupe de salariés relativement homogène que nous appelons une unité de négociation.*

De la même manière, il existe deux syndicats principaux dans les hôpitaux : le syndicat des infirmiers et le syndicat des employés de soutien. Dans une entreprise industrielle comme Alcan, il existe un syndicat des ouvriers et un syndicat des employés de bureau.

18.8.3 LA NÉGOCIATION COLLECTIVE

Une fois que l'association a été accréditée, il est temps de passer à la négociation de la convention collective, car il s'agit du premier devoir et de la première obligation d'une association accréditée. Une **négociation collective** est un processus qui comporte une série de rencontres et de discussions entre un employeur et une association accréditée en vue de signer une **convention collective**.

La négociation collective commence par l'envoi d'un avis à l'employeur ou à une association accréditée, selon le cas, qui indique l'heure et le lieu où les représentants de la partie qui envoie l'avis sont prêts à rencontrer les représentants de l'autre partie.

En général, l'association accréditée dépose ses demandes syndicales auxquelles l'employeur répond par des offres ou des contre-propositions. L'association peut à son tour déposer de nouvelles demandes et le processus de négociation est ainsi engagé.

Le *Code du travail* oblige les parties à négocier avec diligence et de bonne foi et leur interdit de refuser de négocier ou de retarder la négociation.

Le fait pour l'une ou l'autre des parties de déposer sans cesse de nouvelles offres, de nouvelles demandes, de nouvelles contre-propositions ou de nouvelles contre-offres ne constitue pas en soi un refus de négocier ou une manière de retarder la négociation ; cela fait partie du droit qu'a chaque partie de modifier ses offres ou ses demandes au fur et à mesure que la négociation progresse.

Évidemment, un tel processus de négociation peut être très court comme il peut être très long. *Par exemple, il y a quelques années, les employés de la station de radio CHNC de New-Carlisle ont fait la grève pendant 38 mois avant de signer leur première convention collective* (voir la section 18.8.6, L'arbitrage de différend).

En pratique, les parties peuvent parvenir à un accord en quelques semaines lorsqu'elles désirent mener rapidement et sans conflit la négociation collective.

Il peut cependant arriver que les parties aient de la difficulté à négocier ; dans un tel cas, elles peuvent demander au ministre du Travail de nommer un conciliateur.

18.8.4	**LA CONCILIATION**

Un **conciliateur** est une personne nommée par le ministre du Travail dont le rôle consiste à convoquer les parties à une réunion afin de faciliter le déroulement de la négociation. La conciliation est décrite aux articles 54 à 57.1 du *Code du travail*.

Le conciliateur n'a pas le pouvoir d'imposer une quelconque solution aux parties ; il ne peut que tenter de rapprocher les parties afin de maintenir le dialogue ou la négociation.

Si la conciliation échoue, une des parties peut demander la nomination d'un médiateur.

18.8.5	**LA MÉDIATION**

Le **médiateur** est une personne experte en relations de travail nommée par le ministre du Travail. Son rôle consiste non seulement à maintenir le dialogue ou la négociation entre les parties, mais aussi à déposer un rapport dans lequel il suggère une convention collective ou une solution aux principaux points en litige. La médiation n'est cependant pas abordée dans le *Code du travail*.

Le médiateur n'a pas le pouvoir d'imposer sa solution, mais, contrairement au conciliateur qui ne fait que maintenir la négociation entre les parties, il a le pouvoir de déposer un rapport de médiation qui contient ses recommandations en ce qui concerne le règlement des points en litige entre l'employeur et l'association accréditée.

Comme ce rapport met un peu de pression sur les épaules des parties, il arrive souvent qu'une partie accepte le rapport du médiateur en disant : « ce rapport nous écorche mais nous sommes prêts à l'accepter dans le but de mettre fin à la négociation collective », et en espérant que l'autre partie soit ainsi contrainte à l'accepter pour ne pas passer pour la partie qui a fait échouer la négociation collective.

Si, malgré la négociation, la conciliation et la médiation, les parties ne sont toujours pas arrivées à s'entendre, elles peuvent, avant de recourir à la grève ou au lock-out, s'en remettre à un tiers, un arbitre de différend, pour décider du contenu de la convention collective.

18.8.6   L'ARBITRAGE DE DIFFÉREND

Un **différend** est une mésentente relative à la négociation d'une convention collective, à son renouvellement ou à sa révision. La **révision** consiste à rouvrir une convention collective pendant sa durée ; elle n'est possible que s'il existe une clause le permettant expressément, ou si les parties conviennent de rouvrir la convention. Ainsi, l'**arbitre de différend** est une personne dont le rôle consiste à rendre une décision appelée **sentence arbitrale**, qui tient lieu de convention collective.

Pour rendre sa sentence arbitrale, l'arbitre peut tenir compte, entre autres, des conditions de travail qui règnent dans des entreprises semblables ainsi que des conditions de travail applicables aux autres salariés de l'entreprise.

En règle générale, l'arbitrage se fait avec trois personnes : un arbitre et deux assesseurs. Un **assesseur** est une personne qui défend auprès de l'arbitre la position ou les intérêts de la partie qu'il représente. Il y a un assesseur qui représente l'association accréditée et un assesseur qui représente l'employeur. L'assesseur syndical fait valoir auprès de l'arbitre la justesse des positions ou des revendications de l'association accréditée, tandis que l'assesseur patronal fait valoir la justesse des positions et des offres de l'employeur. Ils aident donc l'arbitre à prendre une décision.

Ajoutons que, pour recourir à l'arbitrage de différend, il faut que les deux parties, l'employeur et l'association accréditée, soient d'accord pour que le ministre du Travail nomme un arbitre de différend. Il y a cependant une exception à ce principe d'accord entre les deux parties. En effet, les articles 93.1 à 93.9 du *Code du travail* prescrivent l'**arbitrage obligatoire de la première convention collective** lorsqu'une partie le demande après que l'intervention du conciliateur se soit révélée infructueuse. Dans ce cas, le ministre n'a pas le choix, il doit nommer un arbitre.

Par exemple, il y a quelques années, lors de la grève des employés de la station de radio CHNC de New Carlisle, si la station avait été sous la compétence du gouvernement provincial plutôt que sous celle du gouvernement fédéral, l'association accréditée aurait pu se prévaloir des dispositions relatives à l'arbitrage obligatoire lors d'une première convention collective. Le fait que CHNC relève du Code canadien du travail *et qu'il n'existe pas de dispositions relatives à l'arbitrage obligatoire lors d'une première convention collective dans ce code explique la durée de la grève. Il s'agit d'une des différences entre le* Code du travail du Québec *et le* Code canadien du travail.

Il existe également une autre exception de taille : tout différend entre une municipalité et une **association accréditée de policiers ou de pompiers** est obligatoirement déféré par le ministre du Travail à un arbitre à la demande d'une partie, même s'il ne s'agit pas de la première convention collective. De plus, le ministre peut d'office déférer le différend à un arbitre au moment où il le juge opportun, sans même attendre une demande de l'une ou l'autre des parties.

Si l'une ou l'autre des parties refuse le recours à l'arbitrage, elles n'ont plus le choix : elles doivent opter pour la poursuite des négociations ou utiliser les moyens de pression que sont la grève et le lock-out.

18.8.7   LA GRÈVE ET LE LOCK-OUT

La **grève** est la cessation concertée de travail décidée par un groupe de salariés tandis qu'un **lock-out** est le refus d'un employeur de fournir du travail à un groupe de salariés à son emploi en vue de les contraindre à accepter certaines conditions de travail.

Le *Code du travail* ne fait pas de distinction entre une grève, une grève sauvage, une grève perlée, un ralentissement de travail, une journée d'étude ou toute autre

L'EMPLOYEUR PENDANT LA GRÈVE

tactique syndicale visant à ralentir ou à arrêter le travail. Le code ne reconnaît qu'une seule grève, à savoir l'arrêt de travail par les salariés.

Le but de la grève est de causer un dommage ou une perte économique si forte à l'employeur que celui-ci préférera négocier et signer une convention collective le plus vite possible plutôt que de continuer à essuyer une perte d'argent, une perte de clients ou une perte de marchés.

De la même manière, le but du lock-out est de causer une telle perte économique aux salariés que ces derniers préféreront signer une convention collective qui ne répond pas à toutes leurs exigences, mais qui leur évite de demeurer en lock-out pendant une trop longue période et d'être ainsi privés de salaire.

Finalement, un jour ou l'autre, la grève ou le lock-out cesse et les parties signent enfin leur convention collective. Il est important de noter qu'une fois la convention collective signée, la grève et le lock-out sont interdits pendant toute sa durée.

18.8.8   LA CONVENTION COLLECTIVE

La **convention collective** est une entente écrite, relative aux conditions de travail et conclue entre une association accréditée et un employeur. Dans certains cas, la convention collective peut être signée par plusieurs associations accréditées et un ou plusieurs employeurs ou associations d'employeurs.

Par exemple, dans le cas des employés de production chez Bombardier à La Pocatière, il y a une convention collective signée entre un syndicat et un employeur.

Dans le cas du cégep François-Xavier-Garneau, la convention collective qui lie les enseignants au collège est signée, d'une part, par la Fédération nationale des enseignants et des enseignantes du Québec, qui représente une trentaine de syndicats affiliés à la Confédération des syndicats nationaux, ou CSN, dont le syndicat des enseignants du cégep François-Xavier-Garneau, et, d'autre part, par le comité patronal de négociation des collèges, qui représente la trentaine de cégeps où il y a un syndicat affilié à la CSN.

Dans le secteur de la construction, il existe une douzaine de syndicats, d'unions internationales et de centrales syndicales qui négocient avec une demi-douzaine d'employeurs ou d'associations d'employeurs.

L'article 62 du *Code du travail* stipule qu'une convention collective peut contenir toute disposition relative aux conditions de travail qui n'est pas contraire à l'ordre public ni prohibée par la loi. Ainsi, il serait illégal d'avoir dans une convention collective des dispositions qui accordent aux salariés des conditions de travail inférieures à celles prescrites dans la *Loi sur les normes du travail*.

Une convention collective peut comprendre des dispositions relatives, entre autres :

- aux activités syndicales ;
- à l'ancienneté ;
- à l'assurance ;
- aux congés fériés ;
- aux congés sabbatiques ;
- aux autres formes de congé ;
- à la discipline ;
- aux droits de gérance ;
- au grief ;
- à l'horaire de travail ;
- au licenciement ;
- à la mise à pied ;
- aux mutations ;
- à la période de repos (pause) ;
- aux promotions ;
- aux quarts de travail ;
- au régime de retraite ;
- au salaire ;
- aux heures supplémentaires ;
- aux vacances.

Une fois que la convention collective est signée, il arrive que les parties aient des interprétations différentes sur le sens ou l'application d'une de ses dispositions. Si elles ne parviennent pas à s'entendre sur une solution qui soit acceptable pour les deux, l'une ou l'autre des parties peut déférer ce grief à l'arbitrage de grief.

18.8.9   L'ARBITRAGE DE GRIEF

Un **grief** est une mésentente relative à l'interprétation ou à l'application d'une convention collective. Aussi, l'**arbitrage de grief** est le processus par lequel une tierce personne, l'**arbitre de grief**, entend les parties relativement à l'interprétation que chacune fait de la disposition de la convention collective qui fait l'objet du litige. Après avoir entendu les parties, l'arbitre rend sa décision, la sentence arbitrale, et cette dernière lie les parties qui doivent s'y conformer.

Les parties peuvent également convenir, dans la convention collective, d'un mécanisme interne de grief. *Par exemple, si un employé est insatisfait d'une décision rendue par son contremaître, il peut déposer un grief devant le directeur du personnel. S'il est encore insatisfait, il peut porter ce grief en appel devant le directeur de l'entreprise. Enfin, si l'employé est toujours insatisfait de la décision, il peut la porter en appel devant un arbitre de grief.*

Le recours à une procédure interne de règlement de grief permet de réduire au minimum le coût de règlement d'un grief et d'accélérer la résolution des litiges. Si les parties retiennent les services d'un arbitre de grief, elles doivent lui verser des honoraires et attendre une date pour l'audition du grief en fonction de la disponibilité de l'arbitre.

D'ailleurs, la majorité des conventions collectives contiennent des dispositions relatives à un mécanisme interne de règlement des griefs.

La seule manière pour les parties de se défaire d'une sentence arbitrale consiste à signer une entente qui modifie la sentence arbitrale ou le libellé de la disposition contestée de la convention collective. Cependant, si les parties n'ont pas pu s'accorder sur l'interprétation de cette disposition de la convention collective, il serait surprenant de les voir en arriver à une entente, sauf si l'interprétation de l'arbitre leur déplaît à toutes deux.

18.9   LE *CODE CANADIEN DU TRAVAIL*

Comme il a déjà été mentionné, le *Code canadien du travail* est similaire au *Code du travail* du Québec. Il s'applique principalement aux salariés qui travaillent, dans les :

- aéroports ;

- banques ;

- compagnies aériennes ;

- compagnies de chemin de fer ;

- compagnies de transport maritime.

Alors pourquoi un *Code canadien du travail* si nous avons un *Code du travail* du Québec ?

Le Québec a le pouvoir de légiférer en matière de relations de travail. De son côté, le Parlement du Canada dispose d'une compétence d'exception, mais pourtant exclusive, sur les relations de travail dans les entreprises à l'égard desquelles la constitution l'a habilité, de façon générale, à légiférer.

Le Parlement du Canada peut légiférer sur les relations de travail des entreprises qui, **par la nature de leur activité**, sont soumises de façon générale à sa compétence législative.

Ainsi, dès qu'une entreprise, par la nature de son activité, relève de l'autorité législative du Parlement du Canada, les relations de travail dans cette entreprise sont assujetties à la compétence fédérale. Notez que la personne ou le statut de l'employeur, ou le fait qu'il s'agisse d'une personne morale constituée en vertu de la législation fédérale, enregistrée en vertu des dispositions d'une loi fédérale, ou encore le fait que l'entreprise soit subventionnée par le gouvernement fédéral, ne constituent pas des éléments déterminants ni même pertinents pour signifier qu'une entreprise est assujettie au *Code canadien du travail*. Il s'agit plutôt d'examiner et de déterminer la nature de l'exploitation à partir de ses activités normales ou habituelles.

L'article 2 du *Code canadien du travail* précise l'étendue matérielle de la compétence fédérale en droit du travail. Il définit en effet l'expression « entreprises fédérales » de la façon suivante :

2 C.C.T

Installations, ouvrages, entreprises ou secteurs d'activité qui relèvent de la compétence législative du Parlement, notamment :

a) tout ouvrage, entreprise ou affaire réalisé ou dirigé dans le cadre de la navigation (intérieure ou maritime), y compris la mise en service de navires et le transport par navire partout au Canada ;

b) tout chemin de fer, canal, télégraphe ou autre ouvrage ou entreprise reliant une province à une ou plusieurs autres, ou s'étendant au-delà des limites d'une province ;

c) toute ligne de navires à vapeur ou autres, reliant une province à une ou plusieurs autres, ou s'étendant au-delà des limites d'une province ;

d) tout service de transbordeurs entre provinces ou entre une province et un pays autre que le Canada ;

e) tout aéroport, aéronef ou ligne de transport aérien ;

f) toute station de radiodiffusion ;

g) toute banque ;

h) tout ouvrage ou entreprise que le Parlement du Canada déclare (avant ou après son achèvement) être à l'avantage du Canada en général, ou de plus d'une province, bien que situé entièrement dans les limites d'une province ;

i) tout ouvrage, entreprise ou affaire ne ressortissant pas au pouvoir législatif exclusif des législatures provinciales.

RÉSUMÉ

Toute personne qui travaille pour une autre personne a, avec celle-ci, un contrat individuel de travail.

En plus du contenu du contrat individuel de travail, le travailleur bénéficie de toutes les normes prévues dans la *Loi sur les normes du travail* et ses règlements.

La *Loi sur les normes du travail* régit le salaire minimum, la durée de la semaine de travail, les jours fériés, chômés et payés, les congés annuels payés, les repos, les congés familiaux, l'avis de cessation d'emploi ou de mise à pied, le certificat de travail, la retraite et l'uniforme.

La Commission des normes du travail peut réclamer d'un employeur le salaire que ce dernier a omis de payer à son employé.

Un employeur ne peut exercer des mesures discriminatoires ou des représailles contre un employé qui s'est prévalu de ses droits selon les dispositions de la *Loi sur les normes du travail*, et il ne peut le congédier sans cause juste et suffisante si cet employé a accumulé trois années de service continu.

La *Loi sur la santé et la sécurité du travail* a pour objet l'élimination à la source des dangers pour la santé, la sécurité et l'intégrité physique des travailleurs.

Cette loi accorde aux employés un droit de refus, un droit de retrait préventif et un droit de retrait préventif de la travailleuse enceinte.

L'employeur doit s'assurer qu'il utilise des méthodes de travail sécuritaires, qu'il forme adéquatement ses employés et qu'il leur fournit tous les moyens de protection nécessaires.

L'inspecteur est la personne qui est responsable de l'inspection des lieux de travail et de l'application de la *Loi sur la santé et la sécurité du travail*.

La *Loi sur les accidents de travail et les maladies professionnelles* stipule qu'un travailleur victime d'un accident du travail a droit à une indemnité de remplacement du revenu tant qu'il est incapable de reprendre son emploi, un emploi équivalent ou un emploi convenable.

De plus, pour lui permettre de retourner au travail, la loi mentionne que le travailleur a droit à un programme individualisé de réadaptation qui comporte des mesures de réadaptation physique, sociale et professionnelle.

Le droit au retour dans son emploi s'exerce dans un délai d'un an ou de deux ans selon que l'entreprise compte moins de 21 employés ou plus de 20 employés.

Une personne qui travaille au Québec est soumise au *Code du travail* du Québec ou au *Code canadien du travail* selon que l'entreprise pour laquelle elle travaille est sous la compétence du gouvernement du Québec ou du gouvernement du Canada.

Les salariés d'une entreprise peuvent se regrouper pour former une association de salariés pour demander une accréditation au nom d'un certain nombre d'employés ayant des intérêts communs, l'unité de négociation, en vue de devenir une association accréditée pour négocier une convention collective avec l'employeur.

Si les parties ont de la difficulté à négocier une convention collective, elles peuvent demander l'aide d'un conciliateur ou d'un médiateur et même accepter de soumettre leur différend à un arbitre qui décidera pour elles.

Pour faire pression sur l'autre partie, l'association accréditée peut recourir à la grève, tandis que l'employeur peut recourir au lock-out.

Si les parties ne s'entendent pas sur le sens ou l'interprétation d'une disposition de la convention collective qu'elles ont signée, elles peuvent recourir à la procédure de grief et déposer leur contestation devant un arbitre de grief qui interprétera la disposition litigieuse.

QUESTIONS

18.1   Qu'est-ce qu'un contrat individuel de travail ?

18.2   À quoi sert la *Loi sur les normes du travail* ?

18.3   Quels sont les jours fériés, chômés et payés en vertu de la *Loi sur les normes du travail* ?

18.4   Quelle est la durée des congés annuels payés pour un employé ayant trois ans de service continu ?

18.5   Quelle est la durée de l'avis de mise à pied pour une personne ayant trois années de service continu ?

18.6   L'employeur peut-il exiger une contribution de la part de l'employé en ce qui concerne le coût de l'entretien d'un uniforme ? Justifiez votre réponse.

18.7   Que peut faire un employé si son employeur refuse de lui payer le salaire qui lui est dû ?

18.8   Un employeur peut-il, sans motif, congédier un employé ? Justifiez votre réponse.

18.9   Quel est le but de la *Loi sur la santé et la sécurité du travail* ?

18.10   Différenciez un droit de refus d'un droit de retrait préventif.

18.11   Quels sont les pouvoirs de l'inspecteur nommé en vertu de la *Loi sur la santé et la sécurité du travail* ?

18.12   Dans quel but la *Loi sur les accidents du travail et les maladies professionnelles* a-t-elle été créée ?

18.13   Quelles sont les différentes catégories de réadaptation qui peuvent faire partie d'un programme de réadaptation ?

18.14   Qu'est-ce que le droit de retour au travail ?

18.15   Différenciez l'association de salariés d'une association accréditée.

18.16   Qu'est-ce que l'unité de négociation ?

18.17   Expliquez le déroulement d'une négociation collective.

18.18   À quoi servent la grève et le lock-out ?

18.19   Énumérez au moins dix points qu'il est possible de trouver dans une convention collective.

18.20   Qu'est-ce que le grief ?

CAS PRATIQUES

18.21   Les Canadiens de Montréal ont engagé Marc Demers à titre de joueur de hockey en vertu d'un contrat de trois ans au salaire annuel de 500 000 $. Après un an, les Canadiens décident qu'ils n'ont plus besoin de ses services, le retournent chez lui et décident de ne pas lui payer les deux dernières années prévues à son contrat sous prétexte qu'il n'est pas assez bon pour jouer dans la Ligue nationale de hockey. Peuvent-ils le faire ? Justifiez votre réponse.

18.22   Raymonde a été embauchée comme commis chez Canadian Tire au salaire minimum prévu dans le *Règlement sur les normes du travail*, en vigueur depuis le 1er octobre 1994, à savoir 6 $ l'heure. Elle se demande si elle est payée à un juste taux. Répondez-lui et justifiez votre réponse.

18.23   Construifor ltée a engagé Nancy à titre de gardienne de sécurité pour surveiller un chantier de construction. Elle travaille 60 heures par semaine rémunérées à taux simple. Elle dépose une plainte à la Commission des normes du travail en alléguant qu'un gardien doit être payé selon un taux majoré de moitié après une semaine de 44 heures de travail. A-t-elle raison ? Justifiez votre réponse.

18.24   Claude travaille depuis huit ans pour Construifor ltée. La compagnie le met à pied à la suite du ralentissement des affaires sans lui donner l'avis de mise à pied prévu par la loi. Peut-elle le faire ? Justifiez votre réponse.

18.25   Francine travaille depuis sept ans pour Construifor ltée. Le directeur de Construifor ltée décide de la mettre à pied parce qu'il désapprouve sa façon de s'habiller. A-t-il le droit de le faire ? Justifiez votre réponse.

18.26   Laurence est une employée préposée à l'entretien ménager dans un petit hôtel touristique de Charlevoix. Il y a deux semaines, elle a été engagée au salaire minimum. Son employeur exige le port d'un uniforme et il lui a fait signer un document pour le paiement dudit uniforme. Lors de sa première paie, l'employeur a déduit un montant pour l'uniforme. L'employeur de Laurence a-t-il agi légalement ? Justifiez votre réponse.

18.27   Antoine travaille à la Papeterie des Cascades. Il a bien exécuté ses tâches et a même participé à l'amélioration de la productivité de l'entreprise. Sa convention collective prévoit certaines dispositions concernant les promotions. Sûr de lui, il rencontre son patron pour obtenir une promotion et lui expose ses arguments. Ce dernier lui fait clairement comprendre qu'il ne s'agit pas du sens qu'il donne à la convention et qu'il est très peu probable qu'il obtienne une promotion. Que doit faire Antoine dans les circonstances ? Justifiez votre réponse.

18.28   Carmen est employée dans une usine de fabrication de vaisselle. Elle juge que ses conditions de travail son insatisfaisantes. Elle crée une association de salariés dans le but de faire valoir ses droits ainsi que ceux de ses collègues.

18.28.1 Quelle condition doit remplir cette association de salariés si elle projette d'entamer des négociations avec l'employeur ? Justifiez votre réponse.

18.28.2   Comment l'association peut-elle déclencher le processus de la négociation ? Expliquez.

18.29   Marc travaille comme préposé dans une banque de Québec. Dernièrement, il a eu une altercation avec son patron au sujet de son intention de créer un syndicat. Il voudrait bien savoir s'il le peut puisque son patron prétend que le *Code du travail* du Québec ne s'applique pas. Justifiez votre réponse.

18.30   Depuis trois ans, Robin travaille chez un fleuriste. Il y a quelque temps, il a développé une allergie aux roses. Hier, la situation a empiré. Il est très congestionné, ses yeux sont larmoyants et il fait de la fièvre.

18.30.1   Dans les circonstances, Robin peut-il exercer son droit de refus ? Justifiez votre réponse.

18.30.2   L'employeur peut-il congédier Robin ? Justifiez votre réponse.

18.31   Gisèle est professeure de ballet-jazz. Elle donne ses cours de danse dans diverses institutions. Elle gagne en tout et partout un revenu net de 900 $ par semaine. Lors d'un cours, elle a fait une démonstration de pas de danse et elle a trébuché, se faisant une sévère entorse au pied gauche. Son médecin lui a dit qu'elle devra s'absenter pendant huit semaines.

18.31.1   Gisèle a-t-elle subi une lésion professionnelle ? Justifiez votre réponse.

18.31.2   Quel serait le montant de l'indemnité de remplacement de revenu auquel elle aurait droit pour les huit semaines ? Justifiez votre réponse.

Chapitre 19

LE PRÊT ET LE FINANCEMENT
DES ENTREPRISES

19.0	**PLAN DU CHAPITRE**

19.1	**OBJECTIFS**

Après la lecture du chapitre, l'étudiant doit être en mesure :

- de différencier le prêt à usage du prêt de consommation ;
- de différencier le prêt d'argent du prêt de biens qui se consomment ;
- de définir le financement sans emprunt ;
- de distinguer les comptes fournisseurs, les comptes clients et la consignation ;
- de définir le financement avec emprunt ;
- de distinguer l'emprunt sans garantie de l'emprunt avec garantie ;
- d'expliquer en quoi l'hypothèque est la garantie par excellence en matière de financement commercial ;

- de définir l'acte de fiducie ;
- de définir l'affacturage ;
- de définir le crédit-bail ;
- d'expliquer l'utilisation des biens personnels à titre de garantie ;
- de définir le cautionnement et d'expliquer son rôle en matière commerciale ;
- d'expliquer le rôle de l'assurance-vie et de l'assurance-invalidité en matière de garantie d'un emprunt.

19.2 L'OBLIGATION AVEC OU SANS GARANTIE

Une obligation est généralement le fait de devoir quelque chose à quelqu'un. Cela peut être de l'argent, un bien que nous devons remettre, une chose que nous devons faire ou une chose que nous ne devons pas faire (voir le tableau 19.1).

Tableau 19.1 L'obligation non garantie et l'obligation garantie

Type d'obligation	Exemple
Obligation non garantie	Le créancier ne détient aucun droit spécifique sur aucun bien déterminé du débiteur. Il peut faire saisir et vendre en justice tous les biens du débiteur, sauf ceux que la loi déclare insaisissables, mais il sera payé par contribution après les créanciers qui détiennent une priorité ou une hypothèque sur ces biens. *Par exemple, si Robert néglige de rembourser l'emprunt de 25 000 $ qu'il a contracté auprès de la Banque de Montréal, cette dernière peut obtenir un jugement contre Robert et faire saisir non seulement son automobile, mais également sa maison, ses comptes en banque, ses meubles, etc.*
Obligation garantie	Le créancier peut faire saisir et vendre en justice ce bien ou ces biens et être payé en priorité car il détient certains droits spécifiques : • sur un bien déterminé appartenant au débiteur en vertu de la loi (priorité) ou d'une convention. *Par exemple, la Station-service Pierre Lafrance inc. détient une priorité (droit de rétention) sur l'automobile de Lucien qu'elle a réparée et qu'elle retient car Lucien n'a pas encore payé la facture. Deuxième exemple, la Banque nationale du Canada détient une hypothèque sur la maison de Micheline ;* ou • sur une universalité de biens appartenant au débiteur en vertu de la loi (priorité) ou d'une convention. *Par exemple, lors de la vente en justice des biens de Lucie, l'huissier détient une priorité (frais de justice) sur tous les biens meubles et immeubles appartenant à Lucie et ayant fait l'objet de la vente. Deuxième exemple, la Banque Scotia détient une hypothèque mobilière sur tous les comptes-clients, tous les stocks et tous les équipements d'Ameublement Tanguay inc.*

Six articles du *Code civil*, soit les articles 2644 à 2649, énoncent les règles générales qui stipulent que les biens du débiteur sont affectés à l'exécution de ses obligations et constituent le **gage commun de ses créanciers** (voir la section 21.2, Le gage commun des créanciers).

2645 C.c.Q. *[...] Toutefois, le débiteur peut convenir avec son créancier qu'il ne sera tenu de remplir son engagement que sur les biens qu'ils désignent.*

L'article 2645 précise qu'il est cependant possible pour un débiteur et un créancier de s'entendre sur le fait que certains biens seulement peuvent être donnés en garantie (voir la figure 19.1 et la section 19.5.2, L'emprunt avec garantie).

Figure 19.1 L'obligation garantie par priorité ou par convention

Obligation garantie par :	Exemple
Priorité sur un → Meuble	• frais de justice • vendeur impayé • droit de rétention • état pour dettes fiscales
Priorité sur un → Immeuble	• frais de justice • taxes municipales et scolaires
Convention → Mobilière	• hypothèque mobilière • article 427 de la *Loi sur les banques*
Convention → Immobilière	• hypothèque immobilière • acte de fiducie

Dans ce chapitre, nous allons nous intéresser aux garanties conventionnelles, c'est-à-dire aux garanties accordées en vertu d'un contrat intervenu entre deux personnes.

19.3 LE PRÊT

Le prêt est régi par :

- les articles 2312 à 2332 du *Code civil* ;
- la *Loi sur l'intérêt* ;
- la *Loi sur la protection du consommateur* (voir le tableau 19.2 et la section 14.4.2, Les contrats de crédit).

2312 C.c.Q. *Il y a deux espèces de prêt : le prêt à usage et le simple prêt.*

Figure 19.2 Les différentes catégories de prêt

Catégorie	Sous-catégorie	Exemple
Prêt à usage		• marteau • tondeuse • automobile
Simple prêt	→ Biens qui se consomment	• 500 kg de blé
Simple prêt	→ Somme d'argent	• 20 000 $

19.3.1 LE PRÊT À USAGE

2313 C.c.Q.

> *Le **prêt à usage** est le contrat à titre gratuit par lequel une personne, le prêteur, remet un bien à une autre personne, l'emprunteur, pour qu'il en use, à la charge de le lui rendre après un certain temps.*

Le **prêt à usage** est un contrat de prêt de choses non consomptibles qui doivent être restituées en nature. *Par exemple, Jeanne prête un marteau à Denise, Laurent prête sa tondeuse à Marie, Jacqueline prête son automobile à Raymond.*

Bien qu'il puisse arriver qu'une entreprise prête un bien à une autre entreprise ou à un de ses employés, il ne s'agit pas d'un mode de financement, si ce n'est que nous pouvons considérer que l'entreprise qui emprunte jouit du bien sans être obligée de l'acheter, de le louer, d'emprunter ou d'utiliser ses fonds pour se le procurer. Un prêt est généralement une opération à court terme, soit d'une durée de quelques heures ou de quelques jours; il s'agit d'un avantage très temporaire.

Quoi qu'il en soit, les règles sont très simples. L'emprunteur doit:

- agir avec prudence et diligence quant à la garde et à la conservation de la chose prêtée;
- s'en servir pour l'usage auquel elle est destinée;
- la rendre quand il en a terminé.

Par exemple, si le propriétaire de l'atelier de soudure Soudek emprunte la dépanneuse de la station-service Esso voisine pour déplacer un camion dans sa cour, il doit veiller à ce que personne ne brise ou ne vole la dépanneuse, il doit déplacer le camion et retourner la dépanneuse à la station-service Esso immédiatement après s'en être servi.

19.3.2 LE SIMPLE PRÊT

2314 C.c.Q.

> *Le **simple prêt** est le contrat par lequel le prêteur remet une certaine quantité d'argent ou d'autres biens qui se consomment par l'usage à l'emprunteur, qui s'oblige à lui en rendre autant, de même espèce et qualité, après un certain temps.*

2315 C.c.Q.

> *Le simple prêt est présumé fait à titre gratuit, à moins de stipulation contraire ou qu'il ne s'agisse d'un prêt d'argent, auquel cas il est présumé fait à titre onéreux.*

Le simple prêt se divise en prêt d'argent et en prêt de biens qui se consomment. Notre intérêt porte principalement sur l'étude du prêt d'argent, car c'est le moyen utilisé par les entreprises pour se financer.

19.3.2.1 Le prêt de biens qui se consomment

Le **prêt de biens qui se consomment** ou **biens consomptibles** est un contrat par lequel l'emprunteur s'engage à rembourser au prêteur la même quantité et la même qualité du bien emprunté. Il peut s'agir d'une tonne de blé, de 5 000 litres d'huile, de 500 grammes d'or, etc.

Par exemple, un fermier qui emprunte une tonne de blé à son voisin pour nourrir son bétail doit lui rendre une tonne de blé; un bijoutier qui emprunte 500 grammes d'or à un autre bijoutier pour tailler des bagues doit lui rendre 500 grammes d'or.

Nous parlons de prêt de biens consomptibles parce que le bien est effectivement consommé par l'emprunteur qui remettra l'équivalent du bien emprunté. Il est évident que le blé rendu n'est pas le même que le blé emprunté, puisque ce dernier a servi à nourrir les animaux. Il en va de même pour l'or qui a servi à fabriquer des bijoux. Il faut se souvenir que l'emprunteur doit remettre la même quantité au prêteur.

19.3.2.2	## Le prêt d'argent

2314 C.c.Q.   *Le [...] prêt (d'argent) est le contrat par lequel le prêteur remet une certaine quantité d'argent [...] à l'emprunteur, qui s'oblige à lui en rendre autant [...] après un certain temps.*

2315 C.c.Q.   *Le [...] prêt [...] d'argent [...] est présumé fait à titre onéreux.*

Le **prêt d'argent** est un contrat par lequel le prêteur, généralement une institution financière comme une banque, une caisse populaire ou une société de fiducie, prête une certaine somme d'argent à un emprunteur qui s'engage à rembourser cette somme avec les intérêts, dans un certain délai et selon certaines modalités (voir le document 14.1, Contrat de prêt d'argent).

Par exemple, Constructel inc. emprunte 250 000 $ à la Banque Nationale du Canada au taux d'intérêt annuel de 12 % pour financer la construction d'un immeuble à bureaux. Ce prêt est remboursable sur une période de dix ans à raison de versements de 3 545,10 $ payables le premier jour de chaque mois.

1565 C.c.Q.   *Les intérêts se paient au taux convenu ou, à défaut, au taux légal.*

Le **taux d'intérêt** sur un prêt est **légal** ou **conventionnel** ; il est légal s'il est imposé par la loi, et conventionnel s'il est déterminé dans un contrat passé entre le prêteur et l'emprunteur.

3 L.I.   *Chaque fois que de l'intérêt est exigible par convention entre les parties ou en vertu de la loi, et qu'il n'est pas fixé de taux en vertu de cette convention ou par la loi, le taux de l'intérêt est de cinq pour cent par an.*

Le parlement du Canada a adopté cet article de la *Loi sur l'intérêt* qui stipule donc que le taux de l'intérêt légal est fixé à 5 % par année. Cet article précise également que le taux d'intérêt conventionnel est de 5 % par année, sauf s'il y a une convention contraire à cet effet. En pratique, un prêt d'argent consenti par une institution financière porte toujours intérêt à un taux conventionnel.

4 L.I.   *[...] lorsque, aux termes d'un contrat écrit ou imprimé [...] quelque intérêt est payable à un taux ou pourcentage par jour, semaine ou mois, ou à un taux ou pourcentage pour une période de moins d'un an, aucun intérêt supérieur au taux ou pourcentage de cinq pour cent par an n'est exigible, payable ou recouvrable sur une partie quelconque du principal, à moins que le contrat n'énonce expressément le taux d'intérêt ou pourcentage par an auquel équivaut cet autre taux ou pourcentage.*

Cela signifie que si, *par exemple, un commerçant ou toute autre personne signe un contrat avec Claude dans lequel il est inscrit qu'un intérêt de 2 % par mois est exigible à compter du 1er janvier et que ce dernier ne paie que le 1er janvier de l'année suivante, le taux d'intérêt annuel ne sera pas de 24 % mais bien de 5 %, puisque le taux d'intérêt annuel n'est pas indiqué dans le contrat. Le commerçant aurait dû écrire dans son contrat que la somme prêtée produirait des intérêts au taux de 2 % par mois, 24 % par année.* Il est donc essentiel que le taux d'intérêt annuel soit toujours mentionné, sinon le seul taux annuel applicable sera de 5 %, soit le taux légal. C'est la raison pour laquelle les émetteurs de carte de crédit spécifient toujours « 1,75 % par mois, 21 % par année » ou « 1,5 % par mois, 18 % par année », selon le cas.

D'autre part, la *Loi sur l'intérêt* stipule qu'un taux d'intérêt usuraire, c'est-à-dire exagéré, sera considéré comme illégal, tel un taux excédant 60 % par année.

2330 C.c.Q.   *Le prêt d'une somme d'argent porte intérêt à compter de la remise de la somme à l'emprunteur.*

Cet article trouve son application particulièrement en matière de marge de crédit ou de carte de crédit. *Par exemple, si Louis signe un contrat de prêt de 25 000 $ sous forme de marge de crédit, il ne doit payer l'intérêt qu'à compter du moment où il utilise cette marge de crédit et il ne paiera de l'intérêt que sur la somme utilisée et non pas sur la somme autorisée.*

2331 C.c.Q.   *La quittance du capital d'un prêt d'une somme d'argent emporte celle des intérêts.*

Lorsqu'un prêteur remet une quittance à son emprunteur, il doit être sûr d'avoir complètement été payé en capital et intérêts car la quittance du capital emporte celle des intérêts de sorte que le prêteur ne peut plus poursuivre l'emprunteur pour des intérêts qui n'auraient pas été payés.

2332 C.c.Q.   *Lorsque le prêt porte sur une somme d'argent, le tribunal peut prononcer la nullité du contrat, ordonner la réduction des obligations qui en découlent ou, encore, réviser les modalités de leur exécution dans la mesure où il juge, eu égard au risque et à toutes les circonstances, qu'il y a eu lésion à l'égard de l'une des parties.*

Voici un cas très particulier de lésion. En effet, le législateur prévoit que l'emprunteur d'une somme d'argent peut invoquer la lésion, même s'il a signé ce contrat en pleine connaissance de cause. *Par exemple, si le juge décide que le taux d'intérêt est trop élevé ou que le prêteur abuse de l'emprunteur, il peut modifier les conditions du prêt en réduisant le taux d'intérêt ou en modifiant les modalités de remboursement.*

2329 C.c.Q.   *L'emprunteur [...] n'est tenu de rendre que la somme nominale reçue, malgré toute variation de valeur du numéraire.*

Par exemple, si un prêt de 50 000 $ a été contracté en dollars américains, l'emprunteur doit rembourser la somme de 50 000 $ US, même s'il lui en coûte plus ou moins de dollars canadiens, selon les variations du taux de change, pour se procurer ces 50 000 $ US.

19.4   LE FINANCEMENT SANS EMPRUNT

Pour exploiter une entreprise, il est nécessaire de disposer d'une certaine somme d'argent. Il existe trois différentes sources de fonds :

- une mise de fonds de ses propriétaires ;
- les bénéfices non répartis de l'entreprise ;
- l'argent de ses fournisseurs et de ses créanciers.

La **mise de fonds** consiste, pour les propriétaires de l'entreprise, à puiser dans leurs propres économies une somme supplémentaire pour l'investir dans leur entreprise. S'ils n'ont pas assez de fonds, ils peuvent demander à d'autres personnes d'investir une certaine somme d'argent ; dans ce cas, de nouveaux propriétaires s'ajoutent aux anciens.

Les **bénéfices non répartis** ou **BNR** de l'entreprise sont les profits tirés des activités de l'entreprise, soit la différence entre les revenus et les dépenses, et qui n'ont pas été remis aux propriétaires. *Par exemple, si, au cours de la dernière année, les activités d'une entreprise ont généré un profit de 2 500 000 $ et que cette entreprise a versé un dividende de 1 600 000 $, il reste 900 000 $ de bénéfices non répartis. Ces bénéfices non répartis de l'année en cours s'ajoutent aux bénéfices non répartis des années précédentes. Le poste « Bénéfices non répartis » apparaît au bilan dans la section de l'avoir des actionnaires.*

Ces deux premières sources de fonds ne relèvent pas du domaine du droit mais de la finance ; elles ne font qu'indiquer l'endroit où une personne peut se procurer des fonds.

L'**argent de ses fournisseurs** provient principalement des contrats d'achat auprès des fournisseurs sous forme de comptes fournisseurs et des contrats de consignation, tandis que l'**argent de ses créanciers** provient des contrats de prêts que l'entreprise signe avec ses prêteurs que sont les banques, les caisses populaires, les sociétés de fiducie, les sociétés d'affacturage, les sociétés de crédit-bail, les compagnies d'assurance et les autres institutions financières (voir la section 19.5, Le financement par emprunt).

19.4.1 LES COMPTES FOURNISSEURS ET LES COMPTES CLIENTS

Les **comptes fournisseurs** ou **comptes à payer** sont les sommes d'argent que l'entreprise doit à ses fournisseurs qui lui ont vendu des marchandises à crédit. En payant le plus tard possible ses fournisseurs, l'entreprise n'a pas à puiser dans son compte de banque, dans sa marge de crédit ou à faire un emprunt ; elle se laisse financer par ses fournisseurs.

En pratique, les fournisseurs accordent des délais de paiement de 30, 60, 90 ou même 120 jours sans intérêt. Il serait absurde pour l'entreprise de ne pas en profiter.

Par contre, si les comptes fournisseurs portent intérêt ou que la période sans frais d'intérêt est écoulée, le taux est généralement plus élevé que le taux d'un prêt bancaire, soit généralement entre 18 et 24 %. Dans un tel cas, l'entreprise a intérêt à les payer le plus vite possible et même à emprunter s'il le faut pour les payer.

Par opposition, si l'entreprise vend à crédit, il est probable que ses clients lui demandent des facilités de crédit de 30, 60, 90 ou même 120 jours sans intérêt, c'est-à-dire que l'entreprise les finance ; dans ce cas, il s'agit de **comptes clients** ou **comptes à recevoir**. Donc, ce que l'entreprise gagne d'un côté auprès de ses fournisseurs, elle le perd auprès de ses clients, car durant le temps qu'elle finance les achats de ses clients, elle n'a pas cet argent en main et perd des intérêts.

De plus, si l'entreprise utilise sa marge de crédit, cela signifie qu'elle paie des intérêts à son prêteur parce qu'elle ne reçoit pas les sommes que ses clients lui doivent.

Enfin, il existe des entreprises, tel le Club Price, qui ne vendent qu'au comptant, mais qui exigent de leurs fournisseurs un délai de paiement. Ainsi, ils encaissent immédiatement l'argent provenant de la vente des marchandises, mais ne paient leurs fournisseurs qu'après le délai normal de 30 ou de 60 jours. Dans l'intervalle, l'entreprise encaisse un revenu d'intérêt sur l'argent qui demeure à la banque qui lui permet d'offrir une politique de prix favorable au consommateur.

19.4.2 LA CONSIGNATION

La **consignation** est un contrat par lequel une entreprise remet, sans paiement et sans frais, entre les mains d'une autre personne, un certain nombre de biens que cette dernière ne doit payer que si elle les vend. Ce contrat n'est pas spécifiquement défini dans le *Code civil*. Illustrons cette définition au moyen d'un exemple.

L'entreprise Éditions Belamour inc. désire que la tabagie Saint-Sacrement offre en vente les romans qu'elle publie. La tabagie est d'accord pour les offrir en vente, mais refuse de payer pour des livres qui pourraient demeurer invendus dans les présentoirs. Éditions Belamour inc. propose donc à la tabagie de prendre les romans en consignation ; la première semaine, un représentant des Éditions Belamour inc. apportera un présentoir pour y mettre les volumes et le remplira sans frais. Par la suite, chaque semaine, le représentant prendra note des titres vendus, facturera la tabagie pour ces volumes et remplira encore le présentoir avec de nouveaux titres, ou avec les mêmes, selon le volume des ventes. De plus, le représentant retirera du présentoir les volumes qui ne se vendent pas pour les remplacer par d'autres. De cette manière, Éditions Belamour inc. réussit à vendre ses livres, la tabagie encaisse un profit sur chaque livre vendu, mais ne paie que les livres vendus sans supporter le coût de l'inventaire. Elle ne débourse aucune somme pour le présentoir et pour les livres qui y sont exposés ; elle ne fournit que l'espace nécessaire pour le présentoir.

<table>
<tr><td>**19.5**</td></tr>
</table>

LE FINANCEMENT PAR EMPRUNT

Nous avons vu qu'il existe plusieurs moyens pour l'entreprise de financer ses opérations sans pour autant recourir à des emprunts. Nous allons maintenant étudier le financement par emprunt.

Si un particulier peut parfois emprunter de faibles sommes, soit de 1 000 $ à 10 000 $ sans aucune autre garantie que sa signature personnelle, en affaires, l'emprunt sans garantie est pratiquement inexistant. En effet, les prêteurs réclament systématiquement des garanties pour tous leurs prêts, ou presque.

<table>
<tr><td>**19.5.1**</td></tr>
</table>

L'EMPRUNT SANS GARANTIE

L'**emprunt sans garantie** est un contrat de prêt d'argent en vertu duquel un prêteur prête une certaine somme d'argent à un emprunteur qui s'engage à rembourser cette somme, avec les intérêts, dans un certain délai et selon certaines modalités. Cependant, le prêteur se fie uniquement à la bonne réputation de l'emprunteur pour garantir le remboursement de la somme prêtée.

2645 C.c.Q.   *Quiconque est obligé personnellement est tenu de remplir son engagement sur tous ses biens meubles et immeubles, présents et à venir, à l'exception de ceux qui sont insaisissables [...]. (Voir 552 et 553 C.p.c.)*

Si l'emprunteur fait défaut de rembourser la somme empruntée selon les termes et les conditions du prêt, le prêteur peut faire saisir et vendre en justice les biens de l'emprunteur, mais **il n'est pas payé en priorité par rapport aux autres créanciers** de l'emprunteur. Si ce dernier a d'autres créanciers, ils sont tous payés en même temps. Cependant, si l'emprunteur n'a pas assez d'argent pour payer tous ses créanciers, ces derniers seront payés en proportion du montant de leur créance par rapport au total des créances.

2646 C.c.Q.   *Les créanciers peuvent agir en justice pour faire saisir et vendre les biens de leur débiteur.*

En cas de concours entre les créanciers, la distribution du prix se fait en proportion de leur créance, à moins qu'il n'y ait entre eux des causes légitimes de préférence.

Si un prêteur désire éviter de partager le remboursement de la somme qu'il a prêtée avec d'autres créanciers et éviter d'obtenir un remboursement partiel, il doit absolument avoir, ce que la loi appelle, une **cause de préférence**.

2647 C.c.Q.   *Les causes légitimes de préférence sont les priorités et les hypothèques.*

Par conséquent, le prêteur va essayer d'obtenir des garanties de remboursement et l'emprunteur peut donner en garantie certains biens déterminés.

2645 C.c.Q.   *[...] Toutefois, le débiteur peut convenir avec son créancier qu'il ne sera tenu de remplir son engagement que sur les biens qu'ils désignent.*

En pratique, le prêteur qui désire obtenir une garantie va demander à l'emprunteur de lui consentir une hypothèque mobilière ou immobilière, selon le cas.

19.5.2 L'EMPRUNT AVEC GARANTIE

L'**emprunt avec garantie** est un contrat de prêt d'argent en vertu duquel le prêteur exige que l'emprunteur lui cède en garantie un ou plusieurs biens, meubles ou immeubles, pour garantir le remboursement de la somme prêtée, de telle sorte que si l'emprunteur fait défaut de rembourser la somme empruntée, le prêteur peut faire saisir et vendre en justice les biens qui lui ont été donnés en garantie, et ainsi **être payé en priorité sur les autres créanciers de l'emprunteur**.

Cependant, il faut se rappeler **deux règles importantes** qui s'appliquent à tous les emprunts avec garantie. Premièrement, comme il s'agit d'un prêt d'argent, ces différents emprunts sont soumis aux règles générales concernant les prêts (voir la section 19.3, Le prêt) ainsi que dans certains cas, aux règles édictées par la *Loi sur la protection du consommateur* s'il s'agit d'un contrat entre un commerçant et un consommateur (voir la section 14.4.2.1, Le contrat de prêt d'argent). Deuxièmement, **le prêt d'argent est le contrat principal ; la garantie n'est qu'un accessoire**. Par conséquent, si un contrat de prêt est nul pour un quelconque vice de forme ou de fond, la garantie est nulle.

Par exemple, si Gérard emprunte une somme de 800 000 $ à la Banque Royale et que sa signature a été obtenue sous de fausses représentations, ce contrat peut être annulé par un tribunal. Par conséquent, si Gérard avait accordé une garantie sous forme d'hypothèque sur son usine, cette hypothèque n'existe plus si le contrat principal est annulé par le tribunal. Il est évident que si Gérard a effectivement reçu cette somme de 800 000 $, il doit la rembourser à la Banque Royale, puisque cette somme ne lui appartient pas.

Par ailleurs, la loi stipule que, pour être valide, une hypothèque immobilière doit être rédigée devant notaire sous forme de minute, et que si cette condition de forme n'est pas respectée, la garantie qu'est l'hypothèque est nulle. Cependant, le contrat principal qu'est le prêt de 800 000 $ est valide, car il répond aux exigences de la loi. Il y a donc quatre possibilités (voir le tableau 19.2).

Donc, normalement, le contrat principal de prêt et l'accessoire qu'est la garantie sont tous deux valides, mais il est également possible que le contrat principal, c'est-à-dire le prêt, soit valide, alors que la garantie ne l'est pas, ou que la garantie ne le soit pas parce que le contrat principal ne l'est pas. Le tableau 19.3 énumère les différentes garanties que les prêteurs peuvent exiger selon :

- le montant du prêt ;

- sa durée ;

- la nature des biens donnés en garantie.

Tableau 19.2 La validité du contrat et de la garantie

Validité du contrat principal (le prêt)	Validité de l'accessoire (l'hypothèque)	Validité du tout
Oui	Oui	Le prêt et la garantie sont valides ; c'est la situation normale
Oui	Non	Le prêt est valide mais la garantie ne l'est pas ; le créancier n'a pas de garantie mais au moins, son prêt est valide
Non	En apparence oui, mais en réalité non	La garantie n'est pas valide même si l'acte d'hypothèque est signé devant un notaire et qu'il respecte les conditions imposées par le *Code civil*, car le contrat principal de prêt n'est pas valide. En effet, la garantie, qui est un contrat accessoire, ne peut pas exister si le contrat principal est nul. Dans ce cas, le créancier a un problème
Non	Non	Le prêt et la garantie ne sont pas valides, car ils sont tous deux nuls. Dans ce cas, le créancier a un problème

Tableau 19.3 Les principales garanties en matière de prêt

Garantie	Exemple
L'hypothèque mobilière	Couvre les biens suivants : • Biens en stock : Même chose que pour l'article 427 L.B. Constructel inc. donne en garantie tous les matériaux de construction d'une valeur de 300 000 $ qu'elle a en stock pour garantir un emprunt de 225 000 $ dû à un prêteur • Équipement : Constructel inc. donne en garantie ses 20 camions d'une valeur de 600 000 $ pour garantir un emprunt de 450 000 $ • Cession générale de créance : Constructel inc. donne en garantie tous ses comptes clients d'une valeur de 700 000 $ pour garantir un emprunt de 525 000 $
L'hypothèque immobilière	Constructel inc. donne en garantie son entrepôt d'une valeur de 400 000 $ pour garantir un emprunt de 300 000 $
L'acte de fiducie	Il s'agit d'une hypothèque ouverte. Constructel inc. donne en garantie tous ses biens, soit ses 20 camions, son entrepôt, ses comptes clients et ses stocks d'une valeur totale de 2 000 000 $ pour garantir un emprunt de 1 500 000 $

Tableau 19.3 Les principales garanties en matière de prêt (suite)

La garantie en vertu de l'article 427 de la *Loi sur les banques*	Constructel inc. donne en garantie tous les matériaux de construction d'une valeur de 300 000 $ qu'elle a en stock pour garantir un emprunt de 225 000 $ dû à une banque
L'affacturage	Constructel inc. cède les 700 000 $ de comptes clients qu'elle possède à une société d'affacturage qui lui remet immédiatement 90 % de cette somme, soit 630 000 $
Le crédit-bail	Constructel inc. signe un contrat de crédit-bail de cinq ans avec Morin GMC pour la location d'un camion au prix de 650 $ par mois avec option d'achat du camion pour 12 500 $ à la fin du contrat
Les biens personnels	Paul, le principal actionnaire de Constructel inc., doit donner en garantie sa maison d'une valeur de 200 000 $ pour garantir une marge de crédit de 150 000 $
Le cautionnement	Le prêteur exige que les principaux actionnaires de Constructel inc., Paul, Brigitte, Lucie et Alice, cautionnent les différents emprunts de Constructel inc., de telle sorte que si Constructel inc. n'est pas en mesure de rembourser les différents emprunts, le prêteur pourra être remboursé par les cautions
L'assurance-vie et l'assurance-invalidité	Le prêteur exige que Paul souscrive à une assurance-vie sur l'hypothèque de sa maison pour être payé lors du décès de Paul si ce dernier décédait avant d'avoir remboursé le prêt

19.6 L'HYPOTHÈQUE

L'hypothèque est le mode de garantie le plus utilisé par les créanciers (voir la section 21.4, L'hypothèque).

2684 C.c.Q.

> *Seule la personne ou le fiduciaire qui exploite une entreprise peut consentir une hypothèque sur une universalité de biens, meubles ou immeubles, présents ou à venir, corporels ou incorporels.*
>
> *Celui qui exploite l'entreprise peut, ainsi, hypothéquer les animaux, l'outillage ou le matériel d'équipement professionnel, les créances et comptes clients, les brevets et marques de commerce, ou encore les meubles corporels qui font partie de l'actif de l'une ou l'autre de ses entreprises et qui sont détenus afin d'être vendus, loués ou traités dans le processus de fabrication ou de transformation d'un bien destiné à la vente, à la location ou à la prestation de services.*

L'hypothèque permet de donner en garantie un bien meuble ou immeuble, qu'il s'agisse de biens en stock, d'équipement de production comme un ordinateur ou une presse, de véhicules comme un camion ou une niveleuse, de comptes clients, d'un terrain vague, d'un terrain de stationnement, d'une résidence, d'un édifice à bureaux, d'un centre commercial, d'un entrepôt ou d'une usine, à un prêteur, à un vendeur ou même à toute autre forme de créancier pour garantir le remboursement d'un prêt, d'une balance de prix de vente ou de toute autre dette.

L'hypothèque mobilière est utilisée uniquement par une entreprise et sert à garantir le remboursement d'un contrat de prêt, qu'il s'agisse d'un prêt à terme ou d'un prêt à demande.

Quant à l'hypothèque immobilière, elle est utilisée tant par l'entreprise que par le consommateur et sert à garantir le remboursement d'un contrat de prêt. Dans le cas d'une entreprise, le prêt peut être à terme ou à demande, selon qu'il vise l'acquisition ou la rénovation d'un immeuble, d'une part, ou le financement des opérations courantes de l'entreprise, d'autre part. Pour le consommateur, le prêt vise généralement l'acquisition ou la rénovation d'une maison et il s'agit habituellement d'un prêt à terme.

2686 C.c.Q.   *Seule la personne* ou le fiduciaire *qui exploite une entreprise peut consentir une hypothèque ouverte sur les biens de l'entreprise*.

L'**hypothèque ouverte** signifie que la valeur de la garantie n'est pas exactement déterminée tant et aussi longtemps que le créancier n'exerce pas ses droits. *Par exemple, lorsque Canadian Tire donne en garantie tout le stock qu'elle possède dans son magasin du boulevard Hamel à Québec, la quantité et la valeur de ce stock varient de jour en jour selon les ventes et les achats quotidiens.*

19.7   L'ACTE DE FIDUCIE

L'**acte de fiducie** est un contrat de prêt assorti d'une garantie hypothécaire en vertu duquel l'emprunteur cède en garantie à un prêteur tous ses biens, meubles et immeubles, présents et à venir, pour garantir le remboursement d'un emprunt. Au sens du *Code civil*, il s'agit d'une hypothèque ouverte.

2692 C.c.Q.   *L'hypothèque qui garantit le paiement des obligations ou autres titres d'emprunt, émis par le fiduciaire, la société en commandite ou la personne morale autorisée à le faire en vertu de la loi, doit, à peine de nullité absolue, être constituée par acte notarié en minute, en faveur du fondé de pouvoir des créanciers.*

Cet article précise donc que l'hypothèque ouverte qui garantit le paiement des obligations doit être constatée par acte notarié en minute. Cette hypothèque ouverte est aussi appelée **acte de fiducie**.

Pour qu'un acte de fiducie existe, il faut que l'emprunteur signe en faveur du prêteur un document appelé **acte de fiducie** ou **acte de fidéicommis**. Cet acte est obligatoirement rédigé **sous forme notariée**. La signature de l'acte de fiducie équivaut à la remise des biens en garantie, et ainsi l'emprunteur peut conserver la jouissance de ses biens meubles et immeubles pour l'exploitation de son commerce.

En raison de l'impossibilité de réunir auprès d'un seul prêteur des sommes considérables de plusieurs millions de dollars et de donner en garantie un seul bien représentant également plusieurs millions de dollars, le recours à l'acte de fiducie est presque obligatoire pour les transactions importantes.

En effet, l'acte de fiducie permet de réunir les sommes nécessaires par l'intermédiaire d'un grand nombre de prêteurs qui n'ont même pas à se connaître, tout en donnant en garantie une pluralité de biens disparates sans qu'il soit nécessaire de rédiger un acte d'hypothèque en faveur de chacun des prêteurs.

Les biens qui sont donnés en garantie peuvent être des biens déterminés ou une universalité de biens. Les biens déterminés sont les biens donnés en garantie qui sont précisément décrits dans le corps de l'acte, *par exemple l'immeuble du 860, Marguerite-Bourgeois, à Québec, ou l'usine du 2575, boulevard Pierre-Bertrand, à Vanier*; nous disons alors que ces biens sont affectés d'une **charge fixe et spécifique**. L'universalité de biens concerne tous les autres biens meubles et immeubles, présents et futurs, donnés en garantie, et qui ne sont pas spécifiquement décrits dans le corps de l'acte, tels les véhicules, le matériel de production, les stocks et les comptes clients; nous disons alors que ces biens sont affectés d'une **charge générale et flottante** ou **hypothèque ouverte**. Étant donné que le législateur a préféré l'expression « hypothèque ouverte » à celle de « charge flottante » pour ne pas la confondre avec une sûreté de la *common law* qui porte le nom de charge flottante ou « *floating charge* », nous n'utiliserons pas l'expression « charge flottante ».

Toutefois, la plupart des actes de fiducie contiennent une disposition selon laquelle l'entreprise peut signer une garantie en vertu de l'article 427 de la *Loi sur les banques* pour donner en garantie ses biens en stock ; une telle garantie a priorité sur les garanties prévues à l'acte de fiducie.

À la différence d'un prêt traditionnel conclu entre un prêteur et un emprunteur, l'acte de fiducie est signé entre un emprunteur et un tiers, nommé fiduciaire. Le **rôle du fiduciaire** est de :

- signer avec l'emprunteur un acte de fiducie dans lequel l'emprunteur détermine la somme qu'il désire emprunter et indique les biens qu'il donne en garantie ;

- regrouper des prêteurs en vue de réunir la somme dont l'emprunteur a besoin ;

- remettre cette somme à l'emprunteur ;

- remettre à chaque prêteur une **obligation**, qui est le document qui constate le montant de la somme qu'il a prêtée ;

- surveiller les biens donnés en garantie pour s'assurer que l'emprunteur n'en dispose pas et qu'il les conserve en bon état ;

- recevoir de l'emprunteur les sommes nécessaires pour payer les intérêts ;

- recevoir de l'emprunteur les sommes nécessaires pour rembourser le capital ;

- protéger les intérêts des prêteurs en saisissant et en faisant vendre en justice les biens donnés en garantie en vertu de l'acte de fiducie si l'emprunteur devient en défaut.

Le **fiduciaire** est en quelque sorte le chien de garde des intérêts des **obligataires**, c'est-à-dire des détenteurs d'obligations, ou prêteurs.

19.8 L'ARTICLE 427 DE LA *LOI SUR LES BANQUES*

La **garantie en vertu de l'article 427 de la *Loi sur les banques*** est un contrat en vertu duquel l'emprunteur cède en garantie à un prêteur tous ses biens en stock, c'est-à-dire tous les produits finis, les produits en cours de transformation et les matières premières qu'il possède dans son établissement, pour vendre à ses clients ou pour fabriquer des produits qui seront vendus à ses clients.

Pour qu'une garantie en vertu de l'article 427 de la *Loi sur les banques* existe, il faut que l'emprunteur signe en faveur du prêteur les deux documents suivants : premièrement, une **demande de crédit et promesse de donner des garanties** aux termes de l'article 427 et, deuxièmement, une **garantie sur tous les biens de catégories spécifiées**. Ces actes sont rédigés sous seing privé (voir la section 9.2.1.4, Les actes sous seing privé).

Par exemple, Durmatério dispose d'un stock considérable de matériaux de toutes sortes pour répondre à la demande énorme et diversifiée de ses clients. Son stock est évalué à 2 500 000 $. La Banque Royale est disposée à prêter à Durmatério une somme dont le montant varie entre 50 et 75 % de la valeur des stocks. Ce pourcentage varie selon que les stocks offerts en garantie sont faciles ou difficiles à écouler sur le marché. Dans notre cas, nous supposons que la marchandise en stock peut s'écouler facilement et que la banque est disposée à prêter 75 % de sa valeur, soit 1 875 000 $.

Dans le cas d'une garantie donnée en vertu de l'article 427 de la *Loi sur les banques*, **le prêteur doit obligatoirement être une banque** au sens de la *Loi sur les banques*. Par conséquent, les caisses populaires, les sociétés de fiducie et autres institutions financières ne peuvent pas utiliser la garantie de l'article 427 de la *Loi sur les banques*.

Par contre, toute institution financière peut utiliser la garantie de l'hypothèque mobilière prévue au *Code civil* et qui crée une garantie plus complète que celle donnée en vertu de l'article 427 de la *Loi sur les banques* (voir la section 19.6, L'hypothèque).

19.9 L'AFFACTURAGE

L'**affacturage** est un contrat par lequel une entreprise d'affacturage s'engage à payer immédiatement à un vendeur de biens ou de services un montant égal à un certain pourcentage du montant de la facture de vente en échange de l'obligation par l'acheteur de payer le plein montant à l'entreprise d'affacturage à l'intérieur d'une certaine période. C'est un contrat au sens du *Code civil*, mais il n'est pas spécifiquement encadré.

L'**affacturage** est avant tout une activité commerciale et financière qui fonctionne à la manière d'une carte de crédit. Analysons l'exemple suivant afin de comprendre le fonctionnement de l'affacturage.

Par exemple, Matérex est une entreprise qui vend des matériaux de construction, Constructel inc. est une entreprise de construction et Facturvit est une entreprise d'affac-turage. Un employé de Constructel inc. se présente chez Matérex pour acheter pour 45 000 $ de matériaux de construction payables dans 30 jours. Un employé de Matérex téléphone à Facturvit pour obtenir l'autorisation de vendre 45 000 $ de matériaux de construction à Constructel inc.. Si Facturvit donne son autorisation, Matérex vend les 45 000 $ de matériaux à Constructel inc., en remplissant un contrat de vente en trois exemplaires qui comprend la clause suivante :

> Veuillez faire le paiement de cette facture à Facturvit dans un délai de 30 jours.

Matérex remet un exemplaire du contrat de vente à l'employé de Constructel inc., conserve le deuxième et transmet le troisième à Facturvit. Dans les jours qui suivent, Facturvit remet à Matérex une somme égale à 90 % de la facture, soit 40 500 $, et conserve le solde de 4 500 $ pour les quatre raisons suivantes :

- afin de couvrir le financement à 30 jours ;
- afin de couvrir les frais de fonctionnement de son service de dossier de crédit ;
- à titre de provision pour mauvaises créances ;
- à titre de profit.

Si Constructel inc. ne paie pas Facturvit, c'est cette dernière qui supporte la perte, parce que Matérex se trouve en quelque sorte à avoir vendu le compte de Constructel inc. à Facturvit ; c'est cette dernière qui doit faire tous les efforts nécessaires pour récupérer cette mauvaise créance. D'ailleurs, c'est Facturvit qui a autorisé cette vente et qui conserve une sorte de commission de 10 % pour couvrir, entre autres, les mauvaises créances.

Si Facturvit avait refusé d'autoriser cette vente et que Matérex avait malgré tout conclu cette transaction, Facturvit ne remettrait pas la moindre somme à Matérex. Dans un tel cas, la vente est aux risques et périls de Matérex, et si Constructel inc. ne paie pas, c'est Matérex qui subit la perte.

La commission que prélève la société d'affacturage peut augmenter de 10 à 15 ou même à 20 % si le secteur commercial dans lequel œuvre le vendeur est un secteur à risque de faillite élevé.

19.10 LE CRÉDIT-BAIL

1842 C.c.Q.

*Le **crédit-bail** est le contrat par lequel une personne, le crédit-bailleur, met un meuble à la disposition d'une autre personne, le crédit-preneur, pendant une période de temps déterminée et moyennant une contrepartie.*

Le bien qui fait l'objet du crédit-bail est acquis d'un tiers par le crédit-bailleur, à la demande du crédit-preneur et conformément aux instructions de ce dernier.

Le crédit-bail ne peut être consenti qu'à des fins d'entreprise.

Le **crédit-bail** est un contrat par lequel le crédit-bailleur loue au crédit-preneur un bien meuble pendant un certain temps, et, à la fin de cette période, le crédit-preneur peut acheter ce bien pour une somme préalablement établie dans le contrat de crédit-bail. Le crédit-bail est donc essentiellement une forme de contrat de financement d'équipement offert par le manufacturier du bien ou par une société spécialisée dans le crédit-bail. Le contrat de crédit-bail ne peut pas s'appliquer à un immeuble.

Le crédit-bail met en présence trois parties distinctes :

- le crédit-bailleur, qui est à la fois l'acheteur d'un bien, le prêteur d'argent, le locateur de ce bien et le créancier des sommes dues par le crédit-preneur ;

- le crédit-preneur, qui est à la fois celui qui a choisi ce bien, l'utilisateur du bien, l'emprunteur d'argent, le locataire du bien et le débiteur des sommes dues au crédit-bailleur mais le créancier de l'obligation de garantie sur le bien ;

- le tiers, qui est le fabriquant ou le distributeur du bien, le vendeur du bien et le débiteur de l'obligation de garantie sur le bien.

Comme le contrat de crédit-bail n'est pas un contrat de vente ou de louage même s'il en possède certaines caractéristiques, il faut réellement voir le contrat de crédit-bail comme un forme de contrat de financement d'un bien. De plus, un examen de ce contrat nous démontre que le rôle du crédit-bailleur est passif et purement financier puisqu'il ne fabrique pas et ne vend pas ce bien et qu'il ne peut pas avoir ce bien en inventaire ; il se contente de financer la transaction entre un fabriquant ou un vendeur qui ne veut pas ou qui ne peut pas financer cette transaction et une personne qui ne veut pas ou qui ne peut pas acheter ou louer ce bien en vertu d'un contrat conventionnel de vente ou de louage. Enfin, il faut noter que le contrat de crédit-bail est réservé aux entreprises.

Par exemple, Constructel inc. signe un contrat de crédit-bail de cinq ans chez Morin GMC avec un représentant de GMAC pour la location d'un camion au prix de 650 $ par mois, avec possibilité d'acheter ce camion pour la somme de 12 500 $ à la fin du contrat. Si, à la fin du contrat, Constructel inc. achète finalement ce camion, elle aura ainsi été locataire du camion pendant cinq ans avant d'en devenir propriétaire. GMAC est la filiale de General Motors qui finance toutes les transactions faites chez un concessionnaire GM, Morin GMC dans ce cas, dans le cadre d'un contrat de crédit-bail. Donc, GMAC est le crédit-bailleur, Constructel inc. est le crédit-preneur et Morin GMC est le tiers qui vend le bien au crédit-bailleur.

Pourquoi certaines entreprises préfèrent-elles posséder un bien par crédit-bail plutôt qu'acheter certains biens ? La réponse comporte deux volets : d'abord, il s'agit d'une question de **disponibilité d'argent liquide**, et, ensuite, il faut tenir compte de l'**aspect fiscal**.

Par exemple, supposons qu'Air Transat désire acheter un Boeing 747 au prix de 40 millions de dollars et qu'un prêteur soit disposé à financer 75 % de la transaction, soit 30 millions de dollars ; il faut néanmoins qu'Air Transat trouve dix millions de dollars. Si Air Transat n'a pas cet argent, elle ne peut acheter ce Boeing 747.

Cependant, pour posséder par crédit-bail un avion, Air Transat n'a pas besoin de dix millions de dollars en argent liquide, et le crédit-bailleur va plutôt miser sur la capacité d'Air Transat à vendre des voyages pour garantir son paiement mensuel.

Évidemment, Air Transat compte payer le coût du crédit-bail grâce aux revenus qu'elle tirera de l'exploitation de cet avion.

Par ailleurs, si Air Transat fait faillite, le crédit-bailleur reprendra tout simplement son avion pour le rendre disponible à un autre transporteur aérien. C'est ce qui s'est produit dans le cas de Nationair qui, lorsqu'elle a fait faillite, a perdu ses avions qui ont été immédiatement loués à Air Transat.

Enfin, si Air Transat avait possédé cet avion en vertu d'un contrat de crédit-bail de cinq ans comprenant une clause de rachat pour cinq millions de dollars, il lui serait possible, à la fin du contrat de crédit-bail, d'acheter ce Boeing 747 pour la somme de cinq millions de dollars.

Quant à l'aspect fiscal, il est important, car lorsqu'une entreprise comme Air Transat possède par crédit-bail un avion, elle peut déduire, à titre de dépenses admissibles, le coût du crédit-bail et tous les frais qui en découlent. Cependant, si Air Transat achète cet avion, elle ne peut pas déduire le coût d'achat à titre de dépense, car l'avion constitue un bien en immobilisation. Un **bien en immobilisation**, ou **bien en capital**, est un bien qui a une durée de vie de plus d'une année, comme un avion, un bateau, un camion, un autobus, une automobile, une presse, du matériel de production, un édifice à bureaux, une maison, etc. La *Loi sur les impôts* stipule que, dans ce cas, le propriétaire d'un tel bien ne peut réclamer que l'**allocation du coût en capital** (en langage fiscal), ou **amortissement** (en langage comptable). L'**amortissement** est la perte de valeur d'un bien à la suite de son usure normale.

Ainsi, l'impôt a fixé à 5 % le taux d'amortissement d'un immeuble en brique et à 10 % le taux d'amortissement d'un immeuble en bois ; *par exemple, cela signifie que si l'entreprise a acheté un immeuble en bois de 100 000 $, elle peut réclamer, dans sa déclaration des revenus, une dépense d'amortissement de 10 000 $. Si l'immeuble avait été construit en brique, l'entreprise n'aurait pu réclamer qu'une dépense de 5 000 $ à titre d'amortissement, plus les intérêts sur l'argent emprunté si cet immeuble avait été acheté à crédit. Par contre, si l'immeuble avait été loué à raison de 20 000 $ par année, l'entreprise aurait pu réclamer cette somme à titre de dépense et la déduire de son revenu avant impôt.*

Quoi qu'il en soit, des études ont démontré qu'il en coûte généralement plus cher de louer un bien que de l'acheter, mais lorsque l'aspect fiscal entre en ligne de compte, il est préférable d'effectuer tous les calculs afin de vérifier quelle option, entre l'achat, la location ou le crédit-bail, est la plus avantageuse pour l'entreprise. Toutefois, quand l'entreprise n'a pas l'argent comptant nécessaire pour acheter un bien, elle peut toujours le louer ou signer un contrat de crédit-bail, et la location ou le crédit-bail peut alors se révéler la meilleure solution même si elle est plus coûteuse, car, autrement, l'entreprise n'aurait pas le bien dont elle a besoin pour poursuivre ses activités.

D'autre part, il faut souligner qu'un particulier ne peut généralement pas déduire une dépense de location de ses revenus ; par conséquent, il n'a pas intérêt à louer un bien, à moins d'être à court de liquidités. Par contre, si ce particulier exerce une profession ou agit à titre de travailleur autonome, il peut alors déduire le coût de location ou du crédit-bail à titre de dépense engagée pour gagner un revenu ; il lui faut donc soupeser les avantages et les inconvénients de l'achat, de la location et du crédit-bail. *Par exemple, depuis quelques années, les concessionnaires automobiles offrent des voitures neuves non seulement par vente au comptant ou par vente à tempérament, mais également par contrat de crédit-bail et par contrat de location à long terme. Ils répondent ainsi à une question fiscale et à un manque de liquidités de la part des acquéreur éventuels.*

Par exemple, supposons que l'avion que possède Air Transat peut effectuer 30 voyages par mois entre Montréal et Paris, et qu'Air Transat parvient à vendre 90 % des billets pour chaque vol, les revenus seront suffisants pour payer le coût du crédit-bail. Mais, si Air Transat ne peut vendre que 30 % des billets pour chaque vol, les revenus seront certainement trop bas pour couvrir le coût de ce crédit-bail.

Un commerçant qui désire acquérir un bien peut donc choisir entre un contrat d'achat, un contrat de location ou un contrat de crédit-bail, mais le choix de l'un ou l'autre de ces trois contrats dépend avant tout de considérations financières (liquidités disponibles) et fiscales (dépenses déductibles), et non pas juridiques.

Le crédit-bail est intéressant, car il permet tout de même de devenir propriétaire du bien tout en permettant de déduire une partie du coût d'achat (le loyer payé) sur une certaine période. Les économies d'impôt ainsi réalisées peuvent rendre le crédit-bail plus attrayant que l'achat ou la location. Le crédit-bail est donc une forme de financement qui comporte ses avantages.

De plus, si le commerçant opte pour le crédit-bail, il faut savoir ceci :

1845 C.c.Q.
Le vendeur du bien est directement tenu envers le crédit-preneur des garanties légales et conventionnelles inhérentes au contrat de vente.

Cela est logique car le crédit-bailleur qui finance la transaction n'a aucun contrôle sur le bien. Cependant, le législateur ajoute ce qui suit :

1846 C.c.Q.
Le crédit-preneur assume, à compter du moment où il en prend possession, tous les risques de perte du bien, même par force majeure.

Il en assume, de même, les frais d'entretien et de réparation.

Cela suppose que le crédit-preneur doit souscrire une assurance de dommages dans l'éventualité où le bien serait détruit afin de disposer des sommes nécessaires pour rembourser le crédit-bailleur. Enfin,

1850 C.c.Q.
Lorsque le contrat de crédit-bail prend fin, le crédit-preneur est tenu de rendre le bien au crédit-bailleur, à moins qu'il ne se soit prévalu, le cas échéant, de la faculté que lui réserve le contrat de l'acquérir.

Dans la majorité des contrats de crédit-bail, le crédit-preneur a la faculté d'acheter le bien ayant fait l'objet du crédit-bail pour une somme prédéterminée, qui peut-être assez élevée comme plusieurs milliers ou millions de dollars, mais qui est parfois nominale, comme un dollar ou mille dollars ; cela dépend évidemment de la valeur originale du bien et de la somme payés durant la durée du contrat de crédit-bail.

Pour terminer, ajoutons que le crédit-bail doit être inscrit au registre des droits personnels et mobiliers pour que le droit de propriété du crédit-bailleur puisse être opposable aux tiers.

19.11 LA GARANTIE DES BIENS PERSONNELS

Les articles 2644, 2645 et 2646 du *Code civil* stipulent que :

Tous les biens d'un débiteur, à l'exception des biens insaisissables, sont le gage commun de ses créanciers qui peuvent faire saisir et vendre les biens de leur débiteur, et le produit de leur vente se distribue entre eux par contribution à moins qu'il n'y ait entre eux des causes légitimes de préférence.

Cette règle s'applique très bien aux emprunts personnels. Cependant, qu'en est-il lorsqu'il s'agit d'un emprunt effectué par une personne morale ?

Par exemple, Laurent possède 315 000 $ de biens comprenant une maison de 200 000 $, des meubles pour une valeur de 25 000 $, une automobile de 15 000 $ et 75 000 $ en dépôt à la Banque nationale du Canada. Cependant, il y a une première hypothèque de 65 000 $ sur sa maison en faveur du Montréal Trust.

Il fonde Microsolution inc., une entreprise spécialisée dans la vente, la location et la réparation de matériel informatique ainsi que dans la vente et l'installation de logiciels. Pour exploiter son entreprise, il a besoin d'un financement global de 600 000 $. Ses fournisseurs lui font crédit pour 350 000 $, la Banque nationale est disposée à lui prêter 125 000 $ et Laurent compte investir 75 000 $, pour un total de 550 000 $; il manque donc une somme de 50 000 $.

La Banque nationale accepte d'avancer la somme supplémentaire de 50 000 $ à Microsolution inc., mais elle exige des garanties plus solides. Elle demande à Laurent de lui consentir une deuxième hypothèque de 50 000 $ sur sa maison. Donc, même si le prêt est consenti à Microsolution inc., Laurent doit spécifiquement donner un bien personnel en garantie, c'est-à-dire sa maison, à défaut de quoi la banque refusera de lui prêter cette somme.

*Il arrive assez souvent qu'un prêteur ne se contente pas des biens de l'entreprise emprunteuse et qu'il exige la garantie des biens personnels de l'actionnaire ou de l'administrateur de la personne morale emprunteuse. Donc, même si Microsolution inc. est une **compagnie sujette à la responsabilité limitée**, Laurent vient de mettre en cause sa **responsabilité personnelle** en donnant en garantie des biens personnels.*

Dans cet exemple, Laurent a donné sa maison en garantie; il aurait également pu donner en garantie son automobile, des actions cotées à la bourse, des obligations d'épargne du Québec ou du Canada, des certificats de dépôt garanti, bref tout bien ayant une certaine valeur et que le prêteur consent à prendre en garantie. Si Microsolution inc. n'est plus en mesure d'effectuer les versements prévus, la Banque nationale déposera une action contre Microsolution inc. et Laurent et elle obtiendra un jugement. Par la suite, la Banque nationale pourra faire saisir et vendre en justice les biens de Microsolution inc. et de Laurent (voir la section 22.3, La saisie).

19.12   LE CAUTIONNEMENT

2333 C.c.Q.

Le cautionnement est le contrat par lequel une personne, la caution, s'oblige envers le créancier, gratuitement ou contre rémunération, à exécuter l'obligation du débiteur si celui-ci n'y satisfait pas.

Le **cautionnement conventionnel** est un contrat par lequel une personne, appelée **caution**, s'engage à remplir l'obligation d'une autre dans le cas où celle-ci ne la remplirait pas. Il constitue une méthode couramment utilisée dans le monde des affaires pour garantir le remboursement d'une dette ou l'exécution d'une obligation (voir la section 20.2, Le cautionnement).

Le **cautionnement de prêt** est un contrat en vertu duquel la caution doit rembourser le prêteur si l'emprunteur fait défaut de rembourser la somme empruntée. En matière commerciale, il arrive souvent que des gens d'affaires constituent leur entreprise en compagnie afin de protéger leurs biens personnels en cas de faillite de la compagnie. Le prêteur est parfaitement conscient de cette situation et, pour y faire face, il demande au principal administrateur ou au principal actionnaire de la compagnie de cautionner les prêts qu'il consent à la compagnie, sinon le prêteur refusera de lui consentir un prêt.

La logique du prêteur est très simple : **si l'administrateur ou le principal actionnaire de la compagnie croit au succès de son entreprise, il ne doit pas avoir peur de cautionner les emprunts de sa compagnie**, car cette dernière sera en mesure de rembourser les sommes empruntées. Mais si l'administrateur ou le principal actionnaire de la compagnie ne croit pas au succès de son entreprise au point qu'il refuse de cautionner les emprunts de sa compagnie, le prêteur refusera de consentir des prêts à la compagnie.

Par exemple, Geneviève décide d'ouvrir une quincaillerie. D'abord, elle constitue son entreprise en compagnie sous le nom de Quincaillerie Geneviève inc. Ensuite, elle se présente à la Banque Royale pour demander un emprunt de 50 000 $ au taux de 15 % sous forme de marge de crédit. Comme Geneviève est la seule actionnaire de sa compagnie et que cette dernière n'a pas plus de biens que ceux que Geneviève veut bien y investir, la banque demande à Geneviève de cautionner l'emprunt de sa compagnie; cela signifie que si la Quincaillerie Geneviève inc. fait défaut de rembourser les 50 000 $ empruntés, la Banque Royale peut se retourner contre

Geneviève et lui demander le remboursement immédiat du solde de l'emprunt de 50 000 $. Cela est un exemple classique du cautionnement.

La plupart du temps, les gens en affaires n'ont pas le choix : ou ils cautionnent les emprunts de leur compagnie, ou ils n'ont pas de prêts. D'ailleurs, les contrats de prêt, tant en matière de prêt commercial qu'en matière de prêt en vertu de la *Loi sur la protection du consommateur*, contiennent une **clause de cautionnement** où la caution n'a qu'à signer pour engager sa responsabilité personnelle (voir les documents 14.1, Le contrat de prêt d'argent, et 14.2, Le contrat de vente à tempérament). *Par exemple, si Caroline se porte caution pour Robert d'un emprunt de 20 000 $ effectué auprès de la Banque de Commerce et que six mois plus tard Robert n'est plus en mesure de rembourser le solde de 19 275 $, la Banque Royale demandera à Caroline de rembourser cette somme de 19 275 $.*

19.13 L'ASSURANCE-VIE ET L'ASSURANCE-INVALIDITÉ

En plus des garanties spécifiques décrites dans les sections précédentes, il existe des garanties optionnelles qu'il convient de connaître puisqu'elles sont souvent utilisées dans la vie courante : il s'agit de l'assurance-vie et de l'assurance-invalidité.

Le prêteur peut également demander à l'emprunteur de contracter une assurance-vie ou une assurance-invalidité pour garantir le remboursement d'un prêt. L'exemple le plus courant est certainement l'assurance-vie dans le cas d'un prêt résidentiel.

Par exemple, Jacques et Caroline sont mariés et cette dernière a acheté une maison d'une valeur de 100 000 $ qu'elle désire payer au moyen d'un emprunt de 75 000 $, au taux de 9,75 %, amorti sur une période de 15 ans, et pour un terme de 3 ans, avec des versements mensuels égaux et consécutifs de 785,78 $. La Banque de Montréal est disposée à lui prêter une telle somme, mais elle exige que Caroline contracte une assurance-vie de 75 000 $ dont l'indemnité, en cas de décès de Caroline, est payable à la banque pour rembourser l'emprunt hypothécaire.

Évidemment, Caroline peut souscrire une assurance-vie auprès d'une compagnie d'assurance-vie comme La Laurentienne, mais elle peut également souscrire une telle assurance-vie auprès de la Banque de Montréal. Dans ce cas, la prime de cette assurance-vie prend la forme d'une augmentation du taux d'intérêt, en général de 0,5 %, ce qui porte le taux d'intérêt de 9,75 % à 10,25 % et augmente le versement mensuel de 785,78 $ à 807,69 $.

Ainsi, si Caroline décède et que Jacques est son héritier universel, ce dernier hérite de ce fait d'une maison entièrement payée.

Il est possible également de souscrire une assurance-invalidité qui garantira le paiement des versements mensuels tant et aussi longtemps que Caroline sera invalide. La prime de cette assurance-invalidité prend la forme d'une augmentation du taux d'intérêt, en général de 0,5 %, ce qui porte le taux d'intérêt de 10,25 % à 10,75 % si nous supposons que Caroline a souscrit également à l'assurance-vie. Dans ce cas, le versement mensuel est porté de 807,69 $ à 829,84 $. Si Caroline est malade ou est victime d'un quelconque accident, par exemple une chute sur un trottoir glacé, l'assureur effectuera les versements en lieu et place de Caroline jusqu'au moment où cette dernière reprendra son travail.

Ainsi, ces deux types d'assurance sécurisent un peu plus le prêteur en lui garantissant le remboursement de son prêt advenant le décès de l'emprunteur ou le paiement des versements en cas d'invalidité de l'emprunteur.

L'assurance-vie est souvent exigée pour les associés d'une société. En effet, la société contracte une **assurance sur la vie de chacun des associés** dont l'indemnité est payable à la société. Ainsi, si un associé décède, la société peut racheter sa part au moyen de l'indemnité qu'elle reçoit de l'assureur ; cela évite que les héritiers de l'associé décédé se mêlent des affaires de la société.

Il en va de même pour une compagnie, qui peut détenir une **assurance sur la vie de ses actionnaires**, afin d'être en mesure de racheter les actions d'un actionnaire advenant son décès. De plus, il n'est pas rare de voir une compagnie souscrire à une **assurance sur la vie de ses cadres les plus importants** afin de pouvoir faire face aux difficultés financières qui ne manquent pas de survenir à la suite de la disparition d'un cadre important.

RÉSUMÉ

Le prêt d'argent est un contrat par lequel le prêteur, généralement une institution financière, telle une banque, une caisse populaire ou une société de fiducie, prête une certaine somme d'argent à un emprunteur qui s'engage à rembourser cette somme avec les intérêts dans un certain délai et selon certaines modalités.

Il existe trois sources de fonds pour toute entreprise : une mise de fonds de ses propriétaires, les bénéfices non répartis de l'entreprise et l'argent de ses fournisseurs et de ses créanciers.

Les comptes fournisseurs sont les sommes d'argent que l'entreprise doit à ses fournisseurs qui lui ont vendu des marchandises à crédit, tandis que les comptes clients représentent les sommes qui lui sont dues par ses clients à la suite des ventes à crédit.

La consignation est un contrat par lequel une entreprise remet, sans paiement et sans frais, entre les mains d'une autre personne, un certain nombre de biens que cette dernière ne doit payer que si elle les vend.

L'emprunt sans garantie est un contrat de prêt d'argent en vertu duquel un prêteur prête une certaine somme d'argent à un emprunteur qui s'engage à rembourser cette somme, avec les intérêts, dans un certain délai et selon certaines modalités. Cependant, le prêteur se fie uniquement à la bonne réputation de l'emprunteur pour garantir le remboursement de la somme prêtée.

L'emprunt avec garantie est un contrat de prêt d'argent en vertu duquel le prêteur exige que l'emprunteur lui cède en garantie un ou plusieurs biens, meubles ou immeubles, pour garantir le remboursement de la somme prêtée, de telle sorte que si l'emprunteur fait défaut de rembourser la somme empruntée, le prêteur peut faire saisir et vendre en justice les biens qui lui ont été donnés en garantie, et ainsi être payé en priorité sur les autres créanciers de l'emprunteur.

Il existe deux règles importantes qui s'appliquent à tous les emprunts avec garantie. Premièrement, comme il s'agit d'un prêt d'argent, ces différents emprunts sont soumis aux règles générales concernant les prêts et, deuxièmement, le prêt d'argent est le contrat principal, la garantie n'étant qu'un accessoire.

L'hypothèque est un droit réel sur les biens meubles et immeubles affectés à l'acquittement d'une obligation, en vertu duquel le créancier peut les faire vendre en quelques mains qu'ils soient, et être préféré sur le produit de la vente selon la date de leur publicité.

L'hypothèque mobilière est un contrat par lequel le commerçant emprunteur donne en garantie au prêteur les stocks de son commerce, l'outillage et le matériel professionnel ou de production et ses comptes clients.

L'acte de fiducie est un contrat d'hypothèque ouverte en vertu duquel l'emprunteur cède en garantie à un prêteur tous ses biens, meubles et immeubles, présents et à venir, pour garantir le remboursement d'un emprunt.

La garantie en vertu de l'article 427 de la *Loi sur les banques* est un contrat en vertu duquel l'emprunteur cède en garantie à un prêteur tous ses biens en stock, c'est-à-dire tous les produits finis, les produits en cours de transformation et les matières premières qu'il possède dans son établissement, pour vendre à ses clients ou pour fabriquer des produits qui seront vendus à ses clients.

L'affacturage est une activité commerciale et financière qui consiste, pour une entreprise d'affacturage, à payer immédiatement à un vendeur de biens ou de services un montant égal à un certain pourcentage du montant de la facture de vente en échange de l'obligation par l'acheteur de payer le plein montant à l'entreprise d'affacturage dans une certaine période de temps.

Le crédit-bail est un contrat par lequel le crédit-bailleur loue au crédit-preneur un bien pendant un certain temps, et, à la fin de cette période, le crédit-preneur peut acheter ce bien pour une somme préalablement établie dans le contrat de crédit-bail.

La garantie des biens personnels signifie que l'emprunteur accepte de donner ses biens personnels en garantie.

Le cautionnement est le contrat par lequel une personne, la caution, s'oblige envers le créancier à exécuter l'obligation du débiteur si celui-ci n'y satisfait pas.

Le cautionnement de prêt est un contrat en vertu duquel la caution doit rembourser le prêteur si l'emprunteur fait défaut de rembourser la somme empruntée. Celui qui cautionne un emprunt est aussi appelé endosseur.

En matière commerciale, le principal actionnaire ou le principal administrateur d'une compagnie est généralement tenu de cautionner ou d'endosser les emprunts de sa compagnie, sinon le prêteur refusera de lui consentir un prêt.

Le prêteur peut également demander à l'emprunteur de contracter une assurance-vie ou une assurance-invalidité pour garantir le remboursement d'un prêt.

QUESTIONS

19.1 Distinguez le prêt de biens qui se consomment du prêt d'argent.

19.2 Identifiez les principaux modes de financement sans emprunt.

19.3 Définissez la consignation et illustrez votre réponse par un exemple.

19.4 En matière commerciale, les prêts sont-ils généralement accordés avec garantie ou sans garantie ? Justifiez votre réponse.

19.5 À quoi sert une hypothèque ? Illustrez votre réponse par un exemple.

19.6 Définissez l'acte de fiducie. Illustrez votre réponse par un exemple.

19.7 Distinguez la garantie en vertu de l'article 427 de la *Loi sur les banques* de l'hypothèque mobilière.

19.8 Définissez l'affacturage. Illustrez votre réponse par un exemple.

19.9 Définissez le crédit-bail. Illustrez votre réponse par un exemple.

19.10 Dans quel cas un prêteur demande-t-il à un emprunteur de lui donner ses biens personnels en garantie ? Illustrez votre réponse par un exemple.

19.11 Définissez le cautionnement. Illustrez votre réponse par un exemple.

19.12 En quoi l'assurance-vie et l'assurance-invalidité constituent-elles des formes de garantie pour le prêteur ? Illustrez votre réponse par deux exemples.

CAS PRATIQUES

19.13 Marie-Michelle et Benoît se présentent à la Banque Royale pour obtenir chacun un prêt pour acheter une voiture. Marie-Michelle désire emprunter la somme de 30 000 $ pour acheter une Corvette ; le directeur de la succursale lui dit qu'il n'y a aucun problème, lui fait signer le contrat et lui remet immédiatement cette somme. Pour sa part, Benoît désire emprunter la somme de 10 000 $ pour acheter une Tempo. Dans son cas, le directeur informe Benoît que ce dernier doit signer un contrat de vente à tempérament par lequel le vendeur transfère la propriété de la Tempo du vendeur à la banque afin que cette dernière ait la propriété de la Tempo en garantie.

Benoît se plaint de discrimination en faveur de Marie-Michelle. La banque a-t-elle le droit de ne pas exiger une garantie de Marie-Michelle et d'exiger une garantie de Benoît, surtout pour un montant beaucoup plus bas ? Justifiez votre réponse.

19.14   Gwendoline a constitué en compagnie une entreprise de fabrication et de réparation d'appareils électroniques sous le nom de Électro-Gwen inc. Cette dernière désire emprunter la somme de 50 000 $ à titre de fonds de roulement. La Banque de Montréal est disposée à lui prêter cette somme à la condition expresse que sa présidente, Gwendoline, accepte de lui accorder une hypothèque de deuxième rang sur sa résidence personnelle. La banque a-t-elle le droit d'exiger une telle garantie ? Justifiez votre réponse.

19.15   Constatant l'augmentation de sa clientèle, Air Canada décide de se procurer deux Boeing 777. Le président de la compagnie hésite entre l'achat, la location et le crédit-bail pour se procurer ces deux appareils. Il vous demande de lui suggérer la meilleure solution. Que lui répondrez-vous ? Justifiez votre réponse.

19.16   Juliette, Françoise et Nicole sont associées dans une entreprise de fabrication de mobilier de bureau, Les Bomeubles de la Capitale, S.E.N.C. Leur entreprise est tellement florissante qu'elles songent à agrandir leur usine. Tous les biens de l'entreprise sont libres de toutes charges ou dettes.

19.16.1 L'entreprise dispose d'un équipement de production évalué à 600 000 $: quel est le meilleur moyen d'obtenir un emprunt avec cet équipement ? Justifiez votre réponse.

19.16.2 L'usine a une valeur de 1 600 000 $: quel est le meilleur moyen pour obtenir un emprunt maximum ? Justifiez votre réponse.

19.16.3 Compte tenu que le stock de mobilier de bureau a une valeur marchande de 800 000 $, que peut-elle faire pour le monnayer ? Justifiez votre réponse.

19.16.4 Selon que l'entreprise fasse affaires avec la caisse populaire Laurier ou avec la Banque Royale, existe-t-il une différence notable entre les documents juridiques que ces deux institutions feront signer pour garantir le remboursement des prêts qu'elles ont consentis ? Justifiez votre réponse.

19.16.5 L'entreprise possède des comptes clients à 30 et 60 jours pour une valeur de 400 000 $: que peut-elle faire pour récupérer cette somme ou une partie de celle-ci immédiatement ? Justifiez votre réponse.

19.16.6 De quelle manière l'entreprise peut-elle financer globalement tous ses actifs sans recourir à un grand nombre de documents juridiques distincts ? Justifiez votre réponse.

19.16.7 Supposons que l'entreprise désire une marge de crédit supplémentaire de 200 000 $, que tous les biens de l'entreprise sont grevés d'une charge quelconque et que le prêteur exige des garanties : quelles sont les trois garanties supplémentaires que le prêteur peut exiger ? Justifiez votre réponse.

19.16.8 Comme Juliette, Françoise et Nicole sont en société et non pas en compagnie et que le décès de l'une d'entre elles entraînera automatiquement le transfert de ses parts dans la société à sa succession ou aux héritiers, que pouvez-vous leur recommander afin de faciliter ce rachat ? Justifiez votre réponse.

DOCUMENTS

Le document 19.1 est un formulaire de demande de crédit par lequel l'emprunteur fournit au prêteur tous les renseignements utiles sur sa situation financière pour permettre au prêteur d'apprécier le risque que l'emprunteur représente. De plus, par ce même document, l'emprunteur autorise le prêteur à communiquer avec toute personne pour obtenir ou divulguer des renseignements concernant la situation financière de l'emprunteur, le tout en conformité avec la *Loi sur la protection des renseignements personnels*.

Le document 19.2 est un contrat de prêt à demande utilisé lorsque l'emprunteur est une personne physique ou morale exploitant une entreprise.

Le document 19.3 est un contrat de prêt à terme utilisé lorsque l'emprunteur est une personne physique ou morale exploitant une entreprise. Il est à noter que la clause 4 de ce contrat prévoit que le prêteur peut exiger sur simple avis le remboursement intégral du prêt nonobstant les modalités de remboursement prévues à la clause 3. Hormis les clauses 3, 4 et 5, les autres clauses du document 19.3 sont identiques aux clauses correspondantes du document 19.2.

Les documents 19.1, 19.2 et 19.3 nous ont été gracieusement fournis par la caisse populaire Laurier de Sainte-Foy

Document 19.1

FORMULAIRE DE DEMANDE DE CRÉDIT

La caisse populaire
La caisse d'économie
Desjardins

DEMANDE DE CRÉDIT

Objet du dossier : Services financiers d'épargne, de crédit et services complémentaires

N° de la demande	Type	Classe	Folio	N° de prêt

IDENTIFICATION (emprunteur)

☐ Emprunteur ☐ Coemprunteur ☐ Caution

Nom et prénom(s)	NAS	Date de naissance
Adresse	Code postal	N° de téléphone

☐ Propriétaire ☐ Locataire ☐ Autres, préciser:

		Loyer mensuel
Nom et adresse du propriétaire actuel	N° de téléphone	Depuis
Adresse précédente (si moins de trois ans)		Durée d'occupation
Nom et adresse du propriétaire précédent	N° de téléphone	État civil	Pers. à charge

REVENUS (emprunteur)

Nom de l'employeur	Fonction		Bruts	Nets
Adresse	☐ Permanent ☐ Occasionnel	N° de téléphone		
	☐ Contractuel ☐ Temporaire	Depuis		
Employeur précédent (si moins de trois ans)	De à	N° de téléphone	$	$

IDENTIFICATION ET REVENUS (coemprunteur)   Total $ $

Nom et prénom(s)	Folio	NAS
Nom de l'employeur	Fonction	
Adresse	☐ Permanent ☐ Occasionnel	N° de téléphone
	☐ Contractuel ☐ Temporaire	Depuis

Autre(s) revenu(s) (préciser la source) $ $

☐ Hypothèque ☐ Marge de crédit ☐ Personnel ☐ Autres _____   **Total** $ $

BUT DE LA DEMANDE (détailler le projet à la page 2)

Coût $	Nbr. d'unités	Valeur marchande	Modalités sollicitées		
Description			Montant	Terme / Amort.	Remboursement
			$	/ An(s)	$

ACTIF

		Nom et adresse de l'institution	Type de placements	Échéance	N° de compte	Valeur
1	**Financier** (dépôts, épargnes, placements, actions, obligations, REER, REAQ)					$
2						
3						
4						
5						
6						

		Adresse, description, coût et date d'acquisition		Éval. municipale	Taxes annuelles	
7	**Biens immobiliers**			$	$	
8						
9						

10	**Biens mobiliers** (roulotte, bateau, moto, etc.)	Automobile (marque, modèle, année)	
11		Automobile (marque, modèle, année)	
12		Autre(s)	

A) Actif total $

PASSIF

Créances (hypothèque, prêt personnel, marge de crédit, cartes de crédit, etc.)	Nom et adresse du créancier	But, garantie, n° carte de crédit	Date	Montant accordé	Modalités	Solde
					x	$
					x	
					x	
					x	
					x	
					x	
					x	
Autres créances (pension alimentaire, impôt, location d'autos, etc.)						

B) Passif total $

Valeur nette (A – B) $

Desjardins fait sa part pour l'environnement
Ce papier contient des fibres recyclées

Document 19.1   # FORMULAIRE DE DEMANDE DE CRÉDIT (suite)

DÉTAIL DU PROJET

Consommation	Hypothécaire	

Consommation

Coût	
Mise de fonds	−
Échange	−
Solde(s) consolidé(s)	+
Montant total de la demande	$
Provenance de la mise de fonds	
Informations complémentaires	

Hypothécaire

Immeuble à construire

		Détails du financement	
Coût du terrain	$	Mise de fonds	$
Soumission(s)	$	Terrain	$
Autres travaux	$	Financement secondaire	$
Ass. hypothécaire	$	Montant demandé	$
Autres (frais, TPS, TVQ)	$	Total	$
Total	$	**Provenance de la mise de fonds**	

Immeuble existant

Prix d'achat	$
Rénovations	$
Ass. hypothécaire	$
Autres (frais, TPS, TVQ)	$
Total	$

Nom du notaire	Évaluateur	
Adresse		N° de téléphone
N° de téléphone	Date	

RÉFÉRENCES (parents ou amis ne demeurant pas avec l'emprunteur)

Nom et prénom(s)	Adresse	N° de téléphone	Lien

Êtes-vous actuellement caution ?	☐ oui ☐ non	Des jugements sont-ils rendus contre vous ?	☐ oui ☐ non
Avez-vous été ou êtes-vous assujetti aux dispositions de la Loi sur la faillite et l'insolvabilité ?	☐ oui ☐ non	Avez-vous été ou êtes-vous assujetti aux dispositions du dépôt volontaire ?	☐ oui ☐ non

Si oui, commenter

Déclarations

Je reconnais que la caisse aura le droit de ne pas donner suite à la présente, malgré tout engagement qu'elle aurait pu prendre à l'égard de celleci dans les cas suivants : si je ne donne pas suite à la présente demande dans les trente (30) jours de son acceptation, si je néglige de fournir les titres ou autres documents exigés de moi, si je néglige de remplir les conditions exigées par la caisse relativement à la présente demande ou si les sommes à être déboursées par la caisse devaient servir à des fins autres que celles décrites aux présentes.

Je reconnais que je devrai payer tous les frais d'évaluation ou d'inspection applicables à ma demande, sauf si j'agis aux présentes en qualité de caution.

J'affirme que tous les renseignements contenus à la présente demande sont véridiques, exacts et complets en tout point, que je n'ai aucun autre créancier que ceux déclarés aux présentes et je sais que la caisse se basera sur ces renseignements pour répondre à la présente demande ou offre de cautionnement ; je déclare de plus n'avoir dissimulé aucun renseignement de nature à influer sur la décision.

Signature de l'emprunteur

Signature du coemprunteur

Consentements

Je consens à ce que la caisse recueille auprès de toute personne les renseignements nécessaires concernant le prêt faisant l'objet de la présente demande. Ce consentement s'applique également à la mise à jour des renseignements relatifs à ce prêt aux fins de permettre à la caisse de réanalyser les engagements que j'ai envers elle, notamment dans le cadre de tout renouvellement, amendement, prolongation d'un engagement en découlant et tout changement dans nos relations d'affaires.

Je consens à ce que la personne contactée communique de tels renseignements à la caisse. Ce consentement est également valable pour que cette personne puisse utiliser et communiquer des renseignements relativement à un dossier fermé ou inactif.

Je consens à ce que la caisse communique à tout prêteur, agent de renseignements personnels, coemprunteur ou caution éventuelle, les renseignements qu'elle jugera appropriés concernant la présente demande et tout engagement en vertu duquel je pourrais être lié(e) envers la caisse.

Les présents consentements constituent ceux requis par toute loi visant la protection des renseignements personnels.

Pour en connaître davantage les impacts, n'hésitez pas à communiquer avec votre caisse.

Signature de l'emprunteur

Signature du coemprunteur

Signé à _____ ce _____ 19___ .

À L'USAGE DE LA CAISSE

Offre de service

Compte à rendement croissant	Détenu	Offert	Souscrit	Prêt personnel	Détenu	Offert	Souscrit
			$	Marge de crédit			$
Épargne stable				Prêt hypothécaire			
Épargne à intérêt quotidien				VISA Desjardins			
Régime enregistré d'épargne-retraite (REER, FERR)				Carte Multiservices Desjardins (GA)			
Assurance vie-épargne				Autres			
Fonds de placement							
Parts permanentes							
Autres valeurs mobilières							

Commentaires :

Document 19.2   CONTRAT DE PRÊT À DEMANDE

**La caisse populaire
La caisse d'économie
Desjardins**

Folio

Prêt nᵒ

CONTRAT DE PRÊT À DEMANDE
(PERSONNE FAISANT AFFAIRES DE COMMERCE,
SOCIÉTÉ, PERSONNE MORALE)

ENTRE : _____

Nom de la caisse

_____

Adresse de la caisse

CI-APRÈS APPELÉE «LE PRÊTEUR»

ET : _____

Nom du membre

_____

Adresse ou siège social

_____

(s'il s'agit d'une personne morale, représentée aux présentes par _____

se déclarant dûment autorisé[e] aux fins des présentes par une résolution de son conseil d'administration, en date du _____

_____ 19 _____)

CI-APRÈS APPELÉ(E) «L'EMPRUNTEUR»

LESQUELS FONT LES CONVENTIONS SUIVANTES :

1. PRÊT

Le prêteur consent à l'emprunteur, qui accepte, un prêt de _____

_____ dollars (_____ $).

2. INTÉRÊTS

Ce prêt porte intérêt:

☐ au taux préférentiel de la Caisse centrale Desjardins du Québec, plus un intérêt supplémentaire de _____

_____ pour cent (_____ %) l'an, lequel variera en conséquence à chaque changement de ce taux.

En date des présentes, le taux préférentiel de la Caisse centrale Desjardins du Québec est de _____

_____ pour cent (_____ %) l'an.

Toutefois, l'emprunteur aura la faculté de rembourser les sommes dues en vertu des présentes à chaque variation de ce taux.

☐ au taux préférentiel de la Caisse centrale Desjardins du Québec, en vigueur le _____ de

Date ou jour

chaque _____ , plus un intérêt supplémentaire de _____

Périodicité

_____ pour cent (_____ %) l'an.

En date des présentes, le taux préférentiel de la Caisse centrale Desjardins du Québec est de _____

_____ pour cent (_____ %) l'an.

Toutefois, l'emprunteur aura la faculté de rembourser les sommes dues en vertu des présentes à chaque variation de ce taux.

☐ au taux annuel de _____ pour cent

(_____ %) l'an.

Le taux d'intérêt prévu ci-dessus sera calculé mensuellement et non à l'avance, quelle que soit la fréquence des paiements d'intérêt déterminée ci-après.

CF-01255-114 (GD-123-144)

Desjardins fait sa part pour l'environnement
Ce papier contient des fibres recyclées

94-02

Document 19.2

CONTRAT DE PRÊT À DEMANDE (suite)

3. REMBOURSEMENT

L'emprunteur s'engage à rembourser, sur demande du prêteur, le montant total du prêt et les intérêts courus.

Jusqu'au remboursement total mentionné ci-dessus, l'emprunteur s'engage à rembourser au prêteur les intérêts

_____, et ce à compter du _____ 19 ____ Périodicité et date ou jour

L'emprunteur peut rembourser son prêt en tout temps, sans pénalité.

L'emprunteur s'engage de plus à payer, sur tout montant dû, à compter de l'échéance, un intérêt additionnel au taux s'appliquant alors au prêt, conformément à l'article 2.

4. INDIVISIBILITÉ ET SOLIDARITÉ

La créance de la caisse est indivisible et peut être réclamée en totalité de chacun des héritiers, légataires et ayants droit de l'emprunteur. Si le terme «emprunteur» désigne plus d'une personne, leurs obligations sont solidaires.

5. ABSENCE DE NOVATION

Si le contrat modifie un prêt déjà consenti, il n'en opère pas novation.

6. AUTRES MENTIONS

_____

_____

_____

_____

_____

_____

_____

_____

_____

Signé en double à _____ ce ____ jour de _____ 19 ____ .

_____
Nom de la caisse

par : _____
Signature du représentant de la caisse

_____
Nom de l'emprunteur

par : _____

Document 19.3 CONTRAT DE PRÊT À TERME

La caisse populaire
La caisse d'économie
Desjardins

Folio

Prêt n°

CONTRAT DE PRÊT À TERME
(PERSONNE FAISANT AFFAIRES DE COMMERCE,
SOCIÉTÉ, CORPORATION)

ENTRE : _____
Nom de la caisse

_____
Adresse de la caisse

_____

CI-APRÈS APPELÉE «LA CAISSE»

ET : _____
Nom du membre

_____
Adresse ou siège social

_____

(s'il s'agit d'une personne morale, représentée aux présentes par _____

se déclarant dûment autorisé[e] aux fins des présentes par une résolution de son conseil d'administration, en date du _____

_____ 19 _____)

CI-APRÈS APPELÉ(E) «L'EMPRUNTEUR»

LESQUELS FONT LES CONVENTIONS SUIVANTES :

1. **PRÊT**
   La caisse consent à l'emprunteur, qui accepte, un prêt de _____

   _____ dollars (_____ $).

2. **INTÉRÊTS**
   Ce prêt porte intérêt :

   ☐ au taux préférentiel de la Caisse centrale Desjardins du Québec, plus un intérêt supplémentaire de _____

   _____ pour cent (_____ %) l'an, lequel variera en conséquence à chaque changement de ce taux.

   En date des présentes, le taux préférentiel de la Caisse centrale Desjardins du Québec est de _____

   _____ pour cent (_____ %) l'an.

   Toutefois, l'emprunteur aura la faculté de rembourser les sommes dues en vertu des présentes à chaque variation de ce taux.

   ☐ au taux préférentiel de la Caisse centrale Desjardins du Québec, en vigueur le _____
   Date ou jour

   de chaque _____ , plus un intérêt supplémentaire de _____
   Périodicité

   _____ pour cent (_____ %) l'an.

   En date des présentes, le taux préférentiel de la Caisse centrale Desjardins du Québec est de _____

   _____ pour cent (_____ %) l'an.

   Toutefois, l'emprunteur aura la faculté de rembourser les sommes dues en vertu des présentes à chaque variation de ce taux.

   ☐ au taux annuel de _____

   _____ pour cent (_____ %) l'an.

Le taux d'intérêt prévu ci-dessus sera calculé mensuellement et non à l'avance, quelle que soit la fréquence des remboursements déterminée ci-après.

CF-01255-113   (GD 123-143)

Desjardins fait sa part pour l'environnement
Ce papier contient des fibres recyclées

94-01cc

| Document 19.3 | **CONTRAT DE PRÊT À TERME (suite)** |

3. REMBOURSEMENT

L'emprunteur s'engage à rembourser à la caisse le prêt au moyen :

☐ de _____ paiements _____ égaux et consécutifs de _____
Nombre Périodicité

dollars (_____ $), composés du capital et des intérêts, le

premier de ces paiements devant être effectué le _____ et les autres successivement jusqu'à remboursement complet.

☐ de _____ paiements _____ en capital, égaux et consécutifs, de _____
Nombre Périodicité

dollars (_____ $) chacun, le premier de ces paiements

devant être effectué le _____ 19 _____ .

En plus des paiements en capital ci-dessus stipulés, l'emprunteur s'engage à rembourser les intérêts _____ ,
Périodicité et date ou jour

et ce à compter du _____ 19 _____ .

☐ de _____ paiements en capital comme suit :
Nombre

$ le _____ 19 _____	$ le _____ 19 _____
$ le _____ 19 _____	$ le _____ 19 _____
$ le _____ 19 _____	$ le _____ 19 _____
$ le _____ 19 _____	$ le _____ 19 _____
$ le _____ 19 _____	$ le _____ 19 _____
$ le _____ 19 _____	$ le _____ 19 _____
$ le _____ 19 _____	$ le _____ 19 _____

En plus des paiements en capital ci-dessus stipulés, l'emprunteur s'engage à rembourser les intérêts _____ ,
Périodicité et date ou jour

et ce à compter du _____ 19 _____ .

L'emprunteur s'engage de plus à payer sur tout montant dû, à compter de l'échéance, un intérêt additionnel au taux s'appliquant alors au prêt, conformément à l'article 2.

4. DEMANDE DE REMBOURSEMENT

Malgré le mode de remboursement stipulé ci-dessus, la caisse se réserve le droit d'exiger, en tout temps, sur avis à cet effet, le remboursement immédiat de tout solde dû en capital, intérêts, frais et accessoires.

Sous réserve de l'article 2, l'emprunteur ne peut rembourser son prêt avant échéance autrement que selon les modalités prévues à l'article 3.

5. DÉFAUT

L'emprunteur reconnaît que le défaut d'effectuer à son échéance un seul des paiements stipulés plus haut entraîne l'exigibilité de tout solde dû sur le présent prêt en capital et intérêts.

6. INDIVISIBILITÉ ET SOLIDARITÉ

La créance de la caisse est indivisible et peut être réclamée en totalité de chacun des héritiers, légataires ou ayants droit de l'emprunteur. Si le terme «emprunteur» désigne plus d'une personne, leurs obligations sont solidaires.

7. ABSENCE DE NOVATION

Si le contrat modifie un contrat de prêt à terme déjà consenti, il n'en opère pas novation.

8. AUTRES MENTIONS

_____

_____

_____

_____

Signé en double à _____ ce _____ jour de _____ 19 _____ .

_____
Nom de la caisse

par : _____
Signature du représentant de la caisse

_____
Nom de l'emprunteur

par : _____

Chapitre 20

LE CAUTIONNEMENT

20.0 ## PLAN DU CHAPITRE

20.1 ## OBJECTIFS

Après la lecture du chapitre, l'étudiant doit être en mesure :

- de définir le cautionnement et d'expliquer son rôle en matière commerciale ;
- d'expliquer les obligations de la caution ;
- d'identifier les recours du créancier contre la caution ;
- d'identifier les recours de la caution contre le débiteur ;
- de préciser l'utilité des différents types de cautionnement en matière de contrat d'entreprise.

20.2 ## LE CAUTIONNEMENT

2333 C.c.Q.

*Le **cautionnement** est le contrat par lequel une personne, la caution, s'oblige envers le créancier, gratuitement ou contre rémunération, à exécuter l'obligation du débiteur si celui-ci n'y satisfait pas.*

Le cautionnement est régi par les articles 2333 à 2366 du *Code civil*.

Depuis 1945, le cautionnement s'est développé comme moyen de garantie par la facilité de sa création, l'absence de formalisme et son efficacité en cas de faillite du débiteur principal. De plus, les prêteurs, tels les banques, les caisses populaires et les sociétés de fiducie, exigent de plus en plus la signature personnelle des principaux administrateurs d'une entreprise et parfois même des principaux actionnaires d'une compagnie. Par contre, devant l'importance des sommes à garantir, le cautionnement par compagnie d'assurances s'est développé très rapidement, particulièrement dans le domaine de la construction (voir la section 20.4, Le cautionnement en matière de contrat d'entreprise).

Par ailleurs, il faut noter que la caution doit posséder des biens meubles ou immeubles en quantité suffisante pour faire face à ses obligations en cas de défaut du débiteur.

Enfin, il est important de se rappeler que le cautionnement est un contrat accessoire à une obligation principale, généralement un contrat de prêt. Par conséquent, si le contrat de prêt est nul pour une cause quelconque, le contrat de cautionnement est également nul.

20.2.1 LES DIFFÉRENTES CATÉGORIES DE CAUTIONNEMENT

2334 C.c.Q.

> *Outre qu'il puisse résulter d'une convention, le cautionnement peut être imposé par la loi ou ordonné par jugement.*

Il existe trois types de cautionnement : le cautionnement conventionnel, le cautionnement légal et le cautionnement judiciaire (voir le tableau 20.1).

Tableau 20.1 Les différentes catégories de cautionnement

Catégorie	Exemple
Conventionnel	Sylvie se porte caution pour Janine d'un emprunt de 10 000 $ effectué auprès de la Banque Royale.
Légal	Claude est tuteur de sa nièce Marie qui a hérité d'une somme de 300 000 $ au décès de ses parents. Le *Code civil* stipule à l'article 242 que le tuteur doit souscrire une assurance ou fournir une autre sûreté lorsque la valeur des biens à administrer excède 25 000 $. Si Claude se porte caution, il s'agit d'une caution légale.
Judiciaire	Constructel inc. a obtenu une injonction interlocutoire interdisant à ses employés en grève de faire du piquetage sur les terrains de la compagnie, mais le juge a ordonné à Constructel inc. de déposer un cautionnement de 8 000 $ pour couvrir les frais et dommages découlant de l'audition au mérite de l'action en injonction qui aura lieu dans les prochains jours.

20.2.1.1 Le cautionnement conventionnel

Le **cautionnement conventionnel** est un contrat par lequel une personne, appelée **caution**, s'engage à remplir l'obligation d'une autre dans le cas où celle-ci ne la remplirait pas. Il constitue une méthode couramment utilisée dans le monde des affaires pour garantir le remboursement d'une dette ou l'exécution d'une obligation (voir le tableau 20.2). Le contrat de cautionnement est donc soumis aux règles générales sur les contrats et la capacité de contracter (voir la section 7.3.2, La formation du contrat).

Tableau 20.2 Les catégories de cautionnement conventionnel

Catégorie	Sous-catégorie	Exemple
Cautionnement de prêt		Lyne se porte caution pour Janine d'un emprunt de 10 000 $ auprès de la Banque de Montréal
Cautionnement de contrat d'entreprise	de soumission	La compagnie d'assurance L'Union Canadienne garantit que si Constructel inc. dépose la plus basse soumission, Constructel inc. signera le contrat pour la construction d'un édifice à bureaux
	pour le paiement de main-d'œuvre et de matériaux	L'Union Canadienne garantit que si Constructel inc. obtient le contrat de construction de l'édifice à bureaux, elle s'assurera que les employés et les matériaux seront payés pour éviter l'enregistrement d'une hypothèque légale du constructeur
	d'exécution	L'Union Canadienne garantit que Constructel inc. construira l'édifice à bureaux conformément aux plans et devis

Il existe deux catégories de cautionnement conventionnel : le cautionnement de prêt et le cautionnement en matière de contrat d'entreprise.

Le **cautionnement de prêt** est un contrat en vertu duquel la caution doit rembourser le prêteur si l'emprunteur fait défaut de rembourser la somme empruntée (voir la section 20.3, Le cautionnement de prêt).

Le **cautionnement en matière de contrat d'entreprise** est un contrat en vertu duquel la caution s'engage à exécuter une obligation en lieu et place du débiteur si ce dernier est en défaut (voir la section 20.4, Le cautionnement en matière de contrat d'entreprise).

20.2.1.2

Le cautionnement légal

Le **cautionnement légal** est l'obligation qu'un article de loi impose à une personne, c'est-à-dire l'obligation de déposer une certaine somme d'argent pour garantir son honnêteté et pour permettre l'indemnisation de celui qui pourrait être lésé par ses agissements. Nous retrouvons le cautionnement légal dans des textes de loi ou de règlement qui concernent, entre autres :

- le vendeur itinérant (*Loi sur la protection du consommateur*) ;

- l'agent de voyage (*Loi sur la protection du consommateur*).

Par exemple, si un commerçant fraude son client ou s'il ferme ses portes du jour au lendemain, ce dernier pourra se faire indemniser par l'Office de la protection du consommateur à même les sommes déposées en cautionnement.

Dans le *Code civil*, le cautionnement légal n'est généralement pas requis. Plus précisément, le législateur n'oblige pas l'administrateur du bien d'autrui (1324 C.c.Q.), le liquidateur d'une succession (790 C.c.Q.) et le tuteur (242 C.c.Q.) à fournir un cautionnement légal, sauf dans le cas du tuteur si la somme des biens à administrer excède 25 000 $.

Le cautionnement judiciaire

Le cautionnement judiciaire existe en matière civile et en matière criminelle. Le **cautionnement judiciaire civil** est celui qu'un juge, lors d'un procès, ordonne à une partie de fournir pour garantir le paiement de certains frais. Nous le retrouvons dans les cas suivants :

- lorsque le demandeur réside hors du Québec (65 C.p.c.) ;
- lorsqu'une partie dépose un appel dilatoire ou abusif (497 C.p.c.) ;
- lorsque l'exécution provisoire d'un jugement est prononcée (547 C.p.c.) ;
- lorsque le juge prononce une injonction interlocutoire (755 C.p.c.).

Par exemple, Claude est insatisfait d'un jugement rendu par la Cour supérieure en faveur d'Odette et il décide d'en appeler du jugement devant la Cour d'appel. Or, Odette est convaincue que l'appel est futile et non fondé et elle présente une requête à la cour afin qu'un juge de la Cour d'appel ordonne à Claude de fournir un cautionnement pour garantir le paiement des frais d'appel. Si le juge de la Cour d'appel ordonne à Claude de fournir un tel cautionnement mais que ce dernier refuse, son appel peut être rejeté à la condition qu'Odette en fasse la demande.

Le **cautionnement judiciaire criminel** est celui qu'un juge ordonne à un prévenu de fournir pour garantir sa présence lors de la tenue de son procès, tel l'article 515 du *Code criminel* qui stipule qu'un juge de paix peut ordonner qu'un prévenu soit remis en liberté pourvu que ce dernier dépose un cautionnement au montant et aux conditions fixés par ce juge de paix. *Par exemple, Archibald a été arrêté lors d'un vol à main armée et le juge a ordonné sa remise en liberté à la condition qu'Archibald fournisse un cautionnement de 10 000 $.*

L'ÉTENDUE DU CAUTIONNEMENT

En matière commerciale, le principal actionnaire d'une compagnie ou son principal administrateur est généralement tenu de cautionner ou d'endosser les emprunts de sa compagnie, sinon le prêteur refusera de lui consentir un prêt.

Par exemple, Marie-Louise décide d'ouvrir une quincaillerie. D'abord, elle constitue son entreprise en compagnie sous le nom de Quincaillerie Marie-Louise inc. Ensuite, elle se présente à la Banque de Commerce pour solliciter un emprunt de 50 000 $, au taux de 15 %, sous forme de marge de crédit. Comme Marie-Louise est la seule actionnaire de sa compagnie et que cette dernière n'a pas plus de biens que ceux que Marie-Louise veut bien y investir, la banque demande à Marie-Louise de cautionner l'emprunt de sa compagnie. Cela signifie que si la Quincaillerie Marie-Louise inc. fait défaut de rembourser les 50 000 $ empruntés, la banque peut se retourner contre Marie-Louise et lui demander le remboursement immédiat du solde de l'emprunt de 50 000 $. Ceci est un exemple classique du cautionnement.

Dans la majorité des contrats de prêt, il existe une **clause de cautionnement** où la caution n'a qu'à signer pour engager sa responsabilité personnelle (voir le document 14.1, Contrat de prêt d'argent). En général, le prêteur ne demande pas à l'emprunteur de lui fournir une personne qui signera à titre de caution, mais si c'est une exigence du prêteur, le contrat contient déjà la disposition nécessaire pour engager la caution.

2346 C.c.Q.

> *La caution n'est tenue de satisfaire à l'obligation du débiteur qu'à défaut par celui-ci de l'exécuter.*

En temps normal, l'emprunteur satisfait à ses obligations, c'est-à-dire qu'il rembourse le prêteur ; mais s'il ne le fait pas, la caution peut, à ce moment, être tenue d'exécuter cette obligation.

2341 C.c.Q.	*Le cautionnement ne peut excéder ce qui est dû par le débiteur, ni être contracté à des conditions plus onéreuses.*
	Le cautionnement qui ne respecte pas cette exigence n'est pas nul pour autant ; il est seulement réductible à la mesure de l'obligation principale.
2342 C.c.Q.	*Le cautionnement peut être contracté pour une partie de l'obligation principale seulement et à des conditions moins onéreuses.*
2343 C.c.Q.	*Le cautionnement ne peut être étendu au-delà des limites dans lesquelles il a été contracté.*

Donc, le cautionnement ne doit pas obligatoirement couvrir la totalité d'une dette ; il peut en couvrir une partie. De plus, il peut porter un taux d'intérêt inférieur à celui du prêt. Enfin, si plus tard l'emprunteur augmente le montant de son emprunt, le montant de la caution n'augmente pas automatiquement ; le montant de la caution demeure limité au montant fixé dans la lettre de cautionnement.

Par exemple, Marie-Louise peut offrir à la Banque de Commerce de cautionner 40 000 $ au taux de 12 %. Dans ce cas, il s'agit d'un **cautionnement partiel** *(40 000 $ sur un emprunt de 50 000 $) fait à des conditions moins onéreuses (12 % au lieu de 15 %). Cependant, si Marie-Louise avait cautionné sa quincaillerie pour 75 000 $ au taux de 18 %, son obligation est réductible à 50 000 $ au taux de 15 %, car ce qui est dû par la caution ne peut excéder ce qui est dû par l'emprunteur.*

2335 C.c.Q.	*Le cautionnement ne se présume pas ; il doit être exprès.*

Pour qu'un cautionnement existe, il faut qu'une personne consente expressément à être caution car on ne peut pas obliger une personne à être caution sans son consentement. Il n'est pas nécessaire que le cautionnement soit par écrit, mais il sera certainement plus difficile de faire la preuve de l'existence d'un cautionnement et de l'étendue des obligations de la caution si le cautionnement est verbal. Donc, il est recommandé de toujours faire un cautionnement par écrit pour faciliter la preuve devant un tribunal du cautionnement et de l'étendue des obligations.

Comme le contrat de cautionnement est un contrat d'adhésion, les juges auront tendance, lorsque viendra le temps de préciser les obligations de la caution, à interpréter ce contrat en tenant compte de sa nature, des circonstances dans lesquelles il a été conclu, de l'interprétation que les parties lui ont déjà donnée ou qu'il peut avoir reçue, ainsi que des usages. De plus, il faut se rappeler qu'un contrat d'adhésion doit s'interpréter en faveur de l'adhérent ou du consommateur. Enfin, il faut se souvenir des restrictions imposées par le législateur à une clause illisible, incompréhensible ou abusive dans un contrat d'adhésion et de la nullité qui peut en découler (voir la section 7.3.4, Les effets du contrat).

20.2.3 LES RELATIONS ENTRE LE CRÉANCIER ET LA CAUTION

2345 C.c.Q.	*Le créancier est tenu de fournir à la caution, sur sa demande, tout renseignement utile sur le contenu et les modalités de l'obligation principale et sur l'état de son exécution.*

Le législateur a tenu à préciser l'obligation du prêteur de fournir à la caution tout renseignement sur son engagement, car généralement les prêteurs ne fournissaient pas à la caution tous les renseignements qu'elle désirait obtenir, sous prétexte de la confidentialité du dossier entre le prêteur et l'emprunteur. Pourtant, si l'emprunteur fait défaut, c'est la caution qui doit payer.

Depuis le jugement rendu en 1981 par la Cour suprême du Canada dans la cause de la Banque nationale du Canada c. Soucisse dans lequel les juges reprochèrent à la Banque nationale de ne pas avoir donné suffisamment d'information à la caution, la jurisprudence sanctionne le créancier qui oublie de transmettre à la caution certaines informations qui peuvent permettre à cette dernière d'apprécier le fardeau de son obligation. Néanmoins, cet article 2345 C.c.Q. ne fait qu'obliger le créancier à répondre à toute demande de la caution. Encore faut-il que la caution pose des questions et demande l'information qu'elle juge pertinente.

2347 C.c.Q. *La caution conventionnelle ou légale jouit du bénéfice de discussion, à moins qu'elle n'y renonce expressément. [...]*

2352 C.c.Q. *Lorsque la caution s'oblige, avec le débiteur principal, en prenant la qualification de caution solidaire ou de codébiteur solidaire, elle ne peut plus invoquer les bénéfices de discussion et de division ; les effets de son engagement se règlent par les principes établis pour les dettes solidaires, dans la mesure où ils sont compatibles avec la nature du cautionnement.*

*Par exemple, si la Quincaillerie Marie-Louise inc. ne rembourse pas l'emprunt qu'elle a contracté et que la Banque de Commerce exige le paiement immédiat du solde de la dette de Marie-Louise, cette dernière peut invoquer le **bénéfice de discussion** qui consiste, pour Marie-Louise, à dire à la banque de commencer par faire saisir et vendre en justice les biens de la quincaillerie, et si après cette vente il existe encore des sommes dues à la banque, Marie-Louise paiera le solde.*

Par contre, dans la majorité des cas, la lettre de cautionnement contient une **disposition par laquelle la caution renonce au bénéfice de discussion** et **s'engage solidairement** avec l'emprunteur. Cela signifie que la caution est considérée sur le même pied que l'emprunteur et que le prêteur peut la poursuivre immédiatement sans qu'elle puisse faire quoi que ce soit pour se défendre (voir la section 7.6.6, L'obligation solidaire).

20.2.4 LES RELATIONS ENTRE LE DÉBITEUR ET LA CAUTION

2356 C.c.Q. *La caution qui s'est obligée avec le consentement du débiteur peut lui réclamer ce qu'elle a payé en capital, intérêts et frais [...]*

Si la caution a dû payer en lieu et place de l'emprunteur, elle peut se retourner contre ce dernier et lui demander le remboursement de tout ce qu'elle a payé en capital, intérêts et frais. Cependant, il faut savoir que si le prêteur n'a pas poursuivi l'emprunteur, c'est souvent parce que ce dernier n'est plus solvable. Or, si l'emprunteur n'est pas solvable pour le prêteur, il n'est pas plus solvable pour la caution. Donc, dans bien des cas, quand la caution est tenue de payer en lieu et place de l'emprunteur, elle a peu de chance de récupérer la moindre somme.

Cependant, avant de payer toute dette due par le débiteur principal, la caution doit attendre d'être mise en demeure par le créancier, puis s'informer auprès du débiteur principal pour savoir si ce dernier peut faire valoir un moyen pour faire déclarer la dette éteinte. Si le débiteur n'a pas encore payé et qu'il n'a aucun moyen à faire valoir à l'encontre du créancier, la caution doit payer la somme demandée mais elle doit prendre la précaution d'en aviser immédiatement le débiteur principal afin d'éviter que celui-ci ne paie la dette une deuxième fois. Si cela devait se produire, la caution n'a aucun recours contre le débiteur ; elle doit poursuivre le créancier au moyen d'une action en répétition.

20.2.5 LES RELATIONS ENTRE PLUSIEURS CAUTIONS

2360 C.c.Q. *Lorsque plusieurs personnes ont cautionné un même débiteur pour une même dette, la caution qui a acquitté la dette a [...] une action personnelle contre les autres cautions, chacune pour sa part et portion.*

Par exemple, si l'emprunt de 50 000 $ de la Quincaillerie Marie-Louise inc. est cautionné par quatre personnes, Marie-Louise, Chantal, Raymond et Frédéric, sans précision sur le montant cautionné par chacun, cela signifie que les quatre cautions doivent chacune 50 000 $ à la Banque de Commerce. Si la quincaillerie fait défaut

LA RELATION ENTRE LA CAUTION, LE DÉBITEUR ET LE CRÉANCIER

de rembourser l'emprunt, la banque peut s'adresser à chacune des quatre cautions pour leur demander le remboursement de la somme empruntée, soit 50 000 $.

2349 C.c.Q.

> *Lorsque plusieurs personnes se sont rendues cautions d'un même débiteur pour une même dette, chacune d'elles est obligée à toute la dette, mais elle peut invoquer le bénéfice de division si elle n'y a pas renoncé expressément à l'avance. [...]*

Comme ils sont plusieurs, soit quatre dans le cas présent, les cautions peuvent invoquer le **bénéfice de division**, c'est-à-dire exiger que la Banque de Commerce divise son recours entre les cautions à raison de 12 500 $ par caution. Pour éviter de partager son recours entre plusieurs cautions, la lettre de cautionnement contient généralement une **disposition stipulant que les cautions renoncent au bénéfice de division** et **s'engagent solidairement**, tant entre elles qu'avec l'emprunteur. Ainsi, la banque peut poursuivre chaque caution pour le plein montant de 50 000 $ (voir la section 7.6.6, L'obligation solidaire).

Il est évident que la Banque de Commerce ne recevra pas 50 000 $ quatre fois, puisqu'elle recevrait 200 000 $ alors qu'elle n'a prêté que 50 000 $, mais elle peut demander 50 000 $ à chacune des quatre cautions et la première qui paie cette somme de 50 000 $ libère les trois autres. Celle qui a payé le plein montant de 50 000 $ peut se retourner contre les trois autres pour leur demander de payer chacune 12 500 $ afin de répartir le paiement de la somme de 50 000 $ en quatre parts égales.

De toute manière, chaque fois que la **solidarité** est stipulée, tant entre les emprunteurs s'ils sont plusieurs qu'avec les cautions et entre elles, tous les signataires, qu'ils soient emprunteur ou caution, sont liés solidairement et chacun doit le plein montant emprunté au prêteur.

20.2.6 L'EXTINCTION DU CAUTIONNEMENT

2361 C.c.Q.

> *Le décès de la caution met fin au cautionnement, malgré toute stipulation contraire.*

Il n'est que normal que le cautionnement s'éteigne avec le décès de la caution puisque ce ne sont pas les héritiers qui ont cautionné, mais bien la personne décédée.

Cependant,

2364 C.c.Q.   *Lorsque le cautionnement prend fin, la caution demeure tenue des dettes existantes à ce moment, même si elles sont soumises à une condition ou à un terme.*

Cela signifie que les héritiers devront, avant de se partager l'héritage, rembourser les sommes dues par la personne décédée à ses créanciers en prélevant les sommes nécessaires à même les biens de la succession. Si le total des dettes est inférieur à la valeur de l'actif, il restera un solde à partager entre les héritiers. Par contre, si le total des dettes excède la valeur de l'actif, les héritiers renonceront à la succession.

2362 C.c.Q.   *Le cautionnement consenti en vue de couvrir des dettes futures ou indéterminées, ou encore pour une période indéterminée, comporte, après trois ans et tant que la dette n'est pas devenue exigible, la faculté pour la caution d'y mettre fin en donnant un préavis suffisant au débiteur, au créancier et aux autres cautions.*

Il est peut-être rassurant de savoir qu'il est possible pour une caution de mettre fin à son cautionnement après trois ans en donnant un préavis suffisant au créancier, mais en matière de prêt commercial, si la caution décide de se retirer après trois ans, il est évident que le prêteur demandera à l'emprunteur de lui fournir une nouvelle caution, à défaut de quoi il demandera le rappel du prêt. Donc, pour une personne qui a cautionné les prêts accordés par un prêteur à son entreprise, le cautionnement demeure tant et aussi longtemps que les prêts ne sont pas entièrement remboursés.

Il existe un autre cas d'extinction automatique du cautionnement. Il s'agit du cas de l'administrateur ou de la personne qui exerce une charge pour laquelle il doit cautionner.

2363 C.c.Q.   *Le cautionnement attaché à l'exercice de fonctions particulières prend fin lorsque cessent ces fonctions.*

Par conséquent, dès que cette personne quitte cette charge, le cautionnement s'éteint. Le nouvel administrateur ou la nouvelle personne qui occupera cette charge devra à son tour prendre la relève et cautionner les obligations inhérentes à sa charge. L'administrateur d'une compagnie qui avait dû cautionner les emprunts de celle-ci lors de son entrée en fonction se verra décharger de son cautionnement lorsqu'il quittera ses fonctions d'administrateur de la compagnie.

Il existe aussi des causes normales et courantes d'extinction des obligations : les plus courantes sont le **remboursement de la dette par le débiteur** et l'**arrivée du terme**. L'arrivée du terme est un mode pratique d'éteindre un cautionnement. *Par exemple, Marie-Louise peut avoir signé un cautionnement de 50 000 $ pour sa quincaillerie, lequel stipule qu'il n'est valide que pour un an. Ainsi, un an après la signature, Marie-Louise serait dégagée de toute obligation pour les dettes futures, puisque son cautionnement était limité dans le temps.*

Cependant, Marie-Louise demeure responsable de tous les emprunts contractés par la quincaillerie avant la fin du cautionnement, et qui n'ont pas encore été remboursés.

20.3   LE CAUTIONNEMENT DE PRÊT

Le **cautionnement de prêt** constitue une méthode très utilisée dans le monde des affaires pour garantir le remboursement d'un emprunt. C'est un contrat par lequel une personne, appelée caution, s'engage à rembourser le prêteur à la place de l'emprunteur, si ce dernier fait défaut de rembourser la somme empruntée.

Par exemple, Sylvie se porte caution pour Janine pour un emprunt de 10 000 $ auprès de la Banque Royale. Six mois plus tard, Janine n'est plus en mesure de rembourser le solde de 9 675 $. La Banque Royale demandera donc à Sylvie de rembourser la somme de 9 675 $.

De même, Geneviève, une étudiante de deuxième année en techniques administratives au cégep François-Xavier-Garneau, à Québec, se présente à la caisse populaire

Saint-Sacrement pour effectuer son premier emprunt afin de s'acheter une voiture neuve de marque Mustang. Le directeur lui demandera probablement de fournir une caution pour garantir le remboursement du prêt, car Geneviève en est à sa première expérience de crédit. Généralement, la personne qui se porte caution dans un tel cas est une personne apparentée à l'emprunteur, tel le père, la mère, un frère ou une sœur.

En matière commerciale, il arrive souvent que des gens d'affaires constituent leur entreprise en compagnie afin de protéger leurs biens personnels en cas de faillite de la compagnie. Le prêteur est parfaitement conscient de cette situation, et pour y faire face, il demande au principal administrateur ou au principal actionnaire, de cautionner les prêts qu'il consent à la compagnie.

La logique du prêteur est très simple : **si l'administrateur ou le principal actionnaire de la compagnie croit au succès de son entreprise, il ne doit pas avoir peur de cautionner les emprunts de sa compagnie**, car cette dernière sera en mesure de rembourser les sommes empruntées. Mais si l'administrateur ou le principal actionnaire de la compagnie ne croit pas au succès de son entreprise au point qu'il refuse de cautionner les emprunts de sa compagnie, le prêteur refusera de consentir des prêts à la compagnie.

De toute manière, les gens en affaires n'ont pas le choix : ou ils cautionnent les emprunts de leur compagnie, ou ils n'ont pas de prêts. D'ailleurs, les contrats de prêt, tant en matière de prêt commercial qu'en matière de prêt en vertu de la *Loi sur la protection du consommateur*, contiennent une section prévue pour la signature de la caution (voir les documents 14.1, Contrat de prêt d'argent, et 14.2, Contrat de vente à tempérament).

20.4 LE CAUTIONNEMENT EN MATIÈRE DE CONTRAT D'ENTREPRISE

Il existe trois catégories de **cautionnement en matière de contrat d'entreprise** :

- le cautionnement de soumission ;
- le cautionnement pour le paiement de la main-d'œuvre et des matériaux ;
- le cautionnement d'exécution.

Le cautionnement en matière de contrat d'entreprise peut prendre deux formes. Premièrement, l'entrepreneur peut déposer le cautionnement sous la forme d'une **somme d'argent**. Deuxièmement, l'entrepreneur peut contracter un **cautionnement d'entreprise auprès d'une compagnie d'assurance** ; il s'agit en fait d'un contrat d'assurance.

La deuxième forme est celle qui est la plus utilisée, car elle permet à l'entreprise de conserver ses liquidités et de se procurer un cautionnement pour une somme largement inférieure.

Par exemple, si Constructel inc. doit déposer un cautionnement de 100 000 $, il s'agit d'une somme relativement importante dont le versement sous forme de caution peut déséquilibrer les liquidités de l'entreprise. Si Constructel inc. signe un contrat de cautionnement de 100 000 $ de La Laurentienne, compagnie d'assurances générales, pour une prime de 500 $, cela lui évite de sortir ses propres fonds tout en satisfaisant à l'exigence de fournir un cautionnement.

20.4.1 LE CAUTIONNEMENT DE SOUMISSION

Le **cautionnement de soumission** est un contrat qui garantit qu'advenant le cas où la soumission est acceptée, l'entrepreneur signera le contrat, sinon la caution devra verser le montant du cautionnement. Ce cautionnement coûte, en général, entre 500 et 2 500 $.

L'exemple classique est celui du contrat de construction. *Le gouvernement du Québec lance un appel d'offres pour la construction d'un édifice à bureaux de 25 000 mètres carrés. L'appel d'offres stipule que tout soumissionnaire doit déposer une caution de 1 000 000 $ avec sa soumission pour que celle-ci soit étudiée. Constructel inc. dépose donc sa soumission avec une* **police de cautionnement** *de 1 000 000 $ contractée auprès du Groupe Commerce pour une prime de 1 000 $. Si Constructel inc. obtient le contrat parce qu'elle est le plus bas soumissionnaire mais refuse de le signer pour quelque raison que ce soit, le Groupe Commerce doit verser le montant du cautionnement, soit 1 000 000 $, au gouvernement du Québec. Le montant du cautionnement représente souvent une somme variant entre cinq et dix pour cent de la valeur estimée du contrat. Nous pouvons donc penser que si le gouvernement du Québec a demandé un cautionnement de 1 000 000 $, c'est qu'il évalue ce contrat entre dix et vingt millions de dollars.*

20.4.2   LE CAUTIONNEMENT POUR LE PAIEMENT DE LA MAIN-D'ŒUVRE ET DES MATÉRIAUX

Le **cautionnement pour le paiement de la main-d'œuvre et des matériaux** est un contrat qui garantit que les salaires dus aux employés et les sommes dues aux sous-traitants et aux fournisseurs de matériaux seront payés par l'entrepreneur ou, à défaut, par la caution. Ce cautionnement coûte, en général, de 2 $ à 2,50 $ par 1 000 $.

Par exemple, Constructel inc. a signé le contrat pour la construction de l'édifice à bureaux de 25 000 mètres carrés au prix de 6 000 000 $. Elle signe avec La Laurentienne un contrat de cautionnement pour le paiement de la main-d'œuvre et des matériaux. La prime est de 12 000 $, soit 6 000 000 $ × 2 $ / 1 000 $. Si Constructel inc. néglige de payer un compte de 58 000 $ pour des travaux de plomberie exécutés par J. D. Villeneuve ltée, un sous-traitant, ce dernier peut réclamer la somme due à La Laurentienne.

20.4.3   LE CAUTIONNEMENT D'EXÉCUTION

Enfin, le **cautionnement d'exécution** est un contrat qui garantit que les travaux seront exécutés conformément aux plans et devis, sinon la caution devra verser le montant du cautionnement ou poursuivre les travaux jusqu'à parfaite exécution. Ce cautionnement coûte, en général, 3,50 $ du 1 000 $.

Par exemple, dans notre cas, Constructel inc. souscrit un cautionnement d'exécution de 3 000 000 $ auprès du Groupe Commerce pour une prime de 10 500 $, soit 3 000 000 $ × 3,50 $ / 1 000 $. Le cautionnement d'exécution **ne couvre pas toujours la pleine valeur du contrat**, *soit 6 000 000 $ dans ce cas-ci; il est souvent limité à 50 % de la valeur du contrat, soit 3 000 000 $ dans le cas présent. En effet, il est rare que les travaux soient arrêtés dès le début. Le plus souvent, les travaux cessent vers la fin du contrat, alors que l'entrepreneur manque d'argent ou qu'il s'aperçoit qu'il va en perdre. De plus, si la compagnie Constructel inc. s'était assurée pour le plein montant, la prime aurait été deux fois plus élevée.*

Si Constructel inc. ne termine pas les travaux, le Groupe Commerce peut :

- *abandonner les travaux et verser la somme de 3 000 000 $ au gouvernement du Québec ;*

- *continuer lui-même les travaux et encaisser le solde encore dû par le gouvernement du Québec;*

- *confier la fin des travaux à un tiers et encaisser le solde encore dû par le gouvernement du Québec.*

En effet, si le gouvernement du Québec a déjà versé 4 300 000 $ à Constructel inc. pour les travaux déjà exécutés, il reste un solde de 1 700 000 $ au contrat de 6 000 000 $. Si le Groupe Commerce termine les travaux, il a droit à cette somme de 1 700 000 $.

Si le coût pour terminer les travaux n'est que de 1 500 000 $, le Groupe Commerce fait un profit de 200 000 $. Par contre, si la fin des travaux entraîne un déboursé de 2 100 000 $, le Groupe Commerce subit une perte de 400 000 $. Cependant, il est plus avantageux pour le Groupe Commerce de perdre 400 000 $ que de remettre au gouvernement du Québec le plein montant du cautionnement, qui est de 3 000 000 $.

RÉSUMÉ

Le cautionnement est le contrat par lequel une personne, la caution, s'oblige envers le créancier à exécuter l'obligation du débiteur si celui-ci n'y satisfait pas.

Le cautionnement de prêt est un contrat en vertu duquel la caution doit rembourser le prêteur si l'emprunteur fait défaut de rembourser la somme empruntée.

En matière commerciale, l'administrateur ou le principal actionnaire d'une compagnie est généralement tenu de cautionner les emprunts de sa compagnie, sinon le prêteur refusera de lui consentir un prêt.

Le cautionnement en matière de contrat d'entreprise est un contrat en vertu duquel la caution s'engage à exécuter une obligation en lieu et place du débiteur si ce dernier est en défaut. Il existe trois catégories de cautionnement en matière de contrat d'entreprise : le cautionnement de soumission, le cautionnement pour le paiement de la main-d'œuvre et des matériaux et le cautionnement d'exécution.

QUESTIONS

20.1 Définissez le cautionnement et illustrez votre réponse par un exemple.

20.2 Identifiez et différenciez les trois catégories de cautionnement.

20.3 Différenciez le cautionnement de prêt du cautionnement en matière de contrat d'entreprise.

20.4 Différenciez le cautionnement judiciaire civil du cautionnement judiciaire criminel.

20.5 L'actionnaire majoritaire d'une compagnie doit-il automatiquement et obligatoirement cautionner les emprunts de sa compagnie ?

20.6 Un cautionnement peut-il être verbal ?

20.7 Différenciez le bénéfice de discussion du bénéfice de division.

20.8 Une caution est-elle automatiquement engagée solidairement avec le débiteur ?

20.9 Si la caution a remboursé l'emprunt du débiteur, quels sont les recours de la caution ?

20.10 Le cautionnement signé par une personne en tant qu'administrateur d'une compagnie s'éteint-il lorsque la personne quitte son poste d'administrateur de la compagnie ?

20.11   Si l'administrateur ou le principal actionnaire de la compagnie refuse de cautionner les emprunts de sa compagnie, que fera le prêteur ?

20.12   Définissez le cautionnement de soumission.

20.13   Différenciez le cautionnement pour le paiement de la main-d'œuvre et des matériaux du cautionnement d'exécution.

CAS PRATIQUES

20.14   Caroline décide d'ouvrir une entreprise de plomberie qu'elle constitue en compagnie sous le nom de Plomberie Laval inc. Elle se présente à la Banque Royale pour solliciter un emprunt de 30 000 $ au taux de 12 %, sous forme de marge de crédit. Comme Caroline est la seule actionnaire de sa compagnie et que cette dernière n'a pas plus de biens que ceux que Caroline veut bien y investir, la banque demande à Caroline de cautionner l'emprunt de sa compagnie. La banque accepte de prêter à la compagnie la somme de 30 000 $ au taux d'intérêt annuel de 12 % et Caroline accepte de cautionner cet emprunt mais, après négociation avec la banque, cette dernière accepte de limiter le cautionnement à 20 000 $, mais à un taux d'intérêt annuel de 15 %.

Six mois plus tard, la compagnie est en défaut et la Banque Royale rappelle la marge de crédit qui atteint maintenant la somme de 29 500 $. La saisie et la vente en justice des biens de la compagnie ne rapportent qu'une somme nette de 4 500 $ laissant un solde impayé de 25 000 $.

20.14.1   Ce cautionnement est-il valide même si le montant du cautionnement ne correspond pas au montant du prêt ? Justifiez votre réponse.

20.14.2   Ce cautionnement est-il valide même si le taux d'intérêt ne correspond pas au taux d'intérêt du prêt ? Justifiez votre réponse.

20.14.3   La Banque Royale est-elle en droit d'exiger que Caroline rembourse la somme de 25 000 $? Justifiez votre réponse.

20.15   Constructel inc. a répondu à un appel d'offres du gouvernement du Québec et a déposé une soumission pour la construction d'un édifice à bureaux au coût de 12 500 000 $ accompagnée d'un cautionnement concernant une soumission au montant de 1 250 000 $ garanti par la Compagnie de cautionnement Alta (voir le document 20.2). Dix jours plus tard, au moment prévu pour la signature du contrat, Constructel inc. se désiste et le gouvernement du Québec retient les services du deuxième plus bas soumissionnaire, Construction Durfort, au montant de 13 975 000 $ et signe avec cette dernière ce contrat de construction. Quelle somme la Compagnie de cautionnement Alta doit-elle verser au gouvernement du Québec ?

20.16   Bétondur inc. a répondu à un appel d'offres du gouvernement du Québec et a déposé une soumission pour la construction d'un entrepôt au coût de 18 600 000 $. Étant le plus bas soumissionnaire, elle a obtenu et signé le contrat de construction. Elle a également déposé un cautionnement concernant l'exécution d'un contrat au montant de 4 650 000 $ garanti par la Compagnie de cautionnement Alta (voir le document 20.3). Les travaux ont débuté et avancent rondement mais en cours de route, Bétondur inc. fait faillite. À la date de la faillite et de l'arrêt des travaux, le gouvernement du Québec avait déjà versé à Bétondur inc. une somme de 14 550 000 $. À la suite d'une expertise, Alta lance un appel d'offres pour compléter les travaux.

20.16.1   À l'ouverture des soumission, Contruirapid inc. est le plus bas soumissionnaire avec une soumission au montant de 6 800 000 $ pour compléter les travaux. Quelle somme la Compagnie de cautionnement Alta doit-elle verser au gouvernement du Québec ?

20.16.2 Si la plus basse soumission pour compléter les travaux avait été de 8 900 000 $, quelle somme la Compagnie de cautionnement Alta aurait-elle dû verser au gouvernement du Québec ?

DOCUMENTS

Le document 20.1 est une lettre de cautionnement que la Banque nationale du Canada fait signer à toutes les cautions et qui lui donne tous les droits sur les biens de la caution (voir les clauses 2 et 4).

Le document 20.2 est un cautionnement concernant une soumission que la Compagnie de cautionnement Alta signe et fait signer par l'entrepreneur. Ce cautionnement garantit qu'advenant le cas où la soumission est acceptée, l'entrepreneur signera le contrat, sinon la caution devra verser le montant du cautionnement.

Le document 20.3 est un cautionnement concernant l'exécution d'un contrat que la Compagnie de cautionnement Alta signe et fait signer par l'entrepreneur. Ce cautionnement garantit que les travaux seront exécutés conformément aux plans et devis, sinon la caution devra verser le montant du cautionnement ou poursuivre les travaux jusqu'à parfaite exécution.

Document 20.1

LETTRE DE CAUTIONNEMENT

**BANQUE
NATIONALE
DU CANADA**

CAUTIONNEMENT
(RÉF. : Inst. perm., sujet N° 230-01)

1. Cautionnement. Pour bonne et valable considération, le soussigné, ci-après nommé la «Caution», garantit le paiement de tout ce que _____
(ci-après nommé le «Client») doit et devra à l'avenir à la Banque Nationale du Canada (ci-après nommée la «Banque»), en capital, intérêts et frais, mais jusqu'à concurrence d'un montant maximal de $ _____ .

2. Solidarité. Ce cautionnement lie la Caution solidairement avec le Client et avec toute autre caution; si ce cautionnement est signé par plus d'une personne, le mot «Caution» désigne chacun des soussignés. La Caution est donc responsable de la totalité des obligations du Client envers la Banque, jusqu'à concurrence toutefois du montant prévu à l'article 1.

3. Garantie continue. Ce cautionnement est continu et il subsistera malgré l'acquittement occasionnel, total ou partiel, des dettes et obligations du Client. Il garantit toutes les dettes et obligations du Client envers la Banque, présentes et futures, directes et indirectes, quelle qu'en soit la nature et que ces dettes et obligations aient été contractées par le Client seul, ou avec d'autres. La Caution s'oblige de plus à payer les frais encourus par la Banque pour recouvrer les dettes et obligations du Client.

4. Exigibilité du paiement. Ce cautionnement obligera la Caution à payer dès que la Banque lui aura demandé paiement de toute somme due. La Banque ne sera aucunement tenue d'exercer ses recours contre le Client ou toute autre personne responsable des dettes et obligations du Client, ni de réaliser quelque sûreté que ce soit, ni d'attendre le résultat d'une quelconque liquidation de biens; la Caution renonce donc à tout bénéfice de division et de discussion.

5. Demande de paiement. Toute demande de paiement à la Caution pourra lui être adressée par la poste à sa dernière adresse connue de la Banque et la demande sera réputée faite dès sa mise à la poste. Le montant de toute demande de paiement porte intérêt au taux annuel de base de la Banque en vigueur de temps à autre, majoré de trois pour cent (3%).

6. Étendue de l'engagement de la Caution. Ce cautionnement sera valable même si le Client n'avait pas la personnalité ou la capacité juridique. Si le Client est une société de personnes, ce cautionnement subsistera malgré tout changement dans les membres, l'entreprise ou les objets de la société. Si le Client est une personne morale, ce cautionnement subsistera malgré tout changement dans la constitution, l'entreprise ou les objets de cette personne morale et malgré la fusion du Client avec une autre personne. De plus, la Caution renonce à invoquer toute cause de nullité des dettes et obligations du Client ou tout excès ou absence de pouvoir de la part des personnes ayant agi au nom du Client pour contracter des dettes et obligations en son nom.

7. Responsabilité de la Caution. La responsabilité de la Caution ne sera ni réduite ni modifiée parce que la Banque aurait, sans le consentement de la Caution, accordé des délais de paiement au Client ou à toute autre personne responsable avec ou pour lui. La Caution demeurera responsable des dettes et obligations du Client même si ce dernier en était libéré, à la suite d'une faillite, d'une proposition, d'un arrangement ou pour une autre raison.

8. Droits de la Banque. Ce cautionnement ne se substitue pas mais s'ajoute à toute autre sûreté ou cautionnement que la Banque détient ou pourrait détenir. La Banque aura le choix de l'imputation de tout paiement qui lui sera fait ainsi que du produit de la réalisation de toute sûreté. La Caution ne pourra exercer ses recours résultant d'une subrogation dans les droits de la Banque tant que cette dernière n'aura pas été payée en entier des dettes ou obligations du Client.

14409 Fr. (11-93) (Québec seulement) INTERNE

(Suite au verso)

Document 20.1

LETTRE DE CAUTIONNEMENT (suite)

9. Subordination. Toutes les créances présentes et futures de la Caution contre le Client seront subordonnées aux dettes et obligations du Client envers la Banque. De plus, les créances présentes et futures de la Caution contre le Client sont par les présentes cédées et hypothéquées en faveur de la Banque, à titre de garantie de l'acquittement des dettes et obligations du Client envers la Banque, mais jusqu'à concurrence du montant maximal prévu à l'article 1. Advenant révocation de ce cautionnement conformément à l'article 10, cette subordination, cette cession et cette hypothèque subsisteront jusqu'au paiement complet des dettes et obligations dont la Caution sera tenue à la date de la révocation.

10. Révocation. Ce cautionnement liera la Caution et ses successeurs tant qu'il n'aura pas été révoqué par un avis écrit signifié au directeur de la succursale de la Banque où le cautionnement a été remis. Cette révocation n'aura d'effet que pour les dettes et obligations contractées par le Client subséquemment à la date de la signification de l'avis. Elle sera également sans effet quant aux dettes et obligations contractées postérieurement si ces dettes et obligations résultent d'engagements exprès ou tacites contractés par la Banque en faveur du Client ou pour son compte avant la date de la révocation. Si ce cautionnement est signé par plusieurs cautions, la révocation ne vaudra que pour la Caution ayant fait signifier l'avis.

11. Changement de circonstances. Ce cautionnement subsistera malgré tout changement dans les circonstances ayant amené la Caution à donner ce cautionnement, malgré la cessation des fonctions de la Caution ou du Client ou malgré un changement dans ces fonctions ou dans les liens unissant la Caution au Client.

12. Successeur de la Banque. Ce cautionnement liera la Caution envers la Banque et tout successeur de celle-ci, par voie de fusion ou autrement. Les sûretés données à la Banque par la Caution vaudront également à l'égard de tout successeur de la Banque.

13. Droit applicable. Ce cautionnement sera régi et interprété selon le droit en vigueur dans la province de Québec. La Caution reconnaît la compétence des tribunaux de cette province pour tout ce qui concerne ce cautionnement ou les recours en découlant.

Signé à _____ , ce _____ jour de _____ 19 ____ .

Témoin

_____

Caution

_____

_____

_____

_____

_____

Document 20.2 · CAUTIONNEMENT CONCERNANT
UNE SOUMISSION

LA COMPAGNIE DE CAUTIONNEMENT ALTA

Siège social : Montréal (Québec) Canada

Cautionnement concernant une soumission

Nº

(Formule approuvée par l'Association Canadienne de la Construction)

SACHEZ TOUS PAR LES PRÉSENTES QUE

à titre de débiteur principal ci-après appelé le Débiteur principal, et la COMPAGNIE DE CAUTIONNE-
MENT ALTA, une société incorporée en vertu des lois du Canada dûment autorisée à se rendre caution
au Canada à titre de caution, ci-après appelée la Caution, s'engagent, fermement envers

à titre de bénéficiaire, ci-après

appelé le Bénéficiaire, pour la somme de

($)

monnaie légale du Canada, au paiement fidèle et intégral de laquelle le Débiteur principal et la Caution
s'engagent fermement, par les présentes, tant pour eux-mêmes que pour leurs héritiers, exécuteurs testamentaires, administrateurs, successeurs et ayants droit, conjointement et solidairement.

ATTENDU QUE le Débiteur principal a présenté une soumission par écrit au Bénéficiaire, en date du
                                    jour de   19

pour

PAR CONSÉQUENT, c'est la condition du présent cautionnement que, si le Débiteur principal fait accepter
ladite soumission dans les
jours qui suivent la date de clôture de l'appel des soumissions, conclut, dans les délais requis, un contrat
en bonne et due forme et fournit les garanties requises pour l'exécution du contrat conformément à ses
dispositions et conditions, le présent cautionnement sera nul et sans effet; autrement, le Débiteur principal et la Caution verseront au Bénéficiaire, en espèces, la différence entre, d'une part, le montant de la
soumission présentée par le Débiteur principal et, d'autre part, le montant du contrat que le Bénéficiaire
conclura légalement avec une autre personne pour l'exécution des travaux, si ce dernier montant est supérieur au premier.
Le Débiteur principal et la Caution ne seront pas responsables d'un montant supérieur à la somme spécifiée au présent cautionnement.
Toute poursuite en justice découlant du présent cautionnement doit être instituée dans les six (6) mois
de la date du présent cautionnement.

EN FOI DE QUOI le Débiteur principal et la Caution ont signé les présentes et y ont fait apposer leur sceau
corporatif, ce   jour de   19

SIGNÉ ET SCELLÉ
en présence de

_____   _____
Témoin   Débiteur principal

LA COMPAGNIE DE CAUTIONNEMENT ALTA

_____   _____

F502

Document 20.3

CAUTIONNEMENT CONCERNANT L'EXÉCUTION D'UN CONTRAT

LA COMPAGNIE DE CAUTIONNEMENT ALTA

Siège social : Montréal (Québec) Canada

Cautionnement concernant l'exécution d'un contrat

Nº   (Formule approuvée par l'Association Canadienne de la Construction)

SACHEZ TOUS PAR LES PRÉSENTES QUE

à titre de débiteur principal, ci-après appelé le Débiteur principal, et la COMPAGNIE DE CAUTIONNE-MENT ALTA, une société incorporée en vertu des lois du Canada, dûment autorisée à se rendre Caution au Canada, à titre de caution, ci-après appelée la Caution, s'engagent fermement envers

à titre de bénéficiaire, ci-après appelé le Bénéficiaire, pour la somme de

dollars ($)

monnaie légale du Canada, au paiement fidèle et intégral de laquelle le Débiteur principal et la Caution s'engagent fermement, par les présentes, tant pour eux-mêmes que pour leurs héritiers, exécuteurs testamentaires, administrateurs, successeurs et ayants droit, conjointement et solidairement.

ATTENDU QUE le Débiteur principal a conclu un contrat par écrit avec le Bénéficiaire, en date du   jour de   19   , pour

conformément aux plans et devis présentés, lesquels contrat, plans et devis, dans la mesure prévue par les présentes, font partie intégrante du présent cautionnement et sont appelés ci-après le Contrat.

PAR CONSÉQUENT, C'EST LA CONDITION DU PRÉSENT CAUTIONNEMENT QUE, si le Débiteur principal exécute promptement et fidèlement le Contrat, le présent cautionnement sera nul et sans effet; autrement, il restera pleinement en vigueur.

Si le Débiteur principal se rend coupable d'un manquement au Contrat et le Bénéficiaire déclare un tel manquement, le Bénéficiaire ayant lui-même rempli ses engagements conformément au Contrat, la Caution peut corriger promptement le manquement ou doit, sans délai,

1 achever le Contrat conformément à ses dispositions et conditions, ou

2 obtenir une ou plusieurs soumissions à présenter au Bénéficiaire en vue d'achever le Contrat conformément à ses dispositions et conditions et, une fois le soumissionnaire sérieux le plus bas déterminé par le Bénéficiaire et la Caution, voir à la conclusion d'un contrat entre ledit soumissionnaire et le Bénéficiaire et rendre disponibles au fur et à mesure du progrès des travaux (même s'il survient un manquement ou une succession de manquements au(x) contrat(s) conclu(s) en vertu du présent paragraphe pour l'achèvement des travaux) des fonds suffisants pour payer le coût d'achèvement moins le solde du prix du Contrat; ces fonds ne doivent cependant pas dépasser, avec les autres frais et dommages dont la Caution peut être responsable en vertu des présentes, la somme spécifiée au premier paragraphe du présent cautionnement. L'expression "solde du prix du Contrat" utilisée dans le présent paragraphe signifie le montant total payable par le Bénéficiaire au Débiteur principal en vertu du Contrat, moins le montant dûment payé par le Bénéficiaire au Débiteur principal.

Toute poursuite en justice découlant du présent cautionnement doit être instituée dans les deux (2) ans de la date d'échéance du dernier paiement à effectuer en vertu du Contrat.

La Caution ne sera pas responsable d'un montant supérieur à la somme spécifiée au présent cautionnement. Aucun droit d'action ne pourra être exercé en vertu de ce cautionnemment pour toute personne physique ou morale autre que le Bénéficiaire nommé dans les présentes ou ses héritiers, exécuteurs testamentaires, administrateurs ou successeurs.

EN FOI DE QUOI le Débiteur principal et la Caution ont signé les présentes et y ont fait apposer leur sceau corporatif ce   jour de   19

SIGNÉ ET SCELLÉ en présence de

Témoin	Débiteur principal
	LA COMPAGNIE DE CAUTIONNEMENT ALTA

Chapitre 21

LES PRIORITÉS ET L'HYPOTHÈQUE

21.0 PLAN DU CHAPITRE

21.1 OBJECTIFS

Après la lecture du chapitre, l'étudiant doit être en mesure :

- de différencier les différentes priorités ;
- de classer les priorités selon leur ordre ;
- de dresser un état de collocation ;
- de définir l'hypothèque ;

- de différencier l'hypothèque mobilière de l'hypothèque immobilière ;

- de différencier l'hypothèque immobilière de l'hypothèque ouverte ;

- d'identifier les cas où il peut y avoir une hypothèque légale ;

- d'expliquer les différents recours d'un créancier hypothécaire en cas de défaut du débiteur.

21.2   LE GAGE COMMUN DES CRÉANCIERS

2644 C.c.Q.   *Les biens du débiteur sont affectés à l'exécution de ses obligations et constituent le **gage commun de ses créanciers**.*

Cet article signifie que tous les biens d'une personne constituent le gage commun des créanciers, c'est-à-dire que **tous les biens d'une personne garantissent toutes les dettes qu'elle contracte**.

2645 C.c.Q.   *Quiconque est obligé personnellement est tenu de remplir son engagement sur tous ses biens meubles et immeubles, présents et à venir, à l'exception de ceux qui sont insaisissables [...]*

L'article 2645 précise que l'expression « **tous les biens** » comprend à la fois **les biens meubles et immeubles tant présents que futurs, sauf les biens insaisissables**. Cependant, cet article ajoute qu'il existe un certain nombre de biens insaisissables ; les articles 552, 553, 553.1 et 553.2 du *Code de procédure civile* énoncent les **biens insaisissables** ou qui font l'objet de restrictions quant à la saisie (voir la section 22.3.2, Les biens insaisissables).

2646 C.c.Q.   *Les créanciers peuvent agir en justice pour faire saisir et vendre les biens de leur débiteur. [...]*

Le législateur a pris la peine de préciser que si le débiteur fait défaut de rembourser un créancier, ce dernier peut faire saisir et vendre en justice les biens de son débiteur pour être payé (voir la section 22.3, La saisie).

2648 C.c.Q.   *Peuvent être soustraits à la saisie, dans les limites fixées par le Code de procédure civile, les meubles du débiteur qui garnissent sa résidence principale, servent à l'usage du ménage et sont nécessaires à la vie de celui-ci, sauf si ces meubles sont saisis pour les sommes dues sur le prix.*

Peuvent l'être aussi, dans les limites ainsi fixées, les instruments de travail nécessaires à l'exercice personnel d'une activité professionnelle, sauf si ces meubles sont saisis par un créancier détenant une hypothèque sur ceux-ci.

Malgré l'existence de la règle générale selon laquelle tous les biens d'un débiteur peuvent être saisis pour payer ses dettes, le législateur a donc cru bon de protéger un peu le débiteur au moyen de l'article 2648 en lui permettant de conserver un minimum de meubles dans sa maison ainsi que les instruments nécessaires à son travail afin d'en tirer des revenus pour payer ses dettes.

2646 C.c.Q.   *[...] En cas de concours entre les créanciers, la distribution du prix se fait en proportion de leur créance, à moins qu'il n'y ait entre eux des causes légitimes de préférence.*

Les expressions suivantes signifient que les créanciers qui occupent le même rang sont payés simultanément et en proportion de l'importance de leur dette :

- être payé en proportion ;

- être payé par concurrence ;

- être payé par contribution ;

- être payé au prorata ;

- être payé au marc le dollar ;

- être payé au marc la livre ;

- être payé *pari passu*.

Par exemple, si Jacques doit 1 000 $ à Antoine, 2 000 $ à Brigitte, 3 000 $ à Caroline et 4 000 $ à Denis pour un total de 10 000 $, et qu'il ne dispose que de 800 $, chaque créancier ne recevra que 8 % de la somme qui lui est due.

En effet, les 800 $ de Jacques ne représentent que 8 % du 10 000 $ de ses dettes. Donc, Antoine recevra 80 $, Brigitte 160 $, Caroline 240 $ et Denis 320 $, pour un total de 800 $. Par contre, si Antoine avait bénéficié d'une cause légitime de préférence, il aurait reçu 800 $, tandis que les autres créanciers n'auraient rien reçu. De cet exemple, nous pouvons déduire qu'il est important pour un créancier de bénéficier d'une cause légitime de préférence afin d'être payé non pas par concurrence, mais par préférence aux autres créanciers.

2647 C.c.Q.
Les causes légitimes de préférence sont les priorités et les hypothèques.

Il n'existe donc que deux **causes légitimes de préférence** : les priorités et les hypothèques, et elles sont toutes deux décrites dans le *Code civil*.

21.3 LES PRIORITÉS

2650 C.c.Q.
Est prioritaire la créance à laquelle la loi attache, en faveur d'un créancier, le droit d'être préféré aux autres créanciers, même hypothécaires, suivant la cause de sa créance.

Une **priorité** est créée par un texte de loi tel que le *Code civil* et la *Loi sur les impôts* ; un contrat peut créer une garantie appelée parfois une sûreté, mais il ne peut pas créer une priorité.

Non seulement la loi, et plus particulièrement le *Code civil*, crée les priorités, mais, en plus, elle crée un **ordre entre les créanciers prioritaires**. Cet ordre est prévu à l'article 2651 du *Code civil* pour toutes les créances prioritaires.

2651 C.c.Q.
Les créances prioritaires sont les suivantes et, lorsqu'elles se rencontrent, elles sont, malgré toute convention contraire, colloquées dans cet ordre :

1° Les frais de justice et toutes les dépenses faites dans l'intérêt commun ;

2° La créance du vendeur impayé pour le prix du meuble vendu à une personne physique ***qui n'exploite pas une entreprise*** *;*

3° Les créances de ceux qui ont un droit de rétention sur un meuble, pourvu que ce droit subsiste ;

4° Les créances de l'État pour les sommes dues en vertu des lois fiscales ;

5° Les créances des municipalités et des commissions scolaires pour les impôts fonciers sur les immeubles qui y sont assujettis.

Il existe donc cinq types de priorités qui se rattachent à deux grandes catégories de priorités : les priorités mobilières et les priorités immobilières (voir le tableau 21.1). Par conséquent, il est important de se rappeler la distinction qui existe entre un meuble et un immeuble (voir la section 6.2, La distinction entre les biens immeubles et les biens meubles).

Tableau 21.1 Les différentes catégories de priorités

Priorités	Nature	Exemple
Mobilières	frais de justice	700 $ dus à l'huissier
	vendeur impayé	400 $ à titre de solde du prix d'un téléviseur
	droit de rétention	650 $ dus au réparateur de l'automobile
	État pour dettes fiscales	3 000 $ dus au ministère du Revenu
Immobilières	frais de justice	2 000 $ dus au shérif
	taxes municipales	1 800 $ dus à la ville de Lévis
	taxes scolaires	600 $ dus à la commission scolaire Pointe-Lévy

2657 C.c.Q.   *Les créances prioritaires prennent rang, suivant leur ordre respectif, avant les hypothèques mobilières ou immobilières, quelle que soit leur date. [...]*

Que se passe-t-il si deux créances prioritaires sont au même rang, *par exemple les taxes foncières scolaires dues à la Commission des écoles catholiques de Montréal et les taxes foncières municipales dues à la ville de Montréal?*

2657 C.c.Q.   *[...] Si elles prennent le même rang, elles viennent **en proportion** du montant de chacune des créances.*

Passons maintenant à l'étude détaillée des créances prioritaires.

21.3.1   LES PRIORITÉS MOBILIÈRES

Les quatre premières créances prioritaires s'appliquent aux meubles, tandis que la cinquième ne porte que sur les immeubles. *Par exemple, l'huissier qui procède à la vente en justice des biens saisis a une priorité sur tous les biens meubles du débiteur pour le paiement de ses honoraires et frais, le vendeur d'une voiture impayée a une priorité sur la voiture vendue, le garagiste qui a réparé la voiture a une créance prioritaire sur le prix de vente de la voiture pour le montant des réparations qu'il a effectuées, et les gouvernements fédéral et provincial ont une priorité sur tous les biens meubles du débiteur pour toute dette due en vertu des lois fiscales, tel l'impôt sur le revenu.*

Les **frais de justice** sont les frais encourus pour la saisie et la vente en justice des biens ; ils comprennent les honoraires et frais judiciaires ainsi que les honoraires et frais d'huissier.

Les **dépenses faites dans l'intérêt commun** comprennent les coûts d'entreposage des biens, de location d'un coffret de sécurité, de chauffage et d'éclairage et d'autres services pour garantir la conservation de ces biens. *Par exemple, si un huissier saisit un commerce de boucherie, l'électricité est essentielle pour maintenir les congélateurs en marche et éviter de perdre les viandes. Par conséquent, dans un tel cas, le coût de l'électricité est une dépense faite dans l'intérêt commun.*

La **créance du vendeur** est la somme que l'acheteur doit encore au vendeur parce qu'il a acheté un bien à crédit. Cette créance prioritaire du vendeur impayé est un peu particulière, car le vendeur peut exercer deux droits distincts :

- il peut **revendiquer le bien vendu** ; ou

- il peut **être préféré sur le prix de vente**.

1741 C.c.Q.   *Lorsque la vente d'un bien meuble a été faite sans terme, le vendeur peut, dans les trente jours de la délivrance, considérer la vente comme résolue et **revendiquer le bien**, si l'acheteur [...] fait défaut de payer le prix et si le meuble est encore entier et dans le même état, sans être passé entre les mains d'un tiers qui en a payé le prix [...].*

Cette situation se produit souvent en matière commerciale, lorsque le manufacturier vend à un grossiste des marchandises payables sur réception. Évidemment, il y a toujours quelques jours de délai entre le moment de la réception de la commande et l'envoi du chèque. Si, entre-temps, le grossiste est l'objet d'une saisie, le manufacturier peut revendiquer les biens qu'il a vendus, s'il respecte le délai de 30 jours, afin d'éviter que ces biens soient vendus en justice à une valeur moindre que leur valeur réelle.

Le créancier peut également choisir d'être préféré sur le prix de vente, ce qui signifie que la somme d'argent provenant de la vente en justice des biens qu'il a originalement vendus lui sera remise à titre de créancier prioritaire. Cependant, il faut se rappeler qu'il existe une exception très importante prévue à l'article 2651 du *Code civil* : la créance du vendeur impayé pour le prix d'un meuble ne s'applique que dans le cas d'un meuble vendu à une personne physique **qui n'exploite pas une entreprise**. Si la vente a été faite à un commerçant, comme dans l'exemple du paragraphe précédent, le manufacturier ne peut pas être préféré sur le prix de vente ; il doit revendiquer le bien.

Le **droit de rétention** est celui, pour le créancier, de retenir un bien appartenant à son débiteur tant que ce dernier ne lui a pas payé tout ce qu'il lui doit. *Par exemple, si Constructel inc. envoie un de ses camions chez Morin GMC pour le faire réparer, Morin GMC peut retenir ce camion tant et aussi longtemps que le coût des réparations n'a pas été entièrement payé par Constructel inc. Dans ce cas, Morin GMC exerce son droit de rétention.*

1592 C.c.Q.
*Toute partie qui, du consentement de son cocontractant, détient un bien appartenant à celui-ci a le **droit de le retenir** jusqu'au paiement total de la créance qu'elle a contre lui, lorsque sa créance est exigible et est intimement liée au bien qu'elle détient.*

Pour que le droit de rétention subsiste, il faut que l'ouvrier ou le réparateur retienne l'objet jusqu'à parfait paiement. S'il remet l'objet à son propriétaire, le droit de rétention s'éteint.

Par exemple, si l'entreprise MicroLogic inc. répare le micro-ordinateur d'Élaine et le lui remet sans avoir été payée, elle perd sa priorité car elle n'a pas exercé son droit de rétention en retenant l'objet réparé jusqu'à parfait paiement du coût de la réparation. Par conséquent, si MicroLogic inc. désire exercer son droit de rétention, elle doit retenir le micro-ordinateur tant et aussi longtemps qu'Élaine n'a pas payé intégralement le coût de la réparation. Donc, si Élaine veut ravoir immédiatement son micro-ordinateur et que MicroLogic inc. désire exercer son droit de rétention, Élaine n'a pas le choix : elle doit payer immédiatement le coût de la réparation.

Les **créances prioritaires de l'État** sont décrites dans le *Code civil* et dans des lois particulières, surtout en matière fiscale. Elles permettent à l'État d'être un créancier prioritaire pour les sommes qui lui sont dues par une personne chargée de la perception de la taxe de vente, des déductions à la source ou d'autres sommes, ainsi que pour toute somme due au titre de l'impôt à payer.

Nous ouvrons une parenthèse pour souligner qu'en cas de faillite, la *Loi sur la faillite et l'insolvabilité* prescrit un ordre différent pour les créances prioritaires. Dans un cas de faillite, il faut donc se référer aux dispositions de la *Loi sur la faillite et l'insolvabilité* (voir la section 22.5.7, Les créanciers).

Enfin, les **créanciers ordinaires** ne sont payés qu'après les créanciers prioritaires ou garantis.

Par exemple, au moment de son décès survenu le 1ᵉʳ février, Gilles, propriétaire d'un commerce de quincaillerie, n'avait aucune propriété immobilière de quelque nature que ce soit ; il n'avait que des biens meubles, dont la liquidation a rapporté la somme de 61 000 $ qui se répartit ainsi (voir la liste 1) :

Détails de la liquidation des biens de Gilles (liste 1)	
Argent dans un compte de banque	500 $
Argent provenant de la vente du fonds de commerce	16 000
Chaîne stéréophonique (chez le réparateur Électrotek)	3 000
Cuisinière et réfrigérateur	2 500
Meubles qui garnissent la résidence principale	9 000
Autres meubles (déménagés de Montréal à Québec par Déménagement Bellechasse et entreposés par ces derniers pour défaut de paiement des frais de déménagement)	12 000
Motocyclette	6 000
Automobile (chez le réparateur Garage Lafrance)	12 000
Montant total provenant de la vente des biens de Gilles	61 000 $

Par ailleurs, Gilles laisse des dettes totalisant 86 000 $, lesquelles se répartissent ainsi (voir la liste 2) :

**Liste des créanciers de Gilles
(liste 2)**

Andréanne (infirmière privée durant les deux derniers mois)	6 000 $
Caisse populaire Laurier (prêt personnel)	10 000
Collin, Paré & Associés, huissiers (frais de saisie et de liquidation des biens de Gilles 30 jours avant sa mort)	1 800
Décomeuble ltée (vendeur de la cuisinière et du réfrigérateur)	2 000
Déménagement Bellechasse (déménagement des meubles entreposés)	1 500
Eaton (solde de carte de crédit)	3 000
Électrotek (réparateur de la chaîne stéréophonique)	500
Hydro-Québec (chauffage du fonds de commerce durant le mois qu'ont duré la saisie et la liquidation des meubles de Gilles)	200
Garage Lafrance (réparation de l'automobile)	2 000
Gouvernement du Canada (impôt)	7 000
Gouvernement du Québec (impôt)	6 000
Jacques (à titre de domestique)	1 000
Laurier Automobile (vendeur de l'automobile)	11 000
Lépine-Cloutier ltée (frais funéraires)	4 000
MasterCard – Banque de Montréal (solde de carte de crédit)	3 500
Moto Langevin (réparation de la motocyclette)	2 000
Pauline (locateur du local du fonds de commerce : 3 mois de loyer à 1 000 $ par mois)	3 000
Royal Trust (prêt personnel)	14 000
Visa – Banque Royale (solde de carte de crédit)	2 500
Yvan Moto (vendeur de la motocyclette)	5 000
Total des dettes	86 000 $

Après avoir établi la liste des créanciers, nous constatons que plusieurs créanciers jouissent d'une priorité de paiement préférentiel sur certains meubles ou sur la totalité des meubles, selon le cas. Malheureusement, comme les créanciers ont été classés par ordre alphabétique, il faut les mettre en ordre conformément aux dispositions des articles 2651 du *Code civil*. Nous obtenons la répartition suivante (voir la liste 3) :

**Liste des créanciers prioritaires par ordre de priorité
Ordre de paiement des créanciers prioritaires
(liste 3)**

2651 n° 1 Frais de justice ou faits dans l'intérêt commun	
Frais de justice – Collin, Paré & Associés	1 800 $
Frais faits dans l'intérêt commun – Hydro-Québec	200
2651 n° 2 Créance du vendeur	
Laurier Automobile	11 000
Décomeuble ltée	2 000
Yvan Moto	5 000
2651 n° 3 Droit de rétention	
Déménagement Bellechasse	1 500
Garage Lafrance	2 000
Électrotek	500

→

(liste 3, suite)

Ordre de paiement des créanciers prioritaires

2651 n° 4 Créances de l'État

Gouvernement du Canada	7 000
Gouvernement du Québec	6 000
Total des créances prioritaires	37 000 $

Liste des créanciers ordinaires par ordre alphabétique

Andréanne	6 000 $
Caisse populaire Laurier	10 000
Eaton	3 000
Jacques	1 000
Lépine-Cloutier ltée	4 000
MasterCard – Banque de Montréal	3 500
Moto Langevin	2 000
Pauline	3 000
Royal Trust	14 000
Visa – Banque Royale	2 500
Total des créances ordinaires	49 000 $
Total des créances prioritaires et ordinaires	86 000 $

Moto Langevin n'apparaît pas dans la liste des créanciers prioritaires, parce que la motocyclette n'était pas chez cette entreprise lorsque la saisie des biens de Gilles a eu lieu; cela signifie que Moto Langevin n'avait pas exercé son droit de rétention. Par conséquent, Moto Langevin n'est qu'un créancier ordinaire.

Par opposition, le Garage Lafrance est un créancier prioritaire parce que l'automobile s'y trouvait lors de la saisie des biens de Gilles; cela signifie que le Garage Lafrance a exercé son droit de rétention.

L'**état de collocation** est le document qui constate la répartition de l'argent entre les différents créanciers prioritaires et ordinaires. Nous allons maintenant dresser l'état de collocation résultant de la vente des biens de Gilles (voir la liste 4).

État de collocation
(liste 4)

	Montant payé	Solde
Produit de la vente		61 000 $
Liste des créanciers prioritaires		
Collin, Paré & Associés	1 800	59 200
Hydro-Québec	200	59 000
Laurier Automobile (12 000 – 11 000 = 1 000)	11 000	48 000
Décomeuble ltée (2 500 – 2 000 = 500)	2 000	46 000
Yvan Moto (6 000 – 5 000 = 1 000)	5 000	41 000
Déménagement Bellechasse (10 000 – 1 500 = 8 500)	1 500	39 500
Garage Lafrance (1 000 – 2 000 = (1 000))	1 000	38 500
Électrotek (3 000 – 500 = 2 500)	500	38 000
Gouvernement du Canada	7 000	31 000
Gouvernement du Québec	6 000	25 000
Solde disponible pour les créanciers ordinaires		25 000 $

Il faut noter que les créanciers Laurier Automobile et Garage Lafrance ont tous deux une priorité sur la même automobile, mais que l'article 2651 établit entre eux un ordre de paiement. Comme le Garage Lafrance n'a pas été entièrement payé, parce que le montant provenant de la vente de l'automobile n'était pas assez élevé, il devient créancier ordinaire pour le solde de sa créance, soit 1 000 $. Nous obtenons donc une nouvelle liste des créanciers ordinaires (voir la liste 5) :

Liste des créanciers ordinaires par ordre alphabétique
(liste 5)

Andréanne	6 000 $
Caisse populaire Laurier	10 000
Eaton	3 000
Garage Lafrance	1 000
Jacques	1 000
Lépine-Cloutier ltée	4 000
MasterCard – Banque de Montréal	3 500
Moto Langevin	2 000
Pauline	3 000
Royal Trust	14 000
Visa – Banque Royale	2 500
Total des créances ordinaires	50 000 $

Comme il ne reste qu'une somme de 25 000 $ après le paiement des sommes dues aux créanciers prioritaires et que le total des créances ordinaires s'élève à 50 000 $, cela signifie que chaque créancier ordinaire recevra :

> 25 000 $ / 50 000 $ = 1/2 ou la moitié de sa créance ;
> ou 0,50 $ par dollar de créance ;
> ou 50 % de chaque créance.

En effet, puisque les créanciers ordinaires sont tous sur le même pied, ils doivent se partager par concurrence ce qui reste. Le partage donne donc le résultat suivant (voir la liste 6) :

Montant reçu par chaque créancier ordinaire
(liste 6)

Créancier	Créance	Pourcentage	Montant reçu
Andréanne	6 000 $	50 %	3 000 $
Caisse populaire Laurier	10 000	50 %	5 000
Eaton	3 000	50 %	1 500
Garage Lafrance	1 000	50 %	500
Jacques	1 000	50 %	500
Lépine-Cloutier ltée	4 000	50 %	2 000
MasterCard – Banque de Montréal	3 500	50 %	1 750
Moto Langevin	2 000	50 %	1 000
Pauline	3 000	50 %	1 500
Royal Trust	14 000	50 %	7 000
Visa – Banque Royale	2 500	50 %	1 250
Total des créances ordinaires	50 000 $	50 %	25 000 $

Si le solde disponible pour les créanciers ordinaires avait été de 12 500 $ au lieu de 25 000 $, chaque créancier n'aurait reçu que le quart de sa créance, ou 25 % de sa créance, ou 0,25 $ par dollar de créance.

Les créanciers ordinaires ne sont certes pas les mieux protégés et il est très rare qu'ils soient entièrement payés. D'ailleurs, il arrive fréquemment qu'ils ne reçoivent rien.

| 21.3.2 | LES PRIORITÉS IMMOBILIÈRES |

Les priorités immobilières sont décrites et classées dans l'article 2651 du *Code civil*.

2651 C.c.Q.

> *Les créances prioritaires sont les suivantes et, lorsqu'elles se rencontrent, elles sont, malgré toute convention contraire, colloquées dans cet ordre :*
>
> *1° Les frais de justice et toutes les dépenses faites dans l'intérêt commun ; [...]*
>
> *5° Les créances des municipalités et des commissions scolaires pour les impôts fonciers sur les immeubles qui y sont assujettis.*

Il n'y a que deux créances prioritaires sur les immeubles. La première est identique à celle que nous avons déjà vue sur les meubles, soit la créance prioritaire relative aux frais de justice et à toutes les dépenses faites dans l'intérêt commun. La seconde est la **créance prioritaire des municipalités et des commissions scolaires**, laquelle concerne les taxes foncières municipales et les taxes foncières scolaires. Elle permet à une municipalité et à une commission scolaire d'être payées en priorité pour les taxes foncières dues, mais impayées. Comme les priorités priment les hypothèques, il va de soi qu'une municipalité ou une commission scolaire sera généralement assurée d'être entièrement payée, sauf pour les terrains vacants, car un terrain sur lequel est construite une bâtisse doit pouvoir se vendre à un prix suffisamment élevé pour couvrir le montant des taxes municipales et scolaires.

| 21.3.3 | L'EXISTENCE DE LA DETTE MÊME SANS PRIORITÉ |

Il est important de se souvenir que **la priorité n'est qu'un accessoire**, une forme de garantie pour assurer le remboursement d'une dette. Par conséquent, il est possible qu'une priorité n'existe plus si le bénéficiaire a négligé d'exercer son recours dans le délai prévu par la loi.

Néanmoins, **malgré l'inexistence de la priorité, la dette existe toujours** ; la seule différence repose sur le fait que le créancier n'a plus de priorité ou de garantie qui lui assure le remboursement de sa dette.

| 21.4 | L'HYPOTHÈQUE |

L'hypothèque sert à tous les créanciers, c'est-à-dire aux personnes physiques comme aux personnes morales, aux commerçants comme aux consommateurs.

| 21.4.1 | LA NATURE DE L'HYPOTHÈQUE |

2660 C.c.Q.

> *L'hypothèque est un droit réel sur un bien, meuble ou immeuble, affecté à l'exécution d'une obligation ; elle confère au créancier le droit de suivre le bien en quelques mains qu'il soit, de le prendre en possession ou en paiement, de le vendre ou de le faire vendre et d'être alors préféré sur le produit de cette vente suivant le rang fixé dans le présent code.*

L'**hypothèque** est un droit réel qui consiste tout simplement à donner en garantie un bien meuble ou immeuble, qu'il s'agisse de biens en stock, d'équipements de production comme une presse ou un ordinateur, de véhicules comme un camion ou une niveleuse, de comptes clients, d'un terrain vague, d'un terrain de stationnement, d'une résidence, d'un édifice à bureaux, d'un centre commercial, d'un entrepôt ou d'une usine, à un prêteur, à un vendeur ou même à toute autre forme de créancier pour garantir le remboursement d'un prêt, d'une balance de prix de vente ou de toute autre obligation.

2661 C.c.Q.   *L'hypothèque n'est qu'un **accessoire** et ne vaut qu'autant que l'obligation dont elle garantit l'exécution subsiste.*

Cet article est lourd de signification ; il signifie qu'une hypothèque n'est qu'un accessoire à un contrat principal, comme un contrat de prêt. Il est donc important de s'assurer de la validité de ce contrat de prêt.

Comme un contrat de prêt est le contrat principal et que **l'hypothèque n'est qu'un accessoire**, la nullité de l'hypothèque n'entraîne pas la nullité du prêt ; *par exemple, si Jeanne a emprunté la somme de 40 000 $ à la Banque Nationale du Canada, elle doit toujours la rembourser. Cependant, si, pour une raison ou pour une autre, le contrat de prêt est nul, alors l'hypothèque est nulle même si le contrat a été rédigé par un notaire sous forme de minute, car, lorsque le contrat principal est nul, l'accessoire qu'est l'hypothèque est également nul.*

2662 C.c.Q.   *L'hypothèque est indivisible et subsiste en entier sur tous les biens qui sont grevés, sur chacun d'eux et sur chaque partie de ces biens, malgré la divisibilité du bien ou de l'obligation.*

Tant et aussi longtemps que l'emprunt n'est pas remboursé en totalité, il existe toujours une hypothèque qui grève l'ensemble des biens du débiteur, et si le débiteur désire libérer certains biens de l'hypothèque, il doit rembourser la totalité des sommes dues à son créancier ou négocier avec lui des modalités pour l'obtention d'une quittance partielle moyennant le paiement d'une partie du solde. Le créancier est cependant libre d'accepter ou de refuser d'accorder une quittance partielle.

2663 C.c.Q.   *L'hypothèque doit être publiée [...] pour que les droits hypothécaires qu'elle confère soient opposables aux tiers.*

Enfin, pour que l'acte d'hypothèque puisse produire ses effets, il est essentiel que l'acte d'hypothèque soit inscrit par l'officier de la publicité des droits sur la fiche immobilière appropriée du registre foncier du bureau de la publicité des droits dans la circonscription foncière où est situé l'immeuble.

L'**officier de la publicité des droits** est la personne responsable de l'inscription des droits dans les registres appropriés. Le **registre foncier** est un registre qui contient autant de pages ou fiches immobilières qu'il y a de lots indiqués sur le plan cadastral, et sur chaque **fiche immobilière** sont répertoriées les inscriptions qui concernent la propriété de cet immeuble et les droits réels qui le grèvent, tels un acte d'achat et un acte d'hypothèque immobilière. Ce registre est situé à un endroit que le législateur a appelé le **bureau de la publicité des droits**. Chaque bureau de la publicité des droits couvre un certain territoire appelé **circonscription foncière**.

Il existe également un autre registre, le **registre des droits personnels et réels mobiliers**, dans lequel sont inscrits tous les droits sujets à la publicité et qui touchent les biens meubles d'une personne ou ses droits personnels, tel un acte d'hypothèque mobilière.

21.4.2   LES ESPÈCES D'HYPOTHÈQUE

2664 C.c.Q.   *L'hypothèque n'a lieu que dans les conditions et suivant les formes autorisées par la loi. Elle est conventionnelle ou légale.*

En pratique, l'hypothèque que nous connaissons le mieux est l'hypothèque conventionnelle signée devant un notaire et par laquelle un débiteur donne en garantie à son créancier l'immeuble qu'il possède. Dans ce cas, il s'agit d'une hypothèque conventionnelle immobilière. Une hypothèque peut également être créée par l'effet de la loi (voir le tableau 21.2). *Par exemple, certaines créances peuvent donner lieu à une hypothèque légale, telles les créances de l'État pour les sommes dues en vertu des lois fiscales et les créances des personnes qui ont participé à la construction ou à la rénovation d'un immeuble.*

2665 C.c.Q.

L'hypothèque est mobilière ou immobilière, selon qu'elle grève un meuble ou un immeuble, ou une universalité soit mobilière, soit immobilière.

*L'hypothèque mobilière a lieu avec dépossession ou sans dépossession du meuble hypothéqué. Lorsqu'elle a lieu avec dépossession, elle est aussi appelée **gage.***

L'hypothèque peut donc s'appliquer à des biens meubles ou immeubles, mais aussi à des biens individualisés, comme une automobile ou une maison, ou à une universalité de biens telle que tous les stocks du débiteur ou tous ses comptes clients. Lorsque le débiteur remet physiquement le bien à son créancier, cette hypothèque mobilière porte le nom particulier de gage.

Tableau 21.2 Les différentes catégories d'hypothèque

Catégories	Exemples
Conventionnelle	*Par exemple, Micheline emprunte 750 000 $ à la caisse populaire Saint-Sacrement pour payer le solde du prix de vente de l'immeuble qu'elle vient d'acheter pour 1 000 000 $ avec 250 000 $ comptant*
Légale	L'hypothèque de la personne qui a participé à la construction ou à la rénovation d'une maison. *Par exemple, Constructel inc. a rénové l'immeuble de Micheline au coût de 175 000 $ et elle n'a pas encore été payée. Constructel inc. va donc publier un avis d'hypothèque légale sur l'immeuble de Micheline afin de protéger sa créance.*

21.4.3 L'OBJET ET L'ÉTENDUE DE L'HYPOTHÈQUE

2668 C.c.Q.

L'hypothèque ne peut grever des biens insaisissables.

Elle ne peut non plus grever les meubles du débiteur qui garnissent sa résidence principale, servent à l'usage du ménage et sont nécessaires à la vie de celui-ci.

Comme le défaut de respecter les conditions d'un acte d'hypothèque peut entraîner la saisie et la vente en justice du bien qui y est soumis, il va de soi que l'hypothèque ne peut pas grever des biens insaisissables ni les meubles du débiteur qui garnissent sa résidence principale, car le législateur a prévu des exceptions précises qui empêchent ou restreignent le droit de les saisir.

21.4.4 L'HYPOTHÈQUE CONVENTIONNELLE

21.4.4.1 Le constituant de l'hypothèque

2681 C.c.Q.

L'hypothèque conventionnelle ne peut être consentie que par celui qui a la capacité d'aliéner les biens qu'il y soumet.

Elle peut être consentie par le débiteur de l'obligation qu'elle garantit ou par un tiers.

Seul le propriétaire d'un bien peut donner un bien en garantie. Il peut donner son bien pour garantir le remboursement d'un emprunt qu'il a contracté, mais il peut aussi donner son bien pour garantir le remboursement de l'emprunt d'une autre personne s'il a cautionné l'emprunt d'une autre personne.

2683 C.c.Q.   *À moins qu'elle n'exploite une entreprise et que l'hypothèque ne grève les biens de l'entreprise, une personne physique ne peut consentir une hypothèque mobilière sans dépossession que dans les conditions et suivant les formes autorisées par la loi.*

Pour le moment, le législateur n'a autorisé aucune forme d'hypothèque mobilière pour une personne physique ordinaire comme un particulier ou un consommateur ; l'hypothèque mobilière n'existe que pour la personne qui exploite une entreprise.

2684 C.c.Q.   *Seule la personne ou le fiduciaire qui exploite une entreprise peut consentir une hypothèque sur une universalité de biens, meubles ou immeubles, présents ou à venir, corporels ou incorporels.*

Celui qui exploite l'entreprise peut, ainsi, hypothéquer les animaux, l'outillage ou le matériel d'équipement professionnel, les créances et comptes clients, les brevets et marques de commerce, ou encore les meubles corporels qui font partie de l'actif de l'une ou l'autre de ses entreprises et qui sont détenus afin d'être vendus, loués ou traités dans le processus de fabrication ou de transformation d'un bien destiné à la vente, à la location ou à la prestation de services.

Cet article permet donc à la personne qui exploite une entreprise de donner en garantie tous ses biens meubles de quelque nature qu'ils soient, incluant les comptes clients, les stocks et l'équipement de production.

2685 C.c.Q.   *Seule la personne qui exploite une entreprise peut consentir une hypothèque sur un meuble représenté par un connaissement.*

Par exemple, lorsque Constructel inc. a acheté pour 200 000 $ de matériaux de construction et que le vendeur Canac-Marquis-Grenier inc. lui a donné un reçu d'entrepôt ou connaissement en vertu duquel il l'informe que les matériaux de construction achetés sont disponibles à tel endroit et à sa discrétion, Constructel inc. peut donner ces matériaux en garantie au moyen d'une hypothèque mobilière.

2686 C.c.Q.   *Seule la personne ou le fiduciaire qui exploite une entreprise peut consentir une hypothèque ouverte sur les biens de l'entreprise.*

Enfin, ce dernier article reconnaît le principe que seule la personne qui exploite une entreprise peut consentir une **hypothèque ouverte** sur les biens de son entreprise. L'hypothèque ouverte signifie que la valeur de la garantie n'est pas exactement déterminée tant et aussi longtemps que le créancier n'exerce pas ses droits (voir la section 19.7, L'acte de fiducie).

Par exemple, lorsque Constructel inc. donne en garantie à la fois tous ses camions et tous les matériaux de construction qu'elle possède, la quantité et la valeur de ces camions est connue mais la quantité et la valeur de ces matériaux varient de jour en jour selon l'utilisation que l'entreprise en fait et les achats qu'elle effectue. Cependant, lorsque le créancier fait parvenir un avis de clôture à Constructel inc., l'hypothèque ouverte, par sa clôture, s'applique à tous les camions ainsi qu'à tous les matériaux de construction incluant ceux acquis après la signature de l'acte d'hypothèque.

21.4.4.2   L'obligation garantie par hypothèque

2687 C.c.Q.   *L'hypothèque peut être consentie pour quelque obligation que ce soit.*

Cet article énonce un principe très important, à savoir qu'un acte d'hypothèque peut servir à garantir des obligations aussi variées qu'un emprunt d'argent, un cautionnement judiciaire, un cautionnement pour garantir le paiement d'une somme due en vertu des lois fiscales, le paiement d'une pension alimentaire, la bonne gestion de biens appartenant à une personne sous notre responsabilité, etc.

Par exemple, Construifor inc. a exécuté sur la maison de Julie d'importants travaux de rénovation qui s'élèvent à 50 000 $ et qui ont donné à cette maison une plus-value de 20 000 $. Si Julie refuse de payer la somme de 50 000 $ à Construifor inc., cette dernière peut procéder à l'inscription d'un avis désignant l'immeuble de

Julie grevé d'une hypothèque. Ainsi, il existe une **hypothèque légale** *de 20 000 $ sur l'immeuble de Julie en faveur de Construifor inc.*

Par ailleurs, si Alice a obtenu un jugement de la Cour supérieure condamnant Julie à lui payer la somme de 75 000 $, mais que cette dernière ne dispose pas immédiatement de cette somme et qu'Alice consent à attendre quelques mois, elle peut prendre une **hypothèque légale** *sur l'immeuble de Julie. Ainsi, Julie ne peut plus vendre son immeuble sans devoir en priorité rembourser Alice.*

*Si Julie désire acheter un immeuble d'une valeur de 2 000 000 $ appartenant à Gestobec inc. mais qu'elle ne dispose que d'une somme liquide de 500 000 $ et si Gestobec inc. accepte de lui prêter la somme manquante de 1 500 000 $, Gestobec inc. se trouve à accepter la balance du prix de vente, c'est-à-dire que Julie doit encore à Gestobec inc. 1 500 000 $. Pour garantir le paiement du solde du prix de vente, Julie peut hypothéquer l'immeuble acheté en faveur de Gestobec inc. pour la balance du prix de vente, soit la somme de 1 500 000 $. Ainsi, si Julie fait défaut de rembourser le solde selon les conditions prévues, Gestobec inc. peut faire saisir et vendre l'immeuble et être payé prioritairement. C'est un premier exemple d'***hypothèque conventionnelle***.*

*Voici un deuxième exemple d'***hypothèque conventionnelle*** : Julie vient de divorcer d'avec François et elle a été condamnée à lui verser une prestation compensatoire de 200 000 $. Pour le moment, Julie n'a pas cette somme, mais elle prévoit l'avoir dans 18 mois. Dans ce cas, elle peut accorder à François une hypothèque de 200 000 $ sur son immeuble, de telle sorte que le paiement de cette somme est garanti par l'immeuble.*

*Enfin, Julie désire emprunter 50 000 $ pour acheter de nouveaux meubles afin de remplacer ceux qu'elle a laissés à François. La Banque de Montréal est disposée à lui prêter cette somme, mais elle désire obtenir en garantie l'immeuble de Julie sous forme d'hypothèque. Il s'agit d'un troisième exemple d'***hypothèque conventionnelle***.*

Il existe maintenant trois hypothèques sur l'immeuble de Julie en faveur respectivement de Gestobec inc., de François et de la Banque de Montréal.

Comme nous pouvons le constater, l'hypothèque peut servir à garantir le remboursement de dettes variées. Dans les trois exemples précédents, les dettes ont deux points en commun : premièrement, il s'agit de sommes dues par Julie et, deuxièmement, elles sont garanties par l'immeuble au moyen d'une hypothèque.

2688 C.c.Q.   *L'hypothèque constituée pour garantir le paiement d'une somme d'argent est valable, encore qu'au moment de sa constitution le débiteur n'ait pas reçu ou n'ait reçu que partiellement la prestation en raison de laquelle il s'est obligé.*

Cette règle s'applique, notamment, en matière d'ouverture de crédit ou d'émission d'obligations et autres titres d'emprunt.

En matière d'emprunt sous forme de marge de crédit garantie par hypothèque, la règle est que le prêteur ne prête pas immédiatement la somme maximale et l'emprunteur n'emprunte pas non plus la somme maximale. *Par exemple, si la Banque de Montréal accorde à René une marge de crédit de 100 000 $, ce dernier peut en emprunter immédiatement 25 000 $, en rembourser 10 000 $ dans 15 jours, en emprunter de nouveau 45 000 $ dans trois mois, en rembourser 7 000 $ dans quatre mois, et ainsi de suite. L'hypothèque demeure valable même si la pleine somme n'a pas encore été prêtée ou empruntée. L'acte d'hypothèque consenti par René en faveur de la Banque de Montréal doit mentionner qu'il s'agit d'une marge de crédit jusqu'à concurrence d'une somme maximale de 100 000 $.*

2689 C.c.Q.   *L'acte constitutif d'hypothèque doit indiquer la somme déterminée pour laquelle elle est consentie.*

Cette règle s'applique alors même que l'hypothèque est constituée pour garantir l'exécution d'une obligation dont la valeur ne peut être déterminée ou est incertaine.

Par contre, si l'acte d'hypothèque avait servi à garantir la bonne gestion par René des biens appartenant à Caroline, une mineure dont il est le tuteur, il est évident que nous ne pouvons pas déterminer à l'avance le montant des dommages ou des pertes que René pourrait faire subir à Caroline en faisant de la mauvaise administration ou en la fraudant ; il va falloir attendre la reddition de compte pour évaluer le montant des dommages. Dans un tel cas, l'acte d'hypothèque doit néanmoins mentionner un montant précis même si le montant des dommages que pourrait subir Caroline n'est pas connu ; ce montant représente le montant des dommages qui est garanti par l'hypothèque et non pas le montant total de la réclamation que Caroline pourrait avoir. Supposons que René a consenti une hypothèque de 100 000 $ sur sa maison pour garantir la bonne gestion des biens de Caroline, qu'il fraude cette dernière pour 180 000 $ et que Caroline obtient un jugement de 180 000 $ contre René ; dans ce cas, si la maison de René est vendue lors d'une vente sous contrôle de justice qui rapporte 125 000 $, Caroline sera créancière garantie pour une somme de 100 000 $. Elle sera créancière ordinaire pour le solde de 80 000 $ qu'elle pourra prélever à même le solde de 25 000 $ provenant de la vente (s'il n'y a pas d'autre créancier qui ont des droits sur cette maison) et à même les autres biens personnels de René tel une automobile, le compte de banque, etc.

2690 C.c.Q. *La somme pour laquelle l'hypothèque est consentie n'est pas considérée indéterminée si l'acte, plutôt que de stipuler un taux fixe d'intérêt, contient les éléments nécessaires à la détermination du taux d'intérêt effectif de cette somme.*

En matière commerciale, et principalement en matière de marge de crédit ou d'hypothèque mobilière, il est de pratique courante d'avoir un taux d'intérêt flottant, c'est-à-dire un taux d'intérêt qui varie en fonction de la situation économique et du taux d'intérêt fixé par la Banque du Canada. Dans un tel cas, la clause relative au taux d'intérêt inscrite sur l'acte d'hypothèque peut se lire ainsi :

LE TAUX D'INTÉRÊT ANNUEL EST DE 1,5 % EN SUS DU TAUX D'INTÉRÊT ANNUEL PRÉFÉRENTIEL DE LA BANQUE DE MONTRÉAL, EN VIGUEUR TANT APRÈS QU'AVANT L'ÉCHÉANCE, ET JUSQU'À PARFAIT PAIEMENT AU BUREAU DE LA BANQUE DE MONTRÉAL. À LA DATE DE LA SIGNATURE DE CET ACTE D'HYPOTHÈQUE, LE TAUX D'INTÉRÊT ANNUEL PRÉFÉRENTIEL DE LA BANQUE EST DE 12,25 %.

Ce qui donne en pratique un taux d'intérêt réel de 13,75 % à la date de la signature de l'acte d'hypothèque. *Par exemple, en août 1995, le taux préférentiel de la Banque de Montréal était de 8,25 %, ce qui donne un taux d'intérêt réel de 9,75 %.*

2692 C.c.Q. *L'hypothèque qui garantit le paiement des obligations ou autres titres d'emprunt, émis par le fiduciaire, la société en commandite ou la personne morale autorisée à le faire en vertu de la loi, doit, à peine de nullité absolue, être constituée par acte notarié en minute, en faveur du fondé de pouvoir des créanciers.*

Cet article définit une forme d'hypothèque ouverte, aussi appelée **acte de fiducie**, qui garantit le paiement des obligations. L'acte de fiducie doit être constaté par acte notarié en minute (voir la section 19.7, L'acte de fiducie).

21.4.4.3 L'hypothèque immobilière

2693 C.c.Q. *L'hypothèque immobilière doit, à peine de nullité absolue, être constituée par acte notarié en minute.*

Tout acte d'hypothèque immobilière conventionnelle doit obligatoirement être reçu devant un notaire, qui doit rédiger cet acte sous forme de minute ; si l'acte d'hypothèque n'est pas fait selon cette forme, l'hypothèque n'existe pas. *Par exemple, si un avocat a rédigé le contrat de prêt hypothécaire de 70 000 $ entre la Banque Nationale du Canada et Maurice, le contrat de prêt est valide, mais non pas l'hypothèque qui est frappée de nullité absolue ; rien ne peut corriger ce vice.*

2694 C.c.Q. *L'hypothèque immobilière n'est valable qu'autant que l'acte constitutif désigne de façon précise le bien hypothéqué.*

De plus, l'acte d'hypothèque immobilière doit contenir une description précise de l'immeuble afin d'éviter toute confusion possible. Cette description se fait par l'utilisation d'un numéro de lot rattaché à un certain cadastre (voir la description ci-dessous).

La subdivision numéro deux cent vingt-six du lot originaire numéro QUARANTE-HUIT-A (48-A-226) du cadastre officiel pour la paroisse de Notre-Dame de Québec, Banlieue, circonscription foncière de Québec, mesurant trente mètres et quarante-huit centimètres (30,48) de front par vingt-neuf mètres et soixante-trois centimètres (29,63) de profondeur, plus ou moins ; borné ledit emplacement au nord-ouest par une ruelle (48-A-185), au nord-est par le lot 48-A-180, au sud-est par l'avenue Marguerite-Bourgeois et au sud-ouest par la rue de Longueuil.

Avec bâtisses dessus construites, circonstances et dépendances, portant les numéros civiques 860, avenue Marguerite-Bourgeois et 1410, rue de Longueuil, Québec.

Avec droit de passage dans la ruelle avoisinante portant le numéro 48-A-185 dudit cadastre.

Examinons un emprunt garanti par hypothèque. *Par exemple, supposons que Gérard achète de Belfort inc. un immeuble à bureaux pour la somme de 2 500 000 $ et qu'il ne dispose que de 700 000 $ comptant. Pour payer le vendeur, il doit donc emprunter la somme manquante, soit un montant de 1 800 000 $.*

Le **capital** est le montant emprunté, l'**intérêt** est le loyer de l'argent, directement proportionnel au montant du capital emprunté, l'**amortissement** est la période sur laquelle le remboursement de l'emprunt est calculé et le **terme** est la période durant laquelle le **taux d'intérêt** et le **montant des versements** demeurent fixes.

Par exemple, si la caisse populaire Saint-Sacrement accepte de prêter à Gérard cette somme de 1 800 000 $ au taux de 12,5 %, amortie sur 20 ans avec un terme de 5 ans, pour des versements mensuels égaux et consécutifs de 20 054,17 $ payables le premier jour de chaque mois, cela signifie que Gérard a besoin de 20 ans pour rembourser cet emprunt et que, dans cinq ans, il doit renégocier les conditions du prêt, c'est-à-dire le taux d'intérêt, le montant du versement et la durée du nouveau terme. À ce moment, il peut décider de réduire la période d'amortissement de 15 ans à 13 ans et de demander un terme de 2 ans. Il pourrait aussi augmenter la période d'amortissement et le terme ; Gérard prendra sa décision en fonction des conditions économiques, de sa capacité financière et des projets qu'il peut vouloir réaliser.

De plus, pour assurer le remboursement de ce prêt, la caisse exige que Gérard lui donne son immeuble en garantie sous forme d'hypothèque. Ainsi, si Gérard ne rembourse pas la caisse, cette dernière peut, entre autres, faire saisir et vendre l'immeuble en justice pour être payée prioritairement (voir la section 21.4.8, Les recours du créancier).

2695 C.c.Q. | *Sont considérées comme immobilières l'hypothèque des loyers, présents et à venir, que produit un immeuble, et celle des indemnités versées en vertu des contrats d'assurance qui couvrent ces loyers.*

Enfin, il est intéressant de noter qu'il est possible de donner en garantie les loyers futurs d'un immeuble ainsi que l'indemnité d'assurance qui couvre ces loyers en cas de perte de l'immeuble lors d'un incendie.

21.4.4.4　L'hypothèque mobilière

L'hypothèque mobilière couvre trois catégories de biens meubles :

- les biens en stock ;
- les équipements de production ;
- les comptes clients.

Antérieurement, ces catégories de biens meubles étaient couvertes par trois garanties différentes qui ont été abolies par la réforme du *Code civil* ; ces garanties étaient :

- une cession de biens en stock ;

- un nantissement ;

- une cession générale de créances, appelée aussi transport général de dettes de livres.

2696 C.c.Q. *L'hypothèque mobilière sans dépossession doit, à peine de nullité absolue, être constituée par écrit.*

En règle générale, l'hypothèque mobilière a lieu sans dépossession, ce qui signifie que l'emprunteur conserve la jouissance et l'utilisation des biens donnés en garantie. Cependant, afin de prouver l'existence de cet acte d'hypothèque et afin de se conformer à la loi qui précise que cet acte d'hypothèque doit être déposé au bureau de la publicité des droits pour être inscrit dans le registre des droits personnels et réels mobiliers, il faut que cet acte d'hypothèque soit rédigé par écrit. Par contre, et contrairement à l'acte d'hypothèque immobilière, il n'est pas nécessaire que l'acte d'hypothèque mobilière soit notarié, puisque cela n'est pas une exigence du *Code civil* ; il peut être sous seing privé. Ainsi, le directeur des prêts commerciaux d'une institution financière peut valablement faire signer un acte d'hypothèque mobilière, tout comme un notaire peut également faire signer un acte d'hypothèque mobilière.

2697 C.c.Q. *L'acte constitutif d'une hypothèque mobilière doit contenir une description suffisante du bien qui en est l'objet ou, s'il s'agit d'une universalité de meubles, l'indication de la nature de cette universalité.*

En effet, il serait très difficile pour un créancier d'exercer ses droits sur des biens déterminés de son débiteur si les biens ne sont pas décrits avec suffisamment de précision pour permettre leur identification sans problème. La description des biens individualisés comme des camions doit donc comprendre la marque, le modèle, l'année et le numéro de série. Par contre, si l'emprunteur a donné en garantie tous ses comptes clients, il est impossible de les décrire spécifiquement dans l'acte d'hypothèque. Enfin, si l'emprunteur a donné en garantie tous ses biens en stock, il est possible de décrire au moins la nature de ces biens pour aider à leur identification.

2702 C.c.Q. *L'hypothèque mobilière avec dépossession est constituée par la remise du bien ou du titre au créancier ou, si le bien est déjà entre ses mains, par le maintien de la détention, du consentement du constituant, afin de garantir sa créance.*

L'hypothèque mobilière avec dépossession existe aussi, mais elle n'est pas utilisée en matière commerciale, puisque l'emprunteur ne pourrait plus utiliser les biens donnés en garantie pour l'exploitation normale de son entreprise.

2703 C.c.Q. *L'hypothèque mobilière avec dépossession est publiée par la détention du bien ou du titre qu'exerce le créancier, et elle ne le demeure que si la détention est continue.*

En cas de dépossession, l'hypothèque mobilière est soumise à une règle particulière en matière de publicité, soit celle de la possession du bien ou du titre par le créancier. Un débiteur peut ainsi remettre à son créancier, entre autres, un lingot d'or, un certificat de dépôt à terme, des actions, des obligations, pour garantir le remboursement du prêt qu'il a contracté.

2710 C.c.Q. *L'hypothèque mobilière qui grève une créance que détient le constituant contre un tiers, ou une universalité de créances, peut être constituée avec ou sans dépossession. [...]*

L'hypothèque mobilière avec dépossession peut grever des biens représentés par un connaissement ou un autre titre négociable. Si le titre est négociable par endossement ou par délivrance, la remise au créancier a lieu par l'endossement ou par la délivrance. *Par exemple, si Bonmatério inc. détient un connaissement qui certifie qu'elle est propriétaire de 35 000 $ de matériaux de construction dans l'entrepôt de Grenier & Langlois inc., Bonmatério peut donner ces biens en garantie en remettant ce connaissement à son prêteur.*

L'hypothèque mobilière sur des créances permet de donner en garantie une ou plusieurs créances, incluant une universalité de créances, c'est-à-dire tous les comptes clients d'une entreprise.

2711 C.c.Q. *L'hypothèque qui grève une universalité de créances doit, même lorsqu'elle est constituée par la remise du titre au créancier, être inscrite au registre approprié.*

Cela signifie que l'hypothèque mobilière qui grève une universalité de créances doit être inscrite au registre des droits personnels et réels mobiliers au bureau de la publicité des droits, même si le débiteur n'est plus en possession physique des titres de créances.

2714 C.c.Q. *L'hypothèque mobilière qui grève un navire n'a d'effet que si, au moment où elle est publiée, le navire qui en fait l'objet n'est pas immatriculé en vertu de la Loi sur la marine marchande du Canada ou en vertu d'une loi étrangère équivalente.*

L'hypothèque peut aussi être constituée sur la cargaison d'un navire immatriculé ou sur le fret, que les biens soient ou non à bord, mais elle est alors assujettie, le cas échéant, aux droits que d'autres personnes peuvent avoir sur les biens en vertu de telles lois.

À titre d'information, il est bon de savoir qu'une hypothèque mobilière peut exister sur un navire, sa cargaison ou sur le fret. Enfin, un dernier rappel pour souligner ceci :

2668 C.c.Q. *L'hypothèque ne peut grever les meubles du débiteur qui garnissent sa résidence principale, servent à l'usage du ménage et sont nécessaires à la vie de celui-ci.*

Par conséquent, il n'est pas question de donner en garantie le lit conjugal, la cuisinière, la table et les quatre chaises qui garnissent la maison ; cela est illégal.

21.4.4.5 L'hypothèque ouverte

2715 C.c.Q. *L'hypothèque ouverte est celle dont certains des effets sont suspendus jusqu'au moment où, le débiteur ou le constituant ayant manqué à ses obligations, le créancier provoque la clôture de l'hypothèque en leur signifiant un avis dénonçant le défaut et la clôture de l'hypothèque.*

Le caractère ouvert de l'hypothèque doit être expressément stipulé dans l'acte.

L'hypothèque ouverte est une forme d'hypothèque courante en matière commerciale, puisqu'elle couvre généralement une universalité de biens dont la valeur exacte sera établie au moment de l'inscription de l'avis de clôture à la suite d'un défaut du débiteur. Ces biens sont les comptes clients et les stocks.

2716 C.c.Q. *Il est nécessaire pour que l'hypothèque ouverte produise ses effets qu'elle ait été publiée au préalable et, dans le cas d'une affectation de biens immeubles, qu'elle ait été inscrite contre chacun des biens.*

Elle n'est opposable aux tiers que par l'inscription de l'avis de clôture.

Encore une fois, le législateur impose l'obligation d'inscrire une hypothèque au registre approprié de manière à en permettre la publicité. De plus, le législateur a cru bon de préciser que cette hypothèque ne sera opposable au tiers que lorsque le créancier procédera à l'inscription de son **avis de clôture**, signifiant ainsi qu'il entend exercer ses droits à partir de la date de l'avis.

2721 C.c.Q. *Le créancier titulaire d'une hypothèque ouverte grevant une universalité de biens peut, à compter de l'inscription de l'avis de clôture, prendre possession des biens pour les administrer, par préférence à tout autre créancier qui n'aurait publié son hypothèque qu'après l'inscription de l'hypothèque ouverte.*

Ainsi, le créancier peut exercer tous les recours nécessaires pour protéger sa créance et, en administrant lui-même les biens, il s'assure que le débiteur ne met plus en péril sa garantie.

2722 C.c.Q. *Lorsque plusieurs hypothèques ouvertes grèvent les mêmes biens, la clôture de l'une d'elles permet aux autres créanciers d'inscrire eux-mêmes un avis de clôture au bureau de la publicité des droits.*

Lorsqu'un créancier décide d'exercer ses droits parce que le débiteur est en défaut, les autres créanciers hypothécaires peuvent également exercer leurs droits même si le débiteur n'est pas en défaut envers eux. En conséquence, s'il y a plusieurs hypothèques et que chaque créancier fait parvenir un avis de clôture à son débiteur, la date d'inscription de l'hypothèque détermine quel créancier est payé en premier.

| 21.4.5 | ## L'HYPOTHÈQUE LÉGALE |

2724 C.c.Q.

Les seules créances qui peuvent donner lieu à une hypothèque légale sont les suivantes :

1° Les créances de l'État pour les sommes dues en vertu des lois fiscales, ainsi que certaines autres créances de l'État ou de personnes morales de droit public, spécialement prévues dans les lois particulières ;

2° Les créances des personnes qui ont participé à la construction ou à la rénovation d'un immeuble ;

3° La créance du syndicat des copropriétaires pour le paiement des charges communes et des contributions au fonds de prévoyance ;

4° Les créances qui résultent d'un jugement.

Les créances qui donnent naissance à une hypothèque légale sont donc peu nombreuses ; il n'en existe que quatre catégories (voir le tableau 21.3).

Tableau 21.3 Les différentes catégories d'hypothèque légale

Hypothèque légale	de l'État
	du constructeur
	du syndicat des copropriétaires
	résultant d'un jugement

2725 C.c.Q.

Les hypothèques légales de l'État, y compris celles pour les sommes dues en vertu des lois fiscales, de même que les hypothèques des personnes morales de droit public, peuvent grever des biens meubles ou immeubles. [...]

L'inscription, par l'État, d'une hypothèque légale mobilière pour les sommes dues en vertu des lois fiscales, ne l'empêche pas de se prévaloir plutôt de sa créance prioritaire.

L'État a décidé de protéger ses intérêts et il a pris les moyens en prévoyant l'existence d'une hypothèque légale pour les sommes dues principalement en matière d'impôt. *Par exemple, si Geneviève refuse ou néglige de payer ses impôts, le ministère du Revenu du Québec peut décider de procéder à l'inscription d'une hypothèque légale sur la maison de Geneviève.*

2726 C.c.Q.

L'hypothèque légale en faveur des personnes qui ont participé à la construction ou à la rénovation d'un immeuble ne peut grever que cet immeuble. Elle n'est acquise qu'en faveur des architecte, ingénieur, fournisseur de matériaux, ouvrier, entrepreneur ou sous-entrepreneur, à raison des travaux demandés par le propriétaire de l'immeuble, ou à raison des matériaux ou services qu'ils ont fournis ou préparés pour ces travaux. Elle existe sans qu'il soit nécessaire de la publier.

2727 C.c.Q.

L'hypothèque légale en faveur des personnes qui ont participé à la construction ou à la rénovation d'un immeuble subsiste, quoiqu'elle n'ait pas été publiée, pendant les trente jours qui suivent la fin des travaux.

Elle est conservée si, avant l'expiration de ce délai, il y a eu inscription d'un avis désignant l'immeuble grevé et indiquant le montant de la créance. Cet avis doit être signifié au propriétaire de l'immeuble.

Elle s'éteint six mois après la fin des travaux à moins que, pour conserver l'hypothèque, le créancier ne publie une action contre le propriétaire de l'immeuble ou qu'il n'inscrive un préavis d'exercice d'un droit hypothécaire.

2728 C.c.Q.

L'hypothèque garantit la plus-value donnée à l'immeuble par les travaux, matériaux ou services fournis ou préparés pour ces travaux; mais, lorsque ceux en faveur de qui elle existe n'ont pas eux-mêmes contracté avec le propriétaire, elle est limitée aux travaux, matériaux ou services qui suivent la dénonciation écrite du contrat au propriétaire. L'ouvrier n'est pas tenu de dénoncer son contrat.

L'hypothèque légale de ceux qui ont travaillé à la construction ou à la rénovation d'un immeuble vise à leur assurer un droit sur la plus-value dont l'immeuble profite depuis la réalisation des travaux, nonobstant l'existence d'une hypothèque conventionnelle antérieure. Il est cependant intéressant de noter que l'hypothèque légale ne porte que sur la plus-value engendrée par les travaux et non pas sur la pleine valeur de l'immeuble. Cette hypothèque légale sera certainement la plus répandue des quatre formes d'hypothèque légale, car il arrive souvent qu'un propriétaire néglige de payer une partie des travaux de construction à l'entrepreneur ou que ce dernier néglige de payer une partie des sommes qu'il doit à ses sous-entrepreneurs.

2729 C.c.Q.

L'hypothèque légale du syndicat des copropriétaires grève la fraction du copropriétaire en défaut, pendant plus de trente jours, de payer sa quote-part des charges communes ou sa contribution au fonds de prévoyance; elle n'est acquise qu'à compter de l'inscription d'un avis indiquant la nature de la réclamation, le montant exigible au jour de l'inscription de l'avis, le montant prévu pour les charges et créances de l'année financière en cours et celles des deux années qui suivent.

Pour assurer le bon fonctionnement du syndicat des copropriétaires d'un immeuble, il est essentiel de donner à ses administrateurs un moyen de récupérer les sommes d'argent que doivent les copropriétaires négligents. Cependant, même si le syndicat des copropriétaires d'un immeuble inscrit un avis sur l'immeuble d'un copropriétaire, cela ne donne pas pour autant l'argent au syndicat des copropriétaires d'un immeuble; le syndicat doit poursuivre ce copropriétaire récalcitrant et obtenir un jugement contre lui afin de faire saisir et vendre en justice les biens de ce copropriétaire pour se faire payer.

2730 C.c.Q.

Tout créancier en faveur de qui un tribunal ayant compétence au Québec a rendu un jugement portant condamnation à verser une somme d'argent, peut acquérir une hypothèque légale sur un bien, meuble ou immeuble, de son débiteur.

Il l'acquiert par l'inscription d'un avis désignant le bien grevé par l'hypothèque et indiquant le montant de l'obligation, et, s'il s'agit de rente ou d'aliments, le montant des versements et, le cas échéant, l'indice d'indexation. L'avis est présenté avec une copie du jugement et une preuve de sa signification au débiteur.

Par exemple, l'hypothèque légale résultant du jugement d'un tribunal permet au créancier qui ne peut pas ou ne veut pas forcer la vente de la maison de son débiteur d'avoir une garantie de paiement. En effet, si le débiteur décide de vendre la maison, le notaire instrumentant devra retenir une partie du prix de vente pour payer le créancier qui détient l'hypothèque légale.

21.4.6   CERTAINS EFFETS DE L'HYPOTHÈQUE

2733 C.c.Q.

L'hypothèque ne dépouille ni le constituant ni le possesseur qui continuent de jouir des droits qu'ils ont sur les biens grevés et peuvent en disposer, sans porter atteinte aux droits du créancier hypothécaire.

Le propriétaire d'un bien hypothéqué peut donc continuer d'en jouir et d'en disposer comme bon lui semble. *Par exemple, Marie, qui possède un immeuble de six logements, peut garder pour elle-même un des six logements, elle peut louer un logement à ses parents au prix de 1 $ par mois et elle peut même donner son immeuble ou le vendre pour une somme dérisoire, mais le créancier hypothécaire conserve toujours son droit de faire saisir et vendre cet immeuble en justice pour être payé si Marie ou le nouveau propriétaire fait défaut de lui rembourser le prêt.*

2734 C.c.Q.   *Ni le constituant ni son ayant cause ne peuvent détruire ou détériorer le bien hypothéqué, ou en diminuer sensiblement la valeur, si ce n'est par une utilisation normale ou en cas de nécessité.*

Dans le cas où il en subit une perte, le créancier peut, outre ses autres recours et encore que sa créance ne soit ni liquide ni exigible, recouvrer des dommages-intérêts compensatoires jusqu'à concurrence de sa créance et au même titre d'hypothèque ; la somme ainsi perçue est imputée sur sa créance.

Par exemple, si le débiteur se met à détruire le bien qu'il a donné en garantie à son créancier, il est évident que ce dernier peut le poursuivre pour obtenir des dommages-intérêts. D'ailleurs, un acte d'hypothèque contient généralement une série de dispositions qui obligent le propriétaire de l'immeuble à garder l'immeuble en bon état et à y effectuer tous les travaux nécessaires pour en assurer la longévité.

21.4.7 L'EXERCICE DES DROITS HYPOTHÉCAIRES

2748 C.c.Q.   *Outre leur action personnelle et les mesures provisionnelles prévues au Code de procédure civile, les créanciers ne peuvent, pour faire valoir et réaliser leur sûreté, exercer que les droits hypothécaires prévus au présent chapitre.*

Ils peuvent ainsi, lorsque leur débiteur est en défaut et que leur créance est liquide et exigible, exercer les droits hypothécaires suivants : ils peuvent prendre possession du bien grevé pour l'administrer, le prendre en paiement de leur créance, le faire vendre sous contrôle de justice ou le vendre eux-mêmes.

Le créancier hypothécaire dispose donc de quatre recours distincts contre le débiteur en défaut :

- la prise de possession à des fins d'administration ;
- la prise en paiement ;
- la vente par le créancier ;
- la vente sous contrôle de justice.

Chacun de ces recours sera étudié en détail dans les pages qui suivent, mais, en pratique, nous verrons que deux recours seront principalement utilisés par les créanciers : la **prise en paiement** s'il n'y a qu'un seul créancier hypothécaire ou si le recours est exercé par le dernier créancier hypothécaire, et la **vente sous contrôle de justice** s'il y a plusieurs créanciers, hypothécaires ou non, et que chacun désire obtenir une partie de la valeur que représente l'immeuble.

2749 C.c.Q.   *Les créanciers ne peuvent exercer leurs droits hypothécaires avant l'expiration du délai imparti pour délaisser le bien tel qu'il est fixé par l'article 2758.*

Le législateur a jugé nécessaire d'imposer un certain délai à respecter aux créanciers de manière à mieux protéger les droits du débiteur et d'accorder à ce dernier un temps suffisant pour lui permettre de trouver l'argent nécessaire pour rembourser la dette. De plus, le créancier ne peut réduire ce délai.

2945 C.c.Q.   *À moins que la loi n'en dispose autrement, les droits prennent rang suivant la date, l'heure et la minute inscrites sur le bordereau de présentation, pourvu que les inscriptions soient faites sur les registres appropriés.*

2750 C.c.Q.   *Celui des créanciers dont le rang est antérieur a priorité, pour l'exercice de ses droits hypothécaires, sur ceux qui viennent après lui.*

Il peut cependant être tenu de payer les frais engagés par un créancier subséquent si, étant avisé de l'exercice d'un droit hypothécaire par cet autre créancier, il néglige, dans un délai raisonnable, d'invoquer l'antériorité de ses droits.

Ainsi, s'il y a plusieurs hypothèques sur un même immeuble, l'hypothèque qui a priorité est celle qui a été inscrite en premier ; elle est suivie de celle inscrite en deuxième, puis de celle inscrite en troisième, et ainsi de suite. En pratique, deux hypothèques ne peuvent pas occuper le même rang, puisque sur chaque document déposé au bureau de la publicité des droits, l'officier de la publicité des droits inscrit la date, l'heure et la minute du dépôt. De plus, tous les documents portent un numéro consécutif ; il est ainsi facile de déterminer lequel a priorité.

Le rang de l'hypothèque n'est pas forcément une garantie absolue de remboursement. En effet, cela dépend du montant pour lequel a été contractée chacune des hypothèques antérieures. *Par exemple, supposons que Micheline soit propriétaire d'une maison de 100 000 $ sur laquelle il y a les hypothèques suivantes :*

Créancier	Date	Rang	Montant	Taux
Banque Royale	1-10-68	Premier	3 000 $	7,5 %
Banque de Montréal	1-04-74	Deuxième	7 000	8,75 %
Caisse populaire Laurier	1-07-82	Troisième	9 000	9,5 %
Trust Général du Canada	1-02-89	Quatrième	12 000	10,25 %
Trust Royal	1-11-93	Cinquième	14 000	11 %
Total			45 000 $	9,92 %

Toutes ces hypothèques ne totalisent que 45 000 $, contre une valeur de 100 000 $; il n'y aurait donc pas de risque pour la Banque Nationale de consentir un nouveau prêt de 30 000 $ à 12,5 % et de demander en garantie une hypothèque qui la placerait au sixième rang. Cependant, la banque préférerait probablement accorder un prêt de 75 000 $ et couvrir ainsi le remboursement des cinq hypothèques antérieures.

Toutefois, comme le taux d'intérêt du prêt consenti par la Banque Nationale est de 12,5 % et que Micheline jouit de taux aussi faibles que 7,5 %, 8,75 %, 9,5 %, 10,25 % et 11 % pour un taux moyen de 9,92 %, cette dernière n'est sûrement pas intéressée à remplacer des prêts à taux aussi bas par un prêt à taux plus élevé. Généralement, le taux d'intérêt augmente lorsque le rang hypothécaire augmente.

Par contre, si Micheline avait eu une seule hypothèque sur sa maison pour une somme de 80 000 $ à 12,25 %, elle aurait sans doute été dans l'impossibilité de contracter un nouvel emprunt auprès d'une institution financière car les institutions financières limitent généralement un prêt à 75 % de la valeur d'un immeuble. Micheline aurait également eu plus de difficultés à contracter un nouvel emprunt auprès d'un particulier et à donner encore une fois sa maison en garantie hypothécaire, car, dans ce cas, la garantie n'aurait que peu de valeur compte tenu de l'importance de la première hypothèque. Dans un tel cas, le prêteur demande généralement un taux d'intérêt plus élevé et des garanties supplémentaires comme une hypothèque sur un autre immeuble, un cautionnement par un tiers ou par le dépôt en garantie d'actions, d'obligations ou d'un certificat de dépôt. Certes, **le rang est important, mais le montant des hypothèques antérieures par rapport à la valeur de la maison est encore plus important**.

Pour un créancier hypothécaire, l'important est de détenir le premier rang, ou du moins le rang le plus proche du premier. Bien que le *Code civil* permette l'inversion de rang entre créanciers hypothécaires, il arrive rarement qu'un créancier de deuxième rang, comme la Banque de Montréal dans l'exemple précédent, accepte de céder son rang au créancier hypothécaire suivant, la caisse populaire Laurier, qui passerait ainsi du troisième au deuxième rang à la place de la Banque de Montréal.

2751 C.c.Q.   *Le créancier exerce ses droits hypothécaires en quelques mains que le bien se trouve.*

Le **droit de suite** permet au créancier hypothécaire de faire saisir et vendre l'immeuble en quelques mains qu'il soit. *Par exemple, même si le débiteur a vendu sa maison à Lucien qui l'a lui-même revendue à Jeanne, le créancier peut toujours faire saisir la maison de Jeanne, car il possède un droit réel sur la maison, quel qu'en soit le propriétaire.*

21.4.8 LES RECOURS DU CRÉANCIER

Avant d'exercer les droits qui résultent d'un acte d'hypothèque, le créancier doit accomplir un certain nombre de formalités.

2757 C.c.Q. *Le créancier qui entend exercer un droit hypothécaire doit produire au bureau de la publicité des droits un **préavis**, accompagné de la preuve de la signification au débiteur et, le cas échéant, au constituant, ainsi qu'à toute autre personne contre laquelle il entend exercer son droit. [...]*

21.4.8.1 Les mesures préalables

Premièrement, le créancier doit faire signifier au débiteur un préavis d'exercice d'un droit hypothécaire.

2758 C.c.Q. *Le **préavis d'exercice d'un droit hypothécaire** doit dénoncer tout défaut par le débiteur d'exécuter ses obligations et rappeler le droit, le cas échéant, du débiteur ou d'un tiers, de remédier à ce défaut. Il doit aussi indiquer le montant de la créance en capital et intérêts, s'il en existe, et la nature du droit hypothécaire que le créancier entend exercer, fournir une description du bien grevé et sommer celui contre qui le droit hypothécaire est exercé de délaisser le bien, avant l'expiration du délai imparti.*

*Ce délai est de **vingt jours** à compter de l'inscription du préavis s'il s'agit d'un bien meuble, de **soixante jours** s'il s'agit d'un bien immeuble, ou de **dix jours** lorsque l'intention du créancier est de prendre possession du bien.*

Ce préavis doit contenir toutes les informations nécessaires pour permettre au débiteur de savoir ce qu'on lui reproche et comment il peut remédier à son défaut. Le préavis doit contenir les éléments suivants :

- la dénonciation du défaut ;
- le rappel du droit de remédier au défaut ;
- l'indication du montant de la créance en capital et intérêts ;
- l'indication de la nature du droit hypothécaire que le créancier entend exercer ;
- la description du bien grevé ;
- la sommation de délaisser le bien dans le délai imparti : 20 jours pour l'hypothèque mobilière ; 60 jours pour l'hypothèque immobilière.

De plus, le préavis doit d'abord être signifié au débiteur et, ensuite, il est inscrit dans le registre approprié au bureau de la publicité des droits.

2761 C.c.Q. *Le débiteur ou celui contre qui le droit hypothécaire est exercé, ou tout autre intéressé, peut faire échec à l'exercice du droit du créancier en lui payant ce qui lui est dû ou en remédiant à l'omission ou à la contravention mentionnée dans le préavis et à toute omission ou contravention subséquente et, dans l'un ou l'autre cas, en payant les frais engagés.*

Il peut exercer ce droit jusqu'à ce que le bien ait été pris en paiement ou vendu ou, si le droit exercé est la prise de possession, à tout moment.

Évidemment, le débiteur a tout intérêt à prendre les dispositions nécessaires pour remédier à son défaut, par exemple payer les versements échus, payer le compte de taxes foncières municipales, renouveler l'assurance de l'immeuble, etc.

2762 C.c.Q. *Le créancier qui a donné un préavis d'exercice d'un droit hypothécaire n'a le droit d'exiger du débiteur aucune indemnité autre que les intérêts échus et les frais engagés.*

Donc, il n'est pas question pour le créancier d'exiger d'énormes indemnités sous prétexte que le débiteur est en défaut. Que peut faire le débiteur à l'égard de son créancier ? Il peut délaisser l'immeuble.

2763 C.c.Q.   *Le délaissement est volontaire ou forcé.*

2764 C.c.Q.   *Le **délaissement est volontaire** lorsque, avant l'expiration du délai indiqué dans le pré- avis, celui contre qui le droit hypothécaire est exercé abandonne le bien au créancier afin qu'il en prenne possession ou consent, par écrit, à le remettre au créancier au moment convenu.*

     Si le droit hypothécaire exercé est la prise en paiement, le délaissement volontaire doit être constaté dans un acte consenti par celui qui délaisse le bien.

Évidemment, si le débiteur est réellement en défaut et qu'il n'a pas de motif d'oppo- sition valable, la meilleure solution est encore de délaisser l'immeuble afin que le créancier s'en occupe personnellement. Par contre, si le débiteur croit avoir de bons motifs de s'opposer au créancier, par exemple un délai déjà accordé par le créancier, ce dernier devra s'adresser au tribunal pour obtenir un délaissement forcé.

2765 C.c.Q.   *Le **délaissement est forcé** lorsque le tribunal l'ordonne, après avoir constaté l'existence de la créance, le défaut du débiteur, le refus de délaisser volontairement et l'absence d'une cause valable d'opposition.*

     Le jugement fixe le délai dans lequel le délaissement doit s'opérer, en détermine la manière et désigne la personne en faveur de qui il a lieu.

Si la preuve du défaut du débiteur est faite devant le tribunal, il va de soi que le tribunal ordonnera le délaissement de l'immeuble. Dans un tel cas :

2768 C.c.Q.   *Le créancier qui a obtenu le délaissement du bien en a la simple administration jusqu'à ce que le droit hypothécaire qu'il entend exercer soit effectivement exercé.*

Le plus souvent, le créancier hypothécaire utilisera la prise en paiement ou fera vendre l'immeuble en justice pour être payé prioritairement à même le produit de la vente ; il choisira la solution la plus avantageuse selon les circonstances.

21.4.8.2   La prise de possession à des fins d'administration

2773 C.c.Q.   *Le créancier qui détient une hypothèque **sur les biens d'une entreprise** peut prendre temporairement possession des biens hypothéqués et les administrer ou en déléguer géné- ralement l'administration à un tiers. Le créancier, ou celui à qui il a délégué l'administra- tion, agit alors à titre d'administrateur du bien d'autrui chargé de la pleine administration.*

Ce premier recours en faveur du créancier n'existe que lorsqu'il détient une hypo- thèque sur les biens d'une entreprise. Il peut ainsi administrer les biens et parfois le commerce même de son débiteur afin d'assurer le remboursement de sa créance. Cependant, la prise de possession à des fins d'administration ne constitue qu'une solution temporaire. En effet, elle mène soit au paiement de la dette et à la remise du bien au débiteur, soit à l'exercice d'un autre recours tel la vente ou la prise en paiement. Dans ce dernier cas, le créancier devra envoyer un nouveau préavis d'exer- cice d'un droit hypothécaire

Comme le créancier jouit du pouvoir de l'administrateur du bien d'autrui chargé de la pleine administration, il peut poser tout acte utile à la conservation ou à l'accrois- sement des biens. Il doit agir comme le ferait une personne prudente et diligente dans l'intérêt commun, c'est-à-dire en conciliant tant ses intérêts que ceux du débi- teur et des autres créanciers.

2776 C.c.Q.   *À la fin de la possession, le créancier doit rendre compte de son administration et, à moins qu'il n'ait publié un préavis d'exercice d'un autre droit hypothécaire, remettre les biens possédés à celui contre qui le droit hypothécaire a été exercé, ou encore à ses ayants cause, au lieu préalablement convenu ou, à défaut, au lieu où ils se trouvent.*

     Il inscrit au registre approprié un avis de remise des biens.

2777 C.c.Q.   Le créancier qui, en raison de son administration, obtient le paiement de la dette, est tenu de remettre à celui contre qui le droit hypothécaire a été exercé, outre le bien, tout surplus restant entre ses mains après l'acquittement de la dette, des dépenses de l'administration et des frais engagés pour exercer la possession du bien.

Ainsi, lorsque le créancier a terminé l'administration des biens de son débiteur, il doit non seulement rendre compte de son administration mais, en plus, s'il a accumulé des surplus après avoir obtenu le remboursement de sa dette, il doit évidemment remettre ces surplus au débiteur.

| 21.4.8.3 | **La prise en paiement** |

2778 C.c.Q.   À moins que celui contre qui le droit est exercé ne délaisse volontairement le bien, le créancier doit obtenir l'autorisation du tribunal pour exercer la prise en paiement lorsque le débiteur a déjà acquitté, au moment de l'inscription du préavis du créancier, la moitié, ou plus, de l'obligation garantie par hypothèque.

Inspiré par l'article 142 de la *Loi sur la protection du consommateur*, cet article vise à empêcher le créancier de s'approprier un immeuble de bonne valeur pour un solde minime. En remettant le contrôle de la prise en paiement entre les mains du tribunal, le législateur s'assure d'un minimum de protection des droits du débiteur. Il s'agit à la fois d'une mesure sociale et de gros bon sens.

2779 C.c.Q.   Les créanciers hypothécaires subséquents ou le débiteur peuvent, dans les délais impartis pour délaisser, exiger que le créancier abandonne la prise en paiement et procède lui-même à la vente du bien ou le fasse vendre sous contrôle de justice ; ils doivent, au préalable, avoir inscrit un avis à cet effet, remboursé les frais engagés par le créancier et avancé les sommes nécessaires à la vente du bien.

L'avis doit être signifié au créancier, au constituant ou au débiteur, ainsi qu'à celui contre qui le droit hypothécaire est exercé et son inscription est dénoncée, conformément au livre De la publicité des droits.

Les créanciers subséquents qui exigent que le créancier procède à la vente du bien doivent, en outre, lui donner caution que la vente se fera à un prix suffisamment élevé qu'il sera payé intégralement de sa créance.

Cet article est la nouvelle clef de voûte des recours du créancier. En effet, plutôt que de recourir à la vente en justice, la plupart des créanciers hypothécaires préfèrent utiliser la prise en paiement qui leur permet de reprendre l'immeuble rétroactivement à la date de l'inscription du préavis et libre des hypothèques publiées après la sienne.

LA PRISE EN PAIEMENT DE LA MAISON PAR LE CRÉANCIER

Par exemple, examinons de nouveau le cas de Micheline qui est propriétaire d'une maison de 100 000 $ sur laquelle il y a les hypothèques suivantes :

Créancier	Date	Rang	Montant	Taux
Banque Royale	1-10-68	Premier	3 000 $	7,5 %
Banque de Montréal	1-04-74	Deuxième	7 000	8,75 %
Caisse populaire Laurier	1-07-82	Troisième	9 000	9,5 %
Trust Général du Canada	1-02-89	Quatrième	12 000	10,25 %
Trust Royal	1-11-93	Cinquième	14 000	11 %
Total			45 000 $	9,92 %

Si Micheline fait défaut de rembourser la troisième hypothèque de 9 000 $ en faveur de la caisse populaire Laurier, la caisse peut exercer son recours de prise en paiement et ainsi devenir propriétaire de l'immeuble de Micheline. Les hypothèques des deux créanciers suivants, soit le Trust Général du Canada et le Trust Royal, sont radiées parce qu'elles ont été publiées à une date postérieure à celle de la caisse populaire Laurier. Par conséquent, la caisse ne doit assumer que les dettes des deux créanciers antérieurs, soit les 3 000 $ de la Banque Royale et les 7 000 $ de la Banque de Montréal.

Dans un tel cas, il est clair que les quatrième et cinquième créanciers hypothécaires ont intérêt à forcer la vente en justice, car cette maison devrait rapporter au moins 70 000 $, une somme suffisante pour couvrir les créances des cinq créanciers hypothécaires, plus un certain surplus pour la débitrice, en l'occurrence Micheline.

Si le Trust Général du Canada ou le Trust Royal force la vente en justice et que cette dernière rapporte 70 000 $, non seulement les cinq créanciers hypothécaires recevront leur dû, soit 45 000 $, mais en plus, Micheline recevra le solde, soit 25 000 $. Cependant, si aucun créancier hypothécaire ne force la vente en justice et que la caisse populaire Laurier exerce son droit de prise en paiement, les deux premiers créanciers continueront de recevoir leurs versements payés par la caisse populaire Laurier. Celle-ci aura reçu un immeuble d'une valeur de 100 000 $ (moins 10 000 $ pour les deux premières hypothèques) pour sa créance de 9 000 $. Les deux autres créanciers que sont le Trust Général du Canada et le Trust Royal ne recevront rien et Micheline perdra tout.

Par contre, si Micheline fait défaut de rembourser la cinquième hypothèque de 14 000 $ en faveur du Trust Royal, cette dernière peut exercer son recours de prise en paiement et ainsi devenir propriétaire de l'immeuble de Micheline. Comme le Trust Royal récupère la maison mais qu'elle doit assumer les quatre hypothèques antérieures, les quatre créanciers antérieurs n'ont pas intérêt à forcer la vente en justice ; dorénavant, ils recevront leur versement mensuel du Trust Royal plutôt que de Micheline.

Comme la prise en paiement permet à un créancier de récupérer un immeuble pour une partie seulement de son prix, il est facile de comprendre pourquoi les créanciers préfèrent ce recours. Le législateur a toutefois voulu tempérer ce droit du créancier qui veut exercer une prise en paiement en permettant aux créanciers subséquents d'exiger du créancier qui veut exercer son droit de prise en paiement de vendre l'immeuble afin que tous les créanciers puissent obtenir quelque chose.

2780 C.c.Q.

Le créancier requis de vendre doit procéder à la vente, à moins qu'il ne préfère désintéresser les créanciers subséquents qui ont inscrit l'avis ou, si l'avis a été inscrit par le débiteur, que le tribunal n'autorise le créancier, aux conditions qu'il détermine, à prendre en paiement.

À défaut par le créancier d'agir, le tribunal peut permettre à celui qui a inscrit l'avis exigeant la vente, ou à toute autre personne qu'il désigne, d'y procéder.

Si le Trust Royal demande à la caisse populaire Laurier de procéder à la vente en justice, la caisse populaire Laurier paiera ce créancier hypothécaire car elle reprend ainsi une maison de 100 000 $ pour une somme de 45 000 $. Ainsi, le Trust Royal sera payé immédiatement et entièrement tandis que le Trust Général du Canada ne recevra rien et son hypothèque sera radiée car il n'a pas demandé à la caisse populaire Laurier de procéder à la vente en justice.

Par contre, si le Trust Général du Canada et le Trust Royal demandent à la caisse populaire Laurier de procéder à la vente en justice, la caisse populaire Laurier n'a pas le choix; elle doit payer les quatrième et cinquième créanciers hypothécaires si elle désire reprendre une maison de 100 000 $ pour une somme de 45 000 $.

Micheline a le droit d'exiger que l'immeuble soit vendu en justice, mais elle doit quand même disposer des sommes nécessaires pour rembourser les frais déjà encourus par le créancier, soit le coût relatif à l'émission de l'avis, et avancer les sommes nécessaires à la vente du bien. Or, comme Micheline est en défaut, il n'est pas évident qu'elle dispose de ces sommes d'argent et c'est pourquoi son créancier a décidé de reprendre l'immeuble. Évidemment, si des amis ou des membres de sa famille lui avancent l'argent nécessaire, Micheline peut ainsi forcer la vente en justice et récupérer pour son compte l'excédent entre le prix de vente et le montant des hypothèques et des frais. Par exemple, si les frais sont de 3 000 $ et que la vente a rapporté 68 000 $, il restera donc à Micheline une somme de 20 000 $, soit la différence entre le prix de vente de 68 000 $ et le total des dettes, soit 3 000 $ de frais et 45 000 $ d'hypothèque.

2781 C.c.Q.   *Lorsqu'il n'a pas été remédié au défaut ou que le paiement n'a pas été fait dans le délai imparti pour délaisser, le créancier prend le bien en paiement par l'effet du jugement en délaissement, ou par un acte volontairement consenti, si les créanciers subséquents ou le débiteur n'ont pas exigé qu'il procède à la vente.*

     Le jugement en délaissement ou l'acte volontairement consenti constitue le titre de propriété du créancier.

Par exemple, si nous prenons le cas classique du propriétaire d'une maison unifamiliale qui n'a qu'une seule hypothèque sur sa maison, il est évident que s'il est en défaut, le créancier peut exercer son recours de prise en paiement et personne ne viendra lui nuire dans l'exercice de ses droits. Dans ce cas, le débiteur qui sait qu'il n'a pas d'argent pour payer le créancier ni aucun motif à faire valoir à l'encontre de la prise en paiement, peut signer un acte de délaissement volontaire par lequel il remet volontairement sa maison au créancier afin d'accélérer le processus. Par contre, il peut également refuser de signer un tel acte et attendre que le créancier se présente devant le tribunal pour obtenir un jugement en délaissement forcé. Dans les deux cas, le créancier sera, un jour ou l'autre, propriétaire de la maison.

2782 C.c.Q.   *La prise en paiement éteint l'obligation.*

     Le créancier qui a pris le bien en paiement ne peut réclamer ce qu'il paie à un créancier prioritaire ou hypothécaire qui lui est préférable. Il n'a pas droit, dans tel cas, à subrogation contre son ancien débiteur.

En prenant le bien en paiement, il va de soi que la dette du débiteur est complètement éteinte, puisque la prise en paiement de l'immeuble a pour but d'échanger la dette contre l'immeuble. Si le montant de la dette est trop élevé par rapport au montant que le créancier pense obtenir en revendant l'immeuble, il a intérêt à renoncer à la prise en paiement et à opter pour le recours de la vente en justice. Ainsi, il recevra le produit de la vente en justice de l'immeuble et conservera son droit pour le solde de la dette.

2783 C.c.Q.   *Le créancier qui a pris le bien en paiement en devient le propriétaire à compter de l'inscription du préavis. Il le prend dans l'état où il se trouvait alors, mais libre des hypothèques publiées après la sienne.*

     Les droits réels créés après l'inscription du préavis ne sont pas opposables au créancier s'il n'y a pas consenti.

Par exemple, si la caisse populaire Laurier exerce son droit de prise en paiement de l'immeuble de Micheline et que cet immeuble a besoin de réparation, la caisse devra en assumer les frais, puisqu'elle se trouve à reprendre l'immeuble dans l'état où il est. Par ailleurs, les deux hypothèques publiées après celle de la caisse populaire Laurier, soit les hypothèques du Trust Général du Canada et du Trust Royal, sont radiées.

21.4.8.4   La vente par le créancier

2784 C.c.Q.

*Le créancier qui détient une **hypothèque sur les biens d'une entreprise** peut, s'il a présenté au bureau de la publicité des droits un préavis indiquant son intention de vendre lui-même le bien grevé et, après avoir obtenu le délaissement du bien, procéder à la **vente de gré à gré**, par **appel d'offres** ou aux **enchères**.*

Pour la deuxième fois, il s'agit d'un recours qui ne peut être exercé que si le débiteur est une personne qui exploite une entreprise.

2785 C.c.Q.

Le créancier doit vendre le bien sans retard inutile, pour un prix commercialement raisonnable, et dans le meilleur intérêt de celui contre qui le droit hypothécaire est exercé.

S'il y a plus d'un bien, il peut les vendre ensemble ou séparément.

Encore une fois, le législateur intervient pour protéger le débiteur contre un créancier qui peut être tenté de profiter de la situation pour s'enrichir aux dépens du débiteur. Il faut que le créancier fasse les efforts nécessaires pour obtenir un prix commercialement raisonnable. Pour éviter tout reproche ou toute poursuite de la part du débiteur, le créancier peut préférer opter pour la vente sous contrôle de justice afin de pouvoir faire valoir le fait que ce n'est pas lui qui a procédé à la vente, mais un huissier selon les directives du tribunal.

2787 C.c.Q.

*Le créancier qui procède par **appel d'offres** peut le faire par la voie des journaux ou sur invitation.*

L'appel d'offres doit contenir les renseignements suffisants pour permettre à toute personne intéressée de présenter, en temps et lieu, une soumission.

Le créancier est tenu d'accepter la soumission la plus élevée, à moins que les conditions dont elle est assortie ne la rendent moins avantageuse qu'une autre offrant un prix moins élevé, ou que le prix offert ne soit pas un prix commercialement raisonnable.

2788 C.c.Q.

*Le créancier qui procède à la **vente aux enchères** doit le faire aux date, heure et lieu fixés dans l'avis de vente signifié à celui contre qui le droit hypothécaire est exercé et au constituant, et notifié aux autres créanciers qui ont publié leur droit à l'égard du bien.*

Il doit, en outre, informer de ses démarches les personnes intéressées qui lui en font la demande.

2789 C.c.Q.

Le créancier impute le produit de la vente au paiement des frais engagés pour l'exercer, au paiement des créances primant ses droits, puis à celui de sa créance.

Si d'autres créanciers ont des droits à faire valoir, le créancier qui a vendu le bien rend compte du produit de la vente au greffier du tribunal compétent et lui remet ce qui reste du prix après l'imputation ; dans le cas contraire, il doit, dans les dix jours, rendre compte du produit de la vente au propriétaire des biens et lui remettre le surplus, s'il en existe ; la reddition de compte peut être contestée de la manière établie au Code de procédure civile.

Si le produit de la vente ne suffit pas à payer sa créance et les frais, le créancier conserve, à l'encontre de son débiteur, une créance pour ce qui lui reste dû.

Contrairement à la prise en paiement qui éteint l'obligation du débiteur, la vente par le créancier ne libère pas le débiteur du solde de la dette.

21.4.8.5   La vente sous contrôle de justice

2791 C.c.Q.

La vente a lieu sous contrôle de justice lorsque le tribunal désigne la personne qui y procédera, détermine les conditions et les charges de la vente, indique si elle peut être faite de gré à gré, par appel d'offres ou aux enchères et, s'il le juge opportun, fixe, après s'être enquis de la valeur du bien, une mise à prix.

Par exemple, si Micheline fait défaut de payer la troisième hypothèque de 9 000 $ en faveur de la caisse populaire Laurier, cette dernière peut exercer un recours pour forcer la vente de l'immeuble sous contrôle de justice. Si la vente rapporte 70 000 $, les cinq premiers créanciers hypothécaires recevront leur dû respectif, soit au total 45 000 $ alors que Micheline recevra le solde, soit 25 000 $.

Si la vente en justice n'avait rapporté que 29 000 $, les différents créanciers hypothécaires auraient reçu les sommes suivantes :

Créancier	Rang	Dû	Reçu	Solde
Montant de la vente				29 000 $
Banque Royale	1er	3 000 $	3 000 $	26 000 $
Banque de Montréal	2e	7 000	7 000	19 000 $
Caisse populaire Laurier	3e	9 000	9 000	10 000 $
Trust Général du Canada	4e	12 000	10 000	(2 000 $)
Trust Royal	5e	14 000	0	(16 000 $)
Total		45 000 $	29 000 $	(16 000 $)

On constate que les trois premiers créanciers hypothécaires auraient été entièrement payés, que le quatrième aurait reçu 10 000 $ des 12 000 $ qui lui étaient dus, et que le cinquième créancier aurait perdu les 14 000 $ qui lui étaient dus. D'où l'importance d'être le premier créancier hypothécaire plutôt que le troisième ou le quatrième.

Si une telle situation devait se produire, le Trust Général participerait aux enchères et offrirait au moins 45 000 $ pour l'immeuble afin de protéger sa créance. De toute manière, il ne court aucun risque puisque l'immeuble vaut 100 000 $. Donc, les autres enchérisseurs devraient offrir plus de 45 000 $ pour acquérir l'immeuble de Micheline.

2794 C.c.Q.   *La vente sous contrôle de justice **purge** les droits réels dans la mesure prévue au Code de procédure civile quant à l'effet du décret d'adjudication.*

Lorsqu'un immeuble est vendu sous contrôle de justice, l'acheteur détient un titre clair, c'est-à-dire un titre de propriété sur lequel il n'existe plus d'hypothèque ou d'autres créances.

21.4.9   L'EXTINCTION DE L'HYPOTHÈQUE

2797 C.c.Q.   *L'hypothèque s'éteint par l'extinction de l'obligation dont elle garantit l'exécution. Cependant, dans le cas d'une ouverture de crédit et dans tout autre cas où le débiteur s'oblige à nouveau en vertu d'une stipulation dans l'acte constitutif d'hypothèque, celle-ci subsiste malgré l'extinction de l'obligation, à moins qu'elle n'ait été radiée.*

Lorsque le débiteur a terminé de rembourser le prêt, il est évident que l'hypothèque s'éteint puisque l'obligation principale, soit celle de rembourser le prêt, est éteinte et que l'hypothèque n'est qu'un accessoire.

*Par exemple, si Micheline décide de vendre son immeuble et qu'elle affirme à l'acheteur que les cinq hypothèques grevant cet immeuble seront payées lors de la signature de l'acte de vente, cette promesse du vendeur ne peut constituer la preuve que les hypothèques seront payées ; il faut absolument que chaque créancier signe une **quittance hypothécaire**.*

Une quittance hypothécaire est un **acte de quittance et de mainlevée** par lequel le prêteur **donne quittance** de l'obligation, c'est-à-dire qu'il reconnaît que l'obligation a été entièrement exécutée ou payée et **donne mainlevée** de l'hypothèque, donc qu'il consent à ce que l'hypothèque qui grève l'immeuble en sa faveur soit radiée. Sans cette quittance, l'hypothèque existe toujours, même si l'obligation a été entièrement exécutée ou payée.

C'est ici que le **notaire** joue un rôle important. En effet, comme le notaire doit être certain qu'il remet un bon titre de propriété à l'acheteur, il doit s'assurer que le vendeur a réellement la capacité juridique d'aliéner l'immeuble et que les hypothèques antérieures ainsi que les priorités qui pouvaient exister ont été ou seront bel et bien radiées au moment de la signature de l'acte de vente, à moins que l'acheteur ne soit informé de leur existence et qu'il accepte de les assumer.

Par exemple, reprenons le cas de Micheline, qui est propriétaire d'une maison de 100 000 $ grevée de cinq hypothèques totalisant 45 000 $, et supposons que Jérôme veuille acheter cet immeuble. Il existe plusieurs possibilités de financement pour cette transaction. Nous nous contenterons d'illustrer puis d'expliquer les quatre situations les plus courantes (voir le tableau 21.4).

Tableau 21.4   Les quatre possibilités de financement pour l'achat de la maison de Micheline au prix de 100 000 $

Comptant	Nouvelle hypothèque	Hypothèques existantes assumées	Financement par le vendeur
1) 100 000 $			
2) 25 000 $	75 000 $		
3) 25 000 $	30 000 $	45 000 $	
4) 15 000 $	50 000 $	19 000 $	16 000 $

*Dans la première situation, Jérôme paie le prix de 100 000 $ de la manière suivante : il remet une somme de 100 000 $ comptant au **notaire instrumentant**, c'est-à-dire au notaire qui va rédiger les actes ou instruments de vente, d'hypothèque et de quittance. Dans ce cas, le notaire :*

- fait signer l'acte de vente de Micheline à Jérôme ;

- fait publier l'acte de vente ;

- s'assure qu'aucun autre acte d'hypothèque ou de vente n'a été publié avant cet acte de vente ;

- prend 45 000 $ pour rembourser les cinq dettes garanties par hypothèque ;

- fait signer une quittance par chaque créancier hypothécaire ;

- fait publier ces cinq quittances pour obtenir la radiation des cinq hypothèques ;

- vérifie dans le registre foncier si les cinq quittances ont bien été publiées et si les cinq hypothèques ont bien été radiées ;

- remet le solde de 55 000 $ à Micheline.

Dans la seconde situation, Jérôme paie le prix de 100 000 $ de la manière suivante : il emprunte 75 000 $ à un prêteur, l'Assurance-vie Desjardins, en offrant une garantie hypothécaire de premier rang sur la maison de Micheline, et remet au notaire instrumentant une somme de 25 000 $ comptant. Dans ce cas, le notaire :

- fait signer l'acte d'hypothèque de 75 000 $ de Jérôme en faveur de l'Assurance-vie Desjardins ;

- fait publier l'acte d'hypothèque ;

- fait signer l'acte de vente de Micheline à Jérôme ;
- fait publier l'acte de vente ;
- s'assure qu'aucun autre acte d'hypothèque ou de vente n'a été publié avant ces deux actes ;
- prend 45 000 $ pour rembourser les cinq dettes garanties par hypothèque ;
- fait signer une quittance par chaque créancier hypothécaire ;
- fait publier ces cinq quittances pour obtenir la radiation des cinq hypothèques ;
- vérifie dans le registre foncier si les cinq quittances ont bien été publiées et si les cinq hypothèques ont bien été radiées ;
- remet le solde de 55 000 $ à Micheline.

Dans la troisième situation, Jérôme paie le prix de 100 000 $ de la manière suivante : il assume les cinq hypothèques existantes pour un total de 45 000 $, emprunte 30 000 $ à un prêteur, la Fiducie Desjardins, en offrant une garantie hypothécaire de sixième rang sur la maison de Micheline et remet au notaire instrumentant une somme de 25 000 $ comptant. Dans ce cas, le notaire :

- fait signer l'acte d'hypothèque de 30 000 $ de Jérôme en faveur de la Fiducie Desjardins ;
- fait publier l'acte d'hypothèque ;
- fait signer l'acte de vente de Micheline à Jérôme dans lequel Jérôme assume les cinq hypothèques existantes ;
- fait publier l'acte de vente ;
- vérifie dans le registre foncier qu'aucun autre acte d'hypothèque ou de vente n'a été publié avant la publicité de ces deux actes ;
- remet le solde de 55 000 $ à Micheline.

Dans la quatrième situation, Jérôme paie le prix de 100 000 $ de la manière suivante : il assume les trois premières hypothèques existantes pour un total de 19 000 $, emprunte 50 000 $ à un prêteur, la Banque Toronto-Dominion, en offrant une garantie hypothécaire de quatrième rang sur la maison de Micheline, se fait financer par le vendeur, Micheline, pour 16 000 $ garantis par une hypothèque de cinquième rang et remet 15 000 $ comptant au notaire instrumentant. Dans ce cas, le notaire :

- fait signer l'acte d'hypothèque de 50 000 $ de Jérôme en faveur de la Banque Toronto-Dominion ;
- fait publier l'acte d'hypothèque ;
- fait signer l'acte de vente de Micheline à Jérôme dans lequel Jérôme assume les trois hypothèques existantes et accorde une hypothèque de cinquième rang de 16 000 $ à Micheline pour garantir le solde du prix de vente ;
- fait publier l'acte de vente ;
- s'assure qu'aucun autre acte d'hypothèque ou de vente n'a été publié avant ces deux actes ;
- prend 26 000 $ pour rembourser les quatrième et cinquième hypothèques existantes ;
- fait signer une quittance par les deux créanciers hypothécaires qui ont été remboursés ;
- fait publier ces deux quittances pour obtenir la radiation des quatrième et cinquième hypothèques ;
- vérifie dans le registre foncier si les deux quittances ont bien été publiées et si les quatrième et cinquième hypothèques ont bien été radiées ;
- remet le solde de 39 000 $ à Micheline.

Il existe donc plusieurs manières, tant pour le vendeur que pour l'acheteur, de procéder au **financement d'une vente d'immeuble**. Nous avons vu quatre possibilités, mais il en existe d'autres ; elles dépendent de l'imagination et des attentes de l'acheteur et du vendeur.

Une hypothèque peut également s'éteindre par le simple écoulement du temps.

2798 C.c.Q.

L'hypothèque mobilière s'éteint au plus tard dix ans après son inscription ou après l'inscription d'un avis qui lui donne effet ou la renouvelle.

Le gage s'éteint lorsque cesse la détention.

2799 C.c.Q.

L'hypothèque immobilière s'éteint au plus tard trente ans après son inscription ou après l'inscription d'un avis qui lui donne effet ou la renouvelle.

RÉSUMÉ

Le gage commun des créanciers signifie que tous les biens d'une personne garantissent toutes les dettes qu'elle contracte.

Il existe deux causes légitimes de préférence : les priorités et les hypothèques.

Une priorité est une créance qui permet à un créancier d'être payé avant tous les autres créanciers, même hypothécaires.

Il existe cinq priorités : les frais de justice et toutes les dépenses faites dans l'intérêt commun, la créance du vendeur impayé pour le prix d'un meuble, la créance de celui qui a un droit de rétention sur un meuble, la créance de l'État pour les sommes dues en vertu des lois fiscales sur les meubles, et la créance de la municipalité et de la commission scolaire pour les impôts fonciers sur les immeubles qui y sont assujettis.

L'hypothèque est un droit réel sur les biens meubles ou immeubles affectés à l'acquittement d'une obligation, en vertu duquel le créancier peut les faire vendre en quelques mains qu'ils soient et être préféré sur le produit de la vente selon la date de leur publicité.

Une hypothèque prend rang suivant la date de sa publicité et n'a pas d'effet sans publicité.

Un acte de quittance et de mainlevée est un document par lequel le prêteur reconnaît avoir été entièrement payé et consent à ce que l'hypothèque qui grève l'immeuble en sa faveur soit radiée. Sans cette quittance, l'hypothèque existe toujours, même si le prêt a été entièrement remboursé.

L'hypothèque mobilière est un contrat par lequel le commerçant emprunteur donne en garantie au prêteur les stocks de son commerce, ses comptes clients, l'outillage et le matériel professionnel ou de production.

L'hypothèque immobilière doit être constatée par écrit sous forme notariée, tandis que l'hypothèque mobilière doit être constatée par écrit mais la forme notariée n'est pas exigée ; elle peut être sous seing privé.

La prise en paiement signifie que le créancier hypothécaire reprend l'immeuble rétroactivement à la date de publicité de son préavis et libre de toute autre hypothèque qui aurait été publiée après l'acte hypothécaire du créancier.

QUESTIONS

21.1   Que signifie l'expression suivante : « Les biens d'un débiteur sont le gage commun de ses créanciers » ?

21.2   Qui peut créer une priorité ?

21.3   Identifiez les différentes priorités mobilières existantes.

21.4   Quelles sont les dépenses faites dans l'intérêt commun ?

21.5   Quels sont les droit du vendeur impayé dans le cadre d'une transaction conclue entre deux commerçants ?

21.6   Qu'arrive-t-il à la priorité du réparateur qui remet l'objet qu'il a réparé à son client sans avoir été payé ?

21.7   Quelles sont les créances prioritaires de l'État ?

21.8   Définissez l'état de collocation.

21.9   Identifiez les différentes priorités immobilières existantes.

21.10   Définissez l'hypothèque.

21.11   Pourquoi disons-nous qu'une hypothèque n'est qu'un accessoire ?

21.12   Définissez le gage.

21.13   Qui peut consentir une hypothèque ?

21.14   Définissez l'hypothèque mobilière.

21.15   Définissez l'hypothèque ouverte.

21.16   Définissez un avis de clôture.

21.17   À quoi sert une hypothèque ? Illustrez votre réponse par un exemple.

21.18   Quelles sont les créances qui peuvent donner lieu à une hypothèque légale ?

21.19   À quoi sert le préavis d'exercice ?

21.20   Définissez la prise en paiement.

21.21   Définissez la vente sous contrôle de justice.

21.22   Quelle est la différence entre une hypothèque de deuxième rang et une hypothèque de troisième rang ?

21.23   Est-il possible de signer un acte d'hypothèque de 50 000 $, alors que le prêt octroyé est de 80 000 $?

21.24   Est-il possible de signer un acte d'hypothèque de 150 000 $, alors que le prêt octroyé est de 30 000 $?

21.25   Différenciez le délaissement volontaire du délaissement forcé.

21.26   Quel est l'avantage pour un créancier d'utiliser le recours de prise en paiement de préférence aux trois autres recours ?

21.27   À quoi sert une quittance ?

CAS PRATIQUES

21.28   Depuis deux ans, Denise prête régulièrement de l'argent à Raymond. Il y a six mois, Denise lui demande de lui rembourser ce qu'il lui doit mais Raymond refuse en disant qu'il n'a pas d'argent. Furieuse, Denise poursuit Raymond et obtient un jugement de 25 000 $. Comme Raymond ne possède pas d'immeuble, Denise retient les services du bureau d'huissiers Collin & Paré qui saisit et vend en justice tous les biens meubles de Raymond. La vente rapporte la somme de 12 000 $. L'huissier dresse la liste des créanciers :

Benoît	10 000 $
Collin & Paré, huissiers	2 000
Denise	25 000
Eaton	10 000
Hydro-Québec	5 000
Total des dettes	52 000 $

Quel montant chaque créancier recevra-t-il ?

21.29 Au moment de son décès survenu le 1ᵉʳ mars, Hélène n'avait aucune propriété immobilière de quelque nature que ce soit ; elle n'avait que des biens meubles, dont la liquidation a rapporté la somme de 42 000 $ qui se répartit ainsi :

Détails de la liquidation des biens d'Hélène

Argent dans un compte en banque	2 000 $
Automobile (chez le réparateur Garage Latulippe)	15 000
Chaîne stéréophonique	2 000
Meubles qui garnissent la résidence principale	12 000
Motocyclette (chez le réparateur Bergeron motocyclette inc.)	11 000
Montant total provenant de la vente des biens d'Hélène	42 000 $

Hélène avait également quelques créanciers dont les dettes totalisent 69 500 $. La liste suivante énumère les créanciers d'Hélène :

Liste des créanciers d'Hélène

Bergeron motocyclette inc. (réparation de la motocyclette)	1 500 $
Caisse populaire Laurier (prêt personnel)	12 000
Collin & Paré, huissiers (frais de saisie et de liquidation des biens d'Hélène)	1 200
Eaton (solde de carte de crédit)	2 700
Garage Latulippe (réparation de l'automobile)	2 300
Gouvernement du Canada (impôt)	8 100
Gouvernement du Québec (impôt)	6 800
Hydro-Québec	300
Lépine-Cloutier ltée (frais funéraires)	3 300
MasterCard – Banque Nationale du Canada (solde de carte de crédit)	3 500
Moto Auclair (vendeur de la motocyclette)	10 000
Royal Trust (prêt personnel)	12 700
StéréoQuad (réparateur de la chaîne stéréophonique	500
Visa – Banque Scotia (solde de carte de crédit)	4 600
Total des dettes d'Hélène	69 500 $

Quel montant chaque créancier recevra-t-il ?

21.30 Gestion Devfor inc. a acheté de Sogili inc. un immeuble commercial au prix de 1 000 000 $ pour y installer ses bureaux de consultation en développement forestier. Cet immeuble a été payé de la manière suivante :

120 000 $ Comptant

180 000 $ Balance de prix de vente garantie par hypothèque en faveur du vendeur

700 000 $ Première hypothèque en faveur de la Banque Toronto-Dominion

De plus, Gestion Devfor inc. a fait exécuter des travaux d'amélioration par Construifor inc. au coût de 50 000 $.

Gestion Devfor inc. ne parvient pas à effectuer les versements prévus au contrat de prêt avec la Banque Toronto-Dominion. Cette dernière obtient alors un jugement ordonnant la vente de l'immeuble sous contrôle de justice. Le bureau d'huissiers Collin & Paré saisit et vend l'immeuble commercial, le seul bien que possède Gestion Devfor inc. La vente rapporte 913 500 $.

L'huissier dresse la liste suivante des créanciers :

Liste des créanciers de Gestion Devfor inc.

Banque Royale du Canada	25 000
Banque Toronto-Dominion	690 000
Collin & Paré, huissiers	3 500
Commission scolaire de Charlesbourg (taxes scolaires)	4 000
Construifor inc.	40 000
Garage Demers	4 800
Gaz métropolitain	2 400
Gouvernement du Canada (impôt)	8 100
Gouvernement du Québec (impôt)	6 800
Hydro-Québec	6 500
MasterCard – Banque de Montréal	12 800
Sogili inc.	180 000
Ville de Charlesbourg (taxes municipales)	25 000
Visa – Banque Scotia	4 600
Total des dettes de Gestion Devfor inc.	1 013 500 $

Quel montant chaque créancier recevra-t-il ?

21.31   Chantal a acheté 15 camions GMC pour son entreprise de camionnage au prix de 50 000 $ chacun. Comme Chantal ne dispose que de 250 000 $, elle a emprunté la somme de 500 000 $ à la Banque Nationale du Canada. Elle a signé en sa faveur de la banque une hypothèque mobilière.

Dix-huit mois plus tard, Chantal se retrouve en difficulté financière et fait défaut de verser les paiements aux dates prévues. La banque envoie 15 de ses employés pour prendre possession des camions, les conduire chez un concessionnaire GMC, les faire vendre pour 35 000 $ chacun et conserver le produit de la vente afin de rembourser le solde de sa créance qui s'élève à 410 000 $.

La banque a-t-elle le droit d'agir ainsi ? Justifiez votre réponse en précisant la procédure que la Banque Nationale doit suivre pour respecter la loi et récupérer la somme de 410 000 $ qui lui est due.

21.32   Micheline vient d'obtenir un jugement contre Robert par lequel le tribunal condamne Robert à payer à Micheline la somme de 30 000 $ avec intérêt au taux de douze pour cent. Robert n'a que 2 500 $ dans son compte en banque mais est propriétaire d'une maison évaluée à 120 000 $ sur laquelle il y a déjà deux hypothèques publiées pour un montant total de 90 000 $. Robert possède aussi une Chevrolet Beretta entièrement payée qui ne vaut plus que 4 000 $ et environ 8 000 $ de meubles garnissant sa maison. Bien que Micheline ne soit pas pressée de recevoir son argent, elle désire protéger sa créance. Que peut faire Micheline pour protéger sa créance ?

21.33   Constructel inc. vient d'acheter un entrepôt qu'elle a payé 500 000 $. Ce montant se répartit comme suit : 150 000 $ comptant et 350 000 $ provenant d'un emprunt effectué à la caisse populaire Laurier au taux de 12,5 %, amorti sur 20 ans, avec un terme de 5 ans et un versement mensuel de 5 570,63 $. Pour garantir le remboursement de cet emprunt, Constructel inc. a signé un acte d'hypothèque de premier rang en faveur de la caisse. Quinze mois plus tard, Constructel n'est plus en mesure de faire ses versements ; elle n'a d'ailleurs pas fait de versement depuis deux mois. Elle vient de recevoir de la caisse populaire Laurier un préavis d'exercice de son droit hypothécaire de prise en paiement.

21.33.1   Que se passera-t-il si Constructel inc. ne fait rien ?

21.33.2   Que peut faire Constructel inc. pour tenter de conserver la propriété de l'entrepôt ou pour récupérer le plus d'argent possible ? Énoncez au moins cinq options et détaillez-les.

DOCUMENTS

Le document 21.1 est une gracieuseté de la caisse populaire Laurier tandis que les documents 21.2, 21.3 et 21.4 sont une gracieuseté de la Banque Nationale du Canada.

Le document 21.1 est un acte d'hypothèque mobilière sous seing privé par lequel une personne qui exploite une entreprise donne en garantie tous ses biens meubles. Comme aucun taux d'intérêt n'est mentionné dans les clauses 1 et 3 et que ce genre de prêt est généralement accordé avec un taux d'intérêt fluctuant du genre « T + 2,5 % », il faut se référer au contrat mentionné à la clause 1 pour connaître les modalités du taux d'intérêt.

La clause 3 contient une description des biens, qui peut être plus ou moins détaillée selon la nature des biens. La clause 6 renvoie aux obligations de l'emprunteur, tandis que la clause 8 indique les cas de défaut et les recours de la caisse.

Le document 21.2 est une Demande de prêt hypothécaire que remplit toute personne qui désire contracter un emprunt hypothécaire à la Banque Nationale du Canada.

Le document 21.3 est une Déclaration du coût d'emprunt en vertu de l'article 450 de la *Loi sur les banques*, qui permet à l'emprunteur de connaître les modalités précises de son emprunt et de son remboursement.

Le document 21.4 est un Acte d'hypothèque immobilière conventionnelle par lequel un emprunteur donne en garantie un immeuble. Même si la clause 2.1 mentionne un taux d'intérêt annuel de 25 %, cela ne signifie pas qu'il s'agit du taux exigé par la banque mais elle indique le taux maximum qui est garanti par hypothèque. La clause 2.1 contient également la désignation de l'immeuble hypothéqué.

La clause 2.2 stipule que le débiteur hypothèque en faveur de la banque une série de biens supplémentaires que sont les loyers, les biens meubles attachés ou réunis à l'immeuble, les biens meubles du débiteur qui se trouvent dans l'immeuble et les indemnités payables en vertu d'un contrat d'assurance. La clause 4 renvoie aux obligations de l'emprunteur, tandis que la clause 6 indique les cas de défaut et les recours de la banque.

La deuxième page du document 21.4 n'a pas été imprimée, car il s'agit d'une page blanche qui sert à établir une description détaillée des biens hypothéqués.

Document 21.1   HYPOTHÈQUE MOBILIÈRE (ENTREPRISES)

**La caisse populaire
La caisse d'économie
Desjardins**

HYPOTHÈQUE MOBILIÈRE (ENTREPRISES)

ENTRE : _____
Nom de la caisse

Adresse de la caisse

ici représentée par _____, se déclarant dûment autorisé(e)
aux fins des présentes ;

ci-après appelée « LE PRÊTEUR »

ET : _____
Nom du constituant

Adresse du constituant

(s'il s'agit d'une personne morale, ici représentée par _____ se déclarant

dûment autorisé[e] aux fins des présentes par une résolution de son conseil d'administration en date du _____)

ci-après appelé(e)(s) « L'EMPRUNTEUR »

LES PARTIES DÉCLARENT DE CE QUI SUIT :

1.   La caisse et _____
Nom du signataire du ou des contrats de crédit

ont conclu le ou les contrats de crédit suivants :

a)   un contrat de _____ de _____
Prêt, ouverture de crédit, etc.

(_____ $) signé le _____

b)   un contrat de _____ de _____
Prêt, ouverture de crédit, etc.

(_____ $) signé le _____

ci-après appelé(s) « le contrat de crédit ».

2.   La caisse et l'emprunteur ont convenu de garantir le contrat de crédit au moyen d'une hypothèque mobilière ;

EN CONSÉQUENCE, LES PARTIES CONVIENNENT DE CE QUI SUIT :

3.   **HYPOTHÈQUE MOBILIÈRE**
Pour garantir le remboursement des sommes qu'il doit ou pourra devoir au prêteur en vertu du contrat de crédit et des présentes, en capital, intérêts, frais et accessoires, ainsi que l'accomplissement des obligations qui en découlent, l'emprunteur hypothèque en faveur du prêteur, pour une somme égale au montant du contrat de crédit (ou au total des contrats de crédit s'il y en a plus d'un), les biens décrits ci-après, les biens présents et futurs faisant partie de l'universalité ou des universalités ci-après décrites, ainsi que ceux acquis en remplacement, étant ci-après appelés « les biens » :

Description

(Indiquer l'adresse ou le lot de chaque établissement où l'emprunteur exploite son entreprise et, pour chaque établissement, donner une
description suffisante des biens hypothéqués et indiquer la nature de l'universalité ou des universalités de biens hypothéqués)

Document 21.1	# HYPOTHÈQUE MOBILIÈRE (ENTREPRISES) (suite)

L'hypothèque grève également les droits et indemnités d'assurance couvrant ces biens, ainsi que les créances, effets ou sommes d'argent provenant de la cas location, de la vente ou autre aliénation des biens le cas échéant, y compris les sommes en dépôt dans toute institution financière, les titres, contrats, valeurs et autres documents que l'emprunteur recevra ou qu'il aura le droit de recevoir relativement à ces locations ou ventes.

❏ L'hypothèque grève également les créances, effets ou sommes d'argent provenant de la vente ou autre aliénation des permis, franchises, quotas ou autres autorisations semblables que possède ou possédera l'emprunteur.

❏ L'hypothèque grève également les indemnités pouvant provenir des programmes d'assurance-récolte et d'assurance-stabilisation auxquels l'emprunteur a adhéré ou pourrait adhérer.

Si des nombres ou quantités sont mentionnés dans la description qui précède, ils doivent être considérés comme indicatifs des biens dont l'emprunteur est propriétaire à la date des présentes et ne doivent pas être interprétés comme limitant l'étendue de l'hypothèque. Si un ou des lots ou des adresses y sont mentionnés, ils doivent être considérés comme indicatifs de l'endroit où les biens se trouvent à la date des présentes, et ne doivent pas être interprétés comme faisant perdre des droits au prêteur si les biens sont déplacés, ni comme restreignant la portée de l'hypothèque à l'égard de l'universalité ou des universalités de biens mentionnées dans la description, l'hypothèque grevant tous les biens présents et futurs faisant partie de cette ou ces universalités, qu'ils soient situés à ces adresses ou lots ou ailleurs.

4. HYPOTHÈQUE ADDITIONNELLE

Pour garantir tout montant dû au prêteur qui dépasserait le montant de l'hypothèque ci-dessus, l'emprunteur hypothèque les biens pour une somme additionnelle égale à vingt pour cent (20 %) du montant du contrat de crédit (ou du total des contrats de crédit s'il y en a plus d'un).

5. DÉCLARATIONS DE L'EMPRUNTEUR

L'emprunteur déclare ce qui suit:

a) il est le propriétaire unique et absolu de tous les biens hypothéqués et ceux-ci ne sont affectés ou susceptibles d'être affectés d'aucun nantissement, hypothèque, contrat de vente conditionnelle ou à tempérament, cession de biens en stock ou autre droit, sauf:

b) toutes les sommes dues en vertu des lois fiscales sont payées sans subrogation;

c) aucun des biens n'est actuellement retenu par un créancier ayant le droit de les retenir.

6. OBLIGATIONS DE L'EMPRUNTEUR

L'emprunteur prend les engagements suivants:

6.1 Saine administration

Il doit administrer et exploiter son entreprise de manière convenable et efficace et respecter toutes normes de financement convenues avec le prêteur. Il doit tenir convenablement les livres de comptabilité requis par la nature de ses activités.

6.2 Garde, entretien, utilisation et déplacement des biens

Il doit apporter à la garde, à l'entretien et à l'utilisation des biens, les soins d'une personne prudente et diligente et s'engage à suivre, à leur égard, les instructions que le prêteur pourra lui donner de temps à autre. Il doit également obtenir l'autorisation préalable écrite du prêteur pour tout déplacement des biens effectué en dehors du cours normal des activités de son entreprise.

6.3 Assurance

Il doit assurer les biens et les maintenir assurés, à ses frais, pour leur pleine valeur de remplacement, contre tout risque assurable, à la satisfaction du prêteur. Les polices d'assurance ne doivent pas comporter de clause de coassurance sans l'autorisation écrite du prêteur; elles doivent être remises sans délai au prêteur et indiquer sa qualité de créancier hypothécaire, avec priorité sur toute autre réclamation. L'emprunteur doit fournir au prêteur, au moins quinze (15) jours avant l'échéance de toutes telles polices, la preuve de leur renouvellement.

Il s'engage à avertir sans délai le prêteur de tout sinistre. Il produit à ses frais toute preuve de sinistre, mais rien n'empêche le prêteur de soumettre lui-même telle preuve. L'emprunteur fait en sorte que le prêteur puisse toucher les indemnités directement des assureurs, jusqu'à concurrence de sa créance, sans l'intervention de l'emprunteur. Le prêteur peut faire tout arrangement, compromis ou transaction avec les assureurs. Le prêteur peut imputer les indemnités au paiement ou à la réduction des obligations garanties par l'hypothèque, au choix du prêteur, ou les remettre à l'emprunteur pour la réparation ou le remplacement des biens. Toute somme versée par l'assureur ne diminue en rien les garanties du prêteur.

6.4 Hypothèques ou autres charges prioritaires

Il s'engage à ce qu'en tout temps, les biens soient libres de toute hypothèque ou autre droit pouvant avoir priorité sur les droits du prêteur et il s'oblige à lui remettre, sur demande et à ses frais, toute renonciation, cession de priorité, quittance ou mainlevée que ce dernier jugera nécessaire pour assurer la priorité de ses droits sur les biens. Il s'engage également à informer le prêteur, sans délai et par écrit, de toute acquisition de biens par contrat de vente conditionnelle ou à tempérament et de toute situation où il détiendrait des biens en consignation ou sans en être le propriétaire unique et absolu.

6.5 Paiement des fournisseurs

Il doit payer, dans le délai accordé par ses fournisseurs, les biens achetés de ces derniers et informer la caisse de tout retard dans le paiement de ceux-ci.

6.6 Impôts, taxes et cotisations

Il doit payer à leur échéance, tout impôt, taxe ou cotisation pouvant être exigé de lui par toute autorité compétente.

6.7 Renseignements, visites et pièces justificatives

Il doit fournir au prêteur ou à ses représentants, tous renseignements qu'ils peuvent raisonnablement demander concernant son entreprise, leur permettre d'examiner, de temps à autre, les biens et ses livres de comptabilité et leur fournir, sur demande, toute pièce justificative attestant du respect de ses obligations.

6.8 Utilisation des sommes prêtées

Il doit utiliser les sommes prêtées uniquement pour les fins convenues avec le prêteur.

6.9 Hypothèque additionnelle

Si le prêteur l'exige, il s'oblige à lui consentir toute hypothèque additionnelle que ce dernier jugera nécessaire ou utile pour affecter spécifiquement les biens futurs ou acquis en remplacement des biens hypothéqués ou pour maintenir la valeur des garanties accordées en vertu des présentes.

6.10 Permis, franchises, quotas, etc.

Si l'emprunteur possède ou obtient des permis, franchises, quotas ou autres autorisations semblables, il doit prendre les mesures nécessaires pour les conserver et ne peut les vendre ou en disposer autrement sans l'autorisation préalable écrite du prêteur.

6.11 Assurance-récolte et assurance-stabilisation

Si l'hypothèque grève des biens dont la production ou les prix de vente peuvent être assurés en vertu d'un programme d'assurance-récolte ou d'assurance-stabilisation, il doit adhérer à ces programmes si le prêteur l'exige et s'il y est admissible.

Document 21.1

HYPOTHÈQUE MOBILIÈRE (ENTREPRISES) (suite)

6.12 Modifications à la structure légale

S'il est une société ou une corporation, il doit aviser le prêteur par écrit de tout projet de modification au contrat de société, de toute émission, répartition ou transfert d'actions ou de versement de dividendes.

6.13 Cessation des activités de son entreprise

Il doit avertir le prêteur de tout projet ayant pour objet la vente, la location, le transfert, la fusion, la cessation ou la liquidation de son entreprise.

6.14 Frais

Il doit payer les frais relatifs aux présentes, soit les honoraires professionnels le cas échéant, les frais d'évaluation et d'inspection des biens, de publication au bureau de la publicité des droits et tous autres débours, y compris ceux relatifs à tout renouvellement, avis, hypothèque additionnelle, renonciation, cession de priorité, quittance ou mainlevée s'y rapportant.

6.15 Remise périodique des documents

Il doit fournir au prêteur, sur demande ou selon la fréquence déterminée par le prêteur, les documents requis par ce dernier.

6.16 Autres

7. VENTE OU AUTRE ALIÉNATION DES BIENS

L'emprunteur ne peut, sans l'autorisation préalable écrite du prêteur, louer, vendre ou autrement disposer des biens qui ne sont pas destinés à la location ou à la vente, sauf s'il les remplace immédiatement par des biens de valeur au moins équivalente et qu'il en informe le prêteur dans les cinq (5) jours qui suivent.

Tant qu'il n'est pas en défaut, il peut louer, vendre ou autrement disposer des biens qui sont destinés à la location ou à la vente, pourvu que ce soit dans le cours ordinaire des activités de son entreprise et pour en assurer la continuation. Cependant, en cas de défaut, l'emprunteur ne pourra louer, vendre ou autrement disposer de ces biens sans le consentement préalable écrit du prêteur et seulement aux conditions fixées par ce dernier.

8. DÉFAUT

L'emprunteur est en défaut dans les cas suivants : s'il n'observe pas l'une ou l'autre de ses obligations résultant des présentes, du contrat de crédit ou de l'offre de financement ; si une déclaration faite aux présentes ou par la suite s'avère fausse ou trompeuse, ou s'il en est de même du contenu des documents fournis en relation avec les présentes ; s'il devient insolvable ou en faillite, ou s'il fait une proposition concordataire et que celle-ci est refusée ou annulée ; si les biens sont saisis ou font l'objet de l'exercice d'un recours par un autre créancier.

En cas de défaut, tout solde alors dû au prêteur, en capital, intérêts, frais et accessoires, deviendra immédiatement exigible. Le prêteur aura alors le droit, sous réserve de ses autres droits et recours :

a) de remplir toute obligation non exécutée par l'emprunteur, toute somme déboursée à cette fin devenant immédiatement exigible de l'emprunteur, avec intérêt au taux alors en vigueur à l'égard de l'une ou l'autre des obligations garanties par l'hypothèque, au choix du prêteur ;

b) d'exiger le délaissement des biens et d'exercer les recours hypothécaires prévus aux articles 2748 et suivants du Code civil ;

c) d'exiger la possession immédiate des créances, effets, sommes d'argent, y compris celles en dépôt dans toute institution financière, titres, contrats, valeurs et autres documents provenant de la location, de la vente ou autre aliénation des biens et de percevoir les sommes d'argent auxquelles donnent droit ces créances et autres documents ;

d) de terminer la production ou de procéder à la récolte des biens hypothéqués.

Le prêteur peut exercer les droits prévus ci-dessus dans tout lieu où l'emprunteur exploite son entreprise et dans tout autre lieu qu'il jugera approprié. Il peut également, à cette fin, utiliser tout équipement ou ameublement servant à l'exploitation de l'entreprise de l'emprunteur, ainsi que sa dénomination ou raison sociale, ses marques de commerce et tout autre bien incorporel dont il est titulaire. L'emprunteur devra alors remettre au prêteur, sur demande, la possession des biens et le produit des locations ou ventes déjà effectuées, faciliter l'exercice par le prêteur de ses droits et recours hypothécaires et signer avec diligence tout document utile à l'exercice des droits et recours du prêteur.

9. PRISE DE POSSESSION À DES FINS D'ADMINISTRATION

Si le prêteur exerce le recours de « prise de possession à des fins d'administration » prévu aux articles 2773 à 2777 du Code civil, l'emprunteur autorise le prêteur à prendre en main l'administration de son entreprise et à exercer, pour et en son nom, tous les droits et pouvoirs nécessaires ou utiles à cette fin. Cette autorisation sera valable jusqu'à la fin de la prise de possession.

En outre, si le prêteur publie un préavis d'exercice d'un autre recours hypothécaire alors qu'il exerce le recours susmentionné, il pourra conserver la possession des biens et continuer la pleine administration de ceux-ci et de l'entreprise le cas échéant, pendant le délai de préavis et par la suite, jusqu'à la réalisation complète de la garantie.

10. MANDATAIRE OU AGENT

Le prêteur peut exercer tous ses droits et recours par l'entremise d'un mandataire ou d'un agent. Le prêteur pourra déduire, comme dépense d'administration, la rémunération raisonnable versée au mandataire ou à l'agent.

11. IMPUTATION DES SOMMES PERÇUES

Après avoir déduit les frais et honoraires engagés pour exercer les recours hypothécaires le cas échéant, le prêteur impute le reliquat des sommes perçues, quelle que soit leur provenance, à l'une ou l'autre des obligations garanties par l'hypothèque, à son entière discrétion, que celles-ci soient échues ou non.

12. EXONÉRATION DE RESPONSABILITÉ

Le prêteur n'encourra aucune responsabilité en raison du défaut ou du retard à se prévaloir de l'un ou l'autre de ses droits et recours, ni en raison de quelque acte ou omission commis de bonne foi par tout agent, mandataire, employé ou préposé du prêteur, et tel défaut ou retard ne devra pas être interprété comme une renonciation aux droits et recours du prêteur.

13. ÉLECTION DE DOMICILE

L'emprunteur doit informer le prêteur de tout changement d'adresse. À défaut de ce faire, il est réputé avoir élu domicile au bureau du greffier de la Cour supérieure du district où est situé le siège social du prêteur.

14. INDIVISIBILITÉ ET SOLIDARITÉ

Les obligations de l'emprunteur sont indivisibles et peuvent être réclamées en totalité de chacun de ses héritiers ou représentants légaux. Si le terme « emprunteur » désigne plus d'une personne, leurs obligations sont solidaires.

15. VERSEMENT DU PRÊT

Le prêteur peut retarder le versement du prêt ou des avances tant que l'hypothèque n'est pas publiée au bureau de la publicité des droits et que les autres conditions convenues entre les parties n'ont pas été respectées.

16. ÉTAT CIVIL ET RÉGIME MATRIMONIAL

17. INTERVENTIONS

a) **Conjoint marié sous le régime de la communauté de biens**

Aux présentes intervient _____

Nom

_____

Adresse

conjoint marié à l'emprunteur sous le régime de la communauté de biens, lequel ou laquelle déclare avoir pris connaissance des présentes et apporte, par les présentes, son concours conformément à la loi.

Document 21.1 HYPOTHÈQUE MOBILIÈRE (ENTREPRISES) (suite)

b) Cession de priorité

Aux présentes interviennent _____

Nom

_____

Adresse

(s'il s'agit d'une personne morale, ici représentée par _____, se déclarant

dûment autorisé[e] en vertu d'une résolution de son conseil d'administration en date du _____, dont copie est annexée aux présentes); ci-après appelé(e) « l'intervenant ».

❏   L'intervenant est le locateur de l'immeuble où les biens ou une partie de ceux-ci sont ou seront placés et il détient une hypothèque légale mobilière sur ces biens. Il cède par les présentes priorité de rang au prêteur relativement à l'hypothèque créée en vertu des présentes, et ce à l'égard de tous les biens hypothéqués.

❏   L'intervenant est un créancier de l'emprunteur et il détient une hypothèque de rang antérieur à celle du prêteur sur les biens décrits ci-dessous en vertu :

❏ d'un acte d'hypothèque mobilière   ❏ d'un acte de vente,

laquelle hypothèque a été inscrite au registre des droits personnels et réels mobiliers le

sous le numéro _____. Il cède, par les présentes, priorité de rang au prêteur relativement à l'hypothèque créée en vertu des présentes, et ce à l'égard des biens suivants :

Description

(Décrire les biens ou les universalités de biens à l'égard desquels le créancier cède priorité de rang à la caisse)

La cession de priorité vise également les indemnités d'assurance couvrant les biens, ainsi que toutes créances, effets ou sommes d'argent provenant de la vente ou autre aliénation de ces biens, incluant les titres, contrats, valeurs et autres documents que l'emprunteur aura le droit de recevoir relativement à ces ventes.

En outre, si l'intervenant est le vendeur des biens, il renonce également à exercer, au préjudice du prêteur, ses droits de considérer la vente comme résolue, de revendiquer les biens vendus ou toute clause de réserve de propriété des biens.

18. AUTRES MENTIONS

Signé à : _____   ce _____

Nom de l'emprunteur	Nom du prêteur
Par :	Par :

Nom de l'intervenant	Nom de l'intervenant
Par :	Par :

PAGE 4

Document 21.2

DEMANDE DE PRÊT HYPOTHÉCAIRE

BANQUE NATIONALE DU CANADA   DEMANDE DE PRÊT HYPOTHÉCAIRE

N° DE TRANSIT

_____
Adresse de la succursale

☐ L.N.H.   ☐ Conventionnel assuré   ☐ Conventionnel non assuré   ☐ Latitude succ. ☐ Hors latitude

REQUÉRANT(S) _____

N° de téléphone ▷ Résidence _____ Emploi _____

BUT DU PRÊT

☐ ACHAT   ☐ avec AMÉLIORATIONS *Annexer liste détaillée, avec coûts.*
☐ SUBROGATION
☐ REFINANCEMENT

☐ PROPRIÉTAIRE OCCUPANT ☐ LOCATIF

NOUVELLE CONSTRUCTION :   pour occuper : ☐   ou pour vendre : ☐

DÉBOURS PROGRESSIFS seront REQUIS : ☐ *(Voir verso)*

DATE APPROXIMATIVE DE LA FIN DES TRAVAUX _____

CONSTRUCTEUR : NOM _____

TÉL. _____ N° D'ACCRÉDITATION _____

PROPRIÉTÉ À HYPOTHÉQUER Adresse civique _____   N°(s) de lot(s) et de cadastre(s) _____

(Si achat)
Nom du propriétaire actuel : _____   Tél. : _____   Terrain : _____ × _____ = _____ (m. car. / pi. car.)

ÉVALUATION MUNICIPALE $_____   TAXES ANNUELLES - ACTUELLES ou PRÉVUES $_____

☐ Unifamiliale   ☐ En rangée   ☐ Multifamiliale → nombre de logements : _____   **SERVICES :**
☐ Duplex   ☐ Semi-détachée   ☐ Condominium → nombre d'étage(s) : _____   ☐ Aqueduc municipal   ☐ Puits artésien
☐ Triplex   ☐ Détachée   ☐ Commerciale ou industrielle   ☐ Égout municipal   ☐ Fosse septique

COÛT ou PRIX TOTAL de la PROPRIÉTÉ $_____   Représenté par :

MISE de FONDS par le REQUÉRANT $_____   argent $_____ travail $_____ terrain $_____

AFFIDAVIT J'affirme avoir lu la présente, RECTO ET VERSO et accepte toutes et chacune des conditions et exigences de la Banque. Je certifie que tous les renseignements susmentionnés et dans les autres formules connexes à ma demande sont exacts. Je consens à ce que ces renseignements soient communiqués à qui de droit, au besoin. Je consens aussi à ce que la Banque obtienne des renseignements additionnels à mon sujet de qui que ce soit, et j'autorise quiconque à divulguer lesdits renseignements.

NOTAIRE ou AVOCAT INSTRUMENTANT :
(choix du client)

Nom _____
Adresse _____
N° de téléphone : _____

N.B. La Banque se réserve le droit d'accepter ou de refuser le notaire ou l'avocat choisi par le client.

Date _____

_____   _____
TÉMOIN (directeur)   REQUÉRANT(S)

AUTORISATION (si hors latitude)   ☐ *Voir autres conditions en annexe*

DATE _____ 19_____ PAR _____   _____ Titre

AUTORISATION INTÉRIMAIRE (À être remplie par la succursale)   N° d'autorisation

Par la présente, nous vous confirmons l'acceptation de votre demande de prêt hypothécaire sur la propriété décrite en titre, selon les modalités suivantes :

Détails du prêt :

PRÊT	CONDITIONS	VERSEMENT
Montant du prêt $_____	Taux d'intérêt _____%	Capital et intérêt $_____
Prime ass. hyp. $_____	Terme _____	Taxes $_____
Prêt total $_____	Amortissement _____	Frais d'administration $_____
		Ass.-vie / invalidité $_____
Date limite d'utilisation des fonds _____ 19_____		Versement total $_____

Cette acceptation est conditionnelle à ce qui suit :

☐ le montant du prêt ne pourra excéder _____% de notre évaluation ou du prix de vente (le moindre des deux)

☐ obtention d'une promesse d'assurer d'un organisme assureur

☐ autres conditions _____
_____
_____

Pour toutes autres informations, n'hésitez pas à communiquer avec nous.

Le _____ 19_____   Directeur
Tél. : _____

11040 Fr. (Rév. 02-91)   DISTRIBUTION : Copie blanche : Client   Copie canari : Succursale   INTERNE

Document 21.2	# DEMANDE DE PRÊT HYPOTHÉCAIRE (suite)

MESSAGE AU REQUÉRANT — CONDITIONS ET EXIGENCES DE LA BANQUE

1. Montant du prêt

Le(s) requérant(s) autorise(nt) la Banque à émettre tout chèque ou traite relativement au(x) débours du prêt à l'ordre du notaire ou de l'avocat instrumentant en fidéicommis seulement.

La présente autorisation a le même effet vis-à-vis de la Banque que si ledit (lesdits) chèque(s) ou traite(s) était(ent) payable(s) à l'ordre conjoint du notaire ou de l'avocat instrumentant en fidéicommis et du (des) requérant(s).

Le(s) requérant(s) libère(nt) la Banque de toute responsabilité ou réclamation résultant de la présente autorisation et de l'emploi du produit de toute somme d'argent déboursée conformément à la présente autorisation.

Le montant final du prêt sera le plus bas :
a) du montant demandé;
b) du moindre d'un certain pourcentage:
   i) de l'évaluation professionnelle à être pratiquée ou
   ii) du prix de vente (s'il y a lieu);
c) du montant maximal assurable par l'organisme assureur.

2. Propriété à hypothéquer

S'il s'agit d'une **propriété existante**, celle-ci doit rencontrer toutes les normes des autorités gouvernementales.
Dans le cas d'une **propriété à construire**, la construction doit être conforme aux plans et devis soumis, aux règlements municipaux et au Code canadien de la Construction. La construction ne peut débuter avant que l'organisme assureur ait émis sa promesse d'assurer. De plus, des inspections doivent être pratiquées à des stades précis au cours de la construction, qu'il y ait des débours progressifs ou non. Le prêt pourra être annulé si lesdites inspections ne s'avèrent pas satisfaisantes.

3. Débours progressifs

Suite aux inspections immobilières précitées, des avances progressives peuvent être consenties au requérant, diminuées d'une réserve statutaire (ordinairement, mais sans limitation, de 15%) laquelle ne sera libérée que cinq (5) jours après l'expiration du délai légal de la province concernée pour l'enregistrement de privilège, lien ou charge quelconque en autant qu'aucune telle charge pouvant avoir priorité sur l'acte de prêt hypothécaire à intervenir n'ait été enregistrée.

4. Taux d'intérêt, terme et amortissement

Le taux d'intérêt mentionné à l'autorisation intérimaire est valable en autant que la totalité du prêt hypothécaire est utilisée dans le délai qui y est prévu comme ''DATE LIMITE D'UTILISATION DES FONDS''. Le terme d'un prêt peut varier de 6 mois à 10 ans, sujet à l'approbation de la Banque. L'amortissement peut varier jusqu'à un maximum de 40 ans, sujet à l'approbation de la Banque.

5. Versement hypothécaire

Le versement hypothécaire est constitué d'une portion du capital, d'une portion d'intérêt, d'une portion de frais d'administration s'il y a lieu, d'une portion des taxes annuelles prévues (au choix du client) et d'une portion de prime d'assurance-vie ou d'assurance-vie et invalidité si le requérant prend avantage de l'un de ces programmes. Si elle est incluse dans le versement hypothécaire, la portion de réserve pour les taxes futures doit être suffisante pour régler à échéance toute taxe due. Cette portion s'ajustera, s'il y a lieu, le premier (1er) février de chaque année. Si le requérant prend avantage de l'un des programmes d'assurance-vie et que l'immeuble est situé dans la province de Québec, une taxe spéciale sur le montant de la prime d'assurance est ajoutée à la portion de prime d'assurance-vie.

6. Frais et honoraires

a) **Frais d'administration**
Le requérant s'engage à payer au cours du terme de ce prêt, en sus et de la même manière que le versement hypothécaire, des frais d'administration mensuels pour un montant maximal tel que convenu de temps à autre avec la Banque, pour couvrir certaines dépenses en relation avec ledit prêt; ladite charge sera réduite de temps à autre de manière à ne jamais représenter, sur une base de taux annuel, plus de 1/8 de 1%.

b) **Droit de demande C.A.H.C. ou S.C.H.L.**
Cette charge est exigée par l'organisme assureur pour l'examen du projet. Ce montant doit être payé à l'avance et n'est pas remboursable si le projet leur est soumis.

c) **Primes d'assurance C.A.H.C. ou S.C.H.L.**
Lorsque le prêt hypothécaire est assuré par la C.A.H.C. ou la S.C.H.L., la prime d'assurance s'y rattachant peut être payée comptant par le requérant ou être ajoutée au montant du prêt. Si l'immeuble est situé dans la province de Québec, une taxe spéciale sur le montant de la prime d'assurance doit être payée au comptant par le requérant.

d) **Frais d'évaluation (prêt conventionnel seulement)**
Le montant requis est payable à l'avance à la succursale. Cette somme ne sera pas remboursée si le travail a été fait, mais sera remboursée dans le cas d'annulation du prêt, avant l'exécution de ladite évaluation. L'évaluation à être préparée par les évaluateurs de la Banque ne peut servir qu'à des fins de prêt hypothécaire et est à l'usage confidentiel du prêteur et ne peut être remise au requérant pour aucune considération.

e) **Frais d'inspection (prêt conventionnel seulement)**
Le montant requis est payable à l'avance à la succursale. Cette somme ne sera pas remboursée si le travail a été fait, mais sera remboursée dans le cas d'annulation du prêt, avant l'exécution de ladite inspection.

f) **Assurances incendie et autres**
Afin de protéger son investissement, la Banque exige que la propriété soit couverte par des assurances répondant à ses exigences.

g) **Assurances titres**
Dans le but de protéger le requérant, la Banque, ou les deux, contre toute perte pouvant résulter aussi bien d'un vice dans les titres ou le certificat de localisation que d'une fraude ou quelque autre malversation des agents ou mandataire représentant l'emprunteur ou la Banque, cette dernière exige une assurance titres, dont le coût est absorbé par le requérant, dans les cas suivants:

1) Prêts hypothécaires de $500,000 à $1,000,000 lorsque le requérant n'utilise pas les services de l'avocat ou du notaire de la Banque.

2) Prêts hypothécaires de plus de $1,000,000 (dans tous les cas)

Compte de banque

En vue de faciliter le remboursement du prêt hypothécaire demandé, le requérant convient de maintenir un compte de dépôts à la Banque Nationale du Canada et il autorise celle-ci à débiter ledit compte pour les frais et honoraires ainsi que les versements hypothécaires.

Document 21.3

DÉCLARATION DU COÛT D'EMPRUNT EN VERTU DE L'ARTICLE 450 DE LA *LOI SUR LES BANQUES*

■ BANQUE NATIONALE DU CANADA

DÉCLARATION DU COÛT D'EMPRUNT EN VERTU
DE L'ARTICLE 450 DE LA LOI SUR LES BANQUES

Date de la déclaration _____

Nom du ou des emprunteurs _____

Adresse de la succursale _____

Adresse du ou des emprunteurs _____

Adresse de la propriété ou n° de cadastre _____

Nom du ou des emprunteurs _____

Nom de l'intervenant _____

Adresse du ou des emprunteurs _____

Genre de propriété *(cocher la description qui s'applique)*

☐ Unifamiliale ☐ Duplex ☐ Triplex ☐ Condominium ☐ Autre (préciser) _____ ☐ En rangée ☐ Semi-détachée ☐ Détachée

1. Principal de la première hypothèque à rembourser :

   a) montant net à payer à l'emprunteur ou à décaisser à sa demande.. Total A) $ _____

   b) honoraires et autres frais applicables (détailler) :

      frais d'assurance hypothécaire... $ _____

      autres frais (détailler) :_____ .... $ _____

      _____ .... $ _____

                                                                    Total B) $ _____

                                          c) Total de A) et B) ▶ $ _____

2. Le taux d'intérêt annuel est de _____ % (taux de l'hypothèque).

3. Le coût d'emprunt pour la durée entière du prêt (total 1c) exprimé sous forme de taux d'intérêt annuel est de _____ %.

4. Durée de l'hypothèque _____ mois   Période d'amortissement de l'hypothèque _____ années

   <small>Terme</small>

5. Si la durée de l'hypothèque est sujette à changer, elle peut varier de la façon suivante:

   Hypothèque à terme ouvert
   L'emprunteur reconnaît, qu'à une occasion seulement au cours du présent terme, il pourra renégocier le taux d'intérêt et les mensualités de ce prêt, aux conditions alors offertes par la Banque pour un nouveau terme fixe; le solde faisant l'objet du nouveau terme ne pouvant être remboursé par anticipation autrement que de la manière alors prévue dans l'acte donnant effet au nouveau terme sous seing privé ou en forme authentique à intervenir.

6. Le premier versement est dû le _____

7. Le capital et le coût d'emprunt, compte tenu du taux d'intérêt annuel indiqué à l'article 2, sont remboursables en versements mensuels de

   $ _____ , du _____ au _____, incluant une charge administrative ne devant pas excéder

   $ _____ ; ladite charge sera réduite de temps à autre de manière à ne jamais représenter, sur une base de taux annuel, plus de 1/8 de 1%.

8. Compte tenu du taux d'intérêt annuel indiqué à l'article 2, l'hypothèque est due et remboursable dans _____ années. À cette date,

   <small>Terme</small>

   si l'ensemble des termes et conditions du prêt sont respectés, l'emprunteur devra $ _____ .

9. Les modalités de remboursement avant échéance sont les suivantes:

LE CLIENT DOIT PARAPHER LA CASE MARQUÉE D'UN ''X'' :

☐ **Hypothèque à terme ouvert - SCHL ou conventionnelle** (Voir l'article 5 ci-dessus)
Init. ☐ Remboursable par anticipation, sans indemnité.

☐ **Hypothèque à terme fermé - SCHL sur unifamiliale, duplex, triplex ou unité de condominium**
Init. ☐
1. Pourvu que l'emprunteur ne soit pas en défaut au terme de l'acte de prêt à intervenir, il peut **sans indemnité:**
   i) Rembourser, une fois par année civile, jusqu'à dix pour cent (10%), non cumulatif, du capital mentionné à l'article 1c des présentes.
   ii) Lors du paiement d'une mensualité, rembourser un montant additionnel ne dépassant pas l'équivalent de la mensualité apparaissant à l'article 7 des présentes, excluant la charge administrative ET/OU demander, une fois par année civile, d'augmenter ses versements futurs, jusqu'à concurrence du double du montant mentionné à l'article 7, excluant la charge administrative, par la réduction de la période d'amortissement, en nombre exact d'années, sans réduire ni allonger le présent terme.

2. Tout remboursement autre que ceux prévus ci-dessus est sujet au paiement d'indemnités établies comme suit:
   i) Si ledit remboursement est effectué avant le troisième anniversaire de la date de computation des intérêts du terme en cours, l'indemnité est sujette au plus élevé des deux (2) montants suivants:
   * A) Trois (3) mois d'intérêt au taux mentionné à l'article 2 des présentes; OU
   * B) Un (1) mois d'intérêt au taux mentionné à l'article 2 des présentes (maximum $250) **plus** la valeur actualisée, pour la période à courir dans le terme, de la différence entre ledit taux de l'article 2 et le taux courant applicable de la Banque au moment du remboursement.
   Le taux courant applicable s'établit comme suit: - Taux courant du terme de 1 an si de 3 à 23 mois à courir;
                                                      - Taux courant du terme de 2 ans si de 24 à 35 mois à courir;
                                                      - Taux courant du terme de 3 ans si de 36 à 47 mois à courir;
                                                      - Taux courant du terme de 4 ans si de 48 à 59 mois à courir;
                                                      - Taux courant du terme de 5 ans si de 60 mois et plus à courir.
   ii) Si ledit remboursement est effectué au troisième anniversaire de la date de computation des intérêts du terme en cours ou après, l'indemnité est de trois (3) mois d'intérêt au taux mentionné à l'article 2 des présentes.

☐ **Hypothèque à terme fermé - Conventionnelle sur unifamiliale, duplex, triplex ou unité de condominium**
Init. ☐ Pourvu que l'emprunteur ne soit pas en défaut au terme de l'acte de prêt à intervenir, il peut **sans indemnité** exercer les mêmes privilèges que prévus au sous-article 9.1.
Tout remboursement autre que ceux prévus au sous-article 9.1 est sujet à une indemnité égale au plus élevé des deux (2) montants établis de la même façon qu'au sous-article 9.2*A) ou 9.2*B).

☐ **Toute autre hypothèque résidentielle à terme fermé - SCHL ou conventionnelle (de $250,000 et moins)**
Init. ☐ Tout remboursement avant échéance est sujet à une indemnité égale au plus élevé des deux (2) montants établis de la même façon qu'au sous-article 9.2*A) ou 9.2*B).

10. Si l'hypothèque n'est pas remboursée ou si un versement n'est pas fait à la date d'échéance prévue, les indemnités suivantes peuvent être imposées:
    a) l'intérêt payable sur un paiement en souffrance sur un prêt;
    b) les frais juridiques engagés pour le recouvrement ou les tentatives de recouvrement d'un paiement sur un prêt ou le remboursement d'un prêt;
    c) les frais, y compris les frais juridiques, engagés par la Banque ou en son nom et payés à des personnes autres que les employés de la Banque pour protéger ou réaliser la garantie fournie pour un prêt.

Nom de l'employé(e) de la Banque _____

Signature du ou des emprunteurs _____

Signature au nom de la Banque _____

Signature du ou des emprunteurs _____

DISTRIBUTION   Copie blanche : Succursale   Copie canari : Emprunteur

Signature de l'intervenant _____

12641 Fr. (Rév. 01-93)

○ INTERNE

Document 21.4	ACTE D'HYPOTHÈQUE

ACTE D'HYPOTHÈQUE

Ce   jour de   mil neuf cent

DEVANT Me   ,
notaire à
province de Québec.

ONT COMPARU:

> **BANQUE NATIONALE DU CANADA**, banque régie par la *Loi sur les banques* ayant son siège social au 600, rue de La Gauchetière ouest, Montréal (Québec) H3B 4L2 et ayant une succursale au
>
> , ici représentée et agissant par
>
> , son représentant dûment autorisé ainsi qu'il le déclare, l'avis d'adresse de ladite succursale étant inscrit au bureau de la publicité des droits de la circonscription foncière de
>
> sous le numéro
>
> (ci-après appelée la Banque)

ET:

(ci-après appelé le Débiteur)

QUI DÉCLARENT ET CONVIENNENT CE QUI SUIT:

Document 21.4	ACTE D'HYPOTHÈQUE (suite)

- 3 -

2. **HYPOTHÈQUE**

2.1 Pour garantir le paiement de la dette et l'accomplissement de ses obligations en vertu du présent acte, de même que pour garantir l'acquittement de toutes ses autres obligations envers la Banque, présentes et futures, directes et indirectes, le Débiteur hypothèque l'immeuble suivant pour la somme de

dollars ($),
avec intérêt au taux de 25% par année à compter de la date des présentes.

DÉSIGNATION

| Document 21.4 | ACTE D'HYPOTHÈQUE (suite) |

- 4 -

2.2 Le Débiteur hypothèque également les biens suivants, pour les fins et pour la somme (avec les intérêts) indiquées au paragraphe 2.1 ci-dessus:

a) tous les loyers et revenus produits par l'immeuble, présents et à venir;

b) tous les biens meubles qui sont présentement ou seront dans l'avenir matériellement attachés ou réunis à l'immeuble;

c) tous les biens meubles du Débiteur qui se trouvent présentement dans l'immeuble ou qui s'y trouveront dans l'avenir pour servir à l'exploitation d'une entreprise, à l'exception des stocks; et

d) les indemnités payables en vertu de tout contrat d'assurance couvrant l'immeuble et les biens mentionnés aux sous-paragraphes a), b) et c) qui précèdent.

L'immeuble décrit au paragraphe 2.1 et les autres biens mentionnés ci-dessus au paragraphe 2.2 sont collectivement appelés «biens hypothéqués». Si l'hypothèque affecte plus d'un immeuble, le terme «immeuble» désigne tous et chacun des immeubles hypothéqués.

3. DÉCLARATIONS DU DÉBITEUR

Le Débiteur déclare et garantit ce qui suit:

3.1 L'immeuble appartient au Débiteur; les biens hypothéqués sont libres de tout droit réel, hypothèque ou sûreté autres que les suivants:

3.2 Les loyers et revenus de l'immeuble n'ont pas été cédés à un tiers.

3.3 L'état matrimonial du Débiteur, s'il est une personne physique, est le suivant:

3.4 Plus de six mois se sont écoulés depuis la fin des derniers travaux de construction ou de rénovation à l'immeuble, sauf, le cas échéant, quant aux travaux dont la Banque a été informée par écrit.

4. ENGAGEMENTS DU DÉBITEUR

4.1 Sur demande, le Débiteur fournira à la Banque une copie de tous les baux relatifs à l'immeuble ainsi que tout renseignement relatif aux loyers.

4.2 Le Débiteur paiera à échéance tous les droits, impôts, taxes et charges relatifs aux biens hypothéqués, de même que toute créance pouvant prendre rang avant l'hypothèque constituée par les présentes; sur demande, le Débiteur fournira à la Banque la preuve qu'il a effectué les paiements prévus au présent paragraphe.

4.3 Le Débiteur assurera les biens hypothéqués et les maintiendra constamment assurés contre les dommages causés par le vol et l'incendie et contre tout autre risque qu'un administrateur prudent protégerait par assurance, le tout

| Document 21.4 | ACTE D'HYPOTHÈQUE (suite) |

- 5 -

pour leur pleine valeur assurable. Le Débiteur devra également obtenir une assurance couvrant les pertes de revenus résultant d'un sinistre affectant les biens hypothéqués. La Banque est par les présentes désignée bénéficiaire des indemnités payables en vertu des polices. Le Débiteur fera inscrire cette désignation sur les polices et celles-ci devront aussi comporter les clauses usuelles de protection en faveur des créanciers hypothécaires, selon la formulation établie par le Bureau d'assurance du Canada. Le Débiteur remettra à la Banque une copie de chaque police; au moins trente jours avant la date d'expiration ou d'annulation d'une police, le Débiteur remettra à la Banque une preuve de son renouvellement ou de son remplacement.

4.4 Le Débiteur accomplira tous les actes et signera tous les documents nécessaires pour que l'hypothèque constituée par les présentes ait plein effet et soit constamment opposable aux tiers.

4.5 Le Débiteur protégera et entretiendra adéquatement les biens hypothéqués et il exercera ses activités de façon à en préserver la valeur. Le Débiteur se conformera aux exigences des lois et règlements applicables à l'exploitation de son entreprise et à la détention des biens hypothéqués, y compris les lois et règlements sur l'environnement.

4.6 Le Débiteur tiendra les livres et pièces comptables qu'un administrateur diligent tiendrait en rapport avec les biens hypothéqués; le Débiteur permettra à la Banque d'examiner ces livres et pièces comptables et d'en obtenir des copies.

4.7 Le Débiteur conservera les biens hypothéqués libres de tout droit réel, hypothèque ou sûreté, sauf ceux auxquels la Banque aura consenti par écrit. Le Débiteur ne cédera pas les loyers et revenus de l'immeuble, en tout ou en partie, et il ne donnera pas quittance par anticipation de plus d'un mois de loyer.

4.8 Le Débiteur n'aliénera pas les biens hypothéqués et il ne les louera pas à des conditions inférieures aux conditions du marché, sauf si la Banque y consent par écrit. Malgré toute aliénation, le Débiteur continuera d'être tenu au paiement de la dette et le présent acte conservera tout son effet.

4.9 Le Débiteur ne changera pas l'usage, la destination ou la nature des biens hypothéqués et il n'effectuera aucune construction ou rénovation à l'immeuble, sauf si la Banque y consent par écrit. Si le Débiteur est une personne morale, le Débiteur ne fusionnera pas avec une autre personne et il n'entreprendra pas de procédures en vue de sa liquidation ou de sa dissolution, sans le consentement écrit de la Banque.

4.10 Le Débiteur fournira à la Banque tout renseignement que la Banque pourra raisonnablement demander pour vérifier si le Débiteur se conforme à ses engagements prévus aux présentes. Le Débiteur informera la Banque de tout fait ou événement de nature à affecter défavorablement sa situation financière ou la valeur des biens hypothéqués.

4.11 Le Débiteur paiera tous les frais relatifs au présent acte et à tout avis juridique que la Banque pourra demander relativement à la validité et au rang de l'hypothèque constituée par les présentes. Sur demande, le Débiteur fournira à la Banque un certificat de localisation adressé à celle-ci et d'une date récente.

| Document 21.4 | ACTE D'HYPOTHÈQUE (suite) |

- 6 -

4.12 Le Débiteur remboursera à la Banque tous les coûts et frais encourus par celle-ci pour exercer ses droits ou pour remplir les engagements du Débiteur, avec intérêt au taux annuel de base de la Banque en vigueur de temps à autre, majoré de 3%. Le taux annuel de base de la Banque est le taux qu'elle annonce comme étant son taux de référence pour déterminer le taux d'intérêt des prêts en dollars canadiens qu'elle consent au Canada.

5. DROITS DE LA BANQUE

5.1 La Banque pourra de temps à autre, aux frais du Débiteur, faire l'inspection des biens hypothéqués ou les faire évaluer. À cette fin, le Débiteur permettra à la Banque d'avoir accès aux biens hypothéqués.

5.2 La Banque pourra, mais sans y être tenue, remplir l'un ou l'autre des engagements contractés par le Débiteur en vertu du présent acte.

5.3 Le Débiteur pourra percevoir les loyers et revenus de l'immeuble tant que la Banque ne lui en aura pas retiré l'autorisation. À compter du moment où la Banque aura retiré cette autorisation, elle pourra percevoir les loyers et revenus de l'immeuble; la Banque aura alors droit à une commission raisonnable de perception, qu'elle pourra déduire de tout montant reçu.

5.4 Si la Banque a la possession des biens hypothéqués, elle n'aura pas l'obligation de maintenir l'usage auquel les biens hypothéqués sont normalement destinés ou de les faire fructifier ou d'en continuer l'utilisation ou l'exploitation.

5.5 Le Débiteur constitue la Banque son mandataire irrévocable, avec pouvoir de substitution, aux fins d'accomplir tout acte et signer tout document nécessaire ou utile à l'exercice des droits conférés à la Banque en raison du présent acte.

5.6 Les droits conférés à la Banque en vertu du présent article 5 pourront être exercés par la Banque avant ou après un défaut du Débiteur aux termes du présent acte.

6. DÉFAUTS ET RECOURS

6.1 Le Débiteur sera en défaut dans chacun des cas suivants:

a) si l'une ou l'autre des obligations garanties par le présent acte n'est pas acquittée lors de son exigibilité;

b) si l'une des déclarations faites à l'article 3 est erronée;

c) si le Débiteur ne remplit pas un de ses engagements contenus au présent acte;

d) si le Débiteur est en défaut en vertu de toute convention ou entente le liant à la Banque ou en vertu de toute autre hypothèque ou sûreté grevant les biens hypothéqués;

e) si le Débiteur cesse d'exploiter son entreprise, devient insolvable ou en faillite; ou

Document 21.4   ACTE D'HYPOTHÈQUE (suite)

- 7 -

f) si l'un ou l'autre des biens hypothéqués est saisi, ou fait l'objet d'une prise de possession par un créancier, par un séquestre ou par toute personne remplissant des fonctions similaires.

6.2   Si le Débiteur est en défaut, la Banque pourra mettre fin à toute obligation qu'elle pouvait avoir d'accorder du crédit ou des avances au Débiteur et elle pourra aussi déclarer la dette exigible si celle-ci n'est pas déjà échue. Si le Débiteur est en défaut, la Banque pourra aussi exercer tous les recours que la loi lui accorde et elle pourra réaliser son hypothèque, notamment en exerçant les droits hypothécaires prévus au Code civil du Québec.

6.3   Si le Débiteur est en défaut, la Banque pourra, aux frais du Débiteur, utiliser et administrer les biens hypothéqués, y compris consentir de nouveaux baux ou renouveler les baux existants, aux conditions qu'elle jugera appropriées. La Banque pourra aussi faire des compromis et transiger avec les débiteurs des loyers et revenus de l'immeuble et elle pourra accorder des quittances et des mainlevées.

7.   HYPOTHÈQUE ADDITIONNELLE

Pour garantir le paiement des intérêts qui ne seraient pas déjà garantis par l'hypothèque créée à l'article 2, de même que pour garantir davantage l'acquittement de ses obligations en vertu du présent acte, le Débiteur hypothèque l'immeuble et les autres biens mentionnés à l'article 2 pour une somme additionnelle égale à vingt pour cent (20%) du montant en capital de l'hypothèque créée à l'article 2.

8.   DISPOSITIONS GÉNÉRALES

8.1   L'hypothèque constituée en vertu du présent acte s'ajoute et ne se substitue pas à toute autre hypothèque ou sûreté détenue par la Banque.

8.2   Cette hypothèque est une garantie continue qui subsistera nonobstant l'acquittement occasionnel, total ou partiel, des obligations garanties par les présentes. Le Débiteur ne pourra, sans le consentement écrit de la Banque, subroger un tiers dans l'hypothèque et les droits de la Banque en vertu des présentes.

8.3   Dans chacun des cas prévus au paragraphe 6.1 de l'article 6, le Débiteur sera en demeure par le seul écoulement du temps, sans qu'une mise en demeure ne soit requise.

8.4   Toute somme perçue par la Banque dans l'exercice de ses droits pourra être retenue par la Banque à titre de bien hypothéqué, ou être imputée au paiement des obligations garanties par les présentes, que celles-ci soient échues ou non. La Banque aura le choix de l'imputation de toute somme perçue.

8.5   La Banque ne sera pas tenue d'exercer les droits lui résultant du présent acte et elle n'aura aucune responsabilité en raison du non-exercice de ses droits. Le Débiteur s'oblige à faire tout en son pouvoir pour que les locataires de l'immeuble paient régulièrement leur loyer et la Banque n'aura pas l'obligation d'informer le Débiteur d'une irrégularité de paiement dont elle aurait connaissance.

| Document 21.4 | ACTE D'HYPOTHÈQUE (suite) |

- 8 -

8.6 L'exercice par la Banque d'un de ses droits ne l'empêchera pas d'exercer tout autre droit; les droits de la Banque sont cumulatifs et non alternatifs. Le non-exercice par la Banque de l'un de ses droits ne constitue pas une renonciation à l'exercice ultérieur de ce droit. La Banque peut exercer les droits lui résultant des présentes sans avoir à exercer ses autres recours contre le Débiteur ou contre toute autre personne responsable du paiement des obligations garanties par les présentes, et sans avoir à réaliser toute autre sûreté garantissant ces obligations.

8.7 La Banque n'est tenue d'exercer qu'une diligence raisonnable dans l'exercice de ses droits ou l'accomplissement de ses obligations. De plus, elle n'est responsable que de sa faute lourde ou intentionnelle.

8.8 La Banque peut déléguer à une autre personne l'exercice des droits ou l'accomplissement des obligations lui résultant du présent acte; en pareil cas, la Banque peut fournir à cette autre personne tout renseignement qu'elle possède sur le Débiteur ou sur les biens hypothéqués.

8.9 Le présent acte liera le Débiteur envers la Banque et tout successeur de celle-ci, par voie de fusion ou autrement.

9. INTERPRÉTATION

9.1 Si plusieurs personnes sont désignées comme «Débiteur», chacune d'elles est solidairement responsable de la totalité des obligations stipulées au présent acte.

9.2 Les droits et recours de la Banque peuvent être exercés à l'égard de tous les biens hypothéqués globalement ou à l'égard de chacun d'eux séparément.

9.3 Le présent acte est régi et interprété par le droit en vigueur dans la province de Québec.

10. ÉLECTION DE DOMICILE

Le Débiteur, conformément à l'article 83 du Code civil du Québec, fait élection de domicile au bureau du greffier de la Cour supérieure du district dans lequel est situé l'immeuble.

Chapitre 22

LA CONVENTION D'ARBITRAGE, LA TRANSACTION, L'EXÉCUTION FORCÉE, LE DÉPÔT VOLONTAIRE ET LA FAILLITE

22.0 **PLAN DU CHAPITRE**

22.1 OBJECTIFS

Après la lecture du chapitre, l'étudiant doit être en mesure :

- d'expliquer l'utilité de la convention d'arbitrage ;
- d'expliquer l'utilité de la transaction ;
- de différencier l'exécution volontaire de l'exécution forcée ;
- de différencier les biens saisissables des biens insaisissables ;
- de différencier les deux formes de saisie que sont la saisie mobilière et la saisie immobilière ;
- de différencier, dans la saisie mobilière, la saisie d'objets chez le débiteur de la saisie en main tierce et de la saisie-arrêt, ou saisie de salaire ;
- de reconnaître les principales restrictions à la saisie mobilière ;
- de reconnaître les principales restrictions à la saisie immobilière ;
- de connaître les exemptions appropriées en matière de saisie de salaire ;
- de calculer la partie saisissable du salaire ;
- d'expliquer l'utilité du dépôt volontaire en présence de saisies multiples ;
- de différencier le dépôt volontaire de la faillite ;
- de décrire le rôle des principaux intervenants en matière de faillite ;
- de différencier la faillite volontaire de la faillite forcée ;
- d'expliquer le rôle du préavis du créancier garanti ;
- d'expliquer l'utilité de l'avis d'intention ;
- d'expliquer les avantages de la proposition concordataire sur la faillite ;
- de différencier les quatre catégories de créanciers que sont le créancier garanti, le créancier privilégié, le créancier ordinaire, ou chirographaire, et le créancier différé ;
- d'expliquer le processus de la faillite en débutant par la date de la faillite jusqu'à la libération du failli ;
- d'expliquer les différentes formes de liquidation des biens d'un failli ;
- d'expliquer les pouvoirs du syndic en matière d'annulation de certaines transactions conclues avant la date de faillite ;
- de différencier l'ordonnance de libération absolue de l'ordonnance de libération conditionnelle, de la suspension de l'ordonnance de libération et de l'ordonnance de refus de libération ;
- de relever les dettes qui ne sont pas éteintes par une ordonnance de libération.

22.2 LES MÉCANISMES DE RÈGLEMENT D'UN LITIGE

Il existe plusieurs mécanismes prévus par la loi pour régler un litige ; certains prennent place avant l'apparition du litige, tandis que d'autres s'appliquent après. La figure 22.1 illustre ces mécanismes.

22.2.1 LA CONVENTION D'ARBITRAGE

Le premier mécanisme de règlement de litige consiste, pour les parties, à signer une convention d'arbitrage. La **convention d'arbitrage** est un contrat écrit par lequel les parties s'engagent à soumettre un différend, né ou éventuel, à la décision d'un

Figure 22.1 Les mécanismes de règlement d'un litige

Convention d'arbitrage	Les parties s'entendent d'avance pour soumettre tout litige éventuel à l'arbitrage
Transaction	Les parties règlent entre elles un litige plutôt que de le soumettre à un tribunal, ou terminent un procès déjà commencé

Jugement
- Exécution volontaire
  - Paiement ou exécution du jugement
  - Dépôt volontaire
- Exécution forcée
  - Saisie
    - Mobilière
      - D'objets
      - En main tierce
      - De salaire
    - Immobilière

Débiteur insolvable — Faillite
- Volontaire
- Forcée
- Avis d'intention
- Proposition concordataire
- Proposition de consommateur

ou de plusieurs arbitres, à l'exclusion des tribunaux. Elle est régie par les articles 2638 à 2643 du *Code civil*.

Par exemple, Constructel inc. s'engage à construire une série d'édifices à bureaux pour Trizec, une importante compagnie immobilière. Afin de prévenir toute poursuite devant les tribunaux pour tout litige découlant des contrats de construction, les deux parties peuvent signer une convention d'arbitrage dans laquelle elles renoncent à soumettre leur litige à un tribunal, mais s'entendent pour s'en remettre à un arbitrage formé de trois arbitres : Mᵉ Pierre Montreuil de Québec pour Constructel inc., Mᵉ Marie Mandeville d'Outremont pour Trizec et un troisième arbitre à être nommé par les deux premiers. Si ces derniers ne s'entendent pas sur la nomination du troisième arbitre, la convention d'arbitrage précise généralement qu'un juge de la Cour supérieure nomme le troisième arbitre.

Supposons qu'il y a un litige entre Constructel inc. et Trizec relativement au respect de certains éléments du devis concernant la qualité de l'insonorisation. Dans ce cas, Mᵉ Montreuil et Mᵉ Mandeville se réunissent pour nommer un troisième arbitre et s'entendent pour nommer Mᵉ Robert Bouchard du Lac-Beauport.

Dès lors, nos trois arbitres agissent un peu comme un tribunal ; ils écoutent la preuve présentée par chaque partie et examinent les pièces ou expertises produites. À la suite de cette audition, les arbitres rendent leur décision.

Comme la convention d'arbitrage stipule généralement que la décision des arbitres est finale et sans appel, Constructel inc. et Trizec doivent s'en remettre à cette décision et l'exécuter.

D'autre part, Constructel inc. et Trizec auraient pu s'entendre sur la nomination d'un arbitre unique, par exemple Me Pierre Montreuil, dans la convention d'arbitrage. Dans un tel cas, cet arbitre unique aurait eu la responsabilité de trancher le litige entre Constructel inc. et Trizec concernant le respect du devis relatif à la qualité de l'insonorisation.

22.2.2 LA TRANSACTION

Le deuxième mécanisme de règlement de litige consiste, pour les parties, à signer une transaction. La **transaction** est un contrat par lequel les parties terminent un procès déjà commencé, ou préviennent une contestation à naître, au moyen de concessions ou de réserves faites par l'une des parties ou par toutes deux. Elle est régie par les articles 2631 à 2637 du *Code civil*.

Comme nous l'avons mentionné au chapitre 2 ; **un mauvais arrangement vaut mieux qu'un bon procès.** Dans le cas d'un arrangement, chaque partie en connaît les termes, puisqu'il s'agit d'un contrat signé par les parties, tandis que dans le cas d'un procès, le jugement peut être entièrement favorable à l'une ou l'autre des parties, ou être une décision partagée, ce qui pourrait coûter plus cher qu'un arrangement, aussi médiocre soit-il.

Par conséquent, plutôt que de s'en remettre à l'incertitude d'un jugement, les parties préfèrent souvent signer un **règlement hors cour** qui prend la forme d'une transaction.

Par exemple, si deux parties réclament toutes deux la propriété d'une lisière de terrain, elles peuvent signer une transaction pour dire :

- *que cette lisière est propriété commune ;*
- *ou que cette lisière appartient à Benoît qui doit l'entretenir, mais que Maryse a un droit de passage sur cette même lisière ;*
- *ou que les deux parties s'engagent à ne pas aller devant un tribunal pour en demander la propriété.*

Dans ce cas, la transaction joue un rôle préventif, puisqu'elle empêche la naissance d'une contestation entre Benoît et Maryse.

22.2.3 LE JUGEMENT

Par contre, si les parties refusent de signer une convention d'arbitrage ou une transaction, il existe un troisième mécanisme de règlement de litige : le jugement, c'est-à-dire que les parties n'ont qu'à s'adresser au tribunal compétent pour obtenir un jugement qui sera exécutoire entre les parties.

Un **jugement exécutoire** est un jugement final auquel les parties doivent se plier volontairement ou par la force de la loi.

22.2.3.1 L'exécution volontaire

Par exemple, si Johanne a été condamnée selon trois jugements différents à payer la somme de 5 000 $ à Robert, à remettre une armoire Louis XV à Brigitte et à rendre l'immeuble du 1415, rue de Montmorency, à Patrick, elle peut exécuter volontairement ces trois jugements en donnant 5 000 $ à Robert, en remettant l'armoire Louis XV à Brigitte et en abandonnant l'immeuble du 1415, rue de Montmorency, à

Patrick Dans un tel cas, il s'agit d'une **exécution volontaire**, *car Johanne accepte de se conformer aux jugements.*

Par ailleurs, si Johanne n'a pas assez de biens pour verser immédiatement l'argent qu'elle doit à Robert, qu'elle a un revenu régulier, tel un revenu de salaire, et qu'elle désire éviter l'exécution forcée, c'est-à-dire la saisie de son salaire ou de ses meubles, elle peut se prévaloir du **dépôt volontaire** *et ainsi déposer au greffe de la Cour du Québec une somme égale à la partie saisissable de son salaire jusqu'au moment où la somme sera entièrement remboursée.*

Cependant, si Johanne refuse de se conformer à un ou à plusieurs de ces trois jugements, le créancier doit obligatoirement recourir à l'exécution forcée s'il désire obtenir satisfaction, c'est-à-dire recevoir ce qui lui est dû.

22.2.3.2 L'exécution forcée

L'**exécution forcée** d'un jugement suppose que le débiteur refuse de s'exécuter, c'est-à-dire de payer la somme à laquelle il a été condamné en vertu du jugement rendu contre lui. Dans ce cas, le créancier qui a obtenu jugement contre son débiteur forcera l'exécution du jugement en faisant saisir et vendre en justice tous les biens meubles et immeubles de son débiteur jusqu'à concurrence du montant du jugement, sous réserve des biens déclarés insaisissables par la loi ainsi que des règles et des formalités prescrites par le *Code de procédure civile*.

22.3 LA SAISIE

Avant de faire saisir les biens de son débiteur, le créancier peut l'assigner à comparaître devant un juge ou un greffier pour l'interroger sur tous les biens qu'il possède. Ainsi, le créancier connaît les différents biens de son débiteur et choisit parmi ceux-ci les biens qu'il entend faire saisir et vendre en justice.

Par exemple, si Johanne a 25 000 $ dans un compte en banque, il est plus simple pour Robert de faire saisir le compte en banque. Par contre, si Johanne n'a pas d'argent liquide, mais qu'elle possède une Chrysler d'une valeur de 12 000 $, Robert peut faire saisir et vendre en justice la Chrysler.

Pour sa part, Brigitte fait saisir spécifiquement l'armoire Louis XV, puisque c'est ce bien qu'elle revendique. Enfin, Patrick fait saisir l'immeuble du 1415, rue de Montmorency, et en fait expulser Johanne.

22.3.1 LES BIENS SAISISSABLES

Théoriquement, tous les biens sont saisissables (voir la figure 22.2).

2645 C.c.Q.   *Quiconque est obligé personnellement est tenu de remplir son engagement sur tous ses biens meubles et immeubles, présents et à venir, à l'exception de ceux qui sont insaisissables [...]*

2644 C.c.Q.   *Les biens du débiteur sont affectés à l'exécution de ses obligations et constituent le gage commun de ses créanciers.*

2646 C.c.Q.   *Les créanciers peuvent agir en justice pour faire saisir et vendre les biens de leur débiteur. [...]*

Par exemple, reprenons le cas précédent. Robert peut théoriquement faire saisir les biens suivants, qui appartiennent à Johanne :

- *ses meubles, incluant son automobile ;*
- *sa maison ;*
- *son salaire ;*
- *ses comptes en banque.*

L'article 572 du Code de procédure civile *stipule que si Robert fait saisir à la fois les biens meubles et immeubles de Johanne, il doit faire vendre en premier les biens meubles et, si le montant provenant de la vente n'est pas suffisant pour payer la somme qui lui est due, il peut alors faire procéder à la vente de la maison de Johanne.*

Figure 22.2   Les différentes catégories de saisie

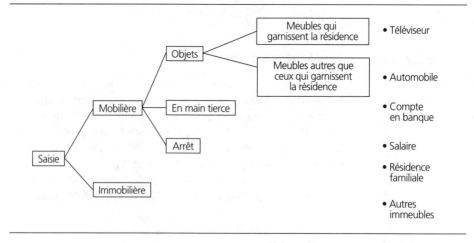

22.3.2 LES BIENS INSAISISSABLES

Bien que théoriquement tous les biens soient saisissables, il existe un certain nombre de biens insaisissables ainsi que des restrictions quant à la saisie sur un certain nombre d'autres biens.

Nous allons commencer par les biens insaisissables.

553 C.p.c.

Sont insaisissables :

1. *Les vases sacrés et autres objets servant au culte religieux ;*
2. *Les papiers et portraits de famille, les médailles et autres décorations ;*
3. *Les biens donnés ou légués sous condition d'insaisissabilité [...];*
5. *Les livres de compte, titres de créance et autres documents en la possession du débiteur [...];*
9. *Le remboursement pour frais engagés au titre d'un contrat contre la maladie ou les accidents ;*
9.1 *Les biens d'une personne qui lui sont nécessaires pour pallier un handicap ;*
12. *Toutes choses déclarées telles par quelque disposition de la loi. [...]*

Premièrement, la plupart des personnes ne possèdent pas de biens sacrés et, par conséquent, cette insaisissabilité ne dérange pas très souvent les créanciers.

Deuxièmement, les papiers et portraits de famille de même que les médailles et autres décorations n'ont pas vraiment de valeur marchande.

Troisièmement, les biens donnés sous condition d'insaisissabilité ne sont pas tellement nombreux. *Par exemple, si Francine reçoit en héritage de sa mère une maison **sous condition d'insaisissabilité**, elle ne peut pas emprunter et donner cette maison en garantie, car aucun prêteur n'acceptera de prendre en garantie une maison insaisissable. Si Francine n'a que des dettes, il est facile de comprendre la raison pour laquelle sa mère lui a donné sa maison sous condition d'insaisissabilité : elle désirait assurer un toit à sa fille.*

Quatrièmement, les livres de compte, c'est-à-dire les registres comptables d'une personne, si elle en a, ne représentent pas une réelle valeur.

Cinquièmement, la majorité des personnes ne bénéficient pas de remboursements découlant d'un contrat d'assurance contre la maladie et les accidents.

Sixièmement, il est normal de laisser son fauteuil roulant, sa canne ou sa prothèse à une personne handicapée, d'autant plus que leur valeur marchande est quand même limitée.

Enfin, et septièmement, les choses déclarées insaisissables par une quelconque loi ne sont pas tellement nombreuses. Par exemple, la loi interdit la saisie d'une rue ou d'un aqueduc d'une municipalité.

Donc, les biens insaisissables ne représentent pas réellement une grande valeur pour le créancier.

Il existe d'autres biens insaisissables, mais qui ne sont pas mentionnés dans l'article 553 du *Code de procédure civile* : il s'agit des prestations de la sécurité du revenu et d'assurance-emploi ainsi que des chèques de remboursement d'impôt fédéral et provincial. Il faut noter que lorsqu'une personne reçoit des prestations de la sécurité du revenu, cela suppose que ses revenus sont inexistants ou presque et qu'elle possède peu ou pas de biens de valeur susceptibles d'être saisis.

22.3.3   LA SAISIE MOBILIÈRE

Dès que le créancier a dressé la liste des biens saisissables de son débiteur, il peut faire procéder à leur saisie (voir le document 2.10, Bref de saisie mobilière). Si le débiteur refuse toujours de payer, il peut alors les faire vendre en justice.

La saisie mobilière peut prendre différentes formes :

- une saisie d'objets ;
- une saisie en main tierce ;
- une saisie-arrêt ou saisie de salaire.

Cependant, les articles 552 et 553 du *Code de procédure civile* énoncent certaines **restrictions sur la saisie de biens meubles** (voir les sections suivantes).

22.3.3.1	### La saisie d'objets chez le débiteur

Il existe deux catégories d'objets qu'un créancier peut saisir au moyen d'un bref de saisie mobilière : les meubles qui garnissent la résidence principale de son débiteur, comme un réfrigérateur, un téléviseur, une table, un lit, un bureau, un vase, une peinture, et les meubles qui ne garnissent pas la résidence principale comme une automobile, une motocyclette, une motoneige, une maison mobile, un yacht.

La saisie des meubles qui garnissent la résidence

552 C.p.c.

Il doit être laissé au débiteur la faculté de choisir parmi ses biens, et de soustraire à la saisie :

1. Les meubles qui garnissent sa résidence principale, servent à l'usage du ménage et sont nécessaires à la vie de celui-ci, jusqu'à concurrence d'une valeur marchande de 6 000 $ établie par l'officier saisissant ;

2. La nourriture, les combustibles, le linge et les vêtements nécessaires à la vie du ménage ;

Néanmoins, à l'exception des biens mentionnés au paragraphe 2, ces biens peuvent [...] être saisis et vendus pour les sommes dues sur le prix de ces biens ou par un créancier détenant une hypothèque sur ceux-ci. [...]

L'évaluation de l'officier saisissant peut être révisée par le tribunal ; si ce dernier estime que la valeur des biens laissés au débiteur n'atteint pas la valeur permise, il peut permettre au débiteur, au choix de celui-ci, de reprendre parmi les biens saisis ceux qui sont nécessaires pour combler la différence.

Toute renonciation à l'insaisissabilité résultant des dispositions du présent article est nulle.

En lisant cet article, nous constatons que le créancier doit laisser au débiteur pour 6 000 $ de **meubles qui garnissent sa résidence principale**, c'est-à-dire de meubles qui sont déjà dans la maison. Cela permet au débiteur de conserver une cuisinière, un réfrigérateur, une table, un lit et quelques autres meubles pour bénéficier d'un minimum de commodités.

Cela signifie que le créancier doit faire saisir les **biens de luxe**, comme un téléviseur, un magnétoscope, un four à micro-ondes, un ordinateur. Par contre, si le débiteur est un bénéficiaire de la sécurité du revenu, un étudiant ou un travailleur au salaire minimum, il y a gros à parier qu'il ait peu de meubles et que ceux-ci soient d'une valeur très limitée, souvent inférieure à la somme de 6 000 $. Dans de telles circonstances, le débiteur n'a pas de meubles qui garnissent sa résidence principale qui sont saisissables.

Cependant, le deuxième alinéa de l'article 552 stipule que tous les biens énumérés à cet article, à l'exception de ceux énumérés au paragraphe 2, peuvent être saisis par leur vendeur ou par celui qui détient une hypothèque. *Par exemple, si Décomeuble ltée a vendu à crédit une cuisinière, un réfrigérateur, une laveuse et une sécheuse à Dominique et que cette dernière omet d'effectuer les versements prévus au contrat, Décomeuble ltée peut faire saisir ces appareils électroménagers.*

D'autre part, le débiteur a le droit de conserver la nourriture, les combustibles, le linge et les vêtements nécessaires à la vie du ménage. Il faut tout de même laisser au débiteur de quoi vivre et, de toute manière, ces biens ont peu de valeur.

La saisie des objets autres que ceux qui garnissent la résidence

Cependant, il existe des meubles qui ne garnissent pas la résidence principale et qui représentent souvent une bonne valeur à saisir : une automobile, une motocyclette,

LA SAISIE

une motoneige, une maison mobile, un yacht, etc. Leur saisie peut être plus avantageuse que la simple saisie des meubles qui garnissent la résidence.

552 C.p.c.
> *Il doit être laissé au débiteur la faculté de choisir parmi ses biens, et de soustraire à la saisie : [...]*
>
> *3. Les instruments de travail nécessaires à l'exercice personnel de son activité professionnelle.*
>
> *Néanmoins, à l'exception des biens mentionnés au paragraphe 2, ces biens peuvent [...] être saisis et vendus pour les sommes dues sur le prix de ces biens ou par un créancier détenant une hypothèque sur ceux-ci. [...]*
>
> *Toute renonciation à l'insaisissabilité résultant des dispositions du présent article est nulle.*

Le troisième paragraphe énonce le principe qu'il faut laisser à un débiteur tous les outils qui lui sont nécessaires pour gagner sa vie ; cela signifie que les objets suivants, entre autres, sont insaisissables parce qu'ils sont nécessaires pour l'exercice d'une profession ou d'un métier :

- la bibliothèque de l'avocat ;
- les outils du mécanicien ;
- le tracteur du cultivateur ;
- les cisailles de l'horticulteur ;
- la scie à chaîne de l'arboriculteur ;
- le camion du transporteur ;
- l'automobile du voyageur de commerce ;
- le bateau du pêcheur.

Cependant, le deuxième alinéa de cet article mentionne que ces biens peuvent être saisis par leur vendeur ou par celui qui détient une hypothèque. *Par exemple, si Canadian Tire a vendu à crédit des outils à un mécanicien et que ce dernier omet de les payer, Canadian Tire peut faire saisir ces outils. Il en va de même si Giguère Automobile a vendu à crédit une Pontiac à un voyageur de commerce et que ce dernier n'effectue pas les versements prévus au contrat.*

Par ailleurs, si un transporteur a emprunté 125 000 $, qu'il a donné ses sept camions en garantie sous forme d'hypothèque et qu'il n'effectue pas les versements prévus *à son contrat d'emprunt, le prêteur peut évidemment faire saisir et vendre en justice ces sept camions afin de se rembourser à même le produit de la vente.* Lorsqu'un emprunteur donne des biens déterminés en garantie, il s'attend à ce que ces biens puissent être saisis et vendus en justice par son prêteur, s'il omet d'effectuer les versements convenus.

La vente en justice

Quoi qu'il en soit, une fois que la saisie a été effectuée par un huissier, ce dernier fait publier dans un journal un avis de vente en justice dans lequel sont précisés la nature des biens à être vendus ainsi que le lieu, le jour et l'heure de la vente en justice. Au jour dit, l'huissier procède à la vente des biens aux enchères jusqu'à ce que le montant atteint soit suffisant pour couvrir la créance ainsi que tous les honoraires et frais de saisie.

Notez que le débiteur peut en tout temps, avant la vente en justice, payer la somme due ainsi que les honoraires et frais de saisie pour empêcher cette vente en justice. S'il en a les moyens, le débiteur a intérêt à payer son créancier avant que la vente en justice n'ait lieu, car il peut fort bien arriver qu'une automobile qui vaut 15 000 $ ne soit vendue que 3 000 $ ou 4 000 $ s'il n'y a pas de plus haut enchérisseur.

Si la vente en justice a lieu, l'huissier dresse par la suite un **état de collocation**, qui est le document qui indique l'ordre de paiement des créanciers ainsi que le montant reçu par chacun d'eux en tenant compte qu'il y a, parmi eux, trois catégories de créanciers :

- des créanciers qui détiennent une priorité ;
- des créanciers qui détiennent une hypothèque ;
- des créanciers ordinaires.

Une fois cet état de collocation dressé, l'huissier, grâce aux sommes provenant de la vente en justice, procède au paiement des créances en suivant l'ordre établi (voir la section 21.3, Les priorités).

Les frais d'une saisie mobilière varient entre 200 $ et 500 $, selon que la saisie est suivie ou non d'une vente en justice.

22.3.3.2 La saisie en main tierce

Le bref de **saisie en main tierce** est une forme de saisie mobilière qui permet à un créancier de saisir un objet ou une somme d'argent appartenant à son débiteur, mais qui se trouve entre les mains d'une tierce personne. De plus, ce bref enjoint cette tierce personne de ne pas se dessaisir de cet objet ou de cette somme d'argent avant que la cour n'ait décidé de son utilisation. Elle est régie par les articles 625 à 640 du *Code de procédure civile*.

L'exemple classique est la saisie d'un compte en banque. *Par exemple, si Benoît a déposé 10 000 $ dans un compte à la Banque Scotia et que Josyane a obtenu un jugement de 3 000 $ contre Benoît, il est plus rapide et plus simple pour elle de saisir le compte en banque de Benoît que de saisir ses meubles ou son salaire, et ce pour deux raisons : premièrement, il s'agit d'argent liquide et, deuxièmement, cet argent est disponible immédiatement et en totalité.*

Le tiers saisi doit déposer une déclaration à la cour dans laquelle il indique quels sont les objets ou la somme d'argent appartenant au débiteur qu'il a en sa possession.

Si le tiers saisi fait défaut de produire cette déclaration, le créancier peut obtenir un jugement contre lui et il sera condamné au paiement de la créance comme s'il était lui-même le débiteur. Donc, le tiers saisi n'a pas intérêt à tenter de déjouer le système.

De plus, si le tiers saisi ne détient aucun bien appartenant au débiteur, il va néanmoins devoir produire une déclaration dans laquelle il déclare qu'il ne détient aucun bien appartenant au débiteur. *Par exemple, si Josyane a saisi en main tierce la Banque de Montréal plutôt que la Banque Scotia, la Banque de Montréal devra produire une déclaration dans laquelle elle dira que Benoît n'est pas un client de la Banque de Montréal et qu'elle ne détient aucun bien ou aucune somme d'argent appartenant à Benoît.*

22.3.3.3   La saisie-arrêt ou saisie de salaire

La **saisie-arrêt,** ou **saisie de salaire**, est une autre forme de saisie mobilière qui permet à un créancier de saisir le salaire de son débiteur dans les mains de son employeur. Il s'agit donc d'une forme de saisie en main tierce, mais qui occupe une place particulière dans le *Code de procédure civile* compte tenu de sa nature. Elle est régie par les articles 641 à 651 du *Code de procédure civile*.

De plus, l'article 553 du *Code de procédure civile* indique quelle est la partie insaisissable du salaire et le mode de calcul de la partie saisissable du salaire (voir le tableau 22.1).

553 C.p.c.

Sont insaisissables :

11. Les traitements, salaires et gages bruts, pour les sept dixièmes de ce qui excède une première portion, elle-même insaisissable :

   a) de 180 dollars par semaine, plus 30 dollars par semaine pour chaque personne à charge, à compter de la troisième, si le débiteur pourvoit aux besoins de son conjoint, s'il a charge d'enfant ou s'il est le principal soutien d'un parent ; ou

   b) de 120 dollars par semaine, dans les autres cas.

Est considérée comme le conjoint du débiteur, la personne avec laquelle le débiteur est marié ou, s'il n'est pas marié, la personne avec laquelle il vit maritalement depuis trois ans ou depuis un an si un enfant est issu de leur union. [...]

En langage clair, cela signifie qu'il faut :

- déterminer le salaire hebdomadaire du débiteur ;
- établir ses charges familiales pour calculer la portion insaisissable ;
- soustraire la portion insaisissable pour obtenir le salaire admissible à la saisie ;
- multiplier le salaire admissible à la saisie par sept dixièmes pour obtenir l'exemption des sept dixièmes ;
- soustraire l'exemption des sept dixièmes, pour obtenir la partie saisissable du salaire.

Tableau 22.1   Le calcul de la portion insaisissable

Nombre de personnes à charge*	Montant de la portion insaisissable
Débiteur seul	120 $
Débiteur et une personne à charge	180 $
Débiteur et deux personnes à charge	180 $
Débiteur et trois personnes à charge	210 $
Débiteur et quatre personnes à charge	240 $
Débiteur et cinq personnes à charge	270 $
Débiteur et six personnes à charge	300 $
Chaque personne à charge additionnelle	30 $

* Une personne à charge est un conjoint, un enfant ou un parent dont le débiteur est le principal soutien.

À cette portion insaisissable du salaire s'ajoute une exemption des sept dixièmes, ce qui signifie, en pratique, que moins de 30 % du salaire est admissible à la saisie.

N'oublions pas que le débiteur doit également payer sa contribution pour l'impôt fédéral, l'impôt provincial, l'assurance-emploi, la Régie des rentes, la cotisation syndicale, le fonds de pension, l'assurance collective, etc., de telle sorte que, lorsqu'il reçoit son salaire, ce dernier est déjà amputé d'un certain montant. Comme tous ces calculs se font sur le salaire brut, il n'en reste pas beaucoup au débiteur pour vivre.

Par exemple, supposons que Brigitte gagne un salaire hebdomadaire de 520 $ et que Sylvain a obtenu un jugement de 6 000 $ contre elle. Il désire saisir son salaire puisque Brigitte n'a pas d'autres biens. Quelle sera alors la partie saisissable du salaire de Brigitte ?

Dans le premier exemple, nous supposons que Brigitte est célibataire et qu'elle n'a personne à sa charge. Dans ce cas, nous obtenons le tableau suivant :

Salaire hebdomadaire de Brigitte	520 $
Portion insaisissable	120
Salaire admissible à la saisie	400
Exemption des sept dixièmes	280
Partie saisissable du salaire de Brigitte	120 $

Si le jugement en faveur de Sylvain est de 6 000 $, le salaire de Brigitte sera saisi pendant 50 semaines pour en assurer le remboursement total. Cet exemple ne tient évidemment pas compte des intérêts et des honoraires et frais judiciaires qui ne font qu'augmenter le montant à saisir et, par conséquent, le nombre de semaines pendant lesquelles le salaire de Brigitte sera saisi.

Par exemple, nous supposons comme deuxième scénario, que Brigitte a deux personnes à charge. Dans ce cas, nous obtenons le tableau suivant :

Salaire hebdomadaire de Brigitte	520 $
Portion insaisissable	180
Salaire admissible à la saisie	340
Exemption des sept dixièmes	238
Partie saisissable du salaire de Brigitte	102 $

À ce rythme, le salaire de Brigitte sera saisi pendant 59 semaines. Toutefois, le prélèvement de la dernière semaine ne sera que de 84 $, car après 58 semaines, le montant saisi est de 5 916 $.

Nous supposons aussi comme troisième scénario, que Brigitte a six personnes à charge. Dans ce cas, nous obtenons le tableau suivant :

Salaire hebdomadaire de Brigitte	520 $
Portion insaisissable	300
Salaire admissible à la saisie	220
Exemption des sept dixièmes	154
Partie saisissable du salaire de Brigitte	66 $

Ainsi, le salaire de Brigitte sera saisi pendant 91 semaines avant que le montant de 6 000 $ dû à Sylvain ne soit payé. Dans le présent cas, le dernier versement sera de 60 $.

Par exemple, si nous supposons maintenant que le salaire hebdomadaire de Brigitte est plus élevé, soit 820 $, nous obtenons le tableau suivant :

Salaire hebdomadaire de Brigitte	820 $	820 $	820 $
Portion insaisissable	120	180	300
Salaire admissible à la saisie	700	640	520
Exemption des sept dixièmes	490	448	364
Partie saisissable du salaire de Brigitte	210 $	192 $	156 $

Ainsi, les 6 000 $ dus à Sylvain seront remboursés dans un délai plus court, soit respectivement 29, 32 et 39 semaines.

Par exemple, si le salaire hebdomadaire de Brigitte est proche du salaire minimum, soit 250 $, nous obtenons le tableau suivant :

Salaire hebdomadaire de Brigitte	250 $	250 $	250 $
Portion insaisissable	120	180	300
Salaire admissible à la saisie	130	70	(50)
Exemption des sept dixièmes	91	49	0
Partie saisissable du salaire de Brigitte	39 $	21 $	0 $

Ainsi, dans les deux premières situations, les 6 000 $ dus à Sylvain seront remboursés dans un délai plus long, soit respectivement 154 et 286 semaines, ce qui représente environ 3 et 5 ans, tandis que, dans le dernier cas, le salaire de Brigitte n'est pas assez élevé pour donner ouverture à une saisie de salaire.

Dès que le tiers saisi, c'est-à-dire l'employeur dans ce cas, reçoit un bref de saisie de salaire, il doit déposer une déclaration indiquant les sommes qu'il doit à son employé et déposer au greffe de la cour la partie saisissable du salaire de cet employé.

Encore une fois, si le tiers saisi fait défaut de produire la déclaration exigée par la loi, il peut être condamné à payer le montant dû par son employé comme s'il était lui-même le débiteur. L'employeur a donc intérêt à produire une déclaration pour indiquer si le débiteur travaille ou ne travaille pas pour lui, et, si oui, il doit divulguer son salaire et déposer la partie saisissable de ce salaire.

22.3.3.4   La saisie pour pension alimentaire

L'article 553 du *Code de procédure civile* contient une disposition particulière lorsqu'il s'agit de saisir un revenu pour payer une pension alimentaire :

553 C.p.c.

> *Sont insaisissables :*
>
> 4. *Les aliments accordés en justice, de même que les sommes données ou léguées à titre d'aliments [...] ;*
>
> 6. *Le casuel et les honoraires dus aux ecclésiastiques et ministres du culte [...] ;*
>
> 7. *Les prestations accordées au titre d'un régime complémentaire de retraite auquel cotise un employeur pour le compte de ses employés [...] ;*
>
> 8. *Les prestations périodiques d'invalidité au titre d'un contrat d'assurance contre la maladie ou les accidents ;*
>
> 11. *[...] (voir la section 12.3.3.3, La saisie-arrêt ou la saisie de salaire)*
>
> 11.1 *Cinquante pour cent des sommes payables conformément à la Loi d'aide à l'exécution des ordonnances et des ententes familiales (L.R.C. (1985), chapitre 4, 2ᵉ supplément).*
>
> *Néanmoins, malgré toute disposition contraire d'une loi générale ou spéciale, les revenus mentionnés aux paragraphes 4, 6, 8 et 11, ainsi que les sommes mentionnées au paragraphe 7 ne sont insaisissables, s'il s'agit de l'exécution du partage entre époux du patrimoine familial ou du paiement d'une dette alimentaire ou d'une prestation compensatoire, qu'à concurrence de cinquante pour cent.*

Le dernier alinéa de l'article 553 contient une disposition selon laquelle la partie insaisissable du salaire est diminuée des sept dixièmes ou 70 % à 50 % lorsqu'il s'agit d'une pension alimentaire. De plus, les autres revenus de cette personne qui étaient insaisissables deviennent également saisissables jusqu'à concurrence de 50 %.

Par exemple, reprenons la situation de Brigitte en supposant qu'elle gagne toujours un salaire hebdomadaire de 520 $, mais qu'elle doive verser une pension alimentaire *hebdomadaire de 170 $ à François, son ex-conjoint. Si la loi avait maintenu l'exemption des sept dixièmes en matière de pension alimentaire, François n'aurait reçu dans chacun des cas que 120 $, 102 $ et 66 $; il aurait donc subi une perte de 50 $, 68 $ et 104 $.*

Cependant, si nous appliquons maintenant la nouvelle exemption de 50 %, nous obtenons le tableau suivant :

Salaire hebdomadaire de Brigitte	520 $	520 $	520 $
Portion insaisissable	120	180	300
Salaire admissible à la saisie	400	340	220
Exemption des cinq dixièmes	200	170	110
Partie saisissable du salaire de Brigitte	200 $	170 $	110 $

Ainsi, dans les deux premiers cas, François aurait reçu le plein montant de sa pension alimentaire de 170 $, tandis que, dans le troisième cas, il n'aurait reçu que 110 $; il n'aurait donc perdu que 60 $.

Maintenant, reprenons l'exemple dans lequel Brigitte gagne un salaire hebdomadaire de 820 $. Elle doit toujours verser une pension alimentaire hebdomadaire de 170 $ à François, son ex-conjoint.

Si la loi avait maintenu l'exemption des sept dixièmes en matière de pension alimentaire, François aurait reçu respectivement 170 $, 170 $ et 156 $; il aurait donc subi une perte de 14 $ dans le troisième cas.

Cependant, si nous appliquons maintenant la nouvelle exemption de 50 %, nous obtenons le tableau suivant :

Salaire hebdomadaire de Brigitte	820 $	820 $	820 $
Portion insaisissable	120 $	180 $	300 $
Salaire admissible à la saisie	700	640	520
Exemption des cinq dixièmes	350 $	320 $	260 $
Partie saisissable du salaire de Brigitte	350 $	320 $	260 $

Dans tous les cas, François aura droit à sa pleine pension alimentaire hebdomadaire de 170 $.

Enfin, reprenons l'exemple dans lequel Brigitte gagne un salaire hebdomadaire de 250 $. Elle doit toujours verser une pension alimentaire hebdomadaire de 170 $ à François, son ex-conjoint.

Si la loi avait maintenu l'exemption des sept dixièmes en matière de pension alimentaire, François aurait reçu 39 $, 21 $ et 0 $; il aurait donc subi une perte de respectivement 131 $, 149 $ et 170 $.

Cependant, si nous appliquons maintenant la nouvelle exemption de 50 %, nous obtenons le tableau suivant :

Salaire hebdomadaire de Brigitte	250 $	250 $	250 $
Portion insaisissable	120	180	300
Salaire admissible à la saisie	130	70	(50)
Exemption des cinq dixièmes	65	35	0
Partie saisissable du salaire de Brigitte	65 $	35 $	0 $

Dans ce dernier cas, François aurait reçu 65 $, 35 $ et 0 $; il aurait donc subi une perte de 105 $, 135 $ et 170 $. Nous pouvons par conséquent en conclure qu'une personne qui gagne un salaire proche du salaire minimum ne peut voir son salaire saisi que pour un montant très faible, et même nul si elle a plusieurs personnes à charge.

Il est important de se rappeler que le calcul de la partie saisissable du salaire se fait toujours à partir du salaire brut hebdomadaire. Si le salaire du débiteur est calculé sur une base horaire, mensuelle ou annuelle, il faut ramener ce chiffre sur une base hebdomadaire.

Par exemple, prenons une autre situation. Jacques occupe un emploi qui lui rapporte un salaire hebdomadaire de 1 000 $, mais il doit verser une pension alimentaire de 450 $ à son ex-épouse, Caroline, pour elle-même et leurs deux enfants, Albert et Yolande, à la suite d'un jugement de divorce et d'une ordonnance de pension alimentaire. Il a souscrit à une police d'assurance-invalidité qui mentionne le versement d'une prestation de 1 000 $ par semaine s'il est victime d'un accident.

Par hasard, Jacques est victime d'un accident en tombant d'une échelle alors qu'il peinturait la corniche de la maison. L'assureur lui paie donc la prestation convenue de 1 000 $ par semaine. Cette prestation est normalement insaisissable, puisqu'elle est inscrite dans le paragraphe 8 de l'article 553 du Code de procédure civile. Or, le dernier alinéa de cet article prescrit que ce revenu n'est insaisissable que jusqu'à concurrence de 50 % lorsqu'il s'agit d'une dette alimentaire. Par conséquent, Jacques doit continuer à verser à Caroline la pension hebdomadaire de 450 $.

Si le salaire de Jacques avait été saisi par un créancier ordinaire, tel Visa, ce dernier aurait vu sa saisie arrêtée dans le temps puisque l'employeur de Jacques a cessé de lui verser son salaire à la suite de son accident. Dans un tel cas, Visa ne peut pas saisir la prestation d'assurance, mais doit attendre que Jacques recommence à travailler pour que la saisie de salaire reprenne.

22.3.4 | LA SAISIE IMMOBILIÈRE

Lorsque la saisie mobilière ne rapporte pas suffisamment d'argent, le créancier doit opter pour la **saisie immobilière**, c'est-à-dire la saisie d'un ou de plusieurs immeubles appartenant à son débiteur.

À la différence de la saisie mobilière, pratiquée par un huissier, la saisie immobilière est du ressort du shérif. Le **shérif** est un officier de la cour qui travaille au palais de justice. Son rôle principal consiste à saisir et vendre en justice l'immeuble du débiteur. Cependant, le shérif ne saisit pas personnellement l'immeuble du débiteur. Pour ce faire, il retient les services d'un huissier.

Tout comme pour la saisie mobilière, le shérif fait publier un avis de vente en justice dans un journal local. De plus, il indique le montant de la **mise à prix**, c'est-à-dire le montant minimum auquel l'immeuble sera mis en vente. Le paragraphe e) de l'article 670 du *Code de procédure civile* fixe la mise à prix à 25 % de l'évaluation municipale. *Par exemple, si l'immeuble du 860, avenue Marguerite-Bourgeois est évalué à 600 000 $, sa mise à prix sera fixée à 150 000 $.*

Si l'immeuble saisi est une résidence familiale, la mise à prix est fixée à 50 % de l'évaluation municipale, en vertu de l'article 687.1 du *Code de procédure civile*. Cet article vise à empêcher qu'un débiteur perde sa résidence familiale pour une bouchée de pain.

Lors d'une **vente aux enchères**, l'immeuble est vendu au plus haut enchérisseur. En pratique, tous les créanciers prioritaires et hypothécaires enchérissent jusqu'à concurrence de leur créance respective afin de s'assurer d'être intégralement payé.

Par exemple, supposons que Laurent est propriétaire d'un immeuble d'une valeur de 200 000 $ d'après l'évaluation foncière municipale, sur lequel on trouve les créances suivantes selon leur ordre de priorité :

- *1 500 $ de frais de justice ;*
- *200 $ de taxes scolaires ;*

- 1 800 $ de taxes municipales ;

- 5 000 $ dus à Constructel inc., un entrepreneur en construction qui détient une hypothèque légale ; les travaux ont donné une plus-value de 10 000 $ à l'immeuble ;

- 30 000 $ en première hypothèque à la Banque Nationale ;

- 90 000 $ en deuxième hypothèque à la caisse populaire Laurier ;

- 40 000 $ à titre de balance de prix de vente due à Sylvie, la vendeuse de Laurent ;

- 11 500 $ à Services financiers Avco, en vertu d'un jugement obtenu contre Laurent.

Dans cet exemple, le total des créances s'élève à 180 000 $, ce qui, en temps normal, devrait être couvert par le montant de la vente en justice, puisque l'immeuble vaut au moins 200 000 $.

S'il s'agit de la résidence principale de Laurent, la mise à prix est fixée à 50 % de l'évaluation municipale soit 100 000 $. Dans ce cas, les frais de justice, les taxes scolaires, les taxes municipales, la créance de Constructel inc. et la première hypothèque sont couverts, puisque le total de ces créances n'est que de 38 500 $. Par contre, si nous ajoutons la deuxième hypothèque de 90 000 $ en faveur de la caisse populaire Laurier, nous obtenons un total de 128 500 $.

Si le plus haut enchérisseur n'offrait que 105 000 $, la caisse populaire Laurier perdrait 23 500 $, c'est-à-dire la différence entre le total de sa créance et des créances ayant priorité sur elle, soit 128 500 $, et l'offre du plus haut enchérisseur, soit 105 000 $. Aussi, pour éviter de perdre de l'argent, la caisse enchérira pour une somme de 128 500 $.

Il en va de même pour Sylvie, qui enchérira pour une somme additionnelle de 40 000 $ afin de couvrir sa balance de prix de vente. Ainsi, les enchères seront portées à 168 500 $.

Si Services financiers Avco veut également protéger sa créance, l'entreprise enchérira à son tour de 11 500 $, pour porter ainsi les enchères à 180 000 $.

À ce stade-ci, il peut y avoir deux scénarios. Le premier est celui où une autre personne, Carole, enchérit de 5 000 $, et porte ainsi les enchères à 185 000 $. Si personne d'autre ne renchérit, Carole devient la nouvelle propriétaire de cette maison. Elle doit donc remettre la somme de 185 000 $ au shérif qui paiera tous les créanciers. Comme il reste un solde de 5 000 $ après le paiement de tous les créanciers, le shérif remettra ce solde de 5 000 $ à Laurent.

Le second scénario est celui où personne d'autre ne renchérit. Dans ce cas, Services financiers Avco devient propriétaire de la maison de Laurent et doit donc remettre la somme de 180 000 $ au shérif. Celui-ci paiera tous les créanciers en remettant, évidemment, une somme de 11 500 $ à Services financiers Avco qui, normalement, remettra la maison en vente en vue de récupérer le montant de 180 000 $.

Modifions un peu l'exemple en supposant que la première hypothèque en faveur de la Banque Nationale n'est pas de 30 000 $, mais de 80 000 $. Dans un tel cas, la caisse populaire Laurier devra renchérir jusqu'à 178 500 $ pour couvrir sa créance, et Sylvie devra également renchérir jusqu'à 218 500 $ si elle veut protéger la sienne. Ainsi, les enchères sont maintenant à 218 500 $, alors que la maison ne vaut que 200 000 $. Services financiers Avco est en bien mauvaise position ; elle peut toujours renchérir jusqu'à 230 000 $ pour couvrir sa créance et espérer qu'une autre personne renchérira au-delà de cette somme, mais comme la maison ne vaut que 200 000 $, Services financiers Avco risque de perdre 30 000 $ si personne d'autre ne renchérit au-delà de 230 000 $.

Peut-être qu'Avco aurait dû saisir les meubles ou le salaire de Laurent? Dans ce dernier exemple, une chose est certaine : la saisie de la maison de Laurent, faite à la demande d'Avco, s'est retournée contre Avco.

*Reprenons l'exemple précédent et supposons que Carole s'est portée adjudicataire de la maison de Laurent. L'**adjudicataire** est la personne à qui le shérif adjuge la maison ; c'est celle qui est le plus haut enchérisseur et qui devient le nouveau propriétaire. Pour confirmer son titre de propriété, le shérif lui remet un **certificat de vente**, qui est un document qui prouve que l'adjudicataire est le nouveau propriétaire de cet immeuble. Évidemment, l'adjudicataire doit faire inscrire son certificat de vente au bureau de la publicité des droits pour prouver au tiers qu'il est dorénavant le propriétaire de cet immeuble.*

D'autre part, le shérif doit dresser un état de collocation, payer les différents créanciers selon l'ordre établi dans cet état de collocation et émettre un décret. Le **décret** est un document qui purge le titre de propriété d'un immeuble de la très grande majorité des droits réels qui y sont inscrits. **Purger** un titre de propriété signifie effacer ou radier toutes les priorités et toutes les hypothèques qui sont inscrites sur la fiche immobilière.

Il existe une restriction importante concernant la saisie d'un immeuble servant de résidence principale à un débiteur :

553.2 C.p.c.   *Est aussi insaisissable un immeuble servant de résidence principale au débiteur lorsque la créance est inférieure à 10 000 $, sauf dans les cas suivants :*

1. *il s'agit d'une créance garantie par une priorité ou une hypothèque légale ou conventionnelle sur cet immeuble, à l'exclusion d'une hypothèque légale garantissant une créance qui résulte d'un jugement ;*

2. *il s'agit d'une créance alimentaire ;*

3. *l'immeuble fait déjà l'objet d'une saisie valide.*

Aux fins du présent article, le montant de la créance est celui du jugement en vertu duquel l'immeuble pourrait être saisi, incluant les intérêts courus à la date de celui-ci, mais non les dépens.

Cette restriction à la saisie vise à empêcher un créancier de saisir la maison de son débiteur pour une somme minime, comme 800 $. Cependant, ce créancier peut saisir la maison de son débiteur si celle-ci fait déjà l'objet d'une saisie valide par un autre créancier qui a un jugement de plus de 10 000 $ en sa faveur, qui détient une hypothèque dont les versements sont en souffrance, qui détient une priorité, telle une municipalité pour taxes foncières échues et impayées, ou qui est **créancier alimentaire**, comme un jugement de pension alimentaire dans une procédure de divorce.

Cet article ne s'applique donc pas aux immeubles utilisés, entre autres, à des fins industrielles, commerciales ou institutionnelles, ni aux immeubles à logements multiples, sauf si le propriétaire habite cet immeuble. Dans un tel cas, l'immeuble à logement est insaisissable, car il tient lieu de résidence principale.

Les frais d'une saisie immobilière varient entre 800 $ et 2 000 $.

22.3.5	**LES SAISIES MULTIPLES**

Lorsqu'un débiteur fait déjà l'objet d'une saisie mobilière, d'une saisie immobilière ou d'une saisie de salaire, il est évident qu'il est impossible de saisir une deuxième fois ces mêmes biens. Si le débiteur est encore l'objet d'un bref de saisie mobilière ou immobilière, l'huissier chargé de la saisie déposera ce bref de saisie dans le dossier de la première saisie, et le greffier de la cour devra **noter ce bref**, c'est-à-dire qu'il prendra note qu'il y a une deuxième saisie pratiquée sur les mêmes biens du débiteur. D'autre part, s'il s'agit d'une saisie de salaire, le créancier déposera dans le dossier de la première saisie un document intitulé Réclamation/saisie-arrêt.

Par exemple, si J.D. Villeneuve ltée a déjà saisi le salaire de Nathalie Doucet pour une somme de 14 759,42 $, il existe un dossier à la cour dans lequel on retrouve ce bref de saisie (voir le document 2.10, Bref de saisie mobilière).

Par ailleurs, si Juliette Lepage obtient un jugement de 4 700 $ contre Nathalie Doucet, elle ne peut pas saisir son salaire une deuxième fois. Dans ce cas, Juliette Lepage déposera un document intitulé Réclamation/saisie-arrêt dans le dossier de la saisie de Nathalie Doucet. Ainsi, le greffier de la Cour prendra note que Nathalie doit non seulement 14 759,42 $ à J.D. Villeneuve ltée mais que, de plus, elle doit 4 700 $ à Juliette Lepage.

Par conséquent, la saisie de salaire de Nathalie Doucet continuera tant que cette dernière n'aura pas payé intégralement ses deux créanciers.

22.4   LE DÉPÔT VOLONTAIRE

Le **dépôt volontaire** est la procédure qui permet à un débiteur ayant accumulé un certain nombre de dettes, et qui est poursuivi par plusieurs créanciers, de se mettre à l'abri des saisies à répétition en déposant volontairement la partie saisissable de son salaire. Il est régi par les articles 652 à 659 du *Code de procédure civile*.

Le dépôt volontaire est parfois appelé **loi Lacombe**, du nom du député qui a présenté à l'origine ce mécanisme de paiement des dettes. Dans le langage populaire, nous pouvons entendre quelqu'un dire : « Roger s'est mis sur la loi Lacombe » pour signifier que Roger s'est prévalu des dispositions du *Code de procédure civile* concernant le dépôt volontaire.

La particularité la plus intéressante du dépôt volontaire se trouve dans l'article 652 du *Code de procédure civile* :

652 C.p.c.

> *Nul ne peut saisir-arrêter les traitements, salaires ou gages de son débiteur qui, ayant produit au greffe de la Cour du Québec du lieu de son domicile, de sa résidence ou de son emploi, une déclaration conforme aux prescriptions de l'article 653, y dépose régulièrement la portion saisissable de sa rémunération dans les cinq jours après qu'elle lui a été versée ; nul ne peut saisir les meubles qui garnissent la résidence de son débiteur, si ce n'est pour les sommes dues sur le prix ou dans l'exercice d'un droit de revendication. [...]*

Ainsi, un créancier ne peut pas saisir le salaire de son débiteur, pas plus que les meubles qui garnissent sa résidence, si ce dernier s'est prévalu des dispositions relatives au dépôt volontaire.

*Par exemple, si Électrotech a réparé le téléviseur de Maryse et que cette dernière refuse de payer le coût de la réparation, soit 150 $, sous prétexte qu'elle s'est prévalue du dépôt volontaire, Électrotech est en droit d'exercer sa priorité qu'est le **droit de rétention**, c'est-à-dire qu'elle peut retenir le téléviseur de Maryse à son atelier tant et aussi longtemps que cette dernière n'aura pas payé cette somme de 150 $, conformément à l'article 1592 du Code civil.*

*D'autre part, si Décomeuble ltée a vendu à Maryse des meubles payables sur livraison, et qu'elle a omis de les payer lors de la livraison, Décomeuble ltée a le droit, dans les 30 jours de la livraison, de reprendre possession des meubles qu'elle a livrés, car, dans ce cas, il s'agit de l'exercice d'un **droit de revendication**, compte tenu du fait que Maryse n'a pas payé les meubles à la livraison tel que stipulé dans son contrat d'achat, conformément à l'article 1741 du Code civil.*

Enfin, le créancier peut saisir les autres biens meubles de son débiteur, comme une automobile ou une motoneige, ainsi que sa maison et ses comptes en banque.

Cependant, pour que le dépôt volontaire existe, le débiteur doit déposer au greffe de la Cour du Québec une déclaration ainsi que la portion saisissable de son salaire.

653 C.p.c.

La déclaration prévue à l'article 652 doit être faite sous serment par le débiteur, qui doit y énoncer :

a) l'adresse de sa résidence ainsi que la désignation de son employeur ou, s'il est en chômage, celle de son dernier employeur ;

b) le montant de sa rémunération et la date à laquelle elle lui est versée ;

c) ses charges de famille, déterminées suivant les normes prévues à l'article 553 ;

d) une liste de ses créanciers, avec l'adresse de chacun, ainsi que la nature et le montant de sa créance.

Ainsi, le créancier est en mesure de connaître le nom des différents créanciers du débiteur, le montant qui leur est dû, la partie saisissable du salaire de son débiteur et ainsi évaluer dans combien de temps il sera entièrement payé.

Cependant, si le débiteur cesse de déposer la partie saisissable de son salaire ou ne produit pas une nouvelle déclaration si des éléments contenus dans cette dernière ont subi des changements, il peut perdre le bénéfice du dépôt volontaire, c'est-à-dire que ses créanciers peuvent à nouveau saisir son salaire ainsi que les meubles qui garnissent sa résidence.

Contrairement à la **faillite**, qui libère le débiteur de toutes ses dettes même s'il ne les a pas entièrement payées, le **dépôt volontaire** ne libère pas le débiteur de toutes ses dettes ; ce n'est qu'un moyen de permettre au débiteur de les payer en évitant les saisies à répétition du salaire et des meubles qui garnissent sa résidence.

Par contre, lors d'un dépôt volontaire, l'article 644 du *Code de procédure civile* limite le taux d'intérêt annuel au taux légal, c'est-à-dire à 5 % par année. *Par exemple, si Patrick a emprunté 5 000 $ à la Banque Royale au taux annuel de 15 % et qu'il doit 4 000 $ à MasterCard au taux annuel de 22 %, le taux d'intérêt annuel de ces dettes est automatiquement ramené à 5 % si Patrick se prévaut des dispositions du dépôt volontaire.*

Lorsqu'un créancier reçoit un avis du greffier de la Cour du Québec l'informant que son débiteur s'est prévalu du dépôt volontaire, il n'a qu'une seule chose à faire : il doit produire sa réclamation auprès du greffier en donnant le détail de sa créance.

Par la suite, tous les trois mois, le greffier remet à chaque créancier la portion à laquelle il a droit.

22.5   LA FAILLITE

Si le dépôt volontaire est une solution pour permettre à un débiteur de payer toutes ses dettes sur une certaine période, la faillite est un moyen draconien d'effacer toutes ses dettes sans forcément toutes les payer.

La **faillite** est la procédure par laquelle une personne insolvable cède tous ses biens à une autre personne, le **syndic**, qui voit à la liquidation de tous les biens du débiteur et à la distribution de l'argent provenant de cette liquidation à ses différents créanciers, selon leur ordre de priorité.

La *Loi sur la faillite et l'insolvabilité* est une loi fédérale, et toute faillite doit être faite et liquidée conformément à cette loi.

LA FAILLITE D'UNE ENTREPRISE

FERMÉ CAUSE DE FAILLITE

BANQUE M

22.5.1   LES INTERVENANTS

Plusieurs personnes interviennent tour à tour dans l'application de la *Loi sur la faillite et l'insolvabilité*. La première est le **surintendant des faillites** qui est un fonction-naire fédéral dont le rôle est de voir à l'administration générale de la *Loi sur la faillite et l'insolvabilité*. Le surintendant est, entre autres, responsable de l'émission des licences de syndic.

Le **séquestre officiel** est le fonctionnaire fédéral responsable d'une division ou d'un district de faillite. C'est à son bureau que sont déposés tous les dossiers de faillite. Il préside la première assemblée des créanciers du failli et peut interroger le failli sur les causes de sa faillite.

Le **syndic** est celui qui prend possession de tous les biens du failli, qui les administre, qui les liquide et qui en distribue le produit aux différents créanciers. C'est la personne la plus importante dans le processus de la faillite ; elle possède générale-ment une formation en comptabilité.

Une **personne insolvable** est une personne qui a au moins 1 000 $ de dettes et qui n'est plus en mesure de faire face à ses obligations financières.

Le **failli** est la personne qui a fait une faillite volontaire ou qui a été mise en faillite forcée.

Le **créancier** est la personne qui a une réclamation privilégiée, garantie ou ordinaire contre le failli.

L'**assemblée des créanciers** est constituée par l'ensemble des créanciers réunis dans le but, entre autres choses, de nommer le syndic et les inspecteurs.

L'**inspecteur** est la personne nommée par l'assemblée des créanciers pour surveiller le travail du syndic.

22.5.2   LES FORMES DE FAILLITE

Il existe deux formes de faillite :

- la faillite volontaire ou cession de biens ;
- la faillite forcée ou pétition de faillite.

22.5.2.1   La faillite volontaire ou cession de biens

Une **faillite volontaire** ou **cession de biens**, est la procédure par laquelle une personne insolvable se présente chez un syndic et dépose un acte de cession de biens au profit de tous ses créanciers. Cette cession est accompagnée d'une déclaration dans laquelle le failli énumère tous les biens qu'il possède ainsi que la nature et le montant de toutes ses créances.

Dès que le syndic a une cession entre les mains, il doit la déposer auprès du séquestre officiel afin d'officialiser le début de la faillite.

22.5.2.2   La faillite forcée ou pétition de faillite

Il peut également arriver que ce soit un créancier qui mette un débiteur en faillite. En effet, la *Loi sur la faillite et l'insolvabilité* permet à un créancier de déposer à la Cour supérieure une pétition en vue d'une ordonnance de séquestre, si le débiteur lui doit au moins 1 000 $ et si le débiteur a commis un acte de faillite dans les six mois précédant la date du dépôt de la pétition. Un **acte de faillite** se produit lorsqu'une personne :

- donne ou transfère frauduleusement la totalité ou une partie de ses biens ;
- grève ses biens d'une charge qui serait considérée nulle comme entachée d'une préférence frauduleuse en vertu de la présente loi ;
- permet qu'une saisie reste non réglée quatre jours avant la date de la vente en justice ou si elle est saisie depuis plus de 14 jours ;
- produit un bilan lors d'une assemblée de ses créanciers pour démontrer qu'elle est insolvable ;
- cède, cache ou aliène une partie de ses biens avec intention de frauder ;
- donne avis à ses créanciers qu'elle a suspendu ou qu'elle est sur le point de suspendre le paiement de ses dettes ;
- cesse de faire honneur à ses obligations au fur et à mesure de leur échéance.

Une **pétition de faillite**, ou **requête en vue d'une ordonnance de séquestre**, est tout simplement une requête que le créancier adresse à la Cour supérieure pour que cette dernière ordonne la mise en faillite du débiteur et mette sous séquestre les biens de ce dernier, c'est-à-dire que la cour nomme un gardien pour prendre charge des biens du débiteur. Ce gardien est un syndic.

La procédure est relativement simple et rapide, mais il n'est pas toujours dans l'intérêt d'un créancier de provoquer la mise en faillite de son débiteur.

Premièrement, s'il s'agit d'un créancier garanti, il n'a pas à se préoccuper de la santé financière de son débiteur, puisqu'il détient en garantie un certain nombre de biens d'une valeur généralement suffisante pour couvrir le montant de la dette.

Deuxièmement, s'il s'agit d'un créancier ordinaire, il a plutôt intérêt à procéder par action, jugement et saisie contre son débiteur, puisqu'il a ainsi la chance d'obtenir le paiement total de sa créance. Au contraire, s'il procède par mise en faillite forcée de son débiteur, il ne sera payé qu'après les créanciers garantis et les créanciers privilégiés. Comme il ne reste généralement que peu ou pas d'argent pour le paiement des créances ordinaires, un créancier ordinaire n'a donc habituellement pas intérêt à provoquer la faillite de son débiteur.

Troisièmement, puisque c'est le créancier qui prend l'initiative des procédures pour mettre son débiteur en faillite, c'est lui qui doit avancer les sommes d'argent qui servent à payer son avocat ainsi que les frais de cour nécessaires pour déposer une pétition de faillite. Évidemment, ces honoraires et frais judiciaires sont considérés comme une créance privilégiée, et le créancier sera remboursé lorsque le syndic procédera au paiement des créances privilégiées mais, entre-temps, c'est tout de même le créancier qui doit avancer ces sommes d'argent.

22.5.3 | LE PRÉAVIS DU CRÉANCIER GARANTI

244 L.F.I.

(1) Le créancier garanti qui se propose de mettre à exécution une garantie portant sur la totalité ou la quasi-totalité du stock, des comptes recevables ou des autres biens d'une personne insolvable acquis ou utilisés dans le cadre des affaires de cette dernière, doit lui en donner préavis en la forme et de la manière prescrite.

(2) [...] Le créancier garanti ne peut, avant l'expiration d'un délai de dix jours suivant l'envoi du préavis, mettre à exécution la garantie visée par le préavis [...].

Ainsi, lorsqu'un créancier garanti décide d'exercer ses droits de prise de possession de la totalité ou de la quasi-totalité du stock, des comptes recevables ou des autres biens d'une personne insolvable de son débiteur en application, des dispositions du contrat de prêt ou à la suite du défaut du débiteur, il doit lui donner un préavis de dix jours afin de lui permettre de se trouver une nouvelle source de financement ou de prendre arrangement avec le créancier.

Si le débiteur n'est pas en mesure de trouver immédiatement une autre source de financement ou de conclure un arrangement satisfaisant avec son créancier, il peut déposer un avis d'intention.

22.5.4 | L'AVIS D'INTENTION

50.4 L.F.I.

(1) Avant de déposer copie d'une proposition auprès d'un syndic autorisé, la personne insolvable peut, en la forme prescrite, déposer auprès du séquestre officiel de sa localité un avis d'intention énonçant :

a) son intention de faire un proposition ;

b) les nom et adresse du syndic autorisé qui a accepté, par écrit, les fonctions de syndic dans le cadre de la proposition ;

c) le nom de tout créancier ayant une réclamation s'élevant à au moins deux cent cinquante dollars, ainsi que le montant de celle-ci, connu ou indiqué aux livres du débiteur [...].

Lorsqu'une personne insolvable est sur le point de faire faillite, mais qu'elle croit qu'elle peut redresser son entreprise si on lui donne du temps pour mettre de l'ordre dans ses finances, elle peut déposer un avis d'intention. L'**avis d'intention** est une procédure qui indique l'intention d'une personne insolvable de faire une proposition. Cet avis d'intention a des conséquences très importantes car, en le déposant, la personne insolvable obtient automatiquement la suspension de tout recours ou de toute procédure contre elle pour une période initiale de 30 jours. Cela empêche à la fois les créanciers garantis et les créanciers ordinaires d'exercer des recours légaux.

Cet avis d'intention entraîne d'autres conséquences importantes. D'abord, personne ne peut mettre fin, modifier ou réclamer la déchéance du terme en vertu de toute convention au seul motif que le débiteur est insolvable, qu'il a déposé un avis d'intention ou qu'il a déposé une proposition. En effet, la majorité des contrats commerciaux tels un bail commercial, un contrat d'approvisionnement à long terme, un contrat de licence, un contrat de franchise ou une marge de crédit, contiennent des clauses d'insolvabilité qui permettent au créancier de mettre fin au contrat sur la simple base de l'insolvabilité du débiteur. Cela signifie que si un débiteur est en retard dans le paiement du loyer ou des redevances au propriétaire de la licence ou de la franchise, le créancier ne peut pas mettre fin au bail, au contrat de licence ou au contrat de franchise.

De plus, la *Loi sur la faillite et l'insolvabilité* empêche les entreprises de service public comme Bell Canada, Hydro-Québec ou Gaz Métropolitain d'interrompre leurs services au seul motif que le débiteur est insolvable ou a fait défaut de faire ses paiements pour les services publics fournis avant la date du dépôt de l'avis d'intention ou de la proposition.

Cependant, le fournisseur peut, en contrepartie, exiger que le débiteur paie comptant ou sur livraison les marchandises qu'il lui livre pour éviter d'être lui-même en difficulté financière.

Enfin, la personne insolvable qui est locataire commercial, c'est-à-dire qui occupe un espace loué dans un édifice à bureaux ou dans un centre commercial, peut résilier son bail immobilier sur simple avis de 30 jours et sur paiement de l'équivalent d'au plus six mois de loyer. Cette disposition de la loi aura une importance considérable sur les baux à long terme, surtout dans la situation où le locateur a effectué des rénovations qui ont coûté très cher ou s'il a offert six mois gratuits en échange d'un bail à long terme de cinq ans ou de dix ans. Il est fort à parier que plusieurs locateurs refuseront d'effectuer des travaux considérables ou d'accorder plusieurs mois de loyer gratuits pour se prémunir en cas de faillite du locataire. De plus, certains prêteurs peuvent diminuer le montant d'un prêt pour l'achat d'un immeuble compte tenu de ce risque supplémentaire, ce qui aura pour conséquence de diminuer le nombre d'acheteurs d'immeubles, car ces derniers devront disposer d'une plus grande somme d'argent pour acheter le même immeuble si le prêteur diminue le montant du prêt.

Par ailleurs, le dépôt d'un avis d'intention oblige la personne insolvable à présenter au séquestre officiel un état de l'évolution de l'encaisse dans un délai de dix jours et lui accorde un délai de 30 jours pour préparer sa proposition. Cependant, la personne insolvable qui a déposé un avis d'intention peut obtenir des prolongations additionnelles de 45 jours jusqu'à un maximum de 5 mois, soit un total de six mois avant de déposer sa proposition.

Cependant, avant d'obtenir une prolongation de 45 jours, la personne insolvable devra prouver à la satisfaction du tribunal :

- qu'elle a agi de bonne foi et avec une diligence raisonnable ;
- qu'elle pourra faire une proposition viable ;
- que la prolongation ne causera pas de préjudice sérieux aux créanciers.

Pour toute la durée de la suspension des procédures, le syndic doit surveiller le commerce, les affaires et les finances du débiteur et faire rapport à ce sujet au séquestre officiel et au tribunal. Le syndic agit à la fois comme une sorte de conseiller auprès de la personne insolvable et comme un gardien des intérêts des créanciers.

Il est à noter que le dépôt de l'avis d'intention suspend également les réclamations de l'État. Cependant, le débiteur doit payer les sommes dues à l'État au titre des déductions à la source pour toute somme échue après le dépôt de l'avis d'intention ou de la proposition. De plus, la proposition doit prévoir le paiement complet de tous les arrérages des déductions à la source dans les six mois de son approbation par le tribunal.

22.5.5 LA PROPOSITION CONCORDATAIRE OU CONCORDAT

Entre la faillite volontaire et la faillite forcée, il existe une solution intermédiaire : la proposition concordataire, ou concordat. La **proposition concordataire** est une offre faite par une personne insolvable à ses créanciers, par laquelle elle leur propose de payer une partie de leurs dettes sur une certaine période afin d'éviter la faillite. À proprement parler, la proposition n'est donc pas une forme de faillite ; elle vise à empêcher la faillite.

Par exemple, si une entreprise de gestion, Gestofor inc., dispose de 400 000 $ d'actif, mais a un passif de 1 600 000 $, il est évident que si la liquidation de cette entreprise doit avoir lieu, chaque créancier ne recevra que 0,25 $ par dollar de dette. Par contre, Gestofor inc. peut proposer à ses créanciers de leur payer 0,60 $ du dollar si ces derniers renoncent à la mettre en faillite. Évidemment, ce paiement ne peut pas avoir lieu immédiatement, puisque l'entreprise ne dispose pas des fonds nécessaires, mais elle peut leur faire la proposition suivante:

- *0,15 $ le jour de l'acceptation de la proposition;*
- *0,15 $ dans 90 jours;*
- *0,15 $ dans 180 jours;*
- *0,15 $ dans 365 jours.*

*Comme il est intéressant pour les créanciers de recevoir 0,60 $ du dollar de préférence à 0,25 $ du dollar, il est fort possible que les créanciers acceptent la proposition de Gestofor inc. Lorsque la proposition est déposée devant l'assemblée des créanciers, elle doit être approuvée par une majorité en nombre des créanciers non garantis représentant les deux tiers en valeur des dettes non garanties. Par la suite, la proposition doit être **homologuée** par la Cour supérieure, c'est-à-dire que la cour doit approuver cette proposition.*

Cependant, si les créanciers refusent cette proposition, Gestofor inc. est réputée avoir fait faillite rétroactivement à la date à laquelle Gestofor a déposé une proposition à ses créanciers, a déposé un avis d'intention ou à la date de la première pétition en vue d'une ordonnance de séquestre selon la première de ces trois éventualités.

22.5.6   LA PROPOSITION DU CONSOMMATEUR

Un consommateur dispose aussi d'une solution intermédiaire entre la faillite volontaire et la faillite forcée: la proposition du consommateur. La **proposition du consommateur** est une offre faite par un consommateur insolvable à ses créanciers, par laquelle il leur propose de payer une partie de leurs dettes sur une certaine période afin d'éviter la faillite. Au sens de la *Loi sur la faillite et l'insolvabilité*, un **consommateur** est une personne physique insolvable dont la somme des dettes, à l'exclusion de celles qui sont garanties par sa résidence principale, n'excède pas 75 000 $.

Pour faire une proposition du consommateur, le débiteur doit d'abord obtenir les services d'un administrateur pour l'assister dans la préparation de sa proposition. L'**administrateur** fait enquête sur les biens et les affaires du consommateur pour lui permettre d'estimer la situation financière du consommateur et la cause de son insolvabilité. Il fait alors parvenir la proposition du consommateur aux créanciers. Le syndic doit tenir une assemblée des créanciers, si plus de 25 % des créanciers en argent lui en font la demande; sinon, la proposition est réputée être acceptée.

Bien que théoriquement attirante par la simplification de la procédure et la réduction des frais, la proposition du consommateur n'a pas soulevé un enthousiasme débordant chez le consommateur qui préfère encore faire faillite plutôt que de se prévaloir de cette disposition introduite en 1992, car la faillite a toujours l'avantage d'éteindre l'ensemble des dettes, tandis que la proposition du consommateur ne fait que reporter ou échelonner le paiement des dettes sur une certaine période. En 1994, à peine quelques centaines de Québécois se sont prévalus de la proposition du consommateur, alors que plus de 16 000 Québécois ont continué à opter pour la faillite. Le tableau 22.2 illustre la répartition des dossiers ouverts au bureau du séquestre officiel au Québec en 1994 selon qu'il s'agisse de dossiers individuels ou commerciaux et de proposition ou de faillite.

Tableau 22.2 Les dossiers ouverts au bureau du séquestre officiel
au Québec en 1994

Nature des dossiers	Proposition	Faillite	Combiné
Individuel	279	16 013	16 292
Commercial	320	4 488	4 808
Total	599	20 501	21 100

22.5.7   LES CRÉANCIERS

En vertu de la *Loi sur la faillite et l'insolvabilité*, il existe quatre catégories de créanciers (voir le tableau 22.3) :

- le créancier garanti ;
- le créancier privilégié ;
- le créancier ordinaire ou chirographaire ;
- le créancier différé.

Tableau 22.3 Les différentes catégories de créanciers en matière de faillite

Créancier	Caractéristiques
Garanti	Il détient : • une hypothèque immobilière • une hypothèque mobilière • une garantie en vertu de l'article 427 de la *Loi sur les banques*

Privilégié	Il est :
	• un entrepreneur de pompes funèbres
	• un syndic
	• un employé (maximum de 2 000 $)
	• un créancier d'une pension alimentaire
	• une municipalité (taxes – 2 ans)
	• un locateur (maximum de 6 mois de loyer)
	• un organisme responsable :
	  – des accidents du travail
	  – de l'assurance-emploi
	  – de l'impôt fédéral
	• le gouvernement du Canada ou du Québec

Ordinaire ou chirographaire	Il est :
	• un fournisseur de marchandises
	• un fournisseur de services :
	  – un entrepreneur en construction
	  – un électricien
	  – un plombier
	• une personne qui exerce une profession libérale :
	  – un avocat
	  – un comptable
	et il ne détient aucune garantie

Différé	Il a un lien de parenté avec le débiteur, tel : • le père ou la mère • un frère ou une sœur • un fils ou une fille • le conjoint

Pour être reconnu de façon valable, un créancier doit avoir une réclamation prouvable et doit produire une preuve de réclamation. Une **réclamation prouvable** est une dette liquide et exigible qui existe à la date de la faillite.

Une **preuve de réclamation** est un document écrit, produit par le créancier et déposé dans le dossier de faillite, qui indique le nom et l'adresse du créancier, la nature et le montant de la créance, si la créance est garantie ou privilégiée ainsi que le nom du procureur ou du représentant du créancier (voir le document 22.1, Preuve de réclamation).

22.5.8   LE PROCESSUS DE FAILLITE

Dès que la faillite a lieu, le syndic agit comme administrateur et gardien des biens du failli. Aussi, il s'empresse de saisir tous ses biens meubles et immeubles, y compris tous les documents et tous les registres comptables dont il peut avoir besoin. Si le failli possède un immeuble ou a des droits sur un immeuble, le syndic enregistre immédiatement son titre afin de faire valoir ses droits à l'égard des tiers (voir le tableau 22.4).

Tableau 22.4   Le processus d'une faillite volontaire

1. Une personne insolvable se présente chez un syndic pour y faire une cession de tous ses biens
2. Le syndic prépare un acte de cession et un bilan de la personne insolvable et dépose le tout auprès du séquestre officiel
3. Le syndic envoie à chaque créancier un avis de la date de la première assemblée des créanciers avec un formulaire de preuve de réclamation
4. Les créanciers remplissent le formulaire de preuve de réclamation et le remettent au syndic
5. Lors de cette première assemblée, les créanciers nomment ou confirment le syndic dans son rôle de syndic et nomment également un ou plusieurs inspecteurs qui surveilleront le syndic et veilleront à la sauvegarde de leurs intérêts
6. Le syndic procède à la liquidation de tous les biens du failli par vente aux enchères, par soumission ou de gré à gré, selon ce qui est le plus avantageux pour les créanciers
7. Une fois la liquidation complétée, le syndic dresse un bordereau de dividendes et remet l'argent aux différents créanciers
8. Le syndic demande à la cour d'être libéré de ce dossier
9. Le failli obtient sa libération automatiquement ou demande à la cour d'être libéré de sa faillite

De plus, le syndic ouvre immédiatement un compte en banque et des registres comptables pour y déposer et y inscrire toute somme qu'il recevra.

Par la suite, le syndic convoque les créanciers à une assemblée qui a lieu dans les locaux du séquestre officiel. C'est ce dernier qui préside la première assemblée des créanciers. Le quorum est fixé à trois créanciers.

Les créanciers ont deux pouvoirs principaux : approuver la nomination du syndic ou le remplacer s'ils le jugent opportun et nommer des inspecteurs. Aussi, lors de cette première assemblée, les créanciers doivent confirmer ou non le syndic intérimaire dans son rôle de syndic pour ce dossier. Il faut savoir que la désignation d'un syndic n'est qu'intérimaire tant qu'elle n'a pas été confirmée par les créanciers lors de la première assemblée.

Ensuite, les créanciers élisent un inspecteur dont le rôle est d'agir à la fois comme surveillant des actes du syndic et comme conseiller. S'ils le désirent, les créanciers peuvent élire jusqu'à cinq inspecteurs.

En pratique, les créanciers et les inspecteurs accordent au syndic toute la marge de manœuvre dont il a besoin pour permettre la réalisation la plus avantageuse des actifs. Ils n'interviennent que lorsqu'ils jugent que leurs intérêts ne sont pas sauvegardés convenablement. De toute manière, ils ont toujours le droit de demander des comptes au syndic et ce dernier est obligé de leur répondre et de justifier ses décisions, s'il y a lieu.

22.5.9   LA LIQUIDATION DES BIENS

Une fois les inspecteurs nommés, le syndic procède immédiatement à la liquidation de tous les biens du failli à l'avantage de la masse des créanciers. C'est la raison pour laquelle le syndic procède normalement à la vente des biens du failli au moyen d'une soumission publique.

Néanmoins, le syndic peut faire une vente aux enchères ou une vente de gré à gré s'il en est autorisé par les inspecteurs et si une telle vente peut être faite à l'avantage de la masse.

Le syndic peut liquider un commerce en le vendant morceau par morceau, tout comme il peut continuer l'exploitation du commerce en vue de le vendre en un seul morceau. **Ce qui est important, c'est que le syndic doit toujours agir dans l'intérêt de la masse des créanciers.**

Lors d'une liquidation de biens, le syndic doit tenir compte des créanciers garantis. *Par exemple, un créancier garanti, tel celui qui détient une hypothèque de 50 000 $ sur un immeuble qui en vaut 200 000 $, peut se faire déclarer propriétaire de cet immeuble en exerçant son droit de prise en paiement* (voir la section 21.4.8.3, La prise en paiement).

Dans un tel cas, le syndic peut soit racheter l'hypothèque, afin de conserver la différence de 150 000 $ pour la masse des créanciers, soit demander au créancier de surseoir de quelques semaines à l'exercice de sa garantie, de manière à lui laisser un peu de temps pour vendre l'immeuble ou pour le rembourser.

Par ailleurs, si l'hypothèque est de 190 000 $ sur un immeuble qui en vaut à peu près 200 000 $, il est évident que le syndic laissera le créancier hypothécaire exercer son droit de prise en paiement.

Une fois la vente effectuée, le syndic dresse un **bordereau de dividende** qui est l'équivalent de l'état de collocation du *Code civil*. L'ordre des créanciers est le suivant :

- les créanciers garantis ;
- les créanciers privilégiés ;
- les créanciers ordinaires ;
- les créanciers différés.

Avant de passer à une catégorie subséquente de créanciers, tous les créanciers de la catégorie précédente doivent avoir été intégralement payés. Ainsi, les créanciers privilégiés ne seront payés que lorsque tous les créanciers garantis auront été payés. De même, les créanciers ordinaires ne seront payés que lorsque tous les créanciers privilégiés auront été payés.

De plus, à l'intérieur de la catégorie des créanciers privilégiés, il faut respecter l'ordre présenté en détail dans le tableau 22.3. Ainsi, l'entrepreneur de pompes funèbres est le premier créancier à être payé si le failli est décédé. Ce sera ensuite au tour du syndic, puis des employés, du créancier d'une pension alimentaire, de la municipalité, du locateur et des gouvernements.

D'autre part, il n'y a pas de priorité en ce qui concerne les créanciers ordinaires; ceux-ci sont payés **par contribution** ou **au prorata**. Cela signifie que s'il reste de l'argent après le paiement des créances garanties et des créances privilégiées, chaque créancier recevra quelque chose. *Par exemple, s'il reste une somme de 700 $ à partager entre quatre créanciers qui ont des créances respectives de 1 000 $, 2 000 $, 3 000 $ et 4 000 $, pour un total de 10 000 $, elle sera partagée entre ces quatre créanciers et chacun recevra respectivement 70 $, 140 $, 210 $ et 280 $, pour un total de 700 $.*

En pratique, les créanciers garantis sont généralement entièrement payés, certains créanciers privilégiés sont payés puisqu'il arrive fréquemment que les gouvernements perdent une certaine somme dans la faillite, les créanciers ordinaires ne reçoivent rien ou très peu, tandis que les créanciers différés, quant à eux, ne reçoivent jamais rien.

En ce qui a trait à la rémunération du syndic, il touche en moyenne des honoraires minimums de 1 000 $ par dossier. Cependant, ce montant peut varier à la hausse ou à la baisse selon la complexité du dossier, le nombre d'intervenants et le nombre de biens à liquider. S'il s'agit d'un dossier très ordinaire de faillite personnelle, cette somme de 1 000 $ correspond à la réalité. Cependant, s'il s'agit d'une faillite importante, les honoraires peuvent atteindre plusieurs milliers de dollars, voire des dizaines de milliers de dollars. Généralement, ils ne doivent pas excéder un montant totalisant 7,5 % des sommes recueillies par la réalisation de l'actif après le paiement des créanciers garantis, sauf avec la permission du tribunal, lequel peut majorer ce pourcentage.

Enfin, le syndic n'est pas automatiquement libéré de l'administration d'un dossier de faillite; il doit en demander la permission au tribunal. Il peut demander sa libération lorsqu'il a entièrement terminé l'administration des biens du failli et qu'il a distribué toutes les sommes d'argent récupérées. Il peut également être libéré lorsqu'il est remplacé par un autre syndic ou pour toute autre cause juste et suffisante.

22.5.10 L'ANNULATION DE CERTAINES TRANSACTIONS

95 L.F.I.

(1) Sont tenus pour frauduleux et inopposables au syndic [...] tout transport ou tout transfert de biens ou charge les grevant, tout paiement fait, toute obligation contractée [...] en faveur d'un créancier [...] en vue de procurer à celui-ci une préférence sur les autres créanciers, s'ils surviennent au cours de la période allant du premier jour du troisième mois précédant l'ouverture de la faillite jusqu'à la date de la faillite inclusivement.

96 L.F.I.

Lorsque le transport, le transfert, la charge, le paiement, l'obligation [...] que mentionne l'article 95 est en faveur d'une personne liée à la personne insolvable, le délai [...] est de un an au lieu de trois mois.

Ces deux articles sont très importants, car ils donnent au syndic le pouvoir de faire annuler toute transaction conclue par le failli dans les trois mois précédant la date de sa faillite s'il s'agit d'une transaction effectuée avec un quelconque créancier, et jusqu'à 12 mois avant la date de sa faillite s'il s'agit d'une transaction conclue avec une personne liée. Une **personne liée** est le père ou la mère, un frère ou une sœur, un fils ou une fille, le conjoint, bref toute personne proche du failli. Si le failli est une personne morale, la **personne liée** est toute personne morale mère ou filiale.

Ainsi, si une personne se rend compte qu'elle se dirige vers une impasse et qu'elle doit faire faillite au cours des prochains jours ou des prochaines semaines, elle ne peut pas payer un créancier de préférence à d'autres, car ce paiement est considéré automatiquement comme frauduleux en vertu de l'article 95.

Le paragraphe (2) de l'article 91 de la *Loi sur la faillite et l'insolvabilité* permet même de faire annuler certaines dispositions de biens conclues jusqu'à cinq années avant la date de la faillite.

91 L.F.I.
> *(2) Est inopposable au syndic la disposition faite au cours de la période allant du premier jour de la cinquième année précédant l'ouverture de la faillite jusqu'à la date de la faillite inclusivement, si le syndic peut prouver que, sans les biens visés, le disposant ne pouvait, au moment de la disposition, payer toutes ses dettes [...].*

Toutefois, le paragraphe (3) de l'article 91 temporise les dispositions du paragraphe (2) de l'article 91 et des articles 95 et 96 en reconnaissant l'existence des donations prévues dans un contrat de mariage ainsi que des transactions effectuées de bonne foi pour contrepartie valable.

91 L.F.I.
> *(3) Le présent article ne s'applique pas à une disposition faite :*
>
> *a) soit avant le mariage et en considération du mariage ;*
>
> *b) soit de bonne foi et pour contrepartie valable, en faveur d'un acheteur ou d'un créancier hypothécaire ;*
>
> *c) soit au conjoint ou aux enfants du disposant de biens accrus à ce dernier après le mariage [...].*

Par exemple, Bopied inc., un magasin de chaussures, vend des chaussures à des clients à prix régulier, mais fait faillite quelques jours plus tard. Les transactions de vente de chaussures ne peuvent pas être annulées, car elles ont été exécutées dans le cours normal des affaires de l'entreprise et en échange d'une contrepartie valable. Il en va de même pour le créancier hypothécaire, la Banque Scotia par exemple, qui accepte de prêter une somme de 150 000 $ à Bopied inc. en échange d'une garantie hypothécaire sur son immeuble.

22.5.11 LA LIBÉRATION DU FAILLI

Lorsque les biens du failli ont été vendus et que le produit de cette vente a été distribué aux créanciers, le syndic doit préparer un rapport qu'il remet au surintendant et qui indique :

- les affaires du failli ;
- les causes de sa faillite ;
- la manière dont le failli a rempli les obligations imposées par la *Loi sur la faillite et l'insolvabilité* ou le tribunal ;
- la conduite du failli, tant avant qu'après la faillite ;
- le fait que le failli ait ou non été déclaré coupable d'une infraction à la *Loi sur la faillite et l'insolvabilité* ;
- tout autre fait, incident ou circonstance qui justifierait le tribunal de refuser une ordonnance de libération pure et simple.

Le rapport est accompagné d'une résolution des inspecteurs déclarant s'ils approuvent ou désapprouvent ce rapport, et dans ce dernier cas, la résolution indique les motifs de la désapprobation.

La procédure de libération est différente lorsqu'il s'agit d'une personne physique ou d'une personne morale. Dans le cas d'une personne physique qui en est à sa première faillite et lorsque toutes les procédures relatives à la faillite ont été accomplies ou au plus tard, dans les huit mois suivant la date à laquelle une ordonnance de séquestre est rendue ou une cession est faite par un particulier, le syndic dépose son rapport et envoie un préavis au surintendant et à chaque créancier pour leur permettre de s'opposer s'il y a lieu à la libération du failli. Si personne ne s'oppose à la libération du failli, ce dernier est automatiquement libéré à l'expiration de la période de neuf mois suivant la date de la faillite. Le syndic doit lui délivrer un certificat attestant que le failli est libéré de toutes ses dettes à l'exception de celles mentionnées à l'article 178 (1) de la *Loi sur la faillite et l'insolvabilité*.

Si la personne physique a déjà fait antérieurement une autre faillite, le failli doit alors demander sa libération au tribunal, car cette libération n'est pas automatique.

Dans le cas d'une personne morale, le législateur a prévu que :

169 L.F.I.
> (4) Une personne morale ne peut demander une libération à moins d'avoir acquitté intégralement les réclamations de ses créanciers.

Cet article aura pour conséquence de provoquer la dissolution éventuelle de la personne morale puisque les actionnaires n'auront aucun intérêt à ajouter la moindre somme d'argent dans l'entreprise pour payer les créanciers sans en retirer le moindre bénéfice. Dans un tel cas, la personne morale cessera ses activités, son immatriculation sera radiée par l'inspecteur général des institutions financières pour défaut de production du rapport annuel et, s'il s'agit d'une personne morale constituée en vertu d'une loi québécoise, la radiation de son immatriculation entraînera sa dissolution.

En ce qui a trait à la personne physique qui n'en est pas à sa première faillite, le tribunal peut rendre quatre ordonnances différentes. Il peut :

- accorder une ordonnance de libération absolue ;
- rendre une ordonnance conditionnelle de libération absolue ;
- suspendre l'exécution de l'ordonnance de libération absolue ;
- refuser une ordonnance de libération absolue.

Le tribunal doit accorder une **ordonnance de libération absolue**, sauf si le failli a commis un des actes énumérés à l'article 173 de la *Loi sur la faillite et l'insolvabilité*. Selon cet article, le juge doit refuser la libération, la suspendre ou imposer des conditions si :

- la valeur des avoirs du failli n'est pas égale à au moins 50 cents du dollar de ses obligations non garanties, sauf si cela découle de circonstances dont il ne peut être tenu responsable et qu'il est manifeste que le failli est victime des circonstances ;
- le failli n'a pas tenu de registres comptables comme tout commerce se doit de les tenir ;
- le failli a continué son commerce après avoir connu son état d'insolvabilité ;
- le failli n'a pas tenu compte des pertes accumulées ;
- le failli a occasionné sa faillite ou y a contribué par des spéculations téméraires ou hasardeuses, par une extravagance injustifiable dans son mode de vie, par le jeu ou par négligence dans son commerce ;
- le failli a contesté inutilement une action intentée contre lui par un de ses créanciers ;
- le failli a, au cours des trois mois précédant la date de sa faillite, subi des frais injustifiables en intentant une action futile ou vexatoire ;
- le failli a, au cours des trois mois précédant la date de sa faillite, et alors qu'il ne pouvait pas acquitter ses dettes à échéance, accordé une préférence injuste à l'un de ses créanciers ;
- le failli a, au cours des trois mois précédant la date de sa faillite, contracté des emprunts en vue de porter ses avoirs à 50 cents du dollar pour ses obligations non garanties ;
- le failli a déjà été en faillite ou a déjà fait une proposition à ses créanciers ;
- le failli s'est rendu coupable de fraude ou d'abus frauduleux de confiance ;

- le failli a choisi la faillite alors qu'il aurait pu faire une proposition valable ;
- le failli a commis une infraction au terme de la *Loi sur la faillite et l'insolvabilité* ou de ses règlements et procédures ;
- le failli n'a pas rempli les obligations imposées par la loi ou par une ordonnance du tribunal.

Par exemple, Micheline a ouvert une boutique de vêtements pour dames sous le nom de Belrob en 1979 dans le centre commercial de Place Laurier à Sainte-Foy. À la suite de la montée en flèche des taux d'intérêt qui ont atteint un sommet de 22 % en 1981 et en 1982, elle a dû déclarer faillite en 1983. La cour n'en saurait tenir rigueur à Micheline, qui a été victime de cette situation économique, même si elle a apporté à son commerce tous les soins d'une personne prudente et diligente et qu'elle a tenu tous les registres comptables appropriés. Dans ce cas, Micheline bénéficiera d'une ordonnance de libération absolue.

Par contre, dans le cas de Claude, qui a fait de nombreuses spéculations immobilières ou boursières, le tribunal pourrait se montrer beaucoup moins clément s'il estime qu'il a contribué à son propre malheur ; il pourrait suspendre la libération de Claude pour une période d'une ou de deux années pour le faire réfléchir.

Et que penser de Caroline qui n'a jamais tenu sa comptabilité à jour ? En fait, elle ne la tenait pas, car elle prétendait que ce qu'il y avait dans sa caisse était sa propriété. Elle oubliait aussi de produire les déclarations fiscales ainsi que de remettre les déductions à la source et les montants perçus à titre de taxe sur les produits et services et de taxe de vente aux différents gouvernements. Dans son cas, le tribunal pourrait également suspendre sa libération.

Que dire de Nicole qui a emprunté 50 000 $ à la Banque Royale afin de se payer un salaire très élevé et de se procurer tous les biens de luxe imaginables ? Le tribunal pourrait bien lui accorder une ordonnance de libération conditionnelle au remboursement d'une somme de 10 000 $ à la Banque Royale.

Enfin, le tribunal pourrait bien refuser toute libération à Daniel qui en est à sa cinquième faillite.

Dans tous ces cas, le tribunal doit apprécier les faits à leur juste valeur.

22.5.12 LES EXCEPTIONS À LA LIBÉRATION

En théorie, une ordonnance de libération absolue libère le failli de toute réclamation prouvable. Cependant, l'article 178 de la *Loi sur la faillite et l'insolvabilité* énonce un certain nombre d'exceptions.

Ainsi, une ordonnance de libération ne libère pas le failli :

- de toute amende ou pénalité imposée par un tribunal, telle la condamnation de Jacques à 300 $ d'amende pour excès de vitesse ;
- de toute dette ou obligation pour pension alimentaire découlant d'une convention, d'un jugement ou d'une loi, telle la pension alimentaire de 150 $ par semaine que Jacques doit verser pour l'entretien et l'éducation de ses deux enfants ;
- de toute dette ou obligation résultant de l'obtention de biens par la fraude, par de fausses représentations ou par des représentations erronées et frauduleuses des faits tel l'emprunt de 5 000 $ contracté par Jacques à la caisse populaire Laurier en cachant le fait qu'il avait déjà accumulé 50 000 $ de dettes et qu'il n'était plus en mesure de faire ses paiements ;
- de toute dette ou obligation découlant d'un prêt consenti à un étudiant par un gouvernement lorsque la faillite est survenue dans les dix ans suivant la date où

le failli a cessé d'être un étudiant, telle la somme de 28 000 $ due par Jacques pour les prêts accumulés alors qu'il était étudiant au cégep et à l'université ;

- de sommes dues à un créancier dont le failli a caché l'existence au syndic, telle la somme de 3 000 $ due par Jacques à Décomeuble ltée pour des meubles achetés chez ce commerçant, mais dont le nom n'apparaissait pas dans la liste des créanciers fournie au syndic. Jacques n'a pas intérêt à cacher cette dette au syndic puisque le tribunal ne peut le libérer que des dettes qui apparaissent au dossier de la cour. S'il a omis cette dette, il n'en est pas libéré et doit la rembourser.

RÉSUMÉ

La convention d'arbitrage est un contrat écrit par lequel les parties s'engagent à soumettre un différend, né ou éventuel, à la décision d'un ou de plusieurs arbitres, à l'exclusion des tribunaux.

La transaction est un contrat par lequel les parties terminent un procès déjà commencé ou préviennent une contestation à naître au moyen de concessions ou de réserves faites par l'une des parties ou par toutes deux.

L'exécution volontaire est le fait, pour une personne, d'accepter volontairement de se conformer à un jugement, tandis que l'exécution forcée d'un jugement est le fait, pour un débiteur, de refuser de se conformer à un jugement et d'attendre que le créancier force l'exécution du jugement en faisant saisir et vendre en justice les biens meubles et immeubles de son débiteur jusqu'à concurrence du montant du jugement.

Tous les biens d'un débiteur sont saisissables, sauf ce qui est spécialement déclaré insaisissable par la loi. Les biens insaisissables sont généralement des biens personnels de faible valeur marchande.

La saisie mobilière est une des formes de saisie les plus courantes ; elle consiste à saisir les biens meubles du débiteur pour que ceux-ci soient vendus en justice. Si la saisie mobilière porte sur les meubles qui garnissent la résidence principale et servent à l'usage du ménage, il doit être laissé au débiteur un minimum de 6 000 $ de meubles.

La saisie immobilière consiste à faire saisir et vendre en justice les biens immeubles du débiteur.

La saisie en main tierce est une forme de saisie qui consiste à saisir les biens du débiteur qui se trouvent entre les mains d'une tierce personne, alors que la saisie de salaire consiste à saisir la partie saisissable du salaire du débiteur.

Lorsque les mêmes biens d'un débiteur sont saisis à plusieurs reprises, il n'y a qu'une seule vente en justice, et tous les créanciers saisissants sont payés à même le produit de cette vente en justice.

Le dépôt volontaire est la procédure qui permet à un débiteur ayant accumulé un certain nombre de dettes, et qui est poursuivi par plusieurs créanciers, de se mettre à l'abri des saisies à répétition en déposant volontairement la partie saisissable de son salaire.

La faillite est la procédure par laquelle une personne insolvable cède tous ses biens à une autre personne, le syndic, qui voit à la liquidation de tous les biens du débiteur et à la distribution de l'argent provenant de cette liquidation à ses différents créanciers, selon leur ordre de priorité.

Il existe deux formes de faillite : la faillite volontaire ou cession de biens, et la faillite forcée ou pétition de faillite.

La faillite volontaire ou cession de biens, est la procédure par laquelle une personne insolvable se présente chez un syndic et dépose un acte de cession de biens au profit de tous ses créanciers, alors qu'une pétition de faillite ou faillite forcée, est tout simplement une requête qu'un créancier adresse à la Cour supérieure pour que cette dernière ordonne la mise en faillite du débiteur et mette sous séquestre les biens de ce dernier.

L'avis d'intention est une procédure qui indique l'intention d'une personne insolvable de faire une proposition et qui suspend toute procédure et tout recours contre cette personne.

La proposition concordataire ou concordat, est une offre faite par une personne insolvable à ses créanciers, par laquelle elle leur propose d'étaler le paiement d'une partie de leurs dettes sur une certaine période afin d'éviter la faillite.

La proposition du consommateur est une offre faite par un consommateur insolvable à ses créanciers, par laquelle il leur propose d'étaler le paiement d'une partie de leurs dettes sur une certaine période afin d'éviter la faillite.

En matière de faillite, il existe quatre sortes de créanciers : le créancier garanti, le créancier privilégié, le créancier ordinaire ou chirographaire, et le créancier différé.

Le créancier garanti détient un droit réel sur certains biens, le créancier privilégié bénéficie du droit à un paiement préférentiel en vertu de la *Loi sur la faillite et l'insolvabilité*, le créancier ordinaire ne bénéficie d'aucun privilège et d'aucune priorité de paiement et, enfin, le créancier différé est une personne liée avec le débiteur.

Une faillite volontaire se déroule de la façon suivante : une personne insolvable se rend chez un syndic pour y faire une cession de tous ses biens en faveur de l'ensemble de ses créanciers. Le syndic dépose une copie de cette cession au bureau du séquestre et convoque les créanciers à une première assemblée pour ratifier sa nomination et pour nommer des inspecteurs. Par la suite, le syndic procède à la liquidation de tous les actifs du failli par soumission publique, par vente aux enchères ou par vente de gré à gré, puis à la distribution des sommes provenant de cette liquidation entre les différents créanciers selon leur rang et leur priorité, et enfin, demande sa libération. La faillite du débiteur est automatique si le failli est une personne physique qui en est à sa première faillite et si personne ne s'oppose à sa libération. Autrement, le tribunal doit rendre une ordonnance.

Le syndic peut faire annuler toute transaction conclue dans les trois mois précédant la date de la faillite si cette transaction avait pour effet d'avantager un créancier au détriment des autres. Ce délai de trois mois est porté à un an si la transaction a lieu avec une personne liée. Toutefois, le syndic ne peut pas faire annuler une transaction conclue dans le cours normal des affaires pour une contrepartie valable.

Le tribunal peut rendre une ordonnance de libération absolue, de libération conditionnelle, suspendre la libération pour une certaine période ou refuser toute libération.

Une ordonnance de libération ne libère pas le failli de toute amende ou pénalité imposée par un tribunal, de toute dette ou obligation pour pension alimentaire, de toute dette ou obligation résultant de l'obtention de biens par la fraude, de toute dette résultant de prêts étudiants et de toute somme due à un créancier dont le failli a caché l'existence au syndic.

QUESTIONS

22.1   Qu'est-ce que la convention d'arbitrage ?

22.2   Qu'est-ce qu'une transaction ?

22.3   Expliquez la différence entre l'exécution volontaire et l'exécution forcée.

22.4   Définissez la saisie mobilière et énumérez ses principales restrictions.

22.5   Définissez la saisie immobilière et énumérez ses principales restrictions.

22.6   Expliquez la différence entre la saisie en main tierce et la saisie de salaire.

22.7   Quelle est la portion insaisissable du salaire d'une personne ayant cinq personnes à charge ?

22.8   Que se passe-t-il lorsque plusieurs créanciers saisissent simultanément les mêmes biens d'un débiteur ?

22.9   Qu'est-ce que le dépôt volontaire ?

22.10   Quels sont les deux principaux avantages pour un débiteur de se prévaloir du dépôt volontaire ?

22.11   Qu'est-ce que la faillite ?

22.12   Expliquez la différence entre le dépôt volontaire et la faillite.

22.13   Quel est le rôle d'un syndic en matière de faillite ?

22.14   Expliquez la différence entre la cession de biens et la pétition de faillite.

22.15   Un créancier ordinaire a-t-il intérêt à déposer une pétition de faillite contre son débiteur ? Pourquoi ?

22.16   Différenciez les quatre formes de créanciers qui existent en vertu de la *Loi sur la faillite et l'insolvabilité.*

22.17   Jusqu'à combien de temps avant la date de la faillite le syndic peut-il faire annuler des transactions conclues par le failli ?

22.18   Lors d'une demande de libération d'un failli, quelles ordonnances le tribunal peut-il rendre ?

22.19   Quelles sont les dettes dont le failli n'est pas libéré par une ordonnance de libération ?

CAS PRATIQUES

22.20   Gestion Socabli inc. a confié à Construifor inc. la construction d'un centre commercial au coût de 12 500 000 $. Durant l'exécution des travaux, Construifor inc. a dû exécuter des travaux supplémentaires à la suite de modifications demandées par Gestion Socabli inc. À la fin des travaux, Construifor inc. présente à Gestion Socabli inc. une facture de 2 400 000 $ pour les travaux supplémentaires. Gestion Socabli inc. ne conteste pas la nature des travaux supplémentaires mais conteste le montant de 2 400 000 $ en alléguant que le coût des modifications n'aurait pas dû dépasser la somme de 1 800 000 $. Les deux parties désirent résoudre ce litige et se demandent quelles sont les différentes solutions possibles.

Identifiez les solutions possibles, choisissez celle qui vous semble la meilleure et justifiez votre réponse.

22.21   Visa a obtenu un jugement condamnant Raymond à lui payer la somme de 8 000 $ en capital, intérêts et frais. Comme il refuse ou néglige de payer cette somme, Visa décide de faire saisir le salaire de Raymond. Ce dernier est célibataire, n'a personne à sa charge et son salaire hebdomadaire brut est de 580 $.

22.21.1 Calculez la partie saisissable du salaire de Raymond.

22.21.2 Combien de semaines Raymond a-t-il besoin pour rembourser cette dette de 8 000 $? Justifiez votre réponse avec les calculs appropriés.

22.22   Marcelle a été condamnée par la cour à payer la somme de 9 500 $ en capital, intérêts et frais à Isabelle. Cette dernière décide de faire exécuter son jugement et de faire saisir les biens de Marcelle. Marcelle demeure dans sa résidence entièrement payée d'une valeur de 150 000 $, possède des meubles évalués à 9 000 $, a 3 000 $ dans son compte à la caisse populaire Laurier et gagne un salaire annuel de 29 120 $. Elle est mariée à Joseph et ils ont trois enfants. Joseph demeure à la maison pour s'occuper des enfants et n'a ni revenus ni biens. Comme Isabelle désire être payée le plus rapidement possible, elle veut saisir la maison de Marcelle.

22.22.1 En tant que conseiller d'Isabelle, que lui recommandez-vous de saisir ? Pourquoi ?

22.22.2 Calculez la partie saisissable du salaire de Marcelle.

22.22.3 En tenant compte de vos réponses aux questions 22.22.1 et 22.22.2, quel est le nombre de semaines nécessaire pour payer la somme de 9 500 $ due à Isabelle ? Justifiez votre réponse avec les calculs appropriés.

22.23 Il y a deux ans, Jacqueline a reçu son diplôme en médecine dentaire de l'Université Laval et a ouvert son cabinet à Québec. Pour ce faire, elle a emprunté la somme de 100 000 $ à la Banque Scotia sous forme de prêt personnel pour acheter l'équipement nécessaire à un cabinet de dentiste. Malgré de nombreux efforts, Jacqueline ne parvient pas à accroître sa clientèle à un rythme suffisant. Elle ne peut faire face aux versements mensuels pour rembourser son emprunt dont le solde s'élève aujourd'hui au montant de 108 500 $.

Outre l'équipement de son cabinet de dentiste évalué à 60 000 $, Jacqueline possède une Oldsmobile Delta 88 1995 évaluée à 28 000 $, des meubles qui garnissent son appartement pour 11 000 $ et une somme de 4 000 $ dans son compte à la Banque Scotia.

Si la Banque Scotia désire se rembourser le plus vite possible, quels biens peut-elle faire saisir ? Justifiez votre réponse.

22.24 Caroline, célibataire et sans personne à charge, a dépensé tellement d'argent au cours des cinq dernières années, pour acheter des meubles et des vêtements, manger au restaurant et faire de nombreux voyages, qu'elle doit une fortune à ses créanciers. Aussi, elle décide de se prévaloir des dispositions du *Code de procédure civile* relatives au dépôt volontaire et dépose aujourd'hui la déclaration prévue par la loi ainsi que la partie saisissable de son salaire soit la somme de 270 $. Caroline possède des meubles qui garnissent son appartement évalués à 20 000 $ ainsi qu'une Dodge Shadow évaluée à 10 000 $.

22.24.1 Calculez le salaire annuel de Caroline.

22.24.2 Comme le salaire de Caroline est insaisissable, la Banque de Montréal en remboursement d'un prêt de 22 000 $ consenti à Caroline, fait saisir l'automobile de cette dernière ainsi que les meubles lui appartenant et qui garnissent son appartement. La banque lui laisse des meubles pour la valeur prévue au *Code de procédure civile*. Quelle somme sera encore due à la Banque de Montréal après la vente en justice des biens en supposant que les frais de saisie et de vente s'élèvent à 500 $ et que les biens sont vendus au montant de leur évaluation ?

22.24.3 Si Caroline décide de faire faillite, dans combien de temps sera-t-elle libérée de sa faillite et sous quelle condition si aucun créancier ne s'oppose à sa libération ?

22.25 Denis a fait une cession de biens le 13 février en vertu de la *Loi sur la faillite et l'insolvabilité*. Le 15 mars, lors de la tenue de la première assemblée des créanciers, Grégoire Bellavance a été confirmé dans ses fonctions de syndic. Le bilan de Denis affichait un actif de 100 000 $ et un passif de 260 000 $ (voir le bilan de Denis en date du 15 mars, à la page suivante).

Lors de la première assemblée des créanciers, Denis a été interrogé par le séquestre officiel. Le syndic a obtenu les informations suivantes :

- Denis est âgé de 35 ans, il est marié et il a à sa charge son épouse, Caroline, et ses trois enfants, Alice, Élaine et Hector ;

- il travaille comme graphiste chez Cossette-Communication Marketing à Québec ;

- sa femme est tombée gravement malade lors de leur voyage en Californie l'été dernier et elle a dû être opérée d'urgence au Berkeley Medical Institute de Los Angeles. Elle est demeurée à cet hôpital pendant un mois et la facture totale de l'opération et de l'hospitalisation s'élevait à 300 000 $;

- la Régie de l'assurance-maladie du Québec a payé une somme de 110 000 $ et Denis a payé la somme de 50 000 $ à même ses liquidités et des emprunts qu'il a contractés ; il reste donc un solde impayé de 140 000 $;
- sa faillite découle de son impossibilité de payer ce solde de 140 000 $ et de rembourser les emprunts contractés.

BILAN DE DENIS EN DATE DU 15 MARS

Maison	vendue de gré à gré	80 000 $
Automobile	vendue par soumission	13 100
Meubles	vendus aux enchères	6 000
Salaire	10 semaines à 90 $	900
TOTAL DE L'ACTIF		**100 000 $**

Créanciers garantis

Banque de Montréal	
Hypothèque sur la maison	45 000 $
GMAC	
Financement de l'automobile	10 000

Créanciers privilégiés

Grégoire Bellavance	
Syndic	2 000
Gouvernement du Canada	
Impôt fédéral impayé	3 000

Créanciers ordinaires

Banque Scotia	15 000
Berkeley Medical Institute de Los Angeles	140 000
Caisse populaire Laurier	25 000
Eaton	3 000
MasterCard	5 000
Sears	4 000
Visa	8 000
TOTAL DU PASSIF	**260 000 $**

22.25.1 Denis est-il en droit d'obtenir une ordonnance de libération absolue ? Pourquoi ?

22.25.2 Quel créancier sera complètement payé et qui ne le sera pas ? Dressez un bordereau de dividende.

22.25.3 Calculez le salaire annuel de Denis.

DOCUMENT

Le document 22.1 est une preuve de réclamation que doit remplir tout créancier qui entend réclamer une partie des biens du failli. Les paragraphes 3 et 4 de ce document permettent de décrire la nature et le montant de la créance et de déterminer à quelle catégorie appartient ce créancier, à savoir garanti, privilégié, ordinaire ou différé.

Le document comporte une formule de procuration générale par laquelle le créancier nomme quelqu'un à titre de fondé de pouvoir pour le représenter. En général, il nomme le syndic mentionné dans la cession de biens ou désigné par le tribunal. Cependant, le créancier peut nommer toute personne comme son fondé de pouvoir.

Le document 22.1 est la preuve de réclamation produite par J. D. Villeneuve ltée dans le dossier de la faillite de Nathalie Doucet. Cette preuve de réclamation découle du jugement obtenu par J. D. Villeneuve ltée contre Nathalie Doucet (voir document 2.8, Jugement). J. D. Villeneuve ltée a coché la clause 4a puisqu'il s'agit d'une créance non garantie. Enfin, J. D. Villeneuve ltée a choisi d'être représentée par la syndic Susan Gonthier.

Document 22.1	# PREUVE DE RÉCLAMATION

281, Chemin Ste-Foy
Québec (Québec)
G1R 1T5

Téléphone: (418) 647-0607
Télécopieur: (418) 647-4402

PREUVE DE RÉCLAMATION
(paragraphe 50.1(1), alinéas 51(1) et 66.14b
et paragraphes 81.2(1), 102(2), 124(2) et 128(1))

LOI SUR LA FAILLITE ET L'INSOLVABILITÉ

DANS L'AFFAIRE DE LA FAILLITE (OU PROPOSITION OU DE LA MISE SOUS SÉQUESTRE DES BIENS) DE:
Nathalie Doucet ...., débiteur
et la réclamation de .... J. D. Villeneuve ltée ....,créancier.

Expédier tout avis ou toute correspondance concernant la présente réclamation à l'adresse suivante:
1640 boulevard René-Lévesque ouest
Québec, Québec ....téléphone (418) 527-1795
G1S 1X5 ....télécopieur (418) 527-8018
Je, ... Aimé Villeneuve, de la ville de....... Québec ....province de ...... Québec ....

ATTESTE CE QUI SUIT:

Préciser le poste ou la fonction
1. Je suis le créancier du débiteur susmentionné, *ou* je suis.......... le président
de ..... J. D. Villeneuve ltée .... *(Précisez le poste ou la fonction)*
.... *(Nom du créancier)*

L'état de compte ou l'affidavit annexé doit faire mention des pièces justificatives ou de toute autre preuve à l'appui de la réclamation
2. Je suis au courant de toutes les circonstances entourant la réclamation visée par la présente formule.
3. Le débiteur susnommé était, à la date de la faillite (ou de la proposition ou de la mise sous séquestre), à savoir le ..13.e
jour de ... septembre 19...96, endetté envers le créancier susnommé ("le créancier") et l'est toujours, pour la somme
de ... 14 973.15 ....$, comme l'indique l'état de compte (ou l'affidavit) ci-annexé et désigné "Annexe A",
après déduction du montant de toute créance compensatoire à laquelle le débiteur a droit.

4. (Cocher la catégorie qui s'applique et remplissez les parties requises.)

☒ **A. RÉCLAMATION NON GARANTIE**
En ce qui concerne la créance susmentionnée, je ne détiens aucun avoir du débiteur à titre de garantie et
(Cochez la description appropriée)
☒ je ne revendique pas de droit à un rang prioritaire;

Donnez sur une feuille annexée des renseignements à l'appui de la réclamation prioritaire
☐ je revendique le droit à un rang prioritaire en vertu de
l'article 136 de la Loi sur la faillite et l'insolvabilité.

Indiquez tous les détails qui ont trait à la garantie, incluant la date à laquelle elle a été donnée, la valeur que vous lui attribuez, et annexez une copie des documents relatifs à la garantie
☐ **B. RÉCLAMATION GARANTIE**
En ce qui concerne la créance susmentionnée, je détiens des avoirs du débiteur,
dont la valeur estimative s'élève à..............................$, à titre de garantie dont le
détail figure à l'Annexe "B" ci-joint:

Veuillez joindre une copie de l'acte de vente et des reçus de livraison
☐ **C. RÉCLAMATION D'UN AGRICULTEUR, D'UN PÊCHEUR OU D'UN AQUICULTEUR**
Je réclame en vertu du paragraphe 81.2(1) de la Loi sur la faillite et
l'insolvabilité la somme impayée de ....

5. Pour autant que je sache, **je suis lié** (ou le créancier susnommé est lié) ☒ou **je ne suis pas lié** (ou le créancier susnommé n'est pas lié) au débiteur selon l'article 4 de la Loi sur la faillite et l'insolvabilité.

6. ☐ Les montants suivants constituent les paiements que j'ai reçus du débiteur et les crédits que j'ai attribués à celui-ci au cours des trois mois (ou si le créancier et le débiteur sont liés selon l'article 4 de la Loi sur la faillite et l'insolvabilité, au cours des douze mois) précédant la date de la faillite, de la proposition ou de la mise sous séquestre:

Inscrire sur feuille séparée si nécessaire
....
....
....

☒ Je n'ai reçu aucun paiement du débiteur ou n'ai attribué aucun crédit à celui-ci au cours de la période ci-avant relatée.

Fait à ..... Québec ...., ce ...... 2e ...... jour de ... octobre 19 96

Louise Demers
(signature du témoin)

Aimé Villeneuve
(signature de la personne qui remplit la présente formule)

NOTE: Si un affidavit est joint à la présente formule, il doit avoir été fait devant une personne autorisée à recevoir des affidavits.

AVERTISSEMENTS:
Le syndic peut, en vertu du paragraphe 128(3) de la Loi sur la faillite et l'insolvabilité, racheter une garantie sur paiement au créancier garanti de la créance ou de la valeur de garantie telle qu'elle a été fixée par le créancier garanti dans la preuve de garantie.
Le paragraphe (1) de l'article 201, de la Loi sur la faillite et l'insolvabilité prévoit l'imposition de peines sévères en cas de présentation de réclamations, de preuves, de déclarations ou d'états de compte qui sont faux.

PROCURATION GÉNÉRALE
J. D. Villeneuve ltée
Je, (nous), soussigné(s), de ....
(Nom du créancier)

Susan Gonthier, syndic
nomme (nommons) par les présentes ....
mon (ou notre) fondé de pouvoir général à tout égard dans l'affaire susmentionnée, sauf pour la réception de dividendes avec (ou sans) le pouvoir de nommer un autre fondé de pouvoir à sa place.

Fait à ..... Québec ...., ce ...2e.. jour de.. octobre 19 96

Louise Demers
(signature du témoin)

Aimé Villeneuve, Président
(signature du créancier)
(Si signé par un cabinet ou une compagnie le signataire doit indiquer son titre)

CRÉANCIER NO_____   (english - over)

Chapitre 23

LES LETTRES DE CHANGE
ET LA PROPRIÉTÉ INTELLECTUELLE

23.0 | **PLAN DU CHAPITRE**

23.1 | **OBJECTIFS**

Après la lecture du chapitre, l'étudiant doit être en mesure :

- de définir la nature et l'utilité d'une lettre de change ;

- de définir la nature et l'utilité d'un chèque ;

- de différencier la lettre de change du chèque ;

- de définir la nature et l'utilité d'un billet ;

- de différencier la lettre de change et le chèque du billet ;

- d'énumérer les buts visés par les lois concernant les droits de propriété intellectuelle ;

- de définir la nature d'un brevet d'invention ;

- de définir la nature d'une marque de commerce ;

- de définir la nature d'un droit d'auteur ;

- de définir la nature d'un dessin industriel ;

- de définir la nature d'une topographie de circuits intégrés ;

- d'énumérer les similitudes qui existent entre les droits de propriété intellectuelle ;

- d'expliquer pourquoi un dessin peut être enregistré tantôt en vertu de la *Loi sur les dessins industriels* et tantôt en vertu de la *Loi sur le droit d'auteur* ou de la *Loi sur les brevets*.

23.2   LA LETTRE DE CHANGE, LE CHÈQUE ET LE BILLET

La *Loi concernant les lettres de change, les chèques et les billets à ordre ou au porteur*, en abrégé la ***Loi sur les lettres de change***, est une loi fédérale qui régit l'émission des lettres de change, des chèques et des billets à ordre.

23.2.1   LA LETTRE DE CHANGE

Une **lettre de change** est un écrit signé par une personne, le **tireur**, qui ordonne à une autre personne, le **tiré**, de payer sans condition une certaine somme d'argent, sur demande ou à une date déterminée ou susceptible de l'être, à une troisième personne, le **bénéficiaire**. Le bénéficiaire peut également être le tireur ou une personne indéterminée, le porteur.

Par exemple, Plastek inc. commande pour 395 000 $ de produits chez Plastique de France à Paris. Cette dernière consent à les lui vendre, mais veut s'assurer d'être payée, étant donné qu'il s'agit d'une vente à l'étranger. Dans ce cas, Plastek inc. pourrait transmettre sa commande avec la lettre de change suivante :

Québec, le 17 mars 1996

À   Société Commerciale Paris-Saint-Germain
       27, rue de Gramont
       Paris 75002
       FRANCE

Payez à Plastique de France, s.a., 75, boulevard Jourdan, Paris 75014, à partir du 10 mai 1996, la somme de trois cent quatre-vingt-quinze mille (395 000) dollars canadiens en paiement de leur facture CDN763.

Louise Vignault
_____

Plastek inc., par Louise Vignault
1279, boulevard Charest Ouest
Québec (Québec)
CANADA   G1N 4K7

Lorsque Plastique de France reçoit cette lettre de change, elle la présente à la Société commerciale Paris-Saint-Germain pour acceptation. Plastek inc. ayant déjà remis 395 000 $ à la Société commerciale Paris Saint-Germain, cette dernière devrait normalement accepter de payer cette somme à Plastique de France à la date prévue, soit à partir du 10 mai 1996.

Plastek inc. a le temps de recevoir la marchandise avant que le paiement ne soit effectué, et Plastique de France peut vendre à l'étranger tout en étant assurée d'être payée. Ainsi, tout le monde y trouve son compte.

Lorsqu'une lettre de change est **payable au porteur**, cela signifie que le bénéficiaire n'est pas identifié ; il est écrit « Payez au porteur », de telle sorte que toute personne qui est en possession de cette lettre de change peut la présenter pour se la faire payer. Une lettre de change au porteur équivaut à un billet de banque ; elle est peu utilisée, car elle n'est pas sécuritaire. Pour éviter la fraude, une lettre de change, tout comme un chèque ou un billet, devrait toujours être **nominative**, c'est-à-dire être au nom d'une personne déterminée.

La lettre de change est utile dans les transactions internationales, mais elle peut également l'être à l'échelle nationale ou régionale. Cependant, les vendeurs préfèrent le chèque à la lettre de change, car le chèque n'est pas soumis à la formalité de l'acceptation et, de plus, le tiré étant une banque, le vendeur peut supposer que l'acheteur a un compte dans cette banque et qu'il a des fonds dans ce compte.

Une **lettre de change** remplit trois fonctions économiques. Elle sert :

- d'instrument de transport de capitaux : en d'autres termes, elle évite des déplacements de numéraire ;

- d'instrument de crédit : en d'autres termes, elle est utile au commerce ;

- d'instrument monétaire : en d'autres termes, elle peut circuler pendant un temps plus ou moins long et servir de monnaie.

| 23.2.2 | ## LE CHÈQUE |

Le **chèque** est une lettre de change dont le tiré est une banque ou une caisse populaire ; il est payable sur demande. Ainsi, si Plastek inc. avait acheté les produits en plastique dont elle avait besoin chez IPL de Saint-Damien-de-Buckland, la lettre de change aurait pris la forme d'un chèque semblable à celui-ci :

Plastek inc.　　　　　　　　　　n° *2124*　　　　folio 6534-87
1279, boulevard Charest Ouest
Québec (Québec)　　　　　　　　　　　　　　　　　le 15 mai 1996
G1N 4K7

Payez à l'ordre de _____ — — — — —IPL— — — — —　　$395 000,00 $

— — — — -trois cent quatre-vingt-quinze mille — — — —　　00/100 dollars

Caisse populaire Laurier
2600, boulevard Laurier
Sainte-Foy (Québec)
G1V 2L1　　　　　　　　　　　　*Louise Vignault*

facture CDN763　　　　　　　　　*Plastek inc.*
20480-815-6534-87-2124

Les différences entre un chèque et une lettre de change sont simples : le chèque est toujours tiré sur une banque ou une caisse populaire, tandis qu'une lettre de change peut être tirée sur toute personne, physique ou morale. De plus, le chèque est un **ordre inconditionnel de paiement**, c'est-à-dire qu'il est payable sur demande. Il peut être postdaté, mais son paiement ne peut pas dépendre d'une condition. Enfin, le chèque n'a pas à être présenté pour acceptation par le tiré ; le bénéficiaire le dépose directement dans son compte personnel. Si le chèque n'est pas daté, le bénéficiaire peut le dater pour l'encaisser.

Le **chèque** remplit surtout la troisième des fonctions de la lettre de change : il est un instrument monétaire. Au Canada, au fil des ans, il s'est substitué à l'or, à l'argent et même au billet de banque.

| 23.2.3 | **LE BILLET** |

Le **billet**, ou **billet promissoire**, est une promesse écrite et signée par laquelle le souscripteur, ou signataire, s'engage sans condition à payer, sur demande ou à une échéance déterminée ou susceptible de l'être, une somme d'argent précise à une personne désignée ou à son ordre, ou encore au porteur.

Prenons le billet suivant :

Québec, le 13 avril 1996

À trois mois de cette date, je promets de payer à l'ordre de Caroline Poulin la somme de huit mille (8 000) dollars pour valeur reçue.

Marcel Côté

1410, rue de Longueuil, app. 21
Québec (Québec)
G1S 2G3

Contrairement à la lettre de change et au chèque qui exigent la présence des trois personnes que sont le tireur, le tiré et le bénéficiaire, le billet ne requiert que deux personnes : le souscripteur et le bénéficiaire. De plus, c'est le signataire lui-même du billet qui paie et non pas une tierce personne, comme le tiré dans le cas d'une lettre de change ou d'un chèque.

Il est important de noter qu'il s'agit d'une **promesse inconditionnelle** ; un billet ne peut pas être soumis à une condition du genre « Je paierai 3 000 $ à Lucie le 5 juillet, s'il fait beau ».

L'expression **pour valeur reçue**, qu'il est possible de retrouver sur une lettre de change ou sur un billet, signifie que le tireur ou le souscripteur a reçu quelque chose de valeur du bénéficiaire, généralement un prêt d'argent, des biens ou des services. En règle générale, une personne ne donne pas d'argent à un étranger sans avoir déjà reçu quelque chose en échange. Toutefois, le billet ou la lettre de change n'est pas annulable pour autant si l'expression « valeur reçue » n'y est pas mentionnée ou si le tireur n'a rien reçu en échange.

Par exemple, comme le rôle d'une banque est de prêter de l'argent, la banque fait signer un billet à ses clients, comme en témoigne l'exemple suivant :

Banque Nationale du Canada
1385, chemin Sainte-Foy
Québec (Québec)
G1S 2N2

Le 21 mai 1996   15 000 $

À demande, je promets de payer à l'ordre de la Banque Nationale du Canada la somme de quinze mille (15 000) dollars avec intérêts payables mensuellement au taux de 1,5 % en sus du taux d'intérêt annuel préférentiel de la Banque Nationale du Canada, en vigueur en aucun temps, tant après qu'avant l'échéance, et jusqu'à parfait paiement au bureau de la Banque Nationale du Canada ici.

À la date de ce billet, le taux d'intérêt annuel préférentiel de la banque est de 8,25 %.

Valeur reçue

Micheline Laforêt

À la lecture de ce billet, nous pouvons en conclure que Micheline Laforêt est une cliente de la Banque Nationale du Canada et qu'elle y a emprunté 15 000 $. De plus, même si l'adresse de Micheline Laforêt n'est pas inscrite sur le billet, la Banque Nationale n'aura aucune difficulté à retrouver Micheline Laforêt, puisqu'il s'agit d'une de ses clientes.

Le **billet** sert, à la fois, comme instrument monétaire et comme instrument de crédit.

23.3 LA PROPRIÉTÉ INTELLECTUELLE

La **propriété intellectuelle** se définit comme étant un droit exclusif de propriété que détient une personne que l'on nomme le **titulaire**. Il s'agit en fait de formes de créations intellectuelles qui peuvent être protégées. La propriété intellectuelle se divise en cinq droits distincts :

- le brevet d'invention ;
- la marque de commerce ;
- le droit d'auteur ;
- le dessin industriel ;
- la topographie de circuits intégrés.

Toutes ces formes de propriété intellectuelle sont sous le contrôle de l'Office de la propriété intellectuelle du Canada (OPIC). Cet organisme relève et fait partie du ministère de l'Industrie du Canada (voir la figure 23.1). Il faut noter que les lois qui régissent la propriété intellectuelle recherchent deux buts :

- protéger les droits des titulaires ;

- favoriser la créativité ainsi que l'échange d'information.

Figure 23.1 Les secteurs de propriété intellectuelle

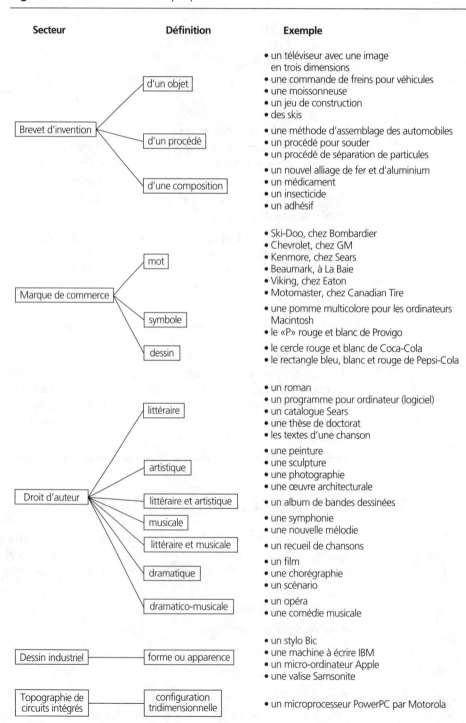

Secteur	Définition	Exemple
Brevet d'invention	d'un objet	• un téléviseur avec une image en trois dimensions • une commande de freins pour véhicules • une moissonneuse • un jeu de construction • des skis
	d'un procédé	• une méthode d'assemblage des automobiles • un procédé pour souder • un procédé de séparation de particules
	d'une composition	• un nouvel alliage de fer et d'aluminium • un médicament • un insecticide • un adhésif
Marque de commerce	mot	• Ski-Doo, chez Bombardier • Chevrolet, chez GM • Kenmore, chez Sears • Beaumark, à La Baie • Viking, chez Eaton • Motomaster, chez Canadian Tire
	symbole	• une pomme multicolore pour les ordinateurs Macintosh • le «P» rouge et blanc de Provigo
	dessin	• le cercle rouge et blanc de Coca-Cola • le rectangle bleu, blanc et rouge de Pepsi-Cola
Droit d'auteur	littéraire	• un roman • un programme pour ordinateur (logiciel) • un catalogue Sears • une thèse de doctorat • les textes d'une chanson
	artistique	• une peinture • une sculpture • une photographie • une œuvre architecturale
	littéraire et artistique	• un album de bandes dessinées
	musicale	• une symphonie • une nouvelle mélodie
	littéraire et musicale	• un recueil de chansons
	dramatique	• un film • une chorégraphie • un scénario
	dramatico-musicale	• un opéra • une comédie musicale
Dessin industriel	forme ou apparence	• un stylo Bic • une machine à écrire IBM • un micro-ordinateur Apple • une valise Samsonite
Topographie de circuits intégrés	configuration tridimensionnelle	• un microprocesseur PowerPC par Motorola

Pour la délivrance d'un brevet d'invention ou l'enregistrement d'une marque de commerce, d'un droit d'auteur, d'un dessin industriel ou d'une topographie de circuits intégrés, la loi exige le paiement de taxes ou d'un **droit d'enregistrement**, dont le montant peut varier entre 200 $ et 1 000 $, selon la nature de la création à protéger.

Ce droit d'enregistrement ne comprend pas les sommes qui peuvent être demandées par un agent de brevet ou par toute autre personne qui prépare la demande d'enregistrement. Ces frais peuvent varier facilement entre 1 000 et 25 000 $, selon la complexité du dossier.

Plusieurs bureaux relèvent de l'OPIC et ont plusieurs fonctions importantes :

- ils ont le pouvoir d'examiner et d'enregistrer les demandes ;
- ils permettent aux gens de consulter les renseignements publics ;
- ils aident à remplir certaines demandes ;
- ils offrent un service d'information.

Toutefois, ils ne surveillent pas les cas de violation des droits d'un titulaire. Cela relève de la responsabilité de chaque titulaire de veiller à faire respecter ses droits.

Enfin, une taxe annuelle de maintien est exigée dans le cas d'un brevet d'invention tandis qu'il n'y a aucuns frais supplémentaires à payer pour maintenir un droit d'auteur ou une topographie de circuits intégrés. En ce qui a trait aux marques de commerce, des frais de renouvellement sont demandés. En ce qui concerne les dessins industriels enregistrés avant le 1er janvier 1994, des frais de renouvellement sont prévus tandis que des frais de maintien sont exigés pour les dessins enregistrés après cette date.

Tableau 23.1 Les caractéristiques des droits de propriété intellectuelle

Secteur	Durée	Utilisation par un tiers
Brevet d'invention	20 ans	Licence
Marque de commerce	15 ans et renouvelable indéfiniment par périodes de 15 ans	Licence
Droit d'auteur	Vie de l'auteur plus 50 ans après son décès	Licence
Dessin industriel (enregistré avant le 1er janvier 1994)	5 ans et renouvelable pour une seule autre période de 5 ans	Licence
Dessin industriel (enregistré après le 1er janvier 1994)	10 ans mais on doit payer les frais de maintien à l'intérieur des premiers 5 ans	Licence
Topographie de circuits intégrés	10 ans	Licence

23.3.1 LE BREVET D'INVENTION

Un **brevet d'invention** est un titre délivré par un organisme relevant du gouvernement fédéral concernant un produit, une composition, un appareil, un procédé ou une amélioration d'un de ces éléments. De plus, pour qu'un brevet soit accordé, l'invention doit faire preuve de nouveauté, être utile et présenter un apport inventif par rapport à la technique existante. Le brevet donne à son titulaire le droit exclusif de fabriquer, d'utiliser ou de vendre son invention pendant une période maximale de 20 ans à partir de la date du dépôt de sa demande de brevet. Ce droit lui est accordé en échange de la divulgation complète de l'invention. Après cette période de 20 ans, toute personne peut exploiter ce brevet sans restriction, c'est-à-dire fabriquer ou utiliser une invention brevetée.

La *Loi sur les brevets* régit les brevets d'invention et c'est le **Bureau des brevets** qui accorde la délivrance d'un brevet d'invention au Canada. Ce bureau est dirigé par le commissaire aux brevets.

Pour obtenir un brevet, un inventeur doit déposer sa demande le plus tôt possible au Bureau des brevets, car c'est l'inventeur qui dépose le premier sa demande qui obtient le brevet. Si le brevet est accordé, la protection de la loi s'étend sur une période de 20 ans à partir de la date du dépôt de sa demande.

Pour qu'un brevet soit accordé, l'invention doit respecter le critère de **nouveauté absolue**. De plus, on ne peut obtenir un brevet valable si l'invention a été rendue publique avant que la demande de brevet ne soit déposée. Il y a toutefois une exception d'un an à cette règle. En effet, la première divulgation publique d'une invention par son inventeur ou toute personne ayant obtenu l'information directement de celui-ci est permise si elle survient moins d'un an avant le dépôt de la demande de brevet. D'autre part, il est impossible d'obtenir un brevet pour une chose qui ne fonctionne pas ou qui n'a aucune fonction utile.

De plus, pour être brevetable, une invention doit présenter un changement par rapport à la technique existante. Ce changement n'est pas toujours évident pour le profane mais une personne compétente dans ce domaine peut l'identifier et le comprendre.

Une demande de brevet n'est pas examinée automatiquement lors de son dépôt. En effet, pour faire l'objet d'un examen rigoureux par un examinateur de brevet, l'inventeur doit déposer une **requête d'examen** et payer une taxe d'examen. Une demande de brevet est rendue publique 18 mois après la date de dépôt au Canada ou, le cas échéant, après la date antérieure de dépôt à l'étranger. Il est nécessaire de verser une taxe de maintien annuelle pour chaque demande ou chaque brevet délivré.

La liste qui suit permet de cerner ce qui ne peut pas faire l'objet d'un brevet en vertu de la *Loi sur les brevets* :

- une idée ;
- un principe mathématique ;
- une méthode de diagnostic et de traitement des humains ;
- un animal ou une plante ;
- tout procédé faisant appel uniquement au talent artistique ;
- un plan ou un schéma ;
- une méthode comptable ou commerciale ;
- une matière visant un objet illicite.

Le rôle du Bureau des brevets n'est pas de protéger le titulaire d'un brevet contre l'utilisation illégale de son invention par une personne non autorisée ou contre la contrefaçon ; la **délivrance d'un brevet** ne constitue qu'une présomption légale de propriété en faveur du titulaire et lui facilite ainsi le recours devant les tribunaux pour faire valoir ses droits.

Par ailleurs, un brevet canadien ne vaut qu'au Canada. Si un inventeur désire que son invention soit protégée dans d'autres pays, il a le choix de s'adresser directement au bureau des brevets de chaque pays où il désire la protection, ou de déposer une demande internationale par l'entremise du Bureau canadien des brevets, en vertu du Traité de coopération en matière de brevets lequel est administré par l'Organisation mondiale de la propriété intellectuelle. Cette dernière prévoit une procédure de dépôt international normalisée à laquelle souscrivent plus de 75 pays. Quelle que soit la façon choisie pour déposer une demande de brevet, il faut se conformer aux conditions des lois sur les brevets des autres pays ou aux conditions du Traité de coopération en matière de brevets.

Le titulaire d'un brevet peut céder son brevet à une autre personne au moyen d'un acte de cession. Une **cession** est un document écrit, signé par le titulaire d'un brevet, par lequel ce dernier cède définitivement la totalité ou une partie de ses droits à une tierce personne, appelée le **cessionnaire**. Le cessionnaire devient alors le titulaire du brevet et peut ainsi l'exploiter.

Même si le cessionnaire n'est pas tenu de faire enregistrer la cession au Bureau des brevets, il a intérêt à le faire au cas où le titulaire original ou antérieur signerait un autre acte de cession en faveur d'une autre personne. Dans cette éventualité, le premier cessionnaire qui effectue l'enregistrement de la cession est le véritable cessionnaire pour le Bureau des brevets.

De plus, le titulaire d'un brevet peut accorder une licence d'exploitation à une tierce personne. Une **licence** est un contrat par lequel le titulaire d'un brevet accorde à une tierce personne le droit de fabriquer, d'exploiter ou de vendre son invention en échange de redevances, sous réserve des conditions et des restrictions contenues dans la licence. Cette licence ne prive cependant pas le titulaire de son droit de propriété.

*Par exemple, Hydro-Québec a mis au point une nouvelle pile électrique qui donne une autonomie de 800 kilomètres à une automobile de 1 000 kg. Elle peut accorder une licence à GM, Ford et Chrysler en vertu de laquelle chaque fabricant s'engage à lui verser une **redevance** de 250 $ pour chaque automobile électrique vendue.*

23.3.2 LA MARQUE DE COMMERCE

Une **marque de commerce** est constituée d'un mot, d'un symbole, d'un dessin ou d'une combinaison d'entre eux et sert à distinguer les marchandises fabriquées ou les services offerts par une compagnie, un particulier, une société, un syndicat ou une association légale de ceux offerts par d'autres personnes. Elle est régie par la *Loi sur les marques de commerce*. L'enregistrement d'une marque de commerce se fait au Bureau des marques de commerce. Il est dirigé par le Registraire des marques de commerce.

La marque de commerce désigne les biens ou les services qui sont sous sa bannière, tandis que le **nom commercial** est celui sous lequel une entreprise est connue. En règle générale, ce nom ne peut être enregistré en vertu de la *Loi sur les marques de commerce*. Cependant, si un nom commercial est utilisé en tant que marque de commerce, il peut alors être enregistré en vertu de la *Loi sur les marques de commerce*. Par exemple, Coca-Cola est à la fois le nom de l'entreprise, Coca-Cola ltée, et le nom de la boisson vendue par cette entreprise. Par conséquent, bien que Coca-Cola soit un nom commercial, il peut également être enregistré à titre de marque de commerce.

Par exemple, nous retrouvons chez Sears, La Baie et Eaton des appareils électroména-gers qui portent respectivement les marques de commerce Kenmore, Beaumark et Viking. Les pièces automobiles fabriquées pour Canadian Tire sont de marque Moto-master et leurs outils garantis à vie portent la marque Mastercraft. Les Rôtisseries St-Hubert vendent leurs produits sous leur nom dans les supermarchés, et plusieurs produits vendus par Les Restaurants McDonald portent le nom McDonald's ou les abréviations Mac ou Mc, comme un Big Mac, un œuf McMuffin, etc.

Il existe trois catégories essentielles de marques de commerce :

- les marques ordinaires, comme les mots ou symboles qui distinguent les marchandises ou services d'une entreprise, *par exemple, les messageries Grand Galop ;*

- les marques de certification, comme l'identification de marchandises ou de services qui répondent à une norme définie, *par exemple, les symboles « laine » et « Wool Mark », propriétés du Wool Bureau of Canada apposé sur les vêtements et certaines autres marchandises ;*

- le signe distinctif, comme l'identification de la forme unique d'un produit ou de son mode d'emballage, *par exemple, un fabriquant de bonbons en forme de papillons qui veut enregistrer cette forme en tant que « signe distinctif ».*

L'**enregistrement** d'une marque de commerce en assure l'exclusivité au titulaire pendant une période de 15 ans. De plus, le titulaire peut renouveler l'enregistrement de cette marque de commerce aussi souvent qu'il est nécessaire pour de nouvelles périodes de 15 ans moyennant le versement des frais de renouvellement. Avant d'être enregistrée, une marque de commerce doit normalement être utilisée au Canada, et ce, même si une demande d'utilisation projetée est faite.

Bien qu'il ne soit pas obligatoire d'enregistrer une marque de commerce, l'enregistrement protège le titulaire contre l'usage non autorisé de cette marque par d'autres personnes.

Cependant, le rôle du **Bureau des marques de commerce** n'est pas de protéger le titulaire contre l'utilisation illégale de sa marque de commerce par une personne non autorisée ; l'enregistrement d'une marque de commerce ne constitue qu'une présomption légale de propriété en faveur du titulaire et lui facilite ainsi le recours devant les tribunaux.

Par ailleurs, l'enregistrement d'une marque de commerce ne vaut qu'au Canada. Si le titulaire désire que sa marque de commerce soit protégée dans plusieurs pays, il doit la faire enregistrer dans tous les pays où il désire en empêcher l'utilisation sans son consentement.

Par exemple, Coca-Cola ltée, qui est titulaire des marques de commerce Coca-Cola, Coke et Sprite, a enregistré ses marques de commerce dans presque tous les pays afin qu'elles ne soient utilisées sans son consentement.

C'est l'enregistrement d'une marque de commerce qui confère un droit de propriété sur celle-ci. Donc, le titulaire d'une marque de commerce peut en faire **cession** en tout ou en partie ou il peut accorder une licence à une autre personne. *Par exemple, lorsque le Groupe Samson a acheté la Boulangerie Vaillancourt, le Groupe Samson ne désirait pas exploiter les usines de la Boulangerie Vaillancourt, mais plutôt s'approprier les marques de commerce Diana et Vaillancourt.* Il est important de noter que l'on doit faire enregistrer toute cession au Bureau des marques de commerce. Par contre, aucun enregistrement ni avis n'est requis au Bureau des marques de commerce pour toute licence.

Un **preneur de licence** est une personne qui a été autorisée par le propriétaire à utiliser ses marques de commerce. Dans ce cas, le propriétaire exerce toujours un contrôle direct ou indirect sur celles-ci. *Par exemple, comme Coca-Cola ltée n'est pas propriétaire de toutes les usines qui embouteillent ses produits, elle accorde à ces entreprises le droit d'utiliser ses marques de commerce ; ces entreprises deviennent donc des preneurs de licence et paient une redevance à Coca-Cola ltée.*

Cette autorisation peut être limitée dans le temps comme elle peut avoir une durée indéterminée. *Par exemple, un embouteilleur de produits Coca-Cola est un preneur de licence tant et aussi longtemps que son contrat à titre d'embouteilleur des produits de Coca-Cola ltée demeure en vigueur. Dès que Coca-Cola ltée lui retire le droit d'embouteiller ses produits, il perd le droit d'utiliser les marques de commerce appartenant à Coca-Cola ltée.*

Il convient de distinguer une marque de commerce d'une marque de certification. La **marque de certification** est une sorte de marque de commerce qui désigne les marchandises ou les services qui sont conformes à une norme définie. Ainsi, tous les vêtements en laine, quel que soit le fabricant, portent la marque de certification **Wool Mark**. *Par exemple, dix manufacturiers peuvent fabriquer des vêtements en pure laine et chaque vêtement porte la marque de commerce de son manufacturier. Cependant, tous ces vêtements portent la marque de certification **Wool Mark**, qui atteste qu'ils sont fabriqués en laine pure.*

Enfin, il convient également de distinguer la marque de commerce de l'appellation d'origine. L'**appellation d'origine** est un nom géographique qui sert à désigner la provenance d'un produit ; elle peut désigner un pays, une région ou un endroit particulier. Elle est souvent reconnue par un accord international et ne peut pas être une marque de commerce enregistrée. *Par exemple, un champagne est un vin blanc mousseux qui provient de la région de Champagne, en France. Un vin blanc mousseux qui s'apparente à du champagne peut être fabriqué selon la méthode champenoise, mais il ne peut pas porter le nom de champagne.*

23.3.3   LE DROIT D'AUTEUR

Le **droit d'auteur** est le droit exclusif qu'a un titulaire de produire ou de reproduire son œuvre ou de permettre à une autre personne de le faire. Le droit d'auteur comprend, entre autres, le droit exclusif de publier, de produire, de reproduire et d'exécuter une œuvre en public.

Le droit d'auteur est régi par la *Loi sur le droit d'auteur*. L'enregistrement d'un droit d'auteur se fait au Bureau du droit d'auteur.

Malgré la protection automatique du droit d'auteur au Canada et dans la plupart des pays étrangers signataires de traités internationaux, si le titulaire tient à faire une demande d'enregistrement au Bureau du droit d'auteur du Canada, l'enregistrement ne vaut qu'au Canada. Toutefois, s'il le veut aussi, le titulaire peut faire enregistrer son droit d'auteur dans les autres pays afin de bénéficier des avantages d'un enregistrement.

Le droit d'auteur protège une œuvre originale littéraire, artistique, musicale ou dramatique, y compris un livre, un écrit quelconque, un dictionnaire, une encyclopédie, une sculpture, une peinture, une symphonie, une photographie, un film, un disque, une cassette, une bande sonore, une bande vidéo et un logiciel.

Le droit d'auteur appartient à l'auteur, à moins qu'il ne cède son droit à une tierce personne, comme un éditeur, un producteur ou toute autre personne. Le titulaire du droit d'auteur peut être un employeur si l'œuvre a été créée par un salarié dans le cadre de son travail. L'œuvre se trouve protégée durant toute la vie de l'auteur et 50 ans après sa mort. Après cette période de protection, l'œuvre fera partie du domaine public ce qui signifie que toute personne peut l'utiliser.

Bien qu'il ne soit pas obligatoire d'enregistrer un droit d'auteur, un **certificat d'enregistrement** prouve qu'une œuvre est protégée par un droit d'auteur et indique qui en est le titulaire. L'enregistrement du droit d'auteur ne donne pas de garantie contre les contrefaçons ou les violations d'un droit.

Ainsi, le rôle du Bureau du droit d'auteur n'est pas de protéger le titulaire d'un droit d'auteur contre l'utilisation illégale de son œuvre par une personne non autorisée ; l'enregistrement d'un droit d'auteur ne constitue qu'une présomption légale de propriété en faveur du titulaire et lui facilite ainsi le recours devant les tribunaux.

Le titulaire d'un droit d'auteur peut céder son droit de propriété à une autre personne au moyen d'un acte de cession. Une **cession** est un document écrit, signé par le titulaire d'un droit d'auteur, par lequel ce dernier cède définitivement la totalité ou une partie de ses droits à une tierce personne, appelée le **cessionnaire**. Le cessionnaire devient alors le titulaire du droit d'auteur et peut ainsi l'exploiter.

Même si le cessionnaire n'est pas tenu de faire enregistrer la cession au Bureau du droit d'auteur, il a intérêt à le faire au cas où le titulaire original ou antérieur signerait un autre acte de cession en faveur d'une autre personne. Dans cette éventualité, le premier cessionnaire qui effectue l'enregistrement de l'acte de cession est le véritable cessionnaire pour le Bureau du droit d'auteur.

De plus, le titulaire d'un droit d'auteur peut accorder une licence à une tierce personne. Pour qu'une telle licence soit valide, elle doit être faite par écrit et signée par le titulaire du droit d'auteur. Une **licence** permet à la personne qui la détient de reproduire, de publier, de distribuer ou d'exécuter publiquement l'œuvre du titulaire sous réserve des conditions et des restrictions contenues dans cette licence. Cependant, le titulaire d'un droit d'auteur demeure toujours titulaire de son œuvre.

Par exemple, la Société Radio-Canada désire utiliser une chanson de Céline Dion à titre d'indicatif musical pour un nouveau feuilleton. Céline Dion ou son producteur peut alors accorder à la Société Radio-Canada une licence de reproduction et de diffusion en échange d'une **redevance** *de 200 $ pour chaque diffusion d'un épisode de ce feuilleton. Ainsi, chaque fois que Radio-Canada diffuse un épisode du feuilleton, elle verse 200 $ à Céline Dion. De plus, la licence peut prévoir que si le feuilleton est vendu à d'autres diffuseurs, ces derniers doivent également verser une redevance à Céline Dion.*

Lorsqu'une œuvre est publiée, c'est-à-dire lorsque des exemplaires sont offerts au public, le livre ou l'enregistrement doit contenir une inscription qui identifie le nom du titulaire du **droit d'auteur** ainsi que l'année de la première publication. Cette identification prend la forme d'un « c » minuscule dans un cercle :

Le droit, la personne et les affaires, ©1994, Gaëtan Morin éditeur ltée.

La loi interdit la reproduction d'une œuvre sans la permission du titulaire du droit d'auteur. Par contre, la loi n'interdit pas l'**utilisation équitable d'une œuvre protégée** qui consiste à citer ou à reproduire de courts extraits d'une œuvre pour l'étude privée, la recherche, la critique, le compte rendu ou la rédaction d'un résumé destiné à être publié dans un quotidien ou dans un périodique. Cependant, si le titulaire conteste l'utilisation équitable qu'en fait une autre personne, les parties doivent régler leur différend devant les tribunaux.

En outre, la prolifération des photocopieuses, des magnétophones et des magnétoscopes a multiplié le nombre de copies illégales de livres, de bandes sonores et de bandes vidéo. Il est vrai que rien n'interdit l'écoute privée d'un disque, mais si, *par exemple, Claudine organise une soirée dansante durant laquelle elle fera jouer des disques ou des cassettes, deux scénarios sont possibles.*

S'il s'agit d'une soirée privée à la maison durant laquelle les parents et les amis dansent sans qu'il y ait paiement d'un droit d'entrée, *Claudine n'a pas à payer une redevance au titulaire du droit d'auteur.*

Par contre, s'il s'agit d'une soirée dansante avec droit d'entrée dans un hôtel ou dans une salle quelconque, *Claudine doit alors verser une redevance au titulaire du droit d'auteur.*

Cette redevance est payable à la **Société canadienne des auteurs, compositeurs et éditeurs de musique** (SOCAN). Elle est la seule société de perception au Canada. La SOCAN a le pouvoir, en vertu de la *Loi sur le droit d'auteur*, de percevoir, au nom de ses membres, des redevances pour l'utilisation publique de leurs œuvres musicales. Par la suite, cette société distribue les redevances ainsi recueillies à ses membres qui sont les compositeurs, les auteurs et les éditeurs des œuvres musicales. Dans de nombreux cas, la salle de concert, l'hôtel ou l'établissement où a eu lieu l'événement peut avoir déjà pris les arrangements nécessaires avec la société.

En vertu de la ***Loi sur la Bibliothèque nationale***, il faut remettre à la Bibliothèque nationale du Canada deux exemplaires de tout livre publié au Canada et un exemplaire de tout enregistrement produit au Canada et ayant un contenu canadien. Les mêmes règles s'appliquent pour la Bibliothèque nationale du Québec.

Enfin, tous les livres publiés au Canada doivent porter un **numéro ISBN** (International Standard Book Number), qui permet d'identifier un volume, son édition ainsi que l'éditeur. Ce système de numérotation n'a cependant aucun rapport avec la *Loi sur le droit d'auteur* et ne sert qu'à identifier et à différencier des volumes.

23.3.4	## LE DESSIN INDUSTRIEL

Un **dessin industriel** est un dessin qui définit une forme, une configuration ou une décoration originale d'un article utilitaire manufacturé, comme la forme d'un stylo Bic, d'une machine à écrire IBM ou d'un ordinateur Macintosh. L'objet doit être fabriqué en série ou destiné à l'être. De plus, le dessin doit plaire à l'œil. Bien que le dessin doive posséder des caractéristiques visant à capter l'intérêt visuel, le Bureau des dessins industriels n'a pas à juger de la qualité ou de la valeur de l'attrait visuel.

Le dessin industriel est régi par la ***Loi sur les dessins industriels***. L'enregistrement d'un dessin industriel se fait au Bureau des dessins industriels.

Un dessin industriel peut être protégé par la ***Loi sur le droit d'auteur*** à titre d'œuvre artistique, mais s'il est reproduit sur plus de 50 objets, il devient alors un dessin industriel et doit être enregistré en vertu de la *Loi sur les dessins industriels*.

Par exemple, si André dessine un motif, ce dessin est automatiquement protégé par la Loi sur le droit d'auteur. *Par contre, si ce motif est apposé sur des milliers de couteaux, de vêtements, de raquettes de tennis, etc., il ne s'agit plus d'une œuvre artistique au sens de la* Loi sur le droit d'auteur, *mais d'un dessin industriel au sens de la* Loi sur les dessins industriels.

Par ailleurs, si Jacques invente un nouvel appareil-photo qui produit des photographies tridimensionnelles, il peut obtenir un brevet d'invention pour les caractéristiques fonctionnelles ou structurales de son appareil-photo, tout en obtenant l'enregistrement d'un dessin industriel pour son aspect visuel, c'est-à-dire sa forme et le motif qui l'orne.

La liste qui suit permet de cerner ce qui ne peut pas faire l'objet d'un enregistrement en vertu de la *Loi sur les dessins industriels* :

- les dessins d'objets n'ayant aucune utilité ;

- les dessins purement utilitaires, dont l'objet n'est pas de susciter un intérêt visuel ;

- les dessins sans apparence fixe, *par exemple, les formes changeantes d'un fauteuil poire* ;

- les dessins des éléments qui ne sont pas clairement visibles, *par exemple les caractéristiques cachées à la vue par un boîtier* ;

- une méthode de construction ;

- une idée ;

- les matériaux utilisés pour la construction d'un objet ;

- la fonction utile de l'objet ;

- la couleur en tant que telle, à moins de créer un motif par la disposition de couleurs contrastantes.

L'**enregistrement** d'un dessin industriel n'est pas obligatoire, mais si son titulaire ne procède pas à son enregistrement, il n'a pas de droit de propriété ni de protection contre les imitations. Par ailleurs, l'enregistrement d'un dessin industriel confère à son titulaire le droit exclusif de fabriquer, d'utiliser, de louer et de vendre son dessin au Canada pendant une période pouvant aller jusqu'à dix ans.

En ce qui concerne les dessins enregistrés après le 1er janvier 1994, la durée de l'enregistrement est de dix ans. Avant l'expiration de la période de cinq ans débutant à l'enregistrement, des frais de maintien doivent être acquittés. Après l'expiration de cette période, quiconque peut librement fabriquer, utiliser, louer ou vendre le dessin au Canada.

En ce qui concerne les dessins enregistrés avant le 1er janvier 1994, l'enregistrement est valable pour cinq ans, et renouvelable pour une autre période de cinq années. Après l'expiration de ces périodes, quiconque peut librement fabriquer, utiliser, louer ou vendre le dessin au Canada

Il n'y a pas de temps limite pour présenter une demande d'enregistrement, tant que le dessin n'a pas été publié. Par « publié », il faut entendre que le dessin est devenu public ou a été offert pour utilisation commerciale. Il vaut mieux présenter la demande le plus rapidement possible, s'il y a eu publication. La demande doit être produite dans les 12 mois de la publication puisqu'à défaut de le faire, les droits exclusifs sur le dessin sont perdus.

Le rôle du **Bureau des dessins industriels** n'est pas de protéger le titulaire contre l'utilisation illégale de son dessin industriel par une personne non autorisée ou contre la contrefaçon ; l'enregistrement d'un dessin industriel ne constitue qu'une présomption légale de propriété en faveur du titulaire et lui facilite ainsi le recours devant les tribunaux. En tant que titulaire, il est possible d'intenter une poursuite contre quiconque contrefait un dessin enregistré au Canada. Il incombe alors d'intenter les poursuites dans les trois ans suivant la présumée contrefaçon.

Cependant, cette protection ne s'applique qu'au Canada. Si le titulaire d'un droit de propriété sur un dessin industriel désire que son droit soit protégé dans d'autres pays, il doit enregistrer ce dessin industriel dans tous les pays où il désire en empêcher l'utilisation sans son consentement.

Seul le propriétaire peut faire une demande d'enregistrement de dessin industriel. Voici des exemples de personnes qui sont considérées propriétaires du dessin :

- le créateur du dessin ;
- le patron, lorsque l'employé a fait le dessin dans le cadre de son travail ;
- celui qui a acquis le titre de propriété du dessin.

Lors du dépôt de la demande d'enregistrement d'un dessin industriel, la personne qui demande cet enregistrement doit fournir une description du dessin et des esquisses ou photographies, et non pas une description de l'objet sur lequel on retrouve le dessin. Il n'est pas nécessaire de décrire en détail chaque particularité du dessin, mais il faut que la description indique avec un souci de précision raisonnable ce que le dessin représente et quelles en sont les caractéristiques originales. *Par exemple, un dessin industriel peut illustrer une nouvelle forme pour les accoudoirs d'une chaise.*

Le titulaire d'un dessin industriel enregistré peut céder son droit de propriété à une autre personne au moyen d'un acte de cession. Une **cession** est l'acte par lequel une personne titulaire d'un dessin industriel cède définitivement la totalité ou une partie de ses droits à une tierce personne appelée le **cessionnaire**. Le cessionnaire devient alors le titulaire du dessin industriel et peut ainsi l'exploiter. En outre, le cessionnaire a intérêt à enregistrer cette cession auprès du Bureau des dessins industriels, de manière à officialiser le transfert du droit de propriété du dessin industriel. Cette inscription donnera le droit au nouveau propriétaire d'intenter des poursuites en dommages contre le contrefacteur.

Par ailleurs, le titulaire d'un dessin industriel enregistré peut accorder une licence à une tierce personne. Une **licence** permet à la personne à qui elle est accordée d'utiliser ce dessin industriel pour ses propres produits, sous réserve des conditions et des restrictions contenues dans la licence. Il faut cependant noter que, malgré la licence, le titulaire d'un dessin industriel en demeure toujours le propriétaire. Tout comme les cessions, les licences doivent aussi être enregistrées.

Par exemple, Cérabec inc. est une petite entreprise qui a dessiné une nouvelle forme de plat allant au four à micro-ondes. L'entreprise n'a pas une capacité de production suffisante pour répondre à la demande. Elle peut accorder une licence de fabrication à une grande entreprise, Cérafor inc., en échange d'une **redevance** *de 1 % sur le prix de vente de chaque plat vendu. Chaque fois qu'un plat est vendu par Cérafor inc., Cérabec inc. encaisse une redevance de 1 % du prix de vente. De plus, cette licence offre des avantages aux deux entreprises, puisque chacune encaisse un profit sur chaque plat vendu.*

Finalement, il faut noter qu'il n'est pas nécessaire de marquer un produit pour indiquer qu'il s'agit d'un dessin enregistré. Cependant, le marquage offre vraiment une protection supplémentaire. La marque appropriée est la lettre « D » à l'intérieur d'un cercle et le nom du propriétaire du dessin sur l'objet ou l'étiquette. Si le produit est marqué de cette façon, le tribunal pourrait accorder réparation, par exemple un dédommagement, si quelqu'un est accusé et trouvé coupable d'infraction, c'est-à-dire d'avoir contrefait un dessin. En l'absence de cette marque, le tribunal ne peut décider de mesures correctives, sauf interdire à l'autre partie d'utiliser le dessin.

23.3.5 LA TOPOGRAPHIE DE CIRCUITS INTÉGRÉS

Un **circuit intégré** est une microplaquette formée de circuits à semi-conducteurs. Nous en retrouvons dans des domaines aussi variés que l'informatique, les communications, la médecine, l'industrie manufacturière et l'industrie spatiale. Un circuit intégré se compose d'une série de couches de semi-conducteurs, de métaux, d'isolants et d'autres matériaux. Ce sont ces couches qui sont appelées une topographie de circuits intégrés. En résumé, une topographie de circuits intégrés est une nouvelle configuration, en trois dimensions, de circuits intégrés. La *Loi sur les topographies de circuits intégrés* ainsi que son règlement sont entrés en vigueur le 1er mai 1993, ce qui en fait une forme toute récente de propriété intellectuelle.

C'est le registraire des topographies qui a le pouvoir d'accepter ou de rejeter une demande d'enregistrement d'une topographie de circuits intégrés selon les critères établis dans la loi. Il n'a pas pour rôle de vérifier le caractère original de la topographie ou sa conformité aux exigences de la loi.

Pour enregistrer une topographie originale, le propriétaire doit obtenir et remplir les formulaires appropriés puis les transmettre au Bureau des topographies de circuits intégrés, à la Direction du droit d'auteur et des dessins industriels accompagnés des droits à payer.

Une telle demande d'enregistrement doit être faite dans les deux années qui suivent la première exploitation commerciale de la topographie. Cet enregistrement protège les droits du créateur de la topographie de circuits intégrés ou du propriétaire si le créateur lui a cédé ses droits, contre une utilisation illégale par un tiers. Pour être précis, cet enregistrement protège la représentation écrite ou « dessin original » d'une nouvelle topographie qui est enregistrée, peu importe que cette topographie soit incorporée ou non dans un circuit intégré. Enfin, l'enregistrement d'une topographie assure, au détenteur de ce droit, une protection contre la reproduction ou le copiage, en tout ou en partie, d'une topographie enregistrée, de même que contre la fabrication d'un circuit intégré renfermant en tout ou en partie cette topographie.

La protection d'une topographie est valable pour une durée maximale de dix ans à partir de la date du dépôt de la demande d'enregistrement. Enfin, il est recommandé de faire une demande d'enregistrement dans les pays où les parts de marchés sont grandes ainsi que dans ceux où d'importants concurrents étrangers ont des installations.

RÉSUMÉ

Une lettre de change est un écrit signé par une personne, le tireur, qui ordonne à une autre personne, le tiré, de payer sans condition une certaine somme d'argent, sur demande ou à une date déterminée ou susceptible de l'être, à une troisième personne, le bénéficiaire. Le bénéficiaire peut également être le tireur ou une personne indéterminée, le porteur.

Le chèque est une lettre de change dont le tiré est une banque ou une caisse populaire ; il est payable sur demande.

Le billet est une promesse écrite et signée par laquelle le souscripteur, ou signataire, s'engage sans condition à payer, sur demande ou à une échéance déterminée ou susceptible de l'être, une somme d'argent précise à une personne désignée ou à son ordre, ou encore au porteur.

La propriété intellectuelle se définit comme étant un droit exclusif de propriété que détient une personne que l'on nomme le titulaire. Il s'agit en fait de formes de créations intellectuelles qui peuvent être protégées. La propriété intellectuelle se divise en cinq droits distincts qui sont le brevet d'invention, la marque de commerce, le droit d'auteur, le dessin industriel et la topographie de circuits intégrés.

Un brevet d'invention est un titre délivré par un organisme relevant du gouvernement fédéral concernant un produit, une composition, un appareil, un procédé ou une amélioration d'un de ces éléments. Le brevet donne à son titulaire le droit exclusif de fabriquer, d'utiliser ou de vendre son invention pendant une période maximale de 20 ans à partir de la date du dépôt de sa demande de brevet. Ce droit lui est accordé en échange de la divulgation complète de l'invention. Après cette période de 20 ans, toute personne peut exploiter ce brevet sans restriction, c'est-à-dire fabriquer, utiliser ou vendre une invention brevetée.

Une marque de commerce est constituée d'un mot, d'un symbole, d'un dessin ou d'une combinaison d'entre eux, et sert à distinguer les marchandises fabriquées ou les services offerts par une compagnie, un particulier, une société, un syndicat ou une association légale de ceux offerts par d'autres personnes, tant physiques que morales.

La marque de commerce désigne les biens ou les services qui sont sous sa bannière, tandis que le nom commercial est celui sous lequel une entreprise est connue et, en général, ce nom ne peut être enregistré en vertu de la *Loi sur les marques de commerce*. Cependant, si un nom commercial est utilisé en tant que marque de commerce, il peut alors être enregistré en vertu de la *Loi sur les marques de commerce*.

Le droit d'auteur est le droit exclusif qu'a un titulaire de produire ou de reproduire son œuvre ou de permettre à une autre personne de le faire. Le droit d'auteur comprend, entre autres, le droit exclusif de publier, de produire, de reproduire et d'exécuter une œuvre en public.

Le droit d'auteur protège une œuvre originale littéraire, artistique, musicale ou dramatique, y compris un livre, un écrit quelconque, un dictionnaire, une encyclopédie, une sculpture, une peinture, une symphonie, une photographie, un film, un disque, une cassette, une bande sonore, une bande vidéo et un logiciel.

Le droit d'auteur appartient à l'auteur, à moins qu'il ne cède son droit à une tierce personne, comme un éditeur, un producteur ou toute autre personne. Le titulaire du droit d'auteur peut être un employeur si l'œuvre a été créée par un salarié dans le cadre de son travail. L'œuvre se trouve protégée durant toute la vie de l'auteur et 50 ans après sa mort. Après cette période de protection, l'œuvre fait maintenant partie du domaine public et toute personne peut l'utiliser.

Un dessin industriel est un dessin qui définit une forme, une configuration ou une décoration originale d'un article utilitaire manufacturé comme la forme d'un stylo

Bic, d'une machine à écrire IBM, d'un ordinateur Macintosh. L'objet doit être fabriqué en série ou destiné à l'être. De plus, le dessin doit capter l'intérêt visuel.

L'enregistrement d'un dessin industriel n'est pas obligatoire, mais si son titulaire ne procède pas à son enregistrement, il n'a pas de droit de propriété ni de protection contre les imitations. Par ailleurs, l'enregistrement d'un dessin industriel confère à son titulaire le droit exclusif de fabriquer, d'utiliser, de louer et de vendre son dessin au Canada pendant une période pouvant aller jusqu'à dix ans.

La topographie de circuits intégrés est une nouvelle configuration, en trois dimensions, de circuits intégrés.

L'enregistrement d'une topographie protège la représentation écrite d'une nouvelle topographie, peu importe qu'elle soit incorporée ou non dans un circuit intégré. De plus, cet enregistrement assure au détenteur de ce droit une protection contre la reproduction en tout ou en partie d'une topographie enregistrée, de même que contre la fabrication d'un circuit intégré renfermant en tout ou en partie cette topographie.

QUESTIONS

23.1 Expliquez la différence entre la lettre de change, le chèque et le billet.

23.2 Nommez les cinq droits de propriété intellectuelle.

23.3 Qu'est-ce qu'un brevet d'invention ?

23.4 Pendant combien de temps un brevet d'invention protège-t-il une invention contre la contrefaçon ?

23.5 Expliquez la différence existant entre la marque de commerce, la marque de certification et l'appellation d'origine.

23.6 Pendant combien de temps une marque de commerce peut-elle être protégée contre un usage illégal ?

23.7 Qu'est-ce qu'un droit d'auteur ?

23.8 Quelles sont les différentes catégories d'œuvres couvertes par le droit d'auteur ? Illustrez votre réponse au moyen d'un exemple pour chaque catégorie.

23.9 Pendant combien de temps le droit d'auteur protège-t-il son créateur contre la copie ou l'usage non autorisé ?

23.10 Qu'est-ce qu'un dessin industriel ?

23.11 Pendant combien de temps un dessin industriel peut-il être protégé ?

23.12 Qu'est-ce qu'une topographie de circuits intégrés ?

23.13 Pendant combien de temps une topographie de circuits intégrés peut-elle être protégée ?

CAS PRATIQUES

23.14 Germaine reçoit un chèque de 3 000 $ sur lequel aucune date n'est inscrite.

Peut-elle encaisser ce chèque ? Justifiez votre réponse.

23.15 Paul a signé un billet par lequel il s'engage à payer la somme de 15 000 $ le 25 juillet de l'année prochaine, s'il pleut.

Ce billet est-il valide ? Justifiez votre réponse.

23.16 Solange achète un photocopieur chez un commerçant Xerox. Pour effectuer le paiement, elle remet au vendeur une lettre de change payable au porteur pour la somme due. Le lendemain, Guy, le gérant du magasin, utilise la lettre de change pour payer un fournisseur. Ce fournisseur peut-il encaisser la lettre de change ? Justifiez votre réponse.

23.17 Simone vient d'inventer un nouveau microprocesseur ultrarapide et a obtenu un brevet pour cette invention. La compagnie d'ordinateurs Apple désire utiliser ce microprocesseur. Le peut-elle ? Comment ? Justifiez votre réponse.

23.18 Pierre Montreuil et Robert Bouchard ont été engagés par Gaëtan Morin éditeur ltée pour écrire un volume intitulé *Le droit, la personne et les affaires*. Peuvent-ils enregistrer un droit d'auteur sur cet ouvrage ? Justifiez votre réponse.

23.19 L'entreprise Breuvages Puror inc. exploite une usine d'embouteillage d'eau gazeuse dans la région de Québec et ses produits sont connus sous les noms de Colafor et d'Orang-Dor. Breuvages Bongou inc., une entreprise d'embouteillage d'eau gazeuse de Montréal, désire embouteiller de l'eau gazeuse sous les marques Colafor et Orang-Dor. Quel genre de contrat Breuvages Puror inc. peut-elle signer avec Breuvages Bongou inc. pour permettre à cette dernière d'utiliser ses marques de commerce ? Justifiez votre réponse.

23.20 Carmelle a dessiné une nouvelle carrosserie pour une automobile de sport futuriste. Elle se demande si elle doit faire enregistrer ce dessin en vertu de la *Loi sur le droit d'auteur* ou en vertu de la *Loi sur les dessins industriels*. Répondez-lui et justifiez votre réponse.

23.21 Martin est radiologiste. Durant ses loisirs, il a créé un dessin original d'une topographie de circuits intégrés. Cette topographie se retrouve dans des appareils pour prendre des radiographies. Ces appareils sont destinés à la vente internationale. Martin a fait une demande d'enregistrement de sa topographie au Canada qui a été acceptée.

23.21.1 Quelle est la durée de protection, au Canada, de la topographie de Martin ?

23.21.2 Que doit-il faire s'il veut obtenir une meilleure protection de sa topographie ?

23.22 Steve a dessiné un nouveau motif qui est reproduit sur une série de manches de coupe-papier en laiton. Il a obtenu un enregistrement pour son dessin industriel. Récemment, Steve a découvert qu'un de ses employés a imité son dessin et vient à peine de l'utiliser pour d'autres coupe-papier. Que peut faire Steve ? De combien de temps dispose-t-il ?

23.23 Léonard est un musicien montréalais. Il est saxophoniste et il vient de composer une nouvelle ballade. Pour être protégé en vertu de la *Loi sur le droit d'auteur*, Léonard doit-il faire enregistrer son œuvre ? Justifiez votre réponse.

23.24 Josée est très imaginative et elle adore bricoler. Sa balayeuse a eu de fréquents problèmes de surchauffe. Elle a tenté de trouver une solution. Dernièrement, elle l'a modifiée et l'a transformée de telle sorte que, maintenant, elle fonctionne à l'énergie solaire. Elle croit avoir fait la trouvaille du siècle. Selon vous, Josée peut-elle présenter une demande d'enregistrement d'un brevet d'invention ? Justifiez votre réponse.

BIBLIOGRAPHIE

Code civil du Québec annoté interactif, Soquij, Collection Juritech, Montréal, 1995, sur CD-ROM

Commentaires du ministre de la Justice (tome 1). *Le Code civil du Québec*. Les publications du Québec, Québec, 1993, 1144 pages.

Commentaires du ministre de la Justice (tome 2). *Le Code civil du Québec*. Les publications du Québec, Québec, 1993, 2253 pages.

Commentaires du ministre de la Justice (tome 3). *Le Code civil du Québec*. Les publications du Québec, Québec, 1993, 365 pages.

Textes réunis par le Barreau du Québec et la Chambre des notaires du Québec. *La Réforme du Code civil. Personnes, successions, biens.* Les Presses de l'Université Laval, Québec, 1993, 812 pages.

Textes réunis par le Barreau du Québec et la Chambre des notaires du Québec. *La Réforme du Code civil. Priorités et hypothèques, preuve et prescription, publicité des droits, droit international privé, dispositions transitoires.* Les Presses de l'Université Laval, 1993, 1058 pages.

Textes réunis par le Barreau du Québec et la Chambre des notaires du Québec. *La Réforme du Code civil. Obligations, contrats nommés.* Les Presses de l'Université Laval, Québec, 1993, 1177 pages.

GAUDET, Marjolaine. *Codes civils comparés et dispositions transitoires.* Wilson et Lafleur ltée, Montréal, 1993, 1042 pages.

LEMAY, Denis. *Le Code civil du Québec en tableaux synoptiques.* Wilson et Lafleur ltée, Montréal, 1992, 162 pages.

TANCELIN, Maurice et SHELTON, Danielle. *Des institutions, branches et sources du droit.* Les éditions Adage inc., Montréal, 1989, 298 pages.

INDEX DES ARTICLES DE LOI

INDEX DES SUJETS

droit(s)
à l'exécution, 168
abus de __, 69
au retour au travail, 534
Charte canadienne des __ et libertés, 9-10, 33
d'auteur, 688, 693, 694
d'enregistrement, 689
de passage, 134-135
de priorité du vendeur impayé, 132
de propriété, 133-135
garantie du __, 222
de refus, 527, 528
de rétention, 599, 662
de retrait
de la travailleuse enceinte, 528
préventif, 528
de revendication, 662
de suite, 616
de superficie, 138
et devoirs des époux, 79-80
publicité des __
bureau de la __, 28, 133, 198, 604
directeur de la __, 28
registre des __ personnels et réels mobiliers, 28, 604

E

échange, 234
écrit
autre __, 206
non signé, 206
preuve par __, 205-207
effets du contrat, 157-158
élection
de domicile, 60
des administrateurs, 451
élément
erreur sur un __ essentiel, 153
présentation d'un __ matériel, 209
émancipation, 63-64
pleine __, 64
simple __, 63-64
emphytéose, 125, 136, 138, 140-141, 233
emploi
convenable, 534-535
équivalent, 535
employé, 182
employeur, responsabilité de l', 189
emprisonnement, 34
emprunt(s)
avec garantie, 555-557
financement par __, 554-557
financement sans __, 552, 553
sans garantie, 554-555
personnels, 563-564

emprunteur, 569
enchères, 621
vente aux __, 231, 621, 659, 671
enfant(s)
garde des __, 87
légale, 88-89
intérêt de l'__, 89
obligation alimentaire envers les __, 89-90
enlèvement, frais d', 221
enquête
inscription de la cause pour __ et audition, 31
préliminaire, 33
enregistrement, 682, 692, 693, 695
droit d'__, 689
enrichissement injustifié, 160
Entente de Charlottetown de 1992 (Rapport du consensus sur la constitution), 10-11
entrepreneur, 182
entreprise(s)
cautionnement d'__, 585
contrat d'__, 513
cautionnement en matière de __, 579, 585
exploitation d'une __, 127, 164, 229, 371-373, 411-415, 557, 558, 606, 621
individuelle, 371, 372, 379, 392
registre des __, 386
vente d'__, 231-232
époux, droits et devoirs des, 79-80
équivalent, exécution par, 167-168
erreur, 172
consentement vicié par l'__, 153-154, 155
induire en __, 351
provoquée, 154
sur l'objet de la prestation, 153
sur la nature du contrat, 153
sur un élément essentiel, 153
essai, vente à l', 230
établissement, principal, 59
état
civil
actes de l'__, 60-62
directeur de l'__, 62
registre de l'__, 60-62
de collocation, 601, 654, 661, 671
du logement, 254-255
être présumé(e), 224, *voir aussi* présomption
être réputé(e), 404, 408, *voir aussi* présomption
évaluation foncière, bureau de révision de l', 23
éviction du locataire, 258-259
exécution
cautionnement d'__, 586
contrat à __ instantanée, 150
de l'obligation, 164-168
droit à l'__, 168
en nature, 165-166
forcée, 165, 649